主编◇陈文新

本卷主编◇张玉璞

宋辽金卷

中国文学编年史

（下）

虚中南

总　序

　　纪传体、编年体是中国传统史书的两种主要体裁，而编年体的写作远较纪传体薄弱。《四库全书总目》卷四七史部编年类小序已明确指出这一事实："司马迁改编年为纪传，荀悦又改纪传为编年。刘知幾深通史法，而《史通》分叙六家，统归二体，则编年、纪传均正史也。其不列为正史者，以班、马旧裁，历朝继作。编年一体，则或有或无，不能使时代相续。故姑置焉，无他义也。"① 与古代历史著作的这种体裁格局相似，在 20 世纪的中国文学史写作中，也是纪传体一枝独秀，不仅在数量上已多到难以屈指，各大专院校所用的教材也通常是纪传体，这类著作的核心部分是作家传记（包括作家的创作经历和创作成就）。编年类的著作，则虽有陆侃如、傅璇琮、曹道衡、刘跃进等学者做了卓有成效的工作，但就总体而言，仍有大量空白，尤其是宋、元、明、清、现、当代部分，历时一千余年，文献浩繁，而相关成果甚少。这样一种状况，自然是不能令人满意的。这套十八卷的《中国文学编年史》的编纂出版，即旨在一定程度地改变这种状况。

　　文学史是在一定的空间和时间中展开的。纪传体的空间意识和时间意识以若干个焦点（作家）为坐标，对文学史流程的把握注重大体判断。其优势在于，常能略其玄黄而取其隽逸，对时代风会的描述言简意赅，达到以少许胜多许的境界。若干重要的文学史术语如"建安风骨"、"盛唐气象"、"大历诗风"等，就是这种学术智慧的凝

---

　　① 永瑢等撰：《四库全书总目》，第 418 页，北京，中华书局，1965。

结。但是，由于风会之说仅能言其大概，"个别"和"例外"（即使是非常重要的"个别"和"例外"）往往被忽略，不免留下遗憾。一些跨时代的作家，如李煜、刘基、张岱等人，在文学史中的时代归属与其代表作的实际创作年代也常有不吻合的情形。例如，李煜被视为南唐作家，而他最好的词写在宋初；刘基被视为明代作家，而他最好的诗、文写在元末；张岱被视为明代作家，而其代表作多写于清初。比上述情形更具普遍性的，还有下述事实：我们讲罗贯中的《三国志通俗演义》，往往以毛宗岗修订本为例；我们讲施耐庵的《水浒传》，往往以百回繁本为例；我们讲兰陵笑笑生的《金瓶梅》，往往以崇祯本为例。这就出现了两方面的问题：第一，我们讲的并不是作家的原著；第二，我们忽略了读者的接受情形。这类涉及风会与例外、作家时代归属与作品实际创作、传播与接受两方面的问题，以纪传体来解决，由于受到体例的限制，往往力不从心，采用编年体，解决起来就方便多了：不难依次排列，以展开具体而丰富多彩的历史流程。

与纪传体相比，编年史在展现文学历程的复杂性、多元性方面获得了极大的自由，但在时代风会的描述和大局的判断上，则远不如纪传体来得明快和简洁。作为尝试，我们在体例的设计、史料的确认和选择方面采用了若干与一般编年史不同的做法，以期在充分发挥编年史长处的同时，又能尽量弥补其短处。我们的尝试主要在三个方面：其一，关于时间段的设计。编年史通常以年为基本单位，年下辖月，月下辖日。这种向下的时间序列，可以有效发挥编年史的长处。我们在采用这一时间序列的同时，另外设计了一个向上的时间序列，即：以年为基本单位，年上设阶段，阶段上设时代。这种向上的时间序列，旨在克服一般编年史的不足。具体做法是：阶段与章相对应，时代与卷相对应，分别设立引言和绪论，以重点揭示文学发展的阶段性特征和时代特征（现当代文学因时间周期较短，拟省略阶段，不设引言）。其二，历史人物的活动包括"言"和"行"两个方面，"行"（人物活动、生平）往往得到足够重视，"言"则通常被忽略。而我们认为，在文学史进程中，"言"的重要性可以与"行"相提并论，特殊情况下，其重要性甚至超过"行"。比如，我们考察初唐的文学，不读陈子昂的诗论，对初唐的文学史进程就不可能有真正的了解；我们考察嘉靖年间的文学，不读唐宋派、后七子的文论，对这一时期的文学景观就不可能有准确的把握。鉴于这一事实，若干作品序跋、友朋信函等，由于透露了重要的文学流变信息，我们也酌情收入。其三，较之政治、经济、军事史料，思想文化活动是我们更加关注的对象。中国文学进程是在中国历史的背景下展开的，与政治、经济、军事、思想文化等均有显著联系，而与思想文化的联系往往更为内在，更具有全局性。考虑到这一点，我们有意加强了下述三方面材料的收录：重要文化政策；对知识阶层有显著影响的文化生活（如结社、讲学、重大文化工程的进展、相关艺术活动等）；思想文化经典的撰写、出版和评论。这样处理，目的是用编年的方式将中国文学进程及与之密切相关的中国思想文化变迁一并展现在读者面前。

《中国文学编年史》是一个基础性的重大学术工程，文献的广泛调查和准确使用是做好编纂工作的首要前提。《四库全书》、《续修四库全书》、《四库存目丛书》、《四库禁毁书丛刊》、《丛书集成》、《笔记小说大观》等是我们经常使用的典籍，近人和今人整理出版的别集、总集，大量年谱（如徐朔方《晚明曲家年谱》），以及文、史、哲方面的编年史，均在参考范围之内，限于体例，未能一一注明，谨此一并致谢。在使用上述文献的过程中，我们采取的是一种如履薄冰、如临深渊的谨慎态度。这是因为，相当一部分典籍是由我们第一次标点，这一工作的难度是不言而喻的。即使是前人已经整理的典籍，我们也并不直接采用，而是根据自己的理解再整理一次。这样做当然增加了工作量，但确有许多好处，若干错误就是在这一过程中得到纠正的，有些错误的纠正涉及基本事实的澄清。比如，张大复《皇明昆山人物传》卷八记梁辰鱼晚年情形，有云："（梁氏）当除夕遇大雪，既寝不寐。忽令侍者遍邀诸年少，载酒放歌，绕城一匝而后就睡。曰：'天为我辈雨玉，可令俗人蹴踏之耶？'时年已七十矣。亡何，中恶，语不甚了。有老奴李用者，颇省其说，尚有注记。得岁七十有三。"一位学者将"中恶，语不甚了"标点为"中恶语，不甚了"，并就此推论说："梁辰鱼七十岁时遭遇暧昧不明的事件。""《皇明昆山人物传》的上述记载本意是为贤者讳，事实上倒很可能为统治者隐盖了迫害异己文人的一件罪行。"这就不免弄错了事实。"中恶"即突然患急病，正所谓"老健春寒秋后热"，老年人得急病是常见的情形。而"中恶语"的表述，明显不符合古人的语言习惯。再如，陈田《明诗纪事》将正德时期的傅汝舟与明末的傅汝舟混为一人，将两人的生平搅在一起，其按语云："丁戊山人诗初矜独造，晚遁荒诞，择其入格者录之，亦是幽弦孤调。山人享大年，具异才，谈佛谈仙，亦作北里中艳语。初与郑少谷游，晚乃与茅止生、卓去病、张文寺、文太青倡和，支离怪

3

诞，无所不有。少谷集中无是也。论者乃专谓山人刻意学少谷，何哉?"《明诗纪事》近三百万言，卓有建树，是研究明诗的必备案头书。但关于傅汝舟，陈田的确弄错了。郑善夫（1485—1523）号少谷，以学杜著称，学郑少谷的是正德年间的傅汝舟；文翔凤号太青，万历三十八年（1610）进士，与文太青等唱和的是明末的傅汝舟。两个傅汝舟之间相距约百年，陈田想当然地将二者合为一人，说他"享大年"，又说他前期学郑少谷，后期学竟陵派，曲意弥缝，令人哑然失笑。其他种种，如部分文学家辞典对作家生卒年的误注，若干点校本的断句错误等，我们都在力所能及的范围内做了纠正。提到这些情况，不是想证明我们的水平有多高，而意在告诉读者：我们的工作态度是认真的，有志于为读者提供一部值得信赖的编年史著述。

《中国文学编年史》的编纂得到了北京大学、武汉大学、南京大学、中国人民大学、中国社会科学院、中国艺术研究院、中华书局、陕西师范大学、西北师范大学、华中师范大学、山东师范大学、山东曲阜师范大学、中南民族大学、中南财经政法大学等单位专家和领导，尤其是武汉大学领导的支持；湖南省新闻出版局、湖南出版投资控股集团及湖南人民出版社鼎力支持编年史的编纂出版，所有这些，我们将永远铭记在心。

陈文新

2006 年 7 月 23 日于武汉大学

凡　例

一、《中国文学编年史》以编年形式演述中国文学发展历程，凡十八卷：第一卷周秦、第二卷汉魏、第三卷两晋南北朝、第四卷隋唐五代（上）、第五卷隋唐五代（中）、第六卷隋唐五代（下）、第七卷宋辽金（上）、第八卷宋辽金（中）、第九卷宋辽金（下）、第十卷元代、第十一卷明前期、第十二卷明中期、第十三卷明末清初、第十四卷清前中期（上）、第十五卷清前中期（下）、第十六卷晚清、第十七卷现代、第十八卷当代。

二、编年史各卷据文学发展的不同阶段划分为若干章（如无必要，或不分章）。章的标目方式是："××章　××年至××年，共××年"。关于某一阶段文学的总体评论放在该章的首年之前，如明前期卷"第一章　洪武元年至建文四年，共35年"，在章目下，"洪武元年"之前，单列明前期卷"引言"一目。关于某一时代文学的综合论述，放在卷首。如元代卷，在第一章前，单列元代文学"绪论"。

三、编年史各卷所收录内容的构架大体统一，重点包括七个方面：1. 重要文化政策；2. 对文学发展有显著影响的文化生活（如结社、讲学、重大文化工程的进展、相关艺术活动等）；3. 作家交往（唱和、社团活动等）；4. 作家生平事迹；5. 重要作品的创作、出版和评论；6. 争鸣（团体之间、个人之间在重要问题上的论辩等）；7. 其他。

四、叙事以纲带目，即在征引相关文献之前有一句或数句概述。如，先总叙一句"俞宪编《盛明百家诗》成书"，再征引相关序跋、著录、评议。前者为纲，后者为目，纲、目配合，旨在完整地呈现文学史事实。少量见于常用工具书的重要史实，或不必展开的文学史事实，则列纲而略目，以省篇幅。

五、公历纪年年初与中国传统纪年年末不属同一年份，如公元1899年元月1日至12月31日对应于光绪二十四年戊戌十一月二十七日至光绪二十五年己亥十一月二十九日，而不对应于光绪二十五年己亥正月初一至十二月三十日。我们采用变通的处理方法，以公历纪年，而以农历纪月，比如，凡光绪二十五年己亥正月至十二月之内的内容均置于公元1899年下。作家生卒年，仍据公历标注，其他以此类推。现、当代文学部分，纪年、纪月均据公历。

1

六、同一年内之文学史实，按月份先后顺序排列。月份不详而仅知季度的，春季置于三月之后，夏季置于六月之后，其他以此类推。季度、月份均不详者，另设"本年"目统之。

七、一部分重要文学史实，年月不详而仅知大体时段者，在年号之末另设"××年间"目统之，如嘉靖四十五年之后另设"嘉靖年间"一目。

八、引用序跋，一般采用"作者＋篇名"的方式，如"臧懋循《唐诗所序》"。引用序跋之外的诗文等作品，一般采用"集名＋卷次＋篇名"的方式，如"《有学集》卷三一《隐湖毛君墓志铭》"，采用"作者＋篇名"的方式，如"钱谦益《隐湖毛君墓志铭》"。无篇名者则省略，如"《艺苑卮言》卷三"。某作者集中所收为他人别集所作的序跋，亦采用这一方式，如"《太函集》卷二二《弇州山人四部稿序》"。引用正史，一般采用"正史名＋本传或××传"的方式，"如《明史》本传"或"《明史》李攀龙传"，不标卷次。引用《四库全书总目提要》，或用全称，或简称"四库提要"，只标明卷次。如"四库提要卷一五三"。引用地方志，标明纂修年代，如"光绪《乌程县志》卷三一"。据类书转引时，注明原出处，如"《太平广记》卷二〇《阴隐客》（出《博异志》）"。引用报刊，注明年月日或卷次。

九、作者小传一般置于生年。有些作家，虽生年在上一卷，但在上一卷无文学活动，其小传酌情移入本卷首次出现时。如杨士奇，元亡时才4岁，其小传置于明前期卷，出生时只交代："杨士奇（1365—1444）生"，不列小传。现、当代作者，因传记资料常见，相关作家小传酌情收录。

十、对于某一作家的总体评论和重要著录一般置于卒年。某作者卒年在下一卷，但在下一卷无重要文学活动，主要评论材料酌情置于本卷。如易顺鼎（1858—1920），其评论材料集中于晚清卷，不入现代卷。

十一、作家代表作一般不录原文，但收录重要评论材料，并酌情说明相关选本收录情形。

十二、需要补充交待而占用篇幅较大的文学史事实，设少量"附录"。对若干需要辨证的史实，设按语加以说明。以提供文献线索为主，不详加征引。

目　录

第三章　公元 1265 年至公元 1278 年　共 14 年

绪 论

吴潜《鹤山集后序》：渡江以来，文脉与国脉同其寿。盖自高宗喜司马文正公《资治通鉴》，谓有益治道，可为谏书；自孝宗为《苏文忠公文集》御制一赞，谓忠言谠论，不顾身害。洋洋盛谟，风动四方，于是人文大兴，上足以接庆历、元祐之盛。至乾、淳间，大儒辈出，朱文公倡于建，张宣公倡于潭，吕成公倡于婺，皆著书立言，自为一家。凡仁义之要，道德之奥，性理之精微，所以名天理而正人心，立人极而扶世教，使天下晓然知人之所以异于禽兽，中国之所以异于殊域，吾道之所以异于佛老，有君臣、有父子而不蚀其纲常之正者，功用弘矣。永嘉诸老如陈止斋、叶水心之徒，则又创为制度器数之学，名曰实用，以博洽相夸。虽未足以颉颃二三大儒，然亦有足稽者。寥寥四五十载，我公（按，指魏了翁）嗣之。识照古今，而不自以为高；忠贯日月，而不自以为异。物望在生民，名望在四夷，文章之望在天下后世。盖所谓兼精粗、一本末，集乾、淳之大成者也。

俞德邻《辑闻》：宋自渡江以来，文人才士视东都诸老若有愧焉，故说者得以光岳气分而议之。然乾、淳、端平之际，如朱公熹、吕公祖谦、真公德秀、叶公适、陈公傅良、魏公了翁，相继以道自任，以文自鸣，卒使后生小子，习见典型，争自濯磨于学，亦不可谓今无人也。唯末年学士笃意举业，以进取乱其心，以富贵利达荡其志，于是文气委苶，而文之古者，始寥寥然不见于世。是非光岳气分之病也。

周密《癸辛杂识》续集下：道学之名，起于元祐，盛于淳熙。其徒甚众，其间假以欺世者，真可嘘枯吹生。凡治财赋，则目为聚敛；开阃捍边者，则目为粗才；读书作文字，则以为玩物丧志；留心史事者，则斥为刀笔舞文。盖所读者止《四书》、《近思录》、《通书》、《太极图》、《西铭》及诸家语录，自诡其学能正心齐家以至治国平天下。故为之说曰："为天地主心，为生民立极，为前圣继绝学，为万世开太平。"凡为州县为监司，必须建立书院及道统诸贤之祠，或刊注《四书》，衍辑《近思录》等文，则可钓声誉，致通显。下而士子时文，必须引以竖义，则亦擢魏科而称名士。否则，立身如温公，文章气节如东坡，皆非本色也。于是天下竞趋之，稍有违者，其党必挤之为小人，虽时君亦不得而辨别之。其气焰可畏如此。然所言所行了不相顾，往往皆不近人情之事。是时为朝士者，必议论愤愤，头脑冬烘，弊衣菲食，出则乘破竹轿，异之以村夫，高巾破履，人望而知为道学君子。显达清要，且夕可致。然其家囊金匮帛，至为市人所不为。贾师宪独持相权，唯恐有攘夺之者，则专用此辈，列之要路，名为尊崇道学，实则幸其阘茸不才，不致掣其肘。以是致万事不理，丧身亡国。呜呼！孰谓道学之祸不甚于典午之清谈哉！

又后集《太学文变》：南渡以来，乾、淳之文，师淳厚，时人谓之"乾淳体"，人材淳古，亦如其文。至端平江万里习《易》，自成一家，文体几于中复。淳祐甲辰，徐霖以《书》学魁南省，全尚性理，时竞趋之，即可以钓致科第功名。自此非《四书》、《东、西铭》、《太极图》、《通书》、《语录》不复道矣。至咸淳之末，江东李谨思、熊瑞诸人倡为变体，奇诡浮艳，精神焕发，多用《庄》《列》语，时人谓之"换字文章"，对策中有"光景不露"、"大雅不浇"等语，以至于亡，可谓文妖矣。

王士禛《带经堂诗话》卷四：南渡以后，程学盛于南，苏学盛于北。

方回《跋胡直内诗》：学周、程，文欧、苏，诗黄、陈，与治俱极，而章、蔡乱之。南渡复矣，又厄于桧。谁实洗日濯月，以有乾、淳？迄庆元大儒殁，侪十三年，远二十七年，清、嵩出入，倾轧十八年，权归宦侍，循至全、道，又几二十年，而乱极不可救矣。盖江左百五十年，前七十年仅一桧为梗也，后八十年连梗六柄臣，皆仇正嫉是，稍知书，又阳进真、魏而阴排之，下之人视偏效蔽，梏于私，痼于习，一时所尚，非万世公论。学也临川而四明，文也永嘉而东嘉，我觉子觉，诋濂喝洛，黄直卿、李敬子之守可移乎？升闿言归，肆力碑板，陈寿老、吴明辅奔其后，而卒莫计也。至于诗，唯章泉、南塘有乾、淳之风，四灵不复五矣。刘潜夫始亦染指四灵，后宗放翁，卒自名家。今之褒博，不讲学，不论文，间一见为诗，曰："我晚唐也。"问晚唐何自入，曰："四灵也。"然则非四灵也，乃近时书肆所刊江湖诗也。

《南宋书》卷六三《文苑传序》：宋世文章大家，归之欧、苏、曾、王，而一时振起，神、哲两朝，得人为盛。其他单启小词，翰墨丹青，亦有杰出流辈，声高艺林者。南渡而后，大约附于道学，求其为能言之士，郁然文采表见，虽未能比美东京，然亦一代之彦，各成体格，不可便谓无人也。……赞曰："道学既盛，无取文史。下笔成章，非关穷理。丽淫雕蔚，各有殊致。墨翰所贵，以光君子。"

《四库全书总目》卷一六四《勿斋集》提要：宋末启劄之文多喜配合经史成语，凑泊生硬。又喜参文句，往往冗长萎弱，唐以前旧格荡然。

何良俊《四友斋丛说》卷二三：南宋之诗，犹有可取。文至南宋，则尖新浅露，无一足观者矣。

姚椿《南宋文范序》：或曰："南宋文气冗弱，上不能望汉、唐、北宋，而下亦无以过元、明。夫道德之言不专主乎文，而亦未始不有其文，故自韩、欧以来，一则曰文者贯道之器，一则曰文与道俱，此虽其才不逮前人，犹将过而存之，以为学者劝，而况其人与文光明俊伟若是者乎？"或又曰："南宋亡乎道学，其弊由于文胜，兹何取其文，沾沾为此，则悖谬尤甚。夫南宋之亡，由于不用道学，当时诸人议论俱在，安有迂戾乖僻，如时俗人所讥云云者。其君人弗克用，而顾以责言者之非，此则东周亡而訾孔、孟，真邪说也。"

吴德旋《南宋文范序》：论者谓宋之南渡诸家，理胜而文不逮乎古，然或又以为理胜者文不薪工而自工。……南宋诸家言理一衷诸孔、孟，然而文卒不逮乎古者何也？理胜者学之为，文不逮乎古者时之为，而亦其未尝刻意求工于文之故。然则或所云文不薪工而自工者，盖难言之。

盛如梓《庶斋老学丛谈》卷下：四六文字变于后宋。南渡前只是以文叙事，不用故事堆垛，末年尚全句，前辈谓赋体也。或无制裁，塞滞不通，且冗长，使人厌观。

俞焯《诗词余话》：四六尤难作，宋末如方乐、李刘诸公，骈花俪叶，联芳媲丽，至有一句累十余字者，则失其为四六之体矣。与其事异而句奇，孰若字平而句雅，去陈腐，取浑成，方可以言制作之妙。

张之翰《跋草窗诗稿》：宋渡江后，诗学日衰，求其鸣世者，不过如杨诚斋、陆放翁及刘后村而已，固士大夫倒堕科举传注之累，亦由南北分裂，元气间断，大音不全故也。

虞集《碉谷居愧稿序》：南渡以来，若陈简斋参政、放翁陆公、诚斋杨公，擅名当世。

欧阳玄《罗舜美诗序》：江西诗在宋东都时宗黄太史，号江西诗派，然不皆江西人也。南渡后，杨廷秀好为新体诗，学者亦宗之，虽杨少宗于黄，然诗亦少变。

《四库全书总目》卷一六五《云泉诗》提要：江西一派，由北宋以逮南宋，其行最久。久而弊生，于是永嘉一派以晚唐体矫之，而四灵出焉。然四灵名为晚唐，其所宗实止姚合一家，所谓"武功体"者是也。其法以新切为宗，而写景细琐，边幅太狭，遂为宋末江湖之滥觞。

《瀛奎律髓汇评》卷二五方回评：自山谷续老杜之脉，凡江西派皆得为此奇调。汪彦章与吕居仁同辈行，茶山差后，皆得传授。茶山之嗣有陆放翁，同时尤、杨、范皆能之。

刘克庄《茶山诚斋诗选序》：曾茶山赣人，杨诚斋吉人，皆中兴大家数。比之禅学，山谷初祖也，吕、曾南北二宗也；诚斋稍后出，临济德山也。初祖而下，只是言句，至棒喝出，尤径健矣，故又以二家续紫微之后。

又《后村诗话》前集卷二：近岁诗人，杂博者堆队仗，空疏者窘材料，出奇者费搜索，缚律者少变化，唯放翁记问足以贯通，力量足以驱使，才思足以发越，气魄足以凌暴，南渡而后，故当为一大宗。

严羽《沧浪诗话·诗辨》：近世赵紫芝、翁灵舒辈，独喜贾岛、姚合之诗，稍稍复就清苦之风。江湖诗人多效其体，一时自谓之唐宗，不知止入声闻辟支之果，岂盛唐诸公大乘正法眼者哉？嗟乎，正法眼之无传久矣。

方回《晓山乌衣圻南集序》：自乾、淳以来，诚斋、放翁、石湖、遂初、千岩五君子，足以蹑江西，追盛唐；过是永嘉四灵、上饶二泉、懒庵、南塘二赵为有声；及过是则唯有刘后村号本色，而不及前数公。

又《晚秋杂书三十首》一：堂堂陈去非，中兴以诗鸣。吕、曾两从橐，残月配长庚。尤、萧、范、陆、杨，复振乾、淳声。尔后顿寂寥，草虫何薨薨。永嘉有四灵，词工格乃平。上饶有二泉，旨淡骨独清。学子孰取舍，吾非私重轻。《极玄》虽有集，岂得如渊明。

李东阳《怀麓堂诗话》：杨廷秀学李义山，更觉细碎；陆务观学白乐天，更觉直率。概之唐调，皆有所未闻也。

胡应麟《诗薮》外编卷五：南渡诸人诗尚有可观者，如尤、杨、范、陆，时近元和；永嘉四灵，不失晚季。至陈去非宏壮，在杜陵廊庑；谢皋羽奇奥，得长吉风流，尤足称赏，以其才则远不逮王、苏、黄、陈。又：南渡诸人绝句，乃有一二风致者。缘才力非前宋大家比，故趋步唐人，间得音响。然识者读之，政自了了也。

又杂编卷五：杨廷秀云："自隆兴以来，诗名世者：林谦之、范至能、陆务观、尤延之、萧东夫。近时后进有张镃、赵蕃、刘翰、黄景说、徐似道、项安世、巩丰、姜夔、徐贺、汪经、方翥"。右杨氏所叙南渡诗人，后唯列尤、杨、范、陆为四大家。萧东夫似不称，林谦之绝无传。今四家诗存，觉延之亦非三君敌也。余子赵昌父、黄景说差著，他率卑卑。然南渡作者，殊不止此，今博考于下方（已见显达中者不备录）：陈去非、胡邦衡、李泰发、朱少章、乔年、逢年、仲晦、王民瞻、刘彦冲、欧阳铁、康伯可、刘改之、姜特立、周尹潜、姜光彦、游伯庄、张孝祥、马庄父、韩元吉、张泽民、戴复古、刘潜夫、王武臣、高九万、黄子厚、俞汝楫、李大方、曾景建、王从周、叶靖逸、孙季蕃、武允蹈、于去非、徐思叔、危逢吉、甄龙友、杜小山、路德章、敖陶孙、萧彦毓、游寒岩、严坦叔、黄孔旸、方巨山、周公谨、伯弜、方万里、胡元任、严羽卿、刘会孟、谢皋羽、永嘉四灵、杜氏五高。大抵南宋古体当推朱元晦，近体无出陈去非。此外略有三等：尤、杨四子，元和体也；徐、赵四灵，大中体也；刘、戴诸人，自为晚宋。而谢翱七言古，时有可采焉。

长谷真逸《农田余话》：宋南渡后，文体破碎，诗体卑弱，唯范石湖、陆放翁为平正，至晦庵诸子，始欲一变时习，模仿古作，故有"神头鬼面"之论。时人渐染既久，莫之或改。及文天祥留意杜诗，所作顿去当时之凡陋。

王世贞《艺苑卮言》卷四：南渡以后，陆务观颇近苏氏而粗，杨万里、刘改之俱弗如也。

朱彝尊《康熙重镌裘司直诗序》：宋自汴京南渡，学诗者多以黄鲁直为师，吕居仁集二十五人之作，目曰江西诗派。考其官阀门世，不尽学诗鲁直之门，亦不尽江西人也。杨廷秀于诗推尤、萧、范、陆，豫章居其一焉。继萧东夫起者，姜尧章其尤也，余子多见于《江湖集》。盖终宋之世，诗集流传于今，唯江西最盛云。

李坚《书正德胡刊本沧浪先生吟卷后》：夫文章与时高下，宋自北鼎南迁，国势不竞甚矣。迨于乾、淳之间，积久道洽，日趋强盛，时尤、杨、范、陆诸君子，家筑骚坛，人标赤帜，鸣盛之作，骎骎乎几还东京之旧。开禧而后，境土日蹙，故□日滋，于是声诗之变，亦与时俱。类扬沙走石以为奇，叫骂叱咤以为豪，而宇宙间几无诗矣。

全祖望《鲒埼亭集》外编卷二六：建炎以后，东夫之瘦硬，诚斋之生涩，放翁之轻圆，石湖之精致，四璧并开。后永嘉徐、赵诸公，以清虚便利之调行之，见赏于水心，则四灵派也，而宋诗又一变。

叶燮《原诗》卷四：诗文集务多者必不佳，古人不朽可传之作，正不在多。……宋人富于诗者，莫过于杨万里、周必大，此两人作，几无一首一句可采。陆游集佳处固多，而率意无味者更倍。由此以观，亦安用多也。

叶矫然《龙性堂诗话》续集：南宋人诗，放翁、诚斋、后村三家相当，皆以野逸胜而精彩烨然，放翁尤妙。

田同之《西圃诗说》：宋诗中黄鲁直不免于生强，陆务观不免于滑易，范致能之缛且弱，杨万里、郑德源之鄙且俚，刘潜夫、方巨山之意无余而言太尽，此皆不成乎鹄者也。尤而效之，是何异越人之学远射，参天而发，适在五步之内也。

沈德潜《说诗晬语》卷下：苏、李数篇，老杜奉为吾师。不朽之作，不必务多也。杨诚斋积至二万余，周益公如之。以多为贵，无如此二公者，然排沙简金，几于无金可简，亦安用多为哉。

朱庭珍《筱园诗话》卷四：南宋四大家，当时称尤、萧、范、陆，谓尤延之、萧东夫、范石湖、陆放翁也。然三人皆非放翁匹，而延之尤卑。后萧之诗失传，乃以杨诚斋代之，改为尤、杨、范、陆，而萧之姓氏与诗，几泯灭无闻。身后名之显晦，亦有幸有不幸焉。然诚斋诗浅俗鄙滑，颓唐粗硬，纯堕恶趣，真江西派中魔魁，竟负虚名，浪传至今，殊不可解。东夫诗虽亦染江西派习气，而风骨棱棱，较诚斋为雅音矣。仅传其咏梅花句云："百千年藓著枯树，一两点花供老枝。"又云："湘妃危立冻蛟背，海月冷挂珊瑚枝。"又云："悬崖雪堕惊孤鹤，压屋云凉眠定僧。"笔意崎崟，力求生造，在拗体中，亦斩新耳目之句。

又：南宋人诗，如杨诚斋、尤延之、戴石屏、刘后村、曾茶山、周益公辈，皆浪得虚名，粗鄙浅率，自堕恶道，披沙拣金，百不获一，尚不若九僧、四灵辈，虽规模狭小，力量浅薄，而秀削不俗，犹多佳句也。诗道至此，诚为大阨。

陈衍《石遗室诗话》卷一六：宋诗人工于七言绝句，而能不袭用唐人旧调者，以放翁、诚斋、后村为最。大略浅意深一层说，直意曲一层说，正意反一层侧一层说。

张其锦《梅边吹笛谱序》：填词之道，取法乎南宋。然其中亦有两派焉：一派为白石，以清空为主，高、史辅之。前则有梦窗、竹山、西麓、虚斋、蒲江，后则有玉田、圣与、公谨、商隐诸人，扫除野狐，独标正谛，犹禅之南宗也。一派为稼轩，以豪迈为主，继之者，龙洲、放翁、后村，犹禅之北宗也。

又：稼轩为盛唐之太白，后村、龙洲亦在微之、乐天之间。

俞彦《爰园词话》：唐诗三变愈下，宋词殊不然。欧、苏、秦、黄，足当高、岑、王、李。南渡以后，矫矫陆健，即不得称中宋、晚宋。唯辛稼轩自度粱肉不胜前哲，特出奇险为珍错供，与刘后村辈俱曹洞旁出。学者正可钦佩，不必反唇并捧心也。

刘克庄《刘叔安感秋八词跋》：长短句昉于唐，盛于本朝。余尝评之，耆卿有教坊丁大使意态，美成颇偷古句，温、李诸人固于掎扯。近岁放翁、稼轩一扫纤艳，不事斧凿，高则高矣，但时时掉书袋，要是一癖。

周济《介存斋论词杂著》：北宋词多就景叙情，故珠圆玉润，四照玲珑。至稼轩、白石，一变而为即事叙景，使深者反浅，曲者反直。吾十年来服膺白石，而以稼轩为外道，由今思之，可谓瞽人扪籥也。稼轩郁勃，故情深；白石放旷，故情浅。稼轩纵横，故才大；白石局促，故才小。唯《暗香》、《疏影》二词，寄意题外，包蕴无穷，可与稼轩伯仲。

王国维《人间词话》：南宋词人，白石有格而无情，剑南有气而乏韵。其堪与北宋人韶颜者，唯一幼安耳。

汪森《词综序》：鄱阳姜夔出，句琢字炼，归于醇雅。于是史达祖、高观国羽翼之。张辑、吴文英师之于前，赵以夫、蒋捷、周密、陈允衡、王沂孙、张炎、张翥效之于后。譬之于乐，舞籥至于九变，而词之能事毕矣。

王士祯《花草蒙拾》：宋南渡后，梅溪、白石、竹屋、梦窗诸子，极妍尽态，反有秦、李未到者。虽神韵天然处或减，要自令人有观止之叹。正如唐绝句，至晚唐刘宾客、杜京兆，妙处反进青莲、龙标一尘。

余集《绝妙好词续钞序》：词至南宋而工，词律亦至南宋而密，此《绝妙词》之所以独传也。

邹祗谟《远志斋词衷》：长调唯南宋诸家，才情蹀躞，尽态极妍。阮亭尝云：词至姜、吴、蒋、史，有秦、李所未到者。

又引朱承爵《存余堂诗话》：梅溪、白石、竹山、梦窗诸家，丽情密藻，尽态极妍。要其瑰琢处，无不有蛇灰蚓线之妙，则所云一气流贯也。

冯金伯《词苑萃编》卷二引吴尺凫云：夫词，南唐为最艳，至宋而华实异趣。大抵皆格于倚声，有叠有拍有换，不失铢黍，非不咀宫嚼商，而才气终为法缚。临安以降，词不必尽歌，明庭净儿，陶咏性灵，其或指称时事，博征典故，不竟其才不止。且其间名辈斐出，敛其精神，镂心雕肝，切切讲求于字句之间。其思泠然，其色荧然，其音铮然，其态亭亭然，至是而极其工，亦极其变。

丁绍仪《听秋声馆词话》卷六：词至南宋而极工，然如白石、梦窗、草窗、玉田，皆胥疏江湖，故语多婉笃，去北宋疏越之音远矣。

谢章铤《赌棋山庄词话》卷一二：词家讲琢句，不讲养气，养气至南宋善矣。白石和永，稼轩豪雅。然稼轩易见，而白石难知。史之于姜，有其和而无其永。刘之于辛，有其豪而无其雅。至后来之善学姜、辛者，非懈则粗。

蒋敦复《芬陀利室词话》卷三：词源于诗，既小小咏物，亦贵得风人比兴之旨。唐、五代、北宋人词，不甚咏物，南渡诸公有之，皆有寄托。白石、石湖咏梅，暗指南北议和事。及碧山、草窗、玉潜、仁近诸遗民，《乐府补遗》中龙涎香、白莲、莼、蟹、蝉诸咏，皆寓其家国无穷之感，非区区赋物而已。知乎此，则《齐天乐》咏蝉、《摸鱼儿》咏莼，皆可不续貂。即间有咏物，未有无所寄托而可成名作者。

刘熙载《艺概》卷四：南宋词近耆卿者多，近少游者少，少游疏而耆卿密也。

张预《山中白云词跋》：西湖故多沈忧善歌之士，自南渡之际，故家遗老，怆怀禾黍，山残水剩之感，风偏月儇之思，流连纤郁，忍俊不禁，往往托兴声律，借抒襟抱。其尤工者，比物俪华，言促意长，后之人推尚其作，至比于草堂诗史，谓兴亡之迹，于是乎戏焉。

陈廷焯《白雨斋词话》卷二：南宋词家，白石、碧山纯乎纯者也，梅溪、梦窗、玉田辈，大纯而小疵，能雅不能虚，能清不能厚也。

沈祥龙《论词随笔》：以词为小技，此非深知词者。词至南宋，如稼轩、同甫之慷慨悲凉，碧山、玉田之微婉顿挫，皆伤时感事，上与风骚同旨，可薄为小技乎。若徒作侧艳之体，淫哇之音，则谓之小也亦宜。

《金史》卷一二五《文艺传序》：金初未有文字。世祖以来渐立条教。太祖既兴，得辽旧人用之，使介往复，其言已文。太宗继统，乃行选举之法，及伐宋，取汴经籍图，宋士多归之。熙宗款谒先圣，北面如弟子礼。世宗、章宗之世，儒风丕变，庠序日盛，士繇科第位至宰辅者接踵。当时儒者虽无专门名家之学，然而朝廷典策、邻国书命，粲然有可观者矣。金用武得国，无以异于辽，而一代制作能自树立唐、宋之间，有非辽世所及，以文而不以武也。

刘祁《归潜志》卷八：金朝取士以词赋为重，士人往往不暇读书为他文。尝闻先进故老见子弟辈读苏、黄诗辄怒斥，故学者止工于律赋，问之他文，则懵然不知。间有登第后始读书为文者，诸名士是也。南渡以来，士人多为古学，以著文作诗相高，然旧日专为科举之学者疾之为仇雠，若分为两途，互相诋讥。其作诗文者目举子为科举之学，为科举之学者指文士为任子弟，笑其不工科举。殊不知国家敕设科举，用四篇文字，本取全才。盖赋以择制诰之才，诗以取风雅之旨，策以究经济之业，论以考识鉴之方。四者俱工，其人才为何如也？而学者不知，狃于习俗，止力为律赋，至于诗、策、论俱不留心，其弊基于为有司者止考赋而不究诗、策、论也。……南渡后，赵、杨诸公为有司，方于策论中取人，故士风稍变，颇加意策论。又于诗赋中亦辨别读书人才，以是文风稍振，然亦谤议纷纭然，每贡举非数公为有司，则又如旧矣。

徐世隆《元遗山集序》：窃尝评金百年以来，得文派之正而主盟一时者，大定、明昌则承旨党公，贞祐、正大则礼部赵公，北渡则遗山一人而已。自中州甐丧，文气奄奄几绝，起衰救坏，时望在遗山。

张金吾《金文最序》：唯金崛起东方，奄有中原，幅员则广于辽，国势则强于宋，风会所开，一洗卑陋浮靡之习。聿稽武元开国，得辽旧人，文烈继统，收宋图籍，文教由是兴焉。大定、明昌间，投戈息马，治化休明。南渡以后，赵、杨诸公迭主文盟，文风蒸蒸日上。迄乎北渡，元遗山以宏衍博大之才，郁然为一代宗匠，执文坛牛耳几三十年。鸣呼，盛矣！盖尝综而论之。以为大定中君臣上下以淳德相尚，士大夫之学少华而多实；明昌以后，朝野无事，侈靡成风，士大夫之学多华而少实者，杨奂之说也。以为大定以还，文治既洽，教育亦至，一扫五代、辽季衰陋之俗者，元好问之说也。以为南渡后文风一变，多学奇古者，刘祁之说也。以蔡正甫为斯文正传之宗，党竹溪次之，闲闲公又次之者，萧贡之说也。以为金百年来得文派之正而主盟一时者，皇统宇文公，大定、明昌无可蔡公、承旨党公，贞祐、正大礼部赵公，北渡后则遗山先生者，赵秉文、徐世隆之说也。……金有天下之半，五岳居其四，四渎有其三，川岳炳灵，文学之士后先相望。唯时士大夫禀雄深浑厚之气，习峻厉严肃之俗，风教固殊，气象亦异，故发为文章，类皆华实相扶，骨力遒上。虽竹溪专学庐陵，飞伯力追子厚，希颜上拟昌黎，各自名家，不拘一格，然其大较可知矣。后之人读其遗文，考其体裁，而知北地之坚强绝胜江南之柔弱。

元好问《麻杜张诸人诗评》：麻信之、杜仲梁、张仲经，正大中同隐内乡山中，以作诗为业。人谓东南之美尽在是矣。予尝窃评之：仲梁诗如偏将军将突骑，利在速战，屈于迟久，故不大胜则大败。仲经守有余而攻战不足，故胜负略相当。信之如六国合纵，利在同盟，而敝于不相统一，有连鸡不俱栖之势，虽人自为战而号令无适从，故胜负未可知。

又《陶然集序》：贞祐南渡后，诗学为盛。洛西辛敬之、淄川杨叔能、太原李长源、龙坊雷伯威、北平王子正之等，不啻十数人，称号专门。就诸人中其死生于诗者，汝海杨飞卿一人而已。

《金元诗选·金诗选例言》：宇文虚中叔通、吴激彦高、蔡松年伯坚、高士谈子文辈，楚材晋用，本皆宋人，犹是南渡别派。至赵秉文、杨云翼、党怀英、王庭筠主盟风雅，提倡后学，始得自为一代之音。其中高科显爵、隐士畸人，或沉郁高奇，或清华秀丽，各自成家，并登大雅。

又：金诗中气骨苍劲，体制最高者，推刘迎无党、李汾长源、辛愿敬之、麻革信之。无党古诗苍莽朴直，足称老手。长源沉郁顿挫，慷慨悲歌，而溪南辛老独许知言，遗山谓："敬之业专而心通，敢以是非黑白自任。每读刘景玄、赵宜之、雷希颜、李钦叔、张仲经、杜仲梁、王仲泽、麻知几之诗，必为之探源委，发凡例，解脉络，审音节，辨清浊，权轻重，片善不掩，微颣必指。如老吏断狱，文峻网密，丝毫不相贷，如衲僧得正法眼，征诘开示，几于截断众流。"其见推如此。三知己中，辛、李并列，知音相赏，故非妄叹。

又：金诗宗尚不出苏、黄，亦间规模昌黎，气力劲健，宁率无弱，以救甜熟柔曼，有廓清摧陷之功，然硬语盘空，政难妥帖。

翁方纲《石洲诗话》卷五：合观金源一代之诗，刘无党之秀拔，李长源之俊爽，皆与遗山相近。而由遗山之心推之，则所奉为一代文宗如欧阳六一者，赵闲闲也；所奉为一代诗宗如杜陵野老者，辛敬之也。至于遗山所自处，则似乎在东坡，而东坡又若不足尽之。盖所谓乾坤清气，隐隐自负，居然有集大成之想。

沈雄《古今词话·词话》下卷引《中州乐府》：宇文太学虚中、蔡丞相伯坚、蔡太常珪、党承旨怀英、赵尚书秉文、王内翰庭筠，其所制乐府，大旨不出苏、黄之外。要之，直于宋而伤浅，质于元而少情。

况周颐《蕙风词话》卷三：自六朝已还，文章有南北派之分，乃至书法亦然。姑以词论，金源之于南宋，时代政同，疆域之不同，人事为之耳，风会曷与焉？如辛幼安先在北，何尝不可南；如吴彦高先在南，何尝不可北。顾细审其词，南与北确乎有辨，其故何耶？或谓《中州乐府》选政操之遗山，皆取其近己者。然如王拙轩、李庄靖、段氏遯庵、菊轩其词不入元选，而其格调气息，以视元选诸词，亦复如骖之靳，则又何说？南宋佳词能浑至，金源佳词近刚方。宋词深致能入骨，如清真、梦窗是。金词清劲能树骨，如萧闲、遯庵是。南人得江山之秀，北人以冰霜为清。南或失之绮靡，近于雕文刻镂之技；北或失之荒率，无解深裘大马之讥。善读者抉择其精华，能知其并皆佳妙。而其佳妙之所以然，不难于合勘，而难于分观。往往能知之而难于明言之。然而宋、金之词之不同，固显而易见者也。

第一章

公元1163年至公元1207年　共45年

·引　言·

李焘《定斋集序》：自建炎渡江，中兴立国，百度草创，然厥初收合一时之才，亦自足供一时之用。……及孝宗嗣德龙飞，而群才奋扬，发于久抑之余，诜然角立杰出。孝宗培壅护持，日加月益，至于乾道、淳熙之际，则其成效大验，著于天下，光明硕大，有不可掩。当此之时，孝宗以神智英睿听览于上，群臣亦精白罄竭奉承于下，兵革不用，海内乂安，风俗纯茂，民物殷富。盖自渡江几六十年，至是为盛，可不谓懿哉！

周煇《清波别志》卷上：乾道间，工部侍郎胡铨言："隆兴之初，仰承圣训，令臣搜访诗人，臣已物色得数人。"上曰："可具姓名来。"后竟未知所具姓名为谁。寿皇圣帝盖亦知诗人之于雅颂，荐郊庙，歌勋业，有补治世风化，故诏从臣罗致，欲收其效焉。

罗大经《鹤林玉露》甲编卷四：昔孝宗朝，议者欲科举取士，以论策共为一场，制诰表章为一场。上欣然欲行之，而周益公等不主其说，遂不果行。

韩淲《涧泉日记》卷中：乾道、淳熙以来，明经张栻、吕祖谦，直言胡铨、王龟龄，吏治王佐、方滋、张杓，典章洪迈、周必大，讨论李焘，文词赵彦端、毛开，辩博陈亮、叶适，书法张孝祥、范成大，道学陆子静、朱熹。

虞集《庐陵刘桂隐存稿序》：乾、淳之间，东南之文相望而起者，何啻十数。若益公之温雅，近出于庐陵；永嘉诸贤，若季宣之奇博，而有得于经；正则之明丽，而不失其正。彼功利之说，驰骋纵横其间者，其锋亦未易婴也。文运随时，而中兴概可见焉。

刘克庄《中兴绝句续选序》：南渡诗尤盛于东都。炎、绍初，则王履道、陈去非、汪彦章、吕居仁、韩子苍、徐师川、曾吉甫、刘彦冲、朱新仲、希真。乾、淳间，则范至能、陆放翁、杨廷秀、萧东夫、张安国一二十公，皆大家数。

又《竹溪诗跋》：乾、淳间，艾轩先生始好深湛之思，加锻炼之功，有经岁累月缮一章未就者，尽平生所作不数卷。然以约敌繁、密胜疏、精掩粗，同时唯吕太史赏重，不知者以为迟晦。

杨万里《诚斋诗话》：自隆兴以来，以诗名者：林谦之、范致能、陆务观、尤延之、萧东夫。近时后进有张镃功父、赵蕃昌父、刘翰武子、黄景说严老、徐似道渊子、项安世平甫、巩丰仲至、姜夔尧章、徐贺仲恭、汪经仲权。

赵与虤《娱书堂诗话》卷上：杨诚斋序《千岩摘稿》云：“余尝论近世之诗人，若范石湖之清新，尤梁溪之平淡，陆放翁之敷腴，萧千岩之工致，皆余之所畏者。”姜白石诗稿自序云：“尤延之先生为余言，近世人士喜言江西，温润有如范至能者乎？痛快有如杨廷秀者乎？高古如萧东夫，俊逸如陆务观，是皆自出机杼，宣有可观者，又奚以江西为？”观二公推许，想见当时骚雅之盛，建安、大历，风斯下矣。

方回《跋遂初尤先生尚书诗》：宋中兴以来，言治必曰乾、淳，言诗必曰尤、杨、范、陆。其先或曰尤、萧，然千岩早世不显，诗刻留湘中，传者少。尤、杨、范、陆特擅名天下。……回谓光尧龙渡时，则有诗人陈去非、吕居仁、徐师川、韩子苍之徒，所谓及闻正始之音者。至阜陵在宥，而四钜公出焉，非以其浑大典正，与中原诸老并驮？诚斋时出奇峭，放翁善为悲壮，然无一语不天成。公与石湖，冠冕佩玉，度《骚》媲《雅》，盖皆胸中贮万卷书，今古流动，是唯无出，出则自然。近世乃有刻削以为新，组织以为丽，怒骂以为豪，谲觚以为怪，苦涩以为清，尘腐以为熟者，是不可与言诗也。举是而溯沿上下其说，则于今而梦想乾、淳之盛者，又岂止于诗而已哉。

又《读张功父南湖集并序》：乾、淳以来，称尤、杨、范、陆，而萧千岩东夫、姜梅山邦杰、张南湖功父亦相伯仲。梁溪之槁淡细润，诚斋之飞动驰掷，石湖之典雅标致，放翁之豪荡丰腴，各擅一长。千岩格高而意苦，梅山律熟而语新。

又《张仲实诗》：昔尤、杨、范、陆以诗鸣于乾、淳，唯张南湖、姜梅山颉颃其间。

又《恢大山西山小稿序》：乾、淳诸人，朱文公诗第一，尤、萧、杨、陆、范，亦老杜之派也。

《瀛奎律髓汇评》卷二〇方回评：以予观之，梅花诗清瘦潇洒，近年莫如尤延之，虽杨诚斋、陆放翁亦颇浮肥矣。

何良俊《四友斋丛说》卷二五：南宋陈简斋、陆放翁、杨万里、周必大、范石湖诸人之诗，虽则尖新太露圭角，乏浑厚之气，然能铺写情景，不专事绮缋，其与但为风云月露之形者，大相径庭，终在元人之上。世谓元人诗过宋人，此非知言者也。

王祎《练伯上诗序》：建炎之余，日趋于弊，尤延之之清婉，朱元晦之冲雅，杨廷秀之深刻，范至能之宏丽，陆务观之敷腴，固粲然可观者，抑去唐为已远。

宋濂《答章秀才论诗书》：驯至隆兴、乾道之时，尤延之之清婉，杨廷秀之深刻，范至能之宏丽，陆务观之敷腴，亦皆有可观者，然终不离天圣、元祐之故步，去盛唐为益远。

吴乔《围炉诗话》卷五：姜尧章、范至能之温润，杨廷秀之痛快，萧东夫之高古，陆务观之俊逸，江西派不能及。

《唐宋诗醇》卷四三：宋自南渡以后，必以陆游为冠。当时称大家者，曰萧、杨、范、陆，杨万里则曰尤、萧、范、陆。至刘克庄，乃曰：“放翁学士似杜甫。”又曰：“南渡而下，放翁故为一大宗。”朱子《与徐赓载书》：“放翁诗，读之爽然。近代唯见此人为有诗人风致。”今诸家诗具在，可与游匹者谁也？

钱锺书《谈艺录》三三：以入画之景作画，宜诗之事赋诗，如铺锦增华，事半而功则倍，虽然非拓境宇、启山林手也。诚斋、放翁，正当以此轩轾之。人所曾言，我善言之，放翁之与古为新也；人所未言，我能言之，诚斋之化生为熟也。放翁善写景，而诚斋善写生。放翁如画图之工笔；诚斋则如摄影之快镜，兔起鹘落，鸢飞鱼跃，稍纵即逝而及其未逝，转瞬即改而及其未改，眼明手捷，踪矢蹑风，此诚斋之所独也。放翁万首，传诵人间，而诚斋诸集孤行天壤数百年，几乎索解人不得。放翁《谢王子林》曰："我不如诚斋，此论天下同。"又《理梦中作意》曰："诗到无人爱处工。"放翁之不如诚斋，正以太工巧耳。

翁方纲《石洲诗话》卷四：写景事有笔酣时，此则杨、范、陆三家之所同也。

又：石湖、诚斋皆非高格，独以同时笔墨皆极酣恣，故遂得抗颜与放翁并称。而诚斋较之石湖，更有敢作敢为之色，颐指气使，似乎无不如意，所以其名尤重。其实石湖虽只平浅，尚有近雅之处，不过体不高、神不远耳。若诚斋以轻儇佻巧之音，作剑拔弩张之态，阅至十首以外，辄令人厌不欲观，此真诗家之魔障。

又：自后山、简斋抗怀师杜，所以未造其域者，气力不均耳。降至范石湖、杨诚斋，而平熟之径，同辈一律，操牛耳者，则放翁也。平熟则气力易均，故万篇酣肆，迥非后山、简斋可望。而又平生心力全注国是，不觉暗以杜公之心为心，于是乎言中有物，又迥出诚斋、石湖上矣。然在放翁，则自作放翁之诗，初非希杜作前身者，此岂后之空洞、沧溟辈但取杜貌者所可同日而语！

光聪谐《有不为斋随笔》庚卷："诚斋与放翁同在南宋，其诗绝不感慨国事，唯《朝天续集》中《入淮河四绝句》、《题盱眙军东南第一山》二律、《跋丘宗卿使北诗轴》少见其意，与放翁大不侔。"

李慈铭《越缦堂日记》（光绪乙酉十月初四日）：阅石湖、诚斋两家诗。石湖律诗虽亦苦槎枒拗涩，堕南宋习气，然尚有雅音，五七古亦多率尔，而大体老到，不失正轨。诚斋则粗梗油滑，满纸村气，似《击壤》而乏理语，似江湖而乏秀语。

胡应麟《诗薮》外编卷五：宋人一代，沾沾自相煦沫，读其遗言，大概如入夜郎王国耳。唯朱元晦究心古学，于骚则注释灵均，于赋则发扬司马，于诗则指归伯玉，于文则考订昌黎，皆切中肯綮，即后世名文章家不能易也。彼训诂《六经》，业已并兼千古，弩末刃余，复暇及此，才岂易企！

《四库全书总目》卷一五八《于湖集》提要：今观集中诸作，大抵规摹苏诗，颇具一格，而根柢稍薄，时露竭蹶之状。……然其纵横兀傲，亦自不凡。故《桯史》载王阮之语，称其平日气吐虹霓。陈振孙亦称其天才超逸云。

查礼《铜鼓书堂词话》：张安国孝祥……《于湖词》一卷。声律宏迈，音节振拔，气雄而调雅，意缓而语峭。集内《念奴娇·过洞庭》一解，最为世称颂。

陈廷焯《词坛丛话》：稼轩词，粗粗莽莽，桀傲雄奇，出坡老之上。唯陆放翁《渭南集》可与抗手，但运典太多，真气稍逊。

又《白雨斋词话》卷一：放翁词亦为当时所推重，几欲与稼轩颉颃。然粗而不精，枝而不理，去稼轩甚远。

又卷八：放翁《蝶恋花》云："早信此生终不遇，当年悔草《长杨赋》。"情见乎

3

词，更无一毫含蓄处。稼轩《鹧鸪天》云："却将万字平戎策，换取东家种树书。"亦即放翁之意，而气格迥乎不同。彼浅而直，此郁而厚也。

冯煦《蒿庵论词》：剑南屏除纤艳，独往独来，其逋峭沉郁之慨，求之有宋诸家，无可方比。《提要》以为诗人之言，终为近雅，与词人之冶荡有殊，是也。至谓游欲驿骑东坡、淮海之间，故奄有其胜，而皆不能造其极，则或非放翁之本意欤。

李调元《雨村词话》卷三：辛稼轩词肝胆激烈，有奇气，腹有诗书，足以运之，故喜用四书成语，如自己出。如"今日既盟之后"、"贤哉回也"、"先觉者贤乎"等句，为词家另一派。然学之稍粗则堕恶道。其时为稼轩客如龙洲刘过，每学其法，时多称之，然失之粗劣。独《西江月》一词有句云："天时地利与人和，燕可伐与曰可。"用四书语，颇有稼轩气味。

刘熙载《艺概》卷四：刘改之词，狂逸之中自饶俊致，虽沈著不及稼轩，足以自成一家。

又：陈同甫与稼轩为友，其人才相若，词亦相似。

刘体仁《七颂堂词绎》：词亦有初盛中晚，不以代也。……至姜白石、史邦卿，则如唐之中。

邹祗谟《远志斋词衷》：咏物固不可不似，尤忌刻意太似。取形不如取神，用事不如用意，宋词至白石、梅溪，始得个中妙谛。

张炎《词源》卷下：词要清空，不要质实，清空则古雅峭拔，质实则凝涩晦昧。姜白石词如野云孤飞，去留无迹。……《疏影》、《暗香》、《扬州慢》、《一萼红》、《琵琶仙》、《探春》、《八归》、《淡黄柳》等曲，不唯清空，又且骚雅，读之使人神观飞越。

江春《乾隆刊本白石诗词序》：工于诗者不必兼于词，工于词者或不能长于诗，比比然矣。然吾观唐之李太白、白乐天、温飞卿，宋之欧阳永叔、苏子瞻，皆诗词兼工者，古或有其人焉。其在南渡，则白石道人实起而继之。其诗初学江西，已而自出机杼，清婉拔俗，其绝句则骎骎乎半山矣。其词则一屏靡曼之习，清空精妙，复绝前后。以禅宗论，白石为曹溪六祖能，竹屋、梦窗、梅溪、玉田之流，则江西让、南岳思之分支也。盖自唐、五代、北宋之南渡，而白石始得其宗，截断众流，独标新旨，可谓长短句之至工者矣。

胡薇元《岁寒居词话》：梅溪词极工，铋称其"分镳清真，平睨方回，三变行辈，不足比数"，则未免推奖溢美矣。姜尧章云："邦卿词奇秀清逸，融情景于一家，会句意于两得。"此论平允。

公元 1163 年（宋孝宗隆兴元年癸未　金世宗大定三年）

正月

九日，命翰林学士承旨知制诰洪遵知贡举。范成大以监太平惠民和剂局点检试卷。据《宋会要辑稿·选举二十》。

二十一日，陆游为中书省、枢密院请至政事堂起草二府与夏国书，意在申固欢好，永为善邻。《渭南文集》卷十三有《代二府与夏国主书》。《剑南诗稿》卷四《醉后草书歌诗戏作》"往时草檄喻西域，飒飒声动中书堂"句下自注云："余尝草丞相鲁公以下与夏国主书于政事堂。"

本月，史浩为右丞相兼枢密使。

知饶州胡铨迁秘书少监。

诏礼部贡院试额增一百人。

二月

陆游又应二府之请，撰《蜡弹省札》。大意为"有据以北州郡归命者，即以其所得州郡，裂土封建"。按，《宋史·孝宗本纪一》："（隆兴元年）二月壬戌朔，用史浩策，以布衣李信甫为兵部员外郎，赍蜡书间道往中原，招豪杰之据有州郡者，许以封王世袭。"所指即此事。

三月

朱熹以左仆射陈康伯荐，召赴行在，辞免。

辛次膺以御史中丞同知枢密院事。

龙大渊知阁门事，曾觌同知阁门事，给事中、中书舍人留黄不行。

周必大以缴龙大渊、曾觌之命奉祠。必大《归庐陵日记》序云："绍兴壬午，寿皇初政，予自御史擢起居郎兼中书舍人、圣政所详定官。明年癸未，改元隆兴。时随龙大渊、曾觌颇用事，予因进故事，每以为言，寻缴其知阁之命，坐是请祠而去。"

张孝祥转朝散大夫，复集英殿修撰，知平江府。

四月

四日，周必大登舟出城归庐陵，范成大、陆游等赋诗相送。《归庐陵日记》："（隆兴元年四月）甲子，雨旋霁，骨肉登舟出城，予循城过北关就之。李平叔大监、陆务观编修、邹德章监丞、王致君判院、范至能省干携诗相送。解舟至闸下，遇修梁而止。"

赐礼部进士木待问以下五百三十八人及第、出身。楼钥、王阮、袁说友、吴镒、丘崈、林光朝、刘德秀、许及之同登进士第。

张浚命李显忠、邵宏渊分道伐金。

五月

陆游归会稽，待镇江通判阙。按，游因不满近习龙大渊、曾觌等招权植党、荧惑圣听而思欲剪除之，忤孝宗，出判镇江府。《宋史》卷三九五本传："孝宗即位，迁枢密院编修官兼编类圣政所检讨官。……时龙大渊、曾觌用事，游为枢臣张焘言：'大渊招权植党，荧惑圣听，公及今不言，异日将不可去。'焘遽以闻。上诘语所自来，焘以

5

游对。上怒，出通判建康府，寻易隆兴府。"按，"建康"为"镇江"之误。《渭南文集》卷二四《镇江谒诸庙文》："某以隆兴改元夏五月癸巳，自西府掾出佐京口，明年春二月己卯至郡。"陆游之行也，范成大有《送陆务观编修监镇江郡归会稽待阙》，周必大有《次韵陆务观送行二首》，韩元吉有《送陆务观得倅镇江还越》。

史浩以出兵前并未预闻，辞相。

宋师因诸将不和，溃于符离。

六月

二十五日，张孝祥作《送王寿朋归霅川序》。

辛次膺罢参知政事。

虞允文以敷文阁学士为兵部尚书兼湖北、京西宣谕使。

七月

知福州汪应辰除敷文阁待制，举朱熹自代。《宋史》卷三八七《汪应辰传》："应辰连乞补外，遂知福州。未几，升敷文阁待制，举朱熹自代。"《宋会要辑稿·选举三四》："隆兴元年七月一日，诏集英殿修撰、知福州汪应辰除敷文阁待制。"

八月

建宁守陈正同建游酢祠于府学，本月六日，朱熹为作《建宁府学游御史祠记》。

二十六日，张孝祥作《乐斋记》。

复以曾觌同知阁门事。

九月

陆游访故人弈公于青山之下。《渭南文集》卷十七《青州罗汉堂记》："隆兴改元秋九月，某访故人弈公于青山之下。与弈公别盖十有余年矣。闻某至，曳杖出迎松间，黧瘠腊如，残雪覆顶，相与握手访问朋旧，且悲且喜。"

秋

洪适时为户部郎中总领淮东军马钱粮，陆游有《问候洪总领启》。

陆游以著色山水屏寄韩元吉，元吉有诗《陆务观寄著色山水屏》。

十月

十五日，李侗（1093—1163）卒，年七十一。侗字愿中，学者称延平先生，南剑州剑浦人。从乡人罗从彦学，授《春秋》、《中庸》、《论语》、《孟子》之说。学成后退居乡里，谢绝世故，凡四十余年。绍兴间，朱熹尝受业于其门。事迹见朱熹《延平先生李公行状）。有《延平问答》及语录行世。清张伯行辑有《延平先生文集》四卷，收入《正谊堂全书》。《全宋诗》录其诗七首，《全宋文》收其文一卷。

十一月

朱熹赴行在，奏事垂拱殿，上三劄于孝宗。一劄论正心诚意格物致知之学，反对佛老异端之学；二劄论外攘夷狄之复仇大义，反对和议；三劄论内修政事之道，反对宠信佞幸。见《朱文公文集》卷一三《癸未垂拱奏劄》。

遣王之望等为金国通问使。

诏廷臣议和金得失。

十二月

朱熹离临安南归，经婺州与吕祖谦相见，讲论学问。

陈康伯罢相，出判信州，范成大为赋《昼锦行送陈福公判信州》。

张浚为右仆射，并同中书门下平章事兼枢密使，仍都督江淮东西路军马。

本年

张孝祥在建康留守任上，赋词《六州歌头》（长淮望断）。《朝野遗记》："安国在建康留守席上，赋此歌阕，魏公（张浚）为罢席而入。"陈廷焯《白雨斋词话》卷六："张孝祥《六州歌头》一阕，淋漓痛快，笔饱墨酣，读之令人起舞。唯'忠愤气填膺'一句，提明忠愤，转浅转显，转无余味。或亦耸当途之听，出于不得已耶？"

辛弃疾二十四岁，在江阴签判任。

邓深约于本年前后在世，生卒年不详。深字资道，一字绅伯，湘阴人。绍兴间进士。十七年，通判郴州（《万历郴州志》卷二），试中教官，入为太府丞。二十七年，轮对称旨，提举广西市舶（《建炎以来系年要录》卷一七七）。知衡州，擢潼川府路转运使。晚年居家，处东湖之胜，建阁曰明秀，自号大隐居士。著有《大隐居士集》，已佚，清四库馆臣自《永乐大典》中辑为《邓坤伯集》二卷。《全宋诗》录其诗二卷。事迹见《宋史翼》卷二一。

吴曾本年前后在世，生卒年不详。曾字虎臣，抚州崇仁人。绍兴十一年，上所著书，补右迪功郎（《建炎以来系年要录》卷一四〇）。二十一年，为敕令所删定官（同上书卷一六三）。二十三年，改右承奉郎，为奉常主簿、玉牒所检讨官。三十年，试太常丞，兼权吏部郎官，被劾，领在外宫观（同上书卷一八七）。后历知金州、严州，致仕居乡里。事迹见《宋诗纪事》卷五二、《宋史翼》卷二九。著有《君臣论》、《负暄策》、《毛诗辨疑》、《左传发挥》、《新唐书纠谬》、《得闲文集》、《待试词学千一策》、《南征北伐编年》、《南北事类》等，近二百卷，已佚。又所著《能改斋漫录》，《读书附志》卷上著录为二十卷，《直斋书录解题》卷一一、《宋史·艺文志五》著录为十三卷，今所存者十八卷，有清初钱氏述古堂抄本、清乾隆三十六年卢文弨抄本。是书记载史实，考证诗文典故，解释名物制度，向称博雅。曾亦工诗文，王士禛谓其五言《登罗山》"甚有东坡风致"（《带经堂诗话》卷一一）。今《全宋诗》录存其诗三首，《全宋文》卷四二六三收其文。

冯时行（？—1163）**卒，生年不详。**时行字当可，壁山人。宣和六年进士。建炎间，为奉节尉，徙丹棱令。绍兴八年，召对，力言和议不可信，忤秦桧，出知万州。寻罢职，居县北缙云山中，授徒讲学，学者称缙云先生。二十七年，起知蓬州。后历知黎州、彭州，擢左朝请大夫，提点成都府路刑狱。卒于官。事迹见《宋史翼》卷一〇。《宋史·艺文志七》著录其《缙云集》四十三卷，原集已佚，明嘉靖间李玺访得旧钞残本，厘为四卷付梓，今存《四库全书》本、清赵氏小山堂钞本。《全宋词》录其词十三首，《全宋诗》收其诗四卷，《全宋文》收其文五卷。张俭《嘉靖本缙云先生文集序》谓其诗文"肆口所成，咸撷发素蕴，而止乎礼义。其典雅中旷、愿欷幽玄之思，忧时悯俗、不激不随之体，使人讽而读之，有超世出尘之想，不问可知其为高古博雅君子矣。视世之浮言诡语、剽袭俳谐、艰深险怪以自文其浅近之识者，恶可同年语耶？"四库提要卷一五八谓"读其诗文，忠义之气隐然可见"。

公元1164年（宋孝宗隆兴二年甲申　金世宗大定四年）

正月

张孝祥以张浚荐，召赴行在。

朱熹至延平哭祭李侗，为作《延平先生李公行状》。《李侗年谱》："隆兴二年甲申，正月，文公来哭先生于延平，序述行状，请闽帅汪应辰志其墓。"

二月

张孝祥应召入对，劝孝宗辨邪正，审是非，崇根本，壮士气，痛陈国家委靡之弊。孝宗嘉之，除中书舍人，直学士院。

陆游至镇江通判任。《渭南文集》卷二四《镇江谒诸庙文》："某以隆兴改元夏五月癸巳，自西府掾出佐京口，明年春二月己卯至郡。"

范成大除枢密院编修官。周必大《资政殿大学士赠银青光禄大夫范公成大神道碑》："（隆兴）二年（原作四年，误）二月，除枢密院编修官。"

王之望以吏部侍郎为淮西宣谕使。

三月

张浚以右丞相督视江淮兵马，驻节镇江，陆游以世谊晋谒，颇受顾遇。又与浚子栻及幕僚陈俊卿、冯方、查龠、王柜等游。《渭南文集》卷三一《跋张敬夫书后》："隆兴甲申，某佐郡京口，张忠献公以右丞相督军过焉。先君会稽公尝识忠献于掾南郑时，事载《高皇帝实录》。以故某辱忠献顾遇甚厚。是时敬夫从行，而陈应求参赞军事。冯圜仲、查元章馆于予廨中，盖无日不相从。"

春

辛弃疾在江阴签判任，赋《满江红》以抒怀。

四月

张浚罢相，出判福州。

张孝祥改除敷文阁待制，领建康留守如故。

范成大游西湖灵石山寺。有诗《游灵石山寺》（其《次韵李器之编修灵石山万岁藤歌》或作于此时）；又录灵石山寺门颊壁诗仙题诗与李洪，洪有诗《范至能游灵石，录示诗仙留题云》四首。

六月

二十二日，张孝祥作《论萧琦第宅及水灾赈济札子》。

夏

范成大游宝林寺可赋轩，有诗《题宝林寺可赋轩》。

韩元吉有诗《题陈季陵家巫山图一首》，范成大有次韵，题曰《韩无咎检详出示所赋〈陈季陵户部巫山图〉诗，仰窥高作，叹息弥襟。余尝考宋玉谈朝云事，漫称先王时，本无据依，及襄王梦之，命玉为赋，但云："颜怒以自持，曾不可乎犯干。"后世弗察，一切溷以媟语。曹子建赋宓妃，亦感此而作。此嘲谁当解者？辄用此意，次韵和呈，以资抚掌。按，《丛书集成》本《南涧甲乙稿》卷二，以成大次韵为元吉原作，而将元吉原作列于成大次韵之后，题下并加按语谓疑非元吉之作，均误。

七月

二日，陆游为高祖轸《修心鉴》作跋。

十五日，葛立方自序其《韵语阳秋》。云："懒真子既上宜春之印，归休于吴兴，泛金溪，上我先人之敝庐，归愚识夷涂，游宦泯捷径，湛然胸次，不挂一丝。而多生习气，尚牵蠹简，虽不能如毛苌、郑康成泥虫鱼之注，又不能如虞卿、李德裕著穷愁之书。未谙王氏之青箱，懒问董生之朱墨，独喜读古今人韵语，披咏紬绎，每毕景忘倦。凡诗人句义当否，若论人物行事，高下是非，辄私断臆处而归之正。若背理伤道者，皆为说以示劝戒。书成，号《韵语阳秋》。昔晋人褚裒为皮里阳秋，言口绝臧否，而心存泾渭。余之为是也，其深愧于斯人哉！若孙盛、檀道鸾、邓粲各有《晋阳秋》，是皆不畏人祸天刑，率意而作，如昌黎公所云者也。余也非唯不敢，亦不暇。隆兴甲申中元，丹阳葛立方书。"按，《韵语阳秋》撰成于隆兴元年。徐林《韵语阳秋序》："隆兴元年，常之（葛立方）由天官侍郎罢七年矣，于是《韵语阳秋》之书成，贻书谓余叙之，会予以病未暇也。明年，常之卒。"

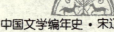

洪遵落端明殿学士。

八月

三日，詹叔善引年致仕，范成大为作《知止堂铭》。

二十九日，张浚（1097—1164）卒，年六十八。浚字德远，世称紫岩先生，汉州绵竹人。政和八年进士，调山南府士曹参军、恭州司录。历仕枢密院编修官、礼部侍郎、川陕宣抚处置使、尚书右仆射、同中书门下平章事。绍兴十二年，封和国公。因反对和议，忤秦桧，被摈斥几二十年，废居连州、永州。秦桧死，复观文殿大学士、判洪州。孝宗即位，起经理两淮，进封魏国公。隆兴元年，复拜尚书右仆射、同中书门下平章事，兼枢密使。二年，罢相，出判福州。卒赠太保，谥忠献。事迹见杨万里《张魏公传》、朱熹《张魏公行状》及《宋史》卷三六一本传。著有《绍兴奏议》十卷、《隆兴奏议》十卷、《论语解》四卷、《易解》并《杂说》十卷、文集十卷。今存《易传》十卷、《中兴备览》三卷，近人又辑有《张魏公集》十卷。《全宋诗》录其诗十一首，《全宋文》收其文十七卷。浚为南宋名臣，于政治军事皆有建树，又能深于学问。其"诗律清远，有乐道忧世之心；笔法妍楷，无震矜怠惰之容"（周必大《跋严汝翼所藏张丞相诗》）；其"奏议务坦明，不为虚辞，口占成文，不易一字"（杨万里《张魏公传》）。

张浚之卒，王十朋、汪应辰、刘过、朱熹等皆有祭文。

本月，魏杞等奉遣为金国通问使，赴金议和。

九月

王之望为参知政事、权刑部侍郎；吴芾为给事中兼淮西宣谕使。

秋

知镇江府事方滋邀客游多景楼，陆游赋《水调歌头·多景楼》，张孝祥书而刻之崖石。《于湖居士文集》卷二十八《题陆务观多景楼长句》："甘露多景楼，天下盛处。废以为优婆塞之居，不知几年。桐庐方公尹京口，政成暇日，领客来游，慨然太息。寺僧识公意，阅月楼成，陆务观赋《水调》歌之，张安国书而刻之崖石。"毛开有《水调歌头·次韵陆务观陪太守方务德登多景楼》。

十月

魏杞至盱眙，金帅以国书未如式弗受，欲得商、秦地及俘获人，且邀岁币二十万，杞未得进。

王之望兼同知枢密院事。

张孝祥遭主和派弹劾落职，归芜湖。

十一月

以黄榜禁太学生伏阙。榜出，太学生张观等七十二人上书，请斩汤思退、王之望、尹穑，窜其党洪适、晁公武而用陈康伯、胡铨等。据《宋史·孝宗本纪一》。

陈康伯以少保、观文殿大学士为尚书左仆射、同中书门下平章事兼枢密使。

胡铨以兵部侍郎奉遣诣两浙措置海道。

虞允文以显谟阁学士同签书枢密院事。

王之望奉遣劳师江上。

闰十一月

韩元吉至镇江省亲，与陆游相与道故旧甚乐。《渭南文集》卷一四《京口唱和序》："隆兴二年闰十一月壬申，许昌韩无咎以新番阳守来省太夫人于润。方是时，予为通判郡事，与无咎别盖逾年矣。相与道旧故，问朋游，览观江山，举酒相属甚乐。"二十九日，陆游、韩元吉等踏雪登焦山观《瘗鹤铭》刻石，放饮尽醉，薄暮方归。焦山题名："陆务观、何德器、张玉仲、韩无咎，隆兴甲申闰月二十九日，踏雪观《瘗鹤铭》，置酒上方。烽火未熄，望风樯战舰，在烟霭间，慨然尽醉。薄晚，泛舟自甘露寺以归。明年二月壬午，圆禅师刻之石。务观书。"按，此题名不载《渭南文集》。翁方纲《复初斋文集》卷二十六《跋陆放翁焦山题名》："焦山陆放翁题名，正书十行，五十八字；后又行楷题二行，十四字。隆兴二年甲申，放翁年四十，以左通直郎通判镇江府事。时莆阳守韩元吉无咎省母于京口，与先生道故旧，有《京口唱和集》，先生为之序者也。隆兴二年闰十一月二十九日庚辰，其明年二月壬午，则二月三日也。"

十二月

范成大除秘书省正字。《南宋馆阁续录》卷八："范成大，（隆兴）二年十二月除（正字）。"

虞允文同知枢密院事兼权参知政事；王刚中以礼部尚书签书枢密院事。

宋金"隆兴和议"成。《宋史·孝宗本纪一》："丙申，制曰：'比遣王抃，远抵颍滨，得其要约。寻澶渊盟誓之信，仿大辽书题之仪，正皇帝之称，为叔侄之国，岁币减十万之数，地界如绍兴之时。'"

洪适奉遣使金贺金主生辰。范成大赋《送洪内翰使虏》二首为之送行。

本年

辛弃疾江阴签判任满，改广德军通判。

葛立方（？—1164）卒，生年不详。立方字常之，号归愚，常州江阴人，葛胜仲之子。绍兴八年进士。十七年，除秘书省正字，转校书郎。二十一年，任考功员外郎。二十七年，权吏部侍郎，出知袁州，旋罢职，归老湖州。事迹见《南宋馆阁录》卷八、《宋诗纪事》卷四五。著有《归愚集》二十卷、《外制》五卷、《西畴笔耕》五十卷、

《方舆别志》二十卷。今存《归愚集》十卷，有宋抚州刻本残卷（存九卷）、《四库全书》本、清抄本。又有单刻本《归愚词》一卷，有明毛晋汲古阁刊本、《四库全书》本。《全宋词》收其词四十一首，《全宋诗》录其诗六卷，《全宋文》收其文五卷。芮晔《归愚集序》："吏部之文，务去陈言，而不露斧凿痕；自出机杼，而不袭他人后。行字著语，皆有来处，非读书博者，不见其工。至其闳肆驰骋，而不失程度，纡余清丽，而归于雅正，又不可以一体观也。"（《常郡八邑艺文志》卷五）《宋百家诗存》卷一〇谓其"天资高迈，博览诸子百家言，诗文信笔申写，不加持择"。四库提要卷一九八："宋人之中，父子以填词名家者，为晏殊、晏几道，后则立方与其父胜仲为最著。其词对平实铺叙，少清新宛转之思，然大致不失宋人规格。"《历代词话》卷七引《草窗词评》："葛立方《卜算子》词，用十八叠字，妙手无痕，堪与李清照《声声慢》并绝千古。"又著有《韵语阳秋》二十卷，"自汉魏以来诗人篇咏，咸参稽抉摘，以品藻其是非，不以名取人，亦不以人废言，质事揆理，而唯当之为贵。至于有益名教，若悖理伤道者，则反覆评论，折衷取予，以示劝戒"（沈洵《韵语阳秋序》）。四库提要卷一九五谓其"大旨持论严正，其精确之处，未可尽没也"。是书今存明正德刊本、《四库全书》本。

周麟之（1118—1164）卒，年四十七。麟之字茂振，海陵人。绍兴十五年进士，调常州武进县尉。十八年，复中博学宏词科，授太学录兼秘书省校勘、敕令所删定官，改秘书省正字。历官中书舍人、著作佐郎、兵部侍郎。二十九年，为翰林学士，兼修国史，兼侍读，权刑部侍郎，充使金奉表哀谢使。三十年，权吏部尚书，除同知枢密院事。明年，因上疏辞免再使金，责授秘书少监，分司南京，居端州。孝宗即位，许自便。事迹见《四朝名臣言行别录》卷三、《宋史翼》卷一三。著有《海陵集》二十三卷，另有《外集》一卷，今存影写宋刊本、《四库全书》本、民国海陵丛刻本。《全宋诗》录其诗三卷，《全宋文》收其文十八卷。周必大《海陵集序》："炎祚中兴，时则有吾宗枢密公茂振，以隽明之才，辩丽之文，受知上皇，人皆以苏公遇太宗为比。年逾三十，由馆阁兼掌书命，其后真拜掖垣，入翰林，三迁为学士。每一制词出，学者争相传诵，天子尝褒谕云：'卿久掌内外制，中外士大夫咸称得代言之体。'……公薨，嗣子准衰遗稿得二十三卷，而内外制殆居其半，盖久官于朝，故其他诗文因事而作者少，然温润精切，鼎鼐可知。"四库提要卷一五九："《海陵集》二十三卷、《外集》一卷。……（周必大）序称其久官于朝，故其诗文因事而作者少，集中内外制词殆居其半。今观其集，非唯赠答唱和寥寥无几，即奏议、奏劄亦多不关军国大计。盖其珥笔禁庭，坐跻通显，与王珪约略相似，而文章娴雅，亦犹有北宋馆阁之余风，非南渡诸家日趋新巧者比，未可以专工俪偶轻也。别有《外集》一卷，其中使金诸诗称绍兴己卯。考徐梦莘《三朝北盟会编》，载绍兴二十九年周麟之为告哀使，盖以韦太后事而行。时金国方谋南伐，诗中《造海船》一章，亦知其欲由胶州浮海，水陆并进。而所载《中原民谣》十章，乃盛陈符谶。……又前后《凯歌》三十首，虚张虞允文瓜洲采石侥幸之功，殊为过实。词句亦多鄙俚，不类麟之他诗。"

程珌（1164—1242）生。

公元 1165 年（宋孝宗乾道元年乙酉　金世宗大定五年）

正月

合祀天地于圜丘，大赦，改元。通问使魏杞赍宋国书至金。

元夕，镇江知府方滋邀韩元吉宴饮赏梅，陆游与元吉有诗唱和。韩元吉《南涧甲乙稿》卷二有《方务德元夕不张灯留饮赏梅务观索赋古风》，陆游《剑南诗稿》卷一有《无咎郡斋宴集有诗末章见及敬次元韵》。元吉旋以考功郎征，务观为之置酒钱别，元吉赋《醉落魄》（自注："务观席上索赋"）。复招元吉游金山，务观赋《赤壁词》（自注："招韩无咎游金山"），元吉有《次陆务观见贻念奴娇韵》。后务观裒集与元吉唱和之作，名《京口唱和集》。元吉之子韩淲《涧泉日记》卷中："陆游，字务观，先公友也。善歌诗，亦为时所忌。先公与之唱和，旧有《京口小诗集》，务观作序。"陆游《渭南文集》卷十四《京口唱和序》："隆兴二年闰十一月壬申，许昌韩无咎以新番阳守来省太夫人于润。方是时，予为通判郡事，与无咎别盖逾年矣。相与道旧故，问朋游，览观江山，举酒相属甚乐。明年改元乾道，正月辛亥，无咎以考功郎征。念别有日，乃益相与游。游之日，未尝不更相和答，道群居之乐，致离阔之思，念人事之无常，悼吾生之不留。又丁宁相戒以穷达死生毋相忘之意。其词多宛转深切，读之动人。呜呼，风俗日坏，朋友道缺，士之相与如吾二人者亦鲜矣！凡与无咎相从者六十日，而歌诗合三十篇，然此特其略也。或至于酒酣耳热，落笔如风雨，好事者从旁掣去，他日或流传乐府，或见于僧窗驿壁，恍然不复省识者，盖又不可计也。"

二月

陈康伯（1097—1165）卒，年六十九。康伯字长卿，信州弋阳人。宣和三年进士，授长洲主簿，累迁太学正。绍兴二十七年，自吏部尚书除参知政事，后拜右相。三十一年，迁左相。隆兴元年，以病坚请去位，除少保、观文殿大学士，判信州。次年，再拜左相兼枢密使。卒赠太师，谥文恭。庆元初，改谥文正。事迹见《宋史》卷三八四本传。《宋史·艺文志七》著录其《葛溪集》三十卷，已佚。今有辑本《陈文正公集》二卷，有清康熙二十九年刻本，《四库全书总目》以为多伪作。《全宋词》录存《阮郎归》、《浪淘沙》词各一首，《全宋诗》录其诗四首，《全宋文》卷四一四二收其文。

本月，范成大与王衢、王淮等同游成氏园，有《次韵王夷仲正字同游成氏园》（自注："是日诸公令予题壁"）、《王季海秘监再赋成氏园，复次韵》。王衢，字夷仲，天台人。王十朋榜进士及第。治诗赋。乾道元年三月除正字，二年六月为校书郎，十二月主管崇道观。见陈骙《南宋馆阁录》卷八。王淮，字季海，东阳人，刘章榜进士出身，治《礼记》。乾道元年三月除少监，六月特与外任。见陈骙《南宋馆阁录》卷七。

韩元吉途次松江，有《过松江寄陆务观五首》，陆游有《次韵无咎别后见寄》。

三月

以虞允文为参知政事兼同知枢密院事，王刚中同知枢密院事。

范成大迁校书郎。周必大《资政殿大学士赠银青光禄大夫范公成大神道碑》云："乾道元年三月升校书郎，六月兼国史院编修官。十一月迁著作佐郎。"倪称将归隐东林，范成大赠其行，有诗《倪文举奉常将归东林，出示〈绮川〉、〈西溪〉二赋，辄赋长句为谢，且以赠行》。上巳，范成大与韩元吉泛湖，元吉作《清明后一日同诸友湖上值雨》，范成大有《次韵韩无咎右司上巳泛湖》。

四月

朱熹至行在，会钱端礼、洪适方主和议，晦庵痛斥其"议和"、"独断"、"国是"之说，复请祠。李心传《建炎以来朝野杂记》乙集卷八《晦庵先生非素隐》："晦庵先生，非素隐者也，欲行道而未得其方也。绍兴己卯之秋，高宗闻其贤，已有命召，盖陈鲁公初执政荐之也。……孝宗复召，先生一辞而至。先生之欲得君以行其道，意可见矣。及对垂拱殿，首论讲学、复仇二事。又论谏争之途尚壅，佞幸之势方张，民力已殚，国用未节。是时，汤丞相方大倡和议，深不乐之。除武学博士，待次，癸未秋也。乾道乙酉，促就次，既至，而洪丞相力主和议，与所论不合，复请岳祠而归。"五月，复差监南岳庙。

五月

诏未铨试人毋得堂除。

张孝祥复集英殿修撰，知静江府，广南西路经略安抚使。

六月

王刚中（1103—1165）卒，年六十三。刚中字时亨，饶州乐平人。绍兴十五年进士，授奉国军节度推官，为洪州州学教授。历仕著作佐郎、中书舍人、四川制置使。孝宗时，累除端明殿学士，进同知枢密院事。卒赠资政殿大学士，谥恭简。每以读书著文为乐，著有《易说》、《春秋通义》、《仙源圣记》、《经史辨》、《汉唐史要览》、《天人修应录》、《东溪集》、《应斋笔录》等，凡百余卷，均已佚。《全宋诗》录其诗二首，《全宋文》卷四三四八收其文。事迹见孙觌《王公墓志铭》、《宋史》卷三八六本传。

洪适以翰林学士签书枢密院事。

范成大以校书郎兼国史院编修官。

朱熹为魏掞之《戊午谠议》作序。云："今南北再欢，中外无事，迂愚左见所谓万世必报之仇者，固已无所复发其口矣。窃伏田间，不胜愤叹，因读魏元履所叙次《戊午谠议》，为之慨然流涕，盖伤其祸殃自此始也。……乾道改元六月戊戌，新安朱熹序。"

张孝祥取道今江西、湖南赴任。自芜湖出发至青阳，赋《水龙吟·望九华山作》词；经余干到临川，赋《浣溪沙·过临川席上赋》词，在余干作七律《赋余干赵公颐养正堂》；过丰城、清江、萍乡、衡山皆有诗。

七月

陆游改任通判隆兴军事。《宋会要辑稿·职官六一》："（乾道元年）三月八日诏：权通判镇江府陆游与通判隆兴府毛钦望两易其任。……中书门下省奏：陆游以兄沉提举本路市舶；钦望与安抚陈之茂职事不协，并乞回避，故有是命。"按：陆沉为务观从兄，曾提举两浙市舶，镇江为其所辖范围，故务观辞避。同官置酒浮玉亭，务观赋《浪淘沙·丹阳浮玉亭席上作》。至建康，四日冒雨游钟山定林庵。《渭南文集》卷四五《入蜀记》："塔后又有定林庵。……予乙酉秋，尝雨中独来游，留字壁间，后人移刻崖石，读之感叹。"周必大《泛舟游山录》："（乾道三年九月）乙亥……访定林，在钟山、蒋山之间，有陆务观乙酉七月四日题字。为续其后云：'丁亥九月十一日，务观之友周子充陪翁子功来游。'子功盖往时扶病招务观者，怯雨，留塔下。今复为东道主，但恨欠此佳客耳！"翁蒙之（1123—1174），字子功，崇安人。官至司农寺丞。家有别业在金陵。务观过金陵，子功扶病款接。

张孝祥经永州至桂林，有词《南歌子·过严关》及七绝《入桂林歇滑石驿题碧玉泉》。

八月

诏立赵惇为皇太子。

参知政事虞允文罢。

洪适为参知政事兼权知枢密院事；吏部侍郎叶颙签书枢密院事兼权参知政事。

十五日，张孝祥作《水调歌头·桂林中秋》。

九月

九日，重阳节，张孝祥作《柳梢青·饯别蒋德施粟子求诸公》。

洪适兼同知枢密院事。

秋

范成大游径山，有《题径山凌霄庵》、《径山倾盖亭》、《题径山寺楼》诸诗，抒爱山之意。

张孝祥作《满江红·思归寄柳州》，发归思之情。

十一月

范成大迁著作佐郎，仍兼国史院编修官。

朱熹为胡安国《赠云居僧明公五首》作跋，微讽湖湘学之好佛禅。《朱文公文集》卷八十一《跋胡文定公诗》："右胡文定公答僧五首，公子侍郎所书以授坟僧妙观，而妙观之所摹刻也。儒释之间，盖有所谓毫厘之差者。读之者能辨之，则庶乎知言矣。乾道乙酉十一月庚午，新安朱熹书。"胡安国（1074—1138），字康侯，建宁崇安人。绍圣四年进士及第，曾任太学博士、提举湖南、成都学事、中书舍人。学宗程颐，与游酢、谢良佐、杨时皆程门高弟。所著《春秋传》三十卷，感于南渡时势，借史事寄寓爱国之情，自明初定为科举考试专用书。又有《资治通鉴举要补遗》一百卷，今佚。

十二月

一日，范成大作《新开塘浦记》，赞昆山县令李结（次山）兴水利、救灾荒之功。文见《吴都文粹续集》卷五十四（丁氏八千卷楼抄本）。

洪适为尚书右仆射、同中书门下平章事兼枢密使。

叶颙为参知政事兼同知枢密院。

冬

莆州守王秬函告张浚已葬衡山，陆游感叹不已，赋诗追怀。题曰《去年余佐京口，遇王嘉叟从张魏公督师过焉。魏公道免相，嘉叟亦出守莆阳。近辱书报，魏公已葬衡山，感叹不已。因用所遗〈拄颊亭〉诗韵奉寄》。

本年

辛弃疾奏进《美芹十论》。时稼轩二十六岁，在广德军通判任。关于《美芹十论》之作年，《宋史》本传："（乾道）六年，孝宗召对延和殿。时虞允文当国，帝锐意恢复，弃疾因论南北形势及三国、晋、汉人才，持论劲直，不为迎合。作《九议》并《应问》三篇、《美芹十论》献于朝，言逆顺之理、消长之势、技之短长、地之要害甚备。"据此，则《美芹十论》当作于乾道六年之后。又，黄淮杨士奇《历代名臣奏议》卷九十四《经国门》、唐顺之《荆川先生右编》卷二十二收录此文时均题云："宋孝宗建康府通判辛弃疾进。"按：稼轩任建康通判在乾道四年。而清嘉庆十六年万载辛氏清修学馆刻本《稼轩集抄存》卷一则题此文曰："乾道乙酉进。"三说各有二三年之时差。邓广铭《辛稼轩年谱》（增订本）考论曰："文中所论及之事，如归正人解元振辈之上章不欲遣归、因受旌赏等，已无可考；金人之以文牒请索归正人，以及宋廷之曲从，又几于时有其事。均难藉以考定此文作年。唯《审势》第一中有云：'又况虏廷今日用事之人，杂以契丹、中原、江南之士，上下猜防，议论龃龉，非如前日粘罕、兀术辈之叶。且骨肉间僭杀成风，如闻伪许王以庶长出守于汴，私收民心，而嫡少尝暴之于其父，此岂能终以无事者哉。'查《金史》，世宗之子永中于大定元年（宋高宗绍兴三十一年，公元——六一年）封许王，于大定五年（乾道元年）改判大兴尹，七年进封越王。稼轩文中云云，必其时犹在永中为大兴尹之前，若此文上于乾道四年或六年，则其事久成过去，不得蒙'虏廷今日'等语而言也。因知《抄存》中题为乾道乙酉为可据。又按：稼轩《进十论劄子》中有'官闲心定'及'越职之罪难逃'等语，知稼轩此时必有官有职，盖正任广德军通判也。"兹从是说。《美芹十论》从审势、察情、观衅、自治、守淮、屯田、致勇、防微、久任、详战等方面，指陈任人用兵之道，谋划恢复中兴之计，切实详明。惜"讲和方定，议不行"（《宋史》本传）。

　　计有功约于本年前后在世，生卒年不详。陆心源《唐诗纪事跋》："有功，临邛人，祖用章，《东都事略》附《范雍传》。父良辅，庆历进士，见《眉州志》。有功，宣和三年进士，自号灌园居士，见宋刊《二百家播芳大全》目录。绍兴六年累官左承议郎，充行都督府书写机宜文字。十一月，张浚遣来奏事，后二日，加直秘阁，遣还。七年，献所著《晋鉴》。高宗曰：'朕乙夜观之，且为艰难之戒。'又问《春秋》防微之渐，对曰：'妇笑于齐，六卿分晋，此书之所为作也。'上首肯。随以母老求去。升直徽猷阁，提点潼川府刑狱公事，张浚引亲嫌力辞，疏累上，诏仍旧职。二十八年，知眉州。逾年，移利州路转运判官。明年，移嘉州。见《系年要录》。"有功以毕生之力，撰成《唐诗纪事》八十一卷。是书今存明嘉靖二十四年刊本、《四库全书》本、一九六五年中华书局上海编辑所据清平山堂刻本排印本。胡震亨《唐音癸签》卷三一《论唐诗纪事》："计氏此书，虽诗与事迹评论并载，似乎诗话之流，然所重在录诗，故当是编辑家一巨撰，收采之博，考据之详，有功于唐诗不细。外如王棨、庄南杰、季善夷、李咸用诸人，并有诗集；李康成、殷璠、芮挺章、高仲武之工品藻，而李、芮亦自有诗，并皆遗漏。又如李元操之为隋李孝贞字，漫附开元中，僧隐丘《琪树》诗之为《丹阳集》中蔡隐丘诗，误去蔡字作僧，晋释帛道猷诗误作昙翼，列僧中皆是正。亦其编录浩繁，故偶尔失检，不足为疵也。"四库提要卷一九五："《唐诗纪事》八十一卷。……是集乃留心风雅，采撷繁复，于唐一代诗人，或录名篇，或纪本事，兼详其世系爵里，凡一千一百五十家，唐人诗集不传于世者，多赖是书以存。其某篇为某集所取者，如《极玄集》、《主客图》之类，亦一一详注。今姚合之书犹存，张为之书独藉此编以见梗概。犹可考其孰为主，孰为客，孰为及门，孰为升堂，孰为入室，则其辑录之功，亦不可没也。唯其中多委巷之谈，如谓李白微时曾为县吏，并载其牵牛之谑，溺女之篇，俳谐猥琐，依托显然，则是榛楛之勿剪耳。"

公元 1166 年（宋孝宗乾道二年丙戌　金世宗大定六年）

正月

　　陆游在隆兴通判任，第五子子约生。作《自咏示客》，中云"衰发萧萧老郡丞，洪州又看上元灯"。

二月

　　范成大除尚书吏部员外郎，兼国史院编修官。

三月

赐礼部进士萧国梁以下四百九十三人及第、出身。

洪适罢右仆射。

魏杞以给事中、权吏部尚书同知枢密院事兼权参知政事。

范成大罢吏部员外郎。《宋会要辑稿·职官七一》："（乾道二年）三月四日，诏新除吏部郎中范成大放罢。以言者论其巧宦幸进、物论不平故也。"

张孝祥出游于广右道中，有七绝《广右道中》二首。

五月

陆游罢隆兴通判。《宋史》本传："言者论游交结台谏，鼓唱是非，力说张浚用兵。免归。"东归山阴道中，途经玉山，与尹穑（少稷）于端午日观江中竞渡，赋《重五同尹少稷观江中竞渡》，以"风浪如山鲛鳄横"喻仕途之艰险。东归后，卜居镜湖之三山。赵翼《陆放翁年谱》："先生《幽栖》诗自注：'乾道丙戌，始卜居镜湖之三山。'而庆元三年《春尽遣怀》诗自注则云：'余以乾道乙酉卜筑湖上。'盖乙酉买宅，丙戌罢官归，始入居之。嘉泰甲子有诗云：'曩得京口俸，始卜湖边居。'乙酉正在京口，以京口俸买宅，正是年也，入居则丙戌耳。《开东园之路》诗云：'忆自南昌返故乡，移家来就镜湖凉。'是自南昌归始居之证。"

十三日，张孝祥作《踏莎行·五月十三日甚佳》；三十日，与张维等同游朝阳岩，作《游朝阳岩记》。

曾几（1084—1166）卒，年八十三。几字吉甫，又字志甫，自号茶山居士，其先赣州人，后徙河南府（治今河南洛阳）。初入太学有声，特命试吏部，赐上舍出身。擢国子正，迁辟雍博士，除校书郎。南宋初，提刑江西、浙西。绍兴八年，因兄曾开力斥和议触怒秦桧，同被罢官，寓居上饶茶山寺七年。桧死，复官。官至敷文阁待制，以通奉大夫致仕。卒谥文清。事迹见陆游《曾文清公墓志铭》、《宋史》卷三八二本传。著有《茶山集》三十卷，今仅存诗八卷，凡五百五十八篇，有武英殿聚珍版丛书本、《四库全书》本。《全宋诗》录其诗九卷，《全宋文》卷三八〇〇收其文。

陆游《曾文清公墓志铭》："公治经学道之余，发于文章，雅正纯粹，而诗尤工。以杜甫、黄庭坚为宗，推而上之，由黄初、建安，以极于《离骚》、《雅》、《颂》、虞夏之际。初与端明殿学士徐俯、中书舍人韩驹、吕本中游，诸公继没，公岿然独存，道学既为儒者宗，而诗益高，遂擅天下。"曾几《东轩小室即事》其四："工部百世祖，涪翁一灯传，闲无用心处，参此如参禅。"又《李商叟秀才求斋名》："老杜诗家初祖，涪翁句法曹溪。尚论渊源师友，他时派衍江西。"《瀛奎律髓汇评》卷一六方回评："读茶山诗如冠冕佩玉，有司马立朝之意，用江西格参老杜法，而未尝粗做大卖。陆放翁出其门，而其诗自在中唐、晚唐之间，不主江西，间或用一二格，富也豪也对偶也哀感也，皆茶山之所无，而茶山要为独高，未可及也。"又卷二一方回评："每读茶山诗，无不满意处，更无丝毫偏枯颓塌。"四库提要卷一五八："陆游为作《墓志》，云：'公治经学道之余，发于文章，而诗尤工，以杜甫、黄庭坚为宗。'魏庆之《诗人玉屑》则云：'茶山之学出于韩子苍。'其说小异。然韩驹虽苏氏之徒，而名列江西派中，其格法实近于黄。殊途同归，实亦一而已矣。后几之学传于陆游，加以研练，面目略殊，遂为南渡之大宗。……几之一饭不忘君，殆与杜甫之忠爱等，故发之文章，具有根柢，不当仅以诗人目之，求诸字句间矣。"潘德舆《养一斋诗话》卷九："'工部百世祖，涪翁一灯传'，'老杜诗家初祖，涪翁句法曹溪。尚论渊源师友，他时派衍江西'，皆曾茶山诗也。夫祖工部可也，竟以涪翁为杜之法嗣，可乎？此自茶山之见耳。茶山五言，时有清迥之格，如'卷书坐东轩，有竹甚魁伟。清风过其中，戛戛鸣不已。写之以素琴，音节淡如水。不惜为人弹，临流须洗耳'；'丛芦受风低，积潦得霜浅。沙匀洲渚净，水澹凫鸭远。禅扉掩昼夜，短纸开秋晚。欲问此间诗，半山呼不返'。赵仲白所谓'清于月白初三夜，淡似汤烹第一泉'，当指此种言之。他作则多笔率气羸，虽尝受法于韩子苍，在江西宗派中，然与涪翁之崛岬，已绝不似，况老杜哉！所以得盛名者，或由剑南为其高足耳。评者谓其'全集风骨高骞，蕴含深远，居涪翁、剑南间，未为蜂腰'，非笃论也。"魏庆之《诗人玉屑》卷一九引《中兴诗话补遗》："唐人诗，喜以两句道一事，曾茶山诗中，多用此体。如'又从江北路，重到竹西亭'，'若无三日雨，哪复一年秋'，'似知重九日，故放两三花'，'次第缲经集，呼儿理在亡'，'又得清新句，如闻謦咳音'，'如何万家县，不见一枝梅'。此格亦甚省力也。"吴乔《围炉诗话》卷五："宋时江西宗派多主山谷，江湖诗派专主茶山。"翁方纲《七言律诗钞·凡例》："南宋诸家，格高韵远，可上接香山，下开放翁者，其唯茶山乎？"

曾几之卒，韩元吉、陆游、吕祖谦皆有诗文悼念。

六月

中旬，张孝祥罢知静江府。《宋史》本传言其"治有声绩，复以言者罢"。有五律《罢归》、《罢归呈同官》。下旬，离开桂林北归。以半日过灵川，三日过兴安，均有诗寄张维。后泛湘江，有词《水调歌头·泛湘江》；过浯溪，有词《水龙吟·过浯溪》。

本月，蔡元定始就朱熹问学，讲论经义。《宋史》卷四三四《蔡元定传》："蔡元定，字季通，建州建阳人。……既长，辨析益精。登西山绝顶，忍饥啖荠读书。闻朱熹名，往视之。熹扣其学，大惊曰：'此吾老友也，不当在弟子列。'遂与对榻讲论诸经奥义，每至夜分。四方来学者，熹必俾先从元定质正焉。"

七月

七日，张孝祥抵衡阳，有诗《七夕》、《丙戌七夕入衡阳境独游岸旁小寺》。十五日，游衡山，登祝融峰，有诗《上封寺》、《丙戌七月望日自南台游福岩书留山中》等，有词《望江南·南岳铨德观作》，有文《衡州新学记》等。

闰七月

范成大与王万（必大）登姑苏台，招王晓（浚明）、陈渊叔、耿铉（时举）避暑；

19

复与耿、王唱和。

八月

张孝祥北归过洞庭湖，作《念奴娇·过洞庭》。魏了翁《鹤山题跋》卷二《跋张于湖念奴娇词真迹》："张于湖有英姿奇气，著之湖湘间，未为不遇。洞庭所赋，在集中最为杰特。方其吸江酌斗，宾客万象时，讵知世间有紫微青琐哉？"《蓼园词选》黄氏评曰："写景不能绘情，必少佳致。此题咏洞庭，若只就洞庭落想，纵写得壮观，亦觉寡味。此词开首，从'洞庭'说至'玉界琼田三万顷'，题已说完，即引入'扁舟一叶'，以下从舟中人心迹与湖光映带写，隐现离合，不可端倪。镜花水月，是二是一。自尔神采高骞，兴味洋溢。"王闿运《湘绮楼词选》评此词"飘飘有凌云之气，觉东坡《水调》犹有尘心"。同月，经黄州，有词《水调歌头·汪德邵无尽藏》及五律《东坡》、《黄州》。

中秋，范成大与严焕（子文）游松江，约来岁复会。既望，泛舟垂虹，与吴江主簿高文虎观新修主簿厅，明年二月一日作《新修主簿厅记》。

九月

重阳，张孝祥在蕲州，有诗《书怀》及词《点绛唇·赠袁立道》。

范成大主管台州崇道观。周必大《资政殿大学士赠银青光禄大夫范公成大神道碑》："九月，言者罢，乃主管台州崇道观。"

秋

韩元吉为江南东路转运判官，再至丹阳，赋《满江红》词怀陆游。《南涧甲乙稿》卷七词题："再至丹阳，每怀务观。有歌其所制者，因用其韵，示王季夷、章冠之。"

十月

张孝祥为历阳守胡昉撰《三河记》，并有词《菩萨蛮·和州守胡明秀席上》。

朱熹编集《杂学辨》，何镐作跋行之。

刘珙刻《二程先生文集》于长沙，张栻校订。

十一月

王明清撰成《挥麈录》，并为作跋。云："明清乾道丙戌冬，奉亲会稽，居多暇日，有亲朋来过，相与晤言。可纪者，归考其实而笔录之，随手盈帙，不忍弃去，遂名之曰《挥麈录》，非所以为书也。长至日，明清识。"

十二月

诏免进呈《钦宗日历》，送国史院修纂实录。

叶颙以资政殿学士知枢密院事。

叶颙为尚书左仆射，魏杞为右仆射，并同中书门下平章事兼枢密使。

陈俊卿以吏部尚书同知枢密院事兼权参知政事。

朱熹将与张栻唱酬诗文编为《丙戌赠答诗文集》。

本年

赵汝愚擢进士第一。蔡戡、何澹、罗愿、黄人杰、周孚登同榜进士。

陆游自书《大圣乐》词。

洪适《隶释》成，明年，序而刊之。

仲并约于本年前后在世，生卒年不详。并字弥性，扬州江都人。绍兴二年进士，授平江府学教授，改左承奉郎，出判湖州。七年，以张浚荐，召至朝，为秦桧所阻，通判京口。十六年，为言者所劾，降三官。自是栖迟闲退二十年。孝宗即位，擢光禄寺丞，出知蕲州。官终朝请大夫、淮东安抚使参议。事迹见《宋史翼》卷二八。《宋史·艺文志七》、《直斋书录解题》卷一八皆录其《浮山集》十六卷，已佚。今四库全书本《浮山集》十卷，系自《永乐大典》辑出，加以排次订正而成。《全宋词》录其词三十六首，《全宋诗》录其诗三卷，《全宋文》收其文七卷。仲并工诗词文章，尤长于四六骈体。周必大《仲并文集序》："君之古律，如王良、造父驭骏马，驾轻车，有奔轶绝尘之势。其赓险韵，如茧抽丝、印印泥，愈出愈新。《送妹》长篇，孝友慈爱溢于言外，殆欲上规风雅，一何盛也。其四六叙事虽闳肆，而关键寔密；对属虽切，而非骈俪所能拘。最后《蕲州谢上表》，以古文就今体，自成一家，凡为国抚民、据旧图新之意，无愧前哲。此由学广闻多，非特天才骏发而已。其他论时事、条利害，深切明白，务在可行。为《庄安常行状》，见谓三长。杂著、题跋，清雅可爱。复以余力，出入释氏，游戏歌词，无不过人。"四库提要卷一五八谓"其古文颇高简有法度，四六能以散行为排偶，尤得欧、苏之遗。诗亦清隽拔俗"。《蕙风词话》卷二："仲弥性《浪淘沙》过片云：'看尽风光花不语，却是多情。'语淡而深。《忆秦娥》咏木犀后段云：'佳人敛笑贪先折，重新为剪斜斜叶。斜斜叶，钗头常带，一秋风月。'末二句赋物上乘，可药纤滞之失。"

张纲（1083—1166）卒，年八十四。纲字彦正，自号华阳老人，润州丹阳人。入太学，以上舍及第。绍兴初，历官起居舍人、中书舍人、给事中。二十六年，为参知政事，翌年出知婺州。二十八年，致仕。卒谥章简。为官谨慎，尝书"以直行己，以正立朝，以静退高天下"为座右铭。事迹见洪箴《张公行状》、《宋史》卷三九〇本传。著有《华阳集》四十卷，有明万历二十五年刻本、《四库全书》本。又著有《瀛州唱和集》八卷，已佚。《全宋词》录其词三十七首，《全宋诗》录其诗五卷，《全宋文》收其文二十卷。四库提要卷一五六："《华阳集》四十卷，两江总督采进本，宋张纲撰。……遭建炎兵毁，什不存一，值桧柄国，惧为所忌，绝意著述。然嗣子坚搜辑散佚，尚得八百余篇，至孙釜始刊版置郡学。以其自号华阳老人，即以名集，洪迈为之序。凡文三十三卷，诗五卷，词一卷，后附行状一卷。"嗣子张坚《华阳集跋》："坚不孝，遭大罚，号慕之余，哀集遗文，以类编次，仅得外制二百二十二、表疏九十八、奏劄六十八、故事十九、讲义十九、启八十四、杂文七十六、古律诗二百三十九、乐府三十四，厘为四十卷，以先君自号华阳老人，目之曰《华阳集》。集中有宣、政、靖康间所作诗文数十篇，皆掇拾于残编断简之末，或亲旧口所传诵，十不存一二。唯《尚书解》三十卷，乃先君为学官日所作讲义训诸生者，闽士集而成书，别本刊行。"洪迈《华阳老人文集序》："迈首得其书，伏读之，大抵制词严而缛，表疏卷卷主敬，虽莫齿退休，未尝以一篇倩人代作。而讲筵故事十九章，剀切明白。如论仁宗得君人之道、舜不穷其民、光武开心见诚、唐太宗察上封者之奸、宪宗御下有术、文宗不能正陈夷行唯阿之罪，皆反覆致志，因事纳忠，非若等辈区区备课程而已。"周必大《张彦正文集后序》："丹阳章简张公……发为文章，实而不野，华而不浮。在西掖所下制书，最号得体。其论思献纳，皆达于理而切于事。尤喜篇咏，格律有唐人风，非如儒生文士止有偏长而已。"

度正（1166—1235）生。

刘宰（1166—1239）生。

李心传（1166—1243）生。

公元1167年（宋孝宗乾道三年丁亥　金世宗大定七年）

三月

中旬，张孝祥过金山。作《题苏翰林诗后》、《题陆务观多景楼长短句》，赋《水调歌头》（江山自雄丽），词题云："与喻才子同登金山，江平如席，月白如昼。"

春

陆游栖居山阴，有《游山西村》、《观村童戏溪上》、《雨霁出游书事》、《残春》、《家园小酌》诸诗。

五月

张孝祥起知潭州（今长沙），权荆湖南路提点刑狱公事。赴任经彭泽故县作《留题彭泽故县修真观》；过江州，与王质同游庐山；过鄂州，有诗《舟中热甚从鄂守李寿翁乞冰雪樱桃》、《夜半走笔酬寿翁》。

周必大赴平江省亲，与范成大相晤。周必大《泛舟游山录》卷一："（乾道三年五月乙巳）晚抵平江，入阊门。……丁未，赴范至能吏部会。……庚戌，王仲谟、仲告、仲显自昆山来，至普门禅院谒之。……长老师璨约唐致远及仲谟昆仲过万寿禅院素饭，并招范至能、长老蕴衷（原注：癸未岁往径山识之）。……乙卯，早别从母登舟。同济之至崇真宫，相别于阊门。范至能、颜休文相别于门外。"

六月

虞允文为资政殿大学士、四川宣抚使。

范成大应吴江县令之请，作《三高祠记》。楼钥以为"瑰词三章妙天下"（《攻愧集》卷一《读范吏部三高祠堂记》）。

张孝祥到达潭州任所，饯送前任刘珙（恭父）。有词《水调歌头·送刘恭父趋朝》、《青玉案·饯别刘恭父》、《蝶恋花·送刘恭父》、《鹧鸪天·饯刘恭父》、《点绛唇·饯刘恭父》、《苍梧谣·饯刘恭父》等。

八月

一日，朱熹偕林用中赴潭州访张栻。马季机《经济文衡》卷二引李方子《紫阳年谱》云："乾道三年丁亥秋八月朔，先生如湖南，见南轩先生张公。"是次赴潭州，乃由湖南帅张孝祥遣人来迎。

上旬，范成大赴溧阳。过宜兴，送王葆之柩赴昆山卜葬。中秋，与周必大泛舟鼋画溪，赋《满江红》（鼋画溪山）。旋归。周必大《泛舟游山录》卷二："（乾道三年八月）丁未，大雨。……同范至能、鲁子师、李良佐投宿洞灵观，檐溜通夕如滩声。……己酉，仲谟从诸人议，徙柩，暂寓洞灵。既至而晴，遂为佳中秋。至能过溧阳。……壬子，范至能自溧阳来。癸丑，以卮酒饯至能，送之北门。"

胡仔撰成《苕溪渔隐丛话》后集。十五日，自序云："余丁年罹于忧患，投闲二十载，杜门却扫于苕溪之上，心无所事，因网罗元祐以来群贤诗话，纂为六十卷，自谓已略尽矣。比官闽中，及归苕溪，又获数书，其间多评诗句，不忍弃之，遂再采摭而掇收群书，旧有遗者，及就余闻见有继得者，各附益之，离为四十卷。噫，前、后集共一百卷，亦可谓富矣。""余尝谓开元之李杜、元祐之苏黄，皆集诗之大成者，故群贤于此四公，尤多品藻，盖欲发扬其旨趣，俾后来观诗者，虽未染指，固已知其味之美矣。然诗道迩来几熄，时所罕尚，余独拳拳于此者，惜其将坠，欲以扶持其万一也。嗟余老矣，命益蹇，身益闲，故得以编次。终日明窗净几，目批手抄，诚心好之，遂忘其劳。盖穷人事业，止于如斯。虽有覆瓿之讥，亦何恤焉。丁亥中秋日，苕溪渔隐胡仔元任叙。"

九月

八日，朱熹至潭州，与张栻岳麓讲学两月。《朱文公文集》卷二十四《与曹晋叔书》："熹此月八日抵长沙，今半月矣。"卷四十二《答石子重》书五："熹自去秋之中走长沙，阅月而后至，留两月而后归。"

范成大提举浙东常平，命未出而寝。

十月

张孝祥与张栻讲性命之学。日久不辍，遂筑敬简堂以为论道讲学之所，且自篆

《颜渊问仁》章于中屏，张栻有《敬简堂记》、朱熹有《敬简堂分韵得月字》以记之。三人同登定王台，赋诗酬唱，张栻有《十三日晨起霜晴用定王台韵赋此》，朱熹有《登定王台》，张孝祥有《酬朱元晦登定王台之作》。

十一月

魏杞罢参知政事兼同知枢密院，以陈俊卿为参知政事，翰林学士刘珙同知枢密院事。

六日，张栻、朱熹、林用中往游南岳衡山。张孝祥《与朱编修》书三："老兄游山，亦须待稍晴，未可以遽千金之躯，宜自爱惜。洪涛际天，溺马杀人，将安之耶？"并赋词《南乡子·送朱元晦行张钦夫刑少连同集》以赠行，朱熹赋《南乡子·次张安国韵》作答。张、朱、林三人一路唱酬，辑为《南岳唱酬集》。张栻《南岳唱酬序》："乾道丁亥秋，新安朱熹元晦来询予湘水之上，留再阅月，将道南山以归，乃始偕为此游，而三山林用中择之，亦与焉。粤以十有一月庚午，自潭城渡湘水。甲戌，过石滩，始望岳顶。忽云气四合，大雪纷集，须臾深尺许。予三人者，饭道旁草舍，人酌一巨杯上马。行三十余里，投宿草衣岩。……乙亥，抵岳后。丙子，小憩……湘潭彪居正德美来会，亦意予之不能登也。……夜半雨止，起视明星烂然。比晓，日升旸谷矣。德美以怯寒辞归。予三人联骑渡兴乐江……遂饭黄精，易竹舆，由马迹桥登山。……日暮，抵方广，气象深窈，八峰环立，所谓莲花峰也。登阁四望，霜月皎皎，寺皆版屋，问老宿，云：用瓦，辄为冰雪冻裂。自此如高台、上封，皆然也。戊寅，明发，穿小径，入高台寺。……出寺即行古木寒藤中，阴崖积雪厚几数尺。望石廪如素锦屏，日影下照林间，冰堕铿然有声。……出西岭，过天柱，下福岩，望南台，历马祖庵……过大明寺，有飞雪数点，自东岭来。望见上封寺，犹萦迂数里许，乃至……寺宇悉以版障蔽，否则云气嘘吸其间，时不辨人物。有穹林阁，侍郎胡公题榜。……予与二友息肩望祝融绝顶，褰裳径往顶上。……四望渺然，不知所极，如大瀛海环之，真奇观也！湘水环带山下，五折乃北去，寺僧指苍茫中，云洞庭在焉。……己卯，武夷胡实广仲、范念德伯崇来会，同游仙人桥。……再上绝顶，风劲甚，望见远岫次第呈露，比昨观殊快。……庚辰，未晓，雷击窗有声，警觉。将下，山寺僧亦谓石磴冰结，即不可步，遂呕由前岭已下。……欲访李邺侯书堂，则林深路绝，不可往矣。行三十里许，抵岳市，宿胜业寺劲节堂。盖自甲戌至庚辰凡七日。……间亦发于吟咏，更迭唱酬，倒囊得百四十有九篇，虽一时之作，不能尽工，然亦可以见耳目所历，与夫寄兴所托。"四库提要卷一八七："《南岳唱酬集》一卷附录一卷，编修汪如藻家藏本。宋朱子与张栻、林用中同游南岳倡和之诗也。……其游自甲戌至庚辰凡七日，朱子《东归乱稿序》称得诗百四十余首，栻序亦云百四十有九篇，今此本所录止五十七题，以《朱子大全集》参校，所载又止五十题，亦有《大全集》所有而此本失载者。又每题皆三人同赋，以五十七题计之，亦不当云一百四十九篇，不知何以参错不合。又卷中联句，往往失去姓氏标题，其他诗亦多依朱子集中之题，至有题作'次敬夫韵'，而其诗实为栻作者，盖传写者讹误脱佚，非当日原本矣。后有朱子与林用中书三十篇、用中遗事十条及朱子所作字序二首，皆非此集所应有，或林氏后人所附益欤？然以'南岳'标题，而泛及别地之尺牍，以'唱酬'为名，而滥载平居之讲论，以三人合集，而独载用中一人之言行，皆非体例。"

二十三日，朱熹别张栻东归。

十二月

立春日，范成大差知处州。周必大《资政殿大学士赠银青光禄大夫范公成大神道碑》："（乾道）三年十二月，起知处州。"洪迈《夷坚志·丙志》卷十七《王铁面》："至能除提举浙东常平，命未出而寝。立春日，差知处州。至郡数月，召还为侍从。"

朱熹与林用中、范念德东归途中，一路唱酬，辑为《东归乱稿》。朱熹《东归乱稿序》："始，予与择之（林用中）陪敬夫（张栻）为南山之游，穷幽选胜，相与咏而赋之。四五日间，得凡百四十余首。既而自咎曰：'此亦足以为荒矣。'则又推数引义，更相箴戒者久之。其事见于唱酬前后序篇亦已详矣。自与敬夫别，遂偕伯崇、择之东来。道途次舍、舆马杖屦之间，专以讲论问辩为事，盖已不暇于为诗。而间隙之时，感时触物，又有不能无言者，则亦未免以诗发之。盖自楮州历宜春，泛清江，泊豫章，涉饶、信之境，缭绕数千百里，首尾二十八日，然后至于崇安。始尽肤其橐，掇拾乱稿，才得二百余篇。取而读之，虽不能当义理、中音节，然视其间，则交规自警之词愈为多焉。斯亦吾人所欲朝夕见而不忘者，以故不复毁弃，姑序而存之，以见吾党直谅多闻之益，不以游谈燕乐而废。至其时或发于一偏，不能一出于正者，亦皆存而不削，庶乎后日观之，有以惕然自省而思所以改焉。是则此稿之存，亦未可以为无益而略之也。若夫江山景物之奇，阴晴朝暮之变，幽深杰异，千状万态，则虽所谓二百篇犹有所不能形容其仿佛，此固不得而记云。乾道丁亥冬十二月二十有一日，新安朱熹序。"

是月，以陈俊卿、刘珙荐，朱熹除枢密院编修官，待次。《建炎以来朝野杂记》乙集卷八《晦庵先生非素隐》："（乾道）丁亥之冬，陈魏公（俊卿）行丞相事，刘忠肃（珙）在枢府，乃奏枢密院编修官，待次。"

本年

范成大作农圃堂，始营石湖。其《赠寿老》诗末自注："十八年前，始作农圃堂。"此诗作于淳熙十二年末，上溯十八年，为今年；《石湖书事三首》其三："种木二十年，手开南野荒。"此诗作于淳熙十四年，上溯二十年，为今年。

陆游游上虞，有诗《上虞逆旅见旧题岁月感怀》、《舜庙怀古》。是岁冬，自名书室曰可斋。有《书室名可斋或问其义作此告之》诗云："得福常廉祸自轻，坦然无愧亦无惊。平生秘诀今相付，只向君心可处行。"

辛弃疾在广德军通判任。任满，改建康府通判。

朱翌（1097—1167）卒，年七十一。翌字新仲，自号灊山居士，晚年号省事老人，鄞县人。政和八年，以太学生赐第。南渡后，历官中书舍人，文采声华，倾动一时。

秦桧恶其不附己，谪居韶州十九年。后起知严州、宁国、平江三郡。官至敷文阁待制。事迹见《宋史翼》卷二七。著有《灊山集》四十四卷（周必大《朱新仲舍人文集序》），庆元间刊行，原集已佚，清四库馆臣自《永乐大典》中裒辑编次为三卷。另有《猗觉寮杂记》二卷，上卷为诗话，下卷杂论文章史事，颇有见地。今存明小草斋抄本、《四库全书》本。《全宋词》录其词三首，《全宋诗》录其诗四卷，《全宋文》卷四一四九收其文。四库提要卷一五七："《灊山集》三卷，永乐大典本，宋朱翌撰。……其集目见于诸书者，《宋史·艺文志》作四十五卷、诗三卷，陈氏《书录解题》作三卷，焦氏《经籍志》作二卷，而周必大《平园集》又云其子轼等类公遗稿凡四十四卷，卷目彼此互异。盖必大所言，即《宋志》之四十五卷，乃其文集；所云三卷者，则专指诗集。《经籍志》所载亦其诗集，而又讹三卷为二卷也。今文集已不可见，诗集亦无传本，唯《永乐大典》所收，篇什尚多，谨裒而集之，厘为三卷，以还其原目。"又云："翌父载上，尝从苏轼、黄庭坚游。翌承其家学，而才力又颇富健，故所著作有元祐遗风。集中五七言古体皆极跌宕纵横，近体亦伟丽伉健。喜以成语属对，率妥帖自然。陈鹄《耆旧续闻》、刘克庄《后村诗话》、王应麟《困学纪闻》皆采其佳句，盛相推挹。盖其笔力排奡，实足睥睨一时，与南渡后平易啴缓之音、牵率潦倒之习，迥乎不同。周必大序以杜牧拟之，非溢美也。"刘克庄《后村诗话》前集卷二："前辈记朱新仲舍人'天气未佳宜且住，风涛如此亦安归'之联，取其自然，不烦斲削。然新仲此等句尚多，如《招郭侯饮》云：'此时老子兴不浅，且日将军幸早临。'如：'何以报之青玉案，我姑酌彼黄金罍。'凡引用前人语，皆蟠屈排奡，使之妥帖。他句如'满地落花春病酒，一帘明月夜登楼'、'相亲多谢风标子，可款岂无潇洒侯'、'何从可觅秋消息，忽有先锋到白蘋'，如'水篆行科斗，林妆啭画眉'，若不经思，而俱出人意表。《读杜诗》云：'纵之逼论剑，收之入《檀弓》。'尤前人所未发也。"

刘汲约于此年前后在世，生卒年不详。汲字伯深，自号西岩老人。金天德三年进士，释褐庆州军事判官，入翰林为供奉。有《西岩集》传于家。《中州集》卷二《刘西岩汲》："比读刘西岩诗，质而不野，清而不寒，简而有理，澹而有味，盖学乐天而酷似之。观其为人，必傲世而自重者。颇喜浮屠，邃于性理之说，凡一篇一咏，必有深意，能道退居之乐，皆诗人之自得，不为后世论议所夺，真豪杰之士也。"

蔡沈（1167—1230）生。

戴复古（1167—?）生。

公元1168年（宋孝宗乾道四年戊子　金世宗大定八年）

正月

元夕，张孝祥有词《鹧鸪天·上元设醮》二首，有诗《元宵同张钦夫邵怀英分韵得红旗字》。

二月

赐王炎同进士出身，除端明殿学士，签书枢密院事。

张孝祥有诗《送张定叟》（戊子岁二月定叟如南山）、《吴伯承生孙分韵得啼定字》，有词《南歌子·赠吴伯承》。

五月

范成大被召至行在进对。《宋会要辑稿·兵六》："（乾道四年）五月十三日新权发遣处州范成大进对。" 周必大《资政殿大学士赠银青光禄大夫范公成大神道碑》："陛对，论力之所及有三：一曰日力，寸阴是也；二曰国力，资用是也；三曰人力，思虑知术所及者是也。三者有限，今尽以虚文耗之。公前应诏上封事及试策，反复论此，至是方见上，力以为言。上曰：'卿能激昂如此，朕当行之。'"

《知不足斋丛书》刊卢氏芸林仙馆藏本《放翁家训》。序文末称"乾道四年五月十三日太中大夫宝谟阁待制游谨书"。于北山《陆游年谱》（上海古籍出版社一九八五年版）是年谱文注〔二〕："考务观除太中大夫宝谟阁待制乃嘉泰三年（七十九岁）事，年代相差甚远。书中赘述丧葬安排，冗沓鄙俗，殊不类务观所为。"又云："《避暑漫钞》（《古今说海》、《历代小史》等丛书收）乃拼凑宋人笔记及《老学庵笔记》数条而成，亦后人所伪造，均不足信。"

张孝祥复待制，徙知荆南、荆湖北路安抚使。

七月

范成大赴处州任，六日，与韩元吉会饮于垂虹亭。元吉《水调歌头》小序云："七月六日，与范至能会饮垂虹。是时，至能赴括苍，予以九江命造朝，至能索赋。"《宋会要辑稿·职官六一》："（乾道）四年六月十一日，诏新知建宁军府韩元吉改知江州，与王淮两易其任。"元吉所谓"以九江命造朝"，当指此而言。元吉另有《松江别范至能、朱伯阳》诗二首。

八月

刘珙罢兼参知政事。

张孝祥至荆南任所。

朱熹与张栻、吴翌、蔡元定、林用中、林允中、王近思等讨论观过知仁之说，作《观过说》。

范成大至处州任所。浙东提举徐藏（子礼）按部来过，劝成大作鸳花亭，记秦观旧事。范成大《次韵徐子礼提举鸳花亭》序云："秦少游水边沙外之词，盖在括苍监征时所作。予至郡，徐子礼提举按部来过，劝予作小亭，记少游旧事；又取词中语名之曰'鸳花'，赋诗六绝而去。明年亭成，次韵寄之。"

张孝祥约马举先登城楼观塞，赋《浣溪沙》（霜日明霄水蘸空）词。

十二月

赐魏掞之同进士出身，为太学录。

冬

朱熹与林用中、祝康国游刘园，有怀南岳之游，赋诗寄张栻，题曰《雪中与林择之、祝弟登刘园之宴坐岩，有怀南岳旧游，赋此呈择之属和，并寄敬夫兄》。张栻有《次韵元晦、择之雪中见怀》。

本年

辛弃疾二十九岁，调建康通判。有词《念奴娇·登建康赏心亭呈史留守致道》。

姜夔十四岁，姊嫁汉川，父卒于汉阳任，约在此时。

许应龙（1168—1248）生。

公元1169年（宋孝宗乾道五年己丑　金世宗大定九年）

二月

追赠已故张浚为太师，谥忠献。

王炎为参知政事兼同知枢密院事。

张栻作《衡州石鼓山诸葛忠武侯祠记》。

张孝祥请祠侍亲，作《有怀》诗。

三月

王炎为四川宣抚使，仍参知政事。

召虞允文赴行在。

赐礼部进士郑侨等三百九十二人及第、出身。

月初，张孝祥进显谟阁直学士致仕。作五律《请说归休好》二首及《喜归作》。下旬，离荆州，有词《鹧鸪天·荆州别同官》；江行阻风石首，有词《浣溪沙·去荆州》及七律《风雨石首呈同行寄荆州僚旧》；旋过岳阳楼，复阻风汉口，有诗《王弱翁与余相遇汉口，赋古意赠别》、《屡登横州欲赋不成，阻风汉口，乃追作寄赵富文、杨齐伯》及《奉题富文横舟》。

春

范成大建鸳花亭成，有诗《次韵徐子礼提举鸳花亭》。陆游亦有《鸳花亭》诗。成大又建烟雨楼，赋《虞美人》词，已佚。据姜夔《虞美人》词序："括苍烟雨楼，石湖居士所造也。风景似越之蓬莱阁，而山势环绕、峰岭高秀过之。观居士题颜，且歌其所作《虞美人》，夔亦作一解。"成大再建莲城堂。雍正《处州府志》卷一："莲城堂，在旧治南园，郡守范成大建。"

朱熹与蔡元定讲学，顿悟中和新说，确立生平学问大旨，作《已发未发说》寄张栻。

四月

月初，张孝祥抵黄州，有词《望江南·赠谈献可》。旋至蕲口，有词《浣溪沙·亲旧蕲口相访》。

五月

月初，张孝祥过江州，偕王阮游庐山，作《万杉寺》诗二章。旋东下过池州，有诗《将至池阳呈鲁使君》。中旬，归芜湖。

范成大以宰相陈俊卿荐掌内制，恳辞。乃除礼部员外郎兼崇政殿说书，又兼国史院编修官。遇周畏知，同游西湖，赋诗《己丑五月，被召至行在，遇周畏知司直，和五年前送周归弋阳韵见赠，复次韵答之》，有"相逢且作西湖客，山绕荷花舣船游"句。

六月

初一日，王之道（1093—1169）卒，年七十七。之道字彦猷，濡须人。宣和六年，与兄之义、弟之深同登进士第，缙绅荣之，榜其所居堂曰"三桂"。靖康初，调和州历阳丞，摄乌江令。绍兴和议初成，通判滁州。因忤宰相秦桧而得黜。卜居相山之下，自号相山居士，诗酒自娱凡二十年。后累官湖南转运判官，以朝奉大夫致仕。事迹见《相山集》卷三〇附尤袤《赠故太师王公神道碑》、《宋史翼》卷一〇。著有《相山集》三十卷（《直斋书录解题》卷一八作二十六卷，《宋史·艺文志七》作二十五卷），原集已佚，清四库馆臣自《永乐大典》重辑为三十卷。又《直斋书录解题》卷二一著录其《相山词》一卷（《宋史·艺文志七》作《相山长短句》二卷），今存明抄本、清光绪吴氏双照楼抄本。《全宋词》录其词一百八十余首，《全宋诗》录其诗十五卷，《全宋文》收其文九卷。四库提要卷一五六："《相山集》三十卷，永乐大典本，宋王之道撰。……其所论九不可和之说，慷慨激烈，足与胡铨封事相匹，气节尤不可及。其他论事诸劄子，亦多明白晓畅，可以见诸施行。韵语虽非所长，而抒写性情，具有真朴之致。盖有体有用之言，固不徒以文章工拙论矣。"

虞允文为枢密使。

朱熹与刘汝愚同游仙洲山，有诗唱酬。熹赋《仙洲新亭，熹名以昼寒，紫微张公（孝祥）为书其额，判院刘丈（汝愚）乃出新句，辄次高韵二首》、《次昼寒韵》、《次判院丈昼寒亭韵有怀平甫》、《次判院丈清湍之什》诸诗。

张栻撰《于湖画像赞》。

夏秋之际，张孝祥（1132—1169）卒，年三十八。关于张孝祥之卒年，陆世良《宣城张氏信谱传》："乾道五年己丑，偶不豫，遂力请祠侍亲。……庚寅（乾道六年）冬，疾复作，遂卒。"是说不确。王质《雪山集》卷五《于湖集序》："岁己丑，某下峡过荆州，公出其文数十篇，于是超然殆不可追蹑，非汉唐诸子所能管摄也。是岁，公殁于当涂之芜湖。"周密《齐东野语》卷一三《张才彦》条谓孝祥"以当暑送虞雍公（允文）饮芜湖舟中，中暑卒，年才三十余"。韩元吉《南涧甲乙稿》卷一八《祭张舍人文》："触炎歊而遽疾，卧空舟而倏逝。"由上举资料可知，张孝祥卒于是年夏秋之际。至于《永乐大典》卷一四四一六所载洪遵《祭张安国舍人文》谓"维乾道六年岁次庚寅十月丁未朔、十七日癸亥，具官某，谨以清酒庶羞之奠，致祭于故经略徽学直院舍人张公之灵"云云，当为隔年祭。

孝祥字安国，号于湖居士，和州乌江人。绍兴二十四年进士第一，授签书镇东军节度判官。历礼部员外郎、起居舍人、权中书舍人。孝宗即位，知平江府。张浚北伐，荐除中书舍人，迁直学士院兼都督府参赞军事，兼领建康留守。宋师符离溃败，被劾罢职。后起知静江府兼广南西路经略安抚使，复以言者罢。起知荆南府，为荆湖北路安抚使。乾道五年，因疾以显谟阁直学士致仕，寻卒。事迹见《宋史》卷三八九本传。善诗文，词尤工。著有《于湖居士文集》四十卷。陈振孙《直斋书录解题》、《宋史·艺文志》著录卷数相同。今存宋刊本、明万历刻本、《四库全书》本。《四部丛刊》据慈溪李氏藏宋刊本影印。一九八〇年上海古籍出版社出版点校本。又有《于湖词》，《直斋书录解题》著录长沙本一卷，其单行刊本南宋时已有多种，然不经见。有明吴讷《唐宋名贤百家词》本、毛晋刻本、《四库全书》本。铁琴铜剑楼影写宋本《于湖先生长短句》五卷、拾遗一卷，而双照楼影刊宋本则为四卷。《全宋词》录其词二百二十余首，《全宋诗》录其诗十一卷，《全宋文》收其文七卷。

韩元吉《张安国诗集序》："安国之诗，其几于天才之自然者欤！安国少举进士，出语已惊人，未尝习为诗也。既而取高第，遂自西掖兼直北门，迫于应用之文。其诗虽间出，犹未大肆也。逮夫少憩金陵，徜徉湖阴，浮湘江，上漓水，历衡山而望九嶷，泛洞庭，泊荆渚，其欢愉感慨，莫不什于诗。好事者称叹，以为殆不可及。盖周游几千里，岂吾所谓发其情致而动其精思，真楚人之遗意哉！虽然，安国之诗，清婉而俊逸，其机杼错综，如茧之方丝，其步骤蹀躞，如骥之始弩。若天假之年，施藻火而御和鸾，其谁曰不宜。"四库提要卷一五八："《于湖集》四十卷，浙江巡抚采进本，宋张孝祥撰。……《书录解题》载《于湖集》四十卷，此本卷数相合。前有其门人谢尧仁及其弟华文阁直学士孝伯序。……今观集中诸作，大抵规摹苏诗，颇具一格，而根柢稍薄，时露竭蹶之状。……然其纵横兀傲，亦自不凡。故《桯史》载王阮之语，称其平日气吐虹霓。陈振孙亦称其天才超逸云。"谢尧仁《张于湖先生集序》："文章有以天才胜，有以人力胜，出于人者可勉也，出于天者不可强也。……于湖先生，天人也。其文章如大海之起波澜，泰山之腾云气，倏散倏聚，倏明倏暗，虽千变万化，未易诘其端而寻其所穷，然从其大者目之，是亦以天才胜者也。故观先生之文者，亦但当取其缪辂斡旋之大用，而不在于苛责于纤末琐碎之微。先生气吞百代而中犹未慊，盖尚有凌轹坡仙之意。……先生诗文与东坡相先后者已十之六七，而乐府之作，虽但得于一时燕笑咳唾之顷，而先生之胸次笔力皆在焉。今人皆以为胜东坡，但先生当时意尚未能自肯。……自渡江以来将近百年，唯先生文章翰墨为当代独步，而此犹先生之余事也。盖先生之雄略远志，其欲扫开河、洛之氛祲，荡涤洙、泗之膻腥者，未尝一日而忘胸中。"《香祖笔记》卷五："于湖……每作为诗文，辄问门人：'视东坡如何？'而尧仁谓其《水车》诗活脱是东坡，然较苏氏《画佛入灭》、《次韵水官》、《韩干画马》等数篇，尚有一二分劣。又谓以先生笔势，读书不十年，吞东坡有余矣。观集中诗，亦是学步江西，尚未到后山境界，遽欲上拟坡公，安矣。在南渡之初，亦下放翁远甚。"

四库提要卷一九八："《于湖词》三卷，安徽巡抚采进本，宋张孝祥撰。……《宋史·艺文志》载其词一卷，陈振孙《书录解题》亦载《于湖词》一卷，黄昇《中兴词选》则称紫微雅词，以孝祥曾官中书舍人故也。此本为毛晋所刊，第一卷末即系以跋，亦无跋语。盖其后已见全集，删其重复，另编为两卷以续之，而首卷则未重刊，故体例特异耳。卷首载陈应行、汤衡两序，皆称其词寓诗人句法，继轨东坡。观其所作，气概亦几几近之。《朝野遗记》称其在建康留守席上赋《六州歌头》一阕，感愤淋漓，主人为之罢席。则其忠愤慷慨，有足动人者矣。……陈应行序称《于湖词》长短句凡数百篇，今本乃仅一百八十余首。则原稿散亡，仅存其半，已非当日之旧矣。"汤衡《张紫微雅词序》："昔东坡见少游《上巳游金明池诗》有'帘幕千家锦绣垂'之句，曰：'学士又入小石调矣。'世人不察，便谓其诗似词，不知坡之此言，盖有深意。夫镂玉雕琼，裁花剪叶，唐宋词人非不美也，然粉泽之工，反累正气。东坡虑其不幸而溺乎彼，故援而止之，唯恐不及。其后元祐诸公，嬉弄乐府，寓以诗人句法，无一毫浮靡之气，实自东坡发之也。于湖紫微张公之词，同一关键。……公平昔为词，未尝著稿，笔酣兴健，顷刻即成。初若不经意，反覆究观，未有一字无来处。如《歌头》、《凯歌》、《登无尽藏》、《岳阳楼》诸曲，所谓骏发踔厉，寓以诗人句法者也。自仇池（苏轼）仙去，能继其轨者，非公其谁与哉？"陈应行《于湖先生雅词序》："苏明允不工于诗，欧阳永叔不工于赋，曾子固短于韵语，黄鲁直短于散语，苏子瞻诗如词，才之难全也，岂前辈犹不免耶！紫微张公孝祥，姓字风雷于一世，辞彩日星于群因。其出入皇王，纵横礼乐，固已见于万言之陛对；其判花视草，演丝为纶，固已形于尺一之诏书。至于托物寄情，弄翰戏墨，融取乐府之遗意，铸为毫端之妙词，前无古人，后无来者，散落人间，今不知其几也。比游荆湖间，得公《于湖集》，所作长短句凡数百篇，读之泠然洒然，真非烟火食人辞语。予虽不及识荆，然其潇洒出尘之姿，自然如神之笔，迈往凌云之气，犹可以想见也。"查礼《铜鼓书堂词话》："张安国孝祥……《于湖词》一卷。声律宏迈，音节振拔，气雄而调雅，意缓而语峭。集内《念奴娇·过洞庭》一解，最为世称颂。其中如：'玉界琼田三万顷，著我扁舟一叶。素月分辉，明河共影，表里俱澄澈。'又云：'短鬓萧疏襟袖冷，稳泛沧溟空阔。尽吸西江，细斟北斗，万象为宾客。叩舷独啸，不知今夕何夕。'此皆神来之句，非思议所能及也。"《词品》卷四："《于湖紫微雅词》一卷……其咏物之工如'罗帕分柑霜露齿，冰盘剥芡珠盈掬'，写景之妙如'秋净明霞乍吐，曙凉宿霭初消'，丽情之句如'佩解湘腰，钗孤楚鬓'，不可胜载。"

孝祥之卒，王十朋、韩元吉、张栻、王质、王阮等皆有诗文追悼。

八月

陈俊卿为尚书左仆射，虞允文为尚书右仆射，并同中书门下平章事、兼枢密使兼制国用使。

中秋，范成大玉堂寓直，有诗《己丑中秋寓宿玉堂，闻沈公雅（度）大卿、刘正夫（孝韪）户部集张园赏月，走笔寄之》。

十月

汪大猷（仲嘉）为明年贺金正旦专使，楼钥受辟同往，范成大有诗《送汪仲嘉侍郎使虏分韵得待字》赠行，勉其"要领一笑得，归来安鼎鼐"。

十二月

六日，陆游得报，以左奉议郎差通判夔州军州事，以久病未堪远役，谋以明年夏初起行。《渭南文集》卷四三《入蜀记》："乾道五年十二月六日，得报差通判夔州。方久病，未堪远役，谋以夏初离乡里。"

是月，范成大擢起居舍人兼侍讲，又兼实录院检讨官，仍兼国史院编修官。

本年

陈亮上《中兴五论》。《宋史》本传："隆兴初，与金人约和，天下欣然幸得苏息，独亮持不可。婺州方以解头荐，因上《中兴五论》。奏入，不报。已而退修于家，学者多归之，益力学著书者十年。"

孙觌（1081—1169）卒，年八十九。觌字仲益，号鸿庆居士，常州晋陵人。大观三年进士，政和四年举词学兼茂科，为秘书省校书郎。历官翰林学士，吏、户二部尚书。绍兴元年，知临安府。二年，以盗取官钱除名，编管象州。四年，放还，归隐太湖二十余年，致仕。早年依附汪伯彦、黄潜善，诋李纲，后复阿谀万俟卨，谤毁岳飞，为人所不齿。事迹见周必大《鸿庆居士集序》、《乾道临安志》卷三、《宋诗纪事》卷三八。工诗词，尤善四六。著有《鸿庆居士集》四十二卷，于庆元间由其子孙介宗刊刻流行，周必大为序，今存《四库全书》本、《常州先哲遗书》本、振绮堂抄本等。《全宋诗》录其诗九卷，《全宋文》收其文八十三卷。周必大《鸿庆居士集序》："公博学笃志如韩退之，谓礼部所试可无学而能者。第进士，冠词科，笔势翩翩，高出流辈。……其章疏、制诰、表奏，往往如陆敬舆，明辩骏发，每一篇出，世争传诵。"四库提要卷一五七："觌之怙恶不悛，当时已人人鄙之矣。然觌所为诗文颇工，尤长于四六，与汪藻、洪迈、周必大声价相埒。必大为作集序，称其名章隽句，晚而愈精。亦所谓孔雀虽有毒，不能掩文章也，流传艺苑已数百年，今亦姑录存之，而具列其秽迹于右，一以节取其词华，一以见立身一败，诟辱千秋，清词丽句，转有求其磨灭而不得者，亦足为文士之炯戒焉。"盛宣怀《常州先哲遗书本鸿庆居士集跋》："仲益生值国故，更事徽、钦、高、孝四朝，为文章容与详赡，淹赅众体，于时庐陵、南丰、眉山诸老相继徂谢，仲益趾其后，最号作家。"《墨庄漫录》卷四："孙觌仲益尚书，四六清新，用事切当。"《石洲诗话》卷四："孙仲益五岁属对，为东坡所赏。其诗思笔亦自清峻，但多生剥前人字句，则亦不能开拓无前也。"罗大经《鹤林玉露》丙编卷六："孙仲益《山中上梁文》云：'老蟾驾月，上千崖紫微之间；一鸟呼风，啸万木丹青之表。'又云：'衣百结之衲，扪虱自如；拄九节之筇，送鸿而去。'奇语也。"《历代诗发》卷二六谓其《寄题莫谦仲山居》"苍古逼人须发"；《崇仁县》"起极雄壮，收极悲凉，总由用笔变换，故而姿态横生"；《三山寺二首》"古淡自如"；《龙隐岩》"精悍遒紧，无绽可寻"。

扬无咎（1097—1169）卒，年七十三。无咎字补之，自号逃禅老人，又号清夷长者，临江军清江人，晚年寓居豫章。平生不乐仕进，屡征不起，以绘事自娱，所画墨梅，历代宝重。又工词。著有《逃禅词》一卷，有明毛晋汲古阁刊本、《四库全书》本。《全宋词》录其词一百七十余首。四库提要卷一九八谓其"词格殊工，在南宋之初，不忝作者"。

公元 1170 年（宋孝宗乾道六年庚寅　金世宗大定十年）

正月

陈骙撰《文则》成。自序云："余始冠游泮宫，从老于文者问焉，仅得文之端绪。后三年，入成均，复从老于文者问焉，仅得文之利病。彼老于文者有进取之累，所有告于我与夫我所得，唯利于进取。后四年，窃第而归，未获从仕，凡一星终，得以恣阅古书，始知古人之作。叹曰：文当如是。且《诗》、《书》、二《礼》、《易》、《春秋》所载，丘明、高赤所传，老、庄、孟、荀之徒所著，皆学者所朝夕讽诵之外文也。徒讽诵而弗考，犹终日饮食而不知味，余窃有考焉。随而录之，遂盈简牍。古人之文，其则著矣。因号曰《文则》。或曰：方今宗工钜儒，济济盈庭，下笔语妙天下，虽与日月争光可也，奚以吾子《文则》为？余曰：盖将以自则也，如示人以为则，则吾岂敢？乾道庚寅正月既望，天台陈骙序。"

二月

楼钥使北归来，谒范成大。楼钥《北行日录》："（乾道六年二月）十五日丙申，晴。侍季舅同去伪谢曾知阁，不遇。又谒范丈，甚款。……二十一日壬寅，雨。赴范丈晚饭。"（《攻愧集》卷一一二）

春

朱熹草成《太极图说解》，寄张栻、吕祖谦讨论，至闰五月修成。
范成大与胡元质（长文）、刘孝韪（正夫）游北山，有诗《与长文、正夫游北山》。中有"春寒有力欺游子，天色无情没断鸿。雨脚远连山脚暗，杏梢斜倚竹梢红"句。李羿（德章）作亭西湖，范成大名其亭曰"饮绿"，有诗《李羿知县作亭西湖上，余用东坡语名之曰饮绿，遂为胜概》，中有"暂暄还冷麦催秋"句，知此时当为春末。

陆游为徐葳自觉斋题诗。永乐大典本《苏州志》："自觉斋者，徐葳子礼所居。曾几、陆游皆赋诗。……陆放翁诗《题徐子礼宗丞自觉斋》。"将赴夔州通判，作《将赴官夔府书怀》。

五月

左相陈俊卿因与右相虞允文议事不合，出判福州。

范成大摄起居郎，并兼国史院编修官、实录院检讨官。

范成大假资政殿大学士、醴泉观使充奉使金国祈请国信使，求陵寝地及更定受书礼。胡铨有《送范至能使金序》，见《胡澹庵先生文集》卷十六。

十八日，陆游离山阴赴夔州通判任。二十日，至临安，有诗《投梁（克家）参政》，志在从戎草檄，为国雪耻。时梁克家为参知政事。

六月

陆游离临安赴夔州。二十八日，过金山，有《金山观日出》、《晚泊》二诗。适范成大使金过金山，遣人相招陆游食于玉鉴堂。据《入蜀记》。

七月

十七日，陆游过当涂，有诗《吊李翰林墓》。《入蜀记》："（七月）十七日，郡集于青山李太白祠堂，（吴博古、杨恂）二教授同集。"二十七日，至赵屯，有诗《雨中泊赵屯有感》。《入蜀记》："（七月）二十七日，五鼓，大风自东北来，舟人不告，乘便风解船，过雁翅夹……遂经皖口，至赵屯。未朝食已行百五十里，而风益大，乃泊夹中。……夜雨。"

是月，赐岳飞庙曰忠烈。

八月

七日，陆游舟抵江州，往游庐山；九日，还江州。《剑南诗稿》卷五十二《杂兴十首以贫坚志士节病长高人情为韵》第五、卷七十六《幽居记今昔事十首》第六，均追咏游庐山事。十八日，至黄州，二十日晓离去，有诗《黄州》。二十三日，至鄂州；二十八日，与章甫（冠之）登石镜亭，访黄鹤楼故址，出汉阳门游仙洞，后有诗《江夏与章冠之遇别后寄赠》；三十日，离鄂州。其间，有《武昌感事》诗。（据《入蜀记》）

十一日，范成大渡淮，有诗《渡淮》。自注："八月十一日，渡盱眙，过泗州，顺风如飞。"

九月

九日，陆游泊塔子矶，有《塔子矶》、《重阳》、《早寒》诸诗。十二日，过石首县，有诗《石首县雨中系舟戏作短歌》。十四日，次公安，有诗《公安》。十六日，泊沙市，有诗《沙头》。十九日，在江陵，有诗《大寒出江陵西门》、《题江陵村店壁》。二十六日后，将离江陵，有诗《移船》、《将离江陵》。据《入蜀记》。

九日，范成大抵燕山，赋《水调歌头》（自注：燕山九日作）明志。十一日，见金主，坚"受书礼未称"之请，申辩不屈。《宋史》本传："（范成大）至燕山，密草奏，具言受书式，怀之入。初进国书，词气慷慨，金君臣方倾听，成大忽奏曰：'两朝既为叔侄，而受书礼未称，臣有疏。'摺笏出之。金主大骇，曰：'此岂献书处耶？'左右以笏标起之，成大屹不动，必欲书达。既而归馆所，金主遣伴使宣旨取奏。成大之未起也，金庭纷然，太子欲杀成大，越王止之，竟得全节而归。"十五日，辞金主。金报书许归钦宗灵柩，而不易受书礼。十六日，离燕山。（据范成大《揽辔录》）自渡淮至燕山，成大赋诗七十二首，命曰《北征集》。孔凡礼《范成大年谱》（齐鲁书社一九八五年版）是年谱文注云："成大有《南征小集》、《西征小集》。……《永乐大典》卷一万三千零七十五（中华书局影印本第一百三十四册）引有《范成大北征集·灰洞》诗。据此，知渡淮至燕之七十二首，曾以《北征集》单行，明初修《永乐大典》时犹在。疑原名《北征小集》，《永乐大典》引用时省去一字。此七十二诗，如《州桥》写父老巫望恢复；《清远店》写主家'屠婢杀奴官不问'；《太行》之'横峰侧岭知多少，行到燕山翠未休'，写北方江山壮丽多姿；《宜春苑》揭露'狐冢獾蹊满路隅'，残破不堪回首；《雷万春墓》赞扬雷万春'九殒元身不殒名，言言千载气如生'；《京城》之'如许金汤尚资盗'，痛斥权奸误国；《汴河》之'龙舟早晚定疏川'及《龙津桥》之'西山剩放龙津水，留待官军饮马来'，对恢复事业充满信心；最后一诗《会同馆》则表明此次奉使之行，乃'致命'之'秋'，决心'提携汉节同生死'，誓不辱命。此后，许及之（深甫）于绍熙间使金，亦有七绝组诗多首，见《涉斋集》，当仿成大《北征集》诗而作，然较之成大诸作，逊色甚多。"

是月，赐苏轼谥曰文忠。

秋

朱熹草成《西铭解》，寄张栻、蔡元定、吕祖谦讨论。

十月

三日，陆游泊松滋渡，有诗《松滋小酌》、《晚泊松滋渡口》。六日晚，至峡州；七日，谒见叶安行（履道），以小舟游西山甘泉寺。有诗《过夷陵，适值祈雪，与叶使君清饮，谈括苍旧游，既行，舟中雪作，戏成长句奉寄》。八日，过下牢关。《入蜀记》："（十月）八日，五鼓尽，解船过下牢关。夹江千峰万嶂，有竞起者，有独拔者，有崩欲压者，有危欲坠者，有横裂者，有直坼者，有凸者，有洼者，有罅者，奇怪不可胜状。初冬草木皆青苍不凋。西望重山如阙，江出其间，则所谓下牢豀也。欧阳文忠公有《下牢津》诗云：'入峡江渐曲，转滩山更多。'即此也。系船与诸子及证师登三游洞，蹑石磴二里，其险处不可著脚。洞大如三间屋，有一穴通人过，然阴黑峻险尤可畏。缭山腹，伛偻自岩下至洞前，差可行，然下临溪潭，石壁十余丈，水声恐人。"有诗《系舟下牢溪游三游洞二十八韵》、《三游洞前岩下小潭水甚奇取以煎茶》。十六日，到归州；十七日，郡集于望洋堂、玩芳亭；十九日，郡集于归乡堂；二十日早，离归州。有诗《秭归醉中怀都下诸公示坐客》、《饮罢寺门独立有感》。二十一日，泊巴东县，"谒寇莱公（准）祠堂，登秋风亭，下临江山。是日重阴微雪，天气飕飘，复观亭名，使人怅然，始有流落天涯之叹。"（《入蜀记》）有诗《秋风亭拜寇莱公遗像》。二十六日，至瞿唐关，谒白帝庙，有诗《入瞿唐登白帝庙》。二十七日，至夔州。陆游自闰五月十八日离山阴赴任至十月二十七日到夔州就任，凡旅途所见，均排日记录，成《入蜀记》六卷。四库提要卷五十八："《入蜀记》六卷。……游以乾道五年授夔州通判，以次年闰六月（按，当为闰五月）十八日自山阴启行，十月二十七日抵夔州。因述其道路所经，以为是记。游本工文，故于山川风土，叙述颇为雅洁，而于考订古迹，尤所留意。如丹阳皇业寺即史所谓皇基寺，避唐玄宗讳而改；李白诗所谓新丰酒者，地在丹阳、镇江之间，非长安之新丰；甘露寺很石、多景楼皆非故迹；真州迎銮镇乃徐温改名，非周世宗时所改；梅尧臣《题瓜步祠诗》误以魏太武帝为曹操；广慧寺《祭悟空禅师文》石刻保大九年乃南唐玄宗，非后主；庾亮楼当在武昌，不应在江州，白居易诗及张舜臣《南迁志》并相沿而误；欧阳修诗'江上孤峰蔽绿萝'句，绿萝乃溪名，非泛指藤萝；宋玉宅在秭归县东，旧有石刻，因避太守家讳毁之，皆足备舆图之考证。他如解杜甫诗'长年三老'字及'摊钱'字，解苏轼诗'玉塔卧微澜'句，解南方以七月六日作七夕之由，辨李白集中《姑孰十咏》、《归来乎》、《笑矣乎》、《僧伽歌》、《怀素书歌》诸篇，皆宋敏求所窜入，亦足广见闻。其他搜寻金石，引据诗文以参证地理者，尤不可殚数。非他家行记徒流连风景，记载琐屑者比也。"

十一日，范成大至泗州；十二日，南渡淮。自临安至燕山，再自燕山归渡淮，成大每日记所见闻，成《揽辔录》一卷。陆游《夜读范至能〈揽辔录〉，言中原父老，见使者多挥涕，感其事作绝句》："公卿有党排宗泽，帷幄无人用岳飞。遗老不应知此恨，亦逢汉节解沾衣。"下旬，范成大回到临安。除中书舍人兼同修国史兼实录院同修撰。

是月，杨万里除国子博士。

本年

召辛弃疾进对延和殿。《宋史》辛弃疾本传："（乾道）六年，孝宗召对延和殿。时虞允文当国，帝锐意恢复，弃疾因论南北形势及三国、晋、汉人才，持论劲直，不为迎合。作《九议》并《应问》三篇、《美芹十论》献于朝，言逆顺之理、消长之势、技之短长、地之要害甚备。以讲和方定，议不行。"梁启超《辛稼轩年谱》本年下附考证云："细读《美芹十论》及《九议》，知两文决非作于一时，旧谱谓皆乾道元年作，非也；本传谓皆本年作，亦非也。《十论》作于元年乙酉，《永乐大典》本有明文，想所据为文集原本，更无可议。《九议》、《大典》本不著年份，当从传文定为本年作。篇中有'朝廷规恢远略已三年矣'之语，盖自丁亥、戊子以来，已渐觉和议不可恃，有备战之意。《美芹十论》若作于是年，是为无的放矢。《九议》之立论，则全以备战为前提，而反言战之不可轻发，故知其必作于是年也。篇中有'欲乞丞相稍去簿书细务，为数十日之闲，舒写胸臆，延访豪杰'语，知其书当为上虞允文，非奏议也。《应问》三篇，或是答允文咨访，惜已佚不可考矣。传文'以讲和方定，议不行'云云，亦是误将《美芹十论》时事并为一谈。上《九议》时和局久定，而战论方张，先生又非主立时开战者，无所谓行不行也。议中颇注重理财，迁司农主簿，殆有向用之意。"迁司农主簿。是年，张栻、吕祖谦均在朝中任职，稼轩时与从游。

员兴宗（？—1170）**卒，生年不详。兴宗字显道，号九华子，陵州人。**绍兴二十七年进士，权差黎州教授。乾道中，召试，擢校书郎、国史编修，预修四朝国史。五年，迁著作佐郎。六年，兼实录院检讨官，以抗疏言事去职，主管台州崇道观，是年病卒。事迹散见于李心传《九华集序》、王颐《祭员兴宗文》、《南宋馆阁录》卷七等。著有《九华集》五十卷（《国史经籍志》卷五），原集已佚，清四库馆臣自《永乐大典》辑出诗文，厘为二十五卷，计诗六卷、杂文十五卷、《论语解》《老子解略》《西陲笔略》及《绍兴采石大战始末》各一卷。《全宋诗》录其诗四卷，《全宋文》收其文十六卷。兴宗以政事文章见称于时，李心传谓其文"高古简严，唯陈言之务去，极其所就，必欲至杜、韩而后止，李、柳而降，非所愿也"（《九华集序》）。四库提要卷一六〇："《九华集》二十五卷、附录一卷。……集中多与张栻、陆九渊往复书简，盖亦讲学之家。然所上奏议，大抵毅然抗论，指陈时弊，多引绳批根之言。……虽其文力追韩、柳，不无锤炼过甚之弊，然骨力峭劲，要无南渡以后冗长芜蔓之习，亦一作者也。"

王之望（1103—1170）**卒，年六十八。**之望字瞻叔，襄阳谷城人，后寓居台州。绍兴八年进士，调处州教授。入为太学录，迁博士。孝宗时，官至参知政事，寻罢去。乾道元年，起知福州兼福建路安抚使。加资政殿大学士，移知温州，寻复罢。事迹见《宋史》卷三七二本传。著有《汉滨集》六十卷，原集已佚，清四库馆臣自《永乐大典》辑为十六卷。《全宋词》录其词二十六首，《全宋诗》录其诗二卷，《全宋文》收其文二十卷。四库提要卷一五八："《汉滨集》十六卷，永乐大典本，宋王之望撰。……钱溥《秘阁书目》载有之望《汉滨集》，而佚其册数。焦竑《经籍志》作六十卷。然赵希弁、陈振孙两家俱未著录，则宋代已罕传本，后遂散佚不存。今从《永乐大典》中采撮裒缀，所存什之三四而已。……至其诗文，则皆疏畅明达，犹有北宋遗矩，诸剳子亦多足以考见时事，与正史相参，未可遽废。谨厘为十六卷，著之于录。"周必大《王参政文集序》："公学根于经，故有渊源；文适于用，故无枝叶。奏剳甚多，皆可行之言；内制虽少，得坦明之体。酷嗜吟咏，词赡而理到。尝游大峨，赋长韵，与客赓和至六七篇，下语如珠之走盘，用韵如射之破的。其他著述，大率近是。"

辛次膺（1092—1170）**卒，年七十九。**次膺字起季，莱州人。政和二年进士。历单父丞，累擢右正言，力斥和议，为秦桧所恶，奉祠十六年。后历任给事中、御史中丞、同知枢密院事、参知政事。事迹见《宋史》卷三八三本传。善属文，尤工于诗，韩元吉跋其诗，谓"优游平淡，气恬而意新"（《跋辛起季得孙诗》）。《宋史·艺文志七》著录其奏议二十卷、笺表十卷，今已佚。《全宋词》录其《贺新郎》词存目一首，《全宋诗》录其诗一首，《全宋文》卷四〇四五收其文。

胡仔（1110—1170）卒，年六十一。仔字元任，徽州绩溪人。以荫补官。绍兴六年，为广西经略安抚司书写机宜文字，就差本路提刑司干办公事。丁忧，赋闲二十载，居苕溪，日以渔钓自适，因自号苕溪渔隐。三十二年，起为福建转运司干办公事，后知常州晋陵县，未赴。事迹见《嘉泰吴兴志》卷一七、《宋史翼》卷三六。留心吟咏，取自古诗人所作，考之传记，为《苕溪渔隐丛话》百卷行于世。《丛话》前集六十卷，成于绍兴十八年，后集四十卷，成于乾道三年。是书今存宋刊本、元刊本、明刊本、《四库全书》本等，一九六二年人民文学出版社有标点本。胡仔自序前集曰："绍兴丙辰，余侍亲赴官岭右，道过湘中，闻舒城阮阅昔为郴江守，尝编《诗总》，颇为详备。……后十三年，余居苕水，友生洪庆远从宗子彦章获传此集。余取读之，盖阮因古今诗话，附以诸家小说，分门增广，独元祐以来诸公诗话不载焉。考编此《诗总》，乃宣和癸卯，是时元祐文章禁而弗用，故阮因以略之。余今遂取元祐以来诸公诗话及史传小说所载事实，可以发明诗句及增益见闻者，纂为一集。凡《诗总》所有，此不复纂集，庶免重复。一诗而二三其说者，则类次为一，间为折衷之。又因以余旧所闻见，为说以附益之。或者谓余不能分明纂集，如阮之《诗总》，是未知诗之旨矣。……余今但以年代人物之先后，次第纂集，则古今诗话不待检寻，已粲然毕陈于前，顾不佳哉！"四库提要卷一九五："其书继阮阅《诗话总龟》而作，前有自序，称阅所载者皆不录。二书相辅而行，北宋以前之诗话，大抵略备矣。然阅书多录杂事，颇近小说，此则论文考义者居多，去取较为谨严。阅书分类编辑，多立门目，此则唯以作者时代为先后，能成家者列其名，琐闻轶句则或附录之，或类聚之，体例亦较为明晰。阅书唯采摭旧文，无所考正，此则多附辩证之语，尤足以资参订。故阅书不甚见重于世，而此书则诸家援据，多所取资焉。"又，《全宋词》录其词二首，《全宋诗》录其诗十一首。

侯寘约于此年前后在世，生卒年不详。四库提要卷一九八："《懒窟词》一卷，江苏巡抚采进本，宋侯寘撰。案陈振孙《书录解题》，寘字彦周，东武人。绍兴中以直学士知建康。今考集中有《戏用贺方回韵饯别朱少章》词，则其人当在南宋之初。而《眼儿媚》词题下注曰：'效易安体'。易安为李清照之号，亦绍兴初人。寘已称效，殆犹杜牧、李商隐集中效沈下贤体之例耶？又有《为张敬夫直阁寿词》、《中秋上刘其甫舍人词》，皆孝宗时人。而《壬午元旦》一词，实为孝宗改元之前一年。则乾道、淳熙间其人尚存。振孙特举其为官之岁耳。寘为晁氏之甥，犹有元祐旧家流风余韵，故交游皆胜流，其词亦婉约娴雅，无酒楼歌馆簪舃狼籍之态。虽名不甚著，而在南宋诸家之中，要不能不推为作者。《书录解题》著录一卷，与今本同。"《全宋词》录其词九十五首。

苏泂（1170—？）生。

赵师秀（1170—1219）生。

高翥（1170—1241）生。
徐鹿卿（1170—1249）生。
曹豳（1170—1249）生。
杨云翼（1170—1228）生。

公元 1171 年（宋孝宗乾道七年辛卯　金世宗大定十一年）

正月

虞允文复请建太子，孝宗命其拟诏以进。次月，立赵惇为太子。

汪大猷奉祠归四明故里。范成大有诗《送汪仲嘉待制归四明，分韵得论字》。

陆游在夔州任上。有《雪晴》、《玉笈斋书事》、《记梦》、《山寺》诸诗。

四月

陆游至夔州数月，凭吊杜甫遗迹，是月十日，作《东屯高斋记》以志景仰，兼有自况之意。文曰："少陵先生晚游夔州，爱其山川，不忍去。三徙居皆名高斋。质于其诗，曰次水门者，白帝城之高斋也；曰依药饵者，瀼西之高斋也；曰见一川者，东屯之高斋也。故其诗又曰：'高斋非一处。'予至夔数月，吊先生之遗迹，则白帝城已废为丘墟百有余年，自城郭府寺，父老无知其处者，况所谓高斋乎！瀼西，盖今夔府治所，画为阡陌，裂为坊市，高斋尤不可识。独东屯有李氏者，居已数世，上距少陵，财三易主，大历中故券犹在。而高斋负山带谿，气象良是。李氏业进士，名襄，因郡博士雍君大椿属予记之。予太息曰：少陵，天下士也！早遇明皇、肃宗，官爵虽不尊显，而见知实深，盖尝慨然以稷、契自许。及落魄巴蜀，感汉昭烈诸葛丞相之事，屡见于诗，顿挫悲壮，反复动人，其规模志意岂小哉？然去国寖久，诸公故人熟睨其穷，无肯出力。比至夔，客于柏中丞、严明府之间，如九尺丈夫，俯首居小屋下，思一吐气而不可得。予读其诗至'小臣议论绝，老病客殊方'之句，未尝不流涕也。嗟乎！辞之悲乃至是乎？荆卿之歌，阮嗣宗之哭，不加于此矣。少陵非区区于仕进者，不胜爱君忧国之心，思少出所学佐天子，兴贞观、开元之治；而身愈老，命愈大谬，坎壈且死，则其悲至此，亦无足怪也。今李君初不践通塞荣辱之机，读书弦歌，忽焉忘老，无少陵之忧而有其高。少陵家东屯不浃岁，而君数世居之。使死者复生，予未知少陵自谓与君孰失得也。若予者，仕不能无愧于义，退又无地可耕，是直有慕于李君尔。故乐与为记。乾道七年四月十日山阴陆某记。"此后，又夜登白帝城，赋诗追怀杜甫，诗曰《夜登白帝城楼怀少陵先生》。

是月，范成大以中书舍人兼侍讲递宿禁中。尝求去，孝宗勉留。

七月

王炎为枢密使、四川宣抚使。周必大除礼部侍郎兼权直学士院、升同修国史、实录院同修撰。杨万里除太常博士。

陆游为《关著作行记》作跋。跋见《渭南文集》卷二十六。关著作即关耆孙，字寿卿，零陵人。王佐榜进士出身。治诗赋。乾道二年十二月除正字，三年七月为校书郎，九月知简州。据《南宋馆阁录》卷八。关氏《瞿唐关行记》收于《全蜀艺文志》卷六十四。

王十朋（1112—1171）**卒，年六十。十朋字龟龄，温州乐清人。**初聚徒讲学于梅溪，因自号梅溪。绍兴二十七年进士第一。任秘书郎兼建王府小学教授、著作郎。孝宗受禅，十朋力陈抗敌恢复大计，历官司封郎中、国子司业、起居舍人、侍御史。后出知饶州、夔州、湖州、泉州，以龙图阁学士致仕。每以诸葛亮、颜真卿、寇准、范仲淹、韩琦、唐介自比，朱熹、张栻雅敬之。卒谥忠文。事迹见汪应辰《龙图阁学士王公墓志铭》、《宋史》卷三八七本传。著有《梅溪集》、《后集》、《奏议》，共五十四卷，由其子王闻礼、闻诗编集刊行传世，今存明正统五年刻天顺六年重修本（《四部丛刊》影印）、《四库全书》本、清光绪重刊本。其《会稽三赋》于嘉定间由周士则、史铸作注，有单刻本行世，今存宋刊元修本、明嘉靖二年南大吉刻本。《全宋词》收其词二十一首，《全宋诗》录其诗三十卷，《全宋文》收其文二十八卷。

四库提要卷一五九："《梅溪集》五十四卷。……凡奏议五卷，而冠以廷试策。前集二十卷，后集二十九卷，而附以汪应辰所作墓志。后有绍熙壬子其子宣教郎闻礼跋，称文集合前、后并奏议五十四卷。与此本合。而《文献通考》作《梅溪集》三十二卷，续集五卷，并载刘珙之序。今无此序，卷数更多寡不符。应辰墓志则称《梅溪》前后集五十卷。与此本亦不相应。疑珙所序者初稿，应辰所志者晚年续增之稿，而此本则十朋没后其子闻诗、闻礼所编次之定稿也。观应辰称《尚书》、《论语》、《孟子》讲义皆未成书，而此本后集第二十七卷中载《春秋》、《论语》讲义数条，则为搜辑续入明矣。十朋立朝刚直，为当代伟人。应辰称其于文专尚理致，不为浮虚靡丽之词。其论事章疏，意之所至，展发倾尽，无所回隐，尤条鬯明白。珙称其诗浑厚质直，恳恻条畅，如其为人。今观全集，淳淳穆穆，有元祐之遗风。良非溢美。曹安谰言长语仅称其祭汉昭烈帝、诸葛亮、杜甫文各数语，未足以尽十朋也。"朱熹《王梅溪文集序》（代刘珙作）谓十朋"平居无所嗜好，顾喜为诗，浑厚质直，恳恻条畅，如其为人。不为浮靡之文，论事取极己意，然其规模宏阔，骨格开张，出入变化，俊伟神速，世之尽力于文字者，往往反不能及。其他片言半简，虽或出于脱口肆笔之余，亦无不以仁义忠孝为归，而皆出于肺腑之诚，然非有所勉强慕效而为之也。盖其所禀于天者，纯乎阳德刚明之气，是以其心光明正大，舒畅洞达，无有隐蔽，而见于事业、文章者，一皆如此。"真德秀《梅溪续集跋》谓其"为诗与文，绝去雕琢，浑然天质，一登临，一燕赏，以至赋一卉木、题一岩石，惓惓忠笃之意，亦随寓焉"。四库提要卷七十："《会稽三赋》三卷……宋王十朋撰。……所著有《梅溪集》。此赋三篇，又于集外别行。一曰《会稽风俗赋》，仿《三都赋》之体，历叙其地山川、物产、人物、古迹；一曰《民事堂赋》，民事堂者，绍兴中添差签判厅之公堂也。元借寓小能仁寺，岁久圮废，十朋始重建于车水坊；一曰《蓬莱阁赋》，其阁以元稹诗'谪居犹得住蓬莱'句得名。皆在会稽，故统名曰《会稽三赋》。"史铸《会稽三赋序》谓："《风俗赋》以抑扬品藻寓于答问，其事实，其词赡，旨趣明畅，字字渊源，诚为杰作。……及赋民事堂、蓬莱阁，文皆醇正，语亦高妙，其有见于奉君命、纪胜概者备矣。"

八月

范成大以中书舍人兼侍讲同修国史、兼实录院同修撰，除集英殿修撰、知静江府。返归故里姑苏。

自本月至九月初，陆游卧病四十余日，有《久病灼艾后独卧有感》、《秋晚病起》、《秋思》、《一病四十日天气遂寒感怀有赋》诸诗。《追怀曾文清公呈赵教授赵近尝示诗》亦当作于是时，诗云："忆在茶山听说诗，亲从夜半得玄机。常忧老死无人付，不料穷荒见此奇。律令合时方帖妥，工夫深处却平夷。人间可恨知多少，不及同君叩老师。"

九月

三十日，陆游登夔州城门，作《九月三十日登城门东望凄然有感》。中有"流离去国归无日，瘴疠侵人病过秋"、"蜀江朝暮东南注，我独胡为淹此留"等句，隐然有思归之意。

十月

陆游为王伯庠《云安集》作序。序云："公自少时寓秘阁直，晚由尚书郎长三院御史，出牧于夔，实督峡中十五郡。资忠厚故政令简，心乐易故民夷亲。乃因暇日，登临瞩望，徘徊太息，吊丞相之遗祠，想拾遗之高风，醉墨淋漓，放肆纵横，实为一代杰作。顾夔虽号大府，而荒绝瘴疠，户口寡少，曾不敌中州一下郡。如某辈又以忧思留落，九死之余，才尽志衰，欲强追逐公后而不可得。向使公当承平时，为并为雍，为镇为定，尽得四方贤士大夫以为宾客，相与览其河关之胜，以骋笔力，则公众作森列，岂特此而已哉！虽然，是犹未也。必极公之文，弦歌而荐郊庙，典册而施朝廷，然后曰宜；今乃犹啸咏于荒山野水之滨，追前世放逐羁旅之士而与之友，虽小夫下吏，或幸得之。於虖，是可叹欤！"此中深寓务观不平之气。王伯庠，字伯礼，祖籍大名，后迁济南章丘。绍兴二年进士。乾道五年八月知夔州兼本路安抚。七年，移知温州。九年二月二十五日，终于州治。累官至朝请大夫。有《历山集》、《云安集》、《夔路图经》等。

本年

晁公武本年前后在世，生卒年不详。《宋史》卷三十四《孝宗本纪二》："（乾道）六年春正月癸丑，雅州沙平蛮寇边，焚碉门砦。四川制置使晁公武调兵讨之，失利。""（乾道六年）三月……乙丑，以晁公武、王炎不协，罢四川制置司归宣抚司。"公武字子止，号昭德先生，钜野人，冲之之子。绍兴初进士，调荣州司户参军。十七年，辟为四川总领财赋司干办公事。乾道初，知泸州。四年，为四川安抚制置使。后卒于嘉州。事迹见《南宋馆阁录》卷八、《宋诗纪事》卷四八、《嘉庆四川通志》卷一六五。公武为南宋著名藏书家。自七世祖晁迥始，家富藏书。至公武，复受南阳井度（宪孟）赠书，合旧藏计二万四千五百余卷。公武校雠异同，论述大旨，编成《郡斋读书志》。有两种版本传世，内容互有不同。四卷本初刻于袁州（今江西宜春），称袁本；二十卷本初刻于衢州（今浙江衢县），称衢本。清末王先谦合校袁、衢两本为一本。为第一部附有提要之私家书目，其中所收书籍多已失传，仅赖此目得以考见大概。又著有《昭德晁公文集》六十卷，今已佚。《文献通考》卷二三八："《昭德晁公文集》六十卷。……昭德晁公盖能言当时理乱兴丧之由，而明乎得失之迹，道往事，诵遗风，而又能达之乎文辞以传者也。其经事之多，尝艰之久，而学日益强，文日益力，犹以为未足。其《答进士刘兴宗书》曰：'仆少时贯穿群书，出入百氏，旁逮释老恢诡之学……亡得焉。反而求之六艺，似于道有见也。乃愿师董仲舒，心奇贾生而病其杂也。'则公之学可睹矣。"今《全宋诗》录其诗十三首，《全宋文》卷四六六〇收其文。

　　石孝友约于本年前后在世，生卒年不详。孝友字次仲，南昌人。乾道中进士。工词，多以俗语口语入词，已具元代散曲气息。《直斋书录解题》卷二一著录其《金谷遗音》一卷，有《唐宋名贤百家词》本、汲古阁《宋六十名家词》本、《四库全书》本。《全宋词》录其词一百五十余首。四库提要卷二〇〇："《金谷遗音》一卷，安徽巡抚采进本，宋石孝友撰。……其词长调以端庄为主，小令以轻倩为工。而长调类多献谀之作，小令亦间近于俚俗。"毛晋《金谷遗音跋》："余初阅蒋竹山集，至'人影窗纱'一调，喜谓周、秦复生，又恐白雪寡和。既更得次仲《金谷遗音》，如《茶瓶儿》、《惜奴娇》诸篇，轻倩纤艳，不堕'愿奶奶兰心蕙性'之鄙俚，又不堕'霓裳缥缈、杂佩珊珊'之叠架，方之将胜欲，余未能伯仲也。"李调元《雨村词话》卷二："石次仲孝友《金谷遗音》，用笔超逸，似不食人间烟火，在南宋另是一格，然亦有鄙俗句。如《亭前柳》词后段云：'识尽千千并万万，那得恁海底猴儿。这百十钱一个，泼性命不分付，待分付谁。'集中佳词固多，此首颇为白璧之累。"又谓："词中白描高手，无过石孝友。《卜算子》云：'见也如何莫，别也如何遽。别也应难见也难，后会难凭据。去也如何去，住也如何住。住也应难去也难，此际难分付。'所谓不著一字，尽得风流。至《惜奴娇》仍然一种笔意，然却开曲儿一门矣。"冯煦《蒿庵论词》："《金谷遗音》小调，间有可采。然好为俳语，在山谷、屯田、竹山之间，而隽不及山谷，深不及屯田，密不及竹山，盖皆有其失，而无其得也。"

　　张公药约于本年前后在世，生卒年不详。公药字元石，金人所立伪齐尚书右宰相张孝纯之孙，以父荫入仕，尝为郾城令。工诗，有《竹堂集》。据《中州集》卷二《张郾城公药》。

　　郝俣约于本年前后在世，生卒年不详。俣字子玉，自号虚舟居士，太原人。金正隆二年进士。仕至河东北路转运使。工诗，有古意。有《虚舟居士集》行于世。据《中州集》卷二《郝内翰俣》。

　　陈宓（1171—1230）生。

公元 1172 年（宋孝宗乾道八年壬辰　金世宗大定十二年）

正月

陆游将离夔州通判任，贫不能行，作《上虞（允文）丞相书》，请禄一官以自活，或使能具装以归。书曰："某行年四十有八，家世山阴。以贫悴逐禄于夔。其行也，故时交友酝缙钱以遣之。峡中俸薄，某食指以百数，距受代不数月，行李萧然，固不能归，归又无所得食。一日禄不继，则无策矣。儿年三十，女二十，婚嫁尚未敢言也。某而不为穷，则是天下无穷人。伏唯少赐动心，捐一官以禄之，使粗可活；甚则可使具装以归，又望外则使可毕一二婚嫁。不赖其才，不藉其功，直以其穷可哀而已。"同月，四川宣抚使王炎辟陆游为幕宾。钱大昕《陆放翁先生年谱》："乾道八年壬辰，枢密使王炎宣抚四川，辟先生幕府，以左承议郎权四川宣抚使司干办公事兼检法官。正月，自夔州启行，取道万州，过梁山军、邻水、岳池、广安入利州，三月抵汉中。"

三月

周必大领宫祠返里，过苏州，与范成大相晤。必大应成大之邀游石湖，同游者尚有必大之兄必达。据《永乐大典》卷二二六六引《苏州府志》："（石湖）在吴县西南十二里，盖太湖之一派，范蠡所从入五湖者。参政范成大创别墅于此。因越来溪故城随地势高下而为亭榭，植以名花，而梅为独盛。别筑农圃堂，对楞伽寺，下临石湖。孝宗御赐'石湖'二大字，成大作《上梁文》云：'吴波万顷，偶维风雨之舟；越城千年，因筑湖山之观。'又有北山堂、千岩观、天镜阁、玉雪坡、锦绣坡、说虎轩、梦渔轩、绮川亭、明鸥亭、越来城等处，以天镜阁为第一。一时名人，皆为文词以侈之。乾道八年壬辰三月上巳，周益公以春官去国，与其兄必达过之。成大置酒园中，夜分，留题壁间云：'吴台越垒，距盘门才十里，而陆沉于荒烟野草者千七百年，紫微舍人（范成大）始创别墅，登临之盛，甲于东南，岂鸥夷子成功于此，扁舟去之，天闷绝景，须苗裔之贤者然后享其乐耶？'成大愧谢曰：'公言重，何乃轻许与如此？'益公曰：'吾行四方，见园池多矣，如芗林、盘园尚乏此趣，非甲而何？'龚氏《纪闻》云：'范公文章政事，震耀一世，其地为人爱重。石湖西南一带，尽佳山水，作圃于其间颇众，往往极侈丽之观。春时，士大夫游赏者独以不到此为恨，犹洛中诸圃，必以独乐为重耳。'按石湖之名，前此未甚著，实自范文穆公始，由是绘图以传。"范成大有诗《与周子充侍郎同宿石湖》，必大有和作《和范至能舍人农圃堂韵》。崔敦礼为作《石湖赋》，当亦在此时。此赋见《永乐大典》卷二二六六引《宫教集》。

陆游至南郑。在地理形势上，南郑北瞰关中，南蔽巴蜀，东达襄邓，西控秦陇，军事地位极为重要。宋室南渡后，南郑更成为西北国防前线，乃宋金必争之地。陆游到此后，登韩信将坛，谒武侯祠庙，爱国激情与恢复壮志益发高昂，积极谋划进取之策。《宋史》本传："王炎宣抚川陕，辟为干办公事。游为炎陈进取之策，以为经略中原必自长安始，取长安必自陇右始，当积粟练兵，有衅则攻，无则守。"赋《山南行》、《南郑马上作》等壮诗。从军南郑，为陆游生活、创作之一大转关。二十年后之绍熙三年，陆游《九月一日夜读诗稿有感走笔作歌》云："我昔学诗未有得，残余未免从人乞，力屡气馁心自知，妄取虚名有惭色。四十从戎驻南郑，酣宴军中夜连日，打球筑场一千步，阅马列厩三万匹。华灯纵博声满楼，宝钗艳舞光照席，琵琶弦急冰雹乱，羯鼓手匀风雨疾。诗家三昧忽见前，屈贾在眼元历历，天机云锦用在我，剪裁妙处非刀尺。世间才杰固不乏，秋毫未合天地隔，放翁老死何足论，《广陵散》绝还堪惜。"

王庭珪（1080—1172）卒，年九十三。庭珪字民瞻，吉州安福人。政和八年进士，调衡州茶陵县丞。因与上官不合，弃官家居，教授生徒，茸茅屋于卢溪之上，号卢溪。绍兴中，胡铨上书乞斩秦桧，谪新州，庭珪独以诗送行。十九年，坐讪谤停官，辰州编管。孝宗时，任国子主簿，后除直敷文阁。事迹见周必大《直敷文阁王公行状》、胡铨《监簿敷文王公墓志铭》。著有《卢溪集》五十卷、《易解》二十卷、《六经讲义》十卷、《论语讲义》五卷、《语录》五卷、《杂志》五卷、《沧海遗珠》二卷、《方外书》十卷、《校字》一卷、《凤停山丛录》一卷（据胡铨《监簿敷文王公墓志铭》），今大多散佚。文集五十卷，刊行于淳熙年间，杨万里为作序，今存明嘉靖五年刻本、《四库全书》本。《全宋词》录其词四十三首，《全宋诗》收其诗二十六卷，《全宋文》收其文十一卷。四库提要卷一五七："《卢溪集》五十卷，宋王庭珪撰。……其生平著作颇富，有《六经论语讲义》、《易解》、《语录》及《沧海遗珠》等书。今皆散佚，唯此集犹存。凡古近体诗二十五卷、杂文二十五卷。其脱稿不全者，亦附于卷末。读其所作，矫然伉厉之气，时流露于笔墨间。刘澄评其文，在庐陵可继欧阳修。后杨万里尝从之游，亦谓其诗出自少陵、昌黎，大要主于雄刚浑大。虽推挹之词，未免涉于溢量，要亦得其近似矣。"谢谔《卢溪先生文集序》："卢溪先生王公民瞻，江乡大手，以诗文驰声者盖六七十年。其少时志尚已高，视功业如拾芥。既龃龉，则发而见诸纸上，皎如日星，铿如金玉，芳如芝兰，浩如江河，自然有一种奇趣。他人之所勉强，而公则信手拈来，浑然天成。公亦非有心于此，是乃所谓激于中而发于外者。其诗之多于文，非此长而彼短也。……书铭记序诸篇，严厉有法，而《上皇帝书》并《盗贼》两论，其经纶宏杰，不减陆贽、杜牧，岂徒文而已哉！"杨万里《卢溪先生文集序》："少尝见曹子方传诗法，盖其诗自少陵出，其文自昌黎出，大要主于雄刚浑大云。清江刘清之子澄评先生之文，谓庐陵自六一之后，唯先生可继。闻者韪焉。"邓钹《嘉靖重刻卢溪先生文集后序》："宋自宣、政以后，小人嗣起擅国，而国事日入于敝。其波流所渐，使士或弃恒检而为附和，以是政理习俗不复如往时之盛。至于文词，亦寖失其旧，浑厚散而尖新出，雅正丧而侈靡竞，识者病之。先生当其时，才禀绝出，于学无所不窥，其气刚而志正。又尝及接前辈，慨然以气节文章自命。……盖其与世龃龉，履险处穷，节苦而思深，故得致力于文词。或谓先生之诗高亢清圆，名章秀句最称于世，文若不逮。今观集中诸文，体虽稍变，其词致皆雄浑雅健，要之多该物理，悉事会，不为空言者。至为杂文，则奇丽邃博，各极其趣，殆有元祐之风焉。"《宋诗钞·卢溪集钞序》："门人杨廷秀序其诗，谓得传于曹子方，出自少陵，而主于雄刚浑大。此第言其崖岸尔。若遣思属辞，未离窠坎，使真气蒙翳于篇句间，亦未免于诗家疵疠也。"《履斋示儿编》卷一〇："《苕溪丛话》曰：'圣俞云："南岭禽过北岭叫，高田水入低田流。"鲁直曰："野水自添田水满，晴鸠却唤雨鸠归。"诗意皆相类，然鲁直造语又工，优于圣俞。'余谓卢溪先生王民瞻《祷雨有应》云：'东岭云遮西岭黑，高田水与低田通.'石湖居士范至能《垫江县》云:'旧雨已招新雨至,高田水入下田鸣.'虽皆沿袭二公,语意相属,又过之.直与荆公云'北涧欲通南涧水,南山正绕北山云',乐天《题天竺寺》云'东涧水流西涧水,南山云起北山云'之句无间然矣.合六诗观之,唯'招'之一字为尤长."《历代诗发》卷二八谓其《次韵张子春赋瑶林春色》"风情宕往,篇法亦自纡回";《次韵盖中郎率郭郎中休官》"清和秀健,淡然以远".

春

辛弃疾出知滁州.《宋史》本传:"出知滁州,州罹兵烬,弃疾宽征薄赋,招流散,教民兵,议屯田."建奠枕楼,使民登临而歌舞之.

四月

赐礼部进士黄定以下三百八十九人及第、出身.

朱熹草成《资治通鉴纲目》.《朱文公文集》卷七十五《资治通鉴纲目序》:"先正温国司马文正公受诏编集《资治通鉴》,既成,又撮其精要之语,别为《目录》三十卷,并上之.晚病本书太详,《目录》太简,更著《举要历》八十卷,以适厥中,而未成也.至绍兴初,故侍读南阳胡文定公始复因公遗稿,修成《举要补遗》若干卷,则其文愈约而事愈备矣.然往者得于其家而伏读之,犹窃自病记识之弗强,不能有以领其要而及其详也.故尝过不自料,辄与同志因两公四书,别为义例,增损檃括,以就此编.盖表岁以首年,而因年以著统;大书以提要,而分注以备言.使夫岁年之久近,国统之离合,辞事之详略,议论之同异,通贯晓析,如指诸掌,名曰《资治通鉴纲目》.……乾道壬辰夏四月甲子,新安朱熹谨书."

韩元吉序张孝祥诗集.《南涧甲乙稿》卷一四《张安国诗集序》云:"历阳胡使君元功,集安国诗得若干篇,将刻而传之,以慰其乡闾之思.又掇其歌词,以附于后,属予序引.予于是收涕而怀有不忍述者.嗟乎!士大夫或未识安国,咏其诗而歌其词,襟韵洒落,宛其如在,亦足以悲其志之所寓,而知其为一世之俊杰人也.乾道八年四月庚申,颍川韩某序."

七月

十六日,范成大赴真率会.有诗《壬辰七月十六日侵晨真率会石湖路中书事》.同日,陆游晚登南郑内城西北之高兴亭,赋《秋波媚·七月十六日晚登高兴亭望长安南山》,寄慨抒怀.

是月,陆游为王炎作《静镇堂记》.中云:"虏暴中原久,腥闻于天,天且悔祸,尽以所复畀上;而公方弼亮神武,绍开中兴.异时奉銮驾,奠京邑,屏符瑞之奏,抑封禅之请,却渭桥之朝,谢玉关之质,然后能究公静镇之美云."望其能恢复中原.

九月

王炎奉诏赴都堂治事。

虞允文为少保、武安军节度使、四川宣抚使，封雍国公。

朱熹《八朝名臣言行录》成，刻版于建阳。《朱文公文集》卷七十五《八朝名臣言行录序》："予读近代文集及记事之书，观其所载国朝名臣言行之迹，多有补于世教。然以其散出而无统也，既莫究见始终表里之全，而又汩于虚浮诡诞之说，予常病之。于是掇取其要，聚为此录，以便记览。尚恨书籍不备，多所遗阙。嗣有所得，当续书之。"

秋

陆游因公有阆中之行。途中有《自三泉泛嘉陵至利州》、《木瓜铺短歌》、《夜抵葭萌惠照寺寓榻小阁》、《太息》诸诗。

十月

初一日，朱熹修订《西铭解》成，作《西铭后记》云："论曰：天地之间，理一而已。然乾道成男，坤道成女，二气交感，化生万物，则其大小之分，亲疏之等，至于十百千万而不能齐也。不有圣贤者出，孰能合其异而反其同哉？《西铭》之作，意盖如此，程子以为'明理一而分殊'，可谓一言以蔽之矣。……熹既为此解，复得尹氏书（按，即《尹和靖言行录》）云：'杨中立《答伊川先生论西铭书》有"释然无惑"之语，先生读之，曰："杨时也，未释然。"'乃知此论所疑第二书之说，先生盖亦未之许也。然《龟山语录》有曰：'《西铭》理一而分殊，知其理一，所以为仁；知其分殊，所以为义。所谓分殊，犹孟子言"亲亲而仁民，仁民而爱物"，其分不同，故所施不能无等差耳。或曰：如是，则体用果离而为二矣。曰：用未尝离体也。以人观之，四肢百骸具于一身者，体也；至其用处，则首不可以加履，足不可以纳冠。盖即体而言，而分已在其中矣。'……因复表而出之，以明答书之说诚有未释然者，而龟山所见，盖不终于此而已也。乾道壬辰孟冬朔旦，熹谨书。"

月初，陆游至阆中，有《阆中行》二首、《游锦屏山谒少陵祠堂》诸诗。十三日，自阆中还兴元。钱大昕《陆放翁先生年谱》："乾道八年壬辰……十月，复还汉中。会宣抚（王炎）召还，幕僚皆散去。十一月，改除成都府安抚使参议官，复自汉中适成都。"陆游有诗题曰《壬辰十月十三日，自阆中还兴元，游三泉、龙门。十一月二日自兴元适成都，复携儿曹往游，赋诗》。

汉中从戎乃陆游一生之最快意者，其后数十年间，他对此一时期之军旅生活仍追怀不已，屡屡发于吟咏。如《剑南诗稿》卷十《风顺舟行甚疾戏书》、《冬夜闻雁有感》、《冬夜泛舟有怀山南戎幕》，卷十三《闻蝉思南郑》、《辛丑正月三日雪》，卷十四《夜观秦蜀地图》，卷十五《秋雨渐凉有怀兴元》，卷十七《独酌有怀南郑》，卷十八《昔日》、《频夜梦至南郑小益之间慨然感怀》，卷二十三《秋晚思梁益旧游》、《怀南郑旧游》，卷二十七《忆昔》、《秋夜感怀十二韵》，卷二十八《怀昔》，卷二十九《偶怀小益南郑之间怅然有赋》，卷三十《夏夜》（第二），卷三十一《岁暮感怀以余年谅无几休日怆已迫为韵》（第八）、《病思》，卷三十二《春晚怀山南》、《愁坐忽思南郑小益之间》，卷三十六《忆昔》，卷三十七《感旧》（第四），卷四十八《追怀征西幕中旧事》，卷五十二《有怀梁益旧游》，卷五十四《重九无菊有感》、《入秋游山赋诗略无阙日戏作五字七首识之以野店山桥送马蹄为韵》，卷五十九《十月暄甚人多疾十六日风雨作寒气候方少正作短歌以记之》，卷六十《感昔》，卷六十三《秋夜思南郑军中》，卷六十八《忆昔》，卷六十九《醉歌》，卷七十六《幽居记今昔事十首以诗书从宿好林园无俗情为韵》（第七），卷七十九《初冬》。

十一月

二日，陆游离兴元赴成都。有诗《初离兴元》、《自兴元赴官成都》、《书事》。途中多有吟咏。在绵谷，有《栈路书事》；在益昌，有《雪晴行益昌道中颇有春意》、《思归引》；在剑门，有《剑门道中遇微雨》、《剑门关》、《剑门城北回望剑关诸峰青入云汉感蜀亡事慨然有赋》；在武连，有《宿武连县驿》；在绵州，有《行绵州道中》、《越王楼》二首、《东津》；在罗江，有《罗江驿翠望亭读宋景文公诗》；在鹿头关，有《鹿头关过庞士元庙》；在汉州，有《游汉州西湖》、《严君平卜台》。

十二月

韩元吉等奉遣贺金主生辰。金遣曹望之至宋等贺明年正旦。

陆游当于十一月底或本月初抵成都。往游青城山，六日，在山中玉华楼为《司马子微饵松菊法》作跋。《渭南文集》卷二十六《司马子微饵松菊法》："乾道初，予见异人于豫章西山，得《司马子微饵松菊法》，文字古奥，非妄庸所能附托。八年，又得别本于蜀青城山丈人观，斋戒手校，传之同志。十二月六日，笠泽渔翁陆务观书于玉华楼。"

七日，范成大发吴郡赴广西帅任。《骖鸾录》："石湖居士以乾道壬辰十二月七日发吴郡，帅广西。"又："（十二月）十九日，将游北山石林。薛（季宣）守愿同行。乘轻舟十余里，登篮舆，小憩牛氏岁寒堂。自此入山，松桂深幽，绝无尘事。过大岭，乃至石林。……又有小玲珑，在长兴县界路口，闻其尤胜石林，遂过之。小玲珑今属沈氏。……玲珑山，杜牧之所游，即石林；是小玲珑晚出而加胜。"有诗《与吴兴薛士隆（季宣）使君游弁山石林先生故居》、《自石林回过小玲珑，岩窦益奇，昔为富人吴氏所有，今一子尚游。山检校于官》。除夕，宿桐庐。《骖鸾录》："（十二月）三十日发富阳，雪满千山，江色沉碧。但小霁风急，寒甚。披使金时所作绵袍，戴毡帽，坐船头纵观，不胜清绝。剡溪夜泛，景物未必过此。除夜行役，庙祭及乡里节物尽废。晚宿严州桐庐县。"

是月，朱熹草成《大学章句》、《中庸章句》，寄张栻、吕祖谦讨论。作《斋居感兴二十首》，序云："余读陈子昂《感遇诗》，爱其词旨幽邃，音节豪宕，非当世词人所及。如丹砂空青，金膏水碧，虽近乏世用，而实物外难得自然之奇宝。欲效其体作十数篇，顾以思致平凡，笔力萎弱，竟不能就。然亦恨其不精于理，而自托于仙佛之间以为高也。斋居无事，偶书所见，得二十篇。虽不能探索微妙，追迹前言，然皆切于日用之实，故言亦近而易知。既以自警，且以贻诸同志云。"（《朱文公文集》卷四）黄震《黄氏日钞》卷三四："《感兴》诗二十首，转陈子昂自托仙佛之高条而为切于日用之实。一章言伏羲肇人文皆造化自然之理。二章言阴阳无始，谓凿死混沌者为妄。三章言人心与造化通，唯至人能体之。四章言不能体造化者为形役。五章言周衰已久，孔子作《春秋》而司马公乃责后世封大夫为诸侯非先见。六章言汉衰，独孔明伸大义，而帝魏之失当革。七章言唐启土不以正而致贼后之篡，赖范太史声其罪。八章言阴阳常倚伏，当体阳复之端。九章言北辰居其所，当体为人心之要。十章言圣人删《诗》定《书》，皆以敬为传心之本。十一章言伏羲仰观俯察以立象。十二章言六经无传而程氏作。十三章言颜、曾、子思、孟子传有要领。十四章言元亨利贞之动静以诚为主。十五章言学仙者逆天偷生。十六章言佛论缘业，而继之者谈空虚。十七章言育材失其道。十八章言作圣当自早。十九章言仁义之心当守。二十章言文辞之弊当除。"蔡模《文公朱先生感兴诗注序》："《三百篇》而后，非无能诗者，不过咏物陶情，舒其萧散闲雅之趣而已。独朱子奋然千有余载之后，不徒以诗为诗，而以理为诗，斋居之《感兴》是也。盖以理义之奥难明，诗章之言易晓，难明者难入而难感，易晓者易入而易感也。朱子切于教人，故特因人之易晓易感者，以发其所难入难感者耳。今诵其诗，包罗众理，总括万变，排辟异端，又皆正其本而探其源。"

本年

倪称（1116—1172）卒，年五十七。称字文举，归安人，号绮川居士。尝从学于张九成。绍兴八年进士。为常州州学教授，后官至太常寺主簿。《直斋书录解题》卷一八著录其《绮川集》十五卷，已佚。今存《绮川词》一卷，收入《四印斋所刻词》。《全宋词》录存其词三十三首。事迹见《四朝名臣言行录》别集卷一四、《宋元学案》卷四〇。

完颜璹（1172—1232）生。

马天来（1172—1232）生。

邹应龙（1172—1244）生。

赵汝镃（1172—1246）生。

郑性之（1172—1255）生。

公元 1173 年（宋孝宗乾道九年癸巳　金世宗大定十三年）

正月

初一日，范成大泊钓台，谒三先生祠；十四日立春，在衢州。与汪应辰同赴郡守张子彦（几仲）灯宴。后两日，复谒汪应辰于超化寺；二十八日，至余干县，与赵彦端（德庄）饮于思贤寺清音堂，有诗《清音堂与赵德庄太常小饮，在余干琵琶洲旁，洲以形似得名》；闰正月五日，在南昌，登滕王阁、南昌楼、江月台，为知府事龚茂良（实之）襟带堂题榜；十二日，宿临江，题诗清江台，诗题为《清江台在临江郡圃西冈上，张安国题榜》；十四日，独冒微雨游向子諲之芗林及任诏之盘园；十八日，泊袁州，往游仰山，有诗《游仰山，谒小释迦塔，访孚惠二王遗迹，赠长老混融》、《大雨，宿仰山。翌日骤霁，混融云：无乃开仰山之云乎？出山道中，作此寄混融》。据《骖鸾录》。

陆游初到成都，赋《汉宫春》（羽箭雕弓）以见志。俞陛云评此词曰："人当少年气满，视青紫如拾芥，几经挫折，便颓废自甘。放翁独老犹作健，当其上马打围，下马草檄，何等豪气！迨漫游蜀郡，人乐而我悲，怆然怀旧，而封侯夙志，尚欲以人定胜天，可谓壮矣。此词奋笔挥洒，其才气与东坡、稼轩相似。"（《唐五代两宋词选释》）

二月

三日，范成大泛湘江，作《浮湘行》；九日，谒南岳庙，作《谒南岳》；十二日，至衡州，过合江亭，赋《合江亭》并序。云："合江亭即石鼓书院，今为衡州学宫。一峰特立，踞两水之会，湘水自右，蒸水自左，俱至亭下，合为一江而东。有感而赋。韩文公所谓'渌净不可唾'者，即此处。今有渌净阁。"诗意以未复中原为耻；十九日，渡浯溪，观唐代元结《中兴颂》碑及唐元和以来所题咏，有题诗《书浯溪中兴碑后》并序；二十一日，渡潇水，至愚溪，有诗《愚溪在零陵城对岸，渡江即至。溪甚狭，一石涧耳。盖众山之水，流出湘中》。据《骖鸾录》。

朱熹为何镐作《味道堂记》，为刘清之作《刘氏墨庄记》，为范念德作《尽心堂记》。

特追赠苏轼为太师。

三月

十日，范成大至桂林任所。自乾道八年十二月七日至此日，凡山川、古迹、风土之胜及游从论述传闻之可采者，成大皆随日笔记，名曰《骖鸾录》。四库提要卷五十八："《骖鸾录》一卷……乃乾道壬辰成大自中书舍人出知静江府时，纪途中所见。其曰《骖鸾》者，取韩愈诗'远胜登仙去，飞鸾不暇骖'语也。书末有云：'若其风土之详，则有《桂海虞衡志》焉。'考《虞衡志》作于自桂林移帅成都时，其初至粤时未有也，则此书殆亦追加删润而成者欤？中间序次颇古雅。其辨元结《浯溪中兴颂》一条，排黄庭坚等之刻论，尤得诗人忠厚之旨。其载仰山孚忠庙有杨氏称吴时加封司徒竹册尚存，文称宝大元年。又称向得吴江村寺石幢所记，亦以宝大纪年。因疑钱氏有浙时或曾用杨氏正朔。以此二物为证。然考之于史，钱、杨屡相攻击，互有胜负，其势殊不相下，断无臣事淮南之理，而杨氏亦自有武义、顺义、乾贞、太和诸年号。其吴越之宝大，正当顺义四五年，亦不应有一国两元之事。成大所见，或出自后人伪造也。吴任臣作《十国春秋纪元表》，于此事不加辩证，当由未检此书欤？"又，自启程之日至此日，得诗四十二首，名曰《南征小集》。

十七日，陆游赋诗《三月十七日夜醉中作》。有"逆胡未灭心未平，孤剑床头铿有声"句，时时心系恢复。

金世宗谓宰臣曰："朕时尝见女直风俗，迄今不忘。今之燕饮音乐，皆习汉风，盖以备礼也，非朕心所好。"（《金史》卷七《世宗本纪中》）

春

陆游有《梅花》、《再赋梅花》、《西郊寻梅》、《分韵作梅花诗得东字》、《海棠》、《和谭德称送牡丹》诸咏物诗。

陈亮将所作《邓禹》、《耿弇》、《诸葛亮》、《曹植》等文寄请吕祖谦评阅。

四月

朱熹序定《太极图说解》。

金世宗御睿思殿，命歌者歌女直词。谓皇太子及诸王曰："朕思先朝所行之事，未尝暂忘，故时听此词，亦欲令汝辈知之。汝辈自幼唯习汉人风俗，不知女直纯实之风，至于文字语言，或不通晓，是忘本也。汝辈当体朕意，至于子孙，亦当遵朕教诫也。"（《金史》卷七《世宗本纪中》）

五月

陆九渊、陈傅良登进士第。

以迪功郎朱熹累诏不起，特改宣教郎，主管台州崇道观。朱熹以求退得进，于义未安，再辞。

夏

陆游摄知嘉州事。路经眉山，结识隐士师伯浑。其《师伯浑文集序》云："乾道癸巳，予自成都适犍为，识隐士师伯浑于眉山。一见，知其天下伟人。"后多有诗词寄师伯浑。

六月

陆游留嘉州四十日，因公事还成都。二十一日，索在笥诗稿得三十首，编为《东楼集》。其《东楼集序》云："余少读地志，至蜀、汉、巴、僰，辄怅然有游历山川、揽观风俗之志。私窃自怪，以为异时或至其地以偿素心，未可知也。岁庚寅始溯峡，至巴中，闻《竹枝》之歌。后再岁，北游山南，凭高望鄠、万年诸山，思一醉曲江、渼陂之间，其势无縁，往往悲歌流涕。又一岁，客成都、唐安，又东至于汉嘉。然后知昔者之感，盖非适然也。到汉嘉四十日，以檄得还成都，因索在笥得古律三十首，欲出则不敢，欲弃则不忍，乃叙藏之。"盖诗集中忧国情深，语多激切，故云"欲出则不敢"。嘉州官舍多奇石，取作假山，名西斋曰小山堂，有诗《嘉阳官舍奇石甚富，散弃无领略者，予始取作假山，因名西斋曰小山堂，为赋短歌》。

八月

陆游绘唐诗人岑参像于壁间，又刻其遗诗八十余篇。《跋岑嘉州诗集》："予自少时，绝好岑嘉州诗。往在山中，每醉归，倚胡床睡，辄令儿曹诵之，至酒醒或睡熟乃已。尝以为太白、子美之后，一人而已。今年自唐安别驾来摄犍为，既画公像斋壁，又杂取世所传公遗诗八十余篇刻之，以传知诗律者。不独备此邦故事，亦平生素意也。乾道癸巳八月三日山阴陆某务观题。"又有诗《夜读岑嘉州集》，评者以为："岑参出刺嘉州，杜鸿渐镇西川，表为从事，以职方郎兼侍御史，领幕职。放翁生平所历相似，故于从军诗尤致思焉。"（《唐宋诗本》戴第元评）是月二十二日，嘉州大阅，有诗《八月二十二日嘉州大阅》以记之。

十五日中秋，范成大在任所作《桂林中秋赋》。序云："乾道癸巳中秋，湘南楼月色佳甚，病起不觞客；又祈雨，蔬食清坐。默数年来九遇此夕，皆不常其处：乙酉值三馆；丙戌与严子文游松江，有来岁复会之约；丁亥又以薄遽走阳羡，与周子充遇于鼋画溪上；戊子守括苍；己丑以经筵内宿；庚寅使房，次于睢阳；辛卯出西掖，泊舟吴兴门外；壬辰始归石湖，而今复逾岭。叹此生之役使，次其事而赋之。"

九月

九日重阳节，陆游与友人会饮万景楼，有诗《重九会饮万景楼》。十六日，刻孟郊、欧阳询等画像于石，置月榭，并作《跋二贤像》。后又刻家藏前辈笔札，置荔枝楼下。此时爱国诗篇有《九月十六日夜梦驻军河外遣使招降诸城觉而有作》、《闻虏乱有感》、《宝剑吟》等。

九日，范成大赋《水调歌头·桂林九日作》。按，此词今仅存"万里汉都护"一句，《全宋词》收录。同日，祭灵泽庙；与章潭携家同登七星山，游栖霞、水月诸洞，有题名。

薛季宣（1134—1173）卒，年四十。季宣字士龙，号艮斋，学者称常州先生，永嘉人。乾道七年，以荐召赴临安，除大理司主簿。次年，迁大理正，出知湖州。九年，改知常州，未赴而卒。少师袁溉，传程氏之学，晚复与朱熹、吕祖谦等相往来，多所商榷。然朱熹喜谈心性，而季宣则兼重事功，强调"步步着实"。其后，陈傅良、叶适等递相祖述，而永嘉之学遂别为一派。事迹见吕祖谦《薛常州墓志铭》、陈傅良《右奉议郎新权发遣常州借紫薛公行状》及《宋史》卷四三四本传。一生著述丰富，多不传。今存《浪语集》三十五卷，有明钞本、《四库全书》本、《永嘉丛书》本等。《全宋诗》录其诗十一卷，《全宋文》收其文二十四卷。四库提要卷一六〇："《浪语集》三十五卷，两淮马裕家藏本，宋薛季宣撰。……平生著书甚多，有《古文周易》、《古诗说》、《书古文训》、《春秋经解》、《春秋指要》、《论语直解》、《小学》诸书。自《书古文训》以外，今多亡佚。……盖季宣学问最为淹雅，自六经、诸史、天官、地理、兵农、乐律、乡遂、司马之法，以至于隐书、小说、名物、象数之细，靡不搜采研贯。故其持论明晰，考古详核，不必依傍儒先余绪，而立说精确，卓然自成一家。于诗则颇工七言，极踔厉纵横之致。"《宋诗钞·浪语集钞》："其诗质直，少风人潇洒之致。然纵横七言，虽卢仝、马异不足多也。"《石洲诗话》卷四："薛士龙七言，以南渡俚弱之质，而效卢玉川纵横排突之体，岂复更有风雅？"其《游竹陵善权洞二首》、《雨后忆龙翔寺》诸诗，为选家所重（《历代诗发》卷二八）。

季宣之卒，楼钥、陈傅良、陈亮等皆有祭文。

秋

陈亮将《书欧阳文粹后》、《三先生论事录序》寄请吕祖谦评阅。

十月

陆游有诗《十月一日浮桥成，以故事宴客凌云》。韩元吉有书至，并寄词来，陆游有诗《得韩无咎书，寄使虏时宴东都驿中所作小阕》。按，《宋史·孝宗本纪》："（乾道八年十二月）丁巳，遣韩元吉等贺金主生辰。"《金史·交聘表》："（大定）十三年，三月癸巳朔，宋试礼部尚书韩元吉、利州观察使郑兴裔等贺万春节。"使金期间，元吉赋《好事近》（自注：汴京赐宴，闻教坊乐有感）词以寄托自己的故国之思。此词即寄陆游者。同月，陆游有爱国诗篇《观大散关图有感》、《金错刀行》、《言怀》等。

十二月

范成大作《重貂馆铭》。序云："峤南风土常燠，唯桂林最善，唐人喜咏歌之，杜子美以谓宜人，白乐天以谓无瘴，然皆闻而知之者。戎昱实从事幕府，始有'重著貂裘'之句。乾道九年，余辱帅事，腊后大雪盈尺，苦寒如中州。一坐屡索衣，至尽用顷使朔廷时所服，乃掇昱语名西偏拥炉之室，且铭之。此独以御冬，非所常居，故谓之馆云。"（见一九八三年中华书局排印本《范成大佚著辑存》）

是月，陆游有诗《十二月初一日得梅一枝绝奇，戏作长句，今年于是四赋此花矣》、《十二月十一日视筑堤》。

本年

辛弃疾因病离滁州守任，回京口居第，当在本年冬季。

袁枢撰《通鉴纪事本末》成。四库提要卷四九："《通鉴纪事本末》四十二卷，宋袁枢撰。枢，字机仲，建安人。孝宗初，试礼部词赋第一。历官至工部侍郎。以右文殿修撰知江陵府，寻提举太平兴国宫。事迹具《宋史》本传。按，唐刘知几作《史通》，叙述史例，首例六家，总归二体。自汉以来，不过纪传、编年两法，乘除互用。然纪传之法，或一事而复见数篇，宾主莫辨；编年之法，或一事而隔越数卷，首尾难稽。枢乃自出新意，因司马光《资治通鉴》区别门目，以类排纂。每事各详起讫，自为标题。每篇各编年月，自为首尾。始于三家之分晋，终于周世宗之征淮南。包括数千年事迹，经纬明晰，节目详具。前后始末，一览了然。遂使纪传、编年贯通为一，实前古之所未见也。……盖枢所缀集，虽不出《通鉴》原文，而去取剪裁，义例极为精密。非《通鉴》总类诸书割裂扯捇者可比。其后如陈邦瞻、谷应泰等，递有沿仿。而包括条贯，不漏不冗，则皆出是书下焉。"

王秬（？—1173）**卒，生年不详。秬字嘉叟，原籍中山府曲阳县，徙居泉南。**绍兴十九年，以宣教郎干办诸军审计司（《建炎以来系年要录》卷一五九）。二十五年，为淮南转运判官（同上书卷一七〇）。乾道四年，为江东转运副使（《景定建康志》卷二六）。除刑部侍郎。九年卒（陆游《闻王嘉叟讣报有作》）。著有《复斋诗集》十五卷（《后村诗话》前集卷二）、《复斋制表》二卷（《直斋书录解题》卷一八），均已佚。《全宋诗》录其诗五首，《全宋文》卷四八九五收其文。魏了翁《鹤山先生大全集》卷五十四《王侍郎秬复斋诗集序》："复斋王公，以中山故家，李文肃之高弟，受知于忠献，而周旋乎正献、忠肃之间。目之所接，南渡诸贤也；耳之所逮闻，北方余论也。观摩丽习，蓄厚而资深。故其发为论谏，忠忱恻怛。如首言房必败盟，张忠献必可用，俘虏必不可遣，张说必不可本兵，皆言人所难。而施之余事，则大篇短章，精深丽则，人第见其风格气韵，追迫陶谢；不知怀贤忧世，蔼然有少陵一饭不忘君之意。呜呼！是岂一朝夕之功袭而致之哉？"

曾协（？—1173）**卒，生年不详。协字同季，南丰人，曾肇之孙。**绍兴中举进士不第，以荫仕为长兴县丞，迁嵊县丞，擢镇江府通判。乾道九年权知永州，卒于官。事迹见《宋诗纪事小传补正》卷三。著有《云庄集》二十卷，原集已佚，清四库馆臣自《永乐大典》中重辑为五卷。《全宋词》录其词十四首，《全宋诗》录其诗二卷，《全宋文》收其文五卷。四库提要卷一五八："《云庄集》五卷，永乐大典本，宋曾协撰。……（傅伯寿）序称其古诗多效《选》体。然合诸作观之，大抵源出苏轼、陈与义。……杂文颇雅饬有法。《宾对》一赋为集中巨篇，语特伟丽。"傅伯寿《云庄集序》："其古诗则兴寄渊邈，词旨超迈，多效《选》体为之；唐律则务造平淡，间出清新，比事庚韵，精诣妥帖。至表章笺启，则又繁约适中，铺陈有叙，撚古语而加剪截之功，造新句而遗斧凿之痕。他文一皆类是。"

公元 1174 年（宋孝宗淳熙元年甲午　金世宗大定十四年）

二月

虞允文（1110—1174）**卒，年六十五。允文字彬甫，隆州仁寿人。**绍兴进士。官中书舍人，直学士院。督师采石，大破金兵。乾道元年，拜参知政事兼枢密院事。三年，任四川宣抚使。两年后为相，起用胡铨、周必大、王十朋、李焘等二十余人，一时盛称得人。尝注《唐书》、《五代史》，有诗文十卷、《经筵春秋讲义》三卷、《奏议》二十二卷、《内外制》十五卷，均已佚。《全宋诗》录其诗一首。事迹见《宋史》卷三八三本传。

韩元吉出知婺州。

三月

三日，范成大袚禊，赋词《破阵子》（漂泊天隅佳节）。

春

陆游离嘉州，返蜀州通判任。州城有东湖、西湖，署内有冒画池，均游之栖迟游憩之所，有《晚步湖上》、《暮春》、《池上醉歌》诸诗。

辛弃疾辟江东安抚司参议官。

四月

叶衡入相，力荐辛弃疾慷慨有大略，召见，迁仓部郎官。

朱熹编订《大学》、《中庸》新本，分经、传，重定章次，印刻于建阳。

夏

朱熹与友人同游崇安县百丈山，有诗《游百丈山以徙倚弄云泉分韵赋诗得云字》、《百丈山六咏》。同时所作《百丈山记》云："余与刘充父、平父、吕叔敬、表弟徐周宾游之，既皆赋诗以纪其胜，余又叙次其详如此，而其最可观者石磴、小涧、山门、石台、西阁、瀑布也，因各别为小诗，以识其处，呈同游诸君。"

陆游于簿书余暇，多游禅林胜地，游必赋诗。如游翠围寺赋《翠围院》，游化成院赋《化成院》，游慈云院赋《慈云院东阁小憩》，游灵鹫寺赋《游灵鹫寺，堂中僧阒然独作礼开山定心尊者。尊者唐人，有问法者，辄点胸示之，时号点点和尚》，游白塔院赋《白塔院》。同时之爱国诗篇则有《塞上曲》、《晓叹》、《神君歌》、《对酒叹》、《蒸暑思梁州述怀》、《古意》、《六月二十五日晓出郊》诸作。

范成大数游桂林西湖。赋诗《六月十五日夜汛西湖，风月温丽》，赋词《满江红》（自注：雨后携家游西湖，荷花盛开）、《鹧鸪天》（荡漾西湖采绿蘋）。

七月

范成大新作壶天观，与友人落其成；还，会于碧虚亭。均有题名。光绪三十一年重修本《临桂县志》卷二十二《金石志三》："范成大题名：'经略安抚使范成大新作壶天观，提点刑狱郑丙落其成，转运判官赵善政、提点坑冶铸钱李大正同集。淳熙改元，七月十日。'行书，径五寸。右刻在屏风山。"谢启昆《粤西金石略》卷九《郑少融题名》："'郑少融、赵养民、李正之、范至能，落壶天观还，会碧虚。淳熙元年。'真书，径一寸许。右刻在临桂栖霞洞。"

八月

十八日，范成大偕友人游中隐岩。《临桂县志》卷二十四《金石志五》："郑少融题名：'郑少融、赵养民、李正之、范至能，淳熙甲午岁中秋后三日同游。'行书，径一寸许。右刻在中隐岩。"与郑少融、赵养民访訾家洲，成大有诗《与郑少融、赵养民二使者访古訾家洲，归憩松关。二君欲助力兴废，戏书此付长老善良，以当疏头》。

二十七日，蜀州大阅，陆游有诗《蜀州大阅》以记之。

九月

三日，陆游与吕商隐（周辅）教授游大邑诸山，有诗《九月三日同吕周辅教授游大邑诸山》、《次韵周辅道中》、《次韵周辅雾中作》等十余首。复自江源、双流至成都。在成都，客寓多福院。赋《长歌行》以见志。诗云："人生不作安期生，醉入东海骑长鲸。犹当出作李西平，手枭逆贼清旧京。金印煌煌未入手，白发种种来无情。成都古寺卧秋晚，落日偏傍僧窗明。岂其马上破贼手，哦诗长作寒螿鸣？兴来买尽市桥酒，大车磊落堆长瓶。哀丝豪竹助剧饮，如钜野受黄河倾。平时一滴不入口，意气顿使千人惊。国仇未报壮士老，匣中宝剑夜有声。何当凯还宴将士，三更雪压飞狐城。"评者谓此诗"中有奇警语如跳跃而出"（《宋金三家诗选·放翁诗选》卷上沈德潜评）；"放翁《长歌行》最善，虽未知与李、杜何如，要已突过元、白。集中似此亦不多见。"（《东泉诗话》卷二）

秋

辛弃疾赋《水龙吟》（登建康赏心亭）。词云："楚天千里清秋，水随天去秋无际。遥岑远目，献愁供恨，玉簪螺髻。落日楼头，断鸿声里，江南游子。把吴钩看了，栏干拍遍，无人会，登临意。　　休说鲈鱼堪脍，尽西风、季鹰归未？求田问舍，怕应羞见，刘郎才气。可惜流年，忧愁风雨，树犹如此！倩何人、唤取红巾翠袖，揾英雄泪。"此词"前四句写登临所见，起笔便有浩荡之气。'落日'句以下，由登楼说到旅怀，而仍不说尽，仅以吴钩独看，略露其不平之气。下阕写旅怀，即使归去奇狮卜筑，而生平未成一事，亦羞见刘郎。'流年'二句以单句旋折，弥见激昂。结句言英雄之泪，未要人怜，倘揾以红巾，或可破颜一笑，极言其潦倒，仍不减其壮怀也。"（俞陛云《唐五代两宋词选释》）

十月

陆游摄知荣州。赵翼《陆放翁年谱》："淳熙元年……冬，又往荣州摄事。"有诗《临别成都，帐饮万里桥，赠谭德称》。

范成大除敷文阁待制、四川制置使、知成都府。

十一月

月初，陆游至荣州任所，作《初到荣州》。 按，淳熙二年，陆游有《别荣州》诗，题下自注"正月十日"；其后所作《桃源忆故人》序谓"余留（荣州）七十日，被命参成都戎幕而去"，据此可推定陆游初到荣州当在本月初。是月，叶衡自兼枢密使、参知政事，迁通奉大夫，除右丞相。陆游上《贺叶丞相启》，论议恢复，词旨极为剀切。

洪遵（1120—1174）卒，年五十五。 遵字景严，鄱阳人。绍兴十二年，中博学宏词科，赐进士出身，除秘书省正字。历官起居舍人、吏部侍郎兼权吏部尚书、翰林学士承旨、同知枢密院事。淳熙元年，提举临安府洞霄宫。卒谥文安。事迹见周必大《同知枢密院事赠太师洪文安公遵神道碑》、《宋史》卷三七三本传。著有《小隐集》八十卷、《东阳志谱》十卷、《钱谱》五卷、内外制二十卷，均已佚。今存《泉志》、《翰苑群书》等。清劳格辑有《小隐集》一卷，有文无诗。《全宋诗》录其诗十九首，《全宋文》卷四八五五收其文。楼钥《洪文安公小隐集序》云："高宗皇帝将行内禅，圣意谓一时大典册不可轻属，召为翰林承旨。禅位之诏、登极之赦、尊号改元等文，皆出公手。纷至沓来，从容应之，动合体制，天下传诵，极儒生之荣遇。孝宗皇帝命知贡举，未几遂登枢近。盖仕宦终始以文字为职也。唐张燕公称富嘉谟之文，既而曰施于廊庙则骇矣。唯公天分素高，加以笃学，文体夙成，天生廊庙之文也。文从字顺，随物赋形，非如寒士苦志悲鸣口吻者所可望也。"

十二月

资政殿学士、知江陵府沈夏升大学士，为四川宣抚使。 新四川制置使范成大改管内制置使。

除夕，陆游得制置司檄，除朝奉郎成都路安抚司参议官兼四川制置使司参议官，催赴新任。 其《乙未元日》诗自注："除夕得制司檄，催赴官。"

本年

曹勋（？—1174）卒，年七十余。 勋字公显，号松隐，阳翟人，曹组之子。宣和五年，以荫补承信郎，特命赴进士廷试，赐甲科。靖康元年，为阁门宣赞舍人，除武义大夫。绍兴年间，数次出使金国。孝宗朝，加太尉、提举皇城司、开府仪同三司。卒赠少保。事迹见《宋史》卷三七九本传。著有《松隐集》四十卷（曹耜《松隐集后序》），今存明抄本、《四库全书》本、《嘉业堂丛书》本。又著有《北狩见闻录》一卷，今存。《全宋词》收其词一百八十余首，《全宋诗》录其诗二十四卷，《全宋文》收其文十卷。四库提要卷一五六："《松隐文集》三十九卷，浙江鲍士恭家藏本，宋曹勋撰。……是集前载正统中大理寺正洪益中序，称为勋十世孙参所藏。朱彝尊亦尝从其家借钞《迎銮赋》七篇，谓勋之子姓保有此卷半，千余年勿失，后复得文集录之。盖止有家传钞本，从未镂版也。其中第十四卷已全佚。楼钥《攻愧集》载有《松隐集序》，亦阙不载。又脱篇落句，不一而足。则亦蠹蚀断烂之余，转相传写，幸而仅存矣。勋尝从徽宗北狩，奉密诏南归，后又奉使至金迎宣仁太后，故其诗文多可以考见时事，词采亦雅赡可观。唯《上吕颐浩书》，欲结刘豫以图金，则其计太疏，非唯于理不可，即于势亦必不行矣。洪迈《夷坚志》谓勋父元宠，昔以《红窗迥》曲著名。今观集中诸诗，如'独不见杨花曲'之类，语多缛丽，时有小词香艳之遗，似乎尚沿其家学。然如《乾道圣德颂》之类，亦未尝不肃穆典重，具有古音。"楼钥《曹忠靖公松隐集序》："公之诗文，其来有原，其发不苟。慷慨论事，有古烈士之气；雍容适意，有隐君子之风，又未易以一端尽也。"曹耜《松隐集后序》："（曹勋）晚际高宗、寿皇眷宠，尝怀止足，未及年而休致。雅爱天台山水神秀，因卜居焉。作山居诗几二百篇，吟咏情性，陶写风景，深得晋靖节旨趣。"《善本书室藏书志》卷四〇："勋词笔工丽，集中多应制之作，雍容华贵，迥异歌馆狎亵之态，不仅来往北庭忠节可取也。"

吴可约卒于此年前后，确切生卒年不详。可字思道，金陵人。以诗为苏轼、刘安世诸人鉴赏。官至团练使。宣和末，亟挂冠去，责授武节大夫致仕。诗思益超拔。后寓居新安，野服萧然，如云水人，其高逸如此。事迹见《至正金陵新志》卷一三下。著有《藏海诗集》，已佚，清四库馆臣自《永乐大典》衷辑编次为《藏海居士集》二卷。又有《藏海诗话》，亦佚，四库馆臣自《永乐大典》中辑为一卷，今存《四库全书》本、《知不足斋丛书》本等。《全宋诗》录其诗二卷，《全宋文》收其文一篇。四库提要卷一五七："《藏海居士集》二卷，永乐大典本。按，《藏海居士集》散见《永乐大典》中，题宋吴可撰。可事迹无考，亦不知何许人。考集中年月，当在宣和之末。其诗有'一官老京师'句，又有'挂冠养拙'之语，知其尝官于汴京，复乞闲以去。又有'往时家分宁，比年客临汝'及'避寇湘江外，依刘汝水旁'句，知其尝居洪州。建炎以后，转徙楚、豫之间。又可别有《藏海诗话》一卷，亦载《永乐大典》中，多与韩驹论诗之语。中有《童德敏木笔诗》一条。考《容斋三笔》载临川童德敏《湖州题颜鲁公祠堂诗》一篇，其人与洪迈同时。则可乃北宋遗老，至乾道、淳熙间尚在也。集中所与酬答者，如王安中、赵令畴、米友仁诸人，亦多南北宋间文士。元祐诸贤，风流未沫。故所存篇什无多，而大致清警，与谢逸、谢薖兄弟气格相近。特其集既不传，后之言宋诗者遂不能知其姓氏。"又卷一九五："《藏海诗话》一卷《永乐大典》本。……是书其（吴）可所作欤？其论诗每故作不了了语，似乎禅家机锋，颇不免于习气。……然及见元祐旧人，学问有所授受。所云：'诗以用意为主，而附之以华丽，宁对不工，不可使气弱，足以救西昆秾艳之失。'……皆深有所见。所论有形之病、无形之病，尤抉摘入微。其他评论考证，亦多可取。"

蔡珪（？—1174）卒，生年不详。珪字正甫，真定人。金大丞相蔡松年之子。天德三年进士。历官翰林修撰、同知制诰，改户部员外郎、太常丞。大定十四年出守潍州，以疾解职，致仕卒。《金史》本传载其有《补正水经》五篇，《南北史志》三十卷，《续金石遗文跋尾》十卷，《晋阳志》十二卷，文集五十五卷。今文集已佚，仅存诗五十余首，诗风清劲雄奇。元好问《中州集》卷一："国初文士如宇文太学、蔡丞相、吴深州等，不可不谓之豪杰之士，然皆宋儒，难以国朝文派论之，故断自正甫为正传之宗。"元人郝经《书蔡正甫集后》谓蔡珪"煎胶续弦复一韩，高古劲欲摩欧苏"，"不肯蹈袭秖自作，建瓴一派雄燕都"（《郝文忠公集》卷九）。

王若虚（1174—1243）生。

公元 1175 年（宋孝宗淳熙二年乙未　金世宗大定十五年）

正月

元日，陆游有诗《乙未元日》。小宴横溪阁，赋词《沁园春·三荣横溪阁小宴》，有"许国虽坚，朝天无路，万里凄凉谁寄音"之慨叹。十日，离荣州，有诗《别荣州》（自注：正月十日）。赵翼《陆放翁年谱》："淳熙二年乙未，先生年五十一。在荣州得制置司檄，催赴参议官任。正月十日离荣州。"

元日，范成大赋诗《乙未元日，用前韵书怀，今年五十矣》。二十八日，离桂林赴成都。行前，与同僚游栖霞洞，酌别于碧虚亭，赋诗《与同僚游栖霞，洞极深远，中有数路，相传有通九疑者，烛将尽乃还。饮碧虚上，陈仲思用二华君韵赋诗，即席和之》、《次韵赵养民碧虚坐上》以记之。《临桂县志》卷二十一《金石志二》："范至能题名：'范至能赴成都率，祝元将、王仲显、游子明、林行甫、周直夫、诸葛叔时酌别碧虚。淳熙乙未二十八日。'行书，径二寸许。右刻在栖霞洞。"

四月

朱熹与陆九龄、陆九渊为"鹅湖之会"。本月（一说六月），吕祖谦约请陆九龄、陆九渊兄弟等会朱熹于江西信州铅山之鹅湖寺，讨论治学方法，意欲调和朱、陆两派争执。然"元晦（朱熹）之意，欲令人泛观博览，而后归之约。二陆之意，欲先发明人之本心，而后使之博览。朱以陆之教人为太简，陆以朱之教人为支离，此颇不合"（中华书局一九八〇年版《陆九渊集》卷三十六《年谱》引朱亨道书）。终因各执己见，不欢而散。"宗朱者诋陆为狂禅，宗陆者以朱为俗学，两家之学，各成门户，几如冰炭矣"（《宋元学案》卷五十八《象山学案》）。

赐礼部进士詹骙以下四百二十六人及第、出身。项安世、刘过、陈造、赵师侠等登进士第。

茶民赖文政起湖北，转入湖南、江西，官军数为所败。

六月

七日，范成大抵成都。自桂林至成都途中，举凡山水之幽奇，地方之习俗，古迹之胜况，物候之变迁，百姓之疾苦，道路之险艰，有所感触，则形诸诗篇。宋人黄震《慈溪黄氏分类日钞》卷六十七："石湖帅广之明年，乙未，年五十矣。是年正月二十八日，自广易蜀，五月二十六日至遂宁，纪行诗百三十五首。"成大将此一百三十五首诗辑为《西征小集》。淳熙三年上巳日，陆游为《西征小集》作序云："石湖居士范公待制敷文阁，来帅成都兼制置成都、潼川、利、夔四道。……公时从其属及四方之宾客饮酒赋诗。公素以诗名一代，故落纸墨未及燥，士女万人，已更传诵，被之乐府弦歌，或题写素屏团扇，更相赠遗。盖自蜀置帅守以来未有也。或曰：'公之自桂林入蜀也，舟车鞍马之间，有诗百余篇，号《西征小集》，尤隽伟，蜀人未有见者，盍请于公以传?'屡请而公不可，弥年乃仅得之。于是相与刻之，而属某为序。淳熙三年上巳日，朝奉郎成都府路安抚司参议官兼四川制置使参议官山阴陆某序。"（《渭南文集》卷十四《范待制诗集序》）

陆游因公经新都至汉州，复至金堂，登云顶山，皆有诗纪行。在新都弥牟镇八阵原上谒武侯庙，作《谒诸葛丞相庙》。

辛弃疾以仓部郎中为江西提刑，节制诸军，进击茶商军。

夏

陈亮赋词《贺新郎·同刘元实、唐与正陪叶丞相饮》，此其现存词之最早者。

七月

四日，赵彦端（1121—1175）卒，年五十五。彦端字德庄，号介庵，鄱阳人。绍兴进士。历官钱塘县主簿、吏部员外郎、右司员外郎。迁太常少卿，除直宝文阁、知建宁府。事迹见韩元吉《直宝文阁赵公墓志铭》（《南涧甲乙稿》卷二十一）。《宋史·艺文志七》著录其《介庵集》十卷、外集三卷，已佚；又《直斋书录解题》卷二一著录其《介庵词》一卷，今存明毛晋汲古阁刊本、《四库全书》本。《全宋词》录其词一百五十余首，《全宋诗》录其诗三十三首。四库提要卷一九八："《介庵词》一卷，安徽巡抚采进本，宋赵彦端撰。……《宋史·艺文志》载彦端有《介庵集》十卷，外集三卷，又有《介庵词》四卷。《书录解题》则仅称《介庵词》一卷。此本为毛晋所刻，亦止一卷。然据其卷后跋语，似又旧刻散佚，仅存此一卷者，未之详也。张端义《贵耳集》载彦端尝赋《西湖谒金门》词，有'波底斜阳红湿'之句，为高宗所喜，有'我家里人也会作此等语'之称。其他篇亦多婉约纤秾，不愧作者。集末《鹧鸪天》十阕，乃为京口角妓萧秀、萧莹、欧懿、刘雅、欧倩、文秀、王婉、杨兰、吴玉九人而作，词格凡猥，皆无可取。且连名人之集中，殆于北里之志，殊乖雅音。盖唐、宋以来士大夫不禁狭斜之游，彦端是作，盖亦移于习俗，存而不论可也。"

范成大复四川制置使，以成都府路安抚制置使摄使事。

朱熹在福建建阳芦峰山筑云谷居成，自题为晦庵，自称晦翁，并作《云谷记》，赋《云谷二十六咏》、《云谷杂诗十二首》。

辛弃疾离临安，至江西赣州就提刑任。

八月

朱熹与吕祖谦合撰《近思录》成。此书十四卷，辑录北宋周敦颐、程颢、程颐和张载言论六百二十二条，分"道体"、"为学"、"致知"等十四门，为后来性理诸书之祖。

九月

叶衡罢相。

追赠赵鼎为太傅，还其爵邑，追封丰国公。

闰九月

辛弃疾诱赖文政杀之，茶民暴动平息，加秘阁修撰。

秋

成都大阅，陆游赋诗《成都大阅》。中有"属橐缚袴毋多恨，久矣儒冠误此身"之句。

十月

二十九日，曾敏行（1118—1175）卒，年五十八。敏行字达臣，自号浮云居士，又号独醒道人、归愚老人，庐陵吉水人。年二十，遇疾，弃举子业。于是博览群书，上自朝廷典章，下至稗官杂家、里谈巷议，无不记览。著有《独醒杂志》十卷，今存明穴砚斋抄本、《四库全书》本、《知不足斋丛书》本，上海古籍出版社一九八六年出版校点本。四库提要卷一四一《小说家类》二："《独醒杂志》十卷，宋曾敏行撰。……其子三聘编为十卷，以樊仁远所作行状及（胡）铨所作哀词附后，（杨）万里序之，（谢）谔跋之。后赵汝愚、周必大、楼钥亦皆为之跋。书中多纪两宋轶闻，可补史传之阙。间及杂事，亦足广见闻。"事迹见樊仁远《浮云居士曾公行状》（《独醒杂志》附）。

十二月

冬至日，铜壶阁落成，范成大会宾客于阁上，赋诗《冬至日铜壶阁落成》。淳熙四年四月，陆游有《铜壶阁记》纪此事。是日，成大作《桂海虞衡志序》，称其《桂海虞衡志》作于自桂林赴成都途中，以"道中无事，时念昔游，因追记其登临之处，与风物土宜，凡方志所未载者，萃为一书，蛮陬绝徼见闻可纪者，亦附著之，以备土训之图"。四库提要卷七〇："《桂海虞衡志》一卷……共十三篇，曰《志岩洞》、《志金石》、《志香》、《志酒》、《志器》、《志禽》、《志兽》、《志虫鱼》、《志花》、《志果》、《志草木》、《杂志》、《志蛮》。每篇各有小序，皆志其土之所有。……诸篇皆叙述简雅，无夸饰土风、附会古事之习。"

本年

陆游在成都，官居成都花行，与范成大往来甚密。

李洪（1129—？）本年在世，卒年不详。洪字子大，号芸庵，扬州人，李正民之子，寓居海盐，又寓湖州，卜居归安飞英坊。绍兴二十五年，监盐官县税。隆兴元年，为永嘉监仓。乾道初，入朝为官。淳熙初，入莆阳幕府。终知藤州。事迹见陈贵谦《芸庵类稿序》及本集诗文。著有《芸庵类稿》二十卷，已佚，清四库馆臣自《永乐大典》辑为六卷，有《四库全书》本。《全宋词》录其词十二首，《全宋诗》录其诗五卷，《全宋文》收其文二卷。陈贵谦谓其"该括众体，每于草木鸟兽之微，有可寄兴以为忠邪贤否之辨者，未始不反复致意"（《芸庵类稿序》）。四库提要卷一六〇谓"洪所作诗，虽骨干未坚，而神思清超，时露警秀。七言律诗尤为工稳，足以嗣响正民"。

　　刘仲尹约于此年前后在世，生卒年不详。仲尹字致君，号龙山，盖州人，后迁沃州。金正隆二年进士。以潞州节度副使召为都水监丞。家世豪侈，而能折节读书，诗、乐府俱有蕴藉。有《龙山集》，参涪翁（黄庭坚）而得法。据《中州集》卷三。

　　赵与时（1175—1231）生。

　　曾从龙（1175—1235）生。

　　钱时（1175—1244）生。

　　李刘（1175—1245）生。

公元 1176 年（宋孝宗淳熙三年丙申　金世宗大定十六年）

正月

　　元日，范成大赴安福寺。有诗《丙申元日安福寺礼塔》（自注：成都一岁故事治于此，士女大集拜塔下，然香挂籧，以禳兵火之灾）；三日，有诗《初三日出东郊牌楼院》（自注：故事，祭东君，因宴此院。蜀人皆以是日拜扫）；四日，有诗《初四日东郊观麦苗》；七日，赋词《水调歌头》（元日至人日）。

　　七日，陆游赴昭觉寺，有诗《人日饭昭觉》；十五日，有诗《上元》二首。

二月

　　汪应辰（1118—1176）卒，年五十九。应辰字圣锡，信州玉山人。绍兴五年进士第一，年甫十八。授镇东军签判，召为秘书省正字。因忤秦桧意，出通判建州。桧死，始还朝。累官吏部尚书。以端明殿学士知平江府，连贬秩，遂致仕不起。卒谥文定。应辰接物温逊，然立朝刚直，敢言不避。事迹见《宋史》卷三八七本传。《直斋书录解题》著录汪应辰《玉山翰林词草》五卷（卷一八）、《玉山表奏》一卷（卷二一），原集已佚。明弘治中程敏政自内阁藏本摘出诗文编为《汪文定公集》十二卷、附录二卷，今存明嘉靖二十五年夏浚刻本；清四库馆臣复据《永乐大典》辑补重编为《文定集》二十四卷。今两本并存。《全宋诗》录其诗一卷，《全宋文》收其文二十二卷。《直斋书录解题》卷一八谓其"天材甚高，而不喜为文，谓不宜弊精神于无用，然每作辄过人。以天官兼翰苑近二年，所撰制诏温雅典实，得王言体，朱晦翁称为近世第一"。夏浚《嘉靖刊汪文定公集叙》："公天资近道，生当盛宋，合中原诸老之规模，揽一代儒硕之精粹。吕伯恭称其学则正统、文则正宗，非阿所好也。"

三月

三日，陆游为范成大《西征小集》作序，题为《范待制诗集序》。

六月

以朱熹屡诏不起，特命为秘书省秘书郎，熹不就。

八月

朱熹差管武夷山冲佑观，时年四十七。晦翁任此职凡三年。

成都筹边楼成，范成大赋《水调歌头》（万里筹边处），陆游作《筹边楼记》。

九月

陆游有知嘉州之命，又为权幸所沮。《宋会要辑稿·职官志·黜降官九》："（淳熙三年）九月，新知楚州胡与可，新知嘉州陆游，并罢新命。以臣僚言与可罢黜累月，旧愆未赎；游摄嘉州，燕饮颓放故也。"其《蒙恩奉祠桐柏》诗有云"罪大初闻收郡印，恩宽俄许领家山"句，则陆游当在本月得领祠禄，主管台州桐柏山崇道观。陆游自号放翁，亦当在此时。其《和范待制秋兴》三首其一有云"名姓已甘黄纸外，光阴全付绿樽中。门前剥啄谁相觅，贺我今年号放翁"。

秋

范成大与陆游唱和甚多。如成大有《秋雨快晴，静胜堂席上》，陆游有《和范待制秋日书怀二首，游自七月病起，蔬食止酒，故诗中及之》其一；成大有《新凉夜坐》，陆游有《和范待制秋兴》其一；成大有《秋老，四境雨已沛然，晚坐筹边楼，方议祈晴，楼下忽有东界农民数十人，诉山田却要雨，须长吏致祷，感之作诗》，陆游有《和范待制秋日书怀二首，游自七月病起，蔬食止酒，故诗中及之》其二；成大有《立秋月夜》，陆游有《和范待制秋兴》其二；成大有《堂前观月》，陆游有《和范待制秋兴》其三；成大有《有怀石湖旧隐》，陆游有《和范待制月夜有感》。《中兴以来绝妙词选》卷二陆游小传引刘漫塘云："范至能、陆务观以东南文墨之彦，至能为蜀帅，务观在幕府，主宾唱酬，短章大篇，人争诵之。"陆游《双头莲·呈范至能待制》亦当作于是秋，隐有东归之思。

十一月

冬至日，姜夔过维扬，作《扬州慢》。词序云："淳熙丙申至日，予过维扬。夜雪初霁，荠麦弥望。入其城，则四顾萧条，寒水自碧，暮色渐起，戍角悲吟。予怀怆然，感慨今昔，因自度此曲。千岩老人（萧德藻）以为有《黍离》之悲也。"陈廷焯《白雨斋词话》卷二评曰："'自胡马窥江去后，废池乔木，犹厌言兵。渐黄昏，清角吹寒，都在空城'，数语写兵燹后情景逼真；'犹厌言兵'四字，包括无限伤乱语。他人累千百言，亦无此韵味。"

本年

辛弃疾由江西提点刑狱调京西路转运判官。

林之奇（1112—1176）卒，年六十五。之奇字少颖，号拙斋，世称三山先生，福州侯官人。绍兴二十一年进士，调莆田县主簿，改长汀尉。累迁校书郎。后由宗正丞提举闽舶，乞祠家居。吕祖谦尝从之游。事迹见姚同《林之奇行实》（《拙斋文集》附）、《宋史》卷四三三本传。所著甚富，多散佚。今存《拙斋文集》二十卷，有影宋刊本、《四库全书》本。《全宋诗》录其诗一卷，《全宋文》收其文十三卷。四库提要卷一五八："《拙斋文集》二十卷，浙江鲍士恭家藏本，宋林之奇撰。……是集凡记闻二卷，盖本传所谓《道山记闻》者，诗一卷，杂文十七卷，末附吕祖谦祭文及李桐所为哀词、姚同所为行实。以之奇自号曰拙斋，因以名集。之奇之学得于吕本中。……吕氏之学颇杂佛理，故之奇持论亦在儒、释之间。吕氏虽谈经义，而不薄文章，故之奇注释《尚书》，究心训诂。而此集所载诸篇，皆明白畅达，不事钩棘，亦无语录粗鄙之气。其诗尤具有高韵，如《江月图》、《早春》、《偶题》诸篇，置之苏、黄集中，不甚可辨也。"

李流谦（1123—1176）卒，年五十四。流谦字无变，号澹斋，汉州德阳人。以荫补将仕郎，调成都府灵泉县尉。秩满，调雅州教授。后改奉议郎、通判潼川府事。事迹见李益谦《李流谦行状》（《澹斋集》附）。著有《澹斋集》八十九卷，原集已佚，清四库馆臣自《永乐大典》辑出诗文，重编为十八卷。《全宋词》录其词二十五首，《全宋诗》录其诗八卷，《全宋文》收其文十卷。四库提要卷一五七："《澹斋集》十八卷，永乐大典本，宋李流谦撰。……所著文集，《宋史》亦不著录，唯焦竑《国史经籍志》、黄虞稷《千顷堂书目》俱载有《澹斋集》八十一卷（按，当为"八十九卷"之误），是明世尚有传本，今已湮没无闻。……流谦以文学知名。其父良臣，尝出张浚门下，为所论荐。集中《分陕志》，专为颂浚勋德而作，铺张太甚，殊不免门户之私。其诗文边幅稍狭，间伤浅俚，亦未能尽臻醇粹。然笔力峭劲，不屑屑以雕琢为工。视后来破碎蘦弱之习，较为胜之。"

晁公溯本年在世，生卒年不详。是年秋，范成大有诗《晁子西寄诗谢酒，自言其家数有逝者，词意悲甚，次韵解之，且以建茶同往》。公溯字子西，钜野人，晁公武之弟。累官迪功郎、梁山县尉、施州通判、涪州军事判官。乾道二年知眉州。终于提点刑狱。事迹见《宋诗纪事》卷四八、《宋诗纪事小传补正》卷三。著有《嵩山集》五十四卷，今存清初抄本、《四库全书》本。《全宋诗》录其诗十三卷，《全宋文》卷四六八〇收其文。四库提要卷一五八："《嵩山居士集》五十四卷，江苏巡抚采进本，宋晁公溯撰。……王士祯《居易录》谓其诗在无咎、叔用之下。盖其体格稍卑，无复前人笔力，固由一时风会使然。而挥洒自如，亦尚能不受羁束。至其文章，劲气直达，颇有崟崎历落之致，以视景迁《鸡肋》诸集，犹为不失典型焉。"

　　洪咨夔（1176—1236）生。
　　郑清之（1176—1251）生。
　　冯延登（1176—1233）生。
　　李俊民（1176—1260）生。

公元1177年（宋孝宗淳熙四年丁酉　金世宗大定十七年）

正月

　　陆游有《关山月》、《出塞曲》、《战城南》等拟古诗篇，寄寓殷殷爱国之情。

春

　　范成大病中，与陆游多有唱酬。成大作《二月二十七日，病后始能扶头》，陆游有《和范舍人书怀》；成大作《病中闻西园新花已茂，及竹径皆成，而海棠亦未过》、《枕上》，陆游有《和范舍人病后二诗末章兼呈张正字》二首。
　　辛弃疾差知江陵府兼荆湖北路安抚使。

四月

　　范成大加敷文阁直学士，召赴行在。周必大《资政殿大学士赠银青光禄大夫范公成大神道碑》：“（淳熙）三年春，公大病求归。上令先进敷文阁直学士，明日乃下诏命。”按，“三年春”误，应为“四年春”。
　　陆游作《铜壶阁记》，勉励范成大“北举燕赵，西略司并，挽天河之水，以洗五六十年腥膻之污”。按，范成大于淳熙二年十二月建成铜壶阁。

五月

　　江渎庙修成，陆游作《成都江渎庙碑》（自注：淳熙四年五月一日）。
　　二十九日，范成大离成都。此前撰成《成都古今丙记》十卷。《全蜀艺文志》卷三十胡元质《成都古今丁记序》：“《成都古今记》，起自熙宁甲寅，前帅赵阅道集之，凡三十卷。后八十七年，当绍兴庚辰，王时亨复为《续记》二十二卷，废置因革，纤悉巨细，靡不载之也。又十有八年，当淳熙丁酉，范至能复为《丙记》十卷，距时亨去日未远，虽不至如《前》、《续记》之多，然二书之所不及者，则加详矣。”
　　范成大四川任职期间，尝与陆游论注苏轼诗。陆游《施司谏注东坡诗序》：“某顷与范公至能会于蜀，因相与论东坡诗，慨然谓予：足下当作一书，发明东坡之意，以遗学者。某谢不能。他日又言之。因举二三事以质之，曰：‘五亩渐成终老计，九重新扫旧巢痕’、‘遥知叔孙子，已致鲁诸生’，当若为解？至能曰：东坡窜黄州，自度不复收用，故曰‘新扫旧巢痕’。建中初，复召元祐诸人，故曰‘已致鲁诸生’，恐不过如此耳。某曰：此某之所以不敢承命也。昔祖宗已三馆养士，储将相材，及官制行，罢三馆，而东坡尝直史馆，然自谪为散官，削去史馆之职久矣，至是史馆亦废，故云'新扫旧巢痕'。其用字之严如此。而'凤巢西隔九重门'则李义山诗也。建中初，韩、曾二相得政，尽收用元祐人，其不召者，亦补大藩。唯东坡兄弟犹领宫祠。此句盖寓所谓不能致者二人，意深语缓，尤未易窥测。至如'车中有布乎'，指当时用事者，则犹近而易见。'白首沉下吏，绿衣有公言'，乃以侍妾朝云尝叹黄师是仕不进，故此句之意，戏言其上僭。则非得于故老，殆不可知。必皆能如此，然后无憾。至能亦太息，曰：如此，诚难矣！"

六月

范成大奉召还朝，幕僚及蜀中友人多有相送至嘉州者。陆游亦送至眉州、嘉州间之慈姥岩而别。范成大《吴船录》卷上："壬午，发眉州六十里，午至中岩。……登岸即入山径……凡五里至慈姥岩，岩前即寺也。……送客复集山中，遂留宿。……癸未，早食后，与送客出寺，至慈姥岩前，徘徊皆不忍分袂，复班荆小饮岩下。须臾，风雨大至，岩溜垂下如布，雨映松竹，如玉尘散飞。诸宾各即席作诗，不觉日暮，遂皆不成行，下山复入宿寺中。甲申早，出山至江步，与送客先归者别。"陆游临别作《送范舍人还朝》，中有"因公并寄千万意，早为神州清虏尘"句，以恢复大业相勉。范成大亦有赠答《余与陆务观自圣政所分袂，每别辄五年，离合又常以六月，似有数者。中岩送别，至挥泪失声，留此为赠》、《次韵陆务观慈姥岩酌别二绝》。按，陆游送别范成大之二绝句，不载于《剑南诗稿》中。

朱熹《论语集注》、《孟子集注》成。

八月

五日、六日，范成大至江陵，与辛弃疾晤面，弃疾招游诸宫。时弃疾知江陵府，兼湖北安抚。十四日，成大至鄂州；翌日中秋，集南楼，赋《水调歌头》。《吴船录》卷下："辛巳（十四日）辰，出大江，午至鄂渚，泊鹦鹉洲前南市堤下。……监司、帅守刘邦翰而下，皆来相见邀饭，皆曰未敢定日。及欲移具舟次，余笑曰：'若定日，则莫若中秋；张具，则莫若南楼。'众亦笑许。壬午（十五日）晚，遂集南楼。楼在州治前黄鹤山上，轮奂高寒，甲于湖外。下临南市，邑屋鳞差。岷江自西南斜抱郡城东下，天无纤云，月色奇甚，江面如练，空水吞吐。平生所遇中秋佳月，似此夕亦有数。况修复南楼故事，老子于此兴复不浅也。向在桂林时，默数九年之间，九处见中秋，其间相去或万里，不胜飘泊之叹，尝作一赋以自广。及徙成都，两秋皆略见月。十二年间十处见中秋，去年尝题数语于大慈楼上，今年又忽至此。通计十三年间十一处见中秋，亦可以谓之游子。然余以病匄骸骨，倘恩旨垂允，自此归田园，带月荷锄，得遂此生矣。坐中亦作乐府一篇，俾鄂人传之。《水调歌头》：'细数十年事，十处过中秋。今年新梦，忽到黄鹤旧山头。老子个中不浅，此会天教重见，今古一南楼。星汉淡无色，玉镜独空浮。　　敛秦烟，收楚雾，熨江流。关河离合，南北依旧照清愁。想见姮娥冷眼，应笑归来霜鬓，空蔽黑貂裘。酾酒问蟾兔，肯去伴沧州？'"按，王质（景文）《雪山集》卷十六录此《水调歌头》，并注云"中秋饮南楼，呈范至能"，显系编者阑入；《全宋词》将此词收入石湖词，并案曰"此首别误作王质词"。

是月，陆游有邛州之游。《书寓舍壁》诗中有"秋风巾褐添萧爽，又作临邛十日留"句。

秋

朱熹与友人游武夷山，泛舟九曲，有诗唱酬。

十月

陆游名其寓室曰心太平庵。有诗《心太平庵》，题下自注："余取《黄庭》语名所寓室。"得都下八月书报，差知叙州，《得都下八月书报，蒙恩牧叙州》诗末自注："戍期尚在明年冬。"

三日，范成大至姑苏盘门。《吴船录》卷下："丙寅，发常州，平江亲戚故旧来相迓者，陆续于道，恍然如隔世焉。……己巳晚，入盘门。"自蜀至吴，行程数千里，历时四月余，随日记所阅历，为《吴船录》二卷。四库提要卷五十八："《吴船录》二卷。……成大于淳熙丁酉自成都制置使召还，取水程赴临安，因随日记所阅历，作为此书。自五月戊辰，迄十月己巳。于古迹形胜言之最悉，亦自有所考证。如释继业纪乾德二年太祖遣三百僧往西方求舍利贝多叶书路程，为他说部所未载，颇足以广异闻。又载所见蜀中古画，如伏虎观孙太古画李冰父子像，青城山丈人观孙太古画黄帝及三十二仙真，长生观孙太古画龙虎，及玩丹石寺唐画罗汉一版，皆可补黄休复《益州名画记》所未及。又杜甫《戎州诗》'重碧拈春酒'句，印本'拈'或作'酤'，而成大谓叙州有碑本乃作'粘'字，是亦注杜集者所宜引据也。"

二十二日，朱熹作《诗集传序》。序云："或有问于余曰：'诗何谓而作也？'余应之曰：'人生而静，天之性也；感于物而动，性之欲也。夫既有欲矣，则不能无思；既有思矣，则不能无言；既有言矣，则言之所不能尽，而发于咨嗟咏叹之余者，必有自然之音响节奏，而不能已焉：此诗之所以作也。'曰：'然则其所以教者，何也？'曰：'诗者，人心之感物而形于言之余也。人之所感有邪正，故言之所形有是非。唯圣人在上，则其所感者无不正，而其言皆足以为教；其或感之之杂，而所发不能无可择者，则上之人必思所以自反，而因有以劝惩之，是亦所以为教也。昔周盛时，上自郊庙朝廷，而下达于乡党闾巷，其言粹然无不出于正者。圣人固已协之声律，而用之乡人，用之邦国，以化天下。至于列国之诗，则天子巡守，亦必陈而观之，以行黜陟之典。降自昭、穆而后，浸以陵夷，至于东迁，而遂废不讲矣。孔子生于其时，既不得位，无以行帝王劝惩黜陟之政，于是特举其籍而讨论之，取其重复，正其纷乱，而其善之不足以为法、恶之不足以为戒者，则亦刊而去之，以从简约，示久远，使夫学者即是而有以考其得失，善者师之，而恶者改焉。是以其政虽不足行于一时，而其教实被于万世，是则诗之所以为教者然也。'曰：'然则《国风》、《雅》、《颂》之体，其不同若是，何也？'曰：'吾闻之，凡《诗》之所谓《风》者，多出于里巷歌谣之作。所谓男女相与咏歌，各言其情者也。唯《周南》、《召南》，亲被文王之化以成德，而人皆有以得其性情之正。故其发于言者，乐而不过于淫，哀而不及于伤。是以二篇独为风诗之正经。自《邶》而下，则其国之治乱不同，人之贤否亦异，其所感而发者，有邪正是非之不齐，而所谓先王之风者，于此焉变矣。若夫《雅》、《颂》之篇，则皆成周之世，朝廷郊庙乐歌之词，其语和而庄，其义宽而密，其作者往往圣人之徒，固所以为万世法程而不可易者也。至于《雅》之变者，亦皆一时贤人君子闵时病俗之所为，而圣人取之。其忠厚恻怛之心，陈善闭邪之意，犹非后世能言之士所能及之。此《诗》之为经，所以人事浃于下，天道备于上，而无一理之不具也。'曰：'然则其学之也，当奈何？'曰：'本之《二南》以求其端，参之列国以尽其变，正之于《雅》以大其规，和之于《颂》以要其止，此学《诗》之大旨也。于是乎章句以纲之，训诂以纪之，讽咏以昌之，涵濡以体之，察之情性隐微之间，审之言行枢机之始，则修身及家，平均天下之道，其亦不待他求而得之于此矣。'问者唯唯而退，余时方辑《诗传》，因悉次是语，以冠其篇云。淳熙四年丁酉冬十月戊子，新安朱熹书。"

十一月

二十四日，朱熹为张栻作《静江府学记》。

范成大除权礼部尚书。

冬

陆游因公至广都，与友人张缜数有唱酬。如《之广都憩铁像院》、《广都江上作》、《次韵张季长正字梅花》、《次韵季长见示》、《广都道中呈季长》等。

辛弃疾徙知隆兴府兼江西安抚。周必大《平园续稿》卷二十三《龙图阁学士宣奉大夫赠特进程公大昌神道碑》："淳熙四年八月兼给事中。江陵统制官率逢原纵部曲殴百姓，守帅辛弃疾谓曲在军人，坐徙豫章，公极论不可。"

本年

萧德藻为龙川丞。

朱熹《易传》成，序定之。

倪朴约于本年前后在世，生卒年不详。朴字文卿，学者称石陵先生，浦江人，居石陵村。尝应进士举，有志功名，不为无用之学。绍兴末，闻朝廷欲北伐，草万言书陈征讨大计，精忠感激，为郑伯熊、陈亮叹赏。淳熙中，为人构陷，徙家筠州。以赦归，贫窭终身。事迹见明宋濂《倪石陵传》。尝自谓业古文三十年，有杂著六十篇，皆无愧古作者（《敬乡录》卷一）。所著今仅存《倪石陵书》一卷，有《四库全书》本、清光绪十三年慎德堂木活字本。《全宋文》收其文二卷。四库提要卷一五九："《倪石陵书》一卷，江苏巡抚采进本，宋倪朴撰。……此本则明嘉靖丙戌麻城毛凤韶所辑，其不曰集而曰书者，凤韶自序谓以《上高宗书》为主，举所重云。""前载吴、宋二传，次《拟上高宗书》，又书、劄八篇，书《唐史》诸传七篇，辨一篇，大抵皆古健有法。……卷末又有吴莱一序，乃为谢翱辑朴杂著而作者。"吴莱《倪石陵杂著后序》："先生尝本其兵战之所自出，备知天下山川险要，户口虚实，著为《舆地会元》四十卷。又推古今内外境土徼塞之远近，绘以为图，张之屋壁，而预定其计策，逆料其战守者，不一而足。……初，武夷谢翱皋羽尝因先生之书选为一编，今始得其全帙号曰《杂著》者观之。又尝过其所居，则山洞湮塞，栋宇倾荡，荛儿牧竖，悲歌蹴踘，犹能示故墟，而亦不能详也，况其所著之书耶？"毛凤韶《叙倪石陵书》："公以布衣而有庙堂之志，以文儒而兼武将之略，是书其绪余耳，而弗一试，此予所以重有感慨，痛念于斯也。呜呼！公譬则良医也，是书譬则良方也。良医逝而良方存，不患乎其不试也。公何以有是哉？浦阳山川之胜之所萃也。观公之直节劲气，壁立万仞，发于议论，如山岳随步异状，叠见迭出，巍乎其高，是有得于仙华者也。通达事理，周流无滞，发于议论，如长江大河，一泻千里，浩乎其无穷，是有得于浦沕者也。"

沈瀛本年在世，生卒年不详。瀛字子寿，号竹斋，湖州人。绍兴三十年进士。乾道八年，主管吏部架阁文字（《宋会要辑稿·选举二〇》）。迁枢密院编修官。淳熙四年，出知梧州，林光朝劾其攀附王质，缴还词头（《艾轩集》卷二《缴奏沈瀛除知梧州词头》）。历江东安抚司参议（《景定建康志》卷二五）、知江州（《攻愧集》卷三七）。事迹见叶适《沈子寿文集序》、《宋诗纪事》卷二一。著有文集及《旁观录》，今均不存。又有《竹斋词》一卷，今存明吴讷《唐宋名贤百家词》本、《彊村丛书》本。《全宋词》录其词八十九首，《全宋诗》录其诗一首，《全宋文》卷五四一九收其文。叶适《沈子寿文集序》称其文"不为奇险，而瑰富精切，自然新美，使读之者如设芳醴珍肴，足饮厌食而无醉饱之失也。又能融释众疑，兼趋空寂，读者不唯醉饱而已，又当销愠忘忧，心舒意闲，而自以为有得于斯文也。观其开阖疾徐之间，旁贯而横陈，逸骛而高翔，盖宗庙朝廷之文，非自娱于幽远淡泊也"。《善本书室藏书志》卷四〇："子寿词劲气直达，颇思矫涤纤丽之习。唯好作理语，终与斯道去之远耳。"

周孚（1135—1177）卒，年四十三。孚字信道，号蠹斋，先世济南人，避乱南徙，寓居丹徒。乾道二年进士，授真州教授。以疾卒于官。事迹见陈琪《蠹斋铅刀编序》、《宋史翼》卷二八。所著《蠹斋铅刀编》三十二卷，今存明抄本、《四库全书》本。《全宋诗》录其诗十四卷，《全宋文》收其文五卷。陈琪《蠹斋铅刀编序》："（孚）天资颖悟，七岁通《春秋左氏传》。既长，于书无不窥，博闻强记，而尤邃于楚骚迁史、唐韩杜氏之诗文、国朝诸公名世之作，出入贯穿，造诣其畛域，掇拾其精华。始刻意于诗，以后山为法。其后由陈而黄，黄而杜。属思高远，炼句精稳，少而工，壮而新，晚而平淡。为文长于叙事，简洁而峻历，不喜襞积雕绘，循理而言，理尽言止。公之于诗文盖如此。"四库提要卷一五九："（孚）为诗初学陈师道，进而学黄庭坚，俱能得其遗矩。诗中分注，自甲戌岁始，距其卒于淳熙初，凡二十余年，盖皆其中年之作，学问日进，故大抵词旨清拔，无纤仄卑俗之病。文章不事雕缋，而波澜意度，往往近于自然。至郑樵作《诗辨妄》，决裂古训，横生臆解，实汩乱经义之渠魁。南渡诸儒，多为所惑，而孚陈四十二事以攻之，根据详明，辩证精确，尤为有功于诗教。"

方信孺（1177—1222）生。

李纯甫（1177—1223）生。

公元 1178 年（宋孝宗淳熙五年戊戌　金世宗大定十八年）

正月

七日，范成大以权礼部尚书知贡举。《宋会要辑稿·选举一》："（淳熙）五年正月七日，以权礼部尚书范成大知贡举；试尚书刑部侍郎兼侍讲程大昌、试右谏议大夫萧燧同知贡举。得合格奏名进士黄涣以下二百二十六人。"

侍御史谢廓然乞戒有司，毋以程颐、王安石之说取士。《续资治通鉴》卷一百四十六："淳熙五年春正月辛丑，侍御史谢廓然言：'近来掌文衡者，主王安石之说，则专尚穿凿；主程颐之说，则务为虚诞。虚诞之说行，则日入于险怪；穿凿之说兴，则日趋于破碎。请诏有司，公心考校，无得徇私，专尚王、程之末习。'从之。"

陈亮更名同，至临安，接连三次上书孝宗皇帝，力陈恢复大计。"书既上，帝欲官之，亮笑曰：'吾欲为社稷开数百年之基，宁用以博一官乎？'亟渡江而归"（《宋史》本传）。

陆游作《天彭牡丹谱》。

三月

史浩为右相兼枢密使；王淮知枢密院事；赵雄为参知政事。

三日上巳，范成大与沈揆、赵磻老、韩元吉等游西湖，并题名。

春

辛弃疾被召为大理少卿。离豫章，赋《鹧鸪天》（聚散匆匆不偶然），感慨年来频繁转徙之苦。

暮春，陆游离蜀东归。陆子虡《剑南诗稿跋》："（淳熙五年）戊戌春正月，孝宗念其久外，趣召东下。"赵翼《陆放翁年谱》："（淳熙）五年戊戌，先生年五十四，离蜀东归，有赏海棠诗（按，即《剑南诗稿》卷九《即席》）云：'吉日不留春已老，归舟已具客将行。'又明年忆蜀中诗（按，题为《鹅湖夜坐书怀》）云：'去年忝号召，五月触瞿塘。'盖以春暮出蜀，仲夏过峡也。子虡跋语谓'戊戌春（按，原《剑南诗稿跋》"春"后有"正月"二字，见上引），孝宗念其久外，趣召东下。'（赵《谱》原注：盖是去年选叙州之后）又先生《乞祠》诗：'远客游穷塞，亭障秋萧瑟。圣君终省记，万里忽乘驿。'是东归实出于内召。先生有《谢王枢密启》云：'斐然妄作，本以自娱，流传偶至于中都，鉴赏遂尘于乙览。'盖先生在蜀，有诗传入都，孝宗闻之，故特召还也。"按，《渭南文集》卷一《江西到任谢表》云："特旨造廷，非出公卿之论荐。"可证赵《谱》"东归实出于内召"之说。

四月

二日，范成大自礼部尚书兼直学士院迁中大夫除参知政事。杨万里有《贺范至能参政启》。

七日，赐礼部进士姚颖以下四百一十七人及第、出身。叶适、章良能、刘褒登进士第。

是月，陆游在东归途中。至眉州，有诗《眉州披风榭拜东坡先生遗像》；至青神，有诗《访青神尉廨借景亭，盖山谷先生旧游也》；在叙州，赋诗《叙州》三首，其二乃访黄庭坚故居无等院所作，中有"文章何罪触雷霆？风雨南谿自醉醒"之句，其三为游锁江亭而作，中有"千寻铁锁还堪恨，空锁长江不锁愁"之句；在泸州，游使君岩、木龙岩、南定楼，有诗《泸州使君岩在城南一里，深三丈，有泉出其左，音中律吕；木龙岩相距亦里许，黄太史所尝游憩也》、《南定楼遇急雨》；至涪州，谒程颐祠堂，有感于党禁之祸，赋诗《北岩》（题下自注：有程正叔先生祠堂），有"党禁久不解，胡尘暗神州"之句；至忠州，游禹庙、东坡、龙兴寺，有诗《忠州禹庙》、《雨中游东坡》、《龙兴寺吊少陵先生寓所》。

五月

月初，陆游舟抵归州。有《归州重五》、《屈平庙》、《楚城》等诗，于屈原之遭际，感慨尤深；至荆州，赋诗《大堤》（诗末自注："荆州距东都才十七八程"），中有"累累北门堠，泪尽望神京"之句，发抒故国之情；在巴陵，登岳阳楼，有诗《岳阳楼》、《再赋一绝》（中有"不向岳阳楼上醉，定知未可作诗人"之句）。

六日，林光朝（1114—1178）卒，年六十五。光朝字谦之，号艾轩，莆田人。隆兴元年进士。历秘书省正字兼国史编修实录检讨官、国子司业兼太子侍读。召为国子祭酒。后以集英殿学士出知婺州。南渡后，以伊、洛之学倡东南者，自光朝始，学者称为"南夫子"。事迹见周必大《林谦之神道碑》、《宋史》卷四三三本传。著有《艾轩集》，今存明正德刊本、《四库全书》本。《全宋诗》录其诗一卷，《全宋文》收其文九卷。四库提要卷一五九："《艾轩集》九卷、附录一卷，江苏巡抚采进本，宋林光朝撰。……平生不喜著书，既没后，其族孙同叔哀其遗文为十卷，陈宓序之。后其外孙方之泰搜求遗逸，辑为二十卷，刻于鄱阳，刘克庄序之。至明代，宋刊已佚，仅存钞本。正德辛巳，光朝乡人郑岳择其尤者九卷，附以遗事一卷，题曰《艾轩文选》，是为今本。所谓十卷、二十卷者，今皆不可见。"陈宓《十卷本艾轩集序》："其文森严奥美，精深简古，上参经训，下视骚词，他人数百言不能道者，先生直数语，雍容有余。"刘克庄《二十卷本艾轩集序》："以言语文字行世，非先生意也。……然先生学力既深，下笔简严，高处逼《檀弓》、《穀梁》，平处犹与韩并驱。"林俊《艾轩集序》谓其"文祖六经，辅秦汉；诗派山谷、后山、半山，而祖之于唐"。《隐居通议》卷一二："艾轩林公光朝诗不多，别为体。压卷如《东宫生日诗》，颇富丽。"

光朝之卒，陈俊卿、林亦之皆有祭文。

六月

范成大罢参知政事，提举临安府洞霄宫。旋归石湖，有诗《初归石湖》。

陆游东归至鄂州，登南楼赋诗云："登临壮士兴怀地，忠义孤臣许国心。"（《南楼》）以孤忠报国自许；至黄州，访苏轼遗迹，有诗《自雪堂登四望亭，因历访苏公遗迹至安国院》、《月下步至临皋亭》；中旬，至江州，有诗《初见庐山》、《六月十四日宿东林寺》；将至金陵，以诗寄建康行宫留守刘珙，诗题曰《将至金陵先寄献刘留守》；闰六月，至金陵，有诗《登赏心亭》。

八月

朱熹以右相史浩荐，差知南康军。《建炎以来朝野杂记》乙集卷八《晦庵先生非素隐》："（淳熙）五年春，史魏公（浩）复相，首务进贤，以先生屡召不赴也，必欲起之。……乃除知南康军，见次。史公必欲先生之出，又降旨不许辞免，便道之官，俟终更入奏事。仍命南康趣遣迓吏。史公既勉先生以君臣之义，又俾馆职吕伯恭作书劝之。先生再辞，不许，乃上。是时年四十有九矣。"

陆游抵临安，召对，除提举福建常平茶事。周必大《省斋文稿》卷七有《送陆务观赴七闽提举常平茶事》四首，目录卷七下注"戊戌"，诗题下注"八月十九日"，据此知陆游除新职在八月。赴福建任前，陆游有山阴之行。淳熙六年六月，陆游在福建任上所作《病中怀故庐》云："去年一月留，行役嗟匆匆。"知其在山阴故里逗留约月余。

九月

孝宗遣使抚问范成大。

赐岳飞谥武穆。

秋

辛弃疾出为湖北转运副使。

十月

范成大访毗陵，与杨万里晤面，时万里为毗陵守。《永乐大典》卷二二六六引杨长孺《石湖词跋》："淳熙戊戌，先生归自浣花，是时家尊（杨万里）守荆溪，置酒卜夜，触次从容。先生极谈锦城风物之盛，宦情之乐。"

十一月

冬至日，范成大赋诗《冬至晚起，枕上有怀晋陵杨使君》；杨万里有《和范至能参政寄二绝句》。

冬

陆游赴福建任，途经干溪、枫桥、双桥、牌头、奴寨、绣川驿、湖头寺、衢州、仙霞岭、鱼梁驿、梦藤驿诸处，皆有吟咏。约在十一月初抵建安任所。

本年

尤袤知台州，放罢。

张镃直秘阁通判婺州。

袁去华本年在世，生卒年不详。去华字宣卿，豫章奉新人。约生于徽宗政和、宣和年间。绍兴十五年进士。知善化县，后改官知石首县而卒。其《和丰桥记》曾提及"淳熙丁酉仲秋"修桥事，并记"明年七月桥成"，则其淳熙五年尚健在。去华"善为歌词，尝赋长沙定王台（按，即《水调歌头·定王台》），见称于张安国（孝祥），为书之"（《直斋书录解题》卷一八）。著有《适斋类稿》八卷，已佚。今传其《宣卿词》一卷（《直斋书录解题》卷二一作《袁去华词》一卷），收入《四印斋所刻词》本，《全宋词》据以录其词九十八首。事迹见《直斋书录解题》卷一八、王鹏运《宣卿词跋》。

林宪本年在世，生卒年不详。宪字景思，号雪巢，吴兴人。少从侍郎徐度游，得陈后山诗法。卓荦有大志，中特科，监西岳庙。乾道中，随妻祖贺允中寓居临海。贺既亡，挈其孥居萧寺，屡濒于馁而不悔，读书著文，不改其乐。其所居室名曰雪巢，淳熙五年，尤袤尝为作《雪巢记》。事迹见《嘉定赤城志》卷三四、《宋史翼》卷三六。著有《雪巢小集》二卷（《宋史·艺文志七》），已佚。《全宋诗》录其诗一卷。尤袤《雪巢小集序》谓其"独喜哦诗，初不锻炼，而落笔立就，浑然天成，无一语蹈袭。如'柔橹晚潮上，寒灯深树中'，'汲水延花晚，推窗数新竹'，'中夜鹅鹜喧，谁家海船上'，唐人之精于诗者不是过。一时名流，皆愿交之。若徐敦立、芮国器、莫子及、毛平仲，相与为莫逆。其后诸公凋丧略尽，君亦连蹇不偶，至无屋可居，无田可耕。其贫亦甚，其节亦固，而其诗亦工"。杨万里《雪巢小集后序》："景思之诗似唐人，信矣延之之论也。然至如'桃花飞后杨花飞，杨花飞后无可飞'、'天空霜无影'等句，超出诗人准绳之外，其逞不可追，其卓不可跂矣。使李太白在，必一笑领此句也。"陈振孙《直斋书录解题》卷二〇："其人高尚，诗清赡，五言四韵古句尤佳，殆逼陶、谢。梁溪尤延之、诚斋杨廷秀皆为之序，且为《雪巢赋》及记。余为南城，其子游谒至邑，以家集见示，爱而录之。及守天台，则板行久矣，视所录本稍多。然其暮年诗似不逮其初，往往以贫为累，不能不衰索也。"刘克庄《后村诗话》续集卷二："雪巢《读陶诗》……虽甚清绝，然太轻快，集中长篇皆类此，要须更檃括以韦、柳乃善。"

王炎（1115—1178）卒，年六十四。辛弃疾《水调歌头》题云："淳熙丁酉，自江陵移帅隆兴。到官之三月被召，司马监、赵卿、王漕饯别，司马赋《水调歌头》，席间次韵。时王公明枢密薨，坐客终夕为兴门户之叹，故前章及之。"关于王炎的生年，周必大《省斋文稿》淳熙元年甲午有《寄题王公明枢使豫章侁老堂》诗，中有"公今年才六十耳"之句，据此则可推断王炎当生于政和五年（1115）。炎字公明，相州安阳人。以荫入仕。乾道四年赐同进士出身。累官签书枢密院事、参知政事、四川宣抚使，进枢密使。后除观文殿大学士、资政殿大学士。工诗词，原有集，已佚。《全宋词》录存其《菩萨蛮》、《梅花引》各一首，《全宋文》卷四六六九录其文。事迹见韩元吉《王枢密路祭文》（《南涧甲乙稿》卷一八）、《咸淳临安志》卷四七。

薛师石（1178—1228）生。

真德秀（1178—1235）生。

魏了翁（1178—1237）生。

公元 1179 年（宋孝宗淳熙六年己亥　金世宗大定十九年）

正月

陆游往游建安开元寺，赋诗《开元暮归》。中有"白发书生不自珍，天涯又作宦游身"之句，感慨东西游宦而志不获骋。

杨万里赋《寄题石湖先生范至能参政石湖精舍》二首，范成大有《次韵同年杨廷秀使君寄题石湖》二首。

吕祖谦择《圣宋文海》成编，孝宗赐名《皇朝文鉴》。《宋史》卷四三四《吕祖谦传》："先是，书肆有书曰《圣宋文海》，孝宗命临安府校正刊行。学士周必大言《文海》去取差谬，恐难传后，盍委馆职铨择，以成一代之书。孝宗以命祖谦。遂断自中兴以前，崇雅黜浮，类为百五十卷，上之，赐名《皇朝文鉴》。"周必大《皇朝文鉴序》："天启艺祖，生知文武，取五代破碎之天下而混一之，崇雅黜浮，汲汲乎以垂世立教为事。列圣相承，治出于一，援毫者知尊周孔，游谈者羞称杨墨。是以二百年间英豪踵武，其大者固已羽翼六经，藻饰治具，而小者犹足以吟咏情性，自名一家。盖建隆、雍熙之间其文伟，咸平、景德之际其文博，天圣、明道之辞古，熙宁、元祐之辞达。虽体制互异，源流间出，而气全理正，其归则同。嗟乎，此非唐之文也，非汉之文也，实我宋之文也，不其盛哉！皇帝陛下天纵将圣如夫子，焕乎文章如帝尧，万机余暇，犹玩意于众作，谓篇帙繁夥，难于遍览，思择有补治道者表而出之。乃诏著作郎吕祖谦发三馆四库之所藏，哀缙绅故家之所录，断自中兴以前，汇次来上。古赋诗骚则欲主文而谲谏，典册诏诰则欲温厚而有体，奏疏表章取其谅直而忠爱者，箴铭赞颂取其精悫而详明者。以至碑记论序书启杂著，大率事辞称者为先，事胜辞则次之；文质备者为先，质胜文则次之。复谓律赋经义，国家取士之源，亦加采掇，略存一代之制，定为一百五十卷，规模先后，多本圣心。承诏于淳熙四年之仲冬，奏御于六年之正月，赐名《皇朝文鉴》，而命臣为之序。"叶盛《水东日记》卷一九："《宋文鉴》（按，即《皇朝文鉴》）上中下凡一百五十卷，朝奉郎、行秘书省著作佐郎兼国史院编修官兼权礼部郎官吕祖谦奉旨铨次，曰赋，曰律赋，曰四言古诗，曰乐府歌行附杂言，曰五言古诗，曰七言古诗，曰五言律诗，曰七言律诗，曰五言绝句，曰六言绝句，曰七言绝句，曰杂体，曰骚，如骚者亦附，曰诏，曰敕，曰赦文，曰册，曰御体，曰批答，曰制，曰诰，曰奏疏，曰表，曰笺，曰箴，曰铭，曰颂，曰赞，曰碑文，曰记，曰序，曰论，曰义，曰策，曰议，曰说，曰戒，曰制策，曰说书，曰经义，曰书，曰启，曰策问，曰杂著，曰对问，曰移文，曰连珠，曰琴操，曰上梁文，曰书判，曰题跋，曰乐语，曰哀辞诔附，曰祭文，曰谥议，曰行状，曰墓志，曰墓表，曰神道碑铭，曰传，曰露布。"四库提要卷一八七："《宋文鉴》一百五十卷，内府藏本，宋吕祖谦编。……祖谦之为此书，当时颇铄于众口。张端义《贵耳集》称东莱修《文鉴》成，独进一本，满朝皆未得见，唯大铛甘昺有之，公论颇不与。得旨除直秘阁，为中书陈骙所驳，载于陈之《行状》。《朝野杂记》又引《孝宗实录》，称祖谦编《文鉴》，有通经而不能文词者，亦表奏厕其间，以自矜党同伐异之功，缙绅公论皆嫉之。又载张栻时在江陵，《与朱子书》曰：伯恭好敝精神于闲文字中，何补于治道，何补于后学？承当编此等文字，亦非所以成君德也。而《朱子语录》记其选录五例，亦微论其去取有未当。盖一时皆纷纷訾议。案录副本以献中官，祖谦似不至是。"《朱子语类》卷一二二："伯恭《文鉴》，有止编其文理之佳者；有其文且如此，而众人以为佳者；有其文虽不甚佳，而其人贤名微，恐其泯没，亦编其一二篇者；有文虽不佳，而理可取者，凡五例。"《浩然斋雅谈》卷上："宋之文治虽盛，然诸老率崇性理，卑艺文，朱氏主程而抑苏，吕氏《文鉴》去取多朱意，故文字多遗落者，极可惜。水心叶氏云：'洛学兴而文字坏。'至载言乎！"朱知烊《志道堂本宋文鉴序》："《宋文鉴》为宋名儒吕伯恭等编集，简质虽不如汉，华藻虽不如唐，然其间如周、程、张、朱之书，韩、范、富、马之疏，皆据经明道，即事切理，纯粹精确，又非汉、唐人所能及也。"

三月

十五日夜，范成大泛舟石湖。赋诗寄周必大，诗题曰《顷乾道辛卯岁三月望夜，与周子充内翰泛舟石湖、松江之间，夜艾归宿农圃，距今淳熙己亥九年矣。予先得归田，复以是夕泛湖，有怀昔游，赋诗纪事》。周必大有和诗《次范至能忆同游石湖韵》，杨万里亦有《和石湖居士范至能与周子充夜游石湖、松江诗韵》。按，成大与必大同泛石湖，乃乾道八年壬辰事，成大误记。

杨万里移官广东提举常平，过姑苏，与范成大唱酬游赏。杨万里《诚斋西归诗集序》："予假守毗陵，更未尽，三月，移官广东常平使者。既上二千石印绶，西归过姑苏，谒石湖先生范公。公首索予诗，予谢曰：'诗在山林，而人在城市，是二者常巧于相违，而喜于不相值，某虽有所谓《荆溪集》者，窃自薄陋，不敢为公出也。'"万里有诗《从范至能参政游石湖精舍，坐间走笔》，成大有和诗《次韵同年杨使君回自毗陵，同泛石湖，舟中见赠》。

辛弃疾改湖南转运副使。赋词《水调歌头》（折尽武昌柳），序云："淳熙己亥，自湖北漕移湖南，周总领、王漕、赵守置酒南楼，席上留别。"又赋《摸鱼儿》（更能消几番风雨），序云："淳熙己亥，自湖北漕移湖南，同官王正之置酒小山亭，为赋。"评者以为《摸鱼儿》"此词颇似屈子《离骚》，盖谗谄害明，贤人失志，为古今所同慨也"（刘永济《唐五代两宋词简析》）；"稼轩'更能消几番风雨'一章，词意殊怨，然姿态飞动，极沉郁顿挫之致"（陈廷焯《白雨斋词话》卷一）；"时春未去也，然更能消几番风雨乎？言只消几番风雨，则春去矣。倒提起。'惜春'七字，复用逆溯，然后跌落下句，思力沉透极矣。'春且住'，咽住。'无归路'，复为春计不得。'怨春不语'，又咽住。'蛛网'、'飞絮'，复为怨春者计亦不得，极力逼起下阕'佳期'。果有佳期，则不怨春矣，如'又误'何。至佳期之误，则以蛾眉之见妒也。纵有相如之赋，亦无人能谅此情者，然后佳期真无望矣。'君'字承'谁'字来。既无诉矣，则君亦安所用舞乎？咽住。环燕尘土，复推开，言不独长门一事也，亦以提为勒法。然后以'闲愁最苦'四字，作上下脱卸。言此皆往事，不如眼前春去之闲愁为最苦耳。斜阳烟柳，便无风雨，亦只匆匆。如此开合，全自龙门得来，为词家独辟之境。'佳期'二字，是全篇点睛。时稼轩南归十八年矣，《应问》三篇、《美芹十论》，以讲和方定议，不行。佳期之误，谁误之乎？读公词，为之三叹。寓幽咽怨断于浑灏流转中，此境亦唯公有之，他人不能为也"（陈洵《海绡说词》）。

朱熹抵南康军就任。

春

陆游在建安提举司任所，宦情淡薄，生活寂寥，时时赋诗追忆蜀中生活，如《雪晴至后园》其二、《书怀》、《园中杂书》其二、《病中久止酒，有怀成都海棠之盛》诸作。

八月

中秋，范成大与从兄范成象等夜泛石湖。周密《澄怀录》卷下："淳熙己亥中秋，至先、至能自越来溪下石湖，纵舟所如，忘路远近，约略在洞庭、垂虹之间，天容水光，镜烂一色，四维上下，与天无极。□露温美，如春始和。醉梦飘然，不知夜如何其；唯有东方大星，欲度篷背，自后不复记忆。坐客或有能赋之者。张子震、马少伊、郑公玉、章舜元，客也。（原注：范至能。）"

九月

九日重阳节，范成大与客同游阊门、横塘、越来溪、石湖千岩观、姑苏后台等处，赋《水调歌头》。序云："淳熙己亥重九，与客自阊门泛舟，径横塘。宿雾一白，垂垂欲雨。至采云桥，氛翳豁然，晴日满空，风景闲美，无不与人意会。四郊刈熟，露积如缭垣。田家妇子着新衣，略有节物。挂帆溯越来溪，潦收渊澄，如行玻璃地上。菱华虽瘦，尚可采。舣棹石湖，扳紫荆，坐千岩，观下菊丛中，大金钱一种已烂漫秋香，正午薰入酒杯，不待馂饮，已有醉意。其傍丹桂二亩，皆盛开，多孪枝，芳气尤不可耐。携壶度石梁，登姑苏后台，跻攀勇往，谢去巾舆筇杖，石棱草滑，皆若飞步。山顶正平，有坳堂薛石可列坐，相传为吴故宫闲台别馆所在。其前湖光接松陵，独见孤塔之尖。少北，墨点一螺为山。其后西山竞秀，萦青丛碧，与洞庭、林屋相宾。大约目力逾百里，具登高临远之胜。始余使虏，是日过燕山馆，赋《水调》，首句云：'万里汉家使。'后每自和。桂林云：'万里汉都护。'成都云：'万里桥边客。'明年，徘

75

徊药市，颇叹倦游，不复再赋。但有诗云：'年来厌把三边酒，此去休哦万里词。'今年幸甚，获归故园，偕邻曲二三子，酬酢佳节于乡山之上，乃复用旧韵。"按，此文首见周密《澄怀录》卷下，词之正文仅存"万里吴船泊，归访菊篱秋"两句，《全宋词》据以录入。

秋

陈亮观木樨，怀念吕祖谦，作《桂枝香·观木樨有感寄吕郎中》。

陆游奉诏离建安任。其《别建安》其三云"多情叶上潇潇雨，更把新凉送客行"，《初发建安》云"小雨初收云未归，吾行迨及晚秋时"，则陆游离建安当在暮秋。沿途多有诗作：在长汀，有《长汀道中》；在崇安，有《游武夷山》、《泛舟武夷九曲溪，至六溪，或云滩急难上，遂回》二首、《崇安县驿》；在铅山，有《鹅湖夜坐书怀》；在信州，有《信州东驿晨起》；在玉山，有《玉山县南楼晚望》、《玉壶亭》；在常山，有《晚过招贤渡》；在衢州，有《奏乞奉祠留衢州皇华馆待命》、《夙兴》、《寓馆晚兴》。至婺州，访知州事韩元吉，赋诗《婺州州宅极目亭》，元吉有赠诗《陆务观赴阙经从留饮》。又，自春徂秋，陆游多思归之作。如《思故山》、《夏日》其三、《客思》二首、《病起偶到复庵》、《感怀》、《长歌行》、《思归》、《病中怀故庐》等。

辛弃疾改知潭州，兼湖南安抚使。

十月

朱熹在南康军任上，行视陂塘，发现白鹿洞故址，遂议复兴建白鹿洞书院，发布《白鹿洞牒》，上《申修白鹿洞书院状》。

冬

陆游改除朝请郎提举江南西路常平茶盐公事。钱仲联《剑南诗稿校注》卷十一《访毛平仲问疾，与其子适同游柯山，观王质烂柯遗迹》题解云："此诗淳熙六年冬作于衢州。游奉召赴临安，参诸诗作，其行程仅及金华而止。北召出于孝宗之特旨，故韩元吉在金华所作《陆务观赴阙经从留饮》诗中，寄以'春风稳送金闺步，看蹑鳌山最上层'之期望。但孝宗于游赴阙途中又更变意旨，改除游提举江南西路常平茶盐公事。游盖即于金华得旨，故《诗稿》中继金华之诗之后，又见此衢州之作。是得旨后改辕西行，折回衢州，取道信州，以赴抚州任所也。其中先后曲折，《文集》（按，指《渭南文集》）卷一《江西到任谢表》言之云：'疏恩趣召，靡待一人之言；改命遣行，犹备四方之使。……'卷十《江西到任谢史丞相启》则云：'诣行在所，方承命以北驰；驾使者车，复改辕而西上。……夫何奇蹇，更累生成。方仇怨造言，投鼠不思于忌器；乃保全极力，舍牛宁废于衅钟。'《谢钱参政启》亦云：'方虞官谤，又辱诏追。半道遣行，虽栖迟之薄命；频年记录，要为比数于公朝。……怜其跋前疐后，姑令全进退之宜；谓其尺短寸长，或可责驰驱之效。曲加拉拭，俾窃便安。'则改命出于逸言之铄金，可以想见。"赴抚州道中，陆游有《弋阳道中遇大雪》、《雪中怀成都》、《雪后苦寒行饶抚道中有感》，尚思为国戍边，扫清河洛。是冬抵达抚州任所，有谢表、谢启。

本年

毛开本年在世，生卒年不详。陆游《剑南诗稿》卷十一《访毛平仲问疾，与其子适同游柯山，观王质烂柯遗迹》，本年冬作于衢州。开字平仲，三衢人。仕止宛陵、东阳二州倅。为人傲世自高，与时多忤，与尤袤友善。事迹见《直斋书录解题》卷一八、《宋诗纪事》卷四九。著有《樵隐集》十五卷，已佚。今存《樵隐词》一卷，有明抄本、毛晋汲古阁刊本、《四库全书》本。《全宋词》收录其词四十二首，《全宋诗》收其诗九首。四库提要卷一九八："《樵隐词》一卷，安徽巡抚采进本，宋毛开撰。开字平仲，信安人。旧刻题曰'三衢'，盖偶从古名也。……所著有《樵隐集》十五卷，尤袤为之序，今已不传。陈振孙《书录解题》载《樵隐词》一卷。此刻计四十二首，据毛晋跋，谓得自杨梦羽家秘藏抄本。不知即振孙所见否也。开他作不甚著，而小词最工。卷首王木叔题词，有'或病其诗文视乐府颇不逮'之语。盖当时已有定论矣。集中《满江红》'泼火初收'一阕，尤为清丽芊眠，故杨慎《词品》特为激赏。其《江城子》一阕注次叶石林韵，后半'争劝紫髯翁'句，实押'翁'字。而今本《石林词》此句乃'宫'字，于本词为复用。可订《石林词》刊本之误。"《灵芬馆词话》卷二："毛开《樵隐词》所传无多，然亦是雅音。杨用修独称其'泼火初收'一阕，平熟无可取，用修未可为知词者也。其《醉落魄》咏梅云：'新愁怅望催华发，雀嗔江头，一树垂垂雪。'《玉楼春》云：'酒成憔悴花成怨，闲煞羽觞难会面。可堪春事已无多，新笋遮墙苔满院。'皆远过所称。"

张端义（1179—?）生。

孙唯信（1179—1243）生。

谢采伯（1179—1251）生。

吕午（1179—1255）生。

公元1180年（宋孝宗淳熙七年庚子　金世宗大定二十年）

二月

范成大奉差知明州，辞，不允。楼钥有《贺明州范参政成大启》。

张栻（1133—1180）卒，年四十八。栻字敬夫，一字钦夫，又字乐斋，号南轩，又号葵轩，祖籍绵竹，徙居衡阳，张浚之子。以荫补官，仕至吏部尚书、右文殿修撰。卒谥宣。与朱熹、吕祖谦齐名，时称"东南三贤"，学者称南轩先生。事迹见朱熹《右文殿修撰张公神道碑》、杨万里《张左司传》、《宋史》卷四二九本传。著有《南轩集》、《南轩易说》、《癸巳论语解》、《癸巳孟子说》、《伊川粹言》等，清道光间合刻为《南轩全集》。《全宋诗》录其诗八卷，《全宋文》收其文八卷。四库提要卷一六一："《南轩集》四十四卷，浙江鲍士恭家藏本，宋张栻撰。……栻殁之后，其弟杓哀其故稿四巨编，属朱子论定。朱子又访得四方学者所传数十篇，益以平日往还书疏，编次缮写，未及藏事，而已有刻其别本流传者。朱子以所刻之本多早年未定之论，而末年谈经论事，发明道要之语，反多所佚遗。乃取前所搜辑，参互相校，断以栻晚岁之学，定为四十四卷，并详述所以改编之故，弁于书首，即今所传淳熙甲辰本也。栻与朱子交最善，集中与朱子书凡七十有三首，又有答问四篇。其间论辨断断，不少假借。如第二札则致疑于辞受之间；第三札辨墓祭、中元祭；第四札辨《太极图说注》；第五、六、七札辨《中庸注》；第八札辨《游酢祠记》；第十札规朱子言语少和平；第十一札论社仓之弊，责以偏袒王安石；第十五札辨胡氏所传《二程集》不必追改，戒以平心易气……朱子并录之集中，不以为忤。又栻学问渊源，本出胡弘，而与朱子第二十八札谓胡寅《读史管见》病败不可言，其中有好处，亦无完篇；又第五十三札谓胡安国《春秋传》其间多有合商量处，朱子亦并录之集中，不以为嫌。足以见醇儒心术，光明洞达，无一毫党同伐异之私。后人执门户之见，一字一句，无不回护，殊失朱子之本意。……考高斯得《耻堂存稿》有《南轩永州诸诗跋》曰：'刘禹锡编《柳子厚集》，断至永州以后，少作不录一篇。南轩先生永州所题《三亭》、《陆山》诸诗，时方二十余岁，兴寄已落落穆穆如此，然求之集中则咸无焉，岂编次者以柳集之法裁之乎？'然则栻集外诗文皆朱子删其少作，非偶然矣。"朱熹《张南轩文集序》："予因慨念敬夫天资甚高，闻道甚蚤，其学之所就既足以名于一世，然察其心，盖未尝一日以是而自足也。比年以来，方且穷经会友，日反诸心而验诸行事之实，盖有所谓不知年数之不足者，是以其学日新而无穷。其见于言语文字之间，始皆极于高远，而卒反就于平实。此其浅深疏密之际，后之君子其必有以处之矣。"刘克庄《张尚书集序》："公之学授于家庭，又所交皆天下贤俊，而仕当朝廷极盛之时，故其诗冲淡和平，可荐之郊庙，非如孟郊、贾岛鸣其穷愁而已。笺奏润温丽缛，可施之典册，非如陈琳、阮瑀工于书檄而已。在上前论议，或累牍，或数语，详而贯于理，简而周于事，凿凿乎有用之言也。"《鹤林玉露》甲编卷三："张宣公《题南城》云：'坡头望西山，秋意已如许。云影度江来，霏霏半空雨。'《东渚》云：'团团凌风桂，宛在水之东。月色穿林影，却下碧波中。'《丽泽》云：'长哦伐木诗，伫立以望子。日暮飞鸟归，门前长春水。'《濯清》云：'芙蓉岂不好，濯濯清涟漪。采去不盈把，惆怅暮忘饥。'《西屿》云：'系舟西岸边，幅巾自来去。岛屿花木深，蝉鸣不知处。'《采菱舟》云：'散策下亭舸，水清鱼可数。却上采菱舟，乘风过南浦。'六诗闲澹简远，德人之言也。"

本月，张栻入朝过南康，朱熹与游紫霄峰、简寂、落星寺、卧龙庵、栖贤、折桂院，多有吟唱。

三月

十八日，白鹿洞书院建成，朱熹入院开讲，自任洞主，并作《白鹿洞赋》。黄震《黄氏日钞》卷三四谓《白鹿洞赋》"一章言唐李渤读书旧地，而南唐因创书院。二章言自太宗、真宗增辟，而废于熙宁。三章言今日之再造。四章言讲学之要领，而乱之以德业无穷之思"。虞集《跋朱文公白鹿洞赋草》："昔者文公先生既重作白鹿洞书院，属吕成公记之，而又自作此赋，岂无意于其间乎？集尝泛彭蠡，登匡庐，升斯堂，三复于斯文矣。于所谓'诚明两进，敬义偕立'，凛然有迟暮无反之叹。今夫荒闲寂寞之滨，朝诵暮弦者，岂无其人哉？安知其不与愚同此感也。今此篇辑录文公全书者以冠诸首，家传而人诵之，则固有不待皆至乎白鹿者。"

二十一日，范成大至明州任所。到任后，上有关舶政、通商理财、军政、治盗、军粮、配军役札子共六起。

陆游作《放翁自赞》，以野鹤涧松自况。赞曰："遗物以贵吾身，弃智以全吾真。剑外江南，飘然幅巾。野鹤驾九天之风，涧松傲万木之春。或以为跌宕湖海之士，或以为枯槁陇亩之民。二者之论虽不同，而不我知则均也。"（自注："淳熙庚子，务观自赞，时在临川，年五十六。"）

四月

二十二日，陆游作《跋陵阳先生（韩驹）诗草》。谓"先生诗擅天下，然反覆涂乙，又历疏语所从来，其严如此，可以为后辈法矣"。按，陆游此前曾刻韩驹诗于石。

五月

十一日，陆游梦从驾亲征，尽复汉唐故地，为诗以记之。题曰《五月十一日夜且半，梦从大驾亲征，尽复汉唐故地，见城邑人物繁丽，云西凉府也，甚喜。马上作长句，未终篇而觉，乃足成之》诗云："天宝胡兵陷两京，北庭安西无汉营。五百年间置不问，圣主下诏初亲征。熊罴百万从銮驾，故地不劳传檄下。筑城绝塞进新图，排仗行宫宣大赦。冈峦极目汉山川，文书初用淳熙年。驾前六军错锦绣，秋风鼓角声满天。苜蓿峰前尽亭障，平安火在交河上。凉州女儿满高楼，梳头已学京都样。"

是月，陆游筑昨非轩。《书感》有"会凭香火消前业，已筑茅茨讼昨非"句，其下自注："余村居筑小轩，以昨非名之。"又有疏山之游，赋诗《游疏山》、《疏山东堂昼眠》、《山中作》、《观蔬圃》、《东堂晨起有感》。

王质有诗寄陆游。《雪山集》卷十二诗序曰："乙酉，务观贰豫章，书来告曰：'吾登孺子亭，见子以诗道南州高士之神情，奇哉！吾巢会稽，筑卑栖，号渔隐，子为我诗之！'盖自是参差契阔，相望动万里。又十六年，务观部江西，治临川，又以书来，惊嗟然诺之爽，乃亟为之。仆未尝渡浙江，安得识渔隐？且久不见务观，弗克问其何如，故寓诸梦以为之辞；然心目皆往来于此，常弗忘也。写真小轴偕之，置在渔隐之旁，与观谿谷云月之奇。所作其语鄙，其容陋，尘埃名胜之区，为山水之神所却；或使周旋其间，亦未可知也。昔寄语他壤多矣，未有以传神俱者也。此段风规，自王景文始。"

周必大以吏部尚书参知政事。陆游有《贺周参政启》。

九月

二十九日，陆九龄（1132—1180）卒，年四十九。九龄字子寿，学者称复斋先生，抚州金溪人。乾道五年进士，授迪功郎、桂阳军教授，改兴国军教授。调全州州学教授，未赴而卒。谥文达。为学尊二程学说。通晓阴阳、星历、五行、卜筮之说。与弟九渊相为师友，和而不同，学者称为"二陆"。著有《复斋文集》六卷，已佚。《全宋诗》录其诗四首。包恢《三陆先生祠堂记》："先生之文，即理与学也，故精明透彻，且多发前人之所未发，炳蔚如也。"事迹见陆九渊《全州教授陆先生行状》、《宋史》卷四三四本传。

陆游有诗《寄周洪道（必大）参政》二首。云："半生蓬艇弄烟波，最爱三湘欸乃歌。拟作此行公勿怪，胸中诗本渐无多。""菱舟烟雨久思归，贪恋明时未拂衣。乞与一城教睡足，犹能觅句寄黄扉。"意欲乞湖湘间一州以自适。按，《剑南诗稿》卷六十诗题曰："予使江南时，以诗投政府，丐湖湘一麾。会召还，不果。偶读旧稿有感。"即指此事。

秋

辛弃疾在湖南创置飞虎军。《建炎以来朝野杂记》甲集卷十八："湖南飞虎军者，潭州土军也。……（淳熙）七年，辛幼安为潭帅，始募千八百人训练之。其冬赐名，遥隶步军司。"作词《木兰花慢》（汉中开汉业），序云："席上送张仲固帅兴元。"

十月

陆游有丰城、高安之行。有《丰城村落小憩》、《发丰城县》、《丰城、高安之间憩民家，景趣幽邃，为之慨然怀归》、《高安州宅三咏》、《与高安刘丞游大愚，观壁间两苏先生诗》诸作。

初冬

杨万里自广东寄《西征集》于范成大，成大赋诗为谢。题曰《杨少监寄西征近诗来，因赋二绝为谢，诗卷第一首，乃石湖作别时倡和也》；万里有和诗，题曰《遣骑问讯范明州参政，报章寄二绝句，和韵谢之》。

十一月

陆游返临川。十五日，作《跋续集验方》；十七日，作《晁伯咎（公迈）诗集序》；十九日，作《抚州广寿禅院经藏记》，对"玩岁愒日，事功弗昭"之士大夫颇加指责。同月，陆游被命诣行在所。《抚州广寿禅院经藏记》云："淳熙己亥冬十二月，予使江西，治在抚州。……明年冬十一月，予被命诣行在所。"

十二月

陆游自弋阳取道衢州赴行在，有诗题曰《行至严州寿昌县界，得请许免入奏，仍除外官，感恩述怀》。按，《宋会要辑稿·职官·黜降官九》："（淳熙八年）三月二十七日，提举淮南东路常平茶盐公事陆游罢新任，以臣僚论游不自检饬，所为多越于规矩，屡遭物议故也。"据此，则"仍除外官"即"新任"之"提举淮南东路常平茶盐公事"。

胡铨（1102—1180）卒，年七十九。铨字邦衡，号澹庵，庐陵人。建炎二年进士甲科，授抚州军事判官。绍兴八年，秦桧主和，铨上疏请诛秦桧、王伦、孙近三人，并羁留金使，被贬为福州签判。后被编管新州，又移送吉阳军。孝宗即位，起知饶州。历官至权兵部侍郎，以资政殿学士致仕。卒谥忠简。事迹见杨万里《胡公行状》、《宋史》卷三七四本传。著有《澹庵文集》一百卷，刊刻于庆元间。原集久佚，清乾隆间其裔孙重辑为《澹庵集》三十二卷，今存清乾隆二十二年练月楼刊本、道光十三年重刊本；又有《四库全书》本《澹庵文集》，收诗文六卷。其词有《澹庵长短句》一卷，有汲古阁影写宋本、《四印斋所刻词本》等。《全宋词》录其词十六首，《全宋诗》录其诗三卷，《全宋文》收其文三十六卷。四库提要卷一五八："《澹庵文集》六卷，两淮马裕家藏本，宋胡铨撰。……铨师萧楚，明于《春秋》，故集中嘉言谠论，多本《春秋》义例，于南渡大政，多所补救。史但称其高宗时请诛秦桧，今考集中《论撰贺金国启》一篇，则于孝宗朝召还以后，更尝请诛汤思退。……本传称铨集凡百卷，今所存者仅文五卷、诗一卷，盖得之散佚之余。然《书录解题》载铨集七十八卷，《宋志》载铨集七十卷，则在当时已非百卷之旧矣。"杨万里《胡忠简先生文集序》："先生之文，肖其为人。其议论阂以挺，其序记古以则，其代言典而严，其书事约而悉。其为诗，盖自抵斥时宰，谪置岭海，愁狱酸骨，饥蛟血牙，风呻雨喟，涛谲波诡，有非人间之所堪耐者，宜养于心，而反昌于诗，视李、杜夜郎、夔府之音，益加恢奇云。至于骚辞，涵范崭崒，鈇刬刻屈，抉天之幽，泄神之秘，槁瘦而不瘁，恫愀而不恧，自宋玉而下不论也，灵均以来，一人而已。夫是数者，得其一犹足以行于今而传于后，况萃其百乎？何其盛也！……万里尝学于先生者，先生之言曰：'道六经而文未必六经者有之矣，道不六经而文必六经者无之。'先生之文，其所自出，盖渊矣哉，而万里何足以知之！"符乘龙《乾隆本胡忠简公文集序》："展卷之余，觉无体不备，无美不著。其上君之策书奏议也，痛哭流涕似贾太傅，刻挚缠绵似诸葛武侯，剀切详明似陆宣公。其局简而严，其辞丽以则，公之制诰是也。其断制精确，剖晰微茫，公之论疏辩说是也。其序传跋记又异矣，时而纵横恣肆，时而萧疏雅淡，格非其一。至若杂著小品，怪怪奇奇，则与苏公海外文不相上下。夫以公之严气正性，而亦有《檀弓》之风趣，曼倩之诙谐，流溢于语言文字中，正如宋广平铁石心肠，作《梅花赋》又袅娜动人。文心之不可测，殊使人呼天抢地，旋且色舞眉飞矣。"《宾退录》卷四："班孟坚作《扬雄传》，独载所为文，历官行事顾列于赞中，他传皆不然。韩退之作《刘统军碑》，唯书门人故吏之言，而世系事实，悉具于铭词，正用此体。近世唯胡忠简作《赵龙学子潇墓铭》亦然，志特书世系葬日而已。"周必大《跋胡忠简公和王行简诗》："予尝

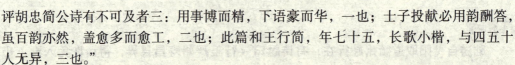

评胡忠简公诗有不可及者三：用事博而精，下语豪而华，一也；士子投献必用韵酬答，虽百韵亦然，盖愈多而愈工，二也；此篇和王行简，年七十五，长歌小楷，与四五十人无异，三也。"

曾觌（1109—1180）卒，年七十二。觌字纯甫，号海野老农，开封人。绍兴中，与龙大渊同为建王内知客。孝宗即位，以近侍骤贵，除权知阁门事。淳熙初，累迁至开府仪同三司，加少保、醴泉观使。用事二十年，权震中外，至于潜逐大臣，贬死岭外。然所作诗词，颇有可观者。事迹见《宋史》卷四七〇本传。《直斋书录解题》卷二一著录其《海野词》一卷，今存明毛晋汲古阁刊本、《四库全书》本。《全宋词》录其词一百〇四首，《全宋诗》录其诗二首，《全宋文》卷四五七五收其文。四库提要卷一五八："《海野词》一卷，安徽巡抚采进本，宋曾觌撰。……初孝宗在潜邸时，觌为建王内知客，常与觞咏唱酬，卷首《水龙吟》后阕有云：'携手西园，宴罢下瑶台，醉魂初醒。'即纪承宠游宴之事，故用飞盖西园故实。以后常侍宴应制，如《阮郎归》赋燕、《柳梢青》赋柳诸词，亦皆其时所作。觌又尝见东都之盛，故奉使过京作《金人捧露盘》，邯郸道上作《忆秦娥》，重到临安作《感皇恩》等曲，黄昇《花庵词选》谓其语多感慨，凄然有黍离之悲。虽与龙大渊朋比作奸，名列《宋史·佞幸传》中，为谈艺者所不齿，而才华富艳，实有可观。录而存之，亦选六朝诗者不遗江总，选唐诗者不遗崔湜、宗楚客例也。"杨慎《词品》卷四："曾觌字纯甫，东都故老，见汴都之盛，故词多感慨，《金人捧露盘》是也。《采桑子》云：'花里游蜂，宿粉栖香锦绣中。'为当时传歌。"沈雄《古今词话·词评》上卷引"花庵词客"曰："曾海野，东都故老，及见中兴之盛者。尝侍宴上苑，应制进《阮郎归》咏燕、《柳梢青》咏柳，一时推重。其奉使旧京作《上西平》，重到临安作《感皇恩》，感慨淋漓，甚得大体，人所不及也。淳熙中咏月云：'金瓯千古无缺。'高宗喜，谓从来未有道之者。"陈廷焯《白雨斋词话》卷六："黍离麦秀之悲，暗说则深，明说则浅。曾纯甫词（黄叔旸云：纯甫东都故老，词多感慨。如《金人捧露盘》、《忆秦娥》等曲，凄然有黍离之感），如'雕阑玉砌，空余三十六离宫'，又云'繁华一瞬，不堪思忆'，又云'丛台歌舞无消息，金樽玉管空陈迹'，词极感慨，但说得太显，终病浅薄。碧山咏物诸篇，所以不可及。"

冬

江西粮荒，辛弃疾加右文殿修撰，差知隆兴府兼江南西路安抚使，救济灾民，任责荒政。

本年

辛弃疾开始营建上饶城北灵山门外之带湖居第。其以稼名轩，自号稼轩居士，至晚当始于营建带湖居第之初。

孝宗撰《原道辨》，就韩愈《原道》加以辨难，有融会三教之意。范成大上札子，谓"《原道论》（按，即《原道辨》）一出，则儒术益明，释、老二氏不废"（据黄震《慈溪黄氏分类日钞》节文）。《建炎以来朝野杂记》乙集卷三《〈原道辨〉易名〈三教论〉》："淳熙中，寿皇尝作《原道辨》，大略谓三教本不相远，特所施不同，至其末流，昧者执之而自为异耳。以佛修心，以道养生，以儒治世可也，又何惑焉。文成，遣直殿甘昪持示史文惠（浩）。史公时再免相，侍经席也。史公奏曰：'臣唯韩愈作是一篇，唐人无不敬服，本朝言道者亦莫之贬，盖其所主在帝王传道之宗，乃万世不易之论。原其意在于扶世立教，所以人不敢议。陛下圣学高明，融会释、老，使之归于儒宗，末章乃欲以佛修心，以道养生，以儒治世，是本欲融会而自生分别也。大学之道，自物格、知至而至于天下平，可以修心，可以养生，可以治世，无所处而不当矣，又何假释、老之说邪？陛下此文一出，须占十分道理，不可使后世之士议陛下，如陛下之议韩愈也。望陛下稍审定末章，则善无以加矣。'程泰之时以刑部侍郎侍讲席，亦为上言之，于是易名《三教论》。"

张抡约于本年前后在世，生卒年不详。 抡字才甫，一作材甫，自号莲社居士，开封人。乾道间，知阁门事。淳熙五年，为宁武军承宣使，知阁门事，兼客省四方馆事。好填词，每应制进一词，宫中即付之丝竹。事迹见《南宋书》卷六三。著有《莲社词》一卷，今存清抄本、《宋元人词》本。《全宋词》录其词一百一十余首，其中多有残缺者。杨慎《词品》卷四："张材甫名抡，南渡故老，词多应制。元夕'双阙中天'一首，繁华感慨，已入选矣。咏瑞香花《西江月》：'剪就碧云团叶，刻成紫玉芳心。浅春不怕嫩寒侵。暖彻薰笼瑞锦。　　花里清芬独步，樽前胜韵难禁。飞香直到玉杯深。消得厌厌夜饮。'又《柳梢青》前段云：'柳色初匀，轻寒如水，纤雨如尘。一阵东风，縠纹微皱，碧沼鳞鳞。'亦佳，足称词人。"

刘迎（？—1180）卒，生年不详。 迎字无党，号无诤居士，东莱人。金大定十三年用荐书对策，为当时第一。明年，登进士第，除豳王府记室。改太子司经。二十年从驾凉陉，以疾卒。事迹见《中州集》卷三《刘记室迎》。有诗文乐府集《山林长语》，已佚。《金元诗选·金诗选例言》："金诗中气骨苍劲，体制最高者，推刘迎无党、李汾长源、辛愿敬之、麻革信之。无党古诗苍莽朴直，足称老手。"

陈耆卿（1180—1236）生。

吴泳（1180—?）生。

公元 1181 年（宋孝宗淳熙八年辛丑　金世宗大定二十一年）

正月

立春日，范成大陪前丞相魏杞登三江亭，有诗《立春日陪魏丞相登三江亭》。

陆游归山阴。三日，雪，赋诗《辛丑正月三日雪》；二十八日，大雪，赋诗《正月二十八日大雪过若耶溪至云门山中》；复雪中登云泉上方，至余庆觉林，赋《大雪歌》，末四句云："扶衰忍冷君勿笑，报国寸心坚似铁。渔阳上谷要一行，马蹄蹴踏河冰裂。"

二月

以范成大"治郡有劳"而除端明殿学士。成大一再辞免，不许。

陆九渊往访朱熹于南康。十日，在白鹿洞书院讲论"君子小人喻义利"章。

应朱熹之请，尤袤为朱槔《玉澜集》作跋（《玉澜集跋》见《梁溪存稿》）。

三月

诏范成大除知建康府，两辞而不允。将赴建康任，游阿育山、天童山诸名胜，有《将赴建康出城》、《自育王过天童、松林三十里》、《育王望海亭》诸诗。

二十五日，朱熹除提举江南西路常平茶盐公事，待次。

二十七日，陆游因臣僚论其"不自检饬，所为多越于规矩"而罢新任提举淮南东路常平茶盐公事（见《宋会要辑稿·职官·黜降官九》）。赋诗《西村醉归》，有"阳狂自是英豪事，村市归来醉跨牛"句，以阳狂自许，实是对论劾者之应对与鄙视。

闰三月

范成大过临安朝辞，孝宗书"石湖"二字及苏轼诗一轴以赐。

尤袤至南康；朱熹与游庐山。有诗《奉同尤延之提举庐山杂咏十四篇》（《白鹿洞书院》、《折桂院黄云观》、《楞伽院李氏山房》、《栖贤院三峡桥》、《西涧清净退庵》、《卧龙庵武侯祠》、《万杉寺》、《开先漱玉亭》、《简寂观》、《归宗寺》、《陶公醉石归去来馆》、《温汤》、《康王谷水帘》、《落星寺》）。二十七日，朱熹罢郡东归。《朱文公文集》卷三十四《答吕伯恭》书四十五："俟代者至，闰月二十七日方得合符而归。……只走山南山北旬日，拜谒濂溪书堂而归，以四月十九日至家。"有《山北纪行十二章章八句》诸诗以纪行。

赐礼部进士黄由以下三百七十九人及第、出身。

春

吕祖谦至永康访陈亮，在寿山石洞相与论学。

四月

十三日，范成大以端明殿学士中大夫到江南东路安抚使知建康府任，并兼行宫留守。

立郴州宜章、桂阳军临武县学，以教养峒民子弟。

六月

史浩荐薛叔似、杨简、陆九渊、陈谦、叶适、袁燮、赵善誉等十六人，诏并赴都堂审察。

七月

二十八日，吕祖谦（1137—1181）卒，年四十五。祖谦字伯恭，学者称东莱先生，婺州人。隆兴元年进士，复中博学宏词科，调南外宗学教授。乾道六年，召为太学博士，兼国史院编修官、实录院检讨官。淳熙五年，迁著作郎。六年，除直秘阁。卒谥成。家富中原文献之传，博学多识。尝从林之奇、汪应辰、胡宪游，又与张栻、朱熹相友善，讲索益精。为学主明理躬行，治经史以致用，反对空谈心性，开浙东学派之先声。事迹见《宋史》卷四三四本传。著有《东莱集》四十卷，今存《四库全书》本、《续金华丛书》本。又编有《皇朝文鉴》（《宋文鉴》）、《古文关键》等。《全宋诗》录其诗一卷，《全宋文》收其文三十三卷。四库提要卷一五九："《东莱集》四十卷，两淮马裕家藏本，宋吕祖谦撰。……其生平诗文，借祖谦殁后，其弟祖俭及从子乔年先后刊补遗稿，厘为文集十五卷，又以家范、尺牍之类为别集十六卷，程文之类为外集五卷，年谱、遗事则为附录三卷，又附录拾遗一卷，即今所传之本也。祖谦虽与朱子为友，而朱子尝病其学太杂。其文词闳肆辨博，凌厉无前，朱子亦病其不能守约。又尝谓：'伯恭是宽厚底人，不知如何做得文字却似轻儇底人。如《省试义》，大段闹装；《馆职策》亦说得漫不分晓，后面全无紧要。'又谓：'伯恭《祭南轩文》，都就小狭处说来。'……然朱子所云，特以防华藻溺心之弊，持论不得不严耳。祖谦于《诗》、《书》、《春秋》皆多究古义，于十七史皆有详节，故词多根柢，不涉游谈。所撰《文章关键》，于体格源流，具有心解，故诸体虽豪迈骏发，而不失作者典型，亦无语录为文之习，在南宋诸儒之中，可谓衔华佩实，又何必吹求过甚，转为空疏者所藉口哉？又按《朱子语类》称'伯恭文集中如《答项平甫书》，是傅梦泉子渊者。如《与曹立之书》，是陆子静者。其他伪作，想又多在'云云，是祖俭等编集之时，失于别择，未免收入赝作，然无从辨别，今亦不得而删汰之矣。"《朱子语类》卷一二二："伯恭是个宽厚底人，不知如何做得文字却似个轻儇底人。如《省试义》大段闹装，说得尧舜大段胁肩诌笑，反不若黄德润辞虽窘，却质实尊重。《馆职策》亦说得漫不分晓，后面又全无紧要。伯恭寻常议论，亦缘读书多，肚里有义理多。恰似念得条贯多底人，要主张一个做好时，便自有许多道理，升之九天之上，要主张做不好时，亦然。"吕乔年《东莱吕太史文集跋》："太史之于文也，有不得已而作，故今所传，诗多挽章，文多铭志，余皆因事涉笔，未尝有意于立言也，是以平生之作，率无文稿。若其问学之致，教人之方，与其处己接物、齐家事君之大略，则既行乎宫庭，关乎国论，传诸庠序，不待文字之摹刻而可见矣。"韩淲《涧泉日记》卷下："吕伯恭晚年文字体制，人疑其学荆公。"《萤雪丛说》卷二："东莱先生吕伯恭尝教学者作文之法，先看《精骑》，次看《春秋》、《权衡》，自然笔力雄健，格致老成，每每出人一头地。"四库提要卷一八七："《古文关键》二卷，江苏巡抚采进本，宋吕祖谦编。取韩愈、柳宗元、欧阳修、曾巩、苏洵、苏轼、张耒之文，凡六十余篇，各标举其命意布局之处，示学者以门径，故谓之'关键'。卷首冠以总论看文、作文之法。……叶盛《水东日记》曰'宋儒批选文章，前有吕东莱，次则楼迂斋、周应龙，又其次则谢叠山也。朱子尝以"拘于腔子"议东莱矣。要之，批选议论，不为无益，亦讲学之一端耳'云云。然祖谦此书，实为论文而作，不关讲学，盛之所云，乃《文章正宗》之批，非此书之评也。"

辛弃疾以修举荒政转奉议郎。闻吕祖谦卒，有祭文。

九月

以右丞相王淮荐，朱熹除提举两浙东路常平茶盐公事。

秋

陆游乡居山阴，有诗《月夕睡起独吟，有怀建康参政》，怀念范成大。病疟甚久，赋诗《病中夜兴》有"病疟秋来久未平"之句。张镃以所著诗编相赠，游作《谢张时可通判赠诗编》。虽闲居山阴，陆游秋季所赋诗篇仍多激越飞扬、豪宕雄迈之作，如《书悲》其二、《新寒》、《湖村月夕》其三、《对酒》等。其《跋北齐校书图》，痛斥士大夫之觍颜事敌者（跋见蒋瑞藻辑李慈铭《越缦堂诗话》）。

十月

旦日，陆游有诗《十月旦日至近村》。有"荒年人家鸡黍迮，芋羹豆饭供时节"之句，反映人民生活之穷困。二十六日夜，梦行南郑道中，有诗记之，题曰《十月二十六日夜，梦行南郑道中，既觉恍然，揽笔作此诗，时且五鼓矣》，抒发"即今衰病卧在床，振臂犹思备征戍"之壮怀。

初冬

江陵知县赵景明（奇晔）任满，归途过豫章与辛弃疾相会，弃疾赋《沁园春·送赵景明知县东归用韵》赠别。陆九渊有《与辛幼安书》论为政，备述吏胥蔽上欺下之不可宥。

十一月

辛弃疾改除两浙西路提点刑狱公事，旋以台臣王蔺论列，落职罢新任。《宋会要辑稿·职官七二》："淳熙八年十二月二日，右文殿修撰、新任两浙西路提点刑狱公事辛弃疾落职罢新任。以弃疾奸贪凶暴，帅湖南日虐害田里，至是言者论列，故有是命。"《宋史》辛弃疾本传："台臣王蔺劾其用钱如泥沙，杀人如草芥。"此时，辛弃疾在上饶所筑带湖新居已告成。本年秋，弃疾尚在江西安抚使任上，作《沁园春·带湖新居将成》，已有归隐之意，只是"怕君恩未许，此意徘徊"。罢官归来，复作《水调歌头》（带湖吾甚爱）以遣怀。洪迈《文敏公集》卷六《稼轩记》："国家行在武林，广信最密迩畿辅。东舟西车，蜂午错出，势处便近，士大夫乐寄焉。环城中外，买宅且百数。……郡治之北了可里所，故有旷土，三面附城，前枕澄湖如宝带，其纵千有二百三十尺，其横八百有三十尺，截然砥平，可庐以居，而前乎相攸者皆莫识其处，天作地藏，择然后予。济南辛侯幼安最后至，一旦独得之，既筑室百楹，财占地什四。乃荒左偏以立圃，稻田泱泱，居然衍十弓。意他日释位得归，必躬耕于是，故凭高作屋下临之，是为稼轩。田边立亭曰植杖，若将真秉耒耨之为者。东冈西阜，北野南麓，以青径款竹扉，锦路行海棠，集山有楼，婆娑有堂，信步有亭，涤砚有渚。皆约略位置，规岁月绪成之，而主人初未之识也。绘图畀余曰：'吾甚爱吾轩，为吾记。'……侯名弃疾，今以右文殿修撰再安抚江西西路云。"此记作于带湖新居尚未毕功之时，时弃疾尚在江西安抚使任上。《宋史》辛弃疾本传："尝谓人生在勤，当以力田为先。北方之人，养生之具不求于人，是以无甚富甚贫之家；南方多未作以病农，而兼并之患兴，贫富斯不侔矣。故以稼名轩。"

冬

陆游作《冬夜不寐至四鼓，起作此诗》。表达"八十将军能灭虏，白头吾欲事功名"之强烈愿望；又作《卯饮醉卧枕上有赋》，抒写"群胡满河洛，志士若为情"之愤叹。《卧病书怀》、《冬暖》、《寄朱元晦提举》诸诗，亦可见其爱国忧民之心。

本年

尤袤为江西运判，除直秘阁。

姜夔初习兰亭，约在此年前后。

葛郯（？—1181）卒，生年不详。郯字谦问，丹阳人，徙居吴兴，葛立方之子。绍兴二十四年进士。乾道七年，任常州通判，后守临川。事迹见《清波杂志》卷七。著有《信斋词》一卷，收入吴讷编《唐宋名贤百家词》。《全宋词》录其词三十首。

李石（？—1181）卒，生年不详。石字知几，人称方舟先生，资州人。绍兴二十一年进士乙科，为成都户曹掾。二十七年，召为太学录，迁太学博士。历知黎、合、眉诸州。淳熙二年，除成都路转运判官，旋放罢。八年卒（《建炎以来朝野杂记》乙集卷一三）。事迹见李石《自叙》（《方舟集》卷一〇）、《宋史翼》卷二八。《直斋书录解题》卷一八著录其《方舟集》五十卷、《后集》二十卷，原集已佚，清四库馆臣自《永乐大典》裒辑编次为二十四卷。《全宋词》录其词四十一首，《全宋诗》录其诗五卷，《全宋文》收其文十五卷。四库提要卷一五九："《方舟集》二十四卷，永乐大典本，宋李石撰。……《宋史》不为石立撰，其集亦不见于《艺文志》，唯《书录解题》载《方舟集》五十卷、后集二十卷。自明以来，绝无传本。今从《永乐大典》采掇编次，犹可得十之六七。……石亦学问气节之士，《资州志》又称其好学能属文，少从苏符尚书游，而集中亦有为苏峤所作《苏文忠集御序跋》，知其文字渊源出于苏氏，故所作以闳肆见长，虽间失之险僻，而大致自为古雅。诸体诗纵横跌宕，亦与眉山门径为近也。谨以类排比，编为诗五卷、词一卷、文十二卷。又浙江采进遗书中有石所撰《易十例略》、《互体例》、《象统》、《左氏卦例》、《诗如例》、《左氏君子例》、《圣语例》、《诗补遗》诸篇，皆题门人刘伯龙编，而帙首一行乃标曰《方舟先生集》。勘验《永乐大典》所录，《经说》诸篇与浙江本无异，而其前冠以《方舟集》，字亦与浙江本同。盖本附入集中，后全集散亡，仅存此《经说》。今仍别为六卷，附之于后，以还其旧焉。"周必大谓其诗"大抵因事有作，无一语虚发，名效乐天，实启少陵之关键"（《与李知几运使石书》）。杨慎谓其"词亦风致"（《词品》卷四）。

崔敦礼（？—1181）卒，生年不详。敦礼字仲由，本通州静海人，居溧阳。与弟敦诗同登绍兴三十年进士。历江宁尉、平江府教授、江东安抚司干办公事，官至宣教郎。事迹见《景定建康志》卷四九、《宋史翼》卷二八。著有《宫教集》二十卷，已佚，清四库馆臣自《永乐大典》中辑为十二卷，有清乾隆翰林院抄本、《四库全书》本。又有《刍言》三卷，有《四库全书》本。《全宋词》录其词六首，《全宋诗》录其诗二卷，《全宋文》收其文九卷。四库提要卷一一七："《刍言》三卷，永乐大典本，宋崔敦礼撰。……是编凡分三卷，上卷言政，中卷言行，下卷言学。其造文皆规模扬雄、王通，无语录鄙俚之习。然首卷以道德仁义分析差等，中又以诸经传注为蠹道之书，其旨颇杂于黄、老，未为粹然儒者之言。至其间指切事理，于人情物态，抉摘隐微，多中疑要，则亦不可尽废者。"又卷一五九："《宫教集》十二卷，永乐大典本，宋崔敦礼撰。……焦竑《国史经籍志》载有敦礼集二十卷，其本久佚，他家书目亦罕著于录，故厉鹗《宋诗纪事》不及敦礼之名。唯《永乐大典》载有敦礼《宫教集》，其诗文篇帙尚富。大抵格律平正，词气畅达，虽不能领新标异，而周规折矩，尺寸不逾。前辈典型，兹犹未坠，未可等诸自郐无讥。"

程公许（1181—1251）生。

刘从益（1181—1224）生。

夏元鼎（1181—?）生。

公元1182年（宋孝宗淳熙九年壬寅　金世宗大定二十二年）

正月

陆游在山阴，倾力于读书著述。其《读书》诗云："放翁白首归剡曲，寂寞衡门书满屋。藜羹麦饭冷不尝，要足平生五车读。校雠心苦谨涂乙，吟讽声悲杂歌哭。《三苍》奇字已杀青，九译旁行方著录。有时达旦不灭灯，急雪打窗闻簌簌。倘年七十尚一纪，坠典断编真可续。客来不怕笑书痴，终胜牙签新未触。"

陈亮往访朱熹于衢、婺间，相处旬日而别。朱、陈关于义利王霸之辩，盖滥觞于此次相会。

范成大赋《元日》。有句云："莫道神仙无可学，学仙犹胜簿书痴。"继赋《体中不佳偶书》，亦云："从来世味聊复尔，此去官身如老何！"

二月

魏仲恭辑朱淑真诗词为《断肠集》。十五日，序云："尝闻摘辞丽句固非女子之事，间有天资秀发，性灵钟慧，出言吐句有奇男子之所不如，虽欲掩其名，不可得耳。如蜀之花蕊夫人，近时之李易安，尤显著名者，各有宫词乐府行乎世，然所谓脍炙者，可一二数，岂能皆佳也。比往武林，见旅邸中好事者往往传诵朱淑真词，每窃听之，清新婉丽，蓄思含情，能道人意中事，岂泛泛者所能及，未尝不一唱而三叹也。早岁不幸，父母失审，不能择伉俪，乃嫁为市井民家妻。一生抑郁不得志，故诗中多有忧愁怨恨之语。每临风对月，触目伤怀，皆寓于诗，以写其胸中不平之气。竟无知音，悒悒抱恨而终。自古佳人多薄命，岂止颜色如花命如叶耶！观其诗，想其人，风韵如此，乃下配一庸夫，固负此生矣；其死也，不能葬骨于地下，如青冢之可吊，并其诗为父母一火焚之，今所传者，百不一存，是重不幸也。呜呼，冤哉！予是以叹息之不足，援笔而书之，聊以慰其芳魂于九泉之滨，未为不遇也。如其叙述始末，自有临安王唐佐为之传，姑书其大概为别引云。乃名其诗为《断肠集》，后有好事君子，当知予言之不妄也。淳熙壬寅二月望日，醉□居士宛陵魏仲恭端礼书。"

关于朱淑真之生活时代，或谓北宋，或谓南宋，或谓两宋之际；而关于其籍贯，亦向有数说，据其《璇玑图记》自称，乃浙江钱塘人，自号幽栖居士。今存其郑元佐注本《断肠集》十卷、《后集》八卷，有元刻本、明刻递修本、清同治六年抄本；《四库全书》本作二卷。其《断肠词》一卷在明代即有单行本，今存明毛晋汲古阁刊本、《四库全书》本。上海古籍出版社一九八六年出版有校注本《朱淑真集》。《全宋词》收其词二十五首，《全宋诗》录其诗十八卷。四库提要卷一七四："《断肠集》二卷，浙江鲍士恭家藏本，宋朱淑真撰。……宛陵魏端礼辑其诗为《断肠集》，即此本也。其诗浅弱，不脱闺阁之习。世以沦落哀之，故得传于后。"又卷一九九："《断肠词》一卷，江苏周厚堉家藏本，宋朱淑真撰。……其词则仅《书录解题》载一卷，世久无传。此本为毛晋汲古阁所刊，后有晋跋。……然其词止二十七阕，则亦必非原本矣。杨慎《升庵词品》载其《生查子》一阕，有'月上柳梢头，人约黄昏后'语，晋跋遂称为白璧微瑕。然此词今载欧阳修《庐陵集》第一百三十一卷中，不知何以窜入淑真集内，诬以桑濮之行。"朱唯公《校点本朱淑真断肠诗词序》："宛陵魏端礼辑其诗词，名曰《断肠集》，非淑真自题也。然集中诗句用'断肠'二字，竟有数处之多。如《恨春》云：'梨花细雨黄昏后，不是愁人也断肠。'《秋夜有感》云：'哭损双眸断尽肠，怕黄昏后到昏黄。'《长宵》云：'魂飞何处临风笛，肠断谁家捣夜砧。'《闷怀》云：'针线懒拈肠自断，梧桐叶叶剪风刀。'又云：'芭蕉叶上梧桐雨，点点声声有断肠。'《中秋闻笛》云：'自是断肠听不得，非干吹出断肠声。'《九日》云：'去年九日愁何限，重上心来益断肠。'《伤别》云：'逢春触处须萦恨，对景无时不断肠。'《谒金门》云：'满院落花帘不卷，断肠芳草远。'以此为名，谁曰不宜？"《白雨斋词话》卷二："朱淑真词，才力不逮易安，然规模唐、五代，不失分寸。如'年年玉镜台'及'春已半'等篇，殊不让和凝、李珣辈。唯骨韵不高，可称小品。"《词坛丛话》："朱淑真词，风致之佳，情词之妙，真可亚于易安。宋妇人能诗词者不少，易安为冠，次则朱淑真，次则魏夫人也。"《蕙风词话》卷四："即以词格论，淑真清空婉约，纯乎北宋；易安笔情近浓至，意境较沈博，下开南宋风气。"

五月

陆游观浙东提刑张诏所得周代鼎器。慨然而有镐京、洛邑之思，赋诗《观张提刑周鼎》，有句云："知公原是功名人，看罢握手同悲辛。镐京洛邑在何许？漠漠秋风吹虏尘。"本月，除朝奉大夫主管成都府玉局观。其《口占送严师还大梅护圣》有句云："放翁白发已萧然，黄纸新除玉局仙。"

六月

周必大知枢密院事。

朱熹将《大学章句》、《中庸章句》、《论语集注》、《孟子集注》集为一编，刊刻于婺州，是为《四书集注》，经学史上"四书"之名盖始于此。

八月

二十日，陈从古（1122—1182）卒，年六十一。从古字晞颜，或作希颜，号敦复先生，金坛人。绍兴二十一年进士。乾道间，提点湖南刑狱，移本路转运判官，除直秘阁。后知襄阳府。淳熙元年，以贪墨罢，主管台州崇道观。闲废九年，以疾卒。事迹见周必大《朝散大夫直秘阁陈公从古墓志铭》。著有诗集《洮湖集》，又有单行《洮湖词》一卷，俱不传。《全宋词》据《全芳备祖》前集卷三录存其《蝶恋花》词一首，《全宋诗》卷二一〇八录其诗二首。杨万里《陈晞颜诗集序》："'多情今夜月，送我到衡州'，'半夜打篷风雨恶，平明已失系船痕'，此晞颜前日之句也，予甚爱之，每欲效之，疾驱急追，目未至而足已返矣，而况于近诗乎。如《秋日》十咏及《谒衡岳》等篇，盖秋后之山，露下之藜，霜中之菊，而雪前之梅竹也，是可得而效哉？"从古善赓和他人之作，尝取陈与义《简斋集》尽次其韵；又尝哀集古今咏梅自鲍照而下迄近世名公，得古律千余篇，次第属和，丰腴清婉，兼备众体，无支词复语。

九月

九日，范成大登建康赏心亭。赋诗《重九赏心亭登高》，有"饮罢此身犹是客，乡心却付晚潮回"之句。

十二日，朱熹辞去新任江南西路提点刑狱之职，南归故里。过上饶，与辛弃疾、韩元吉、徐安国相会，游南岩。元吉之子韩淲《涧泉集》卷二《访南岩一滴泉》诗云："忆昨淳熙秋，诸老所闲燕：晦庵持节归，行李自畿甸；来访吾翁庐，翁出成饮饯；因约徐衡仲，西风过游衍；辛帅倏然至，载酒具肴膳。四人语笑处，识者知叹羡。摩挲题字在，苔藓忽侵遍。壬寅到庚申，风景过如箭。"

秋

陆游名其读书室曰"书巢"，并为之记。《渭南文集》卷一八《书巢记》："陆子既老且病，犹不置读书，名其室曰'书巢'。……吾室之内，或栖于椟，或陈于前，或枕藉于床，俯仰四顾，无非书者。吾饮食起居、疾痛呻吟、悲忧愤叹，未尝不与书俱。宾客不至，妻子不觌，而风雨雷雹之变，有不知也。间有意欲起，而乱书围之，如积槁枝，或至不得行，辄自笑曰：此非吾所谓'巢'者耶？"周必大致函陆游问候。《周益国文忠公集·书稿》卷二《陆务观》（自注：淳熙九年）："《剑南诗稿》连日快读，其高处不减曹思王、李太白，其下犹伯仲岑参、刘禹锡，何真积顿悟一至此也！前又从张镃直阁借得《续稿》及《富沙新编》，所谓精明之至反造疏淡，诗家事业，殆无余蕴矣。"陆游秋季所赋诗歌，如《夜闻秋风感怀》、《醉歌》、《野饮夜归戏作》、《夜泊水村》、《悲秋》等，皆深寓爱国情感。

十一月

范成大特授太中大夫。《景定建康志》卷十四："（淳熙）九年壬寅十一月初二日，成大特授太中大夫。"

冬

陈亮作《刘氏夫人陈氏墓志铭》。言及"以与世不合，甘自放弃于田夫樵子之间，誓将老死而不悔"。

本年

赵蕃至建康访范成大，岁末离去。成大与之谈诗论政，又盛赞陆游诗歌，勉其学习之。据赵蕃《淳熙稿》卷一五《别范建康》及卷一《寄范建康》、《呈陆严州五首》其五。

何澹为秘书丞。

沈端节为朝散大夫。

马子严本年前后在世，生卒年不详。子严字庄父，自号古洲居士，建安人。淳熙二年进士，历铅山尉，恤民勤政（《嘉靖铅山县志》卷九）。尝知岳阳，撰《岳阳志》二卷，不传（刘毓盘《古洲词辑本跋》）。《全宋词》收录赵万里所校辑《古洲词》二十九首。《诗人玉屑》卷二一引《中兴词话》："寿词最难得佳者，太泛则疏，太著则拘。……马古洲《庆傅侍郎生日》云：'天子方将申说命，云孙又合为霖雨。'（按，今传《满江红·寿傅尚书》云：'天子方将循异政，灵孙又合为霖雨。'）上联工夫在'方'字，下联以'云孙'对'天子'，自然中的，事意俱佳，未易及也。"沈雄《古今词话·词评》上卷引《柳塘词话》："马古洲，建安人，好经纶，填词其余事也。如《月华清》云：'怅望月中仙桂，问窃药佳人，与谁同岁？'《贺圣朝》云：'游人拾翠不知返，被子规呼转。'《阮郎归》云：'三三两两叫船儿，人归春也归。'俱有旨趣。"

王嵎（？—1182）卒，生年不详。嵎字季夷，号贵英，北海人，寓居吴兴。少与陆游同学。绍兴、淳熙间名士。著有《北海集》，今佚。《全宋词》据《阳春白雪》卷二录存其《祝英台近》、《夜行船》各一首。陆游有《哭王季夷》诗。事迹见《直斋书录解题》卷二〇。

崔敦诗（1139—1182）卒，年四十四。敦诗字大雅，本通州静海人，寓居溧阳。与兄敦礼同登绍兴三十年进士第。乾道八年，召试馆职，授秘书省正字，除翰林权直。又历中书舍人，加侍讲，直学士院。事迹见韩元吉《中书舍人兼侍讲直学士院崔公墓志铭》。所著今存《玉堂类稿》二十卷、《西垣类稿》一卷（《四库未收书提要》作二卷），有宋刊本、《粤雅堂丛书》本。《全宋词》录其词二首，《全宋诗》录其诗二卷，

《全宋文》收其文十九卷。《四库未收书提要》："《玉堂类稿》二十卷，《西垣类稿》二卷，宋崔敦诗撰。……是编所载宋孝宗时制诰、口宣、批答、青词甚详。诸家书目皆未著录，而《宋史·艺文志》误为周必大撰。明叶盛《绿竹堂书目》曾列其书，是明中叶尚有传本。"《景定建康志》卷四九："敦诗字大雅，性端厚，议论疏通，知大体，博览强记，为文敏赡，以词学自结主知。"

杜范（1182—1245）生。

包恢（1182—1268）生。

公元1183年（宋孝宗淳熙十年癸卯　金世宗大定二十三年）

正月

元日，范成大赋《元日谒钟山宝公塔》。有"归心历历来时路，官事驱驱病里身"之句；又赋《元日马上二绝》，其二有"筋骸全比去年非，骑吹声中忆钓矶"之句，皆寓倦仕思归之意。

朱熹差主管台州崇道观。作《感春赋》以寄不忘忧世之意。

二月

二十七日，吴儆（1125—1183）卒，年五十九。儆字益恭，休宁人。绍兴二十七年进士，调明州鄞县尉，历官奉议郎。以亲老请祠，主管台州崇道观。淳熙七年，起知泰州，转朝散郎致仕。与朱熹、张栻、吕祖谦等相友善。事迹见程卓《竹洲先生吴公行状》（明万历刊本《吴文肃公文集》附录）、《宋史翼》卷一四。著有《竹洲集》二十卷，今存明弘治六年吴雷亨刊本、明万历七年吴瀛刊本、《四库全书》本。《全宋词》录存其词二十九首，《全宋诗》录其诗二卷，《全宋文》卷四九六三收其文。四库提要卷一五九："《竹洲集》二十卷，附《棣华杂著》一卷，安徽巡抚采进本，宋吴儆撰。……其集《宋史·艺文志》、《书录解题》、《文献通考》皆不著录。集首有端平乙未敷文阁学士程珌序，称其文峭直而纡余，严洁而平澹，质而非俚，华而不雕。今观其诗文，皆意境劖削，于陈师道为近，虽深厚不逮而模范略同，盖以元祐诸人为法者。其《上蒋枢密书》论战和守之俱非、《与汪楚材书》论伊川之徒，皆有卓识。其《刍言》中《豪民黠吏》一条，与《论邕州以互市劫制化外》一条，亦具有吏才，非但以文章重也。"吴儆《见辛给事书》："某不肖，无善状，独尝习句读，为词章，自幼至今，三变其学矣。其始也，盖搜章析句，比谐律吕，谓之诗赋。稍长，以为是俳谐之具尔，不足学，去而学经。其学以类聚善附会为富，其文以浅切陈熟守边幅为工。若《诗》，若《礼》、《春秋》，皆尝学焉。以游上庠，上庠之士与其师或以为能。又稍长，以为是诗赋之异律耳。闻古之人有学古道为古辞者，其人曰韩、柳氏，其文崛奇伟丽，毅严正雅，非今世举子之所谓文也。就而学焉，兹诵其言，规其影响，既专亦久，信二子之雄于文，未可以伯仲论也。又稍长，以为是虽工，无以异于向之所谓赋与义者，操履之方，出处之节，二子容有议焉。子韩子勇于前而怯于后，子柳子辱于始而悔于终。盖后之怯适足以败前之勇，终之悔不足盖始之辱。至于前勇而后不怯，始无辱而终不悔，操履出处，明白全粹，可师可法者，将弃其学而学焉，未之见也。"《善本书室藏书志》卷四〇录有《竹洲词》，谓"微生南宋最盛之时，其时姜白石、辛稼轩二词家尤负盛名。微集中有与石湖倡和之作，其为名流推挹者久矣。虽所传仅十八阕，而'水满池塘'之《满庭芳》、'十里青山'之《浣溪纱》二阕，置之白石集中，亦无以辨，固不必以少而见弃矣。"

三月

诏复铨试旧法，罢试杂文。

李焘上所编《续资治通鉴长编》。此编乃李焘取北宋九朝史事，仿司马光《资治通鉴》体例编撰而成。上起建隆，下迄靖康，凡一百六十八年。自孝宗隆兴元年至淳熙四年，分四次上进。淳熙十年，重编定为九百八十卷，并上《举要》六十卷，《修换事目》十卷，《目录》五卷，共计一千零六十三卷。凡实录、国史、会要、野史、家乘、墓志铭、行状等有关资料，无不广收博采。其中分注考异，详引他书，保存了大量史料。原书世鲜传本，今本系清乾隆时《四库全书》馆臣由《永乐大典》中辑出，计五百二十卷，缺佚英宗治平四年四月至神宗熙宁三年三月、哲宗元祐八年七月至绍圣四年三月、元符三年二月至十二月，以及徽宗、钦宗两朝史文。

春

陆游多与方外人士刘道士、莹师、平老、印老等交往。有诗《娥江野饮赠刘道士》、《题莹师钓台图》、《仗锡平老具舟车迎前天衣印老印悉遣还策杖访之作二绝句奉送兼简平》。

陈亮有《与辛幼安殿撰书》。叙当年与稼轩临安相聚之适及别后相思之切，并约秋后往访带湖，未果。

四月

范成大得疾，坚请祠。

朱熹筑武夷精舍成，赋《武夷精舍杂咏》以纪其胜。诗序云："武夷之溪东流凡九曲，而第五曲为最深。盖其山自北而南者，至此而尽，耸全石为一峰，拔地千尺。上小平处，微戴土，生林木，极苍翠可玩。而四隤稍下，则反削而入，如方屋帽者，旧经所谓大隐屏也。屏下两麓坡佗旁引，还复相抱，抱中地平广数亩……丹崖翠壁林立……而忽得平冈长阜，苍藤茂木，按衍迤靡，胶葛蒙翳，使人心目旷然以舒，窈然以深，若不可及者，即精舍之所在也。直屏下两麓相抱之中，西南向为屋三间者，仁智堂也。堂左右两室，左曰隐求，以待栖息；右曰止宿，以延宾友。左麓之外，复前引而右抱中，又自为一坞，因累石以门之，而命曰石门之坞。别为室其中，以俟学者之群居，而取《学记》'相观而善'之义，命之曰观善之斋。石门之西少南，又为屋以居道流，取道书《真诰》中语，命之曰寒栖之馆。直观善前山之颠为亭，回望大隐屏最

93

正且尽，取杜子美诗语，名以晚对。其东出山，背临溪水，因故基为亭，取胡公语，名以铁笛，说具本诗注中。寒栖之外，乃植楥列樊以断两麓之口，掩以柴扉，而以武夷精舍之扁揭焉。经始于淳熙癸卯之春，其夏四月既望堂成，而始来居之，四方士友来者亦甚众。……钓矶、茶灶皆在大隐屏西……凡出入乎此者，非渔艇不济。总之，为赋小诗十有二篇，以纪其实。"丘崈、项安世、黄铢等皆有诗和《武夷精舍杂咏》，见《武夷山志》、《诗渊》、《宋诗纪事》。是冬，韩元吉作《武夷精舍记》。

六月

监察御史陈贾请禁伪学，专指朱熹。《建炎以来朝野杂记》乙集卷八《晦庵先生非素隐》："吏部郑尚书丙与台守善，首以道学诋先生。监察陈御史贾因论近日搢绅有所谓'道学'者，大率假其名以济其伪，愿考察其人，摈斥勿用。盖阿附时宰（按，指左丞相王淮）意，专指先生也。"

夏

周必大有函致范成大。时必大在朝任知枢密院事。

夏秋之间，陆游仍致力于爱国诗篇之创作。如《军中杂歌》八首、《徙倚》、《夜步庭下有感》、《秋兴》、《秋风曲》、《秋雨叹》等。

八月

十五日，范成大有诗《中秋清晖阁静坐，因思前二年石湖、四明赏月》；三十日，除资政殿学士，提举临安府洞霄宫。

九月

十五日，朱熹五十四岁生日，陈亮赋《水调歌头·癸卯九月十五日寿朱元晦》。

陆游得疟疾，有诗《予秋夜观月得疟疾，枕上赋小诗自戏》；有诗《寄题朱元晦武夷精舍》五首。其三有"天下苍生未苏息，忧公遂与世相忘"之句，劝勉朱熹仍应以天下苍生为念；为明州船场晁说之（以道）祠堂作《景迂先生祠堂记》。

金译经所进所译《易》、《书》、《论语》、《孟子》、《老子》、《扬子》、《文中子》、《刘子》及《新唐书》。金世宗谓宰臣曰："朕所以令译《五经》者，正欲女直人知仁义道德所在耳。"（《金史·世宗本纪下》）

十一月

张镃致书陆游，表达往访山阴之意，陆游赋诗相赠以坚其约，题曰《张功甫许见访，以诗坚其约》。有"书来屡有入东约，坐上极思虚左迎"之句。按，张镃《南湖集》卷二《陆编修送月石砚屏》有"来春流水鳜肥好，看我坐钓书船头"之句，则张之"入东约"当在来年春天。

冬

陆游所作诗篇如《出塞曲》、《幽居感怀》、《读书罢小酌偶赋》、《舒悲》、《夜闻大风感怀赋吴体》、《感愤》、《晓出遇猎徒有作》、《作雪未成，自湖中归，寒甚，饮酒作短歌》等。均系深寓爱国思想之作品。

本年

沈端节约于本年前后在世，生卒年不详。端节字约之，号克斋，吴兴人，寓居溧阳。乾道三年，知芜湖县。淳熙三年，知衡州。提举江东茶盐。累官至朝散大夫、江东提刑。事迹见《宋诗纪事小传补正》卷三。著有《克斋集》，已佚。其《克斋词》一卷，今存《唐宋名贤百家词》本、《宋六十名家词》本、《四库全书》本。《全宋词》录其词四十五首，《全宋诗》录其诗四首，《全宋文》卷五四二七收其文。四库提要卷一九八："《克斋词》一卷，安徽巡抚采进本，宋沈端节撰。……其词仅四十余阕，多有词而无题。……宋人词集似此者颇少，疑原本必属调与题全，辗转传写，苟趣简易，遂遭删削耳。今无可考补，姑仍其旧。至其吐属婉约，颇具风致，固不以《花庵》、《草堂》诸选不见采录减价矣。"冯煦《蒿庵论词》："《提要》谓沈端节吐属婉约，颇具风致，似尚未尽克斋之妙。周氏济论词之言曰：'初学词求空，空则灵气往来；既成格调求实，实则精力弥满。'克斋所选，已臻实地。而《南歌子》'远树昏鸦闹'一阕，尤为字字沈响，匪仅以婉约擅长也。"《蕙风词话》卷二："宋词名句，多尚浑成，亦有以刻画见长者。沈约之《谒金门》云：'独倚危阑清昼寂。草长流翠碧。'前调云：'寒色著人无意绪。竹鸣风似雨。'《如梦令》云：'忺睡，忺睡，窗在芭蕉叶底。'《念奴娇》（刻本无题，当是咏海棠）云：'醉态天真，半羞微敛，未肯都开了。'刻画而不涉纤，所以为佳。"

吴芾（1104—1183）卒，年八十。芾字明可，自号湖山居士，台州仙居人。绍兴二年进士，为温州乐清尉，调平江府录事参军。迁秘书省正字。因不附秦桧，被排挤出外，历任处、婺、越三州通判，知处州。三十年，除监察御史，迁殿中侍御史。孝宗即位，累迁礼部侍郎。以刚直见忌，求去，提举太平兴国宫。旋起知太平州，以龙图阁直学士致仕。事迹见朱熹《龙图阁直学士吴公神道碑》、《宋史》卷三八七本传。著有《湖山集》二十五卷、长短句三卷、别集一卷、奏议八卷（周必大《湖山集序》），又有《和陶诗》三卷、《当涂小集》八卷（《宋史·艺文志七》）。原集已佚，清四库馆臣自《永乐大典》辑为《湖山集》十卷。《全宋词》录其词一首，《全宋诗》录其诗十卷，《全宋文》卷四三五〇收其文。四库提要卷一五八："《湖山集》十卷，永乐大典本，宋吴芾撰。……其诗才甚富，往往澜翻泉涌，出奇无穷，虽间或失之流易，要异乎粗率颓唐。如《挽元帅宗泽》诸篇，尤排奡纵横，自成一格。……其后退闲者十有余年，年几八十，乃渐趋平淡，和陶诸诗，当作于其时，亦殊见闲适清旷之致。集中有《寄朱元晦》一诗曰：'夫子于此道，妙处固已臻。尚欲传后学，使闻所不闻。顾我景慕久，愿见亦良勤。'是其末年亦颇欲附托于讲学，然其诗吐属高雅，究非有韵语录之比也。周必大集有芇《湖山集序》，称集二十五卷，长短句三卷，别集一卷，奏议八卷。而《宋史·艺文志》则称《湖山集》四十三卷，又别集一卷，《和陶诗》三卷，附录三卷，《当涂小集》八卷。本传又称表奏五卷，诗文三十卷。所载卷目，殊抵牾不合。原本亡佚，无从核定。今据《永乐大典》散见各韵者，采辑编订，厘为十卷，以《和陶诗》并入，而仍取必大原序冠之。史称芇为文豪健俊整，是其杂著亦必可观，惜《永乐大典》中已经阙佚，仅得表一首、序一首，附之末卷，以略存其概云。"朱熹《龙图阁直学士吴公神道碑》谓吴芇"自少至老，手未尝释卷，属文不事雕刻而豪健俊整，指意明白；为诗平淡慕乐天，而浑厚庄栗，又自类其为人"。

吕胜己本年在世，生卒年不详。据《宋会要辑稿·蕃夷五》，吕胜己于淳熙八年四月十八日自沅州守任上降两官放罢。后归隐邵武渭川。淳熙十年三月，朱熹赋诗《次吕季克东堂九咏》，乃为胜己修茸新居成而作。胜己字季克，自号渭川居士，其先建阳人。受学于张栻、朱熹。仕湖南干官，历倅江州，知杭州，官至朝请大夫。据《闽中理学渊源考》卷二〇。工词，有《渭川居士词》。《全宋词》收录其词八十九首。

岳珂（1183—?）生。

方大琮（1183—1247）生。

麻九畴（1183—1232）生。

公元 1184 年（宋孝宗淳熙十一年甲辰　金世宗大定二十四年）

正月

七日，范成大赋诗《甲辰人日病中吟六言六首以自嘲》；十五日，赋诗《上元纪吴中节物俳谐体三十二韵》。

二月

朱熹与士友学子游武夷九曲溪，赋诗《淳熙甲辰中春，精舍闲居，戏作武夷棹歌十首呈诸同游，相与一笑》，描绘武夷山九曲盛景。

洪适（1117—1184）卒，年六十八。适字景伯，号盘洲，饶州鄱阳人。绍兴十二年，与弟遵同中博学宏词科；后三年，弟迈亦中词科，人称"三洪"，名满天下。隆兴元年，迁司农少卿。二年，召为太常少卿，兼权直学士院，除中书舍人。乾道元年，除翰林学士，签书枢密院事，拜参知政事，擢尚书右仆射、同中书门下平章事兼枢密使。未几，乞休归，家居十六年，以著述吟咏自娱；又好收藏金石拓本，并据以证史传讹误，考核颇精。卒谥文惠。事迹见周必大《洪文惠公神道碑铭》、《宋史》卷三七三本传。一生著述甚丰，今存《隶释》、《隶续》、《歙州砚谱》；又有《盘洲集》八十卷，今存宋刊本（《四部丛刊》影印）、《四库全书》本。《全宋词》收其舞曲致语及词一百余首，《全宋诗》录其诗十二卷，《全宋文》收其文五十卷。四库提要卷一六〇："《盘洲集》八十卷，浙江巡抚采进本，宋洪适撰。……此本为毛氏汲古阁所藏，犹从宋刻影写。……适以词科起家，工于俪偶。其弟迈尝举所草《张浚免相制》、《王大宝致仕制》、《浙东谢表》、《生日诗词谢启》诸联，载于《容斋三笔》。……其内外诸制，亦皆长于润色，藻思奇句，层见叠出，不但如迈之所举也。至于记、序、志、传之文，亦尚存元祐之法度，尤南宋之铮铮者矣。所作《隶释》、《隶续》，于史传舛异，考核特精。今观此集，如《跋唐瑾传》、《跋丹州刺史碑》、《跋皇甫诞碑》诸篇，皆能援据旧刻，订《北史》、《唐书》之谬。盖金石之学最所留意，即隋、唐碑志亦多能辨证异闻。……其他表、启、疏、状诸篇，亦多足与《宋史》参稽，是又不仅取其文词之工矣。"《诗学纂闻》："宋洪文惠适《拟古诗》，每篇句首直用古诗，如'明月皎夜光'、'冉冉孤生竹'、'迢迢牵牛星'、'青青河畔草'等作，词未为工，而古意不失。"沈雄《古今词话·词评》上卷："《柳塘词话》曰：洪字景伯，中博学宏词科。其《生查子》春情、《好事近》别情，出人意表，时遂有批抹之者。《生查子》起句'桃疏蝶惜香，柳困莺衔絮'，真为芜累。其下'日影过帘旌，多少闲愁绪。春色似行人，无意花间住'，人所不及也。《盘洲词》大率类此。"况周颐《蕙风词话》卷二："《织余琐述》：宋洪文惠《盘洲词》，余最喜其《生查子》歇拍云：'春色似行人，无意花间住。'《渔家傲引》后段云：'半夜系船桥北岸。三杯睡着无人唤。睡觉只疑桥不见。风已变。缆绳吹断船头转。'意境亦空灵可喜。蕙风曰：余所喜异于是。《渔家傲引》云：'子月水寒风又烈。巨鱼漏网成虚设。圉圉从它归丙穴。谋自拙。空归不管旁人说。昨夜醉眠西浦月。今宵独钓南溪雪。妻子一船衣百结。长欢悦。不知人世多离别。'委心任运，不失其为我。知足长乐，不愿乎其外。词境有高于此者乎？是则非娱所能识矣。"

三月

二十三日，陆游作《跋郑虞任〈昭君曲〉》。云："自张文潜下世，乐府几绝。吾友郑虞任（舜卿）作《昭君曲》，如'羊车春草空芊芊'及'重瞳光射搔头偏'之类，文潜殆不死也。'但愿夕烽长不惊甘泉，妾身胜在君王前'，能道昭君意中事者。淳熙甲辰三月二十三日，甫里陆某书。"

春

陈亮被累系狱，凡七八十日方得释。《龙川文集》卷二十八《陈春坊墓碑铭》："甲辰之春，余以药人之诬，就逮棘寺，更七八十日而不得脱。"

陆游时在故乡，领祠禄。春游镜湖，有诗，题曰《乡人或病予诗多道蜀中遨乐之盛，适春日游镜湖，共请赋山阴风物，遂即杯酒间作四绝句，却当持以夸西州故人也》。又游萧山县驿、钱清驿、柯桥、梅市诸处，均有诗。春季所赋《塞上》、《春夜读书感怀》、《囚山》诸作，仍渴望朝廷出师，抗金雪耻。

四月

赐礼部进士卫泾以下三百九十四人及第、出身。

五月

重午，严焕（子文）送煮酒来，范成大赋诗奉谢。诗题曰《子文大丞重午日走贶煮酒，清甚，殆与远水一色，何其妙哉！数语奉谢》。

二十五日，陈亮获释。《龙川文集》卷二十《甲辰答朱元晦书》："五月二十五日，亮方得离棘寺而归。"

六月

周必大自知枢密院事进枢密使。

七月

十三日，罗愿（1136—1184）卒，年四十九。关于愿之卒年，方回《跋罗鄂州尔雅翼》谓"淳熙己巳卒（按，'己'为'乙'之误）"，而曹泾《鄂州太守存斋先生罗公传》谓愿卒于"淳熙十一年甲辰七月十三日"，本系年据此。愿字端良，号存斋，徽州歙县人。乾道二年进士，知鄱阳县，未上，主管台州崇道观。历官赣州通判，知南剑州、鄂州。事迹见曹泾《鄂州太守存斋罗公愿传》、《宋史》卷三八〇本传。著有《新安志》十卷，"序事简括不繁，又自得立言之法"（《四库全书总目》卷六八）。又有《尔雅翼》三十二卷，为宋代重要小学类著作，咸淳间由王应麟刊行于世。其遗文由刘清之编为《罗鄂州小集》，今存明洪武刊本、《四库全书》本等。《全宋词》存其词一首，《全宋诗》录其诗一卷，《全宋文》收其文五卷。

四库提要卷一五九："《鄂州小集》六卷、附录二卷，两淮马裕家藏本，宋罗愿撰。……愿父汝楫，助秦桧以害岳飞，犯天下之公怒，而愿学问该博，文章高雅，乃卓然有以自立，不为父恶之所掩。其《淳安社坛记》，朱子亦谓不如。其《尔雅翼》后有方回跋曰：'回闻之先君子，南渡后文章有先秦、西汉风，唯罗鄂州一人。甫七岁，能为《青草赋》以寿其先尚书。少长，落笔万言。既冠，乃数月不妄下一语。其精思如此。'又曰：'《小集》仅文十之一，刘公清之子澄所刊。晦翁谓其文有经纬，尝欲附名集后。'……郑玉作是集序亦曰：'其《陶令祠堂记》、《张烈女庙碑》，词严理畅。至于论成汤之惭德，则所以著千古圣贤之心，明万世纲常之正'云云。朱子当南宋初，方回当南宋末，其推重如出一辙，知一代作者，于愿无异词矣。"赵汸《罗鄂州小集序》："公之为学，自三代制作名物，帝王经世之迹，古今治忽之变，下逮草木虫鱼之隐赜，博考精思，靡不淹贯。起欧阳、王、曾氏，上接汉、秦，求其合作，而斟酌剂量之。故其为文，质厚中正，而节度谨严。本人伦，该物理，关世教，而未有无所为而为者。"赵埙《罗鄂州小集序》："观其所序古今长者录，可以窥其养德之有数也。蕴蓄充溢，本末兼具，砻磨灌溉，时而出之，故其所著，皆有以关世教，历风俗，追古作者而无愧。其所摅发，必钩深致远，曲折条畅，尽达其意之所欲至后止。其赋咏则又拟楚音而宗杜陵，非若文苑之士挟偏长以鸣于世也。其所告于君相者，又皆忠爱之辞，有远虑而无忿激之弊，与夫草茅疏阔于事情，攘臂以谈恢复于南北休兵讲好之日者，又不同矣。宜乎在当时，则子朱子叹美而敬服之；卒于官，则刘公子澄衰遗稿而亟刻之，非徒以乡里与同僚之好也。"

八月

章森（德茂）使金贺正旦，陈亮赋词《水调歌头·送章德茂大卿使虏》。冯煦《蒿庵论词》："龙川痛心北虏，亦屡见于辞。如《水调歌头》云：'尧之都，舜之壤，禹之封。于中应有，一个半个耻臣戎。'《念奴娇》云：'因笑王谢诸人，登高怀远，也学英雄涕。'《贺新郎》云：'举目江河休感涕，念有君如此何愁虏。'又：'涕出女吴成倒转，问鲁为齐弱何年月。'忠愤之气，随笔涌出，并足以唤醒当时聋聩，正不必论词之工拙也。"陈廷焯《白雨斋词话》卷一："同甫《水调歌头》云：'尧之都，舜之壤，禹之封。于中应有，一个半个耻臣戎。'精警奇肆，几于握拳透爪。可作中兴露布读，就词论，则非高调。"

九月

十五日，朱熹五十五岁生日，陈亮赋《蝶恋花·甲辰寿元晦》。朱熹致书陈亮，再论义利王霸之辨，指责陈亮"平时自处于法度之外，不乐闻儒生礼法之论"，并要其"绌去义利双行、王霸并用之说，而从事于惩忿窒欲、迁善改过之事，粹然以醇儒之道自律"（《寄陈同甫书》）。陈亮挺身作答："亮虽不肖，然口说得，手去得，本非闭眉合眼，朦瞳精神以自附于道学者也。"（《又甲辰秋书》）于是，宋代思想史上一场以书信形式进行的关于"义利王霸"之辩正式拉开帷幕。

李焘（1115—1184）卒，年七十。焘字仁甫，又字子真，号巽岩，眉州丹棱人。绍兴八年进士，调华阳簿。历任史职及州郡官，以敷文阁学士致仕。卒谥文简。以名节学术见称海内。一生著述宏富，纂修《续资治通鉴长编》，用力近四十年，取材广博，考订精核，为治宋史之要籍。所著尚有《易学》、《春秋学》、《说文解字五音韵谱》等，又著有文集五十卷，已佚。《全宋诗》录其诗一卷。事迹见周必大《李文简公神道碑》、《宋史》卷三八八本传。叶适《巽岩文集序》："观公大篇详而正，短语简而法，初未尝藻黼琢镂，以媚俗为意，曾点之瑟方希，化人之酒欲清，又非以声色臭味自怡悦也。独于古文坠学，堂卜之议，起虞造周，如挈裘领振之焉，固遗其下而独至其上者钦。蜀自三苏死，公父子兄弟后起，兼方合流以就家学，总练古今名实之际，有补于世，天下传以继苏氏。"

秋

陆游观潮海上，偶访天王广教院，赋诗。《天王广教院在蕺山东麓，予年二十余时，与老僧惠迪游，略无十日不到也。淳熙甲辰秋，观潮海上，偶系舟其门，曳杖再游，怳如阁世矣》。

十月

三日，杨万里作《江西宗派诗序》。序云："《江西宗派诗》者，诗江西也，人非皆江西也。人非皆江西，而诗曰江西者何？系之也。系之者何？以味不以形也！东坡云：'江瑶柱似荔子。'又云：'杜诗似《太史公书》。'不唯当时闻者呒然，阳应曰诺而已，今犹呒然也。非呒然者之罪也，舍风味而论形似，故应呒然也，形焉而已矣。高子勉不似二谢，二谢不似三洪，三洪不似徐师川，师川不似陈后山，而况似山谷乎？味焉而已矣。酸咸异和，山海异珍，而调胹之妙出乎一手也。似与不似，求之可也，遗之亦可也。大抵公侯之家有阀阅，岂唯公侯哉，诗家亦然。窭人子崛起委巷，一旦纡以银黄，缨以端委，视之，言公侯也，貌公侯也。公侯则公侯乎尔，遇王谢子弟，公侯乎？江西之诗，世俗之作，知味者当能别之矣。昔者诗人之诗，其来遥遥也。然唐云李、杜，宋言苏、黄，将四家之外，举无其人乎？门固有阀，业固有承也。虽然，四家者流，一其形，二其味；二其味，一其法者也。盍尝观夫列御寇、楚灵均之所以行天下者乎？行地以舆，行波以舟，古也。而子列子独御风而行，十有五日而后反，彼其于舟车，且乌乎待哉！然则舟车可废乎？灵均则不然，饮兰之露，餐菊之英，去食乎哉！芙蓉其裳，宝璐其佩，去饰乎哉！乘吾桂舟，驾吾玉车，去器乎哉！然朝阆风，夕不周，出入乎宇宙之间忽然耳。盖有待乎舟车，而未始有待乎舟车者也！今夫四家者流，苏似李，黄似杜：苏、李之诗，子列子之御风也；杜、黄之诗，灵均之乘桂舟、驾玉车也。离神与圣，苏、李，苏、李乎尔！杜、黄，杜、黄乎尔！合神与圣，苏、李不杜、黄，杜、黄不苏、李乎？然则诗可以易而言之哉？秘阁修撰给事程公，以一世儒先，厌直而帅江西。以政新民，以学赋政，如春而肃，如秋而燠，盖二年如一日也。迨暇则把酒赋诗，以黼黻乎翼轸，而金玉乎落霞秋水。尝试登滕王阁，望西山，俯章江，问双井，今无恙乎？因喟曰：'《江西宗派图》，吕居仁所谱，而豫章自出也。而是派之鼻祖云仍，其诗往往放逸，非阙轶？'于是以谢幼槃之孙源所刻石本，自山谷外，凡二十有五家，汇而刻之于学官，将以兴废西山章江之秀，激扬江西人物之美，鼓动骚人国风之盛。移书谂予曰：'子江西人也，非乎？序斯文者，不在子其将焉在？'予三辞不获，则以所闻书之篇首云。淳熙甲辰十月三日，庐陵杨万里序。"按，沈曾植《重刊江西诗派韩饶二集序》："《江西诗派诗集》，《宋史·艺文志》著录为一百十五卷，《续宗派诗》二卷。《书录解题》著录正集一百三十七卷，《续集》十三卷。《文献通考》著录与《解题》同。据陈氏《诗派》解题下称'详诗集类'，则诗集类自林敏功《高隐集》起，至江端本《陈留集》止，所谓皆入《诗派》者，其次第当即《诗派》次第，综其卷数，计林敏功《高隐集》七卷，林敏修《无思集》四卷，潘大临《柯山集》二卷，谢逸《溪堂集》五卷、补遗二卷，谢薖《竹友集》七卷，李彭《日涉集》十卷，洪朋《清虚集》一卷，洪刍《老圃集》一卷，洪炎《西渡集》一卷，韩驹《陵阳集》四卷、别集二卷，高荷《还还集》二卷，徐俯《东湖集》三卷，吕本中《东莱集》二十二卷、外集二卷，晁冲之《具茨集》十卷，汪革《清溪集》一卷，饶节《倚松集》二卷，夏倪《远游堂集》二卷，王直方《归叟集》一卷，李錞《李希声集》一卷，杨符《杨信祖集》一卷，江端本《陈留集》一卷，凡二十一家，九十二卷。益以别出之《山谷集》三十卷、外集十一卷、别集二卷，《后山集》六卷、外集五卷，皆明言《诗派》者，已溢出一百三十七卷之外，尚有祖可《瀑泉集》十三卷，善权《真隐集》三卷，都计合于后村总叙二十五家之数，而卷数则为一百六十二卷矣。《诗派》有旧本，有增刻。诸家次第，见于宋人纪述者，各各不同。……北宋诗家之有《江西诗派》，犹南宋诗家之有《江湖诗集》，留存于今者，诸家卷第，种种不同，度《诗派》理亦宜然。七百年来，世间遂无流传定帙释兹疑窦，深可惜也。"

魏杞（1120—1184）**卒，年六十五。** 杞字南夫，寿春人。绍兴十二年进士，知宣州泾县。乾道二年，除起居舍人，迁给事中、权吏部尚书，除同知枢密院事，兼权参知政事，继擢右仆射兼枢密使。六年，授观文殿学士、知平江府。后以端明殿学士奉祠。卒赠特进。嘉泰中，谥文节。事迹见《宋史》卷三八五本传。著有《山房集》三十卷，已佚。《全宋词》录存其《虞美人》、《卜算子》各一首，《全宋诗》录其诗七首，《全宋文》卷四八七六收其文。袁燮《题魏丞相诗》谓其"以诗名闻天下，清雄赡逸，而归于义理之正，其发有源，故流不竭"。《蕙风词话》卷二："两宋钜公大僚能词者多，往往不脱簪绂气。魏文节杞《虞美人》咏梅云：'只应明月最相思，曾见幽香一点，未开时。'轻清婉丽，词人之词。"

楼钥代王之道作有《祭魏丞相文》。

十二月

丘崈以朝散大夫直徽猷阁到平江守任。

朱熹编订《张南轩文集》成，为作序，刻版于建阳。

冬

周必大有书札《与范至能参政》。

陆游赋诗《题海首座侠客像》。罗大经《鹤林玉露》卷四："陆务观……《剑南集》多豪丽语，言征伐恢复事。其《题侠客图》云云，寿皇（孝宗）读之，为之太息。"岁杪，至樊江、射的山等处观梅，有诗《樊江观梅》、《山亭观梅》、《射的山观梅》二首、《别梅》、《忆梅》等。

寓居信州之李正之（大正）入蜀任利州路提刑，辛弃疾赋《满江红·送李正之提刑入蜀》为别；郑元英亦路经信州入蜀，稼轩复作《蝶恋花·用赵文鼎提举送李正之提刑韵送郑元英》赠别。

本年

韩元吉六十七岁，时退居上饶南涧。辛弃疾赋《水龙吟·甲辰岁寿韩南涧尚书》为之祝寿，有"待他年整顿，乾坤事了，为先生寿"之句。《蓼园词选》评曰："幼安忠义之气，由山东简道而来，见有同心者，即鼓其义勇，辞似颂美，实句句是规励，岂可以寻常寿词例之。"时稼轩年四十五，元吉以原韵为其祝寿。词中相互砥砺，不忘恢复之志。

管鉴赋词《蓦山溪·甲辰生日醉书示儿辈》。

雷渊（1184—1231）生。

王迈（1184—1248）生。

陈郁（1184—1275）生。

公元1185年（宋孝宗淳熙十二年乙巳　金世宗大定二十五年）

正月

十五日，范成大赋《元夕四首》，抒写开岁愉悦心情。

二月

十日，朱熹作《向芗林文集后序》。按，向子諲，字伯恭，号芗林居士。是月，朱熹祠秩满，复请祠。夏四月，差主管华州云台观。

春

朱熹与陈亮书剳往还，继续"义利王霸"之辩。

陆游卧疾，赋《病起》。云："志士凄凉闲处老，名花零落雨中看。"又赋《山居戏题》云："病起清羸不自持，年光都上鬓边丝。"

五月

杨万里首荐朱熹，丞相王淮不用。《诚斋集》卷一一三《淳熙荐士录》："朱熹，学传二程，才雄一世。虽赋性近于狷介，临事过于果锐，若处以儒学之官，涵养成就，必为异才。"

六月

知平江府丘崈（宗卿）来为范成大祝寿，席间赋《满江红》词，成大次韵为谢，作《满江红》并序。云："始生之日，丘宗卿使君携具来为寿，坐中赋词，次韵谢之。"

夏

陆游赴六峰山、项里山看采杨梅，并泛舟三江海浦。有诗《六峰、项里看采杨梅，连日留山中》、《泛三江海浦》。

七月

陆九韶致书朱熹，论无极太极与《西铭》之说。

秋

陈亮致书朱熹，再论"义利王霸"。

陆游泛舟镜湖，憩千秋观，复至虹桥，有诗《秋日泛镜中憩千秋观》、《秋夕虹桥舟中偶赋》。秋季所赋诗歌如《秋夜泊舟亭山下》、《感秋》等，对金国朝廷动态多有留意，并希望朝廷把握战机，北取故地。

十二月

朱熹作《王氏续经说》。其乃针对陈亮之作《类次文中子引》（二书乃朱、陈各自对"义利王霸"论辩之总结），朱、陈"义利王霸"之辩至此结束。此后，二人之通信已不再具有"义利王霸"论辩之性质。

丘崈自平江移守会稽，范成大赋《吴歈一首送丘宗卿自平江移会稽》。自注云："宗卿十三年前尝守吴，今复来，几年而去越。民困于和买，盖有意为蠲减之。"

冬

陆游作《舟中感怀三绝句呈太傅相公（史浩）兼简岳大用（甫）郎中》。有"甲子一周胡未灭，关山还带泪痕看"之句，慨念河山未复；又有"梦笔亭边拥鼻吟，壮图蹭蹬老侵寻"之句，感叹壮怀蹉跎。

本年

赵秉文登金国进士第。

萧德藻在湖北参议任。

郑汝谐为信州守，辛弃疾时在上饶家居，与其相互唱酬甚多。

范成大本年所为诗，多寓收敛退藏、息交远祸之意。如《元夕四首》其四、《请息斋书事三首》其三、《十月二十六日三偈》等；而对于世态炎凉、人情冷暖尤有慨叹，如《请息斋书事三首》其一、《有叹二首》其二等。

章甫约于本年前后在世，生卒年不详。甫字冠之，号转庵居士，又号易足居士，鄱阳人，徙居真州。少从张孝祥游，豪放飘荡，不受拘羁。与陆游、吕祖谦、韩元吉友善。淳熙间，与张用晦、张进卿并称"淮上三士"。事迹见张端义《贵耳集》卷中。著有《易足居士自鸣集》十五卷，原集已佚，清四库馆臣自《永乐大典》中辑为《自鸣集》六卷，有《四库全书》本、《豫章丛书》本。《全宋诗》录其诗六卷。四库提要卷一六〇："《自鸣集》六卷，永乐大典本，宋章甫撰。……其集不见于《宋史·艺文志》，《文渊阁书目》虽有其名，而传本久绝。其得见于世者，唯《名贤小集拾遗》所载《湖上吟》一首、《诗家鼎脔》所载《寄荆南故人》一首而已。今检《永乐大典》，所收《自鸣集》诗句颇多。其格律虽稍近江湖一派，而骨力苍秀，亦具有研锻之功。观其《别陆游》诗有'人生相知贵知心，道同何必问升沈'之句；《谢韩元吉寄茶》诗有'别公宛陵今五春，渴心何啻生埃尘'之句；《次韵吕祖谦见寄》诗有'山林旧约都茫茫，忆君著书看屋梁'之句，是其所与酬赠者，皆一时俊杰之士，故耳濡目染，尚能脱化町畦，自成杼轴，颇为不坠雅音。"

林亦之（1136—1185）**卒，年五十。亦之字学可，福清人。**从林光朝学于莆之红泉，师事光朝三十余年。光朝卒后，学者请亦之继其席。门人或劝其著书，亦之作诗曰："讲学红泉不著书，只将心学授生徒。"赵汝愚帅闽，辟入东井书堂，待以宾礼，上其学业于朝。命未下而卒。学者称为网山先生。事迹见《八闽通志》卷六二、《闽中理学渊源考》卷八。所著大都亡佚，今存《网山集》八卷，有《四库全书》本、清抄本。《全宋诗》录其诗二卷，《全宋文》收其文四卷。亦之诗文师法林光朝，林希逸称其"格制精严，趣味幽远"（《网山集序》）。刘克庄《网山集序》："网山论著，句句字字足以明周公之意，得少陵之髓矣。其律诗高妙者，绝类唐人。"《文渊阁四库全书·网山集提要》："亦之得光朝之传，以辟异端、明正学为己任，其文章亦以峻洁简峭为工。……艾轩（林光朝）流派，当时贵自成一家，其诗法尤为严谨，克庄亦谓亦之律诗高妙处绝类唐人，希逸则谓其格制精严，趣味幽远，具吾宗正法。虽所评不无太过，要其研炼遒密，亦自有能别开生面者。"

公元 1186 年（宋孝宗淳熙十三年丙午　金世宗大定二十六年）

正月

月初，范成大赋《新正书怀十首》，叙乡居生活。其二有"一饱但薪庚癸诺，百年甘守甲辰雌"之句，方回《瀛奎律髓》卷十六评曰："是年正月，王淮为左丞相，周必大为枢密使，而前参政钱良臣，借丙午生，故石湖有'甲辰雌'之句，岂亦不能忘情乎！"自癸卯（淳熙十年）四月得疾，至此已千日。人日立春，大雪，招亲友共春盘，座上赋诗，题曰《立春大雪，招亲友共春盘，坐上作》，有"如何千日病，三见寅杓回"之句。

七日，姜夔赋《一萼红》（古城阴）词。序云："丙午人日，予客长沙别驾之观政堂。堂下曲沼，沼西负古垣，有卢桔幽篁，一径深曲。穿径而南，官梅数十株，如椒如菽，或红破白露，枝影扶疏。著屐苍苔细石间，野兴横生。亟命驾登定王台，乱湘流入麓山。湘云低昂，湘波容与。兴尽悲来，醉吟成调。"时姜夔依萧德藻。

二月

陆游在山阴，赋诗《梅花已过，闻东村一树盛开，特往寻之，慨然有感》，有"佳人空谷从来事，莫恨桃花笑背时"之句，以佳人空谷喻志士不遇。又赋《书愤》："早岁那知世事艰，中原北望气如山。楼船夜雪瓜洲渡，铁马秋风大散关。塞上长城空自许，镜中衰鬓已先斑。《出师》一表真名世，千载谁堪伯仲间！"自抒爱国情怀，并寓指斥当局之意。《昭昧詹言》卷二〇："志在立功，而有才不遇，奄忽就衰，故思之而有愤也。妙在三、四句，兼写景象，声色动人，否则近于枯竭。"

三月

　　游次公（子明）、王光祖（仲显）往访范成大。成大有诗《春晚即事，留游子明、王仲显》、《留游子明》及《初夏三绝，呈游子明、王仲显》，屡致挽留之意。

　　朱熹与郭雍、程迥、程大昌、赵善誉、袁枢、林栗等进行《易》学论辩，作《蓍卦考误》。

春

　　陆游起知严州，赴行在，馆于西湖上。 陛辞时，孝宗谕曰："严陵，山水胜处，职事之暇，可以赋咏自适。"（《宋史·陆游传》）赋诗《临安春雨初霁》："世味年来薄似纱，谁令骑马客京华。小楼一夜听春雨，深巷明朝卖杏花。矮纸斜行闲作草，晴窗细乳戏分茶。素衣莫起风尘叹，犹及清明可到家。"刘克庄《后村诗话》前集卷二："陆放翁少时，调官临安，得句云：'小楼一夜听春雨，深巷明朝卖杏花。'传入禁中，思陵（宋高宗）称赏，由是知名。"而方回《桐江集》卷四《跋所抄陆放翁诗后》："予考之此诗在《剑南稿》十七卷，翁六十二岁，将守严州，朝辞奏事，至临安时诗也。"又《瀛奎律髓》卷一七："据《剑南集》，编在严州朝辞时所作，翁年六十二岁。刘后村《诗话》乃谓妙年行都所赋，思陵赏音，恐误，当改。"兹从方回说。冯振《诗词杂话》："孟浩然诗云：'夜来风雨声，花落知多少！'陆放翁诗云：'小楼一夜听春雨，深巷明朝卖杏花。'陈简斋诗云：'杏花消息雨声中。'张子野词云：'风不定，人初静，明日落红应满径。'李易安词云：'昨夜雨疏风骤，浓睡不消残酒。试问卷帘人，却道海棠依旧。知否知否？应是绿肥红瘦。'言风雨与花，俱臻妙境。"按，简斋句实即陆诗所本。陆游在临安，多与张镃、杨万里、尤袤等游处唱和。戴表元《剡溪集》卷十《牡丹谯席诗序》："渡江兵休久，名家文人渐渐修还承平馆阁故事，而循王孙张功父使君以好客闻天下。当是时，遇佳风日，花时月夕，功父必开玉照堂置酒乐客。其客庐陵杨廷秀、山阴陆务观、浮梁姜尧章之徒以十数。至，辄欢饮浩歌，穷昼夜忘去。明日，醉中唱酬诗或乐府词累累传都下，都下人门抄户诵，以为盛事。"陆游尝赋诗《饮张功父园戏题扇上》："寒食清明数日中，西园春事又匆匆。梅花自避新桃李，不为高楼一笛风。"周密《浩然斋雅谈》卷中："放翁在朝日，尝与馆阁诸人饮于张功父南湖园。酒酣，主人出小姬新桃者歌自制曲以侑尊；以手中团扇求诗于翁，翁书一绝云云。盖戏寓小姬名于句中，以为一笑。当路有恚之者，遽指以为有所讥，竟以此去。"按，此诗作于严州新命之际，非因谗去国。周密所云，与事实不符。杨万里《朝天集》有《上巳日，予与沈虞卿、尤延之、莫仲谦招陆务观、沈子寿小集张氏北园赏海棠，务观持酒酹花，予走笔赋长句》，盖与陆游《饮张功父园戏题扇上》作时相同或相近。

　　暮春，陆游返故里。 遍游家乡山水名胜，所历跨湖桥、樊江、天华寺、香山、玉笥峰、樵风泾、龙瑞宫、法云寺、石帆山、镜湖、平水、云门、何山、明觉院、上灶、陶山、蜻蜓浦等处，均有诗（见《剑南诗稿》卷一七）。

五月

朱熹修订《四书集注》，由广西安抚使詹仪之印刻于桂林，四川制置使赵汝愚印刻于成都。

七月

三日，陆游到严州任。《严州图经》卷一《知州题名》："陆游，淳熙十三年七月初三日以朝请大夫权知，淳熙十五年七月初六日满。"

十六日，姜夔作《湘月》词。序云："长溪杨声伯典长沙楫棹，居濑湘江，窗间所见，如燕公、郭熙图画，卧起幽适。丙午七月既望，声伯约予与赵景鲁、景望、萧和父、裕父、时父、恭父，大舟浮湘，放乎中流，山水空寒，烟月交映，凄然其为秋也。坐客皆小冠练服，或弹琴，或浩歌，或自酌，或援笔搜句。予度此曲，即《念奴娇》之鬲指声也，于双调中吹之。"

孝宗追谥胡铨曰忠简。

秋

姜夔游南岳，登祝融峰。赋词《霓裳中序第一》（亭皋正望极），自伤多病浪游；五古《待千岩》、七绝《过湘阴寄千岩》，亦当作于此时；后返汉阳，寓山阳姊氏，作《浣溪沙》（著酒行行满袂风）。

陆游秋季赋诗。既有自愧身服章绶而箠楚百姓之《上丁》、《秋兴》其二，又有思归田园之《官居戏咏》其二、《新秋》，尤多关怀家国、慨念河山之作，如《秋夜闻雨》、《秋怀》、《夜雨枕上》、《焉耆行》等。

十月

朱熹《诗集传》成，作《诗序辨说》附后，刻板于建阳。

十一月

王淮等上《仁宗英宗玉牒》，神宗、哲宗、徽宗、钦宗《四朝国史列传》及《皇帝会要》。

陈俊卿（1113—1186）卒，年七十四。俊卿字应求，莆田人。绍兴八年进士，授泉州观察推官。秩满，改南外睦宗教授，通判南剑州。二十六年，召为秘书省校书郎，迁著作郎。三十一年，权兵部侍郎，迁中书舍人。乾道三年，为吏部尚书，擢同知枢密院事兼参知政事。四年，拜尚书右仆射、同中书门下平章事，兼枢密使。九年，致仕。卒谥正献。事迹见杨万里《丞相太保魏国正献陈公墓志铭》、《宋史》卷三八三本传。著有《陈正献集》十卷、《奏议》二十卷、《表札》二十卷，已佚。今《全宋诗》录其诗九首，《全宋文》卷四六四六收其文。俊卿于外物澹然，独喜观书，其学一以圣贤为法，故其诗"宽裕而理，造次于仁，无一毫纂组雕琢之习"（魏了翁《陈正献公诗集序》）。

十二月

初一，刘涣作《南海集跋》。跋云："侍读诚斋先生乃今日之昌黎公也。为诗之多，至于一千八百余首，分为五集，而其风雅之变有三焉。……涣幸出于先生之门，今得《南海》一集，总四百篇，不敢掩为家藏，刊而传之，以为骚人之规范。余四集将继以请，则又当与学者共之。淳熙丙午十二月朔，门生承事郎、新权通判肇庆军府兼管内劝农事刘涣谨跋。"按，杨万里《南海集自序》："淳熙乙未，予诗又变。是时假守毗陵。后三年，予落南初为常平使者，复持宪节。自庚子至壬寅，有诗四百首。……潮阳刘涣伯顺为清远宰时，尝为予求所谓《南海集》四百首者，至再见于中都，伯顺复请不懈，乃克与之。……予诗自壬午至今凡二千一百余首，曰《江湖集》、曰《荆溪集》、曰《南海集》、曰《朝天集》。"又《朝天集序》："（淳熙）丁未六月十三日，得故人刘伯顺送到所刻《南海集》，且索近诗，于是汇而次之，得诗四百首，名曰《朝天集》寄去云。"

九日立春，陈三聘作词《朝中措》（朝来和气满西山）。陈三聘，字梦弼，吴郡人。生平无考。著有《和石湖词》一卷，"其词篇篇均和原韵，如方千里之和周美成，其清空跌宕，亦不让石湖也"（《善本书室藏书志》卷四〇）。是集今存《知不足斋丛书》本、《彊村丛书》本。《全宋词》录其词七十余首。

朱熹致书陆九韶，再论无极太极与《西铭》理一分殊之说。

冬

萧德藻约姜夔往湖州。夔赋《探春慢》（衰草愁烟）以为别，序云："予自孩幼从先人宦于古沔，女须因嫁焉。中去复来几二十年，岂唯姊弟之爱，沔之父老儿女亦莫不予爱也。丙午冬，千岩老人约予过苕雪，岁晚乘涛载雪而下，顾念依依，殆不能去。作此曲别郑次皋、辛克清、姚刚中诸君。"夔自此不复返沔鄂。过武昌，作《翠楼吟》（月冷龙沙），序云："淳熙丙午冬，武昌安远楼成，与刘去非诸友落之，度曲见志。"

本年

范成大植菊于范村，为谱之，成《菊谱》。作组诗《四时田园杂兴六十首》，引云："淳熙丙午，沉疴少纾，复至石湖旧隐。野外即事，辄书一绝，终岁得六十篇，号《四时田园杂兴》。"《环溪诗话》卷下："农桑樵牧之诗，当以《毛诗·豳风》及石湖《田园杂兴》比熟看，梦中亦解得诗，方有益思长益。"宋长白《柳亭诗话》卷二十二《田园》："方岳《深雪偶谈》曰：'石湖田园杂诗，验物切近，但太凭力气，于唐人之藩尚窘步焉。'范石湖《四时田园杂兴》诗，于陶、柳、王、储之外，别设藩篱。王载南评曰：'纤悉毕登，鄙俚尽录，曲尽田家况味。'知言哉！"于北山《范成大年谱》

按语云："《四时田园杂兴六十首》，集中诗作上选也。其中含蕴深广，感情真挚。举凡四时朝暮景物之变化，阴晴雨雪对农业生产之关系，男女老幼对蚕桑劳动之熟稔与喜爱，对岁收丰歉欢笑愁苦之心情，剥削阶级迫害剥削之残酷，乃至地方风土，节日习俗，无不尽收眼底，统摄毫端，历历在目，栩栩如生。既是江南农村之风景画，亦是劳动人民之耕织图，盖非久居农村，留心观察，深入体会者不能著笔也。而此种种，必须以对劳动者具有一定之关切同情为基础。以诗而论，淳朴自然，清新秾丽，兼而有之。数百年来，脍炙人口，亦其高度之艺术魅力使然。石湖本工书，此一组诗，又其晚年得意之作，故自书之，勒诸贞珉，冀垂久远。"

黄人杰约于本年前后在世，生卒年不详。人杰字叔万，南城人。乾道二年进士。淳熙八年，至京师谒吕祖谦，吕待以国士礼（《东莱集》附录卷三《挽吕东莱先生》）。《直斋书录解题》卷二一著录其《可轩曲林》一卷，已佚。近人赵万里有辑本。《全宋词》辑录其词九首，《全宋词补辑》录其词三十九首。事迹见《雍正江西通志》卷五〇。

谢懋约卒于本年前后，生年不详。懋字勉仲，号静寄居士，洛师人。以乐府知名，原有《静寄居士乐章》二卷，已佚。今有赵万里辑本，《全宋词》据以录其词十四首。沈雄《古今词话·词评》上卷引谢懋《乐章集》："勉仲自号静寄居士，乐章二卷，吴坦为之序，称其片言只字，戛玉铿金，蕴藉风流，为世所贵。其惜别《武陵春》、行乐《风流子》，又其词之含情无限者。草窗所选《蓦山溪》、《风入松》，更推清丽。"事迹见沈雄《古今词话·词评》上卷。

陈元晋（1186—?）生。

元好古（1186—1214）生。

王渥（1186—1232）生。

赵葵（1186—1266）生。

公元 1187 年（宋孝宗淳熙十四年丁未　金世宗大定二十七年）

正月

元日，姜夔赋《踏莎行》（燕燕轻盈）。序云："自沔东来，丁未元日至金陵江上，感梦而作。"二日，赋《杏花天影》（绿丝低拂鸳鸯浦），序云："丙午之冬，发沔口，丁未正月二日，道金陵，北望淮楚，风日清淑，小舟挂席，容与江上。"

严州人为陆游高祖轸筑祠于兜率佛寺，本月祠成，并刻像于石，陆游作《先太傅遗像》。按，陆轸曾守新定（严州）。

二月

周必大为右丞相，陆游有《贺周丞相启》，仍以恢复中原为念。

三月

初一日，朱熹蒐集《小学》书成。李方子《紫阳年谱》：“淳熙十四年，编次《小学》书成。初，先生既发挥《大学》，以开悟学者；又惧其失序无本，而不足以有进也，乃辑此书，以训蒙士，使培其根，以达其支云。”按，《小学》初由朱熹与刘清之共编，由清之于淳熙十一年印刻于鄂州，朱熹甚不满意，乃自作修改补订。本月，朱熹差主管南京鸿庆宫，四月拜命。

月初，李泳（子永）赴知溧水县任，过吴，访范成大。成大赋诗《李子永赴溧水，过吴访别，戏书送之》；十六日，成大赋诗《三月十六日石湖书事三首》。

春

姜夔以萧德藻介，袖诗谒杨万里（按，时万里在朝官左司郎中），**万里许其文无不工，甚似陆龟蒙，并以诗送往见范成大。**万里《送姜夔尧章谒石湖先生》有云：“吾友夷陵萧太守（德藻），逢人说君不离口。袖诗东来靥老夫，惭无高价当璠玙。翻然却买松江艇，径去苏州参石湖。”姜夔有《次韵诚斋送仆往见石湖长句》。

陆游春季所赋诗，例多爱国之作。如《两京》、《夜登千峰榭》、《闻鼓角感怀》、《暮春叹》、《登千峰榭》等。

四月

初一日，湖南提刑宋若水兴复石鼓书院，朱熹为作《衡州石鼓书院记》。

杨万里将知常州之诗作编为《荆溪集》。三日，自序云：“予之诗，始学江西诸君子，既又学后山五字律，既又学半山老人七字绝句，晚乃学绝句于唐人。学之愈力，作之愈寡，尝与林谦之屡叹之。谦之云：‘择之之精，得之之艰，又欲作之之不寡乎？’予喟曰：‘诗人盖异病而同愿也，独予乎哉？’故自淳熙丁酉之春上塈壬午止，有诗五百八十二首，其寡盖如此。其夏之官荆溪。既抵官下，阅讼牒，理邦赋，唯朱墨之为亲，诗意时日往来于予怀，欲作未暇也。戊戌三朝时节，赐告，少公事。是日即作诗，忽若有寤。于是辞谢唐人及王、陈、江西诸君子，皆不敢学，而后欣如也。试令儿辈操笔，予口占数首，则浏浏焉无复前日之轧轧矣。自此每过午，吏散庭空，即携一便面，步后园，登古城，采撷杞菊，攀翻花竹，万象毕来献予诗材。盖麾之不去，前者未雠，而后者已迫，涣然未觉作诗之难也。盖诗人之病，去体将有日矣。方是时，不唯未觉作诗之难，亦未觉作州之难也。明年二月晦，代者至，予合符而去。试汇其稿，凡十有四月，而得诗四百九十二首，予亦未敢出以示人也。今年备官公府掾，故人钟君将之自淮水移书于予，曰：‘荆溪比易守，前日作州之无难者，今难十倍不啻。子荆溪之诗，未可以出欤？’予一笑抄以寄之云。淳熙丁未四月三日，庐陵杨万里廷秀序。”

本月，赐礼部进士王容以下四百三十五人及第、出身。

六月

四日，范成大六十二岁生日，陈造作《石湖生日致语》。姜夔《石湖仙·寿石湖居士》当亦作于此时。

十五日，杨万里序其《西归集》。云："予假守毗陵，更未尽，三月，移官广东常平使者。既上二千石印绶，西归过姑苏，谒石湖先生范公，首索予诗。……既还舍，计在道及待次凡一年，得诗仅三百首，题曰《西归集》，录以寄公，今复寄刘伯顺与钟仲山。淳熙丁未六月十五日。"

夏

姜夔依萧德藻居湖州，赋《惜红衣》（簟枕邀凉）。序云："吴兴号水晶宫，荷花盛丽。……丁未之夏，余游千岩，数往来红香中，自度此曲，以无射宫歌之。"其《千岩曲水诗》亦当作于此时。

韩元吉（1118—1187）卒，年七十。元吉字无咎，开封雍丘人。北宋门下侍郎韩维四世孙。少时受业于尹和靖。南渡后流寓信州上饶。绍兴间，历南剑州主簿、建安令，除司农寺主簿。乾道元年，召为考功员外郎。三年，除江东转运判官。旋任大理少卿，权中书舍人。八年，权吏部侍郎，迁权礼部尚书，为贺金国生辰使。淳熙元年，出知婺州，移建宁府，入为吏部尚书。五年，再出知婺州，奉祠。晚年隐居上饶，自号南涧翁。与朱熹友善，尝举以自代。与叶梦得、张浚、张孝祥、陆游、陈亮、辛弃疾等皆有诗文唱和。事迹见《宋史翼》卷一四。《直斋书录解题》著录其《南涧甲乙稿》七十卷（卷一八）、《焦尾集》一卷（卷二一），又《宋史·艺文志七》著录其《愚戆录》十卷，原集均已佚。清四库馆臣自《永乐大典》辑为《南涧甲乙稿》二十二卷。又《桐荫旧话》一卷，皆家世旧闻，有《四库全书》本。《南涧诗余》一卷，收入《彊村丛书》。《全宋词》录其词八十首，孔凡礼《全宋词补辑》又增二首，《全宋诗》录其诗六卷，《全宋文》收其文二十五卷。四库提要卷一六〇："《南涧甲乙稿》二十二卷，永乐大典本，宋韩元吉撰。……（元吉）与朱子最善，尝举以自代，其状今载集中，故其学问渊源，颇为醇正。其他以诗文唱和者，如叶梦得、张浚、曾几、曾丰、陈岩肖、龚颐正、章甫、陈亮、陆游、赵蕃诸人，皆当代胜流，故文章矩矱，亦具有师承。……《朱子语类》云：'无咎诗做著者尽和平，有中原之旧，无南方啁哳之音。'诚定评也。集本七十卷，又自编其词为《焦尾集》一卷，《文献通考》并著录，岁久散佚。今从《永乐大典》所载，总裒为诗七卷、词一卷、文十四卷。统观全集，诗体文格，均有欧、苏之遗，不在南宋诸人下，而湮没不传，殆不可解。然沈晦数百年，忽出于世，炳然发翰墨之光，岂非精神光采，终有不可磨灭者。"元吉今存词乃焚余之作，故其自名曰《焦尾集》。其淳熙九年所作《焦尾集自序》云："或曰歌词之作，多本于情，其不及于男女之怨者少矣，以为近古，何哉？夫诗之作，盖发乎情者，圣人取之以其止于礼义也。《硕人》之诗，其言妇人形体态度，摹写略尽，使无孔子而经后世诸儒之手，则去之必矣，是未可与不达者议也。予时所作歌词，间亦为人传道，有未免于俗者，取而焚之，然犹不能尽弃焉，目为《焦尾集》，以其焚之余也。"

《蓼园词评》谓其《水调歌头》（今日俄重九）"词虽未甚奇辟，但亦清雅不俗，有俊拔自喜之概"。

陆游闻韩元吉卒，作诗《闻韩无咎下世》并《祭韩无咎尚书文》。

夏秋之际，陆游有《官居书事》、《秋夜登千峰榭待晓》、《书意》、《秋郊有怀》诸篇，均抒其忧国情怀、恢复壮志。

八月

留正除同知枢密院事，陆游有《贺留枢密启》，复切论恢复；张镃致书陆游，谓已得祠禄，游赋诗以贺。题曰《张时可直阁书报已得请奉祠云台，作长句贺之》。

秋

陈亮赋词《洞仙歌》（丁未寿朱元晦）。

十月

赵构（1107—1187）卒，年八十一。谥曰圣神武文宪孝皇帝，庙号高宗。好文艺，能诗词。《全宋词》录存其《渔父词》十五首。

冬

杨万里寄其《南海集》于陆游，游赋诗《杨庭秀寄南海集》。

姜夔过吴松，作《点绛唇》（燕雁无心）；《三高祠》、《姑苏怀古》诸诗，亦作于此时。

本年

陆游于州治刻成《剑南诗稿》二十卷，凡二千五百余首。知建德县事眉山苏林编次，括苍郑师尹为之序云："太守山阴陆先生剑南之作传天下，眉山苏君林收拾尤富。适官属邑，欲镂本，为此邦盛事，乃以纂次属师尹。……《剑南诗稿》六百九十四首，《续稿》三百七十七首，苏君于集外得一千四百五十三首，凡二千五百廿四首，又□七首，厘为□十卷。总曰《剑南》，因其旧也。……淳熙十有四年腊月几望，门人迪功郎、监严州在城都税务括苍郑师尹谨书。"

辛弃疾主管冲佑观当在本年。

张镃往游石湖，作《游石湖》，或为近一二年事。

游次公通判汀州。《永乐大典》卷七八九三《汀州府志·通判题名》："游次公，奉议郎。淳熙十四年十二月二十七日到任，十五年二月十七日罢。"约卒于罢汀州任后不久，确切生卒年不详。次公字子明，号西池，建安人。范成大帅桂林，以诗文见知，参内幕，有唱酬诗卷。据《宋诗纪事》卷五十七。《全宋词》录存其词五首。

喻良能本年在世，生卒年不详。《香山集》卷九有《过严濑寄陆守务观》诗，作于本年。良能字叔奇，号香山，义乌人。绍兴二十七年进士。历官国子监博士、工部侍郎、太常寺丞。出知处州，后以朝请大夫致仕。事迹见《金华先民传》卷七、《敬乡录》卷一〇。著有《忠义传》二十卷、《诸经讲义》五卷、《家帚编》十五卷，俱佚。又有《香山集》三十四卷，已佚，清四库馆臣自《永乐大典》裒辑遗诗编次为十六卷，有《四库全书》本、《续金华丛书》本。《全宋诗》录其诗十六卷。四库提要卷一五九："《香山集》十六卷，永乐大典本，宋喻良能撰。……其集《义乌志》作三十四卷，焦竑《国史经籍志》作十七卷，世亦无传。独《永乐大典》中所录古近体诗尚多，核其格律，大都抒写如志，不屑屑为缔章绘句之词。杨万里《朝天集》有《送喻叔奇如处州》诗云：'括苍山水名天下，工部风烟入笔端。'颇相推许。而良能集内，亦多与万里酬唱之作，故其诗格约略相近，特不及万里之博大耳。又陈亮《龙川集·题喻季直文编》一篇云：'喻叔奇于人煦煦有恩意，能使人别去三日，念之辄不释。其为文精深简雅，读之愈久而意若新。'是良能之文，亦有可自成一家者。惜其诗仅存，而文已湮没不传矣。今从《永乐大典》采掇裒次，而以《南宋名贤小集》所载参校补入，厘为十六卷，庶犹得考见其大略。"王十朋《送喻叔奇尉广德序》："叔奇之诗清新雅健，有晋宋风味，得韩公之豪，无东野之寒。"

张良臣（？—1187）卒，生年不详。良臣字武子，一字汉卿，拱州人，寓居明州。隆兴元年进士。官止监左藏库。事迹见《延祐四明志》卷五。著有《雪窗集》十卷，已佚。今存《雪窗小集》一卷，有《汲古阁景钞南宋六十家小集》本。《全宋词》录其词三首，《全宋诗》录其诗一卷，《全宋文》卷五七一六收其文。周必大称其"自苦于吟咏，欲效陈无己之简古，吕居仁之淡泊，至于古赋乐曲，又将推而上之，忘其心力之艰勤"（《雪窗集序》）。楼钥谓其诗"清丽粹洁，上参古作，旁出入禅门，寄兴高远"（《书张武子诗集后》）。《延祐四明志》卷五谓其"善为诗，清刻高洁，不蹈袭凡近，凌厉音节，读者悲壮。尤长于唐人绝句，语尽而意益远"。

阳枋（1187—1267）生。

刘克庄（1187—1269）生。

公元1188年（宋孝宗淳熙十五年戊申 金世宗大定二十八年）

正月

辛弃疾门人范开编刊《稼轩词甲集》成。序云："器大者声必闳，志高者意必远。知夫声与意之本原，则知歌词之所自出。是盖不容有意于作为，而其发越著见于声音言意之表者，则亦随其所蓄之浅深，有不能不尔者存焉耳。世言稼轩居士辛公之词似东坡，非有意于学坡也，自其发于所蓄者言之，则不能不坡若也。坡公尝自言与其弟子由为文□多，而未尝敢有作文之意，且以为得于谈笑之间，而非勉强之所为。公之于词亦然：苟不得之于嬉笑，则得之于行乐；不得之于行乐，则得之于醉墨淋漓之际。挥毫未竟，而客争藏去。或闲中书石，兴来写地，亦或微吟而不录，漫录而焚稿，以故多散逸。是亦未尝有作之之意，其于坡也，是以似之。虽然，公一世之豪，以气节自负，以功业自许，方将敛藏其用以事清旷，果何意于歌词哉，直陶写之具耳。故其词之为体，如张乐洞庭之野，无首无尾，不主故常；又如春云浮空，卷舒起灭，随所变态，无非可观。无他，意不在于作词，而其气之所充，蓄之所发，词自不能不尔也。其间固有清而丽、婉而妩媚，此又坡词之所无，而公词之所独也。昔宋复古、张乖崖方严劲正，而其词乃复有浓纤婉丽之语，岂铁石心肠者类皆如是耶。开久从公游，其残膏剩馥，得所沾焉为多。因暇日裒集冥搜，才逾百首，皆亲得于公者。因近时流布于海内者率多赝本，吾为此惧，故不敢独閟，将以袪传者之惑焉。淳熙戊申正月元日，门人范开序。"

二月

三日，朱熹出《太极图说解》、《西铭解》以授学者。为作后跋云："始，予作《太极》、《西铭》二解，未尝敢出以示人。近见儒者多议两书之失，或乃未尝通其文意，而妄肆诋诃，予窃悼焉。因出此解以示学徒，以广其传，庶几读者由辞以得意，而知其未可以轻议也。淳熙戊申二月己巳，晦翁题。"

春

陈亮至金陵、京口观察山川形势。在金陵，作《念奴娇·至金陵》；在京口，登北固山多景楼，赋《念奴娇·登多景楼》。

陆游在严州任，有《戊申严州劝农文》。

四月

陆游上《乞祠禄札子》（自注：戊申四月），请"许令复就玉局微禄，养疴故山"。又赋《上书乞祠》诗，有"报国心存气力微"、"人间处处是危机"等句。

陈亮至临安，上书孝宗。针对"江南不易保"、"长淮不易守"等谬论，详尽分析了江南、淮东一带"据险前临"之地势和金国内部政局不稳之状况，以为"江南之不必忧，和议之不必守，虏人之不足畏，而书生之论不足凭也！"建议朝廷应破格录用"非常之人"，以建"非常之功"（《戊申再上孝宗皇帝书》）。因孝宗将内禅，奏上，不报。

杨万里出守高安，途经严州，陆游载酒迎候于钓台。《诚斋集》卷八十一《诚斋江西道院集序》："舟经钓台，地主故人陆务观载酒相劳于江亭之上。"按，《续通鉴》卷一五一："（淳熙十五年夏四月）杨万里以洪迈驳张浚配飨，斥其欺专……于是二人皆求去。迈守镇江，万里守高安。"

夏

姜特立（邦杰）屡寄诗陆游，游赋诗以赠。题曰《旧识姜邦杰于亡友韩无咎许，近屡寄诗来，且以无咎平日唱和见示，读之怅然，作此诗附卷末》。方回《瀛奎律髓》

卷四二："放翁为严州，姜特立在婺以诗寄之，故有此作。"

七月

陆游任满，于本月十日还抵故乡。有诗《七月十日到故山，削瓜瀹茗，翛然自适》。历游故乡开元寺、桑渎、蓬莱馆、新塘、若耶溪、云门山诸处，皆有诗（见《剑南诗稿》卷二十）。

八月

陆游自书《长相思》词五阕。据倪涛《六艺之一录》卷三九二。按，此五阕《长相思》收在《渭南文集》卷五十。

秋

范成大游颜桥、上沙，观赏秋收景象。宿阊门，携家赏菊石湖。有诗《颜桥道中》、《上沙舍舟》、《宿阊门》、《携家石湖赏拒霜》等。

陆游作《上书乞祠辄述鄙怀》诗，再次乞祠。自解任返里至初冬入都，放翁爱国诗篇创作愈富，《感秋》、《秋夜有感》、《感愤秋夜作》、《夜读兵书》、《秋霁》、《塞上曲》、《北望》诸篇，皆抒其爱国情怀。

十一月

二十六日，陆游作《跋吴梦予诗编》。云："吾友吴梦予，橐其歌诗数百篇于天下，名卿贤大夫之主斯文盟者，翕然叹誉之；末以示余，余愀然曰：子之文，其工可悲，其不幸可吊。年益老，身益穷，后世将曰是穷人之工于歌诗者；计吾吴君之请，亦岂乐受此名哉？余请广其志曰：穷当益坚，老当益壮，丈夫盖棺事始定。君子之学，尧舜其君民，余之所望于朋友也；娱悲舒忧，为《风》为《骚》而已，岂余之所望于朋友哉？"

范成大起知福州，引疾固辞；诏令奏事，又辞。孝宗慰劳，赐丹砂及御书苏轼诗二首，太子为题寿栎堂。据周必大《资政殿大学士赠银青光禄大夫范公成大神道碑》。

建焕章阁，藏《高宗御集》。

何澹为国子祭酒，奉遣贺金主生辰。

十二月

命朱熹主管西太一宫兼崇政殿说书，辞不至。

冬

陆游除军器少监。《宋史》本传："再召入见，上曰：'卿笔力回斡甚善，非他人可及.'除军器少监。"赋诗《初到行在》,有"笔墨有时闲作戏,功名到底是无缘。都城处处园林好,不许山翁醉放颠"之句;又赋《还都》,有"挂冠当自决,安用从人谋;勿以有限身,常供无尽愁"之句。

陈亮往上饶访辛弃疾,相与鹅湖同憩,瓢泉共酌,长歌相答,极论世事,逗留弥旬乃别。稼轩《贺新郎》(把酒长亭说)词序云:"陈同父自东阳来过余,留十日,与之同游鹅湖,且会朱晦庵于紫溪,不至,飘然东归。既别之明日,余意中殊恋恋,复欲追路,至鹭鹚林,则雪深泥滑,不得前矣。独饮方村,怅然久之,颇恨挽留之不遂也。夜半投宿吴氏泉湖四望楼,闻邻笛悲甚,为赋《贺新郎》以见意。又五日,同父书来索词,心所同然者如此,可发千里一笑。"陈亮有和韵《贺新郎·寄辛幼安,和见怀韵》。此后,二人又用同调同韵互相唱和,各又得词二首。稼轩与同甫,乃并世健者,二人交谊之深厚,文章之振奇,于《贺新郎》之叠唱中可见一斑。

本年

辛弃疾赋词《沁园春》(老子平生)序云:"戊申岁,奏邸忽腾报谓余以病挂冠,因赋此。"

尤袤为礼部侍郎。

赵师侠为江华郡丞。

姜夔三十四岁,客临安,还寓湖州。

曾季貍卒于本年前,年五十九,生卒年不详。季貍字裘父,号艇斋,临川人。师事韩驹、吕本中,又从朱熹、张栻游。两举进士不第,隐居终身。绍兴末,识陆游于临安。嘉定元年,陆游为序《艇斋小集》,称其"及与建炎过江诸贤游,尤见赏于东湖徐公","所养愈深,而诗亦加工"。朱熹谓"裘父诗胜他文,近体又胜古风"(《答刘平甫书》)。著有《论语训解》,不传。《直斋书录解题》卷一八著录其《艇斋杂著》一卷,"盖其议论古今之文,辞质而义正",亦不传。又有《艇斋诗话》一卷,持论本江西,方回以为"裘甫《诗话》多谀师川,恐非作家"(《瀛奎律髓汇评》卷二〇),今存明抄本、《历代诗话续编》本。《两宋名贤小集》存其《艇斋小集》一卷。《全宋诗》录其诗一卷。事迹见陆游《曾裘父诗集序》、《宋诗纪事》卷四八。

唐仲友(1136—1188)卒,年五十三。仲友字与政,号悦斋,东阳人。绍兴二十一年进士,调衢州西安簿。三十年,再中宏词科,通判建康府。隆兴二年,除秘书省正字。乾道二年,监南岳庙。六年,再除正字。七年,兼国史院编修官、实录院检讨官。八年,除著作佐郎,出知信州。淳熙八年,迁江西提点刑狱,为朱熹劾罢,主管武夷山冲佑观以归。开馆授徒,肆力于经史百家,以究其业。事迹见《金华先民传》卷三、《宋史翼》卷一三。所著《六经解》、《诸史精义》、《群书新录》、《悦斋文集》四十卷等,大多散佚,今存《帝王经世图谱》、《诗解钞》、《九经发题》等。清张作楠辑为《金华唐氏遗书》,有道光刻本。胡宗楙又刻《悦斋文钞》十卷、补一卷,有《续金华丛书》本。《全宋诗》录其诗二卷,《全宋文》收其文十卷。

管鉴约于本年前后在世,生卒年不详。鉴字明仲,龙泉人。以父荫官江西常平提干，始家临川。淳熙十三年，官广东提刑、权广州经略安抚使，移湖北转运使。著有《养拙堂词》一卷，有《唐宋名贤百家词》本、《四印斋所刻词》本。《全宋词》录其词六十八首。事迹见《弘治抚州府志》卷二二。

冯去非（1188—1265）**生**。

何基（1188—1268）**生**。

公元 1189 年（宋孝宗淳熙十六年己酉　金世宗大定二十九年）

正月

学士院更添一员，周必大荐陆游可任，孝宗不许。

尤袤权中书舍人，复诏兼直学士院，力辞，并荐陆游自代，孝宗不许。

周必大自右丞相济国公除特进左丞相，封许国公。

朱熹除秘阁修撰，依旧主管西京嵩山崇福宫。二月中旬，辞职名。

陆游除朝议大夫礼部郎中。按，陆游除礼部郎中事，《宋史》本传系于绍熙元年，而钱大昕《陆放翁先生年谱》则云："先生除礼部郎，断在淳熙十六年之春矣。"但系于光宗即位之后。考叶绍翁《四朝闻见录》卷乙《陆放翁》条："上怜其才，旋即复用。未内禅，一日，上手批以出：'陆游除礼部郎。'上之除目，自公而止，其得上眷如此。"据此，则务观除命，仍出于孝宗，在光宗即位之前。孝宗内禅在本年二月初二日，如此，则陆游除礼部郎中当在本年正月。

王质（1135—1189）卒，年五十五。质字景文，号雪山，郓州人，寓居兴国军。博通经史，善属文。入太学，与王阮齐名。又从张孝祥父子游，甚见器重。绍兴三十年进士，召试馆职，为言者论罢。乾道二年，入为太学正。三年，为敕令所删定官，迁枢密院编修官。七年，出判荆南府，改吉州，皆不行。奉祠山居，绝意禄仕。事迹见王阮《雪山集序》、《宋史》卷三九五本传。著有《雪山集》十六卷、《诗总闻》二十卷、《绍陶录》二卷，有《四库全书》本。另《雪山词》一卷，有《彊村丛书》本。《全宋词》录其词七十六首，《全宋诗》录其诗七卷，《全宋文》收其文十一卷。四库提要卷一五九："《雪山集》十六卷，永乐大典本，宋王质撰。……史称其尝著论五十篇，言历代君臣治乱，谓之《朴论》，今止存《汉高帝》、《文帝》、《五代梁末帝》、《周世宗》四篇。质自序《西征丛记》云：'自丁亥至庚寅，得诗一百三十有九、词五十有一、记十、序六、铭二。'又于淳熙二年作《退文》，有《六悔》、《六变》。《永乐大典》所载乃总题目《雪山集》，不可辨识。又《宋史·艺文志》称《王景文集》四十卷，而别出《雪山集》三卷。……今搜罗排次，共得一十六卷。……虽残阙之余，十存四五，其生平出处与文章宗旨，尚可以见其梗概焉。……其《论和战守疏》及《上宋孝宗疏》诸篇，词旨剀切，富于事理。"《论学绳尺》卷三徐几评其《尧仁如天论》曰："此等题目最难形容，又难反抑，深说又不是。此篇只就眼前事上，发明天与尧气象，极为得体。且是文字不丽不浮，不蔓不枝，真可法也。"《桯史》卷五："自唐白乐天始为《何处难忘酒》诗，其后诗人多效之。独近世王景文质所作，隽放豪逸，如其为人。……景文它文极多，号《雪山集》，大略似是。"《蕙风词话》卷二谓其

《西江月》"试将花蕊数层层，犹比长年不尽"二句为"巧语不涉纤"；又评其《江城子》"得到钗梁容略住，无分做、小蜻蜓"为"未经人道"。四库提要卷一五："《诗总闻》二十卷，内府藏本，宋王质撰。……其书取《诗》三百篇，每篇说其大义，复有《闻音》、《闻训》、《闻章》、《闻句》、《闻字》、《闻物》、《闻用》、《闻迹》、《闻事》、《闻人》，凡十门。每篇为《总闻》，又有《闻风》、《闻雅》、《闻颂》冠于'四始'之首。……其冥思研索，务造幽深，穿凿者固多，悬解者亦复不少，故虽不可训，而终不可废焉。"

金世宗完颜雍（1123—1189）**卒**，年六十七。遗诏由皇太孙完颜璟嗣帝位，是为章宗，明年改元明昌。

二月

初二日，孝宗禅位于太子赵惇，是为光宗，明年改元绍熙。

范成大上疏。"乞述重华以广孝治，执仁术以守家法，坚国本以定规模，节经费以苏民力，精觇谍以应事机，审选任以求将材，修保障以固西南，议盐策以安二广，严钱禁以权管会，广屯田以实边储，皆当世要务"（周必大《资政殿大学士赠银青光禄大夫范公成大神道碑》）。

陆游为自制长短句作序。云："雅正之乐微，乃有郑卫之音，郑卫虽变，然琴瑟笙磬犹在也。及变而为燕之筑，秦之缶，胡部之琵琶箜篌，则又郑卫之变矣。《风》《雅》《颂》之后，为骚、为赋、为曲、为引、为行、为谣、为歌，千余年后，乃有倚声制辞，起于唐之季世，则其变愈薄，可胜叹哉！予少时汩于世俗，颇有所为，晚而悔之。然渔歌菱唱，犹不能止。今绝笔已数年，念旧作终不可掩，因书其首以识吾过。淳熙己酉炊熟日放翁自序。"（《渭南文集》卷十四《长短句序》）

姜特立以阁门舍人知阁门事。

三月

史浩以太师致仕。

周必大为少保。

沈揆奉遣使金贺章宗完颜璟即位。

袁枢罢归，与朱熹相见于大湖，熹赋《水调歌头》（长记与君别）。《宋会要辑稿·职官·黜降》："淳熙十六年正月十二日，权工部侍郎袁枢以论事挟忿，特降两官放罢。"

廖行之（1137—1189）**卒**，年五十三。行之字天民，号省斋，衡阳人。淳熙十一年进士，调岳州马陵尉。到官数月，以亲老辞归。告满，授潭州宁乡主簿，未赴。事迹见田奇《宋故宁乡主簿廖公行状》。著有《省斋文集》十卷，已佚。清四库馆臣自《永乐大典》辑为《省斋集》十卷，有《四库全书》本。四库提要卷一六一："《省斋集》十卷，永乐大典本，宋廖行之撰。……是集乃其子谦所刊，原本十卷。今从《永乐大典》中采掇裒辑，篇帙颇夥，似当日全部收入。谨排次审订，仍析为十卷，以还其旧。……其文章大抵屏除藻绘，务以质朴为宗，或不免近于朴僿。故戴溪作序，不甚称之。然其词意笃实，切近事理，亦足以想见其为人。至其四六之作，则较他文为流丽。"戴溪《省斋集序》："公为文率典实，有教化，不为浮词虚说，非求以文字著名者。"黄瀚《省斋集跋》："省斋廖君之诗之文，乃所谓理意到而成者，非无用之空言也。"又，《直斋书录解题》卷二一、《文献通考》卷二四六皆著录《省斋诗余》一卷。《善本书室藏书志》卷四〇："《省斋诗余》一卷，劳氏钞本。……此本毛扆从孙氏藏本校正，劳权又从毛本校钞。《四库》著录《省斋集》录自《永乐大典》中，有诗余，较此少去一半，其为当时别行之本可知矣。"又云："词华质朴，绝去雕饰，唯嫌其多寿词耳。"《全宋词》据彊村丛书本《省斋诗余》录存其词四十一首，《全宋诗》录其诗四卷，《全宋文》收其文七卷。

春

陆游赋诗《行在春晚有怀故隐》。有"归计已栽千个竹，残年合挂两梁冠"之句，《观潮》诗亦云"云根小筑幸可归，勿为浮名老行路"，皆有归园田居之意。春季所作《小昭庆院讲僧，旧在都下与之相从，今没已久，见画像于院中，作诗吊之》、《新晴马上》、《过六和塔前江亭小憩》等，感叹"年来亲友凋零尽，唯有江山是旧知"。其《老学庵笔记》卷一亦曾喟然曰："予去国二十七复来，自周丞相子充一人外，皆无复旧人，虽吏胥亦无矣。……可以一叹。"

张镃有《呈尤侍郎陆礼部》及《谒陆礼部归，偶成二绝句》。

范成大赴福州任，行至婺州，称疾力请奉祠，从之。途中有诗《余杭初出陆》、《桐庐江中初打桨》、《钓台》、《和丰驿》等。

姜夔时寓湖州。早春，赋《夜行船》（略彴横溪人不度），序云："己酉岁，寓吴兴，同田几道寻梅北山沈氏圃，载雪而归。"又赋《浣溪沙》（春点疏梅雨后枝），序云："己酉岁，客吴兴，收灯夜阒户无聊，俞商卿呼之共出，因记所见。"暮春，赋《琵琶仙》（双桨来时），序云："《吴都赋》云'户藏烟浦，家具画船'，唯吴兴为然，春游之盛，西湖未能过也。己酉岁，予与萧时父载酒南郭，感遇成歌。"

四月

杨万里作《约斋南湖集序》。序有云："初，予因里中屠德璘谈，循王之曾孙约斋子，有能诗声。予固心慕之，然犹以为贵公子，未敢即也。既而访陆务观于西湖之上，适约斋子在焉，则深目颦蹙，寒眉臞膝，坐于一草堂之下，而其意若在岩壑云月之外者。盖非贵公子也。始恨识之之晚。既而又从尤延之、京仲远过其所居曰桂隐者，于是尽出其平生之诗，盖诗之癯，又甚于其貌之癯也。大抵祖黄、陈，自徐、苏而下不论也。延之、仲远退而深嘉之，予笑而不言。二君曰：'子奚笑约斋子？'予曰：'彼其先王，翼真主以再造王家，大忠高勋，塞两仪而贯三光。为之子若孙者，谓宜掉马策，鸣孤剑，略中原以还天子。若夫面有敲推之容，而吻秋虫之声，与阴、何、郊、岛先登优入于饥冻穷愁之域。此我辈寒士事也，顾汲汲于此，而于彼乎悠悠尔，此予之所以笑约斋子也。'二君曰：'子之笑约斋子，祇所以嘉约斋子欤！'……淳熙己酉四月庚辰，诚斋野客庐陵杨万里序。"

陆游有《上殿札子》。请戒嗜好以杜谗巧之机芽；轻赋敛以纾斯民之困弊；又请于揆事图策之际，从容持重，慎始善终。

二十六日，光宗幸景灵宫，陆游以礼部郎兼膳部检察。据《渭南文集》卷二十七《跋松陵集三》。

何澹以权兵部侍郎为右谏议大夫。

五月

周必大罢相，为观文殿大学士，判潭州；后二日，罢周必大判潭州之命，许以旧官为醴泉观使。

姜特立罢知阁门事。

夏

杨万里有诗《答陆务观佛祖道院之戏》。

朱熹作《皇极辨》，再论无极太极。

七月

二十八日，袁说友（起岩）以朝议大夫浙东提举到浙西提刑任。据《吴郡志》卷七。

陆游以礼部郎中兼实录院检讨官。《南宋馆阁续录》卷九："实录院检讨官，淳熙五年以后七人……陆游，十六年七月以礼部郎中兼。"

秋

姜夔记苕溪之所见，赋《鹧鸪天》（京洛风流绝代人）。《念奴娇》（闹红一舸）亦当作于是秋。词序云："予客武陵，湖北宪治在焉。古城野水，乔木参天，予与二三友日荡舟其间，薄荷花而饮，意象幽闲，不类人境。秋水且涸，荷叶出地寻丈，因列坐其下，上不见日，清风徐来，绿云自动，间于疏处窥见游人画船，亦一乐也。揭来吴兴，数得相羊荷花中。又夜泛西湖，光景奇绝，故以此句写之。"

尤袤奉祠归里，陆游赋诗以送。题曰《尤延之侍郎屡求作遂初堂诗，诗未成，延之去国，因以奉送》。按，《宋史》卷三八八《尤袤传》："光宗即位甫两旬，开讲筵，袤奏：'愿谨初戒始，孜孜兴念。'越数日，讲筵又奏：'天下万事，失之于初，则后不可救。《书》曰：慎厥终，唯其始。'又历举唐太宗不私秦府旧人为戒。又五日，讲筵复论官制谓……披坚执锐者积功累劳，仅得一阶；权要贵近之臣，优游而历华要，举行旧法。姜特立以为议己，言者因以为周必大党，遂与祠。"

八月

十五日，史浩作《题南湖集十二卷后》。云："桂隐林泉在钱塘为最胜，张子（镃）卜筑。池台馆宇，门墙道路，凡经行宴息处，悉命以佳名，而各有诗。予固未尝历其地，乃因邻友张以道东归，惠然寄示，总八十余绝，读之洒然，如与其人岸冠散衵徜徉于烟萝香霭间，可胜欣快！因为一绝题其后：'桂隐神仙宅，平生足未登。新诗中有画，一一见觚棱。'淳熙己酉中秋，鄮峰真隐史浩书。"

十月

三日，杨万里序其《江西道院集》。序云："某昔岁四月上章丐补外，寿皇圣帝有旨畀郡，寻赐江西道院。……既抵官下二百有八旬有四日，皇上诏令奉计诣北阙，骏奔道途，逾月乃至修门。道中得诗可百许首，乃并取归途及在郡时诗录之，凡二百有五十首，析为三卷，目曰《江西道院集》。……淳熙己酉十月三日。"

杨万里除秘书监，陆游有贺诗《喜杨廷秀秘监再入馆》，万里有《和陆务观见贺归馆之韵》。

十一月

二十四日，陆游作《明州育王山买田记》；二十八日，为谏议大夫何澹所劾，诏罢官，返故里。《宋会要辑稿·职官·黜降官九》："（淳熙十六年十一月）二十八日诏：礼部郎中陆游……并放罢。以谏议大夫何澹论游前后屡遭白简，所至有污秽之迹。"

朱熹除知漳州。

冬

范成大数与袁说友唱和。袁有《常熟敲冰行舟三首》、《被旨许浦蒐兵道中冻合舍舟行陆二首》、《腊雪二首》、《立春日雪》诸诗（见《东塘集》卷四、卷七），范之和诗分别为《次韵袁起岩常熟道中三绝句》、《次韵袁起岩许浦按教水军二绝句》、《次韵起岩喜雪》、《枕上闻雪复作，方以为喜，起岩再示新诗，复次韵》、《起岩又送立春日再得雪诗亦次韵》（见《石湖居士诗集》卷二十九）。

杨万里接伴金使，道中有诗《五更过无锡县寄怀范参政尤侍郎》，范成大赋和诗《同年杨廷秀秘监接伴北道，道中走寄见怀之什，次韵答之》。

范成大作《腊月村田乐府十首》。序云："余归石湖，往来田家，得岁暮十事，采其语各赋一诗，以识土风，号《村田乐府》。其一《冬春行》：腊日春米为一岁计，多聚杵臼，尽腊中毕事，藏之土瓦仓中，经年不坏，谓之冬春米。其二《灯市行》：风俗尤竞上元，一月前已买灯，谓之灯市，价贵者数人聚博，胜则得之，喧盛不减灯市。其三《祭灶词》：腊月二十四夜祀灶，其说谓灶神翌日朝天，白一岁事，故前期祷之。其四《口数粥行》：二十五日煮赤豆作糜，莫夜阖家同餐，云能辟瘟气，虽远出未归者亦留贮口分，至襁褓小儿及僮仆借预，故名口数粥。豆粥本正月望日祭门故事，流传为此。其五《爆竹行》：此他郡所同，而吴中特盛，恶鬼盖畏此声。古以岁朝，而吴以二十五夜。其六《烧火盆行》：爆竹之夕，人家各又于门首燃薪满盆，无贫富皆尔，谓之相暖热。其七《照田蚕词》：与烧火盆同日，村落则以秃帚若麻秸竹枝辈燃火炬，缚长竿之杪以照田，烂然遍野，以祈丝谷。其八《分岁词》：除夜祭其先竣事，长幼聚饮，祝颂而散，谓之分岁。其九《卖痴呆词》：分岁罢，小儿绕街呼叫云：'卖汝痴！卖汝痴！'世传吴人多呆，故儿辈讳之，欲贾其余，益可笑。其十《打灰堆词》：除夜将晓，鸡且鸣，婢获持杖击粪壤致词，以祈利市，谓之打灰堆。此本彭蠡清洪君庙中如愿故事，唯吴下至今不废云。"宋长白《柳亭诗话》卷二二："《村田乐府十首》，于腊月风景渲染无遗，吴中习俗，至今可想见也。"

本年

朱熹正式序定《大学章句》、《中庸章句》。

赵善括知常州，被论凶暴，主管建宁府武夷山冲佑观。

范成大封吴郡开国侯。

金华杜叔高往访辛弃疾于上饶，弃疾赋《贺新郎》（细把君诗说）送别。

党怀英为《辽史》刊修官。

李处全（1131—1189）卒，年五十九。处全字粹伯，徐州丰县人，后徙居溧阳。绍兴三十年进士。历秘书丞、礼部郎官，迁殿中侍御史，知袁州、处州、舒州。忠诚许国，宽大好贤。文章闳肆，诗体兼众长，字画遒丽。工词，风格豪放，近苏、辛一路。著有《晦庵词》一卷，有明抄本、《四印斋所刻词》本。《全宋词》录其词四十七首，《全宋诗》录其诗五首。事迹见李处全《崧庵集序》（《崧庵集》卷首）、《景定建康志》卷四九。

萧德藻约卒于本年前后，确切生卒年不详。德藻字东夫，号千岩老人，福建闽清人。绍兴二十一年进士。初调湖州乌程令，遂家焉。历知峡州，终福建安抚司参议。事迹见杨万里《千岩摘稿序》、《宋史翼》卷二八。《直斋书录解题》卷一八著录《千岩择稿》七卷、《外编》三卷、《续编》四卷，已佚。《全宋诗》录其诗十二首，《全宋文》卷五四二三收其文。杨万里《千岩摘稿序》："余尝论近世之诗人，若范石湖之清新，尤梁溪之平淡，陆放翁之敷腴，萧千岩之工致，皆予之所畏者云。"朱彝尊《梁溪遗稿序》："宋南渡后，以诗齐名者四家，杨廷秀诗所称'尤、萧、范、陆'是也。千岩诗学于曾几吉甫，授之姜夔尧章，当时刘潜父许为诚斋敌手，而方万里谓其诗苦硬顿挫，而极其工，使不早死，虽诚斋犹出其下。盖为诗家矜许若是。顾其诗曾刊于永州，岁久散失……特仅见其数首而已。后之论者，遂易之曰'尤、杨、范、陆'，于是萧愈湮晦，至有不能举其姓氏者。"刘克庄《后村诗话》前集卷二："萧千岩机杼与诚斋同，但才悭于诚斋，而思加苦，亦一生屯蹇之验。同时独诚斋奖重，以配范石湖、尤遂初、陆放翁，而放翁绝无一字及之。今摘其律帖精诣，不甚费研寻者于此：'著语能奇怪，呼天与倡酬'（《中秋》），'疾走建德国，乃为渊明先。失脚坠榛莽，刘伶扶我还'（《和陶》），'乾坤生长我，贫病怨尤谁'，'湘妃危立冻蛟背，海月冷挂珊瑚枝。

丑怪惊人能妩媚，断魂只有晓寒知'，'百年千华著枯树，一两点春供老枝。绝壁笛声那得到，直愁斜日冻蜂知'（《古梅二绝》），'造物巧能相补得，破悭赊与一天秋'（《山中六月顿凉》），'一筇时到崔嵬上，有底勋劳得给扶'，'秋浩荡中遥指点，一螺许是定王城'（《渡湘》），'稚子推窗窥过雁，数峰乘隙入西轩'，'眼冷寒梢明数点，知他是雪是梅花'，'秋阳直为田家计，饶得渔村一抹红'，真诚斋敌手也。"

姚述尧约于本年前后在世，生卒年不详。述尧字进道，钱塘人。绍兴二十四年进士，乾道四年，知乐清县事。淳熙九年，知鄂州，放罢；十五年，被命知信州，旋改主管亳州明道宫。著有《箫台公余词》一卷，有《彊村丛书》本。《全宋词》录其词六十九首。陆心源谓其词"清丽芊绵，绝无语录气，亦南宋道学家所罕见也"（《箫台公余词跋》）。事迹见《永乐乐清县志》卷七、陆心源《箫台公余词跋》。

王元节（1123？—1189？）约卒于本年，年约五十余。元节字子元，弘州人。金天德三年登词赋进士第。雅尚气节，不随时俯仰，故仕不显。既罢密州观察推官，闲居乡里，以诗酒自娱，号曰遁斋。工诗，有《遁斋诗集》。

赵以夫（1189—1256）生。

公元 1190 年（宋光宗绍熙元年庚戌　金章宗明昌元年）

正月

十五日，陆游作《跋彩选》。有"余方从事金丹；丹成，长生不死，直余事耳"之语。时居故乡山阴。

朱熹对镜写真，题辞自警。云："从容乎礼法之场，沉潜乎仁义之府。是予盖将有意焉，而力莫能与也。佩先师之格言，奉前烈之余矩。唯闇然而日修，或庶几乎斯语。"（《书画像自警》）

杨万里有《寄题朱元晦武夷精舍十二咏》。

二月

浙西提刑袁说友、浙西提举张体仁会同年之在吴下者于姑苏之台，诗酒酬唱，十五日，范成大为作《姑苏同年会诗序》。按，同榜偕升之进士谓之同年。袁、张诸人皆隆兴元年木待问榜进士，成大于是届礼部试中任点检试卷。同日，成大又为所居之范村作《范村记》。周必大《资政殿大学士赠银青光禄大夫范公成大神道碑》："先以石湖稍远，不能日涉，即城居之南别营一圃，阅杜光庭《神仙传》，记胡六子自崑山风海至范老村遇陶朱公事，大喜曰：'此吾里吾宗故事，不可失也！'题曰范村，刻两朝赐书于堂上，榜曰重奎。其北又葺古桃花坞，往来其间。"

殿中侍御史刘光祖言：道学非程氏私言，乞定是非，别邪正。光宗从之。事见《宋史》卷三十六《光宗本纪》，光祖之奏论见《道命录》卷六《刘德修论道学非程氏之私言》。

三月

金章宗诏修曲阜孔子庙学。金初置应制及宏词科。

春

姜夔卜居白石洞下，永嘉潘柽字之曰白石道人；旋客合肥，居赤阑桥之西。**寒食将近，赋词《淡黄柳》（空城晓角）**。序云："客居合肥南城赤阑桥之西，巷陌凄凉，与江左异，唯柳色夹道，依依可怜。因度此阕，以纾客怀。"

陆游春季所为诗。如《野兴》二首、《杭湖夜归》二首、《或问余近况示以长句》等，多得恬淡幽静之趣。

四月

九日，杨万里序其《朝天续集》。序云："昔岁自江西道院召归册府，未几而有廷劳使客之命。……既竣事，归报，得诗凡三百五十首，目之以《朝天续集》。……余诗自壬午至今凡七集，近三千首云。绍熙元年四月九日。"

朱熹到漳州就任。

殿中侍御史刘光祖罢。

赐礼部进士余复以下五百三十七人及第、出身。

立夏日，陆游以编余残稿付其子陆子通（子聿）。《渭南文集》卷二十七《跋诗稿》："此予丙戌（乾道二年）以前诗二十之一也。及在严州，再编，又去十之九。然此残稿，终亦惜之，乃以付子聿。"

六月

十一日，叶适赴江陵，佐阃苍舒幕，陈亮作《祝英台近》（六月十一日送叶正则如江陵）以赠别。

十五日，陆游作《跋王深甫（回）先生书简》。

七月

葛邲参知政事，胡晋臣签书枢密院事；留正为左丞相，王蔺为枢密院使。

丘崈使北贺金主生辰，临行，陈亮作《三部乐》（七月送丘崈卿使虏）。

八月

八日，袁文（1119—1190）卒，年七十二。文字质甫，四明鄞人。好读书，不汲汲于科名。榜所居小斋曰卧雪，自号逸叟，有园数亩，日涉成趣。考订经史，多所发明，尤精于音韵学研究。事迹见袁燮《先公墓表》。著有《瓮牖闲评》，今存八卷，有《四库全书》本、《清芬堂丛书》本、《励志斋丛书》本。四库提要卷一一八："《瓮牖闲评》八卷，永乐大典本。……其书专以考订为主，于经史皆有辩论，条析同异，多所发明，而音韵之学尤多精审。凡偏旁点画，反切训诂，悉能剖别于毫厘疑似之间；其所载典故事实，亦首尾完具，往往出他书所未备。"

中秋时节，范成大数游石湖。 有诗《石湖中秋二十韵。十二年前，尝与工部兄及宾客为此游，今有隔世者，感今怀旧而作》、《中秋后两日，自上沙回，闻千岩观下岩桂盛开，复舣石湖，留赏一日，赋两绝》。

秋

陆游以"风月"名小轩，有诗《予十年间两坐斥，罪虽擢发莫数，而诗为首，谓之嘲咏风月。既还山，遂以"风月"名小轩，且作绝句》，中有"放逐尚非余子比，清风明月入台评"之感慨。按，所谓"台评"，指御史台参劾也。淳熙三年九月，游罢知嘉州新命，以臣僚言其燕饮颓放；淳熙八年三月罢提举淮南东路常平茶盐公事新命，以臣僚论其不自检饬，所为多越于规矩，屡遭物议；淳熙十六年十一月罢礼部郎中，以谏议大夫何澹论其前后屡遭白简，所至有污秽之迹。三次被弹劾，皆与"嘲咏风月"有关，故陆游以"风月"名小轩，深寓愤懑之情绪。此时所作《放逐》、《月下野步》等，亦皆寓有对现实之牢骚、不满。

十月

杨万里除江东转运副使。

十二月

杨万里赴江东转运副使任，路出苏州，往访范成大。 有诗《谒范参政，并赴袁起岩郡会，坐中炽炭，周围遂中火毒，得疾垂死，贵人多病，皆养之太过耳》。

吴郡郡守袁说友修葺前郡守王晚所建西斋，以"双瑞"名堂，范成大为作《双瑞堂记》。

陈亮再度系狱，年余方得释。 叶绍翁《四朝闻见录》甲集《天子狱》："居无几，亮又以家僮杀人于境外，适被杀者尝辱亮父，其家以为亮实以威力用僮，有司笞掠僮气绝复甦者屡矣，不服。仇家置亮父于州圄，又嘱中执法论亮情重，下廷尉。时王丞相淮知上欲活亮，以亮款所供'尝讼僮于县而杖之矣'，仇家以此尤亮之素计，持之愈急，王亦不能决。稼轩辛公与相婿素善，亮将就逮，亟走书告辛，辛公北客也，故不以在亡为解，援之甚至，亮遂不得死。时考亭先生、水心先生、止斋陈氏俱与亮交，莫有救亮迹，亮与辛书，有'君举吾兄，正则吾弟，竟成空言'云。"

本年

范成大与袁说友酬唱甚多，内容多及农事；与王正己（正之）酬唱亦多。 正己奉祠归四明，成大赋诗送行，题曰《次韵王正之提刑大卿病中见寄之韵，正之得请归四明，并以钱行》。

蔡戡奉命知明州，被论罢。

赵善括约于本年前后在世，生卒年不详。善括字无咎，号应斋，江西隆兴人。孝宗朝进士。初为常熟宰，历郡倅。淳熙十六年，差知常州，被论凶暴，主管建宁府武夷山冲佑观。事迹见《至正重修琴川志》卷三、《宋诗纪事补遗》卷九二。著有《应斋杂著》，原集已佚，清四库馆臣自《永乐大典》中辑为六卷，有《四库全书》本、《豫章丛书》本。《全宋词》收其词四十九首，《全宋诗》录其诗一卷。四库提要卷一六〇："《应斋杂著》六卷，永乐大典本，宋赵善括撰。……是集《宋志》不载，其原本卷帙不可考。今以《永乐大典》所载，裒为六卷。宋人奏议，多浮文妨要，动至万言，往往晦蚀其本意。善括所上诸剳，率简洁切当，得论事之要。如论纷更之弊，纠赏罚之失，皆切中时弊。……诗词多与洪迈、章甫唱和，而与辛弃疾酬赠尤多，其词气骏迈，亦复相似。观其《金陵有感》诗，有'谢安王导亦可罪，至今遂使南北分'句，其不满于湖山歌舞，文恬武嬉，意趣盖与弃疾等，固宜其相契也。"杨万里《应斋杂著序》："其文大抵平淡夷易，不为追琢，不立崖险，要归于适用，而非窾非浮也。至其诗，皆感物而发，触兴而作，使古今百家，万象景物，皆不能役于我。"

郦权约卒于本年前后，生年不详。权字元舆，安阳人。以父荫仕金，宦不达。明昌初，召为著作郎，旋卒。有《坡轩集》。据《中州集》卷四《郦著作权》。

王万钟（1190—1216）生。

耶律楚材（1190—1244）生。

吴渊（1190—1257）生。

元好问（1190—1257）生。

王鹗（1190—1273）生。

公元1191年（宋光宗绍熙二年辛亥　金章宗明昌二年）

正月

二十三日，陆游作《跋郭德谊书》，自署笠泽老渔。

二十四日，姜夔发合肥，作《浣溪沙》（钗燕笼云晚不忺）为别；三十日，泛舟巢湖，作平韵《满江红》（仙姥来时）。序云："《满江红》旧调用仄韵，多不协律，如末句云'无心扑'三字，歌者将'心'字融入去声，方谐音律。予欲以平韵为之，久不能成。因泛巢湖，闻远岸箫鼓声，问之舟师，云：'居人为此湖神姥寿也。'予因祝曰：'得一席风径至居巢，当以平韵《满江红》为迎送神曲。'言讫，风与笔俱驶，顷刻而成。末句云'闻佩环'，则协律矣。书以绿笺，沈于白浪，辛亥正月晦也。"

春

范成大赋诗《春日览镜有感》。惊叹"形骸既迁变，岁华复蹉跎"。而《代儿童作立春贴门诗三首》，则甚见情趣。

陆游春季出游，所历皆有题咏。如《题千秋观怀贺亭》、《禹祠》、《樊江》、《东

125

关》、《练塘》、《娥江市》、《归次樊江》、《夜过鲁墟》、《游石帆、玉笥、石旗诸山》、《平水道中》、《五云桥》、《小雨云门溪上》、《云门独坐》、《泛湖至东泾》、《舟过梅坞胡氏居，爱其幽邃，为赋一诗》等。

四月

三日，陆游携子游览，有诗《四月三日同子坦、子聿游湖中诸山》。是时所赋诗，如《示儿》、《村居初夏》五首、《江村初夏》等，屡屡道及归园田居之乐。

朱熹复除秘阁修撰，主管南京鸿庆宫。

金学士院新进唐杜甫、韩愈、刘禹锡、杜牧、贾岛、王建及宋王禹偁、欧阳修、王安石、苏轼、张耒、秦观等集二十六部。据《金史·章宗本纪》。

初夏

姜夔至金陵，谒杨万里。其《醉吟商小品》（又正是春归）词序云："辛亥之夏，予谒杨廷秀丈于金陵邸中，遇琵琶工解作醉吟商湖渭州，因求得品弦法，译成此谱，实双声耳。"

五月

范成大有《代儿童作端午贴门诗三首》。

朱熹归次建阳，寓居同繇桥。

六月

陆游作《建宁府尊胜院佛殿记》。借浮屠诚心毅力讽谕当道曰："而士大夫凛凛拘拘，择步而趋，居其位不任其事，护藏蠹萌，传以相诿，顾得保禄位，不蹈刑祸，为善自谋；其知耻者，又不过自引而去尔，天下之事，竟孰任之？呜呼，是可叹也已！"游以老学庵署名，始见于此时。《渭南文集》卷二十二《桑泽卿砖砚铭》自注："放翁铭桑甥泽卿砚砖。绍熙二年六月九日，老学庵书。"

姜夔复过巢湖，刻平韵《满江红》（仙姥来时）于神姥祠（见词序云）。

沈揆（虞卿）以中大夫秘阁修撰到知平江任。

七月

陆游自三江航海至丈亭，赋诗《览镜》。有"剑关曾蹑连云栈，海道新窥浴日波。未颂中兴吾未死，插江崖石竟须磨"之句。

九月

七日，杨万里为萧德藻作《千岩摘稿序》。序云："吾友萧东夫，余初识之于零陵，一语意合，即襆被往其馆，与之对床。时天暑，东夫诘朝欲蚤行。五鼓东夫先起，吹灯明灭，搔首若有营者。予亦起视之，盖东夫作诗一章以赠余别也。予即和以答赋。东夫喜曰：'吾定交如定婚，吾与子各藏一纸。'自是别去，各不相闻者十有六年。淳熙丁酉，余出守毗陵，东夫丞龙川，相遇于上饶之西郊，一揖而别。后二年，余移广东常平使者，东夫官满归，访余于南溪之敝庐，自是吾二人者不再见至今。顷广西提点刑狱尝阙员，丞相王公问余孰可，余以东夫对，丞相惊曰：'子亦知东夫乎？吾深知之，何俟子言。子不知乎？东夫病矣。尝使守峡州，不能行。'盖东夫既不达，又贫又疾，又丧其妻若子，今唯一子与诸孙在耳。……余至金陵之一月，呼中男次公而告之曰：'东夫可念。'亟遣骑以书候之。东夫答余书，其辞充然自得，其意怡然自乐，寄书一编曰《千岩摘稿》，属予序之，若未尝穷且贫且灾疾者。予愧谓次公曰：'东夫甚乐而不忧，余浅之为丈夫也，余何足以知东夫哉。'"

十二日，陆游访城南卖花陈翁，赋诗。题云《城南上原陈翁，以卖花为业，得钱悉供酒资，又不能独饮，逢人辄强与共醉。辛亥九月十二日，偶过其门，访之，败屋一间，妻子饥寒，而此翁已大醉矣。殆隐者也，为赋一诗》。此诗借卖花陈翁表达自己之生活理想，并寓批判现实政治之意。本月，知绍兴府王信修建府学成，陆游为作《绍兴府修学记》。

知福州赵汝愚奉召为吏部尚书。

秋

姜夔寓居合肥，作《摸鱼儿》（向秋来）。序云："辛亥秋期，予寓合肥，小雨初霁，偃卧窗下，心事悠然，起与赵君猷露坐月饮，戏吟此曲，盖欲一洗钿合金钗之尘。"又作《凄凉犯》（绿杨巷陌），序云："合肥巷陌皆种柳，秋风夕起骚骚然。予客居阖户，时闻马嘶。出城四顾，则荒烟野草，不胜凄黯，乃著此解。"

陆游秋季作诗。如《秋社》二首、《晚秋农家》八首、《不寐》、《绍熙辛亥九月四日雨后白龙挂西北方复雨三日作长句记之》、《农家》诸诗，表达了其关心民瘼之情怀。

十月

杨万里自江东漕任寄《江东集》与范成大，成大有诗《谢江东漕杨廷秀秘监送〈江东集〉并索近诗二首》，并赠寄《石湖洞霄集》。杨万里有《和谢石湖先生寄二诗韵》，序云："老夫寄《江东集》与石湖先生，先生寄二诗，一称赏《江东集》，一见寄《石湖洞霄集》，和以谢焉。"是月，成大又有《霜后纪园中草木十二绝》。

十二月

姜夔载雪访范成大于苏州石湖，作《雪中访范致能于石湖》，成大有《次韵姜尧章雪中见赠》。夔又于范村赏梅，赋《玉梅令》（疏疏雪片），序云："石湖家自制此声，未有语实之，命予作。石湖宅南，隔河有圃曰范村，梅开雪落，竹院深静，而石湖畏寒不出，故戏及之。"成大征新声，夔为作《暗香》（旧时月色）、《疏影》（苔枝缀玉）两曲，序云："辛亥之冬，予载雪诣石湖。止既月，授简索句，且征新声，作此两曲，石湖把玩不已，使工妓隶习之，音节谐婉，乃名之曰《暗香》、《疏影》。"《暗香》多抒身世之感，《疏影》则寄兴亡之悲。张炎《词源》卷下"杂论"："词之赋梅，唯姜白石《暗香》、《疏影》二曲，前无古人，后无来者，自立新意，真为绝唱。"周济《介存斋论词杂著》："稼轩郁勃故情深，白石放旷故情浅；稼轩纵横故才大，白石局促故才小。唯《暗香》、《疏影》二词，寄意题外，包蕴无穷，可与稼轩伯仲。"

　　姜夔在石湖盘桓经月，除夕，自石湖归湖州苕溪，范成大以青衣小红相赠。其夕大雪，作《除夜自石湖归苕溪》绝句十首。陆友《研北杂志》卷下："小红，顺阳公青衣也，有色艺。顺阳公之请老，姜尧章诣之。一日，授简征新声，尧章制《暗香》、《疏影》两曲，公使二妓肄习之，音节清婉。姜尧章归吴兴，公寻以小红赠之。其夕大雪，过垂虹，赋诗曰：'自琢新词韵最娇，小红低唱我吹箫。曲终过尽松陵路，回首烟波十四桥。'尧章每喜自度曲，小红辄歌而和之。"

　　尤袤寄《资暇集》刻本与陆游，游为作《跋资暇集》。

本年

　　范成大赋《白玉楼步虚词》六首。序云："赵从善示余《玉楼图》，其前玉阶一道，横跨绿霄中。琪树垂珠网，夹阶两旁。绿霄之外，周以玉阑，阑外方是碧落。阶所接亦玉池，中间涌起玉楼三重，千门万户，无非连璐重璧。屋覆金瓦，屋山缀红牙垂珰。四檐黄帘皆卷，楼中帝座，依约可望。红云自东来，云中虚皇乘玉辂，驾两金龙。侍卫可见者：灵官法服骑而夹侍二人，力士黄麾前导二人，仪剑四人，金围子四人，夹辂黄幡二人，五色戟带二人，珠幢二人，金龙旗四人，负纳陛而后从二人。云头下垂，将至玉阶，楼前仙官冠帔出迎，方下阶，双舞鹤行前。云驾之旁，又有红云二：其一，仙官立幢节间，其二，女乐并奏。玉楼之后，又有小玉楼六，其制如前，宝光祥云，前后蔽亏，或隐或现。小案之前，独为金地，亦有仙官自金地下迎。傍小楼最高处，有飞桥直瑶台，仙人度桥登台以望。名数可纪者，大略如此。若其景趣高妙、碧落浮黎、青冥风露之境，则览者可以神会，不能述于笔端。此画运思超绝，必梦游帝所者仿佛得之，非世间俗史意匠可到。明窗净几，尽卷展玩，恍然便觉身在九霄三景之上，奇事不可以不识。简斋有水府法驾导引歌词，乃倚其体，作步虚词六章，以遗从善。羽人有不俗者，使歌之于清风明月之下，虽未得仙，亦足以豪矣。"按，范成大晚年欣羡步虚凌霄、神游帝所，与其长年卧疾及与方外人士多有交往有关。此《白玉楼步虚词》六首并序，乃探讨石湖晚年思想及精神状况之重要资料。

　　王自中（道夫）知信州，与辛弃疾时相过从。

　　陈亮四十九岁，犹系三衢狱中。

　　尤袤为给事中。

　　金章宗令伶人不得以历代帝王为戏，不得称万岁。

　　曹冠本年前后在世，生卒年不详。冠字宗臣，号双溪居士，东阳人。以乡贡入太学，居秦桧门下，教授其诸孙。绍兴二十四年，登进士甲科，为平江府教授。二十五年，擢国子录，寻除太常博士兼检正诸房公事。秦桧死，夺前恩数。乾道五年，再赴廷试，得初品。淳熙元年，由临安府通判改太常寺主簿，被论罢新任。绍熙初，知郴州。转朝散大夫卒。事迹见《金华贤达传》附传卷七、《宋诗纪事补遗》卷四六。著有《经进杂论》、《万言书》、《恢复秘略》、《补正忠言》等多种及《双溪集》二十卷，均佚。又有《燕喜词》一卷，今存汲古阁影宋抄本、四印斋刊本。《全宋词》录其词六十余首，《全宋诗》录其诗四首，《全宋文》卷四八九四收其文。詹效之《燕喜词序》："检正曹公，行兼九德，浑然天成。文章政事，渊源经术，廉介有守，既和且正。太守大监詹公叹赏其文，撮其大略，而刊诸宣城学官。既有成集矣，复以其所著乐府析为别集，名曰《燕喜》。窃尝玩味之，旨趣纯深，中含法度。使人一唱而三叹，盖其得于'六义'之遗意，纯乎雅正者也。……矧斯作也，和而不流，足以感发人之善心。将有采诗者播而扬之，以补乐府之阙，其有助于教化，其浅浅哉？"况周颐《蕙风词话》卷二："宋曹冠燕喜词《凤栖梧》云：'飞絮撩人花照眼。天阔风微，燕外晴丝卷。'状春情景色绝佳。每值香南研北，展卷微吟，便觉日丽风暄，淑气扑人眉宇。全帙中似此佳句，竟不可再得。"

姚镛〔1191—?〕生。

公元 1192 年（宋光宗绍熙三年壬子　金章宗明昌三年）

正月

范成大作《次韵养正元日六言》，欲以无为自在之道养生。

王信除焕章阁待制，离绍兴知府任，陆游作《送王成之给事》，仍以恢复大业相勉励。

二月

陈亮脱狱，作谢启。

提举徐谊〔子宜〕游石湖，赋诗，范成大有《次韵徐提举游石湖三绝》。

闰二月

范成大游石湖，赋诗《闰月四日石湖众芳烂漫》、《检校石湖新田》。

三月

三日，陆游为僧慧明作《重修天封寺记》。借对慧明重葺天封寺之颂赞，致慨于朝廷用人常为偏见所囿。本记所系衔为中奉大夫提举建宁府武夷山冲佑观山阴县开国男食邑三百户。

春

辛弃疾起为福建提点刑狱。赋《浣溪纱》（细听春山杜宇啼），序云："壬子春，赴闽宪，别瓢泉。"途经建阳，与朱熹相会。《朱子语类》卷一三二："辛幼安为闽宪，问政，答曰：'临民以宽，待士以礼，驭吏以严。'"

张镃有诗寄陆游，游赋《和张功父见寄》二首；又赋《次韵范参政书怀》十首。按，范成大原唱，非本年所作，题为《丙午新正书怀十首》，见《石湖居士诗集》卷二十六。

虎丘新复古石井泉，太守沈揆（虞卿）为作《题石井泉》，范成大有和诗，题曰《虎丘新复古石井泉，太守沈虞卿舍人劝农过之，为赋三绝，谨次韵》。

四月

丘崈以户部侍郎为焕章阁直学士、四川安抚制置使。

范成大加资政殿大学士知太平州，数辞不允。五月赴任。

五月

二十五日，杨万里序其《江东集》。序云："绍熙庚戌十月，予上章匄外，梦恩除江东副漕。……既抵官下，再见夏时，因集在金陵及行部广德、宣、池、徽、歙、饶、信、南康、太平诸郡所作，得诗五百首，乃命曰《江东集》，以寄刘仲先、继先伯仲。壬子五月二十五日。"

六月

二日，杨长孺（伯子）作《石湖词跋》。云："石湖先生文章翰墨，其视坡、谷，所谓鲁君之宋呼于垤泽之门者。今留天地间，已贵珍之，况后世子云耶？吟咏余思，游戏乐府，纵笔落纸，不雕而工，较之于诗，似又度骅骝前也。淳熙戊戌，先生归自浣花，是时家尊守荆溪，置酒卜夜，触次从容。先生极谈锦城风景之盛、宦情之乐，因举似数阕，如赋海棠云：'马蹄尘扑，春风得意笙箫逐。款门不问谁家竹，只拣红妆高出烧银烛。　碧鸡坊里花如屋，燕王宫下花成谷。不须悔唱关山曲，直为海棠，也合来西蜀。'如忆西楼云：'怅望梅花驿，凝情杜若洲。香云低处有高楼。可惜高楼，不近木兰舟。　缄素双鱼远，题红片叶秋。欲凭江水寄离愁。江已东流，那肯更西流。'此盖先生之最得意者。长孺耳剽，恨未饱九鼎之珍也。后九年，忽得《余妍亭稿》二百十有二阕，遂入宅于石湖无尽藏中，毫发无遗恨矣。又五年，长孺系官二水，丞相益国周公罗致幕下，偶为乡人刘炳先、继先伯仲言之，炳先曰：'昔蘧伯玉耻独为君子，足下独私先生之制作乎？'长孺对曰：'不敢！'乃以授之，俾传刻云。淳熙壬子六月二日，门下士、修职郎、永州零陵县主簿、权湖南安抚司准备差遣杨长孺敬跋。"（跋见中华书局影印本《永乐大典》卷二二六六）按，长孺，杨万里之子。

范成大到太平州任才逾月，幼女卒。成大追悼切至，遂请祠归。

朱熹建阳考亭落成，居之。洪嘉植《朱熹年谱》："先是韦斋尝过其地，爱之，书日记曰：'考亭溪山清邃，可以卜居。'至是卒成韦斋之志，迁焉。以六月落成而居之。"

光宗下诏戒饬风俗，禁民奢侈与士为文浮靡、吏苟且饰伪者。

陈骙以权礼部尚书同知枢密院事。

周煇撰《清波杂志》成。《两浙名贤录》卷五四："周煇，字昭礼，淮海人。绍熙间，居钱塘清波门之南。嗜学工文辞，隐身不仕。……藏书万卷，父子自相师友。撰《清波杂志》十二卷。"是书所记皆宋人杂事。周煇《清波杂志序》："煇早侍先生长者，与聆前言往行，有可传者。岁晚遗忘，十不二三，暇日因笔之。非曰著述，长夏无所用心，贤于博弈云尔。时居都下清波门，目为《清波杂志》。"张贵谟《清波杂志序》："《清波杂志》十有二卷，纪前言往行及耳目所接，虽寻常细事，多有益风教，及可补野史所阙遗者。"章斯才《清波杂志跋》："《清波杂志》之作，随事记载，证据今古，亦殚洽矣。间出己意折中之，议论所到，有前辈不曾言。"是书今存宋刊本、《稗海》本、《四库全书》本。

夏

陆游所作《读史有感》、《夜坐水次》诸诗，犹见其暮年壮心。

九月

陆游有诗《上书乞再任冲佑》。按，赵翼《陆放翁年谱》："（绍熙）二年辛亥，先生年六十七。作《建宁府尊胜院记》及《绍兴府修学记》，系衔书中奉大夫提举建宁府武夷山冲佑观。"作于绍熙二年初春之《喜事》有"武夷老子雪垂肩，喜事何曾减少年"之句，《纵笔》其二有"一纸除书到海边，紫皇赐号武夷仙"之句，据此，则陆游提举武夷山冲佑观之任命，当在绍熙元年岁末，至本年已满二年，故九月又上书乞再任冲佑。

福建安抚使林枅卒，辛弃疾暂摄帅事。按，《宋史》本传："弃疾为宪时，尝摄帅，每叹曰：'福州前枕大海，为贼之渊，上四郡民，顽犷易乱，帅臣空竭，缓急奈何！'"《淳熙三山志》卷二十二《郡守》："林枅，绍熙……三年九月卒。郑侨，三年十二月以显谟阁学士通奉大夫知。"据此知稼轩之摄帅，必在林枅既卒之后而郑侨尚未到任之前。

秋

陆游尝游沈氏园，感于前事，怅然赋诗，题曰《禹迹寺南有沈氏小园，四十年前尝题小阕壁间，偶复一到，而园已易主，刻小阕于石，读之怅然》。按，陈鹄《耆旧续闻》卷十："余弱冠客会稽，游许氏园，见壁间有陆放翁所题词云：'红酥手，黄滕酒，满城春色宫墙柳。东风恶，欢情薄，一怀愁绪，几年离索。错、错、错！ 春如旧，人空瘦，泪痕红浥鲛绡透。桃花落，闲池阁。山盟虽在，锦书难托。莫、莫、莫！'笔势飘逸，书于沈氏园，辛未三月题。放翁先室内琴瑟甚和，然不当母夫人意，因出之。夫妇之情，实不忍离。后适南班名士某，家有园馆之胜。务观一日至园中，去妇闻之，遣遗黄封酒果馔通殷勤。公感其情，为赋此词。其妇见而和之，有'世情薄，人情恶'之句，惜不得其全阕。未几，快快而卒，闻者为之怆然。此园后更许氏。淳熙间，其壁犹存，好事者以竹木来护之，今不复有矣。"

杨万里由江东转运副使改知赣州，不赴，乞祠。

陆游秋季作诗。如《秋夜将晓出篱门迎凉有感》二首、《老将》二首、《寄成汉卿将军》、《感旧》等，均有英雄暮年、侘傺失意之感。

十月

金增修曲阜宣圣庙毕，命党怀英撰碑文，章宗将亲行释奠之礼。

十一月

四日，陆游赋诗《十一月四日风雨大作》二首。其二云："僵卧孤村不自哀，尚思为国戍轮台。夜阑卧听风吹雨，铁马冰河入梦来。"十八日，奉敕再任冲佑，赋诗《十一月十八日，蒙恩再领冲佑，邻里来贺，谢以长句》。

金章宗诏，臣庶名犯古帝王而姓复同者禁之，周公、孔子之名亦令回避。

十二月

十四日，陆九渊（1139—1193）卒，年五十五。九渊字子静，号存斋，抚州金溪人。乾道八年进士，任靖安县主簿，调敕令所删定官。因上书陈事，为给事中王信所驳，诏主管台州崇道观，遂还乡，居贵溪之象山，从学者云集，自称象山翁，学者称象山先生。光宗时，知荆门军，卒于官。与朱熹齐名，然学术见解多有不合。主"心即理"说，反对朱熹"道问学"之说。尝言"宇宙便是吾心，吾心即是宇宙"，又谓"学苟知道，六经皆我注脚"。其学说为明代王阳明所继承、发展，形成"陆王学派"。事迹见杨简《象山先生行状》、《宋史》卷四三四本传。著有《象山文集》二十八卷、《外集》四卷及《语录》四卷，有《四部丛刊》影印明刊本、《四库全书》本。中华书局一九八〇年出版有排印本《陆九渊集》。《全宋诗》录其诗一卷，《全宋文》收其文二十九卷。四库提要卷一六〇："《象山集》二十八卷、外集四卷、附语录四卷，大理寺卿陆锡熊家藏本，宋陆九渊撰。……据九渊年谱，集为其子持之所编，其门人袁燮刊于江西提举仓司者，凡三十二卷。《宋史·艺文志》、《文献通考》并作《象山集》二十八卷、外集四卷，总而计之，与燮所刊本卷数相符。……此本前有燮序，又有杨简序。……又有嘉定庚辰吴杰跋，称是集为建安陈氏所刊。……前十七卷为书，十八卷为表奏，十九卷为记，二十卷为序赠，二十一卷至二十四卷为杂著，二十五卷为诗，二十六卷为祭文，二十七卷、二十八卷为墓志、墓碣、墓表。外集四卷皆程试之文。

末为谥议、行状，则吴杰所续入也。其语录四卷，本于集外别行，正德辛巳，抚州守李茂元重刻是集，乃并附集末，以成《陆氏全书》。"《隐居通议》卷一七："象山先生作《王荆公祠堂记》，笔力宏妙，自谓断百余年未了底公案，圣人复起，不易吾言。此一大题目，非先生不敢言，非先生不能言也。当来更加掔敛，使归简严，则前无古人矣。先生精于说理，长于论事，唯其天才宏纵，横说竖说，逗尽底里，沛然不穷。"刘熙载《艺概》卷一："陆象山文，《隐居通议》称其《王荆公祠堂记》，又称其《与杨守书》及《与徐子宜侍郎书》，且各系以评语。余谓陆文得孟子之实，不容意为去取，亦未易评。评之须如其《语录》中所谓'从天而下，从肝肺中流出，是自家有底物事'，乃庶几焉。"

朱熹除知静江府、广南西路经略安抚使，辞。

岁末，辛弃疾被召赴行在，由三山启行。稼轩词《水调歌头》（长恨复长恨）题云："壬子三山被召，陈端仁给事饮饯，席上作。"又《西江月》（风月亭危致爽）题云："正月四日和建宁陈安行舍人。时被召。"据此，知稼轩之被召当在岁末，途中度岁，明年正月四日已抵建宁。

本年

辛弃疾与朱熹游从甚繁，情谊甚款。

范成大撰《吴郡志》成。是志五十卷，简称《范志》，因刊于绍定二年，又称《绍定志》。成大所纂止于绍熙三年，后汪泰亨增补止于绍定二年。《志》分三十九门，资料浩博，叙述简明，乃地志中之善本，颇为后世方志学者、史学家所称道。又，成大所撰《梅谱》至迟成于本年。其《梅谱序》云："余于石湖玉雪坡，既有梅数百本，比年又于舍南买王氏僦舍七十楹，尽拆除之，治为范村，以其地三分之一与梅。吴下栽梅特盛，其品不一，今始尽得之，随所得为之谱，以遗好事者。"所谱凡江梅、早梅、官城梅、消梅、古梅、重叶梅、绿萼梅、百叶缃梅、红梅、鸳鸯梅、杏梅、腊梅十二种。

朱熹撰《孟子要略》成。

姜夔居湖州苕溪不出。

田紫芝（1192—1214）生。

李汾（1192—1232）生。

李献能（1192—1232）生。

冀禹锡（1192—1233）生。

严羽（1192?—1245?）约生于本年。

徐经孙（1192—1273）生。

李治（一作李冶）（1192—1279）生。

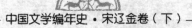

公元1193年（宋光宗绍熙四年癸丑 金章宗明昌四年）

正月

　　杨万里在故乡吉水，自辟东园，垒假山，凿小池，赋诗《三三径》。题注云："东园新开九径，江梅、海棠、桃、李、橘、杏、红梅、碧桃、芙蓉，九种花木各植一径，命曰三三径云。"诗云："三径初开自蒋卿，再开三径是渊明。诚斋奄有三三径，一径花开一径行。"又赋《癸丑正月新开东园》："长恨无钱买好园，好园还在屋东边。周遭旋辟三三径，只怕芒鞋却费钱。"

　　辛弃疾途次建阳，访朱熹。同游武夷山，弃疾赋《九曲棹歌》，熹书"克己复礼"、"夙兴夜寐"题其二斋室。据《宋史》辛弃疾本传。又晤陈亮于浙东。韩淲《涧泉集》卷十二《送陈同甫丈赴省试》："平生四海几过从，晚向闽山访晦翁。又见稼轩趋召节，却随举子赴南宫。"此诗题下原注："癸丑正月十六日。"据此，知稼轩赴召途中，必曾与陈亮晤于浙东。弃疾至行在，光宗召见于便殿，奏论荆襄上流为东南重地，应妥为备御。迁太府卿。

　　陆游作《跋兰亭乐毅论并赵岐王帖》。时在故乡领祠禄。

　　范成大《水利图序》当作于本月。此文论救灾之术，切于时务。

三月

　　葛邲为右丞相，陈骙参知政事，胡晋臣知枢密院事，赵汝愚同知枢密院事。

春

　　范成大赋诗《梦觉作》。中有"年增血气减，药密饮食稀。气象不堪说，头颅从何知"之句。石湖海棠盛开，携家人游赏，情怀颇畅，赋《闻石湖海棠盛开亟携家过之三绝》。

　　姜夔客绍兴，与张鉴、葛天民同游。《陪张平甫游禹庙》、《同朴翁登卧龙山》、《次朴翁游兰亭韵》、《越中士女春游》、《项里》、《萧山》诸诗，当皆此时作。与张鉴交往始见于此时。

　　陆游春季所赋爱国诗篇，有《夜雨》、《记梦》、《春阴》诸作。

四月

　　陆游为杜思恭（敬叔）虚濑轩题诗，题曰《杜敬叔寓僧舍，开轩松下，以虚濑名之，来求诗》。

　　金章宗诏令女真进士及第后，仍试以骑射，中选者升擢之。

五月

　　光宗策试进士，亲擢陈亮为第一。并赐第告词云："尔蚤以艺文首贤能之书，旋以

论奏动慈宸之听。亲阅大对，嘉其渊源，擢置举首，殆天留以贻朕也。"（《宋史》陈亮本传）

赐礼部进士陈亮以下三百九十六人及第、出身。乔行简、俞灏、程珌同登进士第。

六月

陈亮为罗点四十四岁生日赋《瑞云浓慢·六月十一日寿罗春伯》。

许及之奉遣贺金主生辰。

七月

七日，陆游赋诗《癸丑七夕》。有"民无余力年多恶，退士私忧实万端"之句。

赵汝愚知枢密院事。

金以御史中丞董师中等为贺宋生日使。

八月

金章宗释奠孔子庙，北面再拜。

九月

月初，范成大疾转剧，疏请致仕。周必大《资政殿大学士赠银青光禄大夫范公成大神道碑》："（绍熙）四年九月，公疾病，语门人曰：'吾本不待年告老，今不济矣，亟为我剡奏！'诏下。"弥留之际，嘱其子范莘求杨万里序其集。杨万里《石湖先生大资参政范公文集序》："予畴昔之晨，与客坐堂上，遥见一健步黄衣负一笈至庭下，呼而诹其奚自，曰：'自参政公范氏也。'发其笈，公之文集在焉。索其书读之，则公之子莘叩头请曰：'……方先公之疾而未病也，日夜手编其诗文，数年成集，凡若干卷。逮将易箦，执莘手而授之，且曰："吾集不可无序篇。有序篇非序篇，宁无序篇也。今四海文字之友，唯江西杨诚斋与吾好，且我知，微斯人畴可以嘱兹事？小子识之！"若莘则何敢请，而先公之治命不敢坠，唯先生哀而诺之！'"诚斋此序作于绍熙五年六月十一日，见《诚斋集》卷八十二。

五日，范成大（1126—1193）卒，年六十八。成大字至能，一作致能，自号石湖居士，吴郡人。绍兴二十四年进士。历任中书舍人、权吏部尚书、参知政事等。晚年退居苏州石湖。事迹见周必大《资政殿大学士赠银青光禄大夫范公成大神道碑》、《宋史》卷三八六本传。

范成大著有《石湖集》一百三十六卷，陈振孙《直斋书录解题》著录，今佚。现存《石湖居士诗集》三十四卷，有明弘治活字本、清康熙顾氏和黄氏刊本，又有《四库全书》本和《四部丛刊》影印本。其《石湖词》一卷，《直斋书录解题》著录，有汲古阁抄本、《知不足斋丛书》本和《彊村丛书》本。一九八一年上海古籍出版社出版《范石湖集》，为诗词合刊本，内附沈钦韩集注三卷。一九八三年中华书局出版有《范成大佚著辑存》。另著有《揽辔录》一卷、《吴郡录》五十卷、《桂海虞衡志》二卷（今存一卷）、《范村梅谱》一卷、《范村菊谱》一卷、《吴船录》二卷等。《全宋词》录其词一百余首，《全宋词补辑》补八首，《全宋诗》录其诗三十三卷，《全宋文》收其文十一卷。

周必大《资政殿大学士赠银青光禄大夫范公成大神道碑》："公天资俊明，辅以博学，文章赡丽清逸，自成一家。尤工诗，大篇短章，传播四方。"杨万里《石湖先生大资参政范公文集序》："初，公以文学材气受知寿皇，自致大用。……然公之诗文，非能工也，不能不工耳。公风神英迈，意气倾倒，拔新领异之谈，登峰造极之理，萧然如晋宋间人物。他人戛戛吃吃而不能出诸口者，公眹呻噫欠之间，猝然谈笑而道之。则其诗文之工，岂十日一水、五日一石之谓也哉？甚矣文之难也。长于台阁之体者，或短于山林之味；谐于时世之嗜者，或漓于古雅之风。笺奏与记序异曲，五七与百千不同调。非文之难，兼之者难也。至于公，训诂具西汉之尔雅，赋篇有杜牧之深刻，骚词得楚人之幽婉，序山水则柳子厚，传任侠则太史迁。至于大篇决流，短章敛芒，缛而不酿，清新妩丽，奄有鲍、谢，奔逸隽伟，穷追太白，求其只字之陈陈、一倡之鸣鸣而不可得也。今四海之内，诗人不过三四，而公皆过之无不及者。予于诗，岂敢以千里畏人哉？而于公，独敛衽焉。于是文士诗人之难者易、偏者兼矣，其不盛矣乎？"

陆游《范待制诗集序》："公素以诗名一代，故落纸墨未及燥，士女万人，已更传诵，被之乐府弦歌，或题写素屏团扇，更相赠遗。"杨万里《千岩摘稿序》："余尝论近世之诗人，若范石湖之清新，尤梁溪之平淡，陆放翁之敷腴，萧千岩之工致，皆予之所畏者云。"四库提要卷一六〇："《石湖诗集》三十四卷。……成大在南宋中叶，与尤袤、杨万里、陆游齐名。袤集久佚，今所传者仅尤侗所辑之一卷，篇什寥寥，未足定其优劣。今以杨、陆二集相较，其才调之健不及万里，而亦无万里之粗豪；气象之阔不及游，而亦无游之窠臼。初年吟咏，实沿溯中唐以下。观第三卷《夜宴曲》下注曰：'以下二首效李贺。'《乐神曲》下注曰：'以下四首效王建。'已明言之。其他如《西江有单鹄行》、《河豚叹》，则杂长庆之体。《嘲里人新婚》诗、《春晚三首》、《隆师四图》诸作，则全为晚唐五代之音，其门径皆可覆案。自官新安掾以后，骨力乃以渐而遒，盖追溯苏、黄遗法，而约以婉峭，自为一家，伯仲于杨、陆之间，固亦宜矣。"费经虞《雅伦》卷二："石湖与放翁齐名，清新藻丽，然才亚于放翁。今之学者多于其中摘新字面用之，非石湖意也。"姜宸英《唐贤三昧集序》："诗至中晚已小变。……至南渡而街谈巷语竞窜六义，其间能以唐自名其家，自放翁、石湖而外，不可多得，或者谓反不如西昆之浮艳，其声存也。"宋荦《漫堂说诗》："南渡后，陆游学杜、苏，号为大宗。又有范成大、尤袤、陈与义、刘克庄诸人，大概杜、苏之支分派别也。"陈订《宋十五家诗选·石湖诗选》："范石湖取境雅瘦，力排丰缛，然气韵自腴，故高峭而不寒俭。"贺裳《载酒园诗话》卷五："选宋诗不复可绳以古法，真须略玄黄取神骏耳。但当汰其已甚，违拜从纯，不可无此权度也。吾于汴宋最爱子由，杭宋则深喜至能，真有骅骝骤耳历都过块之能，虽时亦霜蹄一蹶，要不碍千里之步。《代圣集赠别》曰：'一曲悲歌水倒流，樽前何计缓千忧。事如梦断无寻处，人似春归挽不留。草色粘天鹩鸩恨，雨声连晓鹧鸪愁。迢迢绿浦帆飞远，今夜新晴独倚楼。'《南徐道中》曰：'半生行路与心违，又逐孤帆擘浪飞。吴岫拥云遮望眼，楚江浮月冷征衣。长歌悲似垂垂泪，短梦纷如草草归。若使一廛供闭户，肯将青雀易柴扉。'《入秭归界》曰：'山根系马货浆家，深入穷乡事可嗟。蚯蚓祟人能作瘅，茱萸随俗强煎茶。幽禽不见但闻语，野草无名都着花。窈窕崎岖殊未艾，去程方始问三巴。'《鄂州南楼》曰：'谁将玉笛弄中秋，黄鹤飞来识旧游。汉树有情横北浦，蜀江无语抱南楼。烛天灯火三更市，摇月旌旗万里舟。却笑鲈乡垂钓手，武昌鱼好便淹留。'此石湖帅蜀归过鄂州作也。古之'宁饮建邺水，莫食武昌鱼'，却如此点化，何减回道人半黍。《再渡胥口》曰：'古来此地快蓬心，天绕明湖日照临。一雁云平时隐见，两山波动对浮沈。衰髯都共荻花老，醉面不如枫叶深。罾户钓徒来问讯，去年盟在肯重寻?'以上诸诗有似元、白者，有似许浑、韩偓者。又如'月从雪后皆奇夜，天向梅边别有春'，'鹏鷃相安无可笑，熊鱼自古不能兼'，'定中久已安心竟，饱外何烦食肉飞'，'含风竹影淡留月，着雨蛩声深怨秋'，俱有新趣。绝句之工者，《兖州道中》曰：'虎啸狐鸣苦竹丛，魂惊终日走蒙茸。松林断处前山缺，又见南湖数日峰。'《冬日田园杂兴》曰：'斜日低山片月高，睡余行药绕江郊。霜风扫尽千林叶，闲倚筇杖数鸥巢。'尤澹秀可爱。范尝使于金，口奏乞还河南寝陵，遂有羁留之议，赋诗曰：'万里孤臣致命秋，此身何止一浮沤。提携汉节同生死，休问牂羊解乳否。'此尤其生平大节，不止呫哔之士。《请息斋书事》曰：'虱里书时真是贼，虎中宣力任为伥。''贼'字太不文，然下句终是快语，亦可愁时破涕也。"王士祯《带经堂诗话》卷一八"考证门六"："《载酒园诗话》，丹阳贺裳著。其持论有不可解处，如范石湖之视陆放翁何啻霄壤，而贺则云至能有骅骝骏耳过都历块之能，又云务观才具无多，意境不远，唯善写眼前景物，音节琅然可听。……大抵所取率晚唐窈巧之语，以为隽异，岂得辄衡量大家耶!"周之麟《宋四名家诗钞·石湖先生诗钞序》："诗之为道，未有不备众妙而可以诗鸣也。如范石湖先生诗，姜白石称其温润，杨诚斋称其清新妩丽，至有摘'月从雪后皆奇夜，天到梅边有别春'之句，以为绝调者。……石湖诗，如'客愁无锦字，乡心有灯火'、'酿泥深巷五更雨，吹酒小楼三面风'，何尝不凄婉；'洛花堆锦暖，吴藕镂冰寒'、'石门柳绿清明雨，洞口桃花上巳山'，何尝不工致；悲壮则'舟危神女峡，马瘦鬼门关'、'汉树有情横北渚，蜀江无语抱南楼'；精细则'袖单嫌翠薄，杯冷怯金寒'、'云堆不动山深碧，星出无多月淡黄'。即五、七律中可见者如此，而可以   格律之哉。然所造诣无端，充之而极其致，且各极其致。呜呼，难言之矣!"宋长白《柳亭诗话》卷六："范文穆《石湖书事》诗起句云：'湖光明可鉴，山色净如沐。闲心惬旧观，愁眼快奇瞩。'末段云：'好风吹晚晴，斜照入疏竹。兀坐胎息匀，不觉清梦熟。'一起一结，而永日之流连兴会，从可识矣。诚斋尝称其诗清新妩丽，为当时所重如此。"潘德舆《养一斋诗话》卷九："范至能《春晓》二绝云：'阴阴垂柳闭朱门，一曲阑干一断魂。手把青梅春以去，满城风雨怕黄昏。''夕阳槐影上帘钩，一枕清风梦昔游。梦见钱塘春尽处，碧桃花谢水西流。'声情婉转，微嫌近于词耳。其《四时田园杂兴》六十首，予独爱其一首云：'梅子金黄杏子肥，麦花雪白菜花稀。日长篱落无人过，唯有蜻蜓蛱蝶飞。'可与坡公'溶溶晴港'一绝相配也。若其《州桥》诗云：'州桥南北是天街，父老年年等驾回。忍泪失声询使者，几时真有六军来！'沈痛不可多读。此则七绝至高之境，超大苏而配老杜者矣。"张谦宜《𬘘斋诗谈》卷五："陆剑南、范石湖皆学杜有得者，范较养胜，陆较才胜耳。"又："范石湖笔致平雅，唯入蜀自虎牙至秭归县，不减少陵。"翁方纲《石洲诗话》卷四："阮亭云：范石湖之视陆放翁，何啻霄壤。盖平熟之中，未能免俗也。"又："石湖于桑麻洲渚，一一有情，而其神不远，其佳处则白石所称'温润'二字尽之。"又："范、陆皆趋熟，而范尤平迤，故间以零杂景事缀之，然究未为高格也。"洪亮吉《北江诗话》卷五："陆渭南之在范石湖幕府也，石湖主清新，而渭南则主沉郁，故能各自名家，并拔戟自成一队。"李慈铭《越缦堂日记》（光绪乙酉七月十一日）："阅《石湖集》。文穆诗颇嫌率易槎枒之病，然其晚年写老疾之态，多如人意所欲言，于我今日，尤体状曲肖也。"又（光绪乙酉十月初四日）："阅石湖、诚斋两家诗。石湖律诗虽亦苦槎枒拗涩，堕南宋习气，然尚有雅音，五七古亦多率尔，而大体老到，不失正轨。"［日］长野确《松阴快谈》卷三九："范石湖之诗少瑕颣，陆放翁之诗多瑕颣，然至其气力变化，石湖迥出放翁之下。"

杨长孺《石湖词跋》："石湖先生文章翰墨，其视坡、谷，所谓鲁君之宋呼于垤泽之门者也。今留天地间，已贵珍之，况后世子云耶？吟咏余思，游戏乐府，纵笔落纸，不雕而工，较之于诗，似又度骅骝前也。"《善本书室藏书志》卷四〇："《石湖词》一卷。……文穆以诗雄一代，词亦清雅莹洁，迥异尘嚣。集中小令更胜于长调。"宋翔凤《乐府余论》："范石湖《醉落魄》词：'栖乌飞绝，绛河绿雾星明灭。烧香曳簟眠清樾，花影吹笙，满地淡黄月。　　好风碎竹声如雪，昭华三弄临风咽，鬓丝撩乱纶巾折。凉满北窗，休共软红说。'高江村曰：'笙字疑当作帘，不然与下昭华句相犯。'按，高说非也。此词正咏吹笙。上解从夜中情景点出吹笙，下解'好风碎竹声如雪'，写笙声也。'昭华三弄临风咽'，吹已止也。'鬓丝撩乱'，言执笙而吹者，其竹参差，时时侵鬓也。如吹时风来，则纶巾折，知凉满北窗也。若易去笙字，则后解全无味。且花影如何吹帘，语更不属。"

楼钥《资政殿大学士通议范成大转一官致仕制》："英俊不群，风流自命。文章甚伟，崔、蔡诚不足多；制诰尤工，王、杨当为之伯。绪余所出，施设俱全。"黄震《黄氏日钞》卷六七："公喜佛老，善文章，踪迹天下，审知四方风俗。所至登览啸咏，为世歆慕，往往似东坡。东坡当世道纷更，屡争天下大事，其文既开辟痛畅，而又放浪岭海，四方人士为之扼腕，故身益困而名益彰。公遭值寿皇清明之朝，言无不合，凡所奏对，其文皆简朴无华，而又致位两府，福禄过之，流风遗韵亦易消歇耳。"又："《白玉楼步虚词序》甚工，类韩文《画记》。"陆心源《仪顾堂集》卷五《杨氏日记序》："余唯游记之源，盖出于史家之流。宋以后作者踵接，然往往琐屑秽杂，无关法戒，故自石湖、放翁而外，传者甚寡。"何宇度《益都谈资》卷上："宋陆务观、范石湖皆作记妙手，一有《入蜀记》，一有《吴船录》，载三峡风物，不异丹青图画，读之跃然。"《复小斋赋话》卷下："范石湖《惜交赋》，忠厚悱恻，怦怦动人，有《小雅》、骚人之余风。序所谓'君子览之，有以增义合之重'者也。"

本月，杨冠卿作《东坡引》（绿波芳草路）。序云："岁癸丑季秋二十六日，夜梦至一亭子，榜曰朝云。见二少年公子云：'久诵公乐章，愿得从容笑语。'因举似离筵旧作，称赏久之。余谢不能。公子拂然不乐，命小吏呼姝丽十数辈至，围一方台而立，相与群唱，声甚凄楚。俄顷，歌者取金花青笺所书词展于台上。熟视字画，乃余作也。读未竟，一歌者从旁攫取词置袖中，举酒相劳苦云：'钗分金半股之句，朝夕诵之，胡为念不及此耶？'公子云：'左验如此，奚事多逊。'抵掌一笑而寤，怳然不晓所谓。戏用其语，缀《东坡引》歌之。"

鄂州州学建稽古阁成，朱熹为作记；又有《答陈同甫》书，贺陈亮荣归。

秋

陈亮授签书建康府判官厅公事。

辛弃疾加集英殿修撰，知福州，兼福建安抚使。

姜夔与黄庆长夜泛绍兴鉴湖，庆长有怀归之曲，夔赋《水龙吟》（夜深客子移舟处）和之。

陆游秋季所赋爱国诗篇，率多激楚悲愤之语，或寄托于风雨之变，如《秋夜感怀十二韵》、《雨夜排闷》、《雨夜》等，或感发于睡梦之余，如《癸丑七月二十七夜梦游华岳庙》、《梦至洛中观牡丹繁丽溢目觉而有赋》等。

十一月

十六日，杨万里作《唐李推官〈披沙集〉序》。序云："予生百无所好，而顾独尤好文词，如好色也。至于好诗，又好文词中之尤者也。至于好晋唐人之诗，又好诗之尤者也。予于天下士大夫家及入三馆，传唐诗数百家，多至百千篇，寡至一二篇。自谓三百年间，奇瑰诡宝，略无遗矣。晚识李兼孟达于金陵，出唐人诗一编，乃其八世祖推官公《披沙集》也。如'见后却无语，别来长独愁'，如'危城三面水，古树一边春'，如'月明千峤雪，滩急五更风'，如'烟残偏有焰，雪甚却无声'，如'春雨有五色，洒来花旋成'，如'云藏山色晴还媚，风约溪声静又回'，如'未醉已知醒后忆，欲开先为落时愁'。盖征人凄苦之情，孤愁窈眇之声，骚客婉约之灵，风物荣悴之英，所谓周礼尽在鲁矣。读之使人发融冶之矑于荒寒无聊之中，动惨戚之感于笑谈方怪之初。《国风》之遗音，江左之异曲，其果弦绝而不可煎胶欤？然则谓唐人自李、杜之后有不能诗之士者，是曹丕火浣之论也；谓诗至晚唐有不工之作者，是桓灵宝哀梨之论也。或曰：'推官之诗，子能辨之；子之言，将使谁辨之？'曰：'嗟乎！后世有曹丕，无灵宝，推官公其已矣，予则有忧也。不然，推官公其已乎？予何忧哉？'推官公讳咸用，唐末人也。孟达请予序之后二年，乃能书以寄之。孟达亦能诗，殊有推官公句法云。绍熙四年十一月既望，诚斋野客庐陵杨万里序。"

十二月

十三日，范成大葬于吴县至德乡上沙村。周必大、陆游、姜夔、陈造等皆有挽词，姜夔并往吊丧。周必大作《资政殿大学士赠银青光禄大夫范公成大神道碑》。

朱熹以留正、赵汝愚荐，除知潭州、荆湖南路安抚使。

岁暮，姜夔复还越中，作《玲珑四犯》（叠鼓夜寒）。序云："越中岁暮，闻箫鼓感怀。"抒发"文章信美知何用，漫赢得、天涯羁旅"之感慨。

本年

王千秋本年在世，生卒年不详。千秋字锡老，号审斋，东平人。孝宗时，流寓金陵。绍熙四年，知长汀县（《嘉靖汀州志》卷一一）。事迹见毛晋《审斋词跋》。著有《审斋词》一卷，今存《宋名家词》本、《四库全书》本。《全宋词》录其词七十三首。四库提要卷一九八："《审斋词》一卷，安徽巡抚采进本，宋王千秋撰。……陈振孙《书录解题》载《审斋词》一卷，而不详其始末。据卷内有《寿韩南涧（元吉）生日》及《席上赠梁次张》二词，……是千秋为孝宗时人矣。……毛晋跋称其词多酬贺之作，然生日龈词，南宋人集中皆有，何独刻责于千秋？况其体本花间，而出入于东坡门径，风格秀拔，要自不杂俚音，南渡之后，亦卓然为一作手。黄昇《中兴词选》不见采录，或偶未见其本耳。晋跋遽以绝少绮艳评之，亦殊未允。集中如《忆秦娥》、《清平乐》、《好事近》、《虞美人》、《点绛唇》以及咏花诸作，短歌微吟，兴复不浅，何必屯田乐章始为情语也。"

王正德本年在世，生卒年及事迹均不详。四库提要卷一九五："《余师录》四卷，永乐大典本，宋王正德撰。正德《宋史》无传，其爵里皆未详。此书前有自序，称绍熙四年，则光宗时人也。其书辑前代论文之语，自北齐下迄于宋，虽习见者较多，而当时遗籍今不尽传者，亦往往而在。宋人论文，多区分门户，务为溢美溢恶之辞。是录采集众说，不参论断，而去取之间，颇为不苟，尤足尚也。……是书《宋志》不著录，《文渊阁书目》载王正德《余师录》一部一册，亦久无传本。唯载于《永乐大典》中，首尾虽完具，而不分卷数。今约略篇页，定为四卷，各考其讹阙，注于句下，序次则仍其旧云。"

蔡抗（1193—1259）生。

林希逸（1193—?）生。

公元 1194 年（宋光宗绍熙五年甲寅　金章宗明昌五年）

正月

初一，诏朱熹赴任，辞。据《朱文公文集》卷二十三《辞免知潭州状二》、《与留丞相书》。

陆游作《甲寅元日，予七十矣，酒间作短歌示子侄辈》，感慨人情反覆、交谊难坚。

葛邲罢右丞相。

二月

金章宗下诏，购求宋《崇文书目》中所缺书籍。

诏趣朱熹赴潭州任，遂拜命。

三月

陆游为徐大用乐府作序。云："古乐府有《东武吟》，鲍明远辈所作，皆名千载。盖其山川气俗有以感发人意，故骚人墨客得以驰骋上下，与《荆州》、《邯郸》、《巴东三峡》之类，森然并传，至于今不泯也。吾友徐大用，家本东武，呼吸食饮于郑淇之津，盖有以相其轶思者。故自少时，文辞雄于东州。比南归，以政事议论，显闻荐绅。顾不肯轻出其文，以沽世取富贵，三十年犹屈治中别驾，澹然莫测涯涘。独于悲欢离合、郊亭水驿、鞍马舟楫间，时出乐府辞，赡蔚顿挫，识者贵焉。或取其数百篇，将传于世，大用复不可，曰：'必放翁以为可传，则几矣；不然，姑止！'予闻而叹曰：温飞卿作《南乡》九阕，高胜不减梦得《竹枝》，讫今无深赏音者，予其敢自谓知君哉？独感东武山川既堕胡尘中，而大用之才久伏不耀，故为之一言。"

金置弘文院，译汉文经书为女真文。

春

陆游于窗前作小土山，上植兰与玉簪，又得香百合，并种之。尝泛舟游花泾，是处桃花最盛。又游云门山诸寺，复与子坦、子聿游明觉寺。所历均有诗（见《剑南诗稿》卷二十九）。

姜夔与张鉴孤山观梅，作《莺声绕红楼》（十亩梅花作雪飞）。序云："甲寅春，平甫与予自越来吴，携家妓观梅于孤山之西村，命国工吹笛，妓皆以柳黄为衣"。复与俞灏孤山观梅，灏归吴兴后，夔独游孤山，作《角招》（为春瘦），序云："甲寅春，予与俞商卿燕游西湖，观梅于孤山之西村，玉雪照映，吹香薄人。已而商卿归吴兴，予独来，则山横春烟，新柳被水，游人容与飞花中，怅然有怀，作此寄之。商卿善歌声，稍以儒雅缘饰；予每自度曲，吟洞箫，商卿辄歌而和之，极有山林缥缈之思。"

四月

杨万里有诗《寄陆务观》。

陆游从兄陆沅卒，游为作《陆郎中墓志铭》。

中旬，朱熹启程赴任。五月四日至潭州，五日交割职事。据朱熹《劾将官陆景任状》、《潭州到任谢表》。

史浩（1106—1194）卒，年八十九。浩字直翁，自号真隐居士，明州鄞县人。绍兴十四年进士，调余姚尉。历温州教授、国子博士、宗正少卿。孝宗即位，累官中书舍人、翰林学士、知制诰、参知政事。隆兴元年，拜尚书右仆射、同中书门下平章事兼枢密使，曾申岳飞之冤。旋因反对张浚北伐，罢知绍兴府。后复为右丞相，以老退职。事迹见楼钥《纯诚厚德元老之碑》（《攻愧集》卷九三）、《宋史》卷三九六本传。著有《鄮峰真隐漫录》五十卷，今存《四库全书》本、乾隆间史氏裔孙重刊本。《全宋词》除收其《大曲》外，另收词一百三十余首。《全宋诗》录其诗八卷，《全宋文》收其文二十六卷。四库提要卷一五九："《鄮峰真隐漫录》五十卷，浙江范懋柱家天一阁藏本，宋史浩撰。……其集见于陈振孙《书录解题》、《宋史·艺文志》者皆五十卷，此本卷数并合，而目录别为三卷。首题'门人周铸编'，则犹宋时刊行旧式也。……集凡诗五卷、杂文三十九卷、词曲四卷，末二卷为《童丱须知》，分三十章，所言皆治家修身之道，而谐以韵语，乃录之家塾以训子孙者。"全祖望《鄮峰真隐漫录题词》："今读忠定之集，其资善堂诸文字，所以启沃孝宗于潜藩也。其两府文字，则即吹嘘诸老不遗余力也。其归田以后文字，所以优游林下，举行乡饮酒礼；建置义田者也。中兴宰辅如忠定者，盖亦完人也已。其诗文春容大雅，有承平之余风，所谓庙堂钟吕之音也。"《鄮峰真隐漫录》卷四十五至四十八为《大曲》五十二首、《词曲》一百二十九首，朱孝臧据传写《四库全书》本，复借缪艺风所藏天一阁进呈底本加以校勘而刊行之。吴梅《鄮峰真隐大曲跋》云："《鄮峰大曲》二卷，有歌词，有乐语，且诸曲之下，各载歌演之状……宋人大曲之详，无有过于此者矣。……夫词之与曲，犁然为二，及究其变迁蝉蜕之迹，辄不能得其端倪。今读此曲，则江出滥觞，河出昆仑，源流递嬗之所自，昭若发矇。"

六月

宋孝宗赵昚（1127—1194）卒，年六十八。事迹见《宋史·孝宗本纪》。

杨万里为范成大集作序，题曰《石湖先生大资参政范公文集序》。

陆游应杭州宁寿观冲素大师邵道俊之请，为作《行在宁寿观碑》；作《跋李徂徕集》。云："《中野》、《去鲁》、《归周》三诗，可以追媲退之《琴操》，而世不甚传。使予得见李公，当百拜师之，不特愿为执鞭而已。绍熙甲寅六月二日书。"按，李徂徕，不详何人；或疑即李植（《宋史》本传作"稙"），事迹见《宋史》卷三七九本传。

朱熹修复岳麓书院，亲往讲学。

夏

陆游所赋诗篇，多寓爱国情怀，如痛心疾首于和戎，作《山头鹿》、《明妃曲》；慨念于山河未复，胡尘暗天，赋《题阳关图》、《书叹》；感于将帅遁逃，平民踣死，乃拟古乐府作《董逃行》，借古题以刺时。

七月

五日，光宗内禅，嘉王赵扩即位，是为宁宗。

十一日，以赵汝愚首荐，朱熹被召赴行在奏事。

陈骙以参知政事知枢密院事。

辛弃疾以谏官论列，罢帅任，主管建宁府武夷山冲佑观。据《宋会要辑稿·职官七三》："绍熙五年七月二十九日知福州辛弃疾放罢，以臣僚言其残酷贪饕，奸赃狼籍。"

八月

朱熹除焕章阁待制兼侍讲。

增置讲读官，以给事中黄裳、中书舍人陈傅良、彭龟年等为之。

赵汝愚为右丞相。

九月

辛弃疾以御史中丞谢深甫论列，降充秘阁修撰。《宋会要辑稿·职官七三》："绍熙五年九月二十七日，朝散大夫集英殿修撰辛弃疾降充秘阁修撰；朝议大夫焕章阁待制提举江州兴国宫马大同降充集英殿修撰，罢祠。以御史中丞谢深甫言：二人交结时相，敢为贪酷，虽已黜责，未快公论。"

秋

王明清倅泰州，陆游有诗《送王仲言倅泰州绝句》；怀念范成大，有诗《梦范参政》；祠禄已满，复乞奉祠，作《乞奉祠未报，食且不继》，有"强颜始觉贫为害，对镜方嗟老可憎"之句；为史浩赋挽诗五首，题曰《太师魏国史公挽歌词》。按，陆游在绍兴三十二年，以史浩荐，得被孝宗召见，赐进士出身，故于浩有知遇之恩；又据陆游为从兄陆沇所作《陆郎中墓志铭》："史魏公……与公实姻家。"则史、陆两家并有姻谊，关系密切。故此五首挽诗，于浩之立身大节，略无微词，特多回护。

姜特立有诗《寄陆郎中（游）》、《次韵陆郎中》。

十月

二日，陆游作《三峡歌》九首。并序云："乾道庚寅，予始入蜀，上下三峡屡矣。后二十五年，归畔山阴，偶读梁简文《巴东三峡歌》，感之，拟作九首，实绍熙甲寅十月二日也。"

韩侂胄进用其党徒谢深甫、刘德秀、李沐等人。《宋史纪事本末》卷八十二《韩侂胄专政》："冬十月，内批以谢深甫为御史中丞，刘德秀为监察御史，罢右正言黄度。时，韩侂胄日夜谋去赵汝愚，知阁门事刘弼因谓侂胄曰：'赵相欲专大功，君岂唯不得节钺，将恐不免有岭海之行。'侂胄愕然问计，曰：'唯有用台谏耳。'侂胄然之，遂以给事中谢深甫为中丞。会汝愚请令近臣荐御史，侂胄密以其党刘德秀属深甫，遂以内批用之。由是刘三杰、李沐等牵连以进，言路皆侂胄之人，排斥正士。"

闰十月

陆游被命再领冲佑，赋诗《被命再领冲佑有感》。云："未能追鸿冥，乃复分鹤俸。"按，游自绍熙三年十一月再任冲佑至此，已满二年，此为三度领冲佑。苏洞入蜀，游有诗《送苏召叟秀才入蜀，效宛陵先生体》。《谢池春》词三首（"壮岁从戎"、"贺监湖边"、"七十衰翁"），或此一时期所作。

朱熹以上疏忤韩侂胄，罢侍讲。《宋史·宁宗本纪》："闰十月戊寅，侍讲朱熹以上疏忤韩侂胄罢，赵汝愚力谏，不听；台谏、给舍交章请留朱熹，亦不听。"《宋史纪事本末》卷八十《道学崇黜》："及上即位，宰相赵汝愚首荐熹，遂自潭州召为焕章阁待制兼侍讲。及至，每进讲务积诚意以感动士心，上亦稍稍嘉纳焉。熹复奏疏极言：'陛下即位未能旬月，而进退宰臣，移易台谏，皆出陛下之独断，中外咸谓左右或窃其柄。臣恐主威下移，求治反乱矣。'时韩侂胄方用事，熹意盖指侂胄也。侂胄由此大恨，使优人峨冠大袖象大儒，戏于上前，因乘间言熹迂阔不可用，遂出内批，罢熹经筵，除宫观。熹去，侂胄益肆无忌惮矣。其党复为言，凡相与为异者，皆道学之人也，阴疏姓名授之，俾以次斥逐。或又为言，以道学目之则有何罪？当名曰伪学。由是有伪学之目，善类皆不自安。"

十一月

以宜州观察使韩侂胄兼枢密都承旨。

朱熹归途至武夷，与弟子会于武夷精舍，赋词《好事近》（春色欲来）。二十日，还至考亭。

十二月

赵汝愚所擢用之人物陆续被贬黜。《宋史·宁宗本纪》："（绍熙五年十二月）乙丑，吏部侍郎彭龟年上疏，言韩侂胄假托声势，窃弄威福，乞黜之以解天下之疑。诏罢龟年，进侂胄一官，与在京宫观。赵汝愚请留龟年，不听。御史中丞谢深甫劾陈傅良，罢之。……己巳，陈骙罢。庚午，以余端礼知枢密院事，京镗参知政事，郑侨同知枢密院事。辛未，监察御史刘德秀劾起居舍人刘光祖，罢之。"

朱熹筑沧洲精舍（竹林精舍）成，遂自号沧洲病叟，作《水调歌头》（富贵有余乐）以寄意。有"永弃人间事，吾道付沧洲"之句。

冬

刘过作《水龙吟·寄陆放翁》。

本年

辛弃疾再到期思卜筑，当在本年。有词《沁园春》（一水西来），题曰："再到期思卜筑。"

徐梦莘撰成《三朝北盟会编》二百五十卷。是编记宋金和战之事。起自政和七年海上之盟，迄于绍兴三十二年完颜亮伐宋败盟，共四十六年。分上中下三帙，上为政和、宣和二十五卷，中为靖康七十五卷，下为建炎、绍兴一百五十卷，凡宋金媾和、用兵之事，悉按年月日诠次本末。引书二百余家，所引皆全录原文，无所去取，亦不加论断，是非同异，并见互存。

陈亮（1143—1194）卒，年五十二。亮字同甫，学者称龙川先生，婺州永康人。才气超迈，喜谈兵，论议风生，下笔数千言立就。乾道五年，上《中兴五论》，不报。淳熙五年，复诣阙上书，极论时事，反对和议，力主抗战。十五年，再次上书，复陈恢复大计。绍熙四年，举进士第一，授签书建康府判官公事，未行而卒。提倡"事功之学"，反对空谈"道德性命"。曾与朱熹进行过有关"王霸义利之辩"。事迹见叶适《陈同甫墓志铭》、《宋史》卷四三六本传。《直斋书录解题》著录《龙川集》四十卷，未见传本。今存有明成化刻本三十卷，及清康熙、乾隆、道光、同治、光绪、宣统刻本，卷数同。一九七四年中华书局出版校点本《陈亮集》。又，《直斋书录解题》著录陈亮《外集》长短句四卷，久佚。今存有明吴讷《唐宋名贤百家词》本、明毛晋《宋六十名家词》本、《典雅词》本、刘喜海藏《宋元人词》抄本等。今人唐圭璋《全宋词》本裒辑最为完备，计七十四首。夏承焘、牟家宽《龙川词校笺》、姜书阁《陈亮龙川词笺注》，并可参阅。《全宋诗》录其诗十四首，《全宋文》收其文三十一卷。

陈亮《又甲辰秋书》："研究义理之精微，辨析古今之异同，原心于秒忽，较礼于分寸，以积累为功，以涵养为正，晬面盎背，则亮于诸儒诚有愧焉。至于堂堂之阵，正正之旗，风雨云雷交发而并至，龙蛇虎豹变见而出没，推倒一世之智勇，开拓万古之心胸，如世俗所谓粗块大脔，饱有余而文不足者，自谓差有一日之长。"又《复吴叔异》："亮闻古人之于文也，犹其为仕也。仕将以行其道也，文将以载其道也。"又《书作论法后》："大凡论不必作好语，意与理胜则文字自然超众。故大手之文，不为诡异之体而自然宏富，不为险怪之辞而自然典丽，奇寓于纯粹之中，巧藏于和易之内。不善学文者，不求高于理与意，而务求于文彩辞句之间，则亦陋矣。……理得而辞顺，文章自然出群拔萃。"乔行简《奏请谥陈龙川劄子》："臣伏见承事郎、签书建康军节度判官厅公事陈亮，以特出之才，卓绝之识，而究皇帝王霸之略，期于开物成务，酌古理今，其说盖近世儒者之所未讲，平生所交，如熹、栻、祖谦、九渊，皆称之曰：'是实有经济之学。'"叶适《书龙川集后》："同甫集有《春秋属辞》三卷，仿今世经义破题，乃昔人《连珠》、《急就》之比，而奇意尤深远。……若其他文，海涵泽聚，天霁风止，无狂浪暴流，而回旋起伏，萦映妙巧，极天下之奇险，固人所共知，不待余言也。"《朱子语类》卷一二三："同甫才高气粗，故文字不明莹，要之，自是心地不清和也。"盛如梓《庶斋老学丛谈》卷中上："陈同甫作文之法曰：经句不全两，史句不全三，不用古人句，只用古人意，若用古人语，不用古人句，能造古人所不到处。至于使事而不为事使，或似使事而不使事，或似不使事而使事，皆是使他事来影带出题意，非直使本事也。若夫布置开阖，首尾该贯，曲折关键，自有成模，不可随他规矩尺寸走也。"方回《读陈同甫文集二跋》："或问陈同甫之文何如？予曰：时文之雄也。《酌古录》纵横上下，取古人成败之迹，断以己见，拾《战国策》、《史记》之遗语，而传以苏文之体，乾、淳间场屋之所尚也。《上孝宗皇帝》三书，气太盛，意太迫，以布衣之士而欲限以十月三日得对清光，何其躁哉！且历诋当时公卿皆不足以望上之万一，是以召祸之道。与晦翁论辩，不平心定气，而肆其侠客辩士之风，兼有禅衲捧喝之意。年二十六荐于乡，又二十二年廷对首选，老矣。乃祖故有状元童汝能之梦，故幼名汝能，而字同甫，后改名亮，此何足诧？而以形诸告墓之文。《送韩子师序》足以见其狎侮邦君，而无含蓄涵融之像。《送吴恭甫序》足以见其所交所喜在乎跌荡，而以发其借彼喻己之私。凡策问骋粗迹而略精义，凡书简肆俗语而少雅言。……同甫幸脱图圄，卒不令终，殆器识亏欠为之，惜其遇朱、吕二公而不能有所化也。"刘壎《隐居通议》卷二："当是时性命之说盛，鼓动一世，皆为危言高论，而以事功为不足道，独龙川俊豪开扩，务建实绩。其告孝宗有曰：'今世儒士自以为得正心诚意之学者，皆风痹而不知痛痒之人也。举一世安于君父之仇，而方低头拱手以谈性命，不知何者谓之性命！'孝宗极喜其说。然亦以是不得自附于道学之流，而人唯称其为功名之士。至其雄才壮志，横骛绝出，健论纵横，气盖一世，与朱文公往复辩论，每书辄倾竭浩荡，河奔海聚，而文公娓娓焉与之商论，盖一代人物也。"《怀古录》卷下："陈同父得欧文之宽大处，却无欧文之拙而好处。"刘熙载《艺概》卷一："陈龙川喜学欧文，尝选欧文曰《欧阳文粹》。其序极与欧文相类，然他文却不尽似之，此如人饮水，冷暖自知，原不必字摹句拟，类于执迹之求履宪也。"姬肇燕《康熙刻本龙川文集序》："为文汗牛充栋，其美不暇尽述。即如上宋帝四书，事功虽未大就，而其心即鞠躬尽瘁、死而后已之心，卧龙、龙川，千古一辙，何多让焉！至其气节，虽屡遭刑狱，而百折不回，饶有铜肝铁胆、唾手燕云之志，所谓真英雄、真豪杰、真义士、真理学者，非其人耶？为文章，上关国计，下系民生，以祖宗之业为不可弃置，子孙之守为不可偏安。其崇论宏议虽备见于全集，而此四书中为尤备，岂与庸庸碌碌之辈，低头而谈性命无补于时者，所可同日语哉！"四库提要卷一六二："《龙川文集》三十卷。……今观集中所载，大抵议论之文为多。其才辨纵横，不可控勒，似天下无足当其意者。使其得志，未必不如赵括、马谡狂躁偾辕。但就其文而论，则所谓'开拓万古之心胸，推倒一时之豪杰'者，殆非尽妄。"

陈亮《与郑景元提干书》："闲居无用心处，却欲为一世故旧朋友作近拍词三十阕，以创见于后来。本之以方言俚语，杂搁之以街谈巷歌，捭搁义理，劫剥经传，而卒归之曲子之律。可以奉百世英豪一笑，顾于今未能有为我击节者耳。"叶适《书龙川集后》："又有长短句四卷，每一章就，辄自叹曰：'平生经济之怀，略已陈矣！'"冯煦《蒿庵论词》："龙川痛心北虏，亦屡见于辞，如《水调歌头》云：'尧之都，舜之壤，禹之封。于今应有，一个半个耻和戎。'《念奴娇》云：'因笑王谢诸人，登高怀远，也学英雄涕。'《贺新郎》云：'举目江河休感涕，念有君如此何愁虏。'又：'涕出女吴成倒转，问鲁为齐弱何年月。'忠愤之气，随笔涌出，并足唤醒当时聋聩，正不必论词之工拙也。"刘熙载《艺概》卷四："陈同甫与稼轩为友，其人才相若，词亦相似。同甫《贺新郎·寄幼安见怀韵》云：'树犹如此堪重别，只使君从来与我，话头多合。行矣置之无足问，谁换妍皮痴骨。但莫使伯牙弦绝。'其《酬幼安再用韵见寄》云：'斩新换出旌麾别，把当时一桩大义，拆开收合。据地一呼吾往矣，万里摇肢动骨。这话把只成痴绝。'《怀幼安用前韵》云：'男儿何用伤离别，况古来几番际会，风从云合。千里情亲长晤对，妙体本心次骨。卧百尺高楼斗绝。'观此则两公之气谊怀抱，俱可知矣。"又："陈同甫无媚词，与稼轩唱和，笔亦近之。"又："同甫《水龙吟》云：'恨芳菲世界，游人未赏，都付与莺和燕。'言近指远，直有宗留守大呼渡河之意。"陈廷焯《白雨斋词话》卷一："陈同甫豪气纵横，稼轩几为所挫。而《龙川词》一卷，合者寥寥，则去稼轩远矣。"《词徵》卷五："张于湖之《闻采石战胜》、陈同甫之《送章德茂大卿使虏》，皆可于史传中参证同异。" 毛晋《龙川词补跋》："余正喜同甫不作妖语媚语，偶阅《中兴词选》，得《水龙吟》以后七阕，亦未能超然，但无一调合本集者。或云赝作。盖花庵与同甫俱南渡后人，何至误谬若此？或花庵专选绮艳一种，而同甫子沈所编本集特表阿翁磊落骨干，故若出二手？况本集云'词选'，则知同甫之词不止于三十阕，即补此花庵所选，亦安得云全豹耶？"四库提要卷一九八："《龙川词》一卷、补遗一卷。……补遗七首，则从黄昇《花庵词选》采入者，词多纤丽，与本集迥殊，或疑赝作。……考亮虽与朱子讲学，而不废北里之游。其与唐仲友相忤，谗构于朱子，朱子为其所卖，误兴大狱，即由亮狎台州官妓，嘱仲友为脱籍，仲友沮之之故，事载《齐东野语》第十七卷中。则其词体杂香奁，不足为异。"

尤袤（1127—1194）卒，年六十八。袤字延之，自号遂初居士，常州无锡人。绍兴十八年进士。历泰兴令、秘书丞兼国史院编修、著作郎，出知台州，改淮东提举常平、江东提刑。后任礼部侍郎、中书舍人兼直学士院、给事中、礼部尚书等。立朝敢言，守正不阿。其诗与杨万里、范成大、陆游齐名，称"南宋四大家"。作品多散佚，后人辑有《梁溪遗稿》。富藏书，著有《遂初堂书目》。事迹见《宋史》卷三八九本传。《宋史》尤袤本传载其著有《遂初小稿》六十卷、内外制三十卷，《直斋书录解题》、《国史经籍志》著录《梁溪集》五十卷，已佚。清康熙三十九年，朱彝尊将平日所辑尤氏遗文二卷，凡诗四十七首、杂文二十六首，示其同年友尤侗。侗自称为尤袤裔孙，遂刊之，名曰《梁溪遗稿》。

杨万里《千岩摘稿序》："余尝论近世之诗人，若范石湖之清新，尤梁溪之平淡，陆放翁之敷腴，萧千岩之工致，皆予之所畏者云。"《诚斋诗话》："自隆兴以来，以诗名者，林谦之、范致能、陆务观、尤延之、萧东夫。……延之有云：'去年江南荒，趁逐过江北。江北不可住，江南归未得。'又《寄友人》云：'胸中襞积千般事，到得相逢一语无。'又《台州秩满归》云：'送客渐稀城渐远，归途应减两三程。'……绝似晚唐人。"方回《跋遂初尤先生尚书诗》："宋中兴以来，言治必曰乾、淳，言诗必曰尤、杨、范、陆。……回谓光尧龙渡时，则有诗人陈去非、吕居仁、徐师川、韩子苍之徒，所谓及闻正始之音者。至阜陵在宥，而四钜公出焉，非以其浑大典正，与中原诸老并轸？诚斋时出奇峭，放翁善为悲壮，然无一语不天成。公与石湖，冠冕佩玉，度《骚》媲《雅》，盖皆胸中贮万卷书，今古流动，是唯无出，出则自然。"《瀛奎律髓汇评》卷二○方回评尤袤《梅花》（冷蕊疏枝半不禁）："尤遂初诗，初看似弱，久看却自圆熟，无一斧一斤痕迹也。"贺裳《载酒园诗话》"尤袤"条："隆兴后推范、陆、尤、杨。尝见其《海棠》诗：'晓妆无力胭脂重，春睡方酣酒晕深。'精工不在鲁直'荀令炉香'之下。又《苦雨》诗：'十年江国水如霾，怕见三秋雨作霖。可念田家妨卒岁，须烦风伯荡层阴。禾头昨夜忧生耳，木德何时却守心（岁星守心，天下大丰）。兀坐书窗诗作祟，寒虫鸣咽伴愁吟。'洵为典雅。"四库提要卷一五九："《梁溪遗稿》一卷。……衮在当时，本与杨万里、陆游、范成大并驾齐驱，今三家之集皆有完本，而衮集独湮没不存。盖文章传不传，亦有幸不幸焉。然即今所存诸诗观之，残章断简，尚足与三家抗行。"

四库提要卷八五："《遂初堂书目》一卷，两江总督采进本，宋尤袤撰。……其书分经为九门……分史为十八门……分子为十二门……分集为五门……其例略与史志同，唯一书而兼载数本，以资互考，则与史志小异耳。……其子部别立《谱录》一门，以收香谱、石谱、蟹录之无类可附者，为例最善。间有分类未安者……亦有一书偶然复见者……又有姓名讹异者……然宋人目录存于今者，《崇文总目》已无完书，唯此与晁公武志为最古，固考证家之所必稽矣。"

谢谔（1121—1194）卒，年七十四。谔字昌国，尝名其斋曰艮斋，故人称艮斋先生，临江军新喻人。绍兴二十七年进士，调峡州夷陵县主簿。历国子监簿、监察御史、侍御史。淳熙十四年，迁右谏议大夫，兼侍讲。光宗即位，献《十箴》，除御史中丞，权工部尚书。请祠，提举太平兴国宫。卒赠通议大夫。事迹见周必大《朝议大夫工部尚书赠通议大夫谢公神道碑》、《宋史》卷三八九本传。一生著述丰富，有《艮斋集》四十卷、《柏台》五卷、《谏垣奏议》五卷、《自嬉集》、《楚塞从稿》、《云根从稿》、《樵林机鉴》、《南坡学林》、《天上诗稿》、《江行杂著》、《景符堂文稿》等，均已佚。今《全宋诗》录存其诗十八首，《全宋文》卷二一〇四收其文。《宋史》本传谓谔"为文仿欧阳修、曾巩"。陈模《怀古录》卷下："诚斋以谢艮斋《南曹院记》似曾南丰，《送陈硕秀才叙》似欧公。周益公以曾樽斋《同班小录叙》似欧公。然艮斋所作尤胜樽斋者，盖樽斋此叙，文似欧而情不似欧，艮斋文不似欧而情似欧。"罗大经以为其《劝农》诗"词旨平易，足以谕俗"（《鹤林玉露》甲编卷六）。

王寂（1128—1194）卒，年六十七。按，关于王寂生卒年，《中州集》与《金史》均无明文记载，仅《中州集》称其"寿六十七"。王寂《辽东行部志》撰于明昌元年（1190），中有"倦客流年六十三"之诗句，据此可考知其生卒年。寂字元老，蓟州玉田人。天德三年进士。仕为太原祁县令、中都路副留守等，以中都路转运使致仕，复摄礼部尚书。著有《拙轩集》、《辽东行部志》、《鸭江行部志》等。四库提要卷一六六："《拙轩集》六卷，永乐大典本，金王寂撰。……《中州集》称寂著有《拙轩集》、《北迁录》诸书，今《北迁录》已失传，而好问所选寂诗仅七首，及附见《姚孝锡传》后一首，其他亦久佚不见。唯《永乐大典》所载寂诗文尚多……而各体具存，可以得其什七矣。寂诗境清刻镂露，有戛戛独造之风。古文亦博大疏畅，在大定、明昌间卓然不愧为作者。……而文章体格亦足与《滹南》、《滏水》相为抗行。"缪荃孙《辽东行部志跋》："此录亦在《大典》中录出，四库并未著录，仅载明昌元年二月十二日在提点辽东路刑狱任，于二月十二日出按，至四月七日止，一月零二十五日，所经之地、所办之事、所作之诗文均载焉。于地理并未详述，而载诗五十七首、文三首，均《拙轩集》所不载，可补一卷。"朱希祖《鸭江行部志跋》："旧钞本《鸭江行部志》一卷，金王寂撰，前有清宗室盛昱私印。……此《鸭江行部志》即巡按辽东次年所作，起明昌二年二月己丑，讫三月庚申，凡一月有二日。……《鸭江行部志》亦有诗二十六首、文三首，不载于《拙轩集》，可以录出，别为一卷，附于《拙轩集》之后。"

徐元杰（1194—1245）生。

周弼（1194—?）生。

李莽（1194—?）生。

公元 1195 年（宋宁宗庆元元年乙卯　金章宗明昌六年）

正月

元日，陆游作《跋东坡七夕词后》。曰："昔人作七夕诗，率不免有珠栊绮疏惜别之意。唯东坡此篇，居然是星汉上语。歌之曲终，觉天风海雨逼人，学诗者当以是求之。庆元元年元日，笠泽陆某书。"按，苏轼原作《鹊桥仙》（缑山仙子），题曰："七夕送陈令举。"入春连阴，"积雪未解雨复霖"，陆游赋《首春连阴》，担忧百姓生计；又赋《新春》，有"忧国孤臣泪，平胡壮士心"之句；张缙有书来，游赋诗《得季长书追怀南郑幕府慨然有作》。

二月

赵汝愚罢右丞相，以观文殿大学士出知福州；谢深甫等再劾，诏与宫观。据《宋史纪事本末·韩侂胄专政》："初，韩侂胄欲逐汝愚而难其名，谋于京镗，镗曰：'彼宗室也，诬以谋为社稷，则一网打尽矣。'侂胄然之，以秘书监李沐尝有怨于汝愚，引为右正言，使奏汝愚以同姓居相位，将不利于社稷，乞罢其政以安天位，杜塞奸源。是日，汝愚出浙江亭待罪，遂以观文殿大学士出知福州。甲申，谢深甫等论汝愚冒居相位，今既罢免，不当加以书殿隆名帅藩重寄，乞奉祠思咎，命提举洞霄宫。"

王明清跋其《挥麈三录》。云："明清前年厕迹跸路，假居于临安之七宝山，俯仰顾盼，聚山林江湖之胜于几案间，襟怀洒然。记忆旧闻，纂《挥麈后录》，既幸成编。去岁请外从欲，赘丞海角，涉笔之暇，无所用心，省之胸次，随手濡毫，又获数十事，不觉盈帙，漫名曰《挥麈三录》。凡所闻见，若来历尚晦，本末未详，姑且置之，以待乞灵于博洽之君子，然后敢书。斯亦习气未能扫除，犹鸡肋之余味耳。庆元初元仲春丁巳，明清重书于吴陵官舍佳客亭。"

三月

姜夔与张鉴同游南昌西山玉隆宫，止宿而返。据夔《鹧鸪天》（曾与君侯历聘来）词序。

国子祭酒李祥、博士杨简以党赵汝愚被罢斥。

四月

太府寺丞吕祖俭坐上疏留赵汝愚及论不当黜朱熹、彭龟年等，忤韩侂胄，送韶州安置。五月改送吉州安置。

以余端礼为右丞相，京镗知枢密院事，郑侨参知政事，谢深甫签书枢密院事。

太学生杨宏中、周端朝、张道、林仲麟、蒋傅、徐范等六人因上书留赵汝愚、章颖、李祥、杨简，并请黜李沐，被各送五百里外编管，时称"六君子"。

金章宗敕有司。以增修曲阜宣圣庙工毕，赐衍圣公以下三献法服及登歌乐一部，仍遣太常旧工往教孔氏子弟，以备祭礼。

六月

右正言刘德秀请考核道学真伪，从之。《宋史纪事本末》卷八十《道学崇黜》："德秀上言曰：'邪正之辨无过于真与伪而已，彼口道先王之言而行如市人所不为，在兴王之所必斥也。昔孝宗锐意恢复，首务核实，凡言行相违者，未尝不深知其奸。臣愿陛下以孝宗为法，考核真伪以辨邪正。'诏下其章，于是博士孙元卿、袁燮，国子正陈武皆罢。司业汪逵入劄子辩之，德秀以逵为狂言，亦被斥。"

朱熹草封事数万言，极陈奸邪蔽主之祸，明赵汝愚之冤。弟子更谏，乃以筮决之，得《遁》之《同人》，熹默然退取谏稿而焚之，自号遁翁。据黄榦《朱熹行状》。

夏

知绍兴府叶翥召赴行在，陆游有诗《送叶尚书》。

七月

下旬，陆游卧病，两旬始平。据其诗《七月下旬得疾，不能出户者十有八日，病起有赋》、《病后衰甚，非篮舆不能出门，感叹有赋》及《书病》自注："乙卯七月二十二日卧病，两旬始平，九月二日作此诗。"

周必大加少傅。

落赵汝愚观文殿大学士，罢宫观。

八月

金赵秉文入为应奉翰林文字，同知制诰。

九月

陆游赋诗《夜阅箧中书，偶得李德远数帖，因思昔相从时所言后多可验，感叹有作》，有"岂知三十余年后，河洛胡尘讫未平"之句。二十七日，作《跋张监丞云庄诗集》云："虏复神州七十年，东南士大夫视长淮以北犹伦荒也。以使事往者，不复黍离麦秀之悲，殆无以慰答父老心。今读张公为奉使官属时所赋歌诗数十篇，忠义之气郁然，为之悲慨弥日。"

杨万里除焕章阁待制，提举江州太平兴国宫。

十月

十七日，陆游生日。有诗《十月十七日，予生日也，孤村风雨萧然，偶得二绝句。予生于淮上，是日平旦，大风雨骇人，及予堕地，雨乃止》，其二云："我生急雨暗淮天，出没蛟鼍浪入船。白首功名无尺寸，茅檐还听雨声眠。"

二十六日，辛弃疾以御史中丞何澹奏劾，落秘阁修撰职名。《宋会要辑稿·职官七三》："庆元元年十月二十六日……降授秘阁修撰知福州辛弃疾与落职。御史中丞何澹言……弃疾酷虐裒敛，掩帑藏为私家之物，席卷福州，为之一室。"

十一月

责授赵汝愚宁远军节度副使，永州安置。

程大昌（1123—1195）卒，年七十三。大昌字泰之，徽州休宁人。绍兴二十一年进士。历官浙江东路提点刑狱、吏部尚书，以龙图阁学士致仕。卒谥文简。平生笃学，于古今事靡不考究，著述颇丰，有《禹贡论》、《诗论》、《易原》、《雍录》、《考古编》、《演繁露》、《北边备对》等。又有《程文简集》二十卷，已佚。《全宋词》据《彊村丛书》本《文简公词》录存其词四十七首，《全宋诗》录其诗十首，《全宋文》卷四九〇八收其文。事迹见周必大《龙图阁学士宣奉大夫赠特进程公大昌神道碑》、《宋史》卷四三三本传。

十二月

诏命朱熹为焕章阁待制，辞不就。

冬

陆游有《读杜诗》。有"后世但作诗人看，使我抚几空嗟咨"之句，既是对杜甫身世遭际之慨叹，又隐有自况之意。又有《老学庵》诗，题下自注云："予取师旷'老而学，如秉烛夜行'之语名庵。"

陆游冬季赋诗。如《悲歌行》、《枕上偶成》、《纵笔》其三、《忆昔》、《白首》等，仍念念不忘国事。

本年

周必大以少傅致仕。
张镃为司农寺主簿。

李心传应乡试落第，自此不再应举，专心著述。

辛弃疾期思新居之落成，当在本年。

金王庭筠以谤议朝政罪陷图圄。狱中所赋《狱中赋萱》，借萱草抒己忧，乃咏物诗之佳作；又《狱中见燕》，语婉意深，怨而不怒，甚得风人之旨。

《草堂诗余》约成书于本年以前。四库提要卷一九九："《类编草堂诗余》四卷，通行本，不著编辑者名氏，旧传南宋人所编。考王楙《野客丛书》作于庆元间，已引《草堂诗余》张仲宗《满江红》词证'蝶粉蜂黄'之语，则此书在庆元以前矣。词家小令、中调、长调之分自此书始。……朱彝尊作《词综》，称《草堂》选词可谓无目，其诟之甚至。今观所录，虽未免杂而不纯，不及《花间》诸集之精善，然利钝互陈，瑕瑜不掩，名章俊句，亦错出其间，一概诋诽，亦未为公论。"

俞国宝约于本年前后在世，生卒年不详。《宋诗纪事》卷五六："俞国宝，临川人。淳熙太学生。"《直斋书录解题》著录其《醒庵遗珠集》十卷，已佚。《全宋词》录存其词五首。

刘清之（1139—1195）卒，年五十七。清之字子澄，临江人。绍兴二十七年进士。历知宜黄县。周必大荐于孝宗，得召对，改太常主簿。光宗即位，起知袁州，疾作，未赴而终。与朱熹友善，慨然志于义理之学。著有《曾子内外杂篇》、《训蒙新书》、《墨庄总录》、《续说苑》等，均已佚。《全宋词》录存其《鹧鸪天》一首，《全宋诗》录其诗五首，《全宋文》卷五七九九收其文。事迹见《宋史》卷四三七本传。

李献甫（1195—1234）生。

公元1196年（宋宁宗庆元二年丙辰　金章宗承安元年）

正月

以余端礼为左丞相，京镗为右丞相，郑侨知枢密院事，谢深甫参知政事，御史中丞何澹同知枢密院事。

右谏议大夫刘德秀劾留正引用伪学之党，诏落正观文殿大学士，罢宫观。

陆游时在故乡领祠禄，年已七十二，故其《寄题吴斗南玩芳亭》以"倒壑枯楠"自况。

赵汝愚（1140—1196）卒，年五十七。汝愚字子直，饶州余干人。宋宗室。乾道进士第一。光宗朝，累除同知枢密院事。宁宗朝，权参知政事，拜右丞相。未几，因与韩侂胄有隙，被罢相，出知福州。侂胄忌之甚深，不久，即谪放永州安置。"时汪义端行词，用汉诛刘屈氂、唐戮李林甫事，示欲杀之意；迪功郎赵师召亦上书乞斩汝愚。汝愚怡然就道，谓诸子曰：'观侂胄之意，必欲杀我，我死，汝曹尚可免也。'至衡州，病作，为守臣钱鍪所窘，暴薨。天下闻而冤之。时庆元二年正月壬午也。"（《宋史·赵汝愚传》）理宗朝，赠太师，追封沂国公，谥忠定，配享宁宗庙庭。汝愚能诗词，善属文。《直斋书录解题》卷一八著录《赵忠定集》十五卷、《奏议》十五卷，今不传。又编有《国朝诸臣奏议》一百五十卷，今存。《全宋词》录存其《柳梢青》（水月光中）词一首。《全宋诗》录其诗八首。《全宋文》收其文九卷。事迹见《宋史》卷三九二本传。

二月

以端明殿学士叶翥知贡举。翥与刘德秀奏言："伪学之魁，以匹夫窃人主之柄，鼓动天下，故文风未能丕变。乞将语录之类，尽行除毁。"故是科取士，稍涉义理者悉皆黜落，《六经》、《论语》、《孟子》、《中庸》、《大学》之书，为世大禁。见《宋史纪事本末》卷八十《道学崇黜》。

三月

姜夔欲与张鉴治舟往武康。赋《鹧鸪天》（曾与君侯历聘来），序云："予与张平甫自南昌同游西山玉隆宫，止宿而返，盖乙卯三月十四日也。是日即平甫初度，因买酒茅舍，并坐古枫下。……苍山四围，平野尽绿，隔涧野花红白，照影可喜，使人采撷，以藤纠缠著枫上。少焉，月出大于黄金盆，逸兴横生，遂成痛饮，午夜乃寝。明年，平甫初度，欲治舟往封禺松竹间。念此游之不可再也，歌以寿之。"

春

陆游又有《读杜诗》之作。其《春望》、《寒夜歌》、《感事》、《丰年行》诸诗，亦作于此时。

四月

余端礼罢左丞相，以何澹参知政事，吏部尚书叶翥签书枢密院事。

五月

二十日，陆游作《会稽县重建社坛记》。谓"为政之道无他，知先后缓急之序而已"。

赐礼部进士邹应龙以下四百九十九人及第、出身。赵善湘、杨炎正登同榜进士。

六月

十五日，国子监上奏乞毁理学之书。《宋会要辑稿·刑法二》："庆元二年六月十五日，国子监言：'已降指挥风谕士子，专以《语》、《孟》为师，以《六经》子史为习，毋得复传《语录》，以滋盗名欺世之伪。所有《进卷》、《待遇集》，并近时妄传《语录》之类，并行毁板。其未尽伪书，并令国子监搜寻名件，具数奏闻。今搜寻《七先生奥论》、《发枢》、《百炼真隐》、李元纲文字、刘子翚《十论》、潘浩然子《性理学》、江民表《心性说》，合行毁劈。乞许本监行下诸州及提举司，将上件内书板当官劈毁。'"

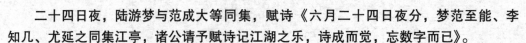

　　二十四日夜，陆游梦与范成大等同集，赋诗《六月二十四日夜分，梦范至能、李知几、尤延之同集江亭，诸公请予赋诗记江湖之乐，诗成而觉，忘数字而已》。

　　杨万里上《陈乞引年致仕状》。云："臣闻在法命官，七十致仕……臣合于今年正月，陈乞致仕，盖缘去年十二月初日方告拜圣恩次对外祠之命，未敢遽有陈请。"

八月

　　以太常少卿胡纮请，权住进拟伪学之党。《宋史纪事本末》卷八十《道学崇黜》："（庆元二年）八月，申严道学之禁。时，中书舍人汪义端引唐李林甫故事，以伪学之党皆名士，欲尽除之。帝颇知其非，乃诏台谏、给舍：'论奏不必更及旧事，务在平正，以副朕建中之意。'诏下，韩侂胄及其党皆怒，刘德秀遂与御史张伯垓、姚愈等上疏，言：'自今旧奸宿恶，或滋长不悛。臣等不言，恐误陛下之用人。且俟其败坏国事如前日而后言，则徒有噬脐之悔。愿下此章，播告中外，令旧奸知朝廷纲纪尚在，不致放肆。'从之。自是侂胄与其党攻治之志愈急矣。太常少卿胡纮上言：'比年以来，伪学猖獗，图为不轨，动摇上皇，诋诬圣德，几至大乱。赖二三大臣台谏，出死力而排之，故元恶殒命，群邪屏迹。自御笔有救偏建中之说，或者误认天意，急于奉承，倡为调停之议，取前日伪学之奸党次第用之，以冀幸其他日不相报复。往者建中靖国之事，可以为戒。'遂诏伪学之党，宰执权住进拟。大理司直邵褎然言：'三十年来，伪学显行，场屋之权，尽归其党。乞诏大臣审察其所学。'诏：'伪学之党，勿除在内差遣。'已而言者又论伪学之祸，乞鉴元祐调停之说，杜其根原。遂有诏：'监、司、帅、守荐举改官，并于奏牍前声说"非伪学之人"。'会乡试，漕司前期取家状，必令书'不是伪学'字。"

九月

　　十六日，陆游作《吕居仁集序》。云："某自童子时，读公诗文，愿学焉。稍长，未能远游，而公捐馆舍。晚见曾文清公，文清谓某：'君之诗渊源殆自吕紫微，恨不一识其面。'某于是尤以为恨。则今得托名公集之首，岂非幸与！"

　　十九日，辛弃疾以言者论列，罢宫观。《宋会要辑稿·职官七五》："庆元二年九月十九日，朝散大夫主管建宁府武夷山冲佑观辛弃疾罢宫观。以臣僚言弃疾赃污恣横，累遭白简，恬不少悛。今俾奉祠，使他时得刺一州，持一节，帅一路，必肆故态，为国家军民之害。"

秋

　　杜陵卒，陆游赋挽诗《哭杜府君》，从中可见其与杜氏兄弟交往之迹。诗云："叔高初过我，风度何玉立，超然众客中，可慕不待揖。入都多宾友，伯高数来集，质如琼璧润，气等芝兰袭。晚乃过仲高，午日晒行笠，匆匆遽别去，怅望空快悒。有如此三高，青紫何足拾。"《光绪兰溪县志》卷五《志人物》："宋杜汝霖，字仁翁，紫岩乡人。从安定胡瑗学，善古文，甚为李公择所称。孙陵，克传家学。有子五，伯高、仲高、叔高、季高、幼高，皆博学能文，时人称为杜氏五高，亦称金华五高。"清王崇炳编《金华征献略》卷十《文学传》："杜旟，字伯高，兰溪人。兄弟五人，皆工诗文，名藉一时，时称'杜氏五高'。旟登东莱之门，两以制科荐。同时陆务观、陈君举、叶正则、陈同甫皆称其文。有《桥斋记》。同甫与伯高书云：'足下与正则书，足见所存远大，今之君子，不能当也。两赋反复不能去手，意广而调高，节明而语妥，铺叙雅端，抑扬顿挫，而卒归于质重，齐一变而至于楚人之辞矣。'又云：'伯高之赋，如奔风逸足，而鸣以和鸾，俯仰节奏之间。'其见称许如此。所著《白头吟》云：'长安春风万杨柳，新人妖妍旧人丑。贫贱相从富贵移，旧时犊鼻今存否？长门作赋价千金，不知家有《白头吟》。'弟旃，字仲高，尝占湖漕举首。所著有《杜诗发微》、《癖斋集》。其《金谷吟》云：'君因妾死莫嗔怨，妾死君前君自见。高楼掷下如海深，白玉一碎沙中沉。平时感君爱妾貌，今日令君知妾心。'其婉丽如此。而尤长于词，陈同甫称其'半落半开花有恨，一晴一雨春无力'，令人眼动；及读到'别缆解时风度紧，离筋尽处花飞急'，知晏叔原之'落花人独立，微雨燕双飞'，不得长擅美矣。弟斿，字叔高，尝问道朱子，与辛幼安诸人游。端平初，以布衣召馆阁校雠，年八十余。陈同甫曰：'叔高之诗，如干戈森立，有吞虎食牛之气；而左右发春妍以辉映于其间。'又云：'仲高之词，叔高之诗，皆入能品。'弟旐，字季高；旝，字幼高，事无所见。何北山有《法清寺水珠诗呈季高》云：'叠石为山已浪呼，小毬戏水更名珠。世间何物非虚假，还值先生一笑无？'幼高有《粹裘集》，叶正则叙之。正则赠幼高诗云：'杜子五兄弟，辞林俱上头。规模古乐府，接续后《春秋》。奇崛令人赏，羁栖浪自愁。故园如镜水，日日抱村流。'仲高子去轻，字端父；伯高子去伪，叔高子去非，幼高子去华，去伪子浚之，皆有文名。《水心集》（《四部备要》本）卷十二《粹裘集序》：'《粹裘集》十卷，金华杜旝为此文。自经史诸子，皆有论辨，学之博矣；论辨不苟，是非必折之于正，又所谓笃矣……'吴师道尝跋端父墨迹云：'杜氏自汝霖至浚之六世，仕虽不显，而文彩声华，蝉袭不坠，亦吾乡罕有也。当宋季士竞举子业，而杜氏一门咸尚古文，今里中残碑断碣可见者，悉有家法，字画亦异。此帖尚存，得山谷老人笔意。'论曰：世传王氏二十七世皆擅临池，此古今仅有。杜氏以诗文传家，蝉袭七代，仕虽不显，亦已难矣。伯高、仲高诗，古丽峭拔，欲采其生平诠次成卷。及读枫山先生《兰溪志》，止载诸家评论，盖其事已无可考矣。"

姜夔作《齐天乐》（庚郎先自吟愁赋）。序云："丙辰岁，与张功父会饮张达可之堂，闻屋壁间蟋蟀有声，功父约予同赋，以授歌者。功父先成，辞甚美。予徘徊茉莉花间，仰见秋月，顿起幽思，寻亦得此。"论者谓此词"全章精粹，所咏了然在目，且不留滞于物"（张炎《词源》卷下）；又谓"词家之有姜石帚，犹诗家之有杜少陵，继往开来，文中关键。其流落江湖，不忘君国，皆借托比兴于长短句寄之。如《齐天乐》，伤二帝北狩也。……盖意愈切则辞愈微，屈宋之心，谁能见之，乃长短句中复有白石道人也"（宋翔凤《乐府余论》）；"全篇皆写怨情，独后半云'笑篱落呼灯，世间儿女'，以无知儿女之乐，反衬出有心人之苦，最为入妙，用笔亦别有神味，难以言传"（陈廷焯《白雨斋词话》卷二）。

十二月

诏落朱熹秘阁修撰，罢宫观。《宋史·宁宗本纪》："（庆元二年）十二月，监察御史沈继祖劾朱熹，诏落熹秘阁修撰，罢宫观。窜处士蔡元定于道州。"

冬

陆游祠禄秩满，复被命再领武夷祠禄。《夜坐》"九曲烟云新散吏"句下自注云："时方被命再领武夷祠禄。"又有《复窃祠禄示儿子》、《初拜再领祠宫之命有感》等诗。所赋《陇头水》，有"生逢和亲最可伤，岁辇金絮输胡羌。夜视太白收光芒，报国欲死无战场"之浩叹。

陆游有《龟堂独坐遣闷》二首。据俞正燮《癸巳存稿》卷一三："游晚号龟堂。其《春晴》诗云：'谁见龟堂叟，揹藤送夕阳？'又《雨复作自近村归》诗云：'行人也识龟堂老，小槛村醪手自携。'又《书喜》云：'堪笑龟堂老更顽，天教白发看青山。'又《风雨夜坐》诗云：'君看龟堂新境界，固应难与俗人同。'又有《龟堂晚兴》七律及《龟堂杂兴》七绝。取龟有三义：《自述》云：'拜赐龟章纡旧紫，养成鹤发扫余青。'龟、贵，一义也。《长饥》云：'早年羞学仗下马，末路幸似泥中龟。'龟、闲，一义也。《杂兴》云：'鼻观舌根俱得道，悠悠谁识老龟堂。'龟、寿，一义也。"按，龟堂，盖以室名而为别署。

姜夔赴无锡途中作《庆宫春》（双桨莼波）。序云："绍熙辛亥除夕，予别石湖归吴兴，雪后夜过垂虹，尝赋诗云：'笠泽茫茫雁影微，玉峰重叠护云衣。长桥寂寞春寒夜，只有诗人一舸归。'后五年冬，复与俞商卿、张平甫、铦朴翁自封禺同载诣梁溪，道经吴松，山寒天迥，云浪四合，中夕相呼步垂虹，星斗下垂，错杂渔火，朔吹凛凛，舟酒不能支。朴翁以衾自缠，犹相与行吟，因赋此阕，盖过旬涂稿乃定。"张鉴于无锡有别业，欲割膏腴之地以赠姜夔，夔婉谢。止无锡月余，将诣淮，不果，赋《江梅引》（人间离别易多时），序云："丙辰之冬，予留梁溪，将诣淮而不得，因梦思以述志。"为归杭州计，作《鬲溪梅令》（好花不与殢香人），序云："丙辰冬，自无锡归，作此寓意。"归途寓新安溪，作《浣溪沙》二首（"花里春风未觉时"、"剪剪寒花小更垂"），序云："丙辰腊，与俞商卿、铦朴翁（葛天民）同寓新安溪庄舍，得腊花韵甚，赋二首。"过吴松，作《浣溪沙》（雁怯重云不肯啼），序云："丙辰岁不尽五日，吴松作。"既归，录所得诗词若干解，钞为一卷，命之曰《载雪录》。周密《浩然斋雅谈》卷中："庆元丙辰冬，姜尧章与俞商卿、铦朴翁、张平甫自封禺同载诣梁溪，道吴淞，既归，各得诗词若干解，钞为一卷，命之曰《载雪录》。其自叙云：'予自武康与商卿、朴翁同载至南溪，道出苕、雪、吴淞，天寒野迥，仰见雁鹜飞下玉鉴中，诗兴横发，嘲哈吟讽，造次出语便工。而朴翁尤敏，不可敌。未浃日，得七十余解。复有伽语小词，随事一笑。大要三人鼎立，朴翁似曹孟德，据诗社，出奇无穷，商卿似江东多奇秀英妙之士，独予椎鲁下武，虽自谓汉家子孙，然不敢与二豪抗也。'且云：'此编向见之雪林李和父，后归之僧颐蒙，乃朴翁手书也。古律、绝句、赞、颂、偈、联句、词曲、纪梦凡一百五十三，多集中所无者。'萧介父题云：'乱云连野水连空，只有沙鸥共数公。想得句成天亦喜，雪花迎棹入吴中。'孙季蕃云：'诗字峥嵘照眼开，人随尘劫挽难回。清茹载雪流寒碧，老我扁舟独自来。'"按，此集已佚。

本年

辛弃疾在上饶带湖所居雪楼被焚，迁居铅山县期思市瓜山下瓢泉。辛启泰《稼轩年谱》："庆元二年……所居毁于火，徙居铅山县期思市瓜山之下。"

陆游作《广德军放生池记》。

姜夔《翠楼吟》（月冷龙沙）之词序当作于本年。序云："淳熙丙午冬，武昌安远楼成，与刘去非诸友落之，度曲见志。予去武昌十年，故人有泊舟鹦鹉洲者，闻小姬歌此词，问之，颇能道其事，还吴为予言之。兴怀昔游，且伤今之离索也。"据此，知词作于淳熙十三年，而序作于十年之后，即庆元二年。

郑域随张贵漠使金，著《燕谷剽闻》二卷。

葛天民本年在世，生卒年不详。按，周密《浩然斋雅谈》卷中："庆元丙辰冬，姜尧章与俞商卿、铦朴翁、张平甫自封禺同载诣梁溪，道吴淞，既归，各得诗词若干解，钞为一卷，命之曰《载雪录》。"天民字无怀，山阴人。好学攻诗，忽落发为僧，更名义铦，字朴翁。其后仍返初服，隐居杭州西湖，筑室苏堤，自号柳下，足不入城市，日唯吟咏自乐。有如梦、如幻二侍姬，赵师秀赠诗谓"此老无尘事，双姝亦道情"。尝与杨万里、翁卷、薛师石、姜夔、叶绍翁、苏泂等唱和。事迹见张端义《贵耳集》卷上、《宋百家诗存》卷一七。著有《无怀小集》二卷，有《汲古阁景钞南宋六十家小集》本、《两宋名贤小集》本。《全宋诗》录其诗一卷。《宋百家诗存》卷一七："《无怀小集》二卷，风骨泠然新警，而有闲雅之度，江湖间杰搆也。"释居简《跋朴翁诗》谓其"诗带《庄》、《骚》，偈蜕玄妙"。王士祯《带经堂诗话》卷一〇："葛天民《无怀集》：'月趁潮头上，山随柁尾行。大江中夜满，双橹半空鸣。'（《访端叔》）'一杯残腊酒，万古夕阳愁。'（《雪后》）'寒食少逢天气佳，十日九日雨如麻。新巢初见燕生子，小巷已无人卖花。'（《即事》）'花枝照眼堂堂去，茗椀关心故故香。'（《上巳》）'下塘六月关心处，西塞扁舟入手时。'（《荷叶浦》）姚镛希声《雪篷集》：'病起春风过，闲居野草生。'（《怀颐山老》）……右诸人唯葛天民及与杨诚斋相倡和，刘改之亦前辈人，余多摹拟'四灵'，家数小，气格卑，风气日下，非复绍兴、乾道之旧，无论东京盛时已。"

许尚约于本年前后在世，生卒年不详。《宋诗纪事》卷五六：许尚，华亭人，号和光老人，生淳熙间。有《华亭百咏》。四库提要卷一六一："《华亭百咏》一卷，浙江鲍士恭家藏本，宋许尚撰。尚自号和光老人，华亭人，其始末无考。是编作于淳熙间，取华亭古迹，每一事为一绝句，题下各为注。然百篇之中，无注者凡二十九，而其中多有非注不明者。以例推之，当日不容不注，殆传写佚脱欤？吊古之诗，大抵不出今昔之感，自唐许浑诸人已不能拔出窠臼。至于一地之景，衍成百首，则数首以后，语意略同，亦固其所。厉鹗作《宋诗纪事》，仅录其《陆机茸》、《三女冈》、《征北将军墓》、《顾亭林》、《白龙洞》、《俞塘》、《普照寺》、《陆瑁养鱼池》、《唳鹤滩》、《湖光亭》十首，亦以其罕逢新警故也。然格意虽多复衍，而措词修洁，尚不失为雅音。所注虽简略，而其时在今五六百年之前，旧迹犹未全湮，方隅之所在，名目之所由，亦尚足备志乘之参考。在诗家，则无异于众人；在舆记之中，则视后来支离附会者胜之多矣。"

赵沨约卒于本年前后，生年不详。沨字文孺，号黄山，东平人。金大定二十二年进士，明昌末仕至礼部郎中。著有《黄山集》。事迹见《中州集》卷四、《金史》卷一二六本传。沨诗清新流丽，隽爽有致，极为金章宗、赵秉文所推赏（见刘祁《归潜志》卷八）。诗句如"山空白昼永，野旷清风来"（《凉陉》）、"晴日未消千嶂雪，暖风先放一川花"（《放远亭》)、"桃花都被风吹却，杨柳似将烟染成"（《秦村道中》）等，境界高雅淡远，为人所称道。

段克己（1196—1254）生。

吴潜（1196—1262）生。

公元 1197 年（宋宁宗庆元三年丁巳　金章宗承安二年）

正月

十五日，陆游有诗《上元夜作》。有"书生盖棺事未定，论著傥存终见录。富贵无名岂胜数，意气空能骄世俗"之句，以勤读勖勉儿辈，并示富贵无名而著作寿世之意。二十四日，陆游致函杜思恭，录寄近作；思恭刻之于广西临桂水月洞。见《广西通志》卷二二四《金石十》。

姜夔在杭州，赋《鹧鸪天》"丁巳元日"、"正月十一日观灯"、"元夕不出"、"元夕有所梦"、"十六夜出"五首。

知枢密院事郑侨罢，以谢深甫兼知枢密院事。

二月

陆游作《跋吕侍讲岁时杂记》。云："承平无事之日，故都节物及中州风俗，人人知之，若不必记；自丧乱来七十年，遗老雕落无在者，然后知此书之不可阙。吕公论著，实崇宁、大观间，岂前辈达识，固已知有后日耶？然年运而往，士大夫安于江左，求新亭对泣者，正未易得，抚卷累欷。"《直斋书录解题》卷六："《岁时杂记》二卷，侍讲东莱吕希哲原明撰。希哲，正献公公著之子，号荣阳公。在历阳时，与子孙讲诵，遇节日则休；学者杂记风俗之旧，然后团坐饮酒以为乐，久而成编。承平旧事，犹有考焉。"姜特立于庆元元年筑成茧庵，此时求诗于陆游，游为赋《姜总管自筑墓舍名茧庵求诗》。按，姜氏将此诗附入其《梅山续稿》卷七中，并有题记云："放翁此诗，用事精切，足以发明吾意，诚可仰也。以书来曰：'《茧庵记》及《初营》、《落成》二诗，大老手笔，超然绝俗。明公富贵寿考，皆未易测，于此可卜。'岂戏我乎？并记之。"

陆游春季赋诗，一腔爱国激情，依然郁勃难抑。《长歌行》谓"不羡骑鹤上青天，不羡峨冠明主前，但愿少赊死，得见平胡年"，神仙富贵，皆非所愿，恢复故国，乃夙志所在。因而在《书志》中，冀望死后尚能"肝心独不化，凝结变金铁，铸为上方剑，衅以佞臣血。匣藏武库中，出参髦头列。三尺粲星辰，万里静妖孽"。又有《书愤》二首，则谓"壮心未与年俱老，死去犹能作鬼雄"，"镜里流年两鬓残，寸心自许尚如丹。衰迟罢试戎衣窄，悲愤犹争宝剑寒"。

四月

姜夔上书论雅乐，进《大乐议》一卷、《琴瑟考古图》一卷。论当时乐器、乐曲、歌诗之失。书奏，诏付太常。以当世嫉其能，不获尽其所议。

五月

陆游妻王氏卒，年七十一。游作《令人王氏圹记》，并有诗《自伤》："白头老鳏哭空堂，不独悼死亦自伤。齿如败屐鬓如霜，计此光景宁复长。"

陆游夏季所赋爱国诗篇，有《病中夜赋》、《书感》、《夜观子虞所得淮上地图》等。

七月

姜夔在杭州，作《丁巳七月望湖上书事》。

杨万里上《再陈乞引年致仕奏状》。云："今则臣七十有一，久病之后，血气愈衰，耳目全无聪明，手足全然缓弱，饮食减损，举动艰难，疾苦无聊，伏枕待尽，欲望圣慈曲垂天听，悯臣废疾之久……许臣守本官致仕。"

九月

二十日，洪迈撰《容斋四笔》成。

十月

八日，朱熹作《跋李伯时马》。云："观龙眠《飞骑图》，及读延之、廷秀、大防三君子佳句，因思法云秀公语，尤物移人，甚可畏也。庆元三年孟冬八日，朱熹仲晦父。"

十一月

陆游作《跋毛仲益所藏兰亭》。云："龙乘云气而上天，凤凰翔于千仞。吾见旧定本《兰亭》，其犹龙凤耶！"按，宋桑世昌《兰亭考》卷七《审定下》录此条，末作庆元丙辰二月十一日。今依《渭南文集》卷二十八。

159

十二月

以知绵州王沇请，诏省部籍伪学姓名。《宋史纪事本末》卷八十《道学崇黜》："（庆元）三年十二月，知绵州王沇上疏：'乞置伪学之籍，仍自今曾受伪学举荐关升及刑法廉吏自代之人，并令省部籍记姓名，与闲慢差遣。'从之。于是伪学逆党得罪著籍者，宰执则有赵汝愚、留正、周必大、王蔺等四人，待制以上则有朱熹、徐谊、彭龟年、陈傅良、薛叔似、章颖、郑湜、楼钥、林大中、黄由、黄黼、何异、孙逢吉等十三人，余官则有刘光祖、吕祖俭、叶适、杨芳、项安世、李埴、沈有开、曾三聘、游仲鸿、吴猎、李祥、杨简、赵汝谠、赵汝谈、陈岘、范仲黼、汪逵、孙元卿、袁燮、陈武、田澹、黄度、张体仁、蔡幼学、黄灏、周南、吴柔胜、王厚之、孟浩、赵巩、白炎震等三十一人，武臣则有皇甫斌、危仲任、张致远等三人，士人则有杨宏中、周端朝、张道、林仲麟、蒋传、徐范、蔡元定、吕祖泰等八人，共五十九人。"按，宁宗置"伪学之籍"，旨在取缔"伪学"党人活动，史称"庆元党禁"。

朱熹寄纸被与陆游，游赋诗《谢朱元晦寄纸被》，并请熹为其老学庵作铭。时朱熹罢官居建宁。知会稽县事王时会（季嘉）赴湖南新任，陆游赋诗《送王季嘉赴湖南漕司主管官》。

本年

张镃为司农寺丞，与宫观。

金王若虚、李纯甫擢经义进士第。

吴镒（1140—1197）**卒，年五十八。**镒字仲权，临川人。隆兴元年进士。乾道中，为郴州教授，赴广西从张孝祥游。绍熙三年，知郴州。庆元二年，为湖南转运判官。三年，徙广西，卒于官。吴镒以文章得高名，文字清警。赵蕃《赠别吴仲权三首》其二称其"搜罗既奇胜，落笔为写真。文章复何似，高处殆先秦"。《宋史·艺文志七》著录其《敬斋集》三十二卷，《直斋书录解题》卷二著录其《敬斋词》一卷，均已佚。《全宋词》收其词二首，《全宋诗》录其诗五首，《全宋文》卷五七七二收其文。事迹见《楚纪》卷五二。

陈居仁（1129—1197）**卒，年六十九。**居仁字安行，兴化军人。绍兴二十一年进士。历任永丰令、右司郎中、起居郎、中书舍人、权直学士院等。庆元二年，知福州。三年，致仕。事迹具《宋史》卷四〇六本传、周必大《华文阁直学士赠金紫光禄大夫陈公居仁神道碑》）。居仁熟读《汉书》、《左传》，摘其精要为《班左撷芳》，为文温厚尔雅，有二书之风。著有制稿奏议二十卷、诗文十卷，均佚。《全宋词》收其《水调歌头》一首，《全宋诗》录其诗七首，《全宋文》卷五三八二收其文。

赵师侠（亦作赵师使）。四库提要卷一九八："《坦庵词》一卷，安徽巡抚采进本，宋赵师使撰。……按，陈振孙《书录解题》载《坦庵长短句》一卷，称赵师侠撰；陈景沂《全芳备祖》载《梅花》五言一绝，亦称师侠，与此本互异，未详孰是。盖二字点画相近，犹田肯、田宵史传亦姑两存耳。毛晋刊本谓师使一名师侠，则似其人本有两名，非事实也。"）卒于本年或以后，确切生卒年不详。按，四库提要卷一九八："师使尝举进士，其宦游所及，系以甲子，见于各词注中者，尚可指数。大约始于丁亥（即乾道三年），而终于丁巳（即庆元三年）。"师侠字介之，号坦庵，汴人。燕王德昭七世孙。淳熙进士。尝为江华郡丞。宦迹及于益阳、豫章、柳州、宜春、信丰、潇湘、衡阳、莆中、长沙等地。《直斋书录解题》卷二著录《坦庵长短句》一卷，由门人尹觉编刊。今通行本作《坦庵词》，有汲古阁刊本、《四库全书》本，收词一百五十余篇，《全宋词》收入。尹觉《题坦庵词》："坦庵先生金闺之彦，性天夷旷，吐而属文，如泉出不择地。连收两科，如俯拾芥，词章乃其余事。人见其模写风景，体状物态，俱极精巧，初不知得之易，以致得趣忘忧，乐天知命，兹又情性之自然也。"毛晋《坦庵词跋》："介之……生于金闺，捷于科第，故其词亦多富贵气。或病其能作浅淡语，不能作绮丽语。余正谓诸家颂酒赓色，已极滥觞，存一淡妆以愧浓抹，亦初集中放翁一流也。"四库提要卷一九八："《坦庵词》一卷。……今观其集，萧疏淡远，不肯剪红刻翠之文，洵词中之高格，但微伤率易，是其所偏。"《赌棋山庄词话》卷一〇："暇日偶读《坦庵词》，见其《浣溪沙》云：'雪絮飘池点绿漪，舞风游漾燕交飞。阴阴庭院日迟迟。　一缕水沉香散后，半瓯新茗回味时。萧闲万事总忘机。'所谓清绝滔滔者。而《谒金门》阕反不见于集中，知名词之散佚多矣。《坦庵词》凡八十余，有《诉衷情》三首，题曰《莆中酧献白湖灵惠妃》，则今祀典之天后也。然其词云'专掌握，雨旸权'，则湄州在宋代祈晴祷雨，不独恩在海舶矣。坦庵在莆阳咏桃花有《满江红》，题壶山阁有《柳梢青》。而鹿鸣宴填《汉宫春》云，莆中旧传盛事，六亚三魁。此尤足资文献之谈助也。"《本事词》卷下："赵师侠坦庵，为南宗之俊，工词章，亦多赠妓之作。其赠妙惠《鹧鸪天》云……又于滕王阁上赠段云轻《浣溪沙》云……又同曾无玷观尤赛娘弈棋《点绛唇》云……三阕皆暗藏小字云。"

　　吴子良（1197—1256）生。

　　杨果（1197—1271）生。

　　王柏（1197—1274）生。

公元 1198 年（宋宁宗庆元四年戊午　金章宗承安三年）

正月

　　陆游作《北望》，再陈"何时青海月，重照汉家营"之夙愿。

　　杨万里进封吉水县开国子，食邑五百户；又授太中大夫。

　　以签书枢密院事**叶翥**同知枢密院事。

春

　　姜夔作《戊午春帖子》。

　　陆游作《题夷坚志后》。称赞洪迈《夷坚志》"岂唯堪史补，端足擅文豪。驰骋空凡马，从容立断鳌"。又作《北岩采新茶，用〈忘怀录〉中法煎饮，欣然忘病之未去也》、《连日至梅仙坞及花泾观桃花，抵暮乃归》。

五月

加韩侂胄少傅，赐玉带。

诏禁伪学。《宋史纪事本末》卷八十《道学崇黜》："（庆元）四年五月，右谏议大夫姚愈复上言：'近世行险徼幸之徒，倡为道学之名，聋瞽愚俗，权臣力主其说，结为死党。陛下取其罪魁之显然者，止从窜免，余悉不问，所以存全之意，可谓至矣。奈何习之深者，怙恶不悛，日怀怨望，反以元祐党籍自比。臣愿特降明诏，播告天下，使中外晓然知邪正之实，庶奸伪之徒，不至假借疑似，以盗名欺世。'帝从之，为下诏戒饬。"

六月

李吕（1122—1198）**卒，年七十七。**吕字滨老，一字东老，邵武军光泽人。年四十即弃科举，恬退力学，家族雍睦。尝立社仓，朱熹为作记，叹其负经事综物之才，老而不遇。周必大《李滨老墓志铭》谓其著有《澹轩集》十五卷，世无传本。清四库馆臣自《永乐大典》辑出散见诗文，厘为诗三卷、词一卷、杂文四卷，计八卷。今《全宋词》录存其词十八首，《全宋诗》录其诗三卷，《全宋文》收其文三卷。其诗文"虽多近朴直，少波澜回复之趣，不能成家，然明白坦易，往往有关于劝戒，不失为儒者之言"，故朱熹称其文"可谓有补于世教"（《四库全书总目提要》卷一五九）。

夏

陆游作《感旧》五律六首，追怀南郑从军生活。

七月

陆游久病初愈，作《予自春夏屡病，至立秋而愈，作长句自贺》。又作《王与道尚书挽词》。按，王师心，字与道，金华人。政和八年进士。乾道五年卒，年七十三。

八月

九日，蔡元定（1135—1198）**卒，年六十四。**元定字季通，学者称西山先生，建州建阳人。幼承庭训，读北宋诸儒书，沉涵其义。乾道间，从朱熹学，熹视为友生，谓"其律书法度甚精，近世诸儒皆莫能及"（《答詹元善书》）。庆元元年，开伪学之禁。二年，元定以布衣谪道州，远近闻名从学者益众。其学精于天文、地理、礼乐、兵制、度数，著有《律吕新书》、《发微论》传世。《全宋诗》录存其诗十八首，《全宋文》收其文。事迹见刘爚《西山先生蔡公墓志铭》、杜范《蔡元定传》、《宋史》卷四三四本传。

陆游有诗《寄题周丞相平园》。按，《周益国文忠公年谱》："（绍熙五年）十一月丁亥，公迁新第，盖贡院旧基，公尝预荐于此，乃名堂曰'充赋'。东偏辟园数亩，地势坦夷，名之曰'平'，自号平园老叟。"

许及之以吏部尚书同知枢密院事。

九月

陆游赋诗《病雁》，自注云："祠禄将满，幸粗支朝夕，遂不敢复有请，而作是诗。"诗中有云："东归忽十载，四忝侍祠官。虽云幸得饱，早夜不敢安。乃知学者心，羞愧甚饥寒。"

秋

周必大作《题吕侍郎希哲岁时杂记后》。题云："本朝承平岁久，斯人安生乐业。凡遇节物，随时制宜，虽有古有今，或雅或鄙，所在不同；然上而朝廷，次而郡国，下逮民庶，欢娱熙洽，未尝虚度，则一也。侍讲吕公，当全盛时，食相门之德，既目击旧礼，又身历外官，四方风俗，皆得周知，追记于册，殆无遗者。唯上元一门，多至五十余条，百年积累之盛，故家文献之余，兹可推矣。庆元戊午秋，公之元孙仙游邑大夫祖平以示平园老叟周某，窃有生晚不及见之叹云。"

十月

陆游奉祠岁满，不复请。《龟堂自咏》其二"病多辞酒伴，老甚解祠官"句下自注云："予十月奉祠岁满，不复敢请。"《新作火阁》"扫空祠禄吾何欠，陋巷箪瓢易属厌"，句下自注云："祠禄止此月。"又作《祠禄满，不敢复请，作口号》三首，其一云："今年高谢武夷君，饭豆羹藜亦所欣。"其二云："祠庭八载窃荣名，一饱心知合自营。腰后落衔便手倦，月头镵俸喜身轻。"

十一月

王明清撰成《玉照新志》。并序云："庆元戊午，明清得玉照一于友人永嘉鲍子正，色泽温润，制作奇古，真周、秦之瑞宝也。又获米南宫书'玉照'二字，因揭寓舍之斗室，屏迹杜门，思索旧闻，凡数十则，缀辑之，名曰《玉照新志》。务在直书，初无私意，为善者固可以为韦弦，为恶者又足以为龟鉴。间有奇怪谐谑，亦存乎其中。若夫人祸天刑，则付之无心可也。长至日，汝阴王明清书。"

冬

陆游作《感旧》二首、《思蜀》三首。忆念蜀中生活及蜀中友人李石、师伯浑、宇文绍奕、宇文子震、谭季壬等。所赋爱国诗篇，有《夜闻落叶》、《作雪》、《三山杜门作歌》诸作。

朱熹撰成《楚辞集注》约在是冬。熹自序云："盖自屈原赋《离骚》，而南国宗之，名章继作，通号《楚辞》。大抵皆祖原意，而《离骚》深远矣。窃尝论之，原之为人，其志行虽或过于中庸，而不可以为法，然皆出于忠君爱国之诚心；原之为书，其辞旨虽或流于跌宕怪神、怨怼激发，而不可以为训，然皆生于缱绻恻怛不能自已之至意。虽其不知学于北方，以求周公、仲尼之道，而独驰骋于变风、变雅之末流，以故醇儒庄士或羞称之。然使世之放臣屏子怨妻去妇抆泪讴吟于下，而所天者幸而听之，则于彼此之间天性民彝之善，岂不足以交有所发，而增夫三纲五常之重，此予之所以每有味于其言，而不敢直以词人之赋视之也。然自原著此词，至汉未久，而说者已失其趣，如太史公盖未能免，而刘安、班固、贾逵之书世复不传。及隋、唐间，为训解者尚五六家，又有僧道骞者，能为楚声之读，今亦漫不复存，无以验其说之得失。而独东京王逸《章句》与近世洪兴祖《补注》并行于世，其于训诂名物之间则已详矣，顾王书之所取舍，与其题号离合之间多可议者，而洪皆不能有所是正。至其大义，则又皆未尝沉潜反复、嗟叹咏歌，以寻其文词指意之所出，而遽欲取喻立说，旁引曲证，以强附于其事之已然。是以或以迂滞而远于性情，或以迫切而害于义理，使原之所为抑郁而不得伸于当年者，又晦昧而不见白于后世，予于是益有感焉。疾病呻吟之暇，聊据旧编，粗加檃括，定为《集注》八卷，庶几读者得以见古人于千载之上，而死者可作，又足以知千载之下有知我者，而不恨于来者之不闻也。呜呼悕矣，是岂易与俗人言哉！"按，关于朱熹之作《楚辞集注》，或以为乃感于赵汝愚之卒。杨楫《楚辞集注跋》："庆元乙卯，楫侍先生于考亭精舍。时朝廷治党人方急，丞相赵公谪死于永，先生忧时之意屡形于色。忽一日，出示学者以所释《楚辞》一篇。楫退而思之，先生平居教学者，首以《大学》、《论语》、《孟子》、《中庸》四书，次而《六经》，又次而史传。至于秦、汉以后词章，特余论及之耳。乃独为《楚辞》解释其义，何也？然先生终不言，楫辈亦不敢窃而请焉。"《困学纪闻》卷十八："南塘《挽赵忠定公》云：'空令考亭老，头白注《离骚》。'"《齐东野语》卷三《绍熙内禅》："汝愚永州安置，至衡州而卒。朱熹为之注《离骚》以寄意焉。"《郡斋读书志附志》："公（朱熹）之加意此书，则作牧于楚之后也。或曰有感于赵忠定之变而然。"

本年

辛弃疾复集英殿修撰，主管建宁府武夷山冲佑观。弃疾《鹧鸪天》（老退何曾说著官）题云："戊午拜复职奉祠之命。"《宋史》本传："庆元元年落职，四年复主管冲佑观。"稼轩时年五十九。

金党怀英为翰林学士承旨。

姜特立有词《西江月·戊午生朝》。

郑域有词《念奴娇·戊午生日作》。

韩淲有诗《风雨中诵潘邠老诗》。《瀛奎律髓汇评》卷一二方回评："此诗悲壮激烈。……乃庆元戊午诗也。"

吴礼之约于本年前后在世，生卒年不详。礼之字子和，号顺受老人，钱塘人。生平事迹无考，或为布衣一生。有词五卷，郑国辅为之序，久佚，今人赵万里有辑本

《顺受老人词》。《全宋词》收录其词十九首。黄昇称其《瑞鹤仙》（风传秋信至）"词鄙意高"（《中兴以来绝妙词选》卷三）；《柳塘词话》谓其《雨中花慢》（眷浓恩重）、《丑奴儿》（金风颤叶）"能以极寻常语言，为极透脱文字"（沈雄《古今词话·词评》上卷引）。

赵崇嶓（1198—1255）生。

李曾伯（1198—1268）生。

江万里（1198—1275）生。

公元 1199 年（宋宁宗庆元五年己未 金章宗承安四年）

正月

枢密院直省官蔡琏诉赵汝愚定策时有异谋，诏下大理捕鞫彭龟年、曾三聘等以实其事。中书舍人范仲艺力争之于韩侂胄，事遂寝。张釜等复请穷治，诏停龟年、三聘官。

二月

十九日，朱熹作《跋吕侍讲岁时杂记》。跋云："右吕公《岁时杂记》，熹得而伏读之，既于周退傅、陆放翁之所叹，窃亦深有感焉；又意公之为此，亦前贤集录方书之遗意也。然则后之君子，又将有感于余言也夫！庆元己未二月辛巳新安朱熹书。"

二十三日，张釜劾刘光祖附和伪学，诏房州居住。《宋史》卷三九七《刘光祖传》："光祖撰《涪州学记》，谓：'学之大者，明圣人之道以修其身，而世以道为伪；小者治文章以达其志，而时方以文为病。好恶出于一时，是非定于万世。'谏官张釜指为谤讪，比之杨恽，夺职，谪居房州。"按，光祖作《涪州学记》在庆元四年；张釜以佐逆不臣、蓄愤、怀奸、欺世、慢上五罪劾光祖。据《两朝纲目备要》卷五。

三月

杨万里进封宝文阁待制，致仕。《辞免转一官仍除宝文阁待制致仕奏状》："臣昨于庆元二年六月内具状陈乞引年致仕，奉圣旨不允；至三年七月，再伸前请；俟命两年，于今月初四日，伏准省札，以臣三存乞引年致仕。二月十七日，三省同奉圣旨，与臣转一官除宝文阁待制致仕者，臣闻命欢喜，省躬震惊。"

春

陆游赋诗《雨闷示儿子》，表达卜居关中之想望，冀能躬耕灞浐，买酒新丰，看花下杜。又赋《沈园》二首。刘克庄《后村先生大全集》（《四部丛刊》本）卷一七八："放翁少时，二亲教督甚严。初婚某氏，伉俪相得，二亲恐其惰于学也，数遣妇；放翁不敢逆尊者意，与妇诀。某氏改适某官，与陆氏有中外。一日，通家于沈园，坐间，目成而已。翁得年最高，晚有二绝云：'肠断城头画角哀，沈园非复旧池台。伤心桥下春波绿，曾是惊鸿照影来。''梦断香销四十年，沈园柳老不吹绵。此身行作稽山土，犹吊遗踪一泫然！'旧读此诗，不解其意；后见曾温伯言其详。温伯名黯，茶山孙，受学于放翁。"周密《齐东野语》卷一《放翁钟情前室》："陆务观初娶唐氏，闳之女也，于其母夫人为姑侄；伉俪相得而弗获其姑。既出而未忍绝之，则为别馆，时时往焉。姑知而掩之，虽先知挈去，然事不得隐，竟绝之。亦人伦之变也。唐后改适同郡宗子（赵）士程。尝以春日出游，相遇于禹迹寺南之沈氏园，唐以语赵，遣致酒肴，翁怅然久之，而赋《钗头凤》一词题园壁间云：'红酥手……'实绍兴乙亥岁也。翁居鉴湖之三山，晚岁入城，必登寺眺望，不能胜情，尝赋二绝云：'梦断香销四十年……'盖庆元己未岁也。未久，唐氏死。至绍熙壬子岁，复有诗序云：'禹迹寺南有沈氏小园，四十年前尝题小阕壁间，偶复一到，而小园已三易主，读之怅然。'诗云：'枫叶初丹槲叶黄……'又至开禧乙丑岁暮，夜梦游沈氏园，又两绝句云：'路近城南已怕行……'沈园后属许氏，又为汪之道宅云。"而吴骞《拜经楼诗话》卷三则谓："陆放翁前室改适赵某事，载《后村诗话》及《齐东野语》，殆好事者因其诗词而傅会之。《野语》所叙岁月，先后尤多参错。且玩诗词中语意，陆或别有所属，未必曾为伉俪者，正如'玉阶蟋蟀闹清夜'四句本七律，明载《剑南集》，而《随隐漫录》剪去前四句，以为驿卒女题壁，放翁见之，遂纳妾云云，皆不足信。"按，除《齐东野语》所引诗作外，《剑南诗稿》中与此事有关者尚不在少，如卷十四《夏夜舟中闻水鸟声甚哀，若曰姑恶，感而作诗》（五十九岁时作）、卷三十九《夜闻姑恶》（七十五岁时作）、卷四十《夜雨》（七十五岁时作）、卷四十五《禹寺》（七十七岁时作）、卷六十六《夜闻姑恶》（八十二岁时作）、卷七十《禹祠》（八十三岁时作）、卷七十五《春游》其四（八十四岁时作）等。

四月

诏命朱熹守朝奉大夫致仕，熹有《致仕谢表》（见《朱文公文集》卷八十五）。

五月

陆游致仕。《己未重五》题注："时已请老。"《五月七日拜致仕敕口号》其二："黄纸东来墨未干，孤臣恩许挂朝冠。小儿扶出迎门拜，邻舍相呼拥路观。"又赋《致仕后即事》十五首、《致仕后述怀》六首。

赐礼部进士曾从龙以下四百一十二人及第、出身。魏了翁、卢祖皋、敖陶孙、真德秀登进士第。

黄铢（1131—1199）卒，年六十九。铢字子厚，号谷城，瓯宁人，徙居崇安。少与朱熹同师刘子翚，读书为文，相互切磋。"子厚之文学太史公，其诗学屈、宋、曹、刘，而下及于韦应物……中年不得志于场屋，遂发愤谢去，杜门读书，清坐竟日。间辄拽杖行吟田野间，望山临水以自适。其于《骚》词，能以楚声古韵为之节奏，抑扬高下、俯仰疾徐之间，凌厉顿挫，幽眇回郁，闻者为之感激慨叹，或至泣下"（朱熹

《黄子厚诗序》）著有《谷城翁诗》五卷，今不传；《宋史·艺文志》著录其《楚辞协韵》八卷，今已佚。《全宋词》录存其词三首，《全宋诗》录存其诗九首，《全宋文》卷五四二一收其文。事迹见朱熹《黄子厚诗序》、《闽中理学渊源考》卷六。

七月

陆游作《法云寺观音殿记》。记中云："予游四方，凡通都大邑，以至遐陬夷裔，十家之聚，必有佛刹，往往历数百千岁，虽或盛或衰，要皆不废。而当时朝市城郭邑里官寺，多已化为飞埃，鞠为茂草，过者吊古兴怀于狐嗥鬼啸之区，而佛刹自若也。岂独因果报应之说足以动人而出其财力，亦其徒坚忍强毅，不以丰凶难易变其心，子又有孙，孙又有子，必于成而后已。彼之不废固宜。予因彝与泽之事而有感焉，并载其说，士大夫过而税驾者读之，其亦有感也夫！"借浮屠建佛刹之必至于成，以励士大夫务必坚毅谋国。

朱熹作《跋陆务观诗》。跋云："'漠漠炊烟村远近，冬冬傩鼓埭西东。三叉古路残芜里，一曲清江淡霭中。外物已忘如敝屣，此身无伴等羁鸿。天寒寂寞篱门晚，又见浮生一岁穷。'季札闻歌《小雅》，而识其'思而不贰、怒而不伤'者。近世东坡公读柳子厚《南涧中题》，乃得其'忧中有乐、乐中有忧'者而深悲之。放翁之诗如此，后之君子，其必有以处之矣。庆元己未七月二十日，云谷老人观陈希真所藏，为记其后。"（《四部备要》本第三十五册《晦庵先生朱文公续集》卷八）按，陆游此诗作于庆元四年岁杪，题曰《舍北晚步》，今存《剑南诗稿》卷三十八，然诗中"敝屣"作"弃屣"，"此身"作"老身"。

八月

王自中（1140—1199）卒，年六十。自中字道甫，自号厚轩居士，平阳人。淳熙五年进士，调舒州怀宁主簿。绍熙二年，知信州。庆元四年，差知邵州。著有《王政纪原》三卷、《厚轩居士文集》五卷，均不传。叶适谓其应试文"皆陈实策，无一语类时文"（《陈同甫王道甫墓志铭》）。《全宋诗》收录其诗二首，《全宋文》卷五八〇〇收其文。事迹见《宋史》卷三九〇本传。

九月

初一日，许从道作《东阳游戏序》。序云："庆元己未夏六月，庐陵刘改之来游东阳。几日月，得诗文五十余篇。将行，集之，因为之序。予以为山川人物，固豪杰之士所乐观而愿识者，然贫困征行，山川过目，辄失向背，交游满前，臭味平生，虽所愿乐，盖亦未易得也。改之游吾乡，往来石洞、清潭山谷间，盘薄邑里，赋诗最多。邑之善士，莫不倾接。探幽发秘，却短从长，与夫风俗美恶、典刑废存，固已尽得之矣。然而改之贫自若也。司马子长游天下，其所以求于世者与我异，倦游来而文始奇。改之读书论兵，好言古今治乱盛衰之变。与予交十二年，今老矣，未尝一日不游也。

每见则气益豪，诗益振，文益古。盖其所得于天者，富贵不足以累其心，故能驱役山川，戏弄人物，剧谈痛饮，遗世自贤，亦与造物者游而未知所止也。其与子长孰后先乎？诗文一篇，遂为东阳故事。凡吾识所及，改之当不忘也。秋九月朔许从道序。"

六日，陆游作《答陆伯政（焕之）上舍书》，可见其论诗要旨。书中有云："古声不作久矣！所谓诗者，遂成小技；诗者，果可谓之小技乎？学不通天人，行不能无愧于俯仰，果可以言诗乎？仆绍兴末在朝路，偶与同舍二三君至太一宫，闻中有高士斋，皆名山高逸之士，欣然访之，则皆扃户出矣。裴回老松流水之间，久之，一丫髻童负琴引鹤而来，风致甚高。吾辈相与言曰：'不得见高士，得见此童亦足矣！'及揖而问之，则曰：'今日董御药生日，高士皆相率往献香矣。'吾辈遂一笑而去。今世之以诗自许者，大抵多太一高士之流也，不见笑于人几希矣，而望其有陶渊明、杜子美之余风，果可得乎？"

九日，丘胺、范瑄、严士敦携酒往访朱熹，有诗唱酬。熹诗题曰《己未九日，子服老弟及仲宣诸友载酒见过。坐间，居厚庙令出示佳句，叹伏之余，次韵为谢，并呈同社诸名胜》。

韩侂胄加少师，封平原郡王。

陆游整理故书，得陈阜卿手帖，复忆当年科考事，感慨赋诗，题曰《陈阜卿先生为两浙转运司考试官，时秦丞相孙以右文殿修撰来就试，直欲首选。阜卿得予文卷，擢置第一，秦氏大怒。予明年既显黜，先生亦几蹈危机，偶秦公薨，遂已。予晚岁料理故书，得先生手帖，追感平昔，作长句以识其事》。按，陆游参加礼部试，在绍兴二十四年。《宋史》本传："荫补登仕郎，锁厅荐送第一，秦桧孙埙适居其次，桧怒，至罪主司。明年，试礼部，主试复置游前列，桧显黜之，由是为所嫉。"叶绍翁《四朝闻见录》乙集谓游"以秦桧所讽见黜，盖疾其喜论恢复"。

周文璞有诗卷寄陆游，游赋《寄溧阳周丞文璞，周寄诗卷殊可喜》以赠。

姜夔与韩淲、潘柽、盖希之游西林。

十一月

陆游为张孝祥家书作跋，题曰《跋张安国家问》。见《渭南文集》卷二十八。

十二月

朱熹以《楚辞集注》寄杨万里，万里赋诗《戏跋朱元晦楚辞解》以答之。

本年

姜特立有词《满江红·己未生朝》。

真德秀为南剑州判官。

魏了翁授签书剑南西川节度判官。

姜夔上《圣宋铙歌鼓吹曲》十四篇。《宋史·乐志六》："夔乃自作《圣宋铙歌曲》：宋受命曰《上帝命》，平上党曰《河之表》，定维扬曰《淮海浊》，取湖南曰《沅之上》，得荆州曰《皇威畅》，取蜀曰《蜀山邃》，取广南曰《时雨霈》，下江南曰《望钟山》，吴越献国曰《大哉仁》，漳、泉献土曰《讴歌归》，克河东曰《伐功继》，征澶渊曰《帝临塲》，美致治曰《维四叶》，歌中兴曰《炎精复》：凡十有四篇，上于尚书省。书奏，诏付太常。"诏免解与礼部试，不第（据《直斋书录解题》卷二〇）。

朱熹致书辛弃疾，以"克己复礼"相勉。据袁桷《清容居士集》卷四十六《跋朱文公与辛稼轩手书》："晦翁尝以'卓荦奇才，股肱王室'期辛公，此帖复以'克己复礼'相勉，朋友琢磨之道备矣。尝闻先生盛年以恢复最为急议，晚岁则曰用兵当在数十年后。辛公开禧之际亦曰'更须二十年'。阅历之深，老少议论自有不同焉者矣。公所居号带湖，一夕而烬，时文公犹无恙。庆元四年，公复殿撰，此书盖戊午岁以后所作，至六年则文公梦奠矣。今观此帖，益知前贤讲道，弥老不废，炳烛之功，良有以也夫。"按，此书不载《朱文公文集》。

宋伯仁（1199—?）生。

方岳（1199—1262）生。

郑起（1199—1262）生。

赵孟坚（1199—1267 年前）生。

段成己（1199—1282）生。按，关于段成己之卒年，孙德谦《二妙年谱》系于元至元十六年（1279），误。同恕《段思温先生墓志铭》："至元十五年，丁樊夫人忧。……后四年，菊轩（成己）君卒。"吴澄《河东县子段君墓表》："年三十九，丁母忧，致哀尽礼。越四年，仲又卒，丧之如父。"思温为成己兄克己之季子，生于元太宗十二年（1240），三十九岁为至元十五年（1278），越四年为至元十九年（1282）。又，成己《创修栖云观记》作于至元十八年（1281）秋七月晦日。

公元 1200 年（宋宁宗庆元六年庚申　金章宗承安五年）

正月

元日，陆游赋《庚申元日口号》六首。中旬，湖村观梅，赋诗五首，题曰《开岁半月，湖村梅开无余，偶得五诗，以烟湿落梅村为韵》。

考亭陈昭远建聚星亭成，朱熹往赴燕集。赋诗《聚星落成，致政陈丈举酒属客，出示新诗，而仲卿、朝瑞及刘、范二兄相与继作，熹幸以卜邻得陪胜集，率尔次韵，聊发一笑》。是月，朱熹撰《楚辞音考》成，刊刻于古田。又作《跋杨子直所赋王才臣绝句》。

金以尚书省言，会试取策论、词赋、经义不得过六百人，合格者不及其数则阙之。据《金史·章宗本纪三》。

二月

二十八日，杜叔高访辛弃疾于铅山。弃疾有诗题曰《同杜叔高、祝彦集观天保庵瀑布，主人留饮两日，且约牡丹之饮》，题下注云："庚申岁二月二十八日也。"

闰二月

以京镗为左丞相，谢深甫为右丞相，何澹知枢密院事兼参知政事。复留正少保、观文殿大学士致仕。

朱熹修订《大学章句》成。

三月

九日，朱熹〔1130—1200〕卒于建阳考亭，年七十一。按，朱熹于本年十一月二十日葬于建阳。熹虽卒，然当权者对道学派之压抑、打击却未因此而停止。《宋史纪事本末》卷八十《道学崇黜》："（朱熹）将葬，右正言施康年言：'四方伪徒，聚于信上，欲送伪师之葬。会聚之间，非妄谈时人短长，则谬议时政得失。乞下守臣约束。'从之。"辛弃疾赴朱熹葬礼，为文哭之。《宋史》辛弃疾本传："熹殁，伪学禁方严，门生故旧至无送葬者，弃疾为文往哭之，曰：'所不朽者，垂万世名。孰谓公死，凛凛犹生。'"又赋词《感皇恩·案上数编书》以致哀，题注曰："读《庄子》，闻朱晦庵即世。"陆游作《祭朱元晦侍讲文》："某有捐百身起九原之心，有倾长河注东海之泪。路修齿耄，神往形留。公殁不亡，尚其来飨。"杨万里、黄榦、陈淳、曾极等，皆有祭文。

熹字元晦，一字仲晦，号晦庵、晦翁、云谷老人、沧州病叟、遁翁，祖籍徽州婺源，生于南剑州尤溪，侨居建阳崇安，晚年徙居考亭，学者称考亭先生。绍兴十八年进士。历仕高宗、孝宗、光宗、宁宗四朝，曾官泉州同安主簿、知南康军、江东转运副使、知漳州、焕章阁待制等。"登第五十年，仕于外者仅九考，立朝才四十日"（《宋史》本传）。嘉定二年，追谥文。绍定三年，封徽国公。淳祐元年，从祀孔庙。事迹见黄榦《朝奉大夫华文阁待制赠宝谟阁直学士通议大夫谥文朱先生行状》、《宋史》卷四二九本传。熹学识渊博，著述繁富，于哲学、经学、史学、文学、宗教皆有研究。其著述影响较大者，有《四书章句集注》二十八卷、《诗集传》二十卷、《资治通鉴纲目》五十九卷、《名臣言行录》前集十卷、后集十四卷、《楚辞集注》八卷、《昌黎先生集考异》十卷等。后人所辑《朱子语类》一百四十卷，有明成化九年刊本、《四库全书》本、一九八六年中华书局校点本。文集在其生前即已刊行，现存最早者为淳熙末所刊《晦庵先生文集》前集二十一卷、后集十八卷（现藏于台湾故宫博物院），又有宁宗时刻本《晦庵先生文集》一百卷，咸淳元年建安书院刻《晦庵先生朱文公文集》一百卷、续集十一卷、别集十卷，《四部丛刊》影印明嘉靖十一年刻本，一九九六年四川教育出版社校点本《朱熹集》等。《全宋词》录其词二十首，《全宋诗》录其诗十二卷，《全宋文》收其文二百六十三卷。

《宋史》朱熹本传引黄榦曰："道之正统待人而后传，自周以来，任传道之责者不过数人，而能使斯道章章较著者，一二人而止耳。由孔子而后，曾子、子思继其微，至孟子而始著。由孟子而后，周、程、张子继其绝，至熹而始著。"朱子之学，"大抵穷理以致其知，反躬以践其实，而以居敬为主"（《宋史》本传）。其论文，本于道学家立场，以义理为诗文之根底与指归，主张道本文末，谓"用力于文词，不若穷经观史以求义理而措诸事业之为实也。……至于文词，一小伎耳。以言乎迩，则不足以治己；以言乎远，则无以治人。是亦何所与于人心之存亡、世道之隆替，而校其利害，勤恳反覆，至于连篇累牍而不厌耶？""今人不去讲义理，只去学诗文，已落得第二义"（《朱子语类》卷一四〇）；"道者，文之根本；文者，道之枝叶。唯其根本乎道，所以发之于文，皆道也。三代圣贤文章，皆从此心写出，文便是道。今东坡之言曰'吾所谓文，必与道俱'，则是文自文，而道自道。待作文时，旋去讨个道来，入放里面，此是他大病处。……缘他都是因作文，却渐渐说上道理来，不是先理会得道理了，方作文，所以大本都差。欧公之文，则稍近于道，不为空言"（同上卷一三九）；"这文皆从道中流出，岂有文反能贯道之理。……若以文贯道，却是把本为末，以末为本，可乎？"（同上卷八）但朱熹也深知，"古之圣人欲明是道于天下而垂之万世，则其精微曲折之际，非托于文字亦不能以自传也"（《徽州婺县学藏书阁记》），且"诗者，人心之感物而形于言之余也"（《诗集传序》），"间隙之时，感事触物，又有不能无言者，则亦未免以诗发之"（《东归乱稿序》），故其文道观多有调和、折衷意味："作诗间以数句适怀亦不妨，但不用多作，盖便是陷溺尔。当其不应事时，平淡自摄，岂不胜如思量诗句？至其真味发溢，又却与寻常好吟者不同。"（《朱子语类》卷一四〇）

吴澄《张达善文集序》："朱子祖述周、程、张、邵，而辞莫有同者焉，谁谓儒者之文不文人若哉！彼文人工于诋诃，以为'洛学兴而文坏'，夫朱子之学不在于文，而未尝不力于文也。奏议仿陆宣公而未至，书院学记，曼衍缭绕，或不无少损于光洁。若他文则韩、柳、欧、曾之规矩也，陶、谢、陈、李之律吕也。律之吕之，规之矩之，而非陶非谢、非陈非李、非韩非柳、非欧非曾也。是岂区区剽掠掇拾者，而犹有诋诃者乎？"胡应麟《诗数》外编卷五："宋人一代，沾沾自相煦沫，读其遗言，大概如入夜郎王国耳。唯朱元晦究心古学，于骚则注释灵均，于赋则发扬司马，于诗则指归伯玉，于文则考订昌黎，皆切中肯綮，即后世名文章家不能易也。彼训诂《六经》，业已并兼千古，弩末刃余，复暇及此，才岂易企！"

胡应麟《诗数》外编卷五："宋之学陈子昂者，朱元晦。"又杂编卷五："大抵南宋古体当推朱元晦，近体无出陈去非。"陈廷敬《晦庵论诗》："儒林道学费调停，雅颂分明在六经。记得考亭诗法好，先从陶、柳考门庭。"王应麟《题兰皋集后》："晦翁言诗，以《三百篇》为根本。翁诗为中兴冠冕，岂刿目鉥心，有意于诗哉？本深而末茂，实大而华荣。"方回《婺源黄山中吟卷序》："文公诗出于刘彦冲，律体清劲，近陈无己，古体高远，不减建安，如《长沙定王台》、《渊明醉石》诗可见也。"又《跋刘光诗》："吾乡朱文公……诗法有陈后山之瘦劲，有刘屏山之温雅。"长谷真逸《农田余话》："宋南渡后，文体破碎，诗体卑弱，唯范石湖、陆放翁为平正。至晦庵诸子，始欲一变时习，模仿古作，故有'神头鬼面'之论。时人渐染既久，莫之或改。"吴讷《晦庵先生五言诗钞序》："宋室南迁，晦庵朱子以天挺豪杰之才，上继圣贤之学。文词虽其余事，闲尝读大全集，观其五言古体，冲远古澹，实宗《风》《雅》而出入汉、魏、陶、韦之间。至其《斋居感兴》之作，则又于韵语之中尽发天人之蕴以开示学者，是岂汉、晋诗人之所可及哉？"陈敬宗《宣德本晦庵先生五言诗钞后序》："诗自《三百篇》以后，汉苏、李变为五言，而建安曹、刘诸子继之，词气高古，足以羽翼六义。至晋之陶，唐之韦、柳，冲澹典则，得温柔敦厚之遗意焉，亦足以舆卫风雅无忝矣。然自苏、李以后，千有余年之间，作者固多，而或失之绮丽，或失之巧密，无复唱叹之遗音，可慨也！后宋晦庵先生以道统之学，上承先圣，下开后人，于注释经传之余，时时发诸咏歌，众体悉备，而尤粹于五言。盖出入汉、魏、陶、韦之间，而兴致高远则或过之。蕴淡薄之味于大羹玄酒之中，扬淳古之音于朱弦疏越之外，诚旷代之稀声也。至于《感兴》之作，则又不徒以诗为诗者焉。自夫天地阴阳之妙，性命道德之懿，古先圣贤开物成务、立则垂训之要，历世治乱兴衰之迹，与夫仙释之诞妄，教化之沦丧，悉于此焉□□所以正人心于不泯，遏邪说于复明，其有关于世教、有功于学者大矣，岂特陶情适性而已哉！"许学夷《诗源辩体》卷二三："朱子初年五言古悉学苏州。"又后集纂要卷一："朱元晦（名熹）五言古最工。宋人五言古，欧、苏门户虽大，然悉成大变。……元晦五言古，初年尝拟《十九首》，既而悉学应物，又既而学子昂，又既而学子美，音节步骤十不失一，实在我明诸家之上，元瑞称其'制作颇溯根源'是也。元晦尝言：'其后生见人做得诗好，锐意要学，遂将渊明诗平仄用字，一一依他，做到一月后，方得作诗之法。'盖元晦本学渊明，然未易仿佛，故其冲澹者遂为应物，宏大者即成子美也。"杜范《朱子诗选跋》："先生之诗，见于文集者止十卷，每病其比次失伦，裒定纷错，无以考其岁月之后先，因以验其进退之序。首卷虽先生手自删取，名《牧斋净稿》，然实少年之作也。今观《远游》一篇，已见其规庑之大，立志之坚，既有以开扩其问学之基矣。其次卷则自同安既归，受业于延平之后，时年二十有八。自是往返七年，豁然融会贯通，而寄兴于吟咏之际，亦往往推原本根，阐究微渺，一归于义理之正，尽洗诗人嘲弄轻浮之习。其挽延平，时年三十有四，诵其'本本存存'之句，亦可验其传河洛之心矣。《南岳唱酬》，实乾道丁亥，时年三十有七。《斋居感兴》二十篇，其壬辰、癸巳之间乎？凡篇中所述，皆道之大原，事之大义，前人累千万言而不能仿佛者，今以五言约之，此又诗之最精者，真所谓自然之奇宝。《南康》诸篇，则己亥之后，于是年五十余。晚年诗不多见，末卷尤不可考。最后《题写真》绝句，去易箦才一月，其任重道远之意，凛然于十四字之间。呜呼至矣！先生道德学问为百世宗师，平生所著述以幸学者不为不多，而学道者不必求之诗可也，然道亦何往而不寓。今片言只字，虽出于试笔，脱口之下，皆足以见其精微之蕴、正大之情。凡天道之备于上，人事之浃于下，古今之治乱，师友之渊源，至于忠君爱国之诚心，谨学修己之大要，莫不从容洒落，莹彻光明。以致山川草木，风云月露，虽一时之所寄，亦皆气韵疏越，趣味深永，而其变化阖辟，又皆古人尽力于诗者莫能窥其户牖，亦未必省其为何等语矣。"又《跋北山书朱子诗送韦轩》："朱子《远游歌》，虽少年之作，已见其器局之广，立志之坚，既有以开扩其问学之基矣。其送胡籍、刘忠肃二诗，则绍兴己卯，时年方三十；《克己》一诗、《观书有感》二诗，则绍兴庚辰也；《挽延平先生》二诗，则隆兴□□也；《酬南轩赠言》，则乾道丁亥也；《斋居感兴》二十首及《分水岭》绝句，则乾道壬辰也；《论启蒙》绝句，则淳熙丙辰也；《题写真》绝句，则庆元庚申，逾月而易箦矣。"黄震《黄氏日钞》卷三四："《诵佛经》诗云

'聊披释氏书'，结之曰'了此无为法，身心同晏如'。又《读道书》诗'终朝观道书'，继之曰'于道虽未庶，已超名迹拘'。先生之博览旁通盖如此。然有先生之识则可，无先生之识则惑也。且此皆初卷诗，多少年时所作，晚岁《论语集序》自悔'昔者吾几陷焉'，岂谓此时此类与？"张吉《新刊晦庵诗略序》："晦庵朱夫子《感兴》诸诗，其自序有云：'皆切于日用之实，故言亦近而易知。'愚窃受读而思焉，其一章、二章言天道阴阳之妙；三章、四章言人心得失之微；五章至七章斥僭伪，尊正统，诸史之断例也；八章原此心善恶之几，而不可不养其善；九章明此心动静之别，而不可不主乎静；十章至十四章反覆乎诚敬操存之说，以终八章、九章之意；十五、十六章辟异端也；十七至十九章论古今教养之异，欲人先事乎小学，以收其放心，养其德性，而必以敬为之地焉；末章则言天道圣德不在言语末务，而学者不可不求诸心。其示人之意切矣。首尾千数百言，细大不遗，精粗毕具，开合有渐，变化无穷。要其归，无非使人操存省察，不失其心，以渐造乎高明之域而已。所谓切于日用之实者，此也，其可忽诸！……呜呼！圣贤之诗，与寻常骚墨之士得其一格足以博浅夫之鉴赏者不同。姑以是编言之。盖兼苏、李之体制，陶、孟之风调，韦、柳之音节，而其理趣则直与风雅正声相为表里，非汉、晋而下词人所及。"沈德潜《说诗晬语》卷下："朱子五言，不必崭绝凌厉，而意趣风骨自见，知为德人之音。"杭世骏《郑筠谷诗钞序》："宋室理学郁兴，伊川《击壤》、横浦《偈颂》，欲以陶咏性天，发挥理道，譬犹黄桴苇籥以为乐，羹藜饭糗以为食，操奇觚者或迂而笑之。朱子超然一洗道学之障，清词丽句，矫讹翻浅。"谢章铤《论诗绝句三十首·朱文公》："《击壤》常为风雅讥，考亭诗格独深微。且看《感兴斋居》句，三叹朱弦此调希。"张谦宜《絸斋诗谈》卷五："朱文公学诗煞用工夫，看其颜古色苍，自非晁无咎诸人所及。因他胸中先有许多道理，然后寻诗家言语衬托出来，此却别是一路。"《宋诗钞·文公集钞序》："朱子自注诗云：'仆不能诗，平生侥幸多类此。'然虽不役志于诗，而中和条贯，浑涵万有，无事模镂，自然声振，非浅学之所能窥。此和顺之英华，天纵之余事也。"陈讦《宋十五家诗选·朱子诗选》："朱子诗高秀绝伦，如峨嵋天半，不可攀跻。至其英华发外，又觉光风霁月，粹然有道之言，千载下可想其胸次也。"李重华《贞一斋诗说》："南宋陆放翁堪与香山踵武，益开浅直路径，其才气固自沛乎有余。人以范石湖配之，不知石湖较放翁，则更滑薄少味。同时求偶对，唯紫阳朱子可以当之。盖紫阳雅正明洁，断推南宋一大家。"

汪琬《剑南诗选序》："宋南渡百四十年，诗文最盛，其以大家称者，于文当推文公朱子，于诗当推务观，其他皆名家而已。"洪亮吉《北江诗话》卷三："南宋之文，朱元晦大家也；南宋之诗，陆务观大家也。"陈廷敬《愿学斋文集序》："朱子自韩、欧阳以下皆有讥焉，而独称南丰先生之文，故朱子之文出于南丰。"《黄氏日钞》卷三六："六经之文皆道，秦、汉以后之文鲜复关于道，甚者害道。韩文公始复古文，而犹未必尽纯于道。我朝诸儒始明古道，而又未尝尽发于文。至晦庵先生表章四书，开示后学，复作《易本义》、作《诗传》面授，作《书传》分授，作《礼经疏义》，且谓《春秋》本鲁史旧文，于是明圣人正大本心，以破后世穿凿。凡例谓'《周礼》，周公未必尽行'，于是教学者'非所宜先于身事'一句，无预提挈纲维，疏别缓急，无一不使复还古初，六经之道，赖之而昭昭乎如揭中天之日月。其为文也，孰大于是？宜不必复以文集为矣。然其天才卓绝，学力宏肆，落笔成章，殆于天造。其剖析性理之精微，则日精月明；其穷诘邪说之隐遁，则神搜霆击；其感慨忠义，发明《离骚》，则苦雨凄风之变态；其泛应人事、游戏翰墨，则行云流水之自然。究而言之，皆此道之流行，犹化工之妙造也。……孔子，元气也；孟子，泰山严严气象也，故孟子于议论排辟之间，亦有随时而异者，而晦庵先生似之。如荆公误国，东坡忠说，先生平日盖所屡言。及汪玉山主张苏学太过，先生则又宁以荆公为贤。故读先生之书者其别有三：如《语类》，则门人之所记也；如书翰，则一时之所发也；如论著，则平生之所审定也。《语类》之所记，或遗其本旨，则有书翰之详说在；书翰之所说，或异于平日，则有著述之定说在。"又："谢表通启，皆和平直叙，世之掇拾古语、牵对为工者，可观矣。祝文皆以诚通神明，不为文。"黄榦《池州刊朱子语录后序》："先生之著书多矣，教人求道入德之方备矣。师生函丈间，往复诘难，其辨愈详，其义愈精，读之竦然，如侍燕闲、承謦欬也。"刘洪谟《叙朱子文集大全》："朱子文集最富，大都明学术，正人心，有功于吾道，与绮章绘句者天壤异论。非留心学问者不读，非学问精密，得朱子之门而入者不能读。读之盖有要焉，要在严天理人欲之辨。迹其生平兢兢自卫与其所以攻击者，不出此意。学者先读《答柯国材论天理书》，则知天理自然，非高非卑，非近非远。人心无常，不可自决也。读《观心说》、《读大记》二篇，则知释氏之差，差在恶此天理耳。读《鄂州稽古阁记》，则知晚世道学俗学之差，差在不讲此天理耳。天理浑然，亦灿然，虚心顺理最难。各自为方，偏动偏静，均非正理。故《答陈器之书》云：'仁智交际之间，乃万化之机轴。此理循环不穷，吻合无间。'最后《答张敬夫中和书》云：'人心周流贯彻，动静相须，中和交济，不仁无以著此心之妙，不敬无以致求仁之功。仁，心之道；敬，心之贞也。'然仁亦有辨，如以同体为仁，敝至认物为己；如以知觉为仁，敝至认欲为理。则《仁说》不可不读。敬亦有辨，敬有死敬，如守兀坐为敬，遇事不济之以义，容貌辞气不加检省，虽敬不活。须臾有间，私欲万端，则《敬斋铭》不可不读。天理人欲毫厘有差，是非千里，君子小人人品立分。品格既分，冰炭不相容，薰莸不相入，并蓄而交和，万万不可。治一身严，此治一家一邑以致天下，未有不于此处分别清明而可成治功者。说在《答戴少望》语中，不可不读。学者读此，沉潜反覆，身体之，心会之，质诸《学》《庸》《语》《孟》符合之，庶几学的不差。然不取全集次第详读，如孰说卑，何说拔之；孰说高，何说抑之；孰说偏，何说正之，脉络条贯，终不精明。若浅水撑船，求运动游泳之天趣，必不可得。若乃诗、赋、祭文、墓志、行状诸篇，虽多明学维世语，稍缓及之，且并其力于奏疏、讲义及《语类大全》，务钩其玄可也。第朱子此文，末世士弁髦久矣，他无暇具论。论其所幼读而熟记者，无如《中庸章句》一序。前半篇所云'道心为主，人心听命，所以严天理人欲之防'者，意极剀切，词极简明，盖经筵讲义也。朱子一生精力毕萃之此，古今学问要领不能逾此。……盖朱子四十以前，如《存斋记》、《答何叔京》二书，专说求心见心，是犹驰心玄妙，未悟天理时语也。四十以后，注《太极图说》，辑《近思录》，渐悔前非。年近六十，注《论》《孟》，注《学》《庸》，益加精进。此时议论加意磨勘，于正谊明道中犹防计功谋利之私，而刮之剔之，淘之澄之，务底于平，不敢以己私少戾天理。故年逾七十，病将革矣，犹改《大学》《诚意》章，绝无私护意。"爱新觉罗玄烨《文章体道亲切唯有朱子》："朕自冲龄留心载籍，嗜读古人之文。选秦、汉以及唐、宋诸名作汇为一书，逐篇亲加评论，名曰《古文渊鉴》。……其中气韵古雅，辞藻典赡，各擅所长，固极文章之能事。至于体道亲切，说理详明，阐发圣贤之精微，可施诸政事，验诸日用，实裨益于身心性命者，唯有朱子之书驾乎诸家之上，令人寻味无穷，久而弥觉其旨。"朱彝尊《朱文公文钞序》："新安朱夫子之文，其上孝宗封事，感奋激烈，殆有过于同甫之所云者。世之人重夫子，以道不以文。览其文者，或以质直病之。不知夫子之文，原本乎道，其辟二氏，崇经术，正人心，皆非得已。孟子曰：'予岂好辩哉，予不得已也。'夫唯不得已而为文，斯天下之至文矣。孔子筮得《贲》，愀然有不平之色，而曰：'贲非君子之所乐也。丹漆不文，白玉不雕，质有余者不受饰也。'其夫子之文之谓与。"刘熙载《艺概》卷一："朱子之文，表里莹彻，故平平说出，而转觉矜奇者之为庸；明明说出，而转觉恃奥者之为浅。其立定主意，步步回顾，方远而近，似断而连，特其余事。"《文章精义》："文字贵相题广狭。晦庵先生诸文字，如长江大河，滔滔汩汩，动数千万言而不足，及作《六君子赞》，人各三十二字，尽得描画其生平，无欠无余，所谓相题者也。"又："晦庵先生治经明理，宗二程，而密于二程。如《易本义》、《诗集传》、《小学书》、《通鉴纲目》之类，皆青于蓝而寒于水也。但寻常文字多不及二程。二程一句多撒开，做得晦庵千句万句；晦庵千句万句，挈敛来只作得二程一句。虽世变愈降，亦关天分不同，然晦庵先生，《三百篇》之后，一人而已。"

陈霆《渚山堂词话序》："词曲于道末矣，纤言丽语，大雅是病。然以东坡、六一之贤，累篇有作；晦庵朱子，世大儒也，江水浸云、晚朝飞画等调，曾不讳言。"《南亭词话》："词盛于宋，而周、程皆不闻有作，晦庵偶一为之，而非所长。"邹祗谟《远志斋词衷》："词有檃括体，有回文体。回文之就句回者，自东坡、晦庵始也。"《草堂诗余》别集卷一沈际飞曰："公词十六首，道学气满桩。"又："回文词不概有，有亦多牵合，公居胜场。"《历代词话》卷七引《读书续录》："晦庵先生回文词，几于家弦户诵矣。其檃括杜牧之《九日齐山登高》诗《水调歌头》一阕，气骨豪迈则俯视辛、陆，音韵谐和则仆命秦、柳，洗尽千古头巾俗态。"或以为此《水调歌头》（江水浸云影）一词"笔意颇近坡仙"（《词则·放歌集》卷二）。

是月，陆游为赵不拙文集作序。题曰《赵秘阁文集序》，系衔中大夫直华文阁致仕赐紫金鱼袋。

四月

陆游为方丰之作《方德亨诗集序》。序云："诗岂易言哉？才得之天，而气者我之所自养。有才矣，气不足以御之，淫于富贵，移于贫贱，得不偿失，荣不盖愧，诗由此出，而欲追古人之逸驾，讵可得哉？予自少闻莆阳有士曰方德亨名丰之，才甚高，而养气不挠，吕舍人居仁、何著作摭之皆屈行辈与之游。德亨晚愈不遭，而气愈全。观其诗，可知其所养也。既殁若干年，待制朱公元晦以书及德亨之诗示予于山阴，曰：

'子为我作德亨集序！'……庆元六年四月丁酉山阴陆某序。"又为刘应时作《颐庵居士集序》。序云："文章之妙，在有自得处，而诗其尤者也。此一法，虽穷工极思，直可欺不知者；有识者一见，百败并出矣。四明刘良佐先生尽力于诗，唯石湖范至能独深赏之，每为客言，客未必领也。予曩时数游四明，独不识良佐。近乃见其诗百篇，卓然自得者何其多也！如：'颇识造物意，长容吾辈闲。''日晏犹便睡，犬鸣知有人。''世事不复问，旧书时一看。''一夜催花雨，数家邻水村。''青山空解供望眼，浊酒不能浇别愁。''觅句忍饥贫亦乐，钞书得味老何伤。'虽前辈以诗得名者何以加焉？因书其右，他日有赏音如石湖者，当知予言不妄云。庆元六年四月乙亥山阴陆游序。"

五月

陆游赴项里观杨梅，赋《项里观杨梅》诗四首；以杜甫《遣兴》"丈夫贵壮健，惨戚非朱颜"为韵，赋《斋中杂兴十首》以抒怀。

六月

许及之以母忧去位。

七月

汪大猷（1120—1200）卒，年八十一。大猷字仲嘉，庆元府鄞县人。绍兴十五年登进士乙科。累迁礼部员外郎、权吏部侍郎兼尚书，官终敷文阁学士。绍熙二年致仕。平居慕白乐天为人，未六十即退闲，以适名斋，宜静名室，时作歌诗，平澹造理。著有《适斋存稿》二十卷、《备忘》十七篇、《唐宋名公诗韵》四十编、《漫录》、《训鉴》等，今已佚。《全宋诗》录其诗六首，《全宋文》卷四六八一收其文。事迹见周必大《敷文阁学士宣奉大夫赠特进汪公大猷神道碑》、《宋史》卷四〇〇本传。

八月

初一日，陆游作《居室记》。记云："陆子治室于所居堂之北，其南北二十有八尺，东西十有七尺。东西北皆为窗，窗皆设帘幛，视晦明寒燠为舒卷启闭之节。南为大门，西南为小门，冬则析堂与室为二，而通其小门以为奥室。夏则合为一，而辟大门以受凉风。岁暮必易腐瓦，补罅隙，以避霜露之气。朝晡食饮，丰约唯其力。少饱则止，不必尽器。休息取调节气血，不必成痲。读书取畅适性灵，不必终卷。衣加损，视气候，或一日屡变。行不过数十步，意倦则止，虽有所期处，亦不复问。客至，或见或不能见。间与人论说古事，或共杯酒，倦则亟舍而起。四方书疏，略不复遣，有来者，或亟报，或守累日不能报，皆适逢其会，无贵贱疏戚之间。足迹不至城市者率累年。少不治生事，旧食奉祠之禄以自给，秩满，因不复敢请，缩衣节食而已。又二年，遂请老。法当得分司禄，亦置不复言。舍后及旁，皆有隙地，莳花百余本，当敷荣时，或至其下，徜徉坐起；亦或零落已尽，终不一住。有疾，亦不汲汲近药石，久多自平。

家世无年，自曾大父以降，三世皆不越一甲子；今独幸及七十有六，耳目手足未废，可谓过其分矣。然自记平昔于方外养生之说初无所闻，意者日用亦或默与养生者合，故悉自书之，将质于山林有道之士云。庆元六年八月一日山阴陆某务观记。"

易被除著作郎。

京镗（1138—1200）卒，年六十三。镗字仲远，号松坡居士，豫章人。绍兴二十七年进士。历官星子令、监察御史、右司郎官、四川安抚制置使、刑部尚书。庆元元年，知枢密院事。二年，拜右丞相。六年，迁左丞相，惟韩侂胄之命是听。卒谥文忠，后改谥庄定。事迹见杨万里《文忠京公墓志铭》、《宋史》卷三九四本传。京镗"于文无所不工，尤长笺奏。……其为诗源委山谷，而气骨卓伟，无寒瘦态"（杨万里《文忠京公墓志铭》）。亦长于赋词，今存词四十余首，皆帅蜀时所作。黄汝嘉《松坡居士乐府跋》："公以镇抚之暇，酬唱盈编，抑扬顿挫，吻合音律，岷峨草木，有荣耀焉。"《直斋书录解题》卷二〇著录其《松坡集》七卷、《松坡词》一卷。今存《松坡居士词》一卷，有明钞本。《全宋词》收其词四十三首，《全宋诗》收其诗二首，《全宋文》卷六一一五收其文。

九月

婺州布衣吕祖泰上书请诛韩侂胄。《宋史纪事本末》卷八十二《韩侂胄专政》："祖泰，祖俭从弟也，性疏达，尚气谊，论世事无所忌。……祖俭卒（按，吕祖俭卒于庆元二年），祖泰乃击登闻鼓上书，论韩侂胄有无君之心，请诛之，以防祸乱。其略曰：'道学，自古所恃以为国者也；丞相赵汝愚，今之有勋劳者也。立伪学之禁，逐汝愚之党，是将空陛下之国，而陛下不知悟耶？陈自强何人也，徒以韩侂胄童稚之师，躐致宰辅，陛下旧学之臣，若彭龟年等，今安在哉？苏师旦，平江之吏胥，周筌，韩氏之厮役，人共知之。今师旦乃以潜邸随龙，筌以皇后亲属，俱得大官。不知陛下在潜邸时，果识所谓苏师旦者乎？椒房之亲，果有厮役之周筌者乎？侂胄徒自尊大，而卑陵朝廷一至于此！愿亟诛侂胄、师旦、筌，而逐罢自强之徒。故大臣在者，独周必大可用，宜以代之。不然，事将不测。'书下三省，朝论杂起。……降诏：'吕祖泰挟私上书，语言狂妄，拘管连州。'……遂杖祖泰一百，配钦州牢城收管。"

秋

陆游作《跋朱新仲舍人自作墓志》。跋云："秦丞相擅国十九年，而朱公窜峤南者十有四年，仅免僵仆于炎瘴中耳。以此胸中浩然无愧，将终，自识其墓，辞气山立。向使公诡附以苟富贵，至暮年，世事一变，方忧愧内积，唯恐闻人道其平日事，其能慨然奋笔自叙如此乎？庆元六年秋社日笠泽陆某谨书。"按，朱翌，字新仲，卒于乾道三年（1167）。是秋，陆游连作《读何斯举黄州秋居杂咏次其韵》十首、《读苏叔党汝州北山杂诗次其韵》十首以抒怀。

十月

加韩侂胄太傅。

陆游赋诗《十月二十八日夜风雨大作》。有云："辛勤艺宿麦，所望明年熟；一饱正自艰，五穷故相逐。南邻更可怜，布被冬未赎；明朝甑复空，母子相持哭。"对暴风雨对农家生活之破坏深致忧虑。

十二月

陆游以诗寄赵蕃、徐文卿，题曰《寄赵昌甫并简徐斯远》。得报陆子布离蜀东归，游喜不自胜，赋诗《庚申十二月二十一日，西和州健步持子布书报已取安康襄阳路，将至九江矣，悲喜交怀，作长句》；又《园中作》"消息吾儿近，扶衰又上台"句下自注："子布约二月初到乡里。"

杨万里进封吉水县开国伯。

本年

姜特立作《念奴娇》（庚申生朝）。

姜夔寓居西湖，作《湖上寓居杂兴》十四首；又作《喜迁莺慢》（玉珂朱组），题注曰："功父新第落成。"

邹应龙为秘书省正字。

金李俊民以经义举进士第一，入为翰林文字。

孙梦观（1200—1257）生。

程元凤（1200—1269）生。

公元 1201 年（宋宁宗嘉泰元年辛酉　金章宗泰和元年）

二月

月初，陆游急迫等待子布之归，赋诗《计子布归程已过新安入畿县界》。云："忆昔初登下峡船，一回望汝一凄然。……今朝屈指无穷喜，历尽江山近日边。"十四日，作《清都行》，序云："辛酉二月十四日夜，鸡初鸣，梦与故人查元章并辔行大道中，前望宫阙甚壮丽。元章言吾辈当同预大议论。予与约勿为身谋，元章拊掌称善，遂觉。作《清都行》一首。"

同月，陆游作《会稽志序》。序有云："大卿沈公作宾，待制赵公不迹继为守，皆慨然以为己任，乃与通判军事施君宿、安抚司干办公事李君兼、韩君茂卿及郡士冯景中、邵持正、陆子虡、王度、朱鼎等，上参《禹贡》，下考《太史公》及历代史金匮石室之藏，旁及《尔雅》、《本草》、道释之书，稗官野史所传，神林鬼区幽怪恍惚之说，秦汉晋唐以降金石刻，歌诗赋咏，残章断简，靡有遗者。若父老以口相传，不见于文字者，亦间见层出，积劳累月，乃成。"《直斋书录解题》卷八："《会稽志》二十卷，通判吴兴施宿武子、郡人冯景中、陆子虞、朱鼎、王度等撰，陆放翁为之序。首称禹会诸侯，而以思陵巡狩升府配之，气壮文雅，盖奇作也。嘉泰辛酉，陆年已七十七矣。……其笔力老而不衰，于此序见之。"

监察御史施康年劾少傅、观文殿大学士致仕周必大首倡伪学，私植党与，诏降为少保。《宋史纪事本末》卷八十二《韩侂胄专政》："婺州布衣吕祖泰上书请诛侂胄。……御史施康年以为必大实使之，遂露章奏劾，且谓：'淳熙之季，王淮为首相，必大尝挤而夺之位，倡伪徒，植党与。今屏居田野，不自循省，而诱致狂生，扣阍自荐，以觊召用。'林采言：'伪学之成，造端自周必大，乞加贬削。'遂贬必大一官，为少保。"

三月

十六日，陆子布归故里，陆游至柯桥相迎，赋诗《三月十六日至柯桥迎子布东还》。有"从今父子茅檐下，回首人间万事非"之句。又赋《春尽记可喜数事》："微雨洗浮埃，苍颜一笑开。僧招行药圃，儿报得琴材。病退初尝酒，春残已过灾。邻家赛神会，自喜亦能来。"

春

陆游游云门、龙瑞、禹迹寺，皆有诗记之（见《剑南诗稿》卷四十五）。所赋《追怀往事》其三、其四对当时文气衰靡深致慨叹。其三云："渡江之初不暇给，诸老文辞今尚传。六十年间日衰靡，此事安可付之天。"其《吕居仁集序》云："迨建炎、绍兴间，承丧乱之余，学术文辞，犹不愧前辈。"《陈长翁文集序》亦谓："我宋更靖康祸变之后，高皇帝受命中兴，虽艰难颠沛，文章独不少衰。得志者司诏令，垂金石；流落不偶者，娱忧纾愤，发为诗骚。视中原盛时，皆略可无愧，可谓盛矣。"然"久而寝微，或以纤巧摘裂为文，或以卑陋俚俗为诗，后生或为之变而不自知"。此即所谓"六十年间日衰靡"。其四云："文章光焰伏不起，甚者自谓宗晚唐。欧、曾不生二苏死，我欲痛哭天茫茫！"陆游一向不满晚唐诗之器局狭小，《跋花间集》云："唐自大中后，诗家日趣浅薄，其间杰出者，亦不复有前辈闳妙浑厚之作，久而自厌，然梏于俗尚，不能拔出。"盖此时，诗宗晚唐渐成风气，故游深以为恨。严羽《沧浪诗话·诗辨》云："近世赵紫芝、翁灵舒辈，独喜贾岛、姚合之诗，稍稍复就清苦之风，江湖诗人多效其体，一时自谓之唐宗，不知止入声闻辟支之果，岂盛唐诸公大乘正法眼者哉！"俞文豹《吹剑录》云："近世诗人好为晚唐体，不知唐祚至此，气脉寝微，士生斯时，无他事业，精神伎俩，悉见于诗。局促于一题，拘挛于律切，风容色泽，轻浅纤微，无复浑涵气象，求如中叶之全盛，李杜元白之瑰奇，长章大篇之雄伟，或歌或行之豪放，则无此力量矣。"此皆论当世诗宗晚唐之风气，可与陆游之论互参。

五月

八日，张镃为史达祖作《题梅溪词》。 云："《关雎》而下《三百篇》，当时之歌词也，圣师删以为经，后世播诗章于乐府，被之金石管弦，屈、宋、班、马繇是乎出。而自变体以来，司花傍辇之嘲，沈香亭北之咏，至与人主相友善，则世之文人才士，游戏笔墨于长短句，间有能环奇警迈、清新闲婉、不流于淫荡污淫者，未易以小伎言也。余扫轨林扃，草长门径，一日，闻剥啄声，园丁持谒入，视之，汴人史生邦卿也。迎坐竹阴下，郁然而秀整。俄起谓余曰：某自冠时闻约斋之号，今亦既有年矣。君身益湮晦达，以是来见，无他求。袖出词一编，余惊笑而不答生云。始取读之，大凡如行帝苑仙瀛，辉华绚丽，欣盼骇接。因掩卷而叹曰：有是哉！能事之无遗恨也。盖生之作，辞情俱到，织绡泉底，去尘眼中，妥帖轻圆，特其余事。至于夺苕艳于春景，起悲音于商素，有环奇警迈、清新闲婉之长，而无淫荡污淫之失，端可以分镳清真，平睨方回，而纷纷三变行辈，几不足比数。山谷以行谊文章，宗匠一代，至序小晏词，激昂婉转，以伸吐其怀抱。而'杨花'、'谢桥'之句，伊川犹称可之。生满襟风月，鸾吟凤啸，锵洋乎口吻之际者，皆自漱涤书传中来，况欲大肆其力于五七言，迥鞭温、韦之途，掉鞅李、杜之域，跻攀风雅，一归于正，不于是而止。虽然，余方以耽泥声律，而颠踣摈弃，今又区区以勉生，非惑耶？若览斯集者，不梏于玄黄牝牡，哀沈而悼未遇，实系时之所尚。余老矣，生须发未白，数路得人，恐不特寻美于汉。生姑待之。生名达祖，邦卿其字云。嘉泰岁辛酉五月八日，张镃功甫序。"

韩侂胄上疏请致仕，不许。

夏

陆游所赋《贫甚自励》、《舟中作》、《朝饥示子聿》、《老叹》、《长饥》、《夏日杂题》、《夏雨叹》诸诗，皆安贫自励之作。

六月

杨万里为刘应时《颐庵诗稿》作序云："夫诗，何为者也？尚其词而已矣。曰：'善诗者去词。'然则尚其意而已矣。曰：'善诗者去意。'然则去词去意，则诗安在乎？曰：'去词去意，而诗有在矣。'然则诗果焉在？曰：'尝食夫饴与荼乎？人孰不饴之嗜也？初而甘，卒而酸。至于荼也，人病其苦也，然苦未既，而不胜其甘。诗亦如是而已矣。昔者暴公谮苏公，而苏公刺之。今求其诗，无刺之之词，亦不见刺之之意也。乃曰："二人从行，谁为此祸。"使暴公闻之，未尝指我也，然非我其谁哉？外不敢怒，而其中愧死矣。《三百篇》之后，此味绝矣，唯晚唐诸子差近之。《寄边衣》曰："寄到玉关应万里，戍人犹在玉关西。"《吊战场》曰："可怜无定河边骨，犹是春闺梦里人。"《折杨柳》曰："羌笛何须怨杨柳，春风不度玉门关。"《三百篇》之遗味，黯然犹存。近世唯半山老人得之，予不足以知之，予敢言之哉？'今四明刘叔向寄其父颐庵居士诗稿，命予为之序。放翁陆务观既摘其佳句序之矣，予尚何言之哉？偶披卷读之，至'寂寞黄昏愁吊影，雪窗怕上短檠灯'；又'独与梅花共过冬，淡月故移疏影去'；又'睡魔正与诗魔战，窗外一声婆饼焦'；又早行云'鸡犬未鸣潮半落，草虫声在豆花村'，使晚唐诸子与半山老人见之，当一笑曰：'君处北海，吾处南海，不虞君之涉吾地也。何故？'居士名应时，字良佐。嘉泰元年六月戊戌，诚斋野客杨万里序。"

七月

何澹罢知枢密院事兼参知政事。

八月

以陈自强兼知枢密院事，给事中张岩参知政事，右谏议大夫程松同知枢密院事。《宋史纪事本末》卷八十二《韩侂胄专政》："岩、松皆附韩侂胄，松谄侂胄尤甚，自知钱塘县，不二年，为谏议大夫。满岁未迁，殊怏怏，乃市一妾献之，名曰松寿。侂胄曰：'奈何与大谏同名？'答曰：'欲使贱名常达钧听耳。'侂胄怜之，遂得同知枢密院。"

九月

杨万里作《周子益〈训蒙省题诗〉序》。序云："唐人未有不能诗者；能之矣，亦未有不工者；至李、杜极矣，后世作者，蔑以加矣。而晚唐诸子，虽乏二子之雄浑，然'好色而不淫'，'怨诽而不乱'，犹有《国风》《小雅》之遗音。无他，专门以诗赋取士而已。诗又其专门者也，故夫人而能工之也。自日五色之题，一变而为天地为炉，再变而为尧舜性仁，于是始无赋矣。自春草碧色之题，一变而为四夷来王，再变而为政以德，于是始无诗矣。非无诗也，无题也。吾倩陈履常示予以其友周子益《训蒙》之编，属联切而不束，词气肆而不荡，婉而庄，丽而不浮，骎骎乎晚唐之味矣。盖以诗人之情性，而寓之举子之刀尺者欤？至如'信符'之一题，独非古题，而诗句亦不为题所掣，可谓难矣。盖亦尝试为我赋'为政以德'之题乎？唯蚁封乃见子王子之驭。嘉泰辛酉九月诚斋野客杨万里序。"

金更定赡学养士法：生员，给民佃官田人六十亩，岁支粟三十石；国子生，人百八亩，岁给以所入，官为掌其数。(《金史·章宗本纪三》)

秋

陆游连得周必大书。《新凉书怀》其三"退傅寄声情缜密"句下自注云："连得周丞相书，细字满幅。""晦翁入梦语蝉联"句下自注云："昨夕梦朱元晦甚款。"游秋季所赋《湖塘晚眺》、《白露前一日已如深秋有感》其二、《老叹》、《秋晚寓叹》其三、《不寐》诸诗，多寓抚时感事之意。

姜夔入越，赋词《徵招》。序云："越中山水幽远。予数上下西兴、钱清间，襟抱清旷。越人善为舟，卷篷方底，舟师行歌，徐徐曳之，如偃卧榻上，无动摇突兀势，以故得尽情骋望。予欲家焉而未得，作《徵招》以寄兴。"又，《昔游诗》当作于是秋。姜虹绿《白石道人诗词年谱》注："按公小序云：'数年以来，始获宁处。'今历考编年，唯戊申、己酉、庚戌三载及丁巳以来至是年，不从远役，而初刻本列是诗于卷末，知为辛酉诗无疑也。"按，"昔游桃源山"一首结句云"于今二十年"，客武陵在淳熙丙午间，至此正二十年左右。

诏以龚颐正学问赅博，赐进士出身，兼实录院检讨官，委以三朝史事。

十月

十七日，陆游生日，赋诗《生日，子聿作五字诗十首为寿，追怀先亲，泫然有作》。题下自注："十月十七日。"

金章宗敕有司：购遗书宜尚其价，以广搜访。藏书之家有珍惜不愿送官者，官为誊写，毕复还之，仍量给其直之半。事见《金史·章宗本纪三》。

十二月

陆游赋诗《小饮梅花下作》。 有"脱巾莫叹发成丝，六十年间万首诗"之句，自注云："予自年十七八学作诗，今六十年，得万篇。"按，刘克庄《八十吟十绝》其八云："诚斋仅有四千首，唯放翁几满万篇。老子胸中有残锦，问天乞与放翁年。"又《题放翁像二首》其一："《三百篇》寂寂久，九千首句句新。譬宗门中初祖，自过江后一人。"是月，陆游又赋《自题传神》："识字深村叟，加巾下版僧。檐挑双草屦，壁倚一乌藤。得酒犹能醉，逢山未怯登。莫论明日事，死至亦腾腾。"

冬

杨万里有《答陆务观郎中书》寄陆游。 书云："某伏以即辰良月初寒，微霰已集。恭维致政华文国史南宫舍人尊契丈，立万物之表，期九垓之上。天相台候动止万福！某自顷蒙遗'诗可以妒'之帖，得之于新仲舍人之孙朱司理许，亦随因之寄一行以谢焉。故当无复石头事否？昨暮杜橡又送似妙帖，偶一二士友相访野酌，吹灯发书，乃推仆以主盟文墨，为之司命，则抵掌大笑。其一人曰：谲哉放翁！既妒之，又推之，何反也？是可笑也。其一人曰：谦哉放翁，何可笑也！古者文人相轻，今不相轻，而妒焉推焉。曰妒云者，戏词也。妒者推之至，推者谦之至。舍己主盟司命，而推人以主盟司命，不已谦乎？之二人者，盖皆堕放翁计中，益可笑也。大氐文人之奸雄，例作此狡狯事，韩之推柳是已。韩推之，柳辞之者，伐之也。然相推以成其名，相伐以附其名，千载之下，韩至焉，柳次焉，言文者举归焉。仆何足以语此？虽然，亦岂不解此？柳谓韩之言不可信，若放翁之币重言甘，仆敢信乎？有掩耳而走，退舍而避耳。信与不信，辞与不辞，之二人者知之乎？螺江门外私酒岂敢望？新作一个布衫，而况唯有羊叔子名与汉江流乎？以雅故也。厌《祈招》之愔愔，羡拊缶之呜呜，何也？耘叟之曲，仆所传者与世同，前之一叠也；后一叠小异，尝闻之否？宅相桑君诗句，得夜半之真传矣。杜撰，故人赵宪之玉润，旧尝识之，况长者之称乎？葛藤且止。上言加餐饭，下言长相思。珍重！新来做得一个宽袖布衫，著来也畅。出户迎宾，入城干事，便是杨保长云云，荷荷！"

龚颐正（1140—1201）**卒，年六十二。**颐正字养正，本名敦颐，号芥隐，其先历阳人，徙居吴中。有文名，尤为范成大所赏。周必大称其博通史学，娴于辞章。事迹见《正德姑苏志》卷五四。颐正著述颇丰，今存其《续释常谈》三卷，有《百川学海》本；又有《芥隐笔记》一卷，有《百川学海》本、《四库全书》本，"考正博洽，具有根柢，而舛谬处亦时有之。……然统合全编，则精核者居多，要不在沈括《笔谈》、洪迈《随笔》之下，未可以卷帙多少为甲乙也"（《四库全书总目提要》卷一一八）。《全宋诗》录其诗六首；《全宋文》卷六〇六一收其文。

本年

辛弃疾家居铅山。

姜特立作《满江红》（辛酉生朝）。

魏子敬约于本年前后在世，生平不详。著有《云溪乐府》四卷，已佚。今存《生查子》一阕，写闺中怀人情境，凄婉可诵。

刘应时约于本年前后在世，生卒年不详。应时字良佐，号颐庵，四明人。性敏而勤，于书无所不读。遁居林下，刻意于诗，寄兴萧散，范成大深赏之。据《宁波府志》（雍正九年刊本）卷二十八《隐逸》。今传《颐庵居士集》二卷，有明嘉靖四年刘世龙刻本、清乾隆、嘉庆间鲍廷博刻知不足斋丛书本、《四库全书》本等。《全宋诗》录其诗二卷。四库提要卷一六〇："《颐庵居士集》二卷，江苏巡抚采进本，宋刘应时撰。……是集前有陆游、杨万里二序。游序称其诗为范致能所赏。又摘其句……以为卓然自得，虽前辈以诗得名者，亦无以加。万里序以王安石拟之。安石诗虽熔炼有痕，不及苏、黄诸人吐语天拔，而根柢深厚，气象自殊，究非应时之所及。许之未免太过。所摘之句，如'睡魔正与诗魔战，窗外一声婆饼焦'之类，颇涉粗犷；'独与梅花共过冬，清月故移疏影去'之类，又颇近诗余，亦不逮游序所举之工。盖二人各举其派之近己者称之也。然应时诗虽格力稍薄，不能与游等并驾，而往来于诸人之间，耳濡目染，终有典型，较宋末江湖诗人，固居然雅音矣。"

李昴英（1201—1257）**生。**

公元 1202 年（宋宁宗嘉泰二年壬戌　金章宗泰和二年）

正月

五日，陆游为施元之所注苏轼诗作序，题曰《施司谏注东坡诗序》。序有云："吴兴施宿武子出其先人司谏公所注数十大编，嘱某作序。司谏公以绝识博学名天下，且用功深，历岁久，又助之以顾君景蕃之该洽，则于东坡之意，盖几可以无憾矣。"按，陈振孙《直斋书录解题》卷二十："《注东坡集》四十二卷，《年谱》、《目录》各一卷。司谏吴兴施元之德初与吴郡顾景蕃共为之。元之子宿从而推广，且为《年谱》以传于世。陆放翁为作序，颇言注之难。盖其一时事实，既非亲见，又无故老传闻，有不能尽知者。"七日，作《跋欧阳文忠公疏草》。跋云："庆历之盛，盖庶几汉文、景矣，而贤人君子犹如是之难。文忠公之奏议，非独不明诸公之谗也，身亦堕排陷中，滁州之谪是已。於虖，悲夫！嘉泰二年人日，笠泽陆某书。"此后又作《跋东坡谏疏草》，亦云："天下自有公论，非爱憎异同能夺也。……东坡自黄州归，见荆公于半山，剧谈累日不厌，至约卜邻以老焉，公论之不可掩如此！而绍圣诸人，乃遂其忮心，投之岭海必死之地，何哉？"盖此二跋均有感于近年党祸而作。

十五日，姜夔与葛天民过净林，作《同朴翁过净林广福院》、《嘉泰壬戌上元日，访全老于净林广福院，观沈传师碑隆茂宗画赠诗》、《斋后与全老、铦朴翁、聪自闻酌龙井而归》三诗。

以知阁门事苏师旦兼枢密都承旨。《宋史纪事本末》卷八十二《韩侂胄专政》："初，韩侂胄为平江府兵马钤辖时，师旦以笔吏事之，侂胄爱其辨慧。帝登极，审姓名于藩邸吏士内，遂以随龙恩得官。至是，权势日盛。"

本月，陆游屡有送别之作。送仲子子龙赴官，赋《送子龙赴吉州掾》；送别施宿，赋《送施武子通判》；杜斿来访，赋诗以送，题曰《杜叔高秀才雨雪中相过，留一宿而别，口诵此诗送之》。又，所赋《梅花绝句》六首亦极可诵。诗云："几年不到合江园，说著当时已断魂。只有梅花知此恨，相逢月底却无言。""当年走马锦城西，曾为梅花醉似泥。二十里中香不断，青羊宫到浣花溪。""闻道梅花坼晓风，雪堆遍满四山中。何方可化身千亿，一树梅花一放翁？""小亭终日倚阑干，树树梅花看到残。只怪此翁常谢客，元来不是怕春寒。""乱篸桐帽花如雪，斜挂驴鞍酒满壶。安得丹青如顾陆，凭渠画我夜归图？""红梅过后到缃梅，一种春风不并开。造物无心还有意，引教日日放翁来。"

二月

弛伪学党禁。《宋史纪事本末》卷八十《道学崇黜》："嘉泰二年二月，弛伪学党禁。时韩侂胄已厌前事，张孝伯谓之曰：'不弛党禁，恐后不免报复之祸。'侂胄然之，故有此令。"赵汝愚追复资政殿学士，党人徐谊、刘光祖、陈傅良、章颖、薛叔似、叶适、曾三聘、项安世、范仲黼、黄颢、詹体仁、游仲鸿等皆先后复官自便。

禁行私史。《建炎以来朝野杂记》甲集卷六《嘉泰禁私史》："顷秦丞相既主和议，始有私史之禁，时李庄简光尝以此重得罪。秦相死，遂弛语言律。近岁私史益多，郡国皆锓本，人竞传之。嘉泰二年春，言者因奏禁私史，且请取李文简《续通鉴长编》、王季平《东都事略》、熊子复《九朝通略》、李丙《丁未录》及诸家传等书，下史官考订，或有裨于公议，乞即存留，不许刊行，其余悉皆禁绝，违者坐之。"

三月

诏罢泛举。《建炎以来朝野杂记》甲集卷六《绍熙许荐士嘉泰罢泛举》："国朝荐举之目，自京、职官至令、录，其来远矣。元祐初，司马公始奏设文、武十科以举士。

后又有举将帅、廉吏、所知，合旧升陟、自代等科，凡十有一。绍熙元年冬，又诏监司、帅守，满秩造朝陛对之际，许荐所部人才一二人；如无，听阙。文武高下，皆无所拘。其后三年间，在外被荐者八九百人，朝廷不能尽用，但令中书省籍记姓名而已。四年冬，言者谓：'今被荐者猥众，朝廷疑其私而不信，病其众而难从。其间纵有贤才，不免与侥幸者并弃，请约之。'乃诏帅守、监司，自令毋得独员荐士。庆元元年十一月，又诏诸司荐举，连衔以闻。明年，章德茂帅兴元，荐知利州阆中蒲叔献等三人政绩，有旨与监司及升擢差遣。胡纮为御史，上言：'叔献等不闻有过人之才，而猥以人情之厚薄，独衔举荐。'诏勿行。嘉泰二年三月，右正言施康年又言：'近日士大夫有持廉吏及科目荐章十余至朝堂而得学官，又有挟三四荐而得院辖者，执政至无以却之。请除升改、自代十科外，悉行罢去。如朝廷间有特旨，令内外举荐者，并具实迹以闻。'从之。自此举荐冒滥少革矣。"

春

陆游作《题庐陵萧彦毓秀才诗卷后》二首。诗云："诗句雄豪易取名，尔来闲澹独萧卿。苏州死后风流绝，几许工夫学得成？""法不孤生自古同，痴人乃欲镂虚空。君诗妙处吾能识，正在山程水驿中。"此放翁甘苦之言。按，杨万里《诚斋集》卷三十六《退休集》中有《跋萧彦毓梅坡诗集》，周必大《平园续稿》卷二有《萧彦育虞卿顷年示诗篇，且求次诚斋待制所赠佳句韵，尝许赴省试时勉为之，适相过，以七步见窘，就坐呈老丑，聊述本意》，可与放翁题诗互参。

四月

十八日，陈造为王楙作《野客丛书跋》。云："吾友王勉夫，经传记著辨析凡三十卷。其议论之纯正，稽考之精确，钩摭之博洽，信可以不朽。盥读再过还之。若手抄家藏，姑俟他日。嘉泰壬戌四月十八日，高邮陈造唐卿书。"

杨万里复有《再答陆务观郎中书》寄陆游。书有云："来教诮及某恶诗当有万篇，不闻居肆而市脯者乎？族庖者日嚣嚣然号于肆曰：'吾脯也、胾也、羹也，皆旨且多也。'夫旨则不多，多则不旨。旨而又多，其皆熊蹯猩唇乎哉？其皆鲍鱼鼠朴乎哉？采菊东篱，焉用百韵；枫落吴江，一句千载。风人之劲者，肯与朴较少量多于可吊之滕哉？近尝于益公许，窥一二新作，邢、尹不可相见，既见，不自知其泣也。独其间有使人怏怏无奈者，如'湖山有一士，无人知姓名'，又如'寄湖中隐者'是也。斯人也，何人也？谓不可见，则有欲拜其床下者；谓不可闻，则有闻其长啸吹籯者。斯人也，何人也？非所谓不夷不惠者耶？非所谓出乎其类，游方之外者耶？非所谓逃名而名我随、避名而名我追者耶？公欲知其姓名乎？请索琼茅为公卦之，其繇曰：'鸿渐之笫，实维我氏。不知其字，视元宾之名；不知其名，视言偃之字。'既得是占，颇欲自秘，又非闻善相告之义。公其毋谓龟策诚不能知此事。许教以令子送行诗，尚未寄似，方且征之。某顷亦有送三子之官者，别纸呈似。"

陆游有诗《赠曾温伯、邢德允》。"回思岁月一甲子，尚记门墙三沐熏"句下自注云："游获从文清公时，距今六十年。"按，曾黯，字温伯，曾几曾孙。

金召赵秉文为户部主事，迁翰林修撰。

五月

诏陆游权同修国史、实录院同修撰，免奉朝请。《宋史》陆游本传："嘉泰二年，以孝宗、光宗两朝实录及三朝史未就，诏游权同修国史、实录院同修撰，免奉朝请。寻兼秘书监。"

诏赐礼部进士傅行简以下四百九十七人及第、出身。洪咨夔、高定子、赵汝鐩、刘镇登进士第。

六月

十四日，陆游赴召入都，有诗《入都》。按，《剑南诗稿》卷五十三有诗题曰《予以壬戌六月十四日入都门，癸亥五月十四日去国，而中有闰月，盖相距正一年矣，慨然有赋》。

闻陆游赴召，友人纷纷赋诗相送。张镃有《陆严州赴召喜成三诗》（见《南湖集》卷七），苏泂有《送陆放翁赴落致仕修史之命》（见《泠然斋诗集》卷一），杜旃有《陆务观赴召》（见《癖斋小集》）。

八月

袁说友以吏部尚书同知枢密院事。

建宝谟阁以藏《光宗御集》。

九月

陆游赋诗《夜吟》二首。诗云："似睡不睡客欹枕，欲落未落月挂檐。诗到此时当得句，羁愁病思恰相兼。""六十余年妄学诗，工夫深处独心知。夜来一笑寒灯下，始是金丹换骨时。"按，此论诗观点，尚未全脱江西诗派藩篱。

陆游秋季所赋诗篇，多寓思归之意。如《赠陆伯政》："早晚皇恩许归去，相呼同卧石帆云。"《自局中归马上口占》："安得公朝闵枯朽，早教归卧旧茅庵。"《九月初作》其二："此生自计终何取？似有山林一日长。"《忆三山》："一出可怜时屡变，又看刀尺制秋衣。"《史院晚出》："已乞残骸老故丘，误恩重作道山游。……心知伏枥无千里，纵有王良也合休。"《九月十四日夜，鸡初鸣，梦一故人相语曰：'我为莲华博士，盖镜湖新置官也。我且去矣，君能暂为之乎？月得酒千壶，亦不恶也。'既觉，惘然作绝句记之》："白首归修汗简书，每因囊粟戏侏儒。不知月给千壶酒，得似莲华博士无？"按，陆游虽以修史奉召，依然心存国事，不忘当世。迨历日稍久，始见朝廷泄沓因循，而权幸依然当道，无可施为，故诗篇中每有厌倦抑郁之情，屡致归卧故山之意。

秋

姜夔客松江，作诗《华亭钱参政园池》；又赋词《蓦山溪·题钱氏溪月》。

十月

陆游赋诗贺韩侂胄生日，题曰《韩太傅生日》。有云："问今何人致太平？绵地万里皆春耕。身际风云手扶日，异姓真王功第一。"长子子虡赴金坛县丞任，游赋诗勉之曰："醇如新丰酒，清若鹤林泉。棠宜使可爱，蒲正不须鞭。"（《送子虡赴金坛丞》）

李心传撰《建炎以来朝野杂记》甲集二十卷成。自序云："心传年十四五时，侍先君子官行都，颇得窃窥玉牒所藏金匮石室之副，退而过庭，则获觇闻名卿才大夫之议论。每念渡江以来，纪载未备，使明君、良臣、名儒、猛将之行事犹郁而未彰，至于七十年间，兵戎财赋之源流，礼乐制度之因革，有司之传，往往失坠，甚可惜也。乃编建炎至今朝野所闻之事，凡有涉一时之利害与诸人之得失者，分门著录，起丁未迄壬戌，以类相从，凡六百有五事，勒为二十卷。……嘉泰二年冬十月晦，秀岩野人李心传伯微甫序。"

追复朱熹焕章阁待制致仕。

十一月

以陈自强知枢密院事，前同知枢密院事许及之参知政事。

冬至日，姜夔编《歌曲》六卷成，松江钱希武刻于东岩之读书堂。

十二月

陆游除秘书监，有诗《恩除秘书监》。按，《南宋馆阁续录》卷七："监，嘉泰以后六人。……陆游……（嘉泰）二年十二月除。三年二月，为宝章阁待制兼。四月，提举江州太平兴国宫。"又，赋诗《寄题儒荣堂》，题注："朝散大夫徐梦莘著《北盟录》上之，除直秘阁，训辞有'儒荣'之语，因以名堂，来求赋诗。"

加韩侂胄太师。

闰十二月

复周必大少傅、观文殿大学士。

陆游应请作《婺州稽古阁记》；以白居易诗句"贫坚志士节，病长高人情"为韵赋《杂兴十首》以遣怀。

本年

魏了翁奉召为国子正。

陈傅良知泉州。

洪咨夔授如皋主簿。

姜特立赋《感皇恩·壬戌生朝》。

党禁稍弛，政途久困之人间有起废进用者。《宋史纪事本末》卷八十二《韩侂胄专政》："侂胄欲以势利盅士大夫之心，薛叔似、辛弃疾、陈谦等皆起废显用，当时困于久斥者，往往损晚节以规荣进。政府、枢密、台谏、侍从，皆出侂胄之门，而苏师旦、周筠，又侂胄厮役，亦得预闻国政，群小满朝，势焰薰灼。"

金主完颜璟定会试取士数。

虞俦本年在世，生卒年不详。俦字寿老，宁国人。隆兴初入太学，举进士。历绩溪令、文学博士、监察御史、国子监丞。后历知湖州、婺州、庐州。嘉泰元年，除中书舍人。二年，迁兵部侍郎。著有《尊白堂集》二十二卷（据陈贵谊《尊白堂集序》），已佚。四库馆臣据《永乐大典》辑为六卷，其中诗四卷、文二卷。今《全宋词》录其词二首，《全宋诗》录其诗四卷，《全宋文》收其文六卷。四库提要卷一五九："《尊白堂集》六卷，永乐大典本，宋虞俦撰。……俦慕白居易之为人，以'尊白'名堂，并以名集。其《读白乐天诗》云：'大节更思公出处，寥寥千载是吾师。'生平志趣，可以想见。故所作韵语，类皆明白显畅，不事藻饰，其真朴之处，颇近居易，而粗率流易之处，亦颇近居易。盖心摹手追，与之俱化，长与短均似之也。然如《除日狱空》、《春蚕行》及《劝农》、《祷雨》、《喜雨》诸篇，剀切慈祥，词意恳到，足以验其心劳抚字，固不当仅求之吟咏间矣。集中古文仅存制诰、劄子二体，已不免多所散佚，而辞命温雅，议论详明，于当时废弛积弊，言之尤切，其意亦颇有可取者。"

洪迈（1123—1202）卒，年八十。迈字景卢，号容斋，鄱阳人。绍兴十五年进士，授两浙转运司干办公事，入为敕令所删定官。累迁吏部郎兼礼部郎。乾道三年，迁起居郎，拜中书舍人兼侍读、直学士院。淳熙十三年，拜翰林学士。绍熙元年，进焕章阁学士，出知绍兴府，奉祠。以端明殿学士致仕。卒谥文敏。事迹见《宋史》卷三七三本传。迈悉心文史，考阅典故，文体众备，著述颇富，有内外制二十八卷，与其兄所著制词同编为《三洪制稿》（魏了翁《三洪制稿序》），已佚。又有《野处文集》及诗集《野处类稿》二卷，诗集今存《四库全书》本。清人劳格补辑有《洪文敏公集》八卷。《容斋随笔》七十四卷，今存宋、元刻本（不全），明弘治八年李瀚刊本，《四库全书》本，上海古籍出版社校点本等。《夷坚志》原为四百二十卷（《直斋书录解题》卷一一），现存本仅八十卷（或作五十卷），有影写宋刻本，明嘉靖刻本，清乾隆四十三年刻本，中华书局校点本。《全宋词》收其词六首，《全宋诗》录其诗三卷，《全宋文》收其文十卷。

迈以文笔与博洽为朝野所推重。《容斋随笔》于文学、史学、典章、名物、考订诸方面见解独到，学术价值颇高。四库提要卷一一八："《容斋随笔》十六卷、《续笔》十六卷、《三笔》十六卷、《四笔》十六卷、《五笔》十卷，内府藏本，宋洪迈撰。……其书先成《随笔》十六卷，刻于婺州，淳熙间传入禁中，孝宗称其有议论。迈因重编为《续笔》、《三笔》、《四笔》、《五笔》。《续笔》有隆兴三年自序，《三笔》有庆元二年自序，《四笔》有庆元三年自序，亦各十六卷，而《五笔》止十卷，盖未成而迈遂没矣。其中自经史诸子百家以及医卜星算之属，凡意有所得，即随手札记，辨证考据，颇为精确。……尤熟于宋代掌故。……南宋说部，终当以此为首焉。"李慈铭《越缦堂读书记》："南宋人如洪景卢学问赅洽，为不数见。此书考证多精，识议亦胜，并时说部，最为可观。"《夷坚志》卷帙浩繁，为宋人志怪小说之最。是志记载神仙怪异、当时人物轶事及社会风习，内容博杂，多荒诞不经之语，故周密《癸辛杂识自序》云："洪景卢志《夷坚》，贪多务得，不免妄诞，此皆好奇之过也。"然其文笔优长，词气晓畅，向为士林所推服；而对话本及文言小说之影响，尤为显著，如宋元话本《郑意娘传》、《简帖和尚》、《金明池吴清逢爱爱》、《闹樊楼多情周胜仙》、《白娘子永镇雷峰塔》等，其本事皆取资于此志。洪迈论诗主用典，而又不过于拘泥，以为"作诗要有来处，则为渊原宗派，然字字拘泥，又为拘涩"（《容斋五笔》卷三）。但其现存诗歌题材较窄，大多用意不深。所作记体文，有足可称道者。如周必大称其《山堂学记》"益奇古"，《新桥记》"考古精详，遣词高雅，非得笔墨三昧，岂易及此?"（《与洪景卢舍人迈劄子》）而为辛弃疾所作《稼轩记》，叙述有次，文笔老到，辞采生动，尤能见其辞章修养。

王庭筠（1151 或 1156—1202）卒。按，《王黄华墓碑》称王庭筠"春秋五十有二"，《中州集》卷三小传、《金史》卷一二六本传则俱作"年四十七"。若按前者推算，当生于天德三年（1151），按后者推算当生于贞元四年（1156）。庭筠字子端，号黄华山主，盖州熊岳人。金大定十六年进士。调恩州军事判官，仕至翰林修撰。著有《黄华集》，有《辽海丛书》本。庭筠以诗、文、书、画擅名一时，元好问誉之为"辽海东南天一柱"（《王子端内翰山水同屏山赋二诗》之一）。元好问《王黄华墓碑》："为文能道所欲言，如《文殊院听琴》、《飞来积雪赋》及《汉昭烈庙碑文》等，辞理兼备，居然有台阁体裁。暮年诗律深严，七言长篇，尤以险韵为工，方之少作，如出两手。"刘祁《归潜志》卷一〇引赵秉文云："王子端才固高，然太为名所使，每出一联一篇，必要使人皆称之，故止是尖新。其曰'近来陡觉无佳思，纵有诗成似乐天'，不免物议也。"又引李纯甫云："东坡变而山谷，山谷变而黄华，人难为也。"《金元诗选·金诗选一》："黄华诗浅处却佳，正在真率。"谢榛《四溟诗话》卷二："金学士王庭筠《黄花山》一绝，颇有太白声调。"王若虚《滹南诗话》卷三："诗人之语诡谲，寄意固无不可，然至于太过，亦其病也。……王子端《丛台》绝句云：'猛拍阑干问兴废，野花啼鸟不譬人。'若'譬人'，可是怪事。"况周颐《蕙风词话》卷三："金源人词伉爽清疏，自成格调，惟王黄华小令，间涉幽峭之笔、绵邈之音。《谒金门》后段云：'瘦雪一痕墙角，青子已妆残萼。不道枝头无可落，东风犹作恶。'歇拍二句，似乎说尽'东风犹作恶'。就花与风之各一面言之，仍犹各有不尽之意。'瘦雪'字新。"

汤汉（1202—1272）生。

公元 1203 年（宋宁宗嘉泰三年癸亥　金章宗泰和三年）

正月

右丞相谢深甫罢。张岩罢参知政事，知平江府，旋升大学士知扬州，分帅两淮。

189

以袁说友参知政事。

陆游除宝谟阁待制，举从政郎曾黯自代。见陆游《除宝谟阁待制谢表》、《除宝谟阁待制谢丞相启》、《除宝谟阁待制举曾黯自代状》。上元观灯，感而赋诗，题曰《绍兴癸亥，余以进士来临安，年十九。明年上元，从舅光州通守唐公仲俊招观灯。后六十年，嘉泰壬戌被命起造朝。明年癸亥，复见灯夕游人之盛，感叹有作》。

本月，陆游为杨冠卿《集句杜诗》作序。云："楚人杨梦锡才高而深于诗，尤积勤杜诗，平日涵养不离胸中，故其句法森然可喜，因以暇戏集杜句。梦锡之意，非为集句设也，本以成其诗也。不然，火龙黼黻手，岂补缀百家衣者耶？予故为表出之，以告未深知梦锡者。嘉泰三年正月丁亥，笠泽陆某务观序。"按，尤袤称冠卿"集工部之诗，恍如己作"（尤袤《答杨客亭启》）。此书已佚。杨冠卿，一作扬冠卿，字梦锡，江陵人。其《纪梦诗》序云："戊戌年四十。"戊戌为淳熙五年，逆推四十年，则其当生于绍兴八年（1138），而卒年则不可考。据《四库全书总目》卷一六〇考证，知其曾举进士，知广州，以事罢职，侨寓临安。与范成大、陆游、张孝祥、姜夔等皆有交往。今存其《客亭类稿》，有宋刻残本，四库馆臣据《永乐大典》补为十四卷，附书启一卷。《全宋词》录其词三十六首，《全宋诗》录其诗三卷，《全宋文》收其文八卷。四库提要卷一六〇："《客亭类稿》十五卷，永乐大典本，宋扬冠卿撰。……其集世颇罕传，惟浙江采进书中有旧刊《客亭类稿》，为巾箱小字本，检勘尚系原刻。分《四六编》、《杂著编》、《古律编》，皆所作诗文；《惠答客亭书启编》，则同时名人酬赠之作。不标卷数，前后亦无序跋，而《永乐大典》各韵内所收冠卿之文，尚有表笺、诗余各数十首，皆刊本所未收。疑当时各自为编，流传既久，遂有阙脱。今据《永乐大典》所载，以刊本参校，搜辑补缀，诸体始全。谨仿原编名目，厘为十四卷，而仍以书启一卷附之。冠卿才华清隽，四六尤流丽浑雅。张端义《贵耳集》载其掾九江戎司时，赵温叔罢相帅荆南，道由九江，守帅合宴，冠卿作《致语》云：'相公倦台鼎，喜看绣衮之东归；浔阳无管弦，且听琵琶之旧曲。'温叔再三称道。知其以是体擅长矣。又京镗、何异、李结诸帖，极称其集杜之工，而稿中乃无一篇，岂当时别本单行，而今佚之耶？"范成大谓"杨君诗词，趣高有韵，甚不易得，渔社有客，可以豪矣"（《答杨冠卿》）。张孝祥《题杨梦锡客亭类稿后》："为文有活法，拘泥者窒之，则能今而不能古。梦锡之文，从昔不胶于俗，纵横运转如盘中丸，未始以一律拘，要其终亦不出于盘。盖其束发事远游，周览天下山川之胜，以作其气；所与交者，又皆当世知名士，文章安得不美耶？余官荆南，梦锡自交、广以《客亭类稿》来，精深雄健，视昔时又过数驿，读之终篇，使人首益俯焉。"

二月

陆游应李兼（孟达）之请，作《梅圣俞别集序》。序云："宛陵先生遗诗及文若干首，实某官李兼孟达所编辑也。先生当吾宋太平最盛时官京洛，同时多伟人巨公，而欧阳公之文，蔡君谟之书，与先生之诗，三者鼎立，各自名家。文如尹师鲁，书如苏子美，诗如石曼卿辈，岂不足垂世哉？要非三家之比，此万世公论也。先生天资卓伟，其于诗，非待学而工，然学亦无出其右者。方落笔时，置字如大禹之铸鼎，练句如后夔之作乐，成篇如周公之致太平，使后之能者欲学而不得，欲赞而不能，况可得而讥评去取哉？欧阳公平生常自以为不能望先生，推为诗老。王荆公自谓《虎图诗》不及先生包鼎画虎之作，又赋哭先生诗，推仰尤至。晚集古句，独多取焉。苏翰林多不可古人，唯次韵和陶渊明及先生二家诗而已。虽然，使本无此三公，先生何歉；有此三公，亦何以加秋毫于先生。予所以论载之者，要以见前辈识精论公，与后世妄人异耳。"

三月

上旬，姜夔作《契丹歌》二首。

春

陆游数游西湖，有诗《西湖春游》、《次林伯玉侍郎韵赋西湖春游》、《湖中微雨戏作》、《与儿辈泛舟游西湖，一日间晴阴屡易》。入春以来，家山之念愈炽，屡赋诗致意，如《春夜》、《遣兴》、《癸亥正月十日夜，梦三山竹林中笋出甚盛，欣然有作》、《思归示子聿》、《书志示子聿》、《入春念归尤切有作》、《书房杂咏》其二、《独立思故山》、《寓叹》、《春晚怀故山》、《叹老》诸诗，皆寓思归之意。

四月

一日，陆游作《跋韩晋公牛》。云："予居镜湖北渚，每见村童牧牛于风林烟草之间，便觉身在图画。自奉诏细史，逾年不复见此，寝饭皆无味。今行且奏书矣，奏后三日不力求去，求不听辄止者，有如日！嘉泰癸亥四月一日，笠泽陆某务观书。"十六日，作《跋画橙》："嘉泰癸亥四月十六日，《两朝实录》将进书，予以史官兼秘书监，宿卫于道山堂之东直舍。茶罢，取此轴摩挲久之，觉香透指爪。此物著霜时，予归镜湖小园久矣。山阴陆某务观书。"按，此二跋无意于图画本身之述评，却足见放翁归心之迫切。

十七日，上《孝宗实录》五百卷、《光宗实录》一百卷。陆游以进书毕，上疏请守本官致仕，不允；再上劄子，始得敕，除提举江州太平兴国宫。

告归之际，陆游应韩侂胄之请，为作《阅古泉记》。《宋史》陆游本传："晚年再出，为韩侂胄撰《南园》、《阅古泉记》，见讥清议。朱熹尝言其能太高，迹太近，恐为有力者所牵挽，不得全其晚节，盖有先见之明焉。"又论曰："陆游学广而望隆，晚为韩侂胄著堂记，君子惜之，抑《春秋》责贤者备也。"（按，陆游《南园记》未署作年，记中称韩侂胄为"少师平原郡王"，自署"中大夫直华文阁致仕赐紫金鱼袋"。考韩侂胄加少师、封平原郡王乃庆元五年九月事，陆游赐龟紫为庆元六年三月事，而嘉泰二年五月游已奉诏权同修国史、实录院同修撰，十二月侂胄已加太师，故是记当作于庆元六年至嘉泰二年之间。）按，为韩侂胄作《南园记》、《阅古泉记》，关乎放翁晚年大节，是非之际，遂成聚讼。方回《桐江续集》卷二八《至节前一日》："莼羹鲈脍鉴湖风，想象依稀老放翁。惜为平原多一出，诗名元已擅无穷。"《直斋书录解题》卷一八："及韩氏用事，游既挂冠久矣，有幼子泽不逮，为侂胄作《南园记》，起为大蓬。"罗大经《鹤林玉露》甲编卷四："晚年为韩平原作《南园记》，除从官。杨诚斋寄诗云：'君居东浙我江西，镜里新添几缕丝。花落六回疏信息，月明千里两相思。不应李杜翻鲸海，更羡夔龙集凤池。道是樊川轻薄杀，犹将万户比千诗。'盖切磋之也。然《南园记》唯勉以忠献之事业，无谀辞。"叶绍翁《四朝闻见录》乙集："公早求退，往来若耶、云门，留宾款洽，以觞咏自娱。官已阶中大夫，遂致其仕，誓不复出。韩侂胄固欲其出，落致仕，除次对，公勉为之出。韩喜陆附己，至出所爱四夫人擘阮琴起舞，索公为词，有'飞上锦裀红绉'之语。又命公勺青衣泉，旁有唐开成道士题名，韩求陆记，记极精古。且以坐客皆不能尽一瓢，唯游尽勺，且谓挂冠复出，不唯有愧于斯泉，且有愧于开成道士云。先是慈福赐韩以南园，韩求记于公，公记云：'天下知公之功，而不知公之志；知上之倚公，而不知公之自处。'公之自处与上之倚公，本自不侔，盖寓微词也。又云：'游老，谢事山阴泽中，公以手书来曰："子为我作《南园记》。"岂取其无谀言，无侈辞，足以道公之志欤？'"四库提要卷一六〇"《渭南文集》"条："《逸稿》二卷，为毛晋所补辑。史称游晚年再出，为韩侂胄撰《南园》、《阅古泉记》，见讥清议。今集中凡与侂胄启，皆讳其姓，但称曰丞相；亦不载此二记。唯叶绍翁《四朝闻见录》有其全文，晋为收入《逸稿》，盖非游之本志。然足见愧词曲笔，虽自刊除，而流传记载，有求其泯没而不得者，是亦足以为戒备矣。"又同上"《诚斋集》"条："南宋诗集传于今者，唯万里及陆游最富。游晚年隳节，为韩侂胄作《南园记》，得除从官。万里寄诗规之，有'不应李杜翻鲸海，更羡夔龙集凤池'句。罗大经《鹤林玉露》尝记其事。以诗品论，万里不及游之锻炼工细；以人品论，则万里偬乎远矣。"张元忭《绍兴府志》卷四十四《人物志》："《宋史》谓其晚年为韩侂胄作《南园记》，见讥清议，余独谓不然。夫泉石品题，非有大关系也。以时宰求为一记，而必峻拒之，不已甚乎？顾其记所云何如耳。余于《西湖志》见此记而详味之，其以忠献有后为言，盖歆之以法祖也；又以许闲、归耕为公之志，盖讽之以知止也。游自以为无谀辞，无侈言，殆信然矣。是又何足为病哉？甚矣，议者之固也！"赵翼《瓯北诗话》卷十："朱子尝言：放翁能太高，迹太近，恐为有力者所牵挽。《宋史》本传因之辄谓其不能全晚节，此论未免过刻。今按嘉泰二年放翁起修孝宗、光宗两朝实录，其时韩侂胄当国，自系其力。然放翁自严州任满东归后，里居十二三年，年已七十七八，祠禄秩满，亦不敢复请，是其绝意于进取可知。侂胄特以其名高而起用之，职在文字，不及他务；且借以报孝宗恩遇，原不必以不职为高。甫及一年，史事告成，即力辞还山，不稍留恋，则其进退绰绰，本无可议。即其为侂胄作《南园记》、《阅古泉记》，一则勉以先忠献之遗烈，一则讽其早退，此亦有何希荣附势、依傍门户之意？而论者辄借为口实以訾议之，真所谓小人好议论不乐成人之美者也。"（自注："今二记不载《文集》，仅于《逸稿》中见之。盖子遹刻放翁《文集》时，侂胄被诛未久，为世诟历，故有所忌讳，不敢刻入，未必放翁在时手自削去也。《诗集》中仍有《韩太傅生日》诗，并未删除。则知二记本在《文集》中，盖因其乞文而应酬之，原不必讳耳。") 袁枚《小仓山房文集》卷三十《书陆游传后》:"《宋史》称陆游为侂胄记南园,见讥清议,余尝冤之。夫侂胄,魏公孙,智小而谋大,不过《易》所称折足之鼎耳,非宦寺流也。南园成,延翁为记,出所宠四夫人侑酒,游感其意,为文加规,劝其裉躬治民,毋忘先人之德。在侂胄亲仁,在游劝善,俱无所为非。宋儒以恶侂胄,故被及于游。然则据宋儒之意,必使侂胄铲除善念,不许亲近一正人;而为正人者,又必视若洪水猛兽,望望然去之。呜呼,此宋儒以后清流之祸所以延至明季而愈烈也!孟子曰:'逃墨必归于儒,归斯受之而已矣。'孔子曰:'人洁己以进,与其进也,不与其退也。'侂胄有好名慕善之心,游因而导之以正,宜也。……使游果有附权贵希冀幸进之心,则当曾觌、龙大渊柄国时,略与沾接,早已致身通显矣;而乃大与之忤,逐归不悔,岂有垂暮之年反丧其守之理?卒之,侂胄自咎前失,大弛伪学之禁,又安知非游与往来阴为疏解乎?彼矜矜然自夸清议者,或阴享其福而不知。盖《宋史》成于道学之风甚炽之时,故杨时受蔡京之荐,史无讥词;胡安国受秦桧之荐,史无讥词。京与桧之奸,十倍于侂胄,游之过,小于杨、胡,而反诋之不休,何也?游不讲学故也。张浚伐金之谋与侂胄同,符离之败与侂胄同,然而张浚不诛,士林不议者何也?则一与朱子交,一与朱子忤故也。善乎宁宗之言曰:'恢复岂非美事,惜不量力耳。'金人葬侂胄首,谥曰忠谬,言其忠于为国,谬于为己故也。夫侂胄之罪,尚且一敌国一君父为之末减,而游作一记之过乃著于本传中,不亦奇乎?"

五月

十四日,陆游离临安归故乡。有诗《上章纳禄恩界外祠遂以五月初东归》、《予以壬戌六月十四日入都门,癸亥五月十四日去国,而中有闰月,盖相距正一年矣,慨然有赋》。十五日,途次浙江亭,有《跋蔡忠怀送将归赋》,对朋党之祸重致慨叹。跋曰:"予读《送将归》之赋,为之流涕,不为蔡氏也。宋兴百余年,累圣致治之美,庶几三代。熙宁、元祐所任大臣,盖有孟、扬之学,稷、契之忠,而朋党反因之以起,至不可复解。一家之祸福曲直,不足言也;为之子孙者,能力学进德,不为偏诐,则承家报国,皆在其中矣。嘉泰三年五月十五日山阴陆某书于浙江亭。"

以陈自强为右丞相,许及之知枢密院事,仍兼参知政事。

夏

辛弃疾起知绍兴府兼浙东安抚使。《会稽续志》卷二《安抚题名》:"辛弃疾,以朝请大夫集英殿修撰知,嘉泰三年六月十一日到任。"在绍兴任,创建秋风亭,尝作《汉宫春》(亭上秋风),题曰:"会稽秋风亭观雨。"

八月

丘崈作《汉宫春》(闻说瓢泉)。题曰:"和辛幼安秋风亭韵,癸亥中秋前二日。"杨万里进宝谟阁直学士,给赐衣带。

九月

四日，周必大作《跋陆务观送其子子龙赴吉州司理诗》。跋云："吾友陆务观，得李、杜之文章，居严、徐之侍从。子孙众多如王、谢，寿考康宁如乔、松。诗能穷人之谤，一洗万古而空之。嘉泰癸亥九月四日。"

袁说友罢参知政事。

秋

姜夔作《汉宫春·次韵稼轩》。

张镃作《汉宫春》（城畔芙蓉）。题曰："稼轩帅浙东，作秋风亭成，以长短句寄余，欲和久之，偶霜晴，小楼登眺，因次来韵，代书奉酬。"

陆游转太中大夫，有《辞免转太中大夫状》及《转太中大夫谢表》。

十月

二十九日，陆游应金华智者寺仲玘之请，为作《智者寺兴造记》。

诏宥伪学党人吕祖泰，许其任便居住。

金尚书左丞完颜匡等进《章宗实录》。

十一月

十二日，陈傅良（1137—1203）卒，年六十七。傅良字君举，号止斋，温州瑞安人。师事郑伯熊、薛季宣，与张栻、吕祖谦相友善。乾道八年进士。教授泰州，累迁起居舍人。宁宗时，召为中书舍人兼侍读、直学士院、同实录院修撰。事迹见楼钥《宋故宝谟阁待制赠通议大夫陈公神道碑》、叶适《宝谟阁待制中书舍人陈公墓志铭》及《宋史》卷四三四本传。一生著述甚富，然大多亡佚。所著《止斋集》五十二卷，今存明正德覆刻宋嘉定刻本、明弘治刊本及《四库全书》本等。又有《止斋先生奥论》八卷，有明万历刻本。《全宋诗》录其诗九卷，《全宋文》收其文四十四卷。傅良为永嘉学派巨擘，其学以通知成败、谙练掌故为长，自三代秦汉以下，精研经史，贯穿百氏，一事一物，必稽于实。四库提要卷一五九："《止斋文集》五十一卷、附录一卷。……此集为其门人曹叔远所编，前后各有叔远序一篇。所取断自乾道丁亥讫于嘉泰癸亥，凡乾道以前之少作，尽削不存，其去取特为精审。末为附录一卷。……傅良虽与讲学者游，而不涉植党之私，曲相附和；亦不涉争名之见，显立异同。在宋儒之中，可称笃实。故集中多切于实用之文，而密栗坚峭，自然高雅，亦无南渡末流冗沓腐滥之习，盖有本之言，固迥不同矣。"吴子良《荆溪林下偶谈》卷三："淳熙间，欧文盛行，陈君举、陈同甫尤宗之。水心云：'君举初学欧不成，后乃学张文潜，而文潜亦未易到。'"又卷四："止斋之文，初则工巧绮丽，后则平淡优游，委蛇婉转，无一毫少作之态。"林长繁《止斋先生文集后跋》："先生之文平淡简古，有行云流水之势，冠冕佩玉之声，无陈腐，无险怪，又非所谓徒饰者，真可法也。"傅良之文，以论最为著名。

《论学绳尺》卷三评其《博学之谓仁论》："立意广大，行文圆活，造语老苍，无一赘字，真可为法。"又卷四评其《王者之法如何论》："终篇以新语易陈言，醒人眼目，所谓化臭腐为新奇者，妙论妙论。"傅良之诗，"意深义精而语尤高"（《荆溪林下偶谈》卷四），"诗格亦苍劲，得少陵一体"（《宋诗钞·止斋诗钞序》），然成就远不逮其文。

本月，赵蕃寄诗陆游，游酬以长句，题曰《故人赵昌甫久不相闻，寄三诗皆杰作也，辄以长句奉酬》。

十二月

范成大之子莘、兹刻其诗文集一百三十卷于寿栎堂。并跋曰："先人尝为莘等言：'自十四五始为诗文，晚而深笃，或寝疾，医以劳心见止，亦以政自不能不尔谢之。'手编仅成帙，而弃不肖之孤，其尚忍言哉！当从九京游而未敢者，以先人之志未承也。诗文凡百有三十卷，求序于杨先生诚斋，求校于龚编修芥隐，而刊于家之寿栎堂。春秋霜露，思其志意，思其所乐僾然如见，忾然如闻，庶得藉口以告吾先人云。嘉泰三年十二月初三日，莘、兹谨书。"

辛弃疾应召赴行在。《会稽续志》卷二《安抚题名》："辛弃疾……当年十二月二十八日召赴行在。"

冬

辛弃疾游蓬莱阁，作《汉宫春》（秦望山头）。题曰："会稽蓬莱阁怀古。"

姜夔作《汉宫春》（一顾倾吴）。题曰："次韵稼轩蓬莱阁。"

杨万里作《进退格寄张功父姜尧章》。前四句云："尤萧范陆四诗翁，此后谁当第一功？新拜南湖为上将，更差白石作先锋。"

本年

辛弃疾为友人杜旃（仲高）开山田。高翥《菊涧诗选·喜杜仲高移居清河》诗题下自注云："稼轩为仲高开山田，仲高有《辛田记》。"按，开山田事本无可考，然杜为金华人，开山田必在其所居近处，是则必在稼轩帅浙东时。又，稼轩欲为陆游筑舍，游辞之，遂止。《剑南诗稿》卷六十一《草堂》："幸有湖边旧草堂，敢烦地主筑林塘？"句下自注云："辛幼安每欲为筑舍，予辞之，遂止。"

刘过赋《沁园春》（斗酒彘肩）。题曰："风雪中欲诣稼轩，久寓湖上，未能一往，因赋此词以自解。"辛弃疾邀其至浙东帅幕。岳珂《桯史》卷二"刘改之"条："嘉泰癸亥岁，改之在中都，辛稼轩帅越，闻其名，遣介招之。适以事不及行，作书归辂者，因效辛体赋《沁园春》一词，并缄往，下笔便逼真。其词曰：'斗酒彘肩……'辛得之，大喜，致馈数百千，竟邀之去。馆燕弥月，酬倡鬒鬒，皆似之，逾喜。垂别，赐之千缗，曰：'以是为求田资。'改之归，竟荡于酒，不问也。"临行前，刘过赋《念奴娇》（知音者少），题曰："留别辛稼轩。"

魏了翁改武学博士。

吴琚约于本年前后在世，生卒年不详。琚字居父，号云壑，汴人。高宗吴皇后之侄、太宁郡王吴益子。乾道九年，特授添差临安府通判。历尚书郎，除知明州。淳熙四年，为淮东提举。绍熙二年，知襄阳府。庆元六年，以江东安抚使知建康府。嘉泰二年，特授少保致仕。事迹见《宋史》卷四六五《吴益传》。琚工书画，绝类米芾。又以词翰受知于孝宗。著有《云壑集》，已佚。《全宋词》录存其词六首，《全宋诗》录其诗二首，《全宋文》收有其文。

姜特立（1125—?）约卒于本年前后，年近八十。特立字邦杰，丽水人。以其父绶靖康中遇难，补承信郎。淳熙中，累迁福建路兵马副都统。十一年，赵汝愚荐于朝，献诗百篇，除阁门舍人。光宗即位，除知阁门事。因恃恩纵恣，为右丞相留正论劾，夺职与外祠。宁宗时，官终庆远军节度使。事迹见《宋史》卷四七〇本传。《直斋书录解题》著录其《梅山诗稿》六卷、《续稿》十五卷，今存《梅山续稿》十七卷，有雍正间赵氏小山堂抄本、《四库全书》本、清朱氏潜采堂抄本等。《全宋词》收其词二十首，《全宋词补辑》录其词一首，《全宋诗》录其诗十七卷，《全宋文》卷四九六一收其文。工于诗，以苏、黄为宗，尝言："苏黄自是今时友，李杜还为异代家。"（《看诗卷》）《直斋书录解题》卷二〇："特立诗亦粗佳，韩无咎、陆务观皆爱之。本亦士人也，途辙一改，俨然昵御之态，岂其居使之然耶？"四库提要卷一六一："特立在当时，恃光宗藩邸之旧，颇揽权势，屡为廷臣所纠，其人殊不足道。……然论其诗格，则意境特为超旷，往往自然流露，不事雕琢。同时韩元吉、陆游皆爱之，亦有由也。"

陈骙（1128—1203）卒，年七十六。骙字叔进，临海人。绍兴二十四年进士。光宗朝为吏部侍郎、权礼部尚书、同知枢密院事。宁宗即位，知枢密院事兼参知政事。以忤韩侂胄，提举洞霄宫。卒谥文简。事迹见《宋史》卷三九三本传。骙"文词古雅，不名一体。间出新意奇句，读辄惊人"（叶适《观文殿学士知枢密院事陈公文集序》）。著有《文则》二卷，专论文章体式。四库提要卷一九五："《文则》二卷。……骙此书所列文章体式，虽该括诸家，而大旨皆准经以立制，其不使人根据训典，熔精理以立言，而徒较量于文字之增减，未免逐末而遗本。又分门别类，颇嫌于太琐太拘，亦不免舍大而求细。然取格法于圣籍，终胜摹机调于后人。其所标举，神而明之，存乎其人，固不必以定法泥此书，亦不必以定法病此书也。"又，所编《南宋馆阁录》，专记南宋各朝三馆职官掌故，有史料参考价值。

陈造（1133—1203）卒，年七十一。造字唐卿，自号江湖长翁，高邮人。淳熙二年进士，调繁昌尉，改平江府教授。寻知定海县，通判房州，摄郡事。秩满，为浙西路安抚使参议官，改淮南西路参议官。事迹见《宋史翼》卷二九。著有《江湖长翁文集》。今存明万历四十六年李之藻刻本、《四库全书》本。近人赵万里辑有《江湖长翁词》一卷，收入《校辑宋金元人词》。《全宋词》收其词十首，《全宋诗》收其诗二十二卷，《全宋文》收其文二十二卷。四库提要卷一六一："《江湖长翁文集》四十卷。……集中《罪言》一篇，盖仿杜牧而作，不免纸上谈兵，徒为豪语。其文则恢奇排奡，要亦陈亮、刘过之流。其他劄子诸篇，多剀切敷陈，当于事理。记序各体，锤字炼词，稍伤真气，而皆谨严有法，不失规程。在南宋诸作者中，亦铁中铮铮者矣。至《易说》

一卷，始于《无妄》，终于《比》，凡十五篇，疑其未完之书。中多以史证经，与杨万里《诚斋易说》、李光《读易详说》相类，殆为时事而发，托之诂经欤？其集久无刻本，明崇祯中，李之藻以淮南自秦观而后，唯造有名于时，始与观集同刻之于高邮云。"李之藻《刊江湖长翁集序》："唐卿陈先生犹主齐盟于淳熙、嘉泰间，学赡而笔劲，人称淮南夫子。所著诗文四十卷，诗则宋诗，文则涉汉轶唐。"《宋诗钞·江湖长翁诗钞》："范石湖曰：'使遇欧、苏，名不在少游下。'……陆放翁序其集，谓能居今笃古，卓然杰立于颓波之外。其诗椎炼，不事浮响，故见许如此。"

元德明（1156—1203）**卒**，年四十八。**德明号东岩**，太原秀容人。累举不第，放浪山水间，饮酒赋诗以自适。作诗不事雕饰，清美圆熟，无山林枯槁之气。著有《东岩集》。事迹见《中州集》卷一〇引杨慥《元德明墓铭》、《金史》卷一二六本传。

刘祁（1203—1250）**生**。

陈宗礼（1203—1271）**生**。

公元 1204 年（宋宁宗嘉泰四年甲子　金章宗泰和四年）

正月

五日，苏泂谒陆游于山阴，留饮，泂赋诗《正月五日谒放翁，留饮欢甚》。子虡有吴门之行，游有诗《送子虡吴门之行》；子坦有临安之行，又赋《送子坦》（按，诗中有"长安虽可乐，怜汝正思亲"句，知子坦此行当往临安）；又有《送子遹》，题下自注："初欲赴春铨，以兄弟皆出，故辍行。"

本月，陆游自书所作诗八首。《六艺之一录》卷四〇六引《庚子消夏记·历代名贤墨迹题跋》："陆放翁先生自书所作诗八首，后题嘉泰甲子岁正月甲午，用郭端卿所赠猩猩毛笔，时年八十矣。书法劲逸，老年不衰如此。诗句冲淡，全无烟火色相。盖公以宝章阁（按，应为宝谟阁）待制修《实录》完即致仕，优游若耶溪，久领泉林之乐，故其笔墨清胜如此。"按，北京文物出版社已于一九六一年五月影印发行此诗卷墨迹，题曰《宋陆游自书诗》，原件现藏辽宁省博物馆。所书诗八首，俱存《剑南诗稿》卷五十五，分别为《记东村父老言》、《访隐者不遇》、《游近村》、《癸亥初冬作》、《美睡》、《渡头》、《（庵中）杂书》（其一、其三）。

杨万里进封庐陵郡开国侯，加食邑三百户。

辛弃疾在临安，宁宗召见，言盐法（见《宋史》本传）；**又向韩侂胄陈用兵之利。**《庆元党禁》："嘉泰四年甲子，春正月，辛弃疾入见，陈用兵之利，乞付之元老大臣。侂胄大喜，遂决意开边衅。"稼轩此次被召见后，加宝谟阁待制，提举佑神观，奉朝请。

韩侂胄定议伐金。《宋史纪事本末》卷八十三《北伐更盟》："宁宗嘉泰四年春正月，韩侂胄定议伐金。时金为北鄙鞑靼等部所扰，无岁不兴师讨伐，兵连祸结，士卒涂炭，府库空匮，国势日弱，群盗蜂起，民不堪命。有劝韩侂胄立盖世功名以自固者，侂胄然之，恢复之议遂起。聚财募卒，出封桩库黄金万两，以待赏功，命吴曦练兵西蜀。既而安丰守臣历仲方言：'淮北流民咸愿归附。'浙东安抚使辛弃疾入见，言：'金国必亡，愿属大臣备兵，为仓卒应变之计。'侂胄大喜。会邓友龙使金还，言：'金有骆驿使夜半求见者，具言金国困弱，王师若来，势如拉朽。'侂胄闻之，用师之意益决矣。"

二月

陆游作《陆伯政山堂类稿序》。序云："吾宗伯政，讳焕之，唐丞相文公希声之九世孙。文公上距丞相元方五世，中间子孙遇五季之乱，独不失谱，至今世次，皆可序述。伯政家世为儒，力学笃行，至老不少衰。所为文，皆本《六经》，无一毫汩于释老。虽其徒有从之求文者，伯政尊所闻，犹毅然不为之贬。至如杨公时，近世名儒，独以立论少入释老，伯政正色斥之，不遗余力。使死而有知，吾伯政有以见周公孔子矣。其孤集遗文为二十卷，来请余为序。伯政之文，可称述者众，余独言其学术文辞之正以序之，尚不失斯人之本意，又进其子孙云。嘉泰四年二月丁巳笠泽陆某谨序。"

三月

辛弃疾差知镇江府。《嘉定镇江志》卷十五《宋太守》："辛弃疾，朝议大夫、宝谟阁待制，嘉泰四年三月到。"刘宰有《贺辛待制弃疾知镇江》（见《漫塘文集》卷十五）。至镇江，作《永遇乐·京口北固亭怀古》。论者以为"辛词当以京口北固怀古《永遇乐》为第一"（清冯金伯《词苑萃编》卷五引《升庵词话》）。近代俞陛云评曰："此词登京口北固山亭而作。人在江山雄伟处，形胜依然，而英雄长往，每发思古之幽情，况磊落英多者！当其凭高四顾，烟树人家，夕阳巷陌，皆孙、刘角逐之场，放眼古今，别有一种苍凉之思。况自胡马窥江去后，烽火扬州，犹有余恸。下阕慨叹佛狸，乃回应上文'寄奴'等句。当日鱼龙战伐，只赢得'神鸦社鼓'，一片荒寒。往者长已矣，而当世岂无健者？老去廉颇，犹思用赵，但知我其谁耶？英词壮采，当以铁绰板歌之。"（《唐五代两宋词选释》）又作《南乡子·登京口北固亭有怀》。按，姜夔曾作《永遇乐》（云隔迷楼），题注："次稼轩北固楼词韵。"

本月，辛弃疾读宋高宗《亲征诏草》，并跋其后。《弋阳县志》十二《艺文志》载陈康伯绍兴三十一年所拟《亲征诏草》，并录稼轩《读亲征诏草跋》："使此诏出于绍兴之初，可以无事仇之大耻；使此诏行于隆兴之后，可以卒不世之大功。今此诏与此虏犹俱存也，悲夫。嘉泰四年三月门生弃疾拜手谨书。"

陆游作《普灯录序》。有云："某自隆兴距嘉泰，五备史官，今虽告老，待尽山泽，犹于祖宗遗事，思以尘露之微，仰足山海，不自知其力之不逮也。"有诗《赠苏召叟》、《赠赵去华》。辛弃疾于去岁杪奉召赴行在，陆游此时方赋《送辛幼安殿撰造朝》以送之。按，此诗见《剑南诗稿》卷五十七，编次本年《上巳》诗之后、《三月三十日闻杜宇》之前，故系于本月。知常州军赵善防（若川）于去年修奔牛闸成，来书请文，陆游为作《常州奔牛闸记》。按，此记系衔"太中大夫充宝谟阁待制致仕山阴县开国子食邑五百户赐紫金鱼袋"，则游已致仕。

四月

立韩世忠庙于镇江府。

许及之罢参知政事。

舒邦佐自序其《双峰猥稿》。云："文章一技耳。讲磨习熟，自幼而壮，壮而老，始迄于成，虽天资高妙者或然，矧积习而为之者欤。仆早困举子业，窃第后方学四六语，以虫篆余习，喜属对偶。试吏善化，时乡曲先达尚书刘公宰，长沙文章之伯也，又曾为辛丑省试官，仆以晚出门生之礼事之。每蒙奖诱，一日谓仆所通同官书启皆相传观，甚相敬也。四六当以意胜，因摘诵汪彦章《劝进第二表》、晁子西《贺汪锡圣加学士再任成都》、《回兴元王帅启》中数语为验。仆心领意会，自是不复专事骈俪，每作必求意胜。间举似以就正，尚书每可之。再调衡之纠曹，始至之日，诸公多以笔砚相委，徒美无箴。后孙侍郎从之主宪台，命摄检法官，托作数启，每见称善。暇日从容叩之，剧论四六贵于简严，如黄山谷诗，一字不可苟。因谓吴仲权来为常平使者，其论文尤高，必相知。及吴正字来，即处以文字之职，间为芟一语，更一字，辄如昔人用朔方旧军，号令一施，而旗帜益精彩。得其一二启诵之，杂以诗句小说，变化出入，真有奇趣。自得刘之说，而知以意胜；得孙之说，而知以严胜；得吴之说，而知以奇胜。他如张尚书子仪之论，谓光新中贵纯熟，纯熟中贵光新。光新、纯熟，二者当兼。同年李恭甫在长沙，评诸公及仆之作，以为有横放者，有缜密者，有精巧者，是皆足以为予之警也。方欲竭思，庶几晚年有成，风痹乘之，投绂西归，老于三径，目昏于观书，手倦于执笔，不复记忆旧作。迈子念其生平劳甚，并与诗文哀之，厘为若干卷，锓木以衍其传。……岁甲子四月佛出世日，舒邦佐漫书。"

五月

追封岳飞为鄂王，以风励诸将。

夏

陆游所作爱国诗篇有《闻虏乱次前辈韵》、《壮士吟次唐人韵》。

七月

子修赴闽，陆游有诗《送子修入闽》；子遹将赴临安，游又有诗《新凉示子遹，时子遹将有临安之行》。

八月

陆游时有出游，有诗《甲子秋八月，偶思出游，往往累日不能归，或远至傍县，凡得绝句十有二首，杂录入稿中，亦不复诠次也》。

十月

初一日，周必大（1126—1204）卒，年七十九。必大字子充，一字洪道，号省斋居士，晚号平园老叟，吉州庐陵人。绍兴二十一年进士，授徽州司户参军。二十七年，中博学宏词科，充建康府府学教授。后除监察御史。孝宗即位，除起居郎，兼权中书舍人，又权给事中。淳熙间，除参知政事、枢密使。十四年，拜右丞相。十六年，拜左丞相。光宗即位，特授少保，封益国公，除观文殿大学士。庆元元年致仕。事迹见楼钥《少傅观文殿大学士致仕益国公赠太师文忠周公神道碑》、《宋史》卷三九一本传。平生著述极丰，李壁《周益国文忠公行状》：“公有《省斋文稿》四十卷、《平园续稿》四十卷、《省斋别稿》十卷、《词科旧稿》三卷、《掖垣丛稿》七卷、《玉堂类稿》二十卷、《政府应制稿》一卷、《历官表奏》十二卷、《奏议》十二卷、《奉诏录》七卷、《承明集》十卷、《辛巳亲征录》一卷、《壬午龙飞录》一卷、《癸未日记》一卷、《闲居录》一卷、《丁亥游山录》三卷、《庚寅奏事录》一卷、《壬辰南归录》一卷、《思陵录》二卷、《玉堂杂记》三卷、《二老堂诗话》二卷、《二老堂杂志》五卷、《玉蕊辨证》一卷、《乐府》一卷、《书稿》十五卷。”开禧间，其子周纶仿《六一集》体例汇刻成《周文忠公大全集》二百卷、附录五卷、年谱一卷，今尚存宋刊残卷及明祁氏淡生堂抄本、《四库全书》本、清道光咸丰间欧阳棨刻本等。

罗大经《鹤林玉露》丙集卷五：“朱文公于当世之文，独取周益公，于当世之诗，独取陆放翁。盖二公诗文，气质浑厚故也。”徐谊《平园续稿序》：“今观遗稿，贯串驰骋，雍容而典雅，体正而气和，使人味之，肃然起敬，如俨立于彤庭广厦之中，黄钟大吕，忽振心目。”又云：“连篇累牍，姿态横生，千汇万状，不主故常，何其富也。诗赋铭赞，清新妩丽，碑序题跋，率常诵其所见，足以补太史之阙遗，而正传闻之讹谬，又何其精也。”《宋史》本传称必大“在翰苑六年，制命温雅，周尽事情，为一时词臣之冠”。陈鹄《耆旧续闻》卷六：“周益公久在禁林，词章为一时之冠。《辞免直学士院状》云：‘顾仙岭之提鳌，自存大手；矧明廷之仪凤，方集奇才。’《谢内相表》：‘视淮南之书，岂但矜夸于下国；听山东之诏，固当裨助于中兴。’《谢衣带鞍马表》：‘褐衣褐见，莫陈汉成之便宜；马去马归，敢计塞翁之倚伏。’《除大观文判潭州以言者夺职罢镇后复职仍判潭州到任谢表》云：‘谓昔之销印，重违白笔之公言；故今者剖符，庸示清衷之本意。跻类雁门之复，梦成鹿野之真。’又《谢复职表》云：‘华阳黑水，裂地而封；旧物青毡，自天而下。’人皆传诵。”孙奕《履斋示儿编》卷八：“为文有三难：命意，上也；破题，次也；遣辞，又其次也。不善遣辞，则莫能敷畅其意；不善涵蓄题意，破题何自而道尽哉！则是破题尤难者也。……周益公必大《三忠堂碑》，其曰：‘文章，天下之公器，万世不可得而私也；节义，天下之大闲，万世不可得而逾也。’谓文忠欧阳公以文鸣，忠襄杨公、忠简胡公俱以忠义鸣，故首句已道尽三公平生事实。……三忠，既三人，又两途，尤难道。公两句无一字无来处，殆与欧、苏争光。不宁唯是，以言乎表，则《诞皇孙贺重华宫》曰：‘有天下传之子，初征黄屋之心；受帝祉施于孙，俶诞青宫之胄。’《乞致仕》曰：‘三千同臣心，甫际兴王之运；七十致君事，适临告老之年。’《谢复益国公》曰：‘华阳黑水，裂地而封；旧物青毡，自天而下。’以言乎启，则《贺陈右相》曰：‘底绩政途，奋庸揆路。济巨川汝作舟楫，式资利涉之功；揩和羹尔唯盐梅，更赖均调之助。’《贺王德言除工部侍郎》曰：‘擢登起步，仍直銮坡。闾阖晨趋，班冠贰卿之玉笋；丝纶夜草，烛摇内相之金莲。’《贺直院杨给事椿》曰：‘归途东省，儤直北门。论事激昂，百辟惮回天之力；摛文掞力，四方传掷地之声。’《谢刘守再送朱墨钱》曰：‘长者赐不敢辞，正唯礼曲；小人腹已属厌，过为身谋。’凡此皆字字破的，篇篇出奇，只在首联，其题意粲然，靡所不载，可谓文中虎也。”《宋诗精华录》卷三：“益公诗喜次韵，喜用典，盖达官之好吟咏者。”《宋诗钞·益公省斋稿钞序》：“诗格澹雅，由白傅而溯源浣花者也。”亦能词，“笔意雍容华贵，迥殊艳亵之体”（丁丙《善本书室藏书志》卷四〇）。

同月，陆游闻周必大卒，作《祭周益公文》。二十一日，作《跋韩干马》，有云：“大驾南幸，将八十年，秦兵洮马，不复可见，志士所共叹也。观此画，使人作关辅河渭之梦，殆欲霣涕矣。”

叶适作《水心别集跋》。云：“淳熙乙巳，余将自姑苏入都，私念明天子方早夜求治，而今日之治，其条目纤悉至多，非言之尽不能行也。万一由此备下列于朝，恐或有所问质，辄稿属四十余篇，既而获对孝宗。至光宗初，又应诏条六事，然无复诘难，遂箧藏不出矣。庆元己未，始得异疾，六年不自分死生，笔墨之道废。嘉泰甲子，若稍苏而未愈也，取而读之，恍然不啻如隔世事。嗟乎！余既沈痼且老，不胜先人之丧，惧即殒灭，而此书虽与一世之论绝异，然其上考前世兴坏之变，接乎今日利害之实，未尝特立意见，创为新说也。惜其初有益于治道，因稍比次而系以二疏于后，他日以授宎、宓焉。十月□□日，龙泉叶适。”

高观国赋《水龙吟》（道山玉府真仙），题曰：“为放翁寿。”按，陆游生日为十月十七日，因此词中有“去年再履论思地”句，故系于本年本月。

以资政殿大学士、淮东安抚使张岩参知政事。姜夔为作贺诗《寄上张参政》、《贺张肖翁参政》。

刘过赋《西江月》（堂上谋臣尊俎）。按，此词乃韩侂胄生日之贺词，然表现了词人对北伐事业坚决支持之态度，断非一般寿词可比。

姜夔杭州舍毁，有词《念奴娇》（昔游未远）。题曰：“毁舍后作。”按，《宋史·宁宗本纪二》：“（嘉泰四年）三月丁卯，临安大火，迫太庙，权奉神主于景灵宫。己巳，避正殿。庚午，命临安府振焚室。”夔之屋舍是否毁于此次大火，无可考知。本年，姜夔尚有《洞仙歌·黄木香赠辛稼轩》。

高观国本年在世，生卒年不详。观国字宾王，号竹屋，山阴人。身世无考。一生似未入仕途。曾与史达祖等结社吟唱，与史并称词坛作手，被视为姜夔羽翼。《直斋书录解题》卷二一著录《竹屋词》一卷，有陈造、史达祖序，不传。今存《竹屋痴语》一卷，为毛晋汲古阁所刊，有《宋名家词本》、《四库全书》本、《彊村丛书》本。《全宋词》录其词一〇八首。张炎《词源》卷下：“旧有刊本《六十家词》，可歌可诵者，指不胜屈。中间如秦少游、高竹屋、姜白石、史邦卿、吴梦窗，此数家格调不侔，句法挺异，俱能特立清新之意，删削靡曼之词，自成一家，各名于世。"毛晋《竹屋痴语跋》："宾王词，《草堂集》不多选。……陈造序云：'高竹屋与史梅溪皆周、秦之词，所作要是不经人道语，其妙处少游、美成亦未及也。'"四库提要卷一九九："词自鄱阳姜夔句琢字炼，始归醇雅，而达祖、观国为之羽翼。故张炎谓数家格调不凡，句法挺异，俱能特立清新之意，删削靡曼之词。乃《草堂诗余》于白石、梅溪则概未寓目，竹屋词亦止选其《玉蝴蝶》一阕，盖其时方尚甜熟，与风尚相左故也。观国与达祖叠相酬唱，旗鼓俱足相当。"周济《介存斋论词杂著》："竹屋得名甚盛，而其词一无可观，当由社中标榜而成耳。然较之西麓，尚少厌气。"冯金伯《词苑萃编》卷五引《古今词话》："高观国精于咏物，《竹屋痴语》中最佳者，有《御街行》咏轿、咏帘，《贺新郎》咏梅，《解连环》咏柳，《祝英台近》咏荷，《少年游》咏草。皆工而入逸，婉而多风。"刘熙载《艺概》卷四："高竹屋词，争驱白石，然嫌多绮语。如《御街行》之咏轿，其设想之细腻曲折，何为也哉！咏帘亦然。……然病在标者犹易治也。"李调元《雨村词话》卷三："西湖词甚多，然无过高观国《竹屋痴语》所载《霜天晓角》……初春情景，此词尽之矣。"吴蘅照《莲子居词话》卷一："咏物虽小题，然极难作，贵有不粘不脱之妙，此体南宋诸老尤擅长。……高竹屋梅云：'云隔溪桥人不度，的皪春心未纵。'又：'开遍西湖春意烂，算群花正做江山梦。'……数语刻画精巧，运用生动，所谓空前绝后矣。"陈廷焯《白雨斋词话》卷二："竹屋、梅溪并称，竹屋不及梅溪远矣。"又："竹屋词最隽快，然亦有含蓄处。抗行梅溪则不可，要非竹山所及。"又："竹屋'春风吹绿湖边草'一章，纯用比意，为集中最纯正最深婉之作。他如《贺新郎》（梅）之'开遍西湖春意烂，算群花正作江山梦。吟思怯、暮云重。'此类不过聪俊语耳，无关大雅。"又卷八："汪玉峰（森）之序《词综》云：'言情者或失之俚，使事者或失之伉。鄱阳姜夔出，句琢字炼（此四字甚浅陋，不知本原之言），归于醇雅。于是史达祖、高观国羽翼之。张辑、吴文英师之于前，赵以夫、蒋捷、周密、陈允衡、王沂孙、张炎、张翥效之于后。譬之于乐，舞箾至于九变，而词之能事毕矣。'此论盖阿附竹垞之意，而不知词中源流正变也。窃谓白石一家，如闲云野鹤，超然物外，未易学步。竹屋所造之境，不见高妙，乌能为之羽翼？"况周颐《蕙风词话》卷二："宋人词亦有疵病，断不可学。高竹屋中秋夜怀梅溪云：'古驿烟寒，幽垣梦冷，应念秦楼十二。'此等句勾勒太露，便失之薄。"

刘翰约于本年前后在世，生卒年不详。《宋百家诗存》卷一〇《小山集》："刘翰字武子，长沙人。绍兴间，于湖张孝祥、石湖范成大方名重一时，翰游于二公之门，故诗声日著。久客都下，迄无所就，尝效楚语作《秋风思归歌》以自寓，其辞曰：'采中洲兮兰蕊，望美人兮千里。我所思今天一方，共明月兮隔秋水。'可谓怨而不怒，深得骚人之遗。"庆元中，吴琚留守金陵，刘翰曾从其游。著有《小山集》，今存读画斋刊《南宋群贤小集》本、《宋百家诗存》本。《全宋词》录存其词七首，《全宋诗》收其诗一卷。王士禛《带经堂诗话》卷一〇："刘翰武子《小山集》：'凄凉池馆欲栖鸦，彩笔无心赋落霞。怊怅后庭风味薄，自锄明月种梅花。'（《种梅》）'送客归来月满檐，梅花微笑隔疏帘。酒醒今夜银屏冷，沉水熏炉旋旋添。'（《客去》）长句《鸿门宴玉斗歌》、《吴门行》皆佳。……多摹拟四灵，家数小，气格卑。"

袁说友（1140—1204）**卒，年六十五。**说友字起岩，自号东塘居士，建安人，流寓湖州。隆兴元年进士。历官太常寺主簿、太府少卿、户部侍郎兼侍讲、四川制置使兼知成都府。嘉泰中官至同枢密院事、参知政事。提举临安府洞霄宫，加大学士致仕。事迹见《宋史翼》卷一四。著有《东塘集》（《文渊阁书目》卷九著录《东塘文集》一部十二册），原集已佚，清四库馆臣自《永乐大典》辑出佚诗文，厘为二十卷，今存《四库全书》本、清乾隆翰林院钞本。《全宋诗》录其诗七卷，《全宋文》收其文十三卷。四库提要卷一五九："《东塘集》二十卷，永乐大典本，宋袁说友撰。……说友学问淹博，留心典籍。官四川安抚使时，尝命属官程遇孙等八人辑蜀中诗文，自西汉迄于淳熙，为《成都文类》五十卷，深有表章文献之功。其集则《书录解题》、《宋史·艺文志》皆不载，故厉鹗《宋诗纪事》仅从杨慎《全蜀艺文志》采其《巫山十二峰》诗一首，从郁逢庆《书画题跋记》采其《题米敷文潇湘图》诗一首，而不言其有集。则非唯诗文散佚，并其集名亦淹没不传矣。今据《永乐大典》所载，搜罗排纂，得诗七卷，文十三卷。又家传一篇，不知谁作，后半文已残阙，而前半所叙仕履颇详，亦并存之，以备考证。集中题跋诸篇，于司马光、韩琦、欧阳修、苏舜钦、苏轼、黄庭坚、蔡襄、米芾诸人皆慨想流连，服膺甚至。而《跋默堂帖》一篇，于王安石新学之失，辨之尤详。知其学问渊源，实沿元祐之余派。故其论事之文，曲折畅达，究悉物情，具有欧、苏之体。其诗与杨万里倡和颇多，五言近体，谨严而微伤局促；七言近体，警快而稍嫌率易。至于五七言古体，则格调清新，意境开拓，置之《石湖》、《剑南》集中，淄渑未易辨别矣。说友扬历中外凡三十年，其政绩虽不尽见于后，然章奏敷陈，多切时病，今集中尚见大凡。其《论守淮宜用武臣》一疏，谓文臣不谙兵事，不宜以边务委之，切中当时坐谈偾事之弊，非讲学家所肯言。又《蜀将当虑其变》一疏，引崔宁、刘辟、王建、孟知祥为戒。说友殁后，卒有开禧吴曦之变，若先事而预睹之，其识虑亦不可及。魏了翁《鹤山集》有《祭袁参政文》，以耆臣宿弼相推，惋悼颇深，当非无故。《宋史》不为立传，殊不可解。今收拾于散佚之余，剩简残篇，尚能成帙，俾其人其文并藉以传，则是集之存，其足补史氏之阙者，又不仅在词翰间也。"

王郁（1204—?）**生。**

潘牥（1204—1246）**生。**

公元 1205 年（宋宁宗开禧元年乙丑　金章宗泰和五年）

正月

陆游赋诗《自开岁阴雨连日未止》。诗末自注："俗有'年馎饦'之语。予贫甚，今岁遂不能易钟馗。"知盱眙军施宿建翠屏堂成，遣骑来请为记，游为作《盱眙军翠屏堂记》，详叙宋都汴梁时盱眙位置形势之重要，以寄其故国山河、风土人物之思。

三月

二日，辛弃疾坐谬举，降两官。《宋会要辑稿·职官七四》："开禧元年三月二日，宝谟阁待制知镇江府辛弃疾降两官，以通直郎张瑛不法，弃疾坐谬举之责也。"

　　春夏之交，刘过至京口访晤辛弃疾。岳珂《桯史》卷二："庐陵刘改之（过）以诗鸣江西，厄于韦布，放浪荆楚，客食诸侯间。开禧乙丑，过京口，余为馔庾吏，因识焉。广汉章以初（升之）、东阳黄几叔（机）、敷原王安世（遇）、英伯（迈），皆寓是邦。暇日，相与蹑奇吊古，多见于诗，一郡胜处皆有之，不能尽忆，独录改之《多景楼》一篇曰：'金焦两山相对起，不尽中流大江水。……'以初为之大书，词翰俱卓荦可喜，嘱余为刻楼上，会兵事起，不暇也。"又蒋子正《山房随笔》："稼轩守京口，时大雪，帅僚佐登多景楼，改之敝衣曳履而前，辛令赋雪，以'难'字为韵，即吟云：'功名有分平吴易，贫贱无交访戴难。'自此莫逆云。"按，辛弃疾与刘过缔交，不始于本年。且弃疾于本年夏罢职，而岳珂则以赴南宫试，于去年岁杪谒告而去，本年暮春方得归任所，故刘过来访必在春夏之交，更不得有赋雪之事。

四月

　　以钱象祖参知政事兼同知枢密院事；吏部尚书刘德秀签书枢密院事。

　　武学生华岳上书，谏朝廷未宜用兵启边衅，且乞斩韩侂胄、苏师旦、周筠以谢天下。侂胄大怒，下岳大理，编管建宁。据《宋史纪事本末》卷八十三《北伐更盟》。

　　陆游作《东篱记》。记云："放翁告归三年，辟舍东茀地，南北七十五尺，东西或十有八尺而赢，或十有三尺而缩，插竹为篱，如其地之数。甃五石瓮，潴泉为池，植千叶白芙蕖，又杂植木之品若干，草之品若干，名之曰东篱。放翁日婆娑其间，掇其香以臭，撷其颖以玩，朝而灌，莫而锄。凡一甲坼，一敷荣，童子皆来报唯谨。放翁于是考《本草》以见其性质，探《离骚》以得其族类，本之《诗》、《尔雅》及毛氏、郭氏之传，以观其比兴，穷其训诂。又下而博取汉魏晋唐以来一篇一咏无遗者，反复研究古今体制之变革；间亦吟讽为长谣短章，楚调唐律，酬答风月烟雨之态度。盖非独娱身目，遣暇日而已。昔老子著书末章，自小国寡民，至甘其食，美其服，安其居，乐其俗，邻国相望，鸡犬之声相闻，民至老死不相往来，其意深矣。使老子而得一邑一聚，盖真足以致此。於乎！吾之东篱，又小国寡民之细者欤！开禧元年四月乙卯记。"又赋《东篱杂题》五首。

五月

　　赐礼部进士毛自知以下四百三十三人及第、出身。

　　陆游为李壁石林堂题诗。题曰《寄题李季章侍郎石林堂》。子遹将赴临安，游赋诗《送十五郎适临安》。按，子遹以父致仕恩荫补官，去年本欲赴春铨，以子虞、子坦皆出，故辍行。本月往临安，仍为赴铨试。然此次铨试无成，陆游秋季有诗《读书示子遹》，题下自注："时子遹方败举。"

六月

诏内外诸军密为行军之计；又诏诸路安抚司教阅禁军。

辛弃疾改知隆兴府。《嘉定镇江志》："辛弃疾……嘉泰四年三月到，开禧元年六月十九日改知隆兴府。"

七月

二日，辛弃疾罢知隆兴府，与宫观。《宋会要辑稿·职官七五》："开禧元年七月二日，新知隆兴府辛弃疾与宫观，理作自陈。以臣僚言弃疾好色贪财，淫刑聚敛。"

陆游赋诗《杜宇》以自况；梦见故人，觉而赋诗记之。题曰《予初仕为宁德县主簿，而朱孝闻景参作尉，情好甚笃。后十余年，景参下世，今又几四十年，忽梦见之若平生，觉而感叹不已》。

诏韩侂胄平章军国事，立班丞相上，三日一朝，赴都堂治事。

八月

陆游以"还婴"名其道室。《读王摩诘诗，爱其"散发晚未簪，道书行尚把"之句，因用为韵赋古风十首，亦皆物外事也》其八"即今修行地，千古名还婴"句下自注："予道室以还婴名之。"按，"还婴"取自《上清黄庭内景经·百谷章》："那从反老得还婴。"

九月

签书枢密院事刘德秀罢。以丘崈为江淮宣抚使，崈辞不拜。《宋史纪事本末》卷八十三《北伐更盟》："初，韩侂胄以北伐之议示崈，崈曰：'中原沦陷且百年，在我固不可一日而忘，然兵凶战危，若首倡非常之举，兵交胜负未可知，则首事之祸，其谁任之？必有夸诞贪进之人，攘臂以侥幸万一，宜呕斥绝；不然，必误国矣！'侂胄不纳。至是，命崈宣抚江淮，崈手书力论金人未必有意败盟，中国当示大体，宜申儆军实，使吾常有胜势。若衅自彼作，我有词矣。因力辞不拜。侂胄不悦。"

陆游作《忆昔》。题下自注："偶见张安国、周子充、刘韶美、王景文、陈德召、任元受遗集，为之感怆，作长句。"为陈棠诗集作《澹斋居士诗序》。序云："《诗》首《国风》，无非变者，虽周公之《豳》，亦变也。盖人之情，悲愤积于中而无言，始发为诗；不然，无诗矣。苏武、李陵、陶潜、谢灵运、杜甫、李白激于不能自已，故其诗为百代法。国朝林逋、魏野以布衣死；梅尧臣、石延年弃不用；苏舜钦、黄庭坚以废绌死。近时江西名家者，例以党籍禁锢，乃有才名。盖诗之兴，本如是。绍兴间，秦丞相桧用事，动以语言罪士大夫，士气抑而不伸，大抵窃寓于诗，亦多不免。若澹斋居士陈公德召者，故与秦公有学校旧，自揣必不合，因不复与相闻。退以文章自娱。诗尤中律吕，不怨不怒，而愤世嫉邪之气，凛然不少回挠，其不坐此得祸，亦仅脱尔。"又为傅崧卿《外制集》作跋，题曰《跋傅给事外制集序》。跋云："某未成童时，公过先少师，每获出拜侍立，被公教诲。……公自政和迄绍兴，阅世变多矣，白首一节，不少屈于权贵，不附时论以苟登用。每言虏，言畔臣，必愤然扼腕裂眦，有不与俱生之意。士大夫稍有退缩者，辄正色责之若仇。一时士气，为之振起。"

秋

辛弃疾归铅山。途中赋《玉楼春》，题云："乙丑京口奉祠归，将至仙人矶。"有句云："直须抖擞尽尘埃，却趁新凉秋水去。"又赋《瑞鹧鸪》，题云："乙丑奉祠归，舟次余干赋。"有句云："郑贾正应求死鼠，叶公岂是好真龙。"隐寓对韩侂胄之倡议北伐，乃专为自身声名权位计，非真有意恢复之不满。此亦稼轩旋用旋罢之原因。

十月

詹仲信以画轴为陆游寿，游固辞不可，赋诗《詹仲信以山水二轴为寿，固辞不可，乃各作一绝句谢之》。

十一月

陆游为侄陆朴作《闻鼙录序》。序云："元丰初，置武学。先太师以三馆兼判学事，今学制规模多出于公，而策问亦具载家集中。后百余年，某从子朴作《闻鼙录》若干篇，论孙吴遗意，欲上之朝，且乞序于某。某懦且老，非能知武事者；朴许国自奋之志，亦某所愧也。乃从其请。"周必大从兄周必正卒，游为作《监丞周公墓志铭》。按，周必正（1125—1205），字子中，号乘成居士，吉州庐陵人。赴试不第，以祖荫补将仕郎，仕至提举江东常平茶盐公事。奉祠归，主管建宁府武夷山冲佑观。以疾卒，年八十一。善属文，尤长于诗。杨万里尝以"工于古文，敏于吏事，临疑应变，好谋而成"举荐于朝（《淳熙荐士录》）。著有文集三十卷，已佚。今《全宋文》收其文。

十二月

二日，陆游梦游沈园，感于往日情事，凄然赋诗，题曰《十二月二日夜梦游沈氏园亭》。诗云："路近城南已怕行，沈家园里更伤情。香穿客袖梅花在，绿蘸寺桥春水生。"（其一）"城南小陌又逢春，只见梅花不见人。玉骨久成泉下土，墨痕犹锁壁间尘。"（其二）

本月，陆游为周必大文集作《周益公文集序》；又有《跋花间集》二则。跋云："《花间集》，皆唐末五代时人作。方斯时，天下岌岌，生民救死不暇，士大夫乃流宕如此，可叹也哉！或者亦出于无聊故耶？笠泽翁书。"又："唐自大中后，诗家日趋浅薄。其间杰出者，亦不复有前辈闳妙浑厚之作，久而自厌，然梏于俗尚，不能拔出。会有倚声作词者，本欲酒间易晓，颇摆落故态，适与六朝跌宕意气差近，此集所载是也。故历唐季五代，诗愈卑，而倚声者辄简古可爱。盖天宝以后，诗人常恨文不迨；大中以后，诗衰而倚声作。使诸人以其所长格力施于所短，则后世孰得而议？笔墨驰骋则一，能此不能彼，未易以理推也。开禧元年十二月乙卯务观东篱书。"

本年

章良能为宗正少卿。

魏了翁召试学士院。

邹应龙为著作佐郎。

姜夔赋七律《次韵胡仲方因杨伯子见寄》。

元好问十六岁，作《摸鱼儿》（恨人间情是何物）。词序云："乙丑岁，赴试并州，道逢捕雁者云：'今旦获一雁，杀之矣。其脱网者悲鸣不能去，竟自投于地而死。'予因买得之，葬之汾水之上，累石为识，号曰雁丘。"评者以为此词"妙在模写情态，立意高远"，"风流蕴藉处，不减周、秦"（张炎《词源》卷下"杂论"）。

董解元《西厢记诸宫调》约作成于本年以前。董解元，金章宗时（1190—1208）人（见陶宗仪《辍耕录》卷二七、钟嗣成《录鬼簿》），生平事迹不详。张羽《董解元西厢挡弹词序》："《西厢记》者，金董解元所著也。辞最古雅，为后世北曲之祖，迨元关汉卿、王实甫诸名家者，莫不宗焉。盖金元立国，并在幽燕之区，去河洛不遥，而音韵近之，故当此之时，北曲大行于世，犹唐之有诗，宋之有词，各擅一时之圣，其势使然也。"胡应麟《少室山房笔丛》卷四一："《西厢记》（按，指王实甫《西厢记》）虽出唐人《莺莺传》，实本金董解元。董曲今尚在世，精工巧丽，备极才情，而字字本色，言言古意，当是古今传奇鼻祖。金人一代文献尽此矣。"吴梅《屠隆刻本董西厢跋》："董词开元剧先声，通本杂缀市语，不取类书故实，而朴茂浑厚，自出高、王之上。书中不分出目，最为创格，未识当时挡弹家如何起毕焉。所用诸牌，率不经见，与元人套曲不同，且多用换头，又与元剧只取前叠者大异。"焦循《董西厢跋》："王实甫《西厢记》，全蓝本于董解元。谈者未见董书，遂极口称道实甫耳。如《长亭送别》一折，董解元云：'莫道男儿心如铁，君不见满川红叶，尽是离人眼中泪。'实甫则云：'晓来谁染霜林醉，总是离人泪。''泪'与'霜林'，不及'血'字之实矣。又董云：'且休上马，苦无多泪与君垂，此际情绪尔争知？'王云：'阁泪汪汪不敢垂，恐怕人知。'董云：'马儿登程，坐车儿归舍。马儿往西行，坐车儿往东拽。两口儿一步儿离得远如一步也。'王云：'车儿投东，马儿向西，两处徘徊，落日山横翠。'董云：'我郎休怪强牵衣，问你西行几日归？著路里小心呵，且须在意。省可里晚眠早起，冷茶饭莫吃。好将息，我专倚著门儿专望你。'王云：'到京师，服水土，趋程途，节饮食，顺时自保揣身体。荒村雨露宜眠早，野店风霜要起迟。鞍马秋风里，最难调护，须要扶持。'董云：'驴鞭半袅，吟肩双耸。休问离愁轻重，向个马儿上驮也驮不动。'王云：'四围山色中，一鞭残照里，人间烦恼填胸臆。量这大小车儿，如何载得起？'董云：'帝里酒醲花浓，万般景媚，休取次共别人便学连理。少饮酒，省游戏，记取侬言语，必登高第。妾守空闺，把门儿紧闭，不拈丝管，罢了梳洗。你咱是必把音书频寄。'王云：'你休忧文齐福不齐，我只怕停妻再娶妻，一春鱼雁无消息。我这里青鸾有信频宜寄，你切莫金榜无名誓不归。君须记，若见异乡花草，休再似此处栖

207

迟。'董云：'一个止不定长吁，一个顿不开眉黛。两边的心绪，一样的情怀。'王云：'他在那壁，我在这壁，一递一声长吁气。'两相参玩，王之逊董远矣。若董之写景语，有云'听塞鸿哑哑的飞过暮云重'，有云'回首孤城，依约青山拥'，有云'柳堤儿上，把瘦马儿连忙解'，有云'一径入天涯，荒凉古岸，衰草带霜滑'，有云'驼腰的柳树上有鱼槎，一竿风旆茅檐上挂。澹烟潇洒，横锁著两三家'，有云'淅零零地雨打芭蕉叶，急煎煎的促织儿声相接'，有云'灯儿一点，甫能吹灭。雨儿歇、闪出香惨惨的半窗月'，有云'披衣独步，在月明中凝睛看天色'，有云'野水连天天竟白'，有云'东风两岸绿杨摇，马头西接著长安道。正是黄河津要，用寸金竹索揽著浮桥'。前人比王实甫为词曲中思王、太白，实甫何敢当？当用以拟董解元。"

蔡勘（1141—?）**本年在世，卒年不详**。勘字定夫，仙游人，后徙居武进。蔡襄四世孙。以荫补溧阳尉。乾道二年进士，历江州观察推官。淳熙初，知随州，转京西转运判官。十一年，除湖广总领，召为司农卿。绍熙元年，知明州，以言者论罢。宁宗即位，迁户部侍郎。嘉泰元年，知静江府，兼广西经略安抚使。开禧初，请老，以宝谟阁直学士致仕。事迹见《宋史翼》卷一四。著有《静江府图志》十卷，已佚。《定斋集》四十卷，初刻于绍定三年，原本已失传，今存《四库全书》本，二十卷，辑自《永乐大典》。《全宋词》录其词三首，《全宋诗》录其诗五卷，《全宋文》收其文五卷。李曺《定斋集序》："观公之文集，绳墨谨严，制作森具，巨细得体，丰约中度。诗圆美清遒，浑然不见刻雕之迹；赋则规古体物，宏肆罗络，闯于衡、思之阈；论奏确切恳恻，实而不浮，务求为可行，而不近名。"四库提要卷一六〇："《定斋集》二十卷。……今观集中所上奏劄，条列明确，类皆侃直忠亮，为经世有用之言。其论边事，专以严备自守为主，而不汲汲于和战纷争，远虑深谋，亦非好事偷安者所可几及。方之同时名臣，实龚茂良之流亚。"

袁枢（1131—1205）**卒，年七十五**。枢字机仲，建安人。隆兴元年进士。初任温州判官、兴化军教授。历仕太府丞兼国史院编修官、吏部员外郎、权工部侍郎等。事迹具《宋史》卷三八九本传。著有《易传解义》、《辨异》及《童子问》，已佚。真德秀《跋袁侍郎机仲奏议》谓其奏议"凛然精忠，无所回隐"。喜读《资治通鉴》，苦其浩博，乃撰《通鉴纪事本末》四十二卷，以叙事为主体，为纪事本末体开山之作。今《全宋诗》录存其诗十五首，《全宋文》卷五四二〇收其文。

吴文英（1205?—1268?）**约生于本年**。

公元1206年（宋宁宗开禧二年丙寅　金章宗泰和六年　蒙古成吉思汗元年）

正月

陆游有诗《简刑德允》、《简苏邵叟》。

二月

杨万里升宝谟阁学士。

三月

二十三日，**彭龟年**（1142—1206）**卒**，年六十五。龟年字子寿，号止堂，清江人。乾道五年进士，授宜春尉、安福丞。历太学博士、国子监丞、焕章阁待制、知江陵府。迁湖北安抚使，坐事落职。开禧二年，提举建宁府武夷山冲佑观，俄除宝谟阁待制致仕。卒谥忠肃。龟年性资刚方，学识正大，而议论尤为简严劲直。正色立朝，明辨是非，先见之识，敢言之气，皆人所难及，故公议浩然归重。事迹见楼钥《宝谟阁待制致仕特赠龙图阁学士忠肃彭公神道碑》、《宋史》卷三九三本传。著有《经解》、《祭仪》、《训蒙》等，均已佚。有文集四十七卷，绍定三年其子彭铉刻于湘西精舍，魏了翁为序。今存辑本《止堂集》二十卷，有《四库全书》本。《全宋诗》录其诗三卷，《全宋文》收其文十六卷。真德秀《跋彭忠肃文集》："忠肃彭公以濂洛为师者也，故见诸著述，大抵鸣道之文，而非复文人之文。"四库提要卷一六〇："《止堂集》二十卷，永乐大典本。……集中所存奏疏、札子尚五十五篇，敷陈明确，多关于国家大计。……史称其学识正大，议论简直，善恶是非，辨析甚严，故平生虽不以文章名，而恳恻之忧与刚劲之气，浩然直达，语不求工而自工，固非攀悦为文者所得絜其长短也。"

参知政事兼同知枢密院事钱象祖罢；以参知政事张岩兼知枢密院事。

春

复差辛弃疾知绍兴府、两浙东路安抚使，辞免。

陆游春季所赋《东篱》、《二月一日夜梦》、《春晚》（其二）、《杂感》（其三）诸篇，均为关心时事之作。

四月

追论秦桧主和误国之罪，削夺王爵，改谥缪丑。

五月

八日，**杨万里**（1127—1206）**卒**，年八十。万里字廷秀，吉州吉水人。绍兴二十四年进士，授赣州司户参军，调零陵丞。时张浚谪居永州，勉万里以正心诚意之学，乃以"诚斋"自名书室，世称诚斋先生。乾道六年，进《千虑策》三十道，召为国子博士。迁太常博士。淳熙间，历知常州、提举广东常平茶盐、枢密院检详官、左司郎中、秘书少监。光宗即位，召为秘书监。出为江东转运副使，后改知赣州，未赴。奉祠归乡。宁宗朝屡召不起，以宝文阁待制致仕。"万里为人刚而褊。孝宗始爱其才，以问周必大，必大无善语，由此不见用。韩侂胄用事，欲网罗四方知名士相羽翼，尝筑南园，属万里为之记，许以掖垣。万里曰：'官可弃，记不可作也！'侂胄恚，改命他人。卧家十五年，皆其柄国之日也。侂胄专僭日益甚，万里忧愤，怏怏成疾。家人知其忧国也，凡邸吏之报时政者，皆不以告。忽族子自外至，遽言侂胄用兵事，万里恸哭失声，亟呼纸书曰：'韩侂胄奸臣，专权无上，动兵残民，谋危社稷。吾头颅如许，报国无路，唯有孤愤！'又书十四言别妻子，笔落而逝"（《宋史》本传）。事迹见《宋史》卷四三三本传、清邹树荣《杨文节公年谱》。万里所著《诚斋集》一百三十三卷，《直斋书录解题》卷一八著录，今存宋端平初年刻本、《四部丛刊》影印宋钞本、《四库全书》本。又有《杨文节公文集》四十二卷、《诗集》四十二卷，清乾隆六十年带经轩刊本；《批点分类诚斋先生文脍》前集十二卷、后集十二卷，元刻本、明刻本；《诚斋诗话》一卷，有《历代诗话续编》本；《诚斋乐府》一卷，有《彊村丛书》本。《全宋词》录其词八首，《全宋诗》录其诗四十四卷，《全宋文》收其文九十四卷。

姜特立《谢杨诚斋惠长句》："平生久矣服时名，况复亲闻玉唾声。便拟近师黄太史，不须远慕白先生。巨编固已汗牛积，长句犹能倚马成。今日诗坛谁是主？诚斋诗律正施行。"陆游《杨廷秀寄南海集》："俗子与人隔尘俗，何啻相逢风马牛。夜读杨卿南海句，始知天下有高流。飞卿数阕峤南曲，不许刘郎夸《竹纸》。四百年来无复继，如今始有此翁诗。"又《谢王子林判院惠诗编》："文章有定价，议论有至公。我不如诚斋，此评天下同。"周必大《题杨廷秀浩斋记》："友人杨廷秀，学问文章独步斯世。至于立朝謇謇，知无不言，言无不尽，要当求之古人。真所谓浩然之气，至刚至大，以直养而无害，塞于天地之间者。"王迈《山中读诚斋诗》："万首七言千绝句，九州四海一诚斋。肝肠定不餐烟火，翰墨何曾着点埃。锦瑟月中弹不彻，云涛天上泻将来。江西社里陈、黄远，直下推渠作社魁。"刘克庄《题诚斋像二首》其一："欧阳公屋畔人，吕东莱派外诗。海外咸推独步，江西横出一枝。"陈贵谊《杨万里谥议》："宝谟阁学士杨公，其能以直养者欤。……其学宏，其诗文日益峻古，洪深奥衍，自成一家，盖根柢乎六经仁义，而凌踔乎百家诸子。"李道传《杨万里谥议》："南渡以来，世不乏人。求之近岁，若宝谟阁学士杨公者，其真所谓有是文而有是节者乎。公之文辨博雄放，自其少日已盛行于世，晚年所著益复洪深。其为诗，始而清新，中而奇逸，终而平澹，如长江漫流，物无不载，遇风触石，喷薄骇人，盖不复可以诗人绳尺拘之者。天下之士，固莫不知有杨公之文矣。"钱钟书《谈艺录》三三："以入画之景作画，宜诗之事赋诗，如铺锦增华，事半而功则倍，虽然非拓境宇、启山林手也。诚斋、放翁，正当以此轩轾也之。人所曾言，我善言之，放翁之与古为新也；人所未言，我能言之，诚斋之化生为熟也。放翁善写景，而诚斋善写生。放翁如画图之工笔；诚斋则如摄影之快镜，兔起鹘落，鸢飞鱼跃，稍纵即逝而及其未逝，转瞬即改而及其未改，眼明手捷，踪矢蹑风，此诚斋之所独也。放翁万首，传诵人间，而诚斋诸集孤行天壤数百年，几乎索解人不得。放翁《谢王子林》曰：'我不如诚斋，此论天下同。'又《理梦中作意》曰：'诗到无人爱处工。'放翁之不如诚斋，正以太工巧耳。"

杨万里《荆溪集序》："予之诗，始学江西诸君子，既又学后山五字律，既又学半山老人七字绝句，晚乃学绝句于唐人。学之愈力，作之愈寡。……于是辞谢唐人及王、陈、江西诸君子，皆不敢学，而后欣如也。"又《书王右丞诗后》："晚因子厚识渊明，早学苏州得右丞。忽梦少陵谈句法，劝参庾信谒阴铿。"又《跋徐恭仲省干近诗》其三："传派传宗我替羞，作家各自以风流。黄、陈篱下休安脚，陶、谢行前更出头。"又《下横山滩头望金华山》："山思江情不负伊，雨姿晴态总成奇。闭门觅句非诗法，只是征行自有诗。"葛天民《寄杨诚斋》："参禅学诗无两法，死蛇解弄活泼泼。气正心空眼自高，吹毛不动会生杀。生机语熟却不排，近代独有杨诚斋。"严羽《沧浪诗话·诗体》："杨诚斋体。其初学半山、后山，最后亦学绝句于唐人。已而尽弃诸家之体而别出机杼，盖其自序如此也。"叶寅《爱日斋丛钞》卷三："'半山便遣能参透，犹有唐人是一关'，诚斋杨廷秀诗也。一关殆言一膜之隔，未尽透彻者。又有送彭元忠诗：'学者初学陈后山，霜皮脱尽山谷寒。近来别具一只眼，要踏唐人最上关。'此殆杨廷秀学诗法，故数以为喻。"周必大《跋杨廷秀石人峰长篇》："韩子苍赠赵伯鲁诗云：'学诗当如初学禅，未悟且遍参诸方。一朝悟罢正法眼，信手拈出皆成章。'盖欲以斯道淑诸人也。今时士子见诚斋大篇钜章，七步而成，一字不改，皆扫千军、倒三峡、穿天心、透月窟之语。至于状物姿态，写人情意，则铺叙纤悉，曲尽其妙，遂谓天生辩才，得大自在，是固然矣。抑未知公由志学至从心，上规赓载之歌，刻意《风》、《雅》、《颂》之什，下逮《左氏》、《庄》、《骚》、秦汉魏晋南北朝隋唐以及本朝，凡名人杰作，无不推求其词源，择用其句法，五十年之间，岁锻月炼，朝思夕维，然后大悟大彻，笔端有口，句中有眼，夫岂一日之功哉。"

四库提要卷一六〇："《诚斋集》一百三十三卷。……有《江湖集》七卷、《荆溪集》五卷、《西归集》二卷、《南海集》四卷、《朝天集》六卷、《江西道院集》二卷、《朝天续集》四卷、《江东集》五卷、《退休集》七卷，今并存集中。方回《瀛奎律髓》称其一官一集，每集必变一格。虽沿江西诗派之末流，不免有颓唐粗俚之处，而才思健拔，包孕富有，自为南宋一作手，非后来四灵、江湖诸派可得而并称。周必大尝跋其诗曰'诚斋大篇短章，七步而成，一字不改，皆扫千军、倒三峡、穿天心、穿月窟之语。至于状物姿态，写人情意，则铺叙纤悉，曲尽其妙。笔端有口，句中有眼'云云。是亦细大不捐、雅俗并陈之一证也。"陈讦《宋十五家诗选·诚斋诗选》："杨诚斋矫矫拔俗，魄力又足以胜之，雄杰排奡，有笼搓万象之概，攀韩颉苏宜也。"刘克庄《后村诗话》前集卷二："放翁，学力也，似杜甫；诚斋，天分也，似李白。"又："今人不能道语，被诚斋道尽：'宿草春风又，新阡去岁无'，'江水夜韶乐，海棠春贵妃'，'橘中招绮夏，瓜处屏侁文'（《东宫生日》），'晋殿吴宫犹碧草，王亭谢馆尽黄鹂'，'春归便肯平平过，须做桐花一信寒'，'东风染得千红紫，曾有西风半点香'，'年年不带看花眼，不是愁中即病中'，'升平不在箫韶里，只在诸村打稻声'，'六朝未可轻嘲谤，王谢诸贤不偶然'，'山根玉泉仰面飞，飞出山顶却下驰。自从庐阜泻双练，至今银湾乾两支。雷声惊裂龙伯眼，雪点溅湿姮娥衣。寄言苏二李十二，莫愁瀑布无新诗'（《题漱玉亭》）……'子云到老不晓事，不信人间有许由'（《钓台》）。"蒋鸿翮《寒塘诗话》："杨诚斋诗，粗直生硬，俚辞谚语，冲口而来，才思颇佳，而习气太甚。予尝谓其自具八茧吴锦，不受制天丝机锦，乃从村庄儿女，搀入布经麻纬，良可惜也。摘其一二语讽之，转耐寻味。绝句感慨尤多，不失《竹枝》遗意。如《咏木樨》云：'只道秋花艳未强，此花尽更有商量。东风染得千红紫，曾有西风半点香。'《雨后独登金山顶》云：'山下生愁热不除，山头小立气全苏。自缘著脚高低别，万壑清风岂是舞。'《鸠衔枝营巢树间经月不成而去》云：'鸠啼那知自不材，树阴处处起楼台。可怜积木如山样，一榱何曾架得来？'《宿孔镇观雨中蛛丝》云：'雨打蛛丝不打蛛，雨来蛛入画檐隅。罗网满腹输渠巧，也只蝇蚊命属渠。''雨罢蜘蛛却出檐，蛛丝减少再新添。

莫言辛苦无功业，便有飞虫密处粘。''网罟最巧是蛛丝，却被秋蚊圣得知。粘著便飞来不再，蛛丝也解有疏时。'以上数诗，体物颇工，兼有风刺。又《江天暮景有叹》云：'一鹭南飞道偶然，忽然百百复千千。江淮总属天家管，不肯营巢向北边。'此感时骨鲠之言。又《至后入城道中杂兴》云：'大熟仍教得大晴，今年又是一升平。升平不在箫韶里，只在诸村打稻声。'此又熙皞击壤之音也。又《同友晚泛西湖归》云：'阁日微阴不得晴，杖藜小倦且须行。湖山有意留侬款，约束疏钟未要声。'又《闲居初夏午睡起二绝句》，其一即'梅子留酸溅齿牙'云云，其二：'松阴一架半弓苔，偶欲观书又懒开。戏掬湖泉洒蕉叶，儿童误认雨声来。'《题赤孤同亭馆》云：'数菊能会客眼明，三峰端为此堂横。仆夫不敢催侬去，只道长沙尚八程。'数诗亦澹中有味。又'疏篱不与花为护，只为蛛丝作网竿'，又'交情得似山溪渡，不管风波去又来'，又《游云山寺》云：'风亦恐吾愁寺远，殷勤隔雨送钟声。'又'秋风毕竟无多巧，只把燕支滴蓼花'，又'蜘蛛正苦空庭阔，风为将丝度别檐'，又'春禽处处讲新声，细草欣欣贺嫩晴'，又《闻子规》云：'自出锦江归未得，至今犹劝别人归。'又'柳线绊船知不住，却教飞絮送侬行'，又《听蝉》云：'莫嫌入夜还休去，自有寒螀替说愁。'《蛩声》云：'细听蛩声原是乐，人愁却道是他愁。'又《霜晓》云：'只有江枫偏得意，夜揉霜水染红衣。'又七律云：'雀声只喜晚晴新，不管畦蔬雨未成。'又'山与君恩谁是重，身如秋叶不胜轻'，又'白鸥池沼菰蒲影，红枣树墟鸡犬声'，皆不免过于造作，然亦自触类可思，读者胸中自别具锤炉可也。"陈诏《宋十五家诗选·诚斋诗选》："诚斋集甚富，然未免过于摆脱，不但洗净铅华，且粗服乱头矣。"叶燮《原诗》卷四："诗文集务多者必不佳，古人不朽可传之作，正不在多。……宋人富于诗者，莫过于杨万里、周必大，此两人作，几无一首一句可采。"沈德潜《说诗晬语》卷下："苏、李数篇，老杜奉为吾师。不朽之作，不必务多也。杨诚斋积至二万余，周益公如之。以多为贵，无如此二公者，然排沙简金，几于无金可简，亦安用多为哉。"赵翼《瓯北诗话》卷六："放翁与杨诚斋同以诗名，诚斋专以俚言俗语阑入诗中，以为新奇。"张谦宜《絸斋诗谈》卷五："杨诚斋诗好为俚语，恐开后生儇弄恶习。"钱大昕《十驾斋养新录》卷一六："轿字始于宋时，而诗家罕用，此字杨诚斋独喜用之，如：'行到深村麦更深，放低小轿过桑阴。''诗卷且留灯下看，轿中只好看春光。''总将枝上雨，洒入轿间衣。''晓过新桥启轿窗，要看春水弄春光。''行到笪桥中半处，钟山飞入轿窗罗。''暖轿行春底见春，遮栏春色不教亲。''急呼青缴小凉轿，又被春光著莫人。'"翁方纲《七言律诗钞·凡例》："诚斋诗什之富不减放翁，白石推许虽至，然俚俗过甚，渐多靡靡不振之音，半壁江山所以日即于屠弱矣。"又《石洲诗话》卷四："诚斋之诗，巧处即其俚处。"又："诚斋之诗，上规白傅，正自大远，下视子畏，却可平衡。"又："诚斋之《竹枝》，较石湖更俚矣。"又："诚斋屡用辘轳进退格，实是可厌。至云：'尤、萧、范、陆四诗翁，此后谁当第一功？新拜南湖为上将，更牵白石作先锋。'叫嚣伧俚之声，令人掩耳不欲闻。"又："石湖、诚斋皆非高格，独以同时笔墨皆极酣恣，故遂得抗颜与放翁并称。而诚斋较之石湖，更有敢做敢为之色，颐指气使，似乎无不如意，所以其名尤重。其实石湖虽只平浅，尚有近雅之处，不过体不高、神不远耳。若诚斋以轻儇佻巧之音，作剑拔弩张之态，阅至十首以外，辄令人厌不欲观，此真诗家之魔障。"李调元《雨村诗话》卷下："杨诚斋理学经学俱不可及，而独于诗非所长。如《不寐》云'翻来覆去体都痛'，复成何语？至其用笔之妙，亦有不可及者。如'忽有野香寻不得，阑干石背一花开'，'青天以水为铜镜，白鹭前身是钓翁'，皆有腕力。"光聪谐《有不为斋随笔》庚卷："诚斋与放翁同在南宋，其诗绝不感慨国事，唯《朝天续集》中《入淮河四绝句》、《题盱眙军东南第一山》二律、《跋丘宗卿使北诗轴》少见其意，与放翁大不侔。"吴仰贤《小匏庵诗话》卷一："杨诚斋云：'鸥边野水水边屋，城外平林林外山。'……此种句法皆由独造。"延君寿《老生常谈》："少读《说诗晬语》，谓杨诚斋诗如披沙拣金，几于无金可拣，以是从不阅看。四十岁后方稍稍读之，其机颖清妙，性灵微至，真有过人处，未可一笔抹杀。今摘句于左：《明发陈公径过摩舍那滩石峰下》，第一首句云'遥松烟未消，近竹露犹滴。石峰矜孤锐，喜以江自隔。青潭涵曦紫，碧岫过云白。回瞻宿处堤，路转不可觅'云云。第二首云'昨宵望石峰，相去无一尺。今日行终朝，只绕石峰侧。石峰何曾远？江路自不直'云云。第三首云'澄潭涌晴晕，不风自成花。回流如倦客，出门复还家。江晴已数日，新涨没旧沙。知是前溪雨，湿云尚横斜'云云。《碧落堂晚望荷山》云：'荷山非不高，城里自不见。一登碧落堂，山色正对面。'又云：'指挥出伏兵，万骑横隔岸。后乘来未已，前驱瞻已远。'此皆无忝于古作者。袁子才单学其'屋角忽生明，山月到庭户。似怜幽独人，深夜约清晓。我吟月解听，月转我亦步'等句，灵机独引，未尝不佳，其弊恐流于浅滑，不可不知也。诚斋七古，如《太平寺徐友画清济黄河》云：'波浪尽处忽掀怒，搅动一河秋色暮。分明是水才是画，老眼向来元自误。佛庐化作金栌楼，银山雪堆风打头。此身飘然在中流，夺得太乙莲叶舟。'《东山》云：'天风忽吹白云拆，翡翠屏开倚南极。政缘一雨染山色，未必雨前如此碧。'《南海庙》云：'青山缺处如玉玦，潮头飞来打双阙。晴天无云溅碎雪，天下都无此奇绝。'《题东文岭瀑泉》句云'石如铁色黑，壁立镜面平。水泛镜面一飞下，薪笛织簟风漪生。石知水力倦，半壁钟作玉一泓。水行到此欲小憩，后水忽至前水惊。分清裂白两派出，跳珠跃雪双龙争。不知落处深几许，但闻井底碎玉声'云云。如此歌行，刻意生新，非才情绝大者不能。世人轻之者但举其《夜雨》句云：'梦中搔首起来听，听来听去到天明。'何直一哂。"李树滋《石樵诗话》卷四："用方言入诗，唐人已有之，用俗语入诗，始于宋人，而要莫善于杨诚斋。俗谓待人曰等人，诚斋《过汴京》诗云：'州桥南北是天街，父老年年等驾回。忍泪失声询使者，几时真有六军来？'用以入诗，殊不觉其俗。"李慈铭《越缦堂日记》（光绪乙酉十月初四日）："阅石湖、诚斋两家诗。石湖律诗虽亦苦槎枒拗涩，堕南宋习气，然尚有雅音，五七古亦多率尔，而大体老到，不失正轨。诚斋则粗梗油滑，满纸村气，似《击壤》而乏理语，似江湖而乏秀语。其五言如'寒从平野有，雨傍远山多'，'雨蒲拳病叶，风筱秃危梢'，'万山江外尽，一塔岭尖明'，'叶声和雨细，山色上楼多'，'竹能知雨至，窗不隔江清'，'远山冲岸出，钓艇背人行'，'烟昏山易远，岸阔树难高'，'山烟春自起，野烧暮方明'，皆上可几大历十子，下可揖永嘉四灵，而数联以外，绝少佳者。七绝间有清隽之作，亦不过齿牙伶俐而已。如《闲居初夏午睡起二绝》云：'梅子留酸软齿牙，芭蕉分绿与窗纱。日长睡起无情思，闲看儿童捉柳花。''松阴一架半弓苔，偶欲观书又懒开。戏掬清泉洒蕉叶，儿童误认雨声来。'亦是寻常闲适语，不出江湖侧调，然已脍炙古今，其余盖鲜足观者。《退休集》尤晚年之作，老笔颓唐，其甚率俗者，几可喷饭。唯《至后入城道中杂兴》云：'大熟仍教得大晴，今年又是一升平。升平不在箫韶里，只在村村打稻声。''畦蔬甘似卧沙羊，正为新经几夜霜。芦菔过拳菘过膝，北风一路菜羹香。'两绝句最佳，非以前诸集所及。然二公高怀清节，皆以止足自期，乐志田园，不为物累，其诗亦以人重，故世乐道之耳。"周密《浩然斋雅谈》卷中："诗家谓诚斋多失之好奇，伤正气。若'梅子流酸软齿牙，芭蕉分绿与窗纱。日长睡起无情思，闲看儿童捉柳花'，极有思致。诚斋亦自语人曰：'工夫只在一"捉"字上。'"魏庆之《诗人玉屑》卷一九引《玉林诗话》："六言绝句，如王摩诘'桃红复含夜雨'及王荆公'杨柳鸣蜩绿暗'二诗，最为警绝，后难继者。近世唯杨诚斋《醉归》一章：'月在荔枝梢上，人行豆蔻花间。但觉胸吞碧海，不知身落南蛮。'雄健富丽，殆将及之。"《陔余丛考》卷二三："叠字诗……南宋唯杨诚斋《水月寺》诗：'低低桥入低低寺，小小盆盛小小花。'又《红锦黄花》诗云：'节节生花花点点，茸茸丽日日迟迟。'则已纤佻。"《历代诗发》卷二八谓其《望雨》"苍秀幽奇，如杜少陵《木皮岭》、《白沙渡》诸什"；《谢尤延之提举郎中自山间惠访长句》"飘忽行以老成，可以力追正始"；《雨后晓起问讯梅花》"平平叙述，却饶世外风情"；《云龙歌调陆务观》"丽藻纷披，才情宕佚"；《林景思寄赠五言以长句谢之》"飘忽如云，绚烂如锦"；《五更过无锡县寄怀范参政尤侍郎》"淡淡写来，自然疏老"；《中途小歇》"纯是天机流动之作"；《九月菊未花》"不稼不织，自然合度"；《惠山云开复合》"变换空灵，觉雨散云还，递成佳况"。

方逢辰《批点分类诚斋先生文脍序》："人莫不饮食，鲜知味也，知味者在饮食之外也。诚斋先生胸次磊磊砢砢，挺挺介介，故发为文则浩气拍天，吞吐溟勃，足以推倒一世之豪杰，岂又聱牙屈曲，波谲涛诡，艰深寒涩，思苦形槁，使人读之不能句，然后为工哉？虽然，大篇巨册浩渺无涯，或传于经，或集于文，或散于游戏之翰墨，檠窗所砣砣，犹有未能尽窥其斑者，况场屋一日之士乎？……余谓先生之文，岂止于学子之助而已虖？举而措之，可以撑拓宇宙，弥纶国家，黼黻皇猷，衮钺今古。知味者又当于此乎求之，毋但曰'脍炙'而已。"《云庄四六余话》："杨诚斋《贺虞雍公启》曰：'小人何怨而愿其去，君子欲留而莫之能。上非不知，天则未定。''万里澶漫，鱼龙亦悯其独劳；三入修门，鼎轴乃得其所付。洪钧一转，乾清坤夷；泰阶六符，芒寒色正。'《贺史丞相启》曰：'光尧之托以子，不待致商山之老人；嗣圣之选于朝，无以易甘盘之旧学。其在初九之潜，已定画一之讲。清风发而日出，应龙翔而云从。天之欲平治也，时则可为；学焉而后臣之，政将焉往？'《贺张魏公除宣抚启》曰：'得一韩以在军中，倚而须庆历之捷；卷三秦以取天下，当不使汉高之淹。'《贺除都督启》曰：'胡马南牧，折箠以毙其酋；衮衣东征，投戈而拜吾父。'语皆奇壮，脱略翰墨畦径。"郑瑗《新刊批点分类诚斋先生文脍序》："有宋之文，自欧阳文忠公变崑体而崇典要之后，作者辈出，骎骎乎先秦两汉矣。及金狄乱华，江表偏安，而文气又寖以不振。诚斋杨文节公产于欧阳之邦，而去公未百年，大以文誉于乾道、淳熙间，其所著云变星灿，飙激涛涌，不可名状。数百载而下，得其残膏剩馥者，莫不靡然尚之。瑗尝譬宋文之有杨诚斋，如唐诗之有温庭筠，同一绚丽奇绝也。……昔诚斋尝论诗文曰：'逞其奇则欲如峻峰激流，斗其艳则欲如燕歌越舞。'斯言殆自状也。夫六籍，天下之至文也。韩子曰：'《易》奇而法，《诗》正而葩。'则六籍非不奇且葩也，所贵者奇而能法、葩而能正耳。诚斋之文，则信奇且葩矣，第未知其法与正者，视《诗》、《易》为如何，世之君子必有能辨之者。"陈栎《勤有堂随录》："杨诚斋亦间气所生，何可轻议。其诗文有无限好语，亦有不惬人意处。文过奇带轻相处，盖自《庄子》来。"《复小斋赋话》卷下："杨诚斋赋足当一别字。"又："杨诚斋赋另自一种笔意，余最爱《雪巢》，何其构思之妙也。"周必大《与杨廷秀宝学劄子》："今蒙录示《陶舟赋》，纡徐敷腴，如挹北窗之风；烈激宏壮，如临采石之状。文笔高妙，一至于此乎。"

李调元《雨村词话》卷二："晁补之有《斗百花》词。杨诚斋云：'词须择腔，如《斗百花》之无味。'因此后作此腔者寥寥。今按词后段云：'低问石上凿井，何由及底，微向耳边，同心有缘千里。'句法本古乐府，更工于言情。乃知诚斋非深于此道者。"《诗人玉屑》卷二一引《中兴词话》："诚斋文集中有《答周丞相小简》云：'辱相国有尽子诗写来之教，春前偶醉余梦语，《忆秦娥》小词云：新春早，春前十日春归了。春归了，落梅如雪，野桃红小。老夫不管春催老，只图烂醉花间倒。花间倒，儿扶归去，醒来窗晓。仰供仲尼之莞尔，不胜主臣。'诚斋长短句殊少，此曲精绝，当为拈出，以告世之未知者。"冯金伯《词苑萃编》卷五引《续清言》："杨万里不特诗有别才，即词亦有奇致。其《好事近》云：'月未到诚斋，先到万花川谷。不是诚斋无月，隔一庭修竹。如今才是十三夜，月色已如玉。未是秋光奇绝，看十五十六。'昔人谓东坡词是曲子中缚不住者，廷秀词又何多让。乃知有气节人，笔墨自然不同。"

本月，陆游作《跋曾文清公奏议稿》。跋云："绍兴末，贼亮入塞。时茶山先生居会稽禹迹精舍。某自敕局罢归，略无三日不进见，见必闻忧国之言。先生时年过七十，聚族百口，未尝以为忧，忧国而已。后四十七年，先生曾孙黯以当日疏稿示某。于今某年过八十，仕忝近列，又方王师讨残虏时，乃不能以尘露求补山海，真先生之罪人也！"

宋下诏伐金。《宋史纪事本末》卷八十三《北伐更盟》："（开禧二年五月）丁亥，韩侂胄闻已得泗州及新息、褒信、颍上、虹县，乃命直学士院李壁草诏，下伐金诏。……初，兵部侍郎叶适轮对，尝言：'甘弱而幸安者衰，改弱而就强者兴。'侂胄闻而喜之，以为直学士院，欲藉其草诏以动中外，而适以疾辞职，乃改命壁云。"按，在宋金交兵过程中，宋兵立呈溃势，接连失地。

夏

陆游所赋《初夏闲居》其二、《观邸报感怀》、《雨夜》、《赛神》、《夏夜》、《剧暑》、《感中原旧事戏作》诸诗，均为反映当时战况、歌颂抗金义举、关怀前方将士之作。

七月

邢德允有诗寄陆游，游赋《次韵邢德允见赠》。

张岩知枢密院事；李壁以礼部尚书参知政事。

韩侂胄怨苏师旦创用兵之谋，贬逐之。

八月

五日，刘过赋《唐多令》（芦叶满汀洲）。序云："安远楼小集，侑觞歌板之姬黄其姓者，乞词于龙洲道人，为赋此《唐多令》。同柳阜之、刘去非、石民瞻、周嘉仲、陈孟参、孟容，时八月五日也。"按，安远楼即南楼，在武昌黄鹤山上。姜夔《翠楼吟》词序云"淳熙丙午冬，武昌安远楼成，与刘去非诸友落之，度曲见志"，而刘过此词有"二十年、重过南楼。柳下系舟犹未稳，能几日、又中秋"之句，从淳熙丙午（1186）至今年正二十年，又刘过卒于本年，故此词当系本年本月本日所作。

九月

赵彦卫将其《拥炉闲记》易名为《云麓漫钞》，重刊于新安郡斋。九日，作《云麓漫钞序》云："《拥炉闲记》十卷，近刊于汉东学宫，颇有索观者，无以应其求。承乏来此，适有闲板，并后五卷刻诸郡斋。近有《避暑录》，似与之为对，易曰《云麓漫钞》云。开禧二年重阳日，新安郡守赵彦卫景安。"《直斋书录解题》卷一一著录为二十卷、《续录》二卷。今传本为十五卷，有《四库全书》本、一九九三年中华书局校点本。"书中记宋时杂事者十之三，考证名物者十之七。……其考证颇为赅博，中有偶然纰漏者。……自序以为可敌叶梦得《避暑录话》，殆不诬也"（《四库全书总目》卷一二一）。按，赵彦卫，字景安，宋宗师，魏王廷美七世孙。隆兴元年进士。绍熙间，知乌程县。庆元二年，通判台州（《嘉定赤城志》卷一〇）。嘉泰二年，权知随州（《宋会要辑稿·刑法二》）。开禧元年，以朝议大夫知徽州。事迹见《云麓漫钞》卷首序、《崇祯乌程县志》卷五。

二十五日，陆游作《跋周益公庞诗卷》。跋云："绍兴辛巳，予与益公相从于钱塘，去题此诗时十一年，予年三十七，益公少予一岁。后二年，相继去国，自是用舍分矣。今益公舍我去，所不知者，相距几何时耳。开禧丙寅九月二十五日，山阴陆某谨识。"

秋

陆游所赋《病卧》、《村舍得近报有感》等诗，对宋金战事深表关注。

十一月

丘崈签书枢密院事，督视江、淮军马。

十二月

辛弃疾进升龙图阁待制，知江陵府。令赴行在奏事。

本年

铁木真统一蒙古，诸部长共上尊号为成吉思汗，是为元太祖。

陆子通编《剑南诗续稿》成四十八卷，卷有百篇。陆游《力耕》"犹恨未能忘笔砚，小儿收拾又成编"句下自注云："子通编予诗续稿，成四十八卷，卷有百篇。"按，钱仲联《剑南诗稿校注》卷六十九《力耕》注云："按陈振孙《直斋书录解题》卷二十《诗集类》下：'《剑南诗稿》二十卷、《续稿》六十七卷，陆游务观撰。初为严州，刻前集稿，止淳熙丁未。自戊申以及其终……二十余年，为诗益多，其幼子通，复守严州，续刻之，篇什之富以万计。'止于淳熙丁未之前二十卷严州刻本，相当于毛氏汲古阁本之前十九卷；戊申以后之《续稿》六十七卷，则相当于毛本之后六十六卷，即自二十卷至八十五卷。今自注云'子通编予诗续稿成四十八卷'，殆相当于毛本二十卷至六十七卷，即编至本年夏末秋初而止。至于陆子虞在九江郡斋所刊《剑南诗稿》，跋语称'其戊申、己酉后诗，先君自大蓬谢事归山阴故庐，命子虞编次为四十卷，复题其签曰《剑南诗续稿》，而亲加校定，朱黄涂撺，手泽存焉'者，当是编至嘉泰三年奉祠归里前止，相当于毛本二十卷至五十三卷。此与子通所编，卷次不尽吻合者，殆分卷之篇数有不同耳。"

姜夔南游浙东，过桐庐，作《登乌石寺》诗。秋，至括苍，登烟雨楼，赋《虞美人》（阑干表立苍龙背），词序云："括苍烟雨楼，石湖居士所造也。风景似越之蓬莱阁，而山势环绕、峰岭高秀过之。观居士题颜，且歌其所作《虞美人》，夔亦作一解。"抵永嘉，登富览亭，赋《水调歌头》（日落爱山紫）。

王炎作《浪淘沙令》（流水绕孤村）。题曰："开禧丙寅在大坂作。"

何汶编《竹庄诗话》成。方回《竹庄备全诗话考》："《竹庄备全诗话》二十七卷，开禧二年丙寅处州人新德安府教授何汶所集也。第一卷载诸家诗话议论，第二十六、二十七卷摘警句。中皆因诸家诗话为题，而载其全篇，不立己见己说，盖已经品题之诗选也。"今本《竹庄诗话》为二十四卷，有《四库全书》本、一九八四年中华书局校点本。钱曾《读书敏求记》卷四："《竹庄诗话》二十四卷。……遍蒐古今诗评、杂录，列其说于前，而以全首附于后，乃诗话中之绝妙者。"四库提要卷一九五："《竹庄诗话》二十四卷。……是书与蔡正孙《诗林广记》体例略同，皆名为诗评，实如总集，使观者即其所评与原诗互相考证，可以见作者之意旨，并可以见论者之是非。视他家诗话但拈一句一联而不睹其诗之首尾，或浑称某人某篇而不知其语云何者，固为胜之。唯正孙书以评列诗后，此以评列诗前，为小变耳。其所引证，如《五经诗事》、《欧公余话》、《洪驹父诗话》、《潘子真诗话》、《桐江诗话》、《笔墨闲录》、刘次庄《乐府集》、邵公序《乐府后录》之类，今皆未见传本。而《吕氏童蒙训》论诗之语，今世所行重刊本，皆削去不载，此书所录，尚见其梗概。又此书作于宋末，所见诗集犹皆古本……即其所载习见之诗，亦有资考校也。"按，何汶（生卒年不详），号竹庄，处州人。庆元二年进士。开禧二年，为德安县教授。嘉定八年，知清流县。事迹见《嘉靖清流县志》卷四、《嘉靖汀州府志》卷一一。

　　林正大约于本年前后在世，生卒年不详。正大字敬之，号随庵，永嘉人。开禧中，曾为严州学官。所著《风雅遗音》皆取前人诗文，"括意度腔，以洗淫哇、振古风"（《百川书志》卷一八）。四库提要卷二〇〇："《风雅遗音》二卷。……是编皆取前人诗文，檃括其意，制为杂曲。每首之前，仍全载本文，盖仿苏轼檃括《归去来词》之例。然语意蹇拙，殊无可采。"其《满江红》（为忆当时），"括卢仝《有所思》诗意，笔颇清老，而少骀荡夷犹之致"（俞陛云《唐五代两宋词选释》）。《全宋词》录其词四十余首，《全宋文》卷六七六四收其文。事迹见《四库全书总目》卷二〇〇。

　　曾丰（1142—?）本年在世，卒年不详。丰字幼度，乐安人。乾道五年进士。淳熙七年，为赣县丞。庆元元年，知浦城县。嘉泰中，罢归。开禧间，知德庆府。真德秀尝从之学。晚年无意仕进，筑室名搏斋，以诗酒自娱。事迹见《宋史翼》卷二八。著有《缘督集》。《全宋诗》录其诗十五卷，《全宋文》收其文二十一卷。四库提要卷一六〇："《缘督集》二十卷，永乐大典本，宋曾丰撰。……当时尝版行于世，岁久不传。元元统间，丰五世孙德安购其遗集，得四十卷，翰林学士虞集为之叙。谓其气刚而义严，辞直而理胜，有得于《易》之奇、《诗》之葩。其文今见《道园学古录》中。然当时欲授梓不果，至明嘉靖间，詹事讲始选录十有二卷，刻于宣城。卷末有万锜后序，称摘其尤者存之。……盖事讲从罗洪先游，日以讨论心学为事，文章一道，非所深研，遂使丰之菁华，反因此选而散佚，殊堪惋惜。唯《永乐大典》编自明初，尚见丰之原集，其所收录，较刊本多至数倍，今据以增补，乃裒然几还旧观。佚而复存，亦云幸矣。丰仕迹不显，颇以著述自负。集中如《六经论》之类，根柢深邃，得马、郑诸儒所未发。其他诗文，虽间有好奇之癖，要皆有物之言，非肤浅者所可企及，亦南宋一作者也。"陆心源《原本缘督集跋》："《搏斋先生缘督集》四十卷，题曰'庐陵曾丰幼度'，旧抄本，前有虞集序。……其集在宋已版行，至元而亡。至元初，五世孙德安重刊之，虞集为之序，即此本也。明以后流传甚罕，汪氏振绮堂有其书。乾隆中，开四库，汪氏以缺四卷不进呈，故《四库》所收从《永乐大典》录出，原本则未之见也。今以大典本互校，可补诗一百四十九首、书五首、序三首、记十七首、启三十三首、墓志十七首。有目无文之四卷，按目求之，大典本仅得《祭京文忠文》、《李翼行状》、《跋邱军判二十四咏》、《跋王荆公帖》、《跋山谷帖》、《跋豪猪说》、《觿斋铭》、《直斋铭》、《镜斋铭》、《苏莹赞》、《代但大夫谢表》、《代广东漕贺表》二、《代彭中散谢表》、《知德庆府谢表》十五首而已。然《大典》所收有出于此目外者，意者《大典》所收或宋时原本，此则从元刊传抄耳。"《怀古录》卷中："搏斋工于金石文，度越流辈，作诗则多喜用全句，如'不可以风霜后叶，何伤于月雨余云'，此等固好，如'空空如也花辞叶，绵绵然哉谷口芽'，则不免牵强矣。《蝉》诗云：'本是吸风并饮露，如何做得许多声。'盖有所比。然或者病其上句则不融，下句则太粗。"虞集《缘督集序》："予得其所欲刻者，而有以见之：其气刚而义严，辞直而理胜，其有得于《易》之奇、《诗》之葩者乎？取譬托兴，杰然不溺，于风俗山川磅礴雄伟之气，盖有以发焉。夫物之精华，久而不灭，则有神明之助者矣。"

　　游九言（1142—1206）卒，年六十五。九言字诚之，初名九思，号默斋，建阳人。以祖荫入仕，举江西漕司进士第一。任古田尉，入监文思院。官终荆鄂宣抚参谋官。

事迹见《宋史翼》卷二五。著有《默斋文稿》，已佚。今存《默斋遗稿》二卷。《全宋词》录存其词四首，《全宋诗》收其诗一卷，《全宋文》收其文三卷。四库提要卷一六三："《默斋遗稿》二卷，浙江鲍士恭家藏本。……凡诗一卷、文一卷。厉鹗《宋诗纪事》录九言诗四首，其前二首即采之此集。……《美人倚楼图》一首、《溪上》一首，则均为集中所不载，鹗从《诗家鼎脔》录入。而此本之末，鲍氏又从刘大彬《茅山志》补录词三首，从曹学佺《宋诗选》及《槜李诗系》诸书补录诗六首。……其诗格不甚高，而时有晚唐遗韵，不涉于生硬权柩。其《义灵庙迎享送神曲序》，记台州司户滕膺拒方腊之乱甚详，亦足以补史之阙也。"

孙应时（1154—1206）**卒，年五十三**。应时字季和，号烛湖居士，又号竹隐，余姚人。早入太学，登淳熙二年进士第，为台州黄岩尉。后知严州遂安县。绍熙三年，丘崈帅蜀，辟入制幕。庆元中，知常熟县，为郡守捃摭贬秩。开禧二年，起判邵武军，未赴任而卒。应时承学于陆九渊，学问深醇。与兄应求、应符皆以文学知名当世。朱熹谓其《读通鉴》二绝"甚佳"（《困学纪闻》卷一八）、《湖山》诸诗"语意清远"（《吴礼部诗话》）。刘过《寄竹隐先生孙应时》称其"江山绕楼诗句好，奔走万变同驰驱"。著有《烛湖集》十二卷，宝庆三年门人司马述刊行，原本已佚。四库馆臣自《永乐大典》辑出，编为二十卷。今《全宋诗》录其诗七卷，《全宋文》收其文十三卷。事迹见杨简《孙烛湖塘志》及《宝庆会稽续志》卷五。

刘过（1154—1206）**卒，年五十三**。按，刘过生卒年，史无所载。元代殷奎《复刘改之先生墓事状》："崑山慧聚寺东斋之冈，实故宋刘先生之墓在焉。先生讳过字改之，庐陵人也。……始，故人潘友文尹崑山，先生来客其所，遂娶妇而家焉。既卒，而友文为真州，以私钱三十万属其友具凡葬事，值其友死，不克葬。后七年，县主簿赵希柠乃为买山，卒葬之。"明万历二年周世昌纂《崑山志》卷三"祠庙"："刘龙洲祠，在马鞍山东斋僧舍，祀宋诗人刘过。宋嘉定五年也。"又《怀贤录》载明代陈谔《题刘龙洲易莲峰二公墓》："改之、太初墓，相望玉峰南。同是庐陵士，皆年五十三。"罗振常《订补怀贤录》案语云："龙洲事迹，诸书所载略备，唯生卒年与存年无及之者。考《万历崑山志》称祠建于宋嘉定五年，即龙洲葬年也。殷奎《复墓事状》则谓没后七年始葬，以是推之，其卒当在开禧二年。又读陈谔《题墓》诗，知龙洲卒年五十三。由开禧二年上溯五十三年，则龙洲实生于绍兴二十四年甲戌也。"

过字改之，号龙洲道人，吉州太和人。"少有志节，以功业自许，博通经史百氏之书，通知古今治乱之略，至于论兵，尤善陈利害"（殷奎《复刘改之先生墓事状》）。淳熙间，曾赴省试，客荆襄、武昌，后沿江东下临安。绍熙间，往来金陵、姑苏、四明等地。曾伏阙上书，请光宗过宫，言极剀切，备受称许。庆元间，游无锡、常熟、东阳等地。刘过长期飘泊江湖，以诗词客食四方，与陆游、陈亮、辛弃疾等交游。陆游称其"胸中九渊蛟龙蟠，笔底六月冰雹寒"，惜其"李广不生楚汉间，封侯万户宜其难"（《赠刘改之秀才》）。事迹见吕大中《宋诗人刘君墓碑》、殷奎《复刘改之先生墓事状》、杨维桢《宋龙洲先生刘公墓表》。著有《龙洲集》十四卷，端平元年刘濴刊，今存明嘉靖间王朝用刻十五卷本，《四库全书》十四卷、附录二卷本等。《直斋书录解题》卷二一著录《刘改之词》一卷。今存《龙洲词》有吴讷《唐宋名贤百家词》本、毛晋《宋六十名家词》本、《彊村丛书》本等。一九七八年上海古籍出版社出版校点本《龙洲集》，为诗词文合集，分十二卷。《全宋词》删除误收者，计收其词七十七首，《全宋诗》录其诗十卷，《全宋文》卷六六一〇收其文。

《草堂诗余》续集卷下："词至辛稼轩一变其源，实自苏长公，至刘改之诸公而极，抚时之作，意存感慨，然浓情致语，几于尽矣。"张炎《词源》卷下："辛稼轩、刘改之作豪气词，非雅词也。于文章余暇，戏弄笔墨，为长短句之诗耳。"毛晋《龙洲词跋》："改之家于西昌，自号龙洲道人，为稼轩之客，故小词亦多相溷，如'堂上谋臣樽俎'之类是也。宋子虚称为天下奇男子，平生以气义撼当世。其词激烈，读者感焉。花庵谓其词学辛幼安，如别妾《天仙子》、咏画扇《小桃红》诸阕，《稼轩集》中能有此纤秀语耶？"谢章铤《赌棋山庄词话》卷一二："刘之于辛，有其豪而无其雅。"四库提要卷一九九："《龙洲词》一卷。……黄昇《花庵词选》谓改之乃稼轩之客，词多壮语，盖学稼轩。然过词凡赠辛弃疾者则学其体，如'古岂无人，可以似吾稼轩者谁'等词是也。其余虽跌宕淋漓，实未尝全作辛体。陶九成《辍耕录》又谓改之造语赡逸有思致，《沁园春》二首尤纤丽可爱。今观集中咏'美人指甲'、'美人足'二阕，刻画猥亵，颇乖大雅，九成乃独加推许，不及张端义《贵耳集》独取其《南楼》一词为不失赏音矣。"冯煦《蒿庵论词》："龙洲自是稼轩附庸，然得其豪放，未得其宛转。子晋亟称其《天仙子》、《小桃红》二阕云：'纤秀为稼轩所无。'今视其语，《小桃红》亵矣而未甚也，《天仙子》则皆市井俚谈，不知子晋何取而称之。殆与陶九成之称其《沁园春》美人指、足同一见地邪？"刘熙载《艺概》卷四："刘改之词，狂逸之中自饶俊致，虽沈著不及稼轩，足以自成一家。其有意效稼轩体者，如《沁园春》'斗酒彘肩'等阕，又当别论。"又："刘改之《沁园春》咏美人指甲、美人足二阕，以亵体为世所共讥，然病在标者犹易治也。"《本事词》卷下："改之好作《沁园春》，其上辛稼轩、赠郭杲、寄孙季和诸篇，皆脍炙人口。而咏美人二阕，尤纤丽可爱。……世皆以龙洲好学稼轩作豪语，似此两阕，亦可谓细腻风光矣。"陈廷焯《白雨斋词话》卷一："刘改之、蒋竹山，皆学稼轩者。然仅得稼轩糟粕，既不沉郁，又多枝蔓。词之衰，刘、蒋为之也。"又："改之全学稼轩皮毛，不则即为《沁园春》等调，淫词亵语，污秽词坛。即以艳体论，亦是下品。盖叫嚣淫冶，两失之矣。"又卷六："二帝蒙尘，偷安南渡，苟有人心者，未有不拔剑斫地也。南渡后词……刘改之《沁园春》（上郭帅）云：'威撼边城，气吞胡虏，惨淡尘沙飞北风。中兴事，看君王神武，驾驭英雄。'又《八声甘州》（送湖北招抚吴猎）云：'望中原驰驱去也，拥十州牙纛正翩翩。春风早，看东南王气，飞绕星躔。'……此类皆慷慨激烈，发欲上指。词境虽不高，然足以使懦夫有立志。"况周颐《蕙风词话》卷二："刘改之词格本与辛幼安不同。其《龙洲词》中，如《贺新郎》赠张彦功云：'谁念天涯牢落况，轻负暖烟浓雨。记酒醒香销时语。客里归鞯须早发，怕天寒风急相思苦。'前调云：'衣袂京尘曾染处，空有香红尚软。料彼此、魂消肠断。'又云：'但托意、焦琴纨扇。莫鼓琵琶江上曲，怕荻花枫叶俱凄怨。'《祝英台近》游东园云：'晚来约住青骢，踏花归去，乱红碎、一庭风月。'《唐多令》八月五日安远楼小集云：'柳下系船犹未稳，能几日、又中秋。'《醉太平》云：'翠绡香暖云屏。更那堪酒醒。'此等句，是其当行本色，蒋竹山伯仲间耳。其激昂慷慨诸作，乃刻意模拟幼安。至如《沁园春》'斗酒彘肩'云云，则尤模拟而失之太过者矣。"沈雄《古今词话·词辨》下卷引《柳塘词话》："世以张子野《行香子》三句为足挂齿颊，谓之'张三中'，即心中事、眼中泪、意中人也。却不知石次仲有三'些'字，如等些时、说些子、做些儿，言情之作，不涂脂粉。更不知刘改之有三'欠'字，如欠桃花、欠沙鸟、欠渔船，布景之什，无限风烟，只存乎其人耳。"

刘澥《龙洲集序》："古人以诗名家者终矣。予兄改之晚出，每有作，辄伸尺纸以为稿，笔法遒纵。……上而李、杜、韩、柳，近而欧、苏、陈、黄，大篇巨帙，烂如日星，绚如绮组，膏泽流于无穷。"方回《滕元秀诗集序》："龙洲道人诗，回未敢以为然，外强中干，多谒客气。"王士禛《带经堂诗话》卷一〇："刘改之《龙洲集》，叫嚣排突，纯是子路冠雄鸡、佩豭豚气象，风雅扫地。"四库提要卷一六二："《龙洲集》十四卷、附录二卷。……其诗文亦多粗豪抗厉，不甚协于雅音，特以跌宕纵横，才气坌溢，要非龌龊者所及。"吴沆《环溪诗话》卷下："刘改之诗：'功名有分平吴易，贫贱无交访戴难。'上句是裴度雪夜平吴之事，下句即访戴之事；上句是得时事，下句是失时事；上句事虽难也易，下句事虽易也难。以俗为雅，又是倒翻公案，尤为高妙。"罗大经《鹤林玉露》丙编卷五："前贤题咏，如太白《凤凰台》、崔颢《黄鹤楼》，固已佳矣。未若近时刘改之《题京口多景楼》，尤为奇伟，真古今绝唱也。其词云：'壮观东南二百州，景于多处却多愁。江流千古英雄泪，山掩诸公富贵羞。北府只今唯有酒，中原在望莫登楼。西风战舰成何事，只送年年使客舟。盖言多景可喜，而乃多愁何也？自古南未有能并北者，是以英雄泪洒长江，抱此遗恨。然推其所由，实当国者偷取富贵，宴安江沱之所致，是可羞也。晋人言，北府酒可饮，兵可用。今上下习安，玩仇忘寇，北府仅有酒可饮耳，而干戈朽，铁钺钝，士卒脆弱，未闻有可用之兵也，则中原腥膻，决无可洗涤之日，忍复登楼以望之乎！末言西风战舰，不为进取之图，而送使客之往来，反为奉币事仇之计，则益可悲矣。'"又："改之又尝作《塞下曲》十余篇，尤悲壮感慨。尝携以谒陆放翁，放翁击节。"

孙德之《书刘改之词科进卷》："钱塘刘君一日相过，示予以《词科进卷稿》，余读之，不觉击节叹骇。夫文不难于工，而难体制之备。……君之文不独辞藻之工，其大概高以体要为尚。其四六则雅驯而工，散文则雄深而清，韵语则清新而壮。持此游场屋中，日可与渡江诸贤相角逐，余子纷纷不足，当立下风也。"

公元 1207 年（宋宁宗开禧三年丁卯　金章宗泰和七年　蒙古成吉思汗二年）

正月

十六日，陆游送别子虡，赋诗《正月十六日送子虡至梅市，归舟示子遹》，有"稚子与翁俱袯襫，大儿出塞习兜鍪"之句。按，子遹去岁初夏调永平钱监，陆游有诗《子遹调官得永平钱监，待次甚远，寄诗宽其意，盖将与之偕行也》，至此时尚未赴任；而子虡此行乃赴淮西濠州通判任。

陆游本月所作《仁和县重修先圣庙记》，系衔为太中大夫、宝谟阁待制致仕、渭南县开国伯、食邑八百户、赐紫金鱼袋。又作《跋周侍郎奏议》，有云："一时贤公卿与

221

先君游者，每言及高庙盗环之寇，乾陵斧柏之忧，未尝不相与流涕哀恸。虽设食，率不下咽引去；先君归，亦不复食也。——伏读侍郎周公论事牓子，犹想见当时忠臣烈士忧愤感激之余风。於虖！建炎、绍兴间，国势危蹙如此，而内平群盗，外捍强虏，卒能披草莽、立社稷者，诸贤之力为多。某故具载之，以励士大夫。倘人人知所勉，则北平燕赵，西复关辅，实度内事也。"又作《禹祠》，有句云："故人零落今何在？空吊颓垣墨数行。"于少年婚姻悲剧，至晚年尚耿耿于怀。

丘崈罢两淮宣抚使；知枢密院事张岩督视江、淮军马。

二月

陆游出游，有诗《自九里、平水至云门、陶山，历龙瑞、禹祠而归，凡四日》，诗共八首。第八首诗末自注云："龙瑞冯道士二月中逝去；余庆泽庵主自天童归，亦二月也。"故将此诗系于本月。

叶适以知建康府兼江淮制置使，兼节制江北诸州。

春

辛弃疾试兵部侍郎，上章辞免。诏与在京宫观。三月末，叙复朝请大夫，继又叙复朝议大夫。

四月

陆游有诗《示二子》。诗末自注云："时子龙调官东阳丞，子坦调彭泽丞。"

吴猎兼四川宣谕使，旋为四川制置使。

方信孺为国信所参议官，如金军。《宋史纪事本末》卷八十三《北伐更盟》："时韩侂胄募可以报使金帅府者，近臣荐信孺可使，自萧山丞召赴都，命以使事。信孺曰：'开衅自我，金人设问首谋，当以何辞答之？'侂胄矍然。信孺遂持张岩书以行。"

六月

陆游以"尊信"名友人陈希真之书斋，并赋诗《题尊信斋》。序云："吾友陈希真求序名其书斋，予告之曰：'韩文公言：读孟轲书，然后知孔子之道尊；晚得扬雄书，益尊信孟氏，因雄书而孟氏益尊。予谓孔子岂待人而尊，孟子亦岂待人而信？韩之言则过矣。然尊信孔孟者，实学者之本务也。请以名君斋，且为诗以终吾意。'"又作《宣城李虞部诗序》："宣之为郡，自晋唐至本朝，地望常重。来为守者不知几人，而风流吟咏，谢宣城实为之冠；生其乡者几人，而歌诗复古，梅宛陵独擅其宗。此两公盖与敬亭之山俱不磨矣！故宣之士多工于文，而五七字为尤工。唐有李推官，以诗名当代，其家传遗诗得数百篇，以诗考之，盖与皮、陆同时欤？自推官后，世世得能诗声。当元丰间，有虞部公作诗益工。推官清新警迈，极锻炼之妙；而虞部则规模思致，宏放简远，自宛陵出。如刘子骏文学，不尽与父同，议者亦不能优劣之也。予得其两世遗编于虞部之曾孙临海太守兼字孟达。孟达固诗人，盖渊源二祖而能不愧者。推官、虞部之家世讳字，与其学术行治，盖各见于其墓刻家牒，予独志其诗云。"按，杨万里于绍熙四年十一月作《唐李推官〈披沙集〉序》，可与此序互参。

夏

陆游所赋关心时事之作，有《六月二十一日风雨大作》、《闻蜀盗已平献馘庙社喜而有述》、《雨晴》；又有《逆曦授首称贺表》。

八月

辛弃疾得疾。其《洞仙歌》题云："丁卯八月病中作。"结句云："羡安乐窝中泰和汤，更剧饮无过，半醺而已。"按，据此词，知稼轩当时必卧病家中，故有"安乐窝"之句，但何时归铅山则不可考见。

九月

辛弃疾进枢密都承旨，令疾速赴行在奏事。未受命，并上章陈乞致仕。十日，卒，年六十八。《两朝纲目备要》卷十："（开禧三年九月）己卯召辛弃疾。——侂胄复有用兵之意，遂除弃疾枢密院都承旨，疾速赴行在奏事。会弃疾病死乃已。"辛启泰《稼轩年谱》："家居，进枢密都承旨，未受命卒，盖丁卯九月初十日也。"葬于铅山县南十五里阳原山中。

辛弃疾（1140—1207），原字坦夫，后改字幼安，号稼轩居士，济南历城人。绍兴三十一年，金主完颜亮大举南侵，弃疾聚众二千投奔山东农民义军耿京，任掌书记。次年初，奉耿京之命至建康与南宋朝廷联络抗金事宜，归途中闻耿京为叛徒张安国等攻杀，即率五十骑直趋济州，于五万金兵中擒缚张安国，驰送建康斩首。此一"壮声英概"使"懦夫为之兴起，圣天子一见三叹息"（洪迈《稼轩记》）。南归后，授江阴签判。乾道元年，奏进《美芹十论》。六年，以《九议》上宰相虞允文。八年，出知滁州。淳熙间，历知江陵府兼湖北安抚使、知隆兴府兼江西安抚使、知潭州兼湖南安抚使。八年，除两浙西路提点刑狱公事，以台臣论列，罢职。自淳熙九年至嘉泰二年间，除一度出任福建安抚使外，其余时间均闲居上饶、铅山。嘉泰三年，起知绍兴府兼浙东安抚使。次年，差知镇江府。开禧元年，复罢职归铅山。稼轩"有英雄之才，忠义之心，刚大之气，所学皆圣贤之事"，但"入仕五十年，在朝不过老从官，在外不过江南一连帅"（谢枋得《祭辛稼轩先生墓记》），志不获骋，赍志而殁。事迹见《宋史》卷四〇一本传。又，梁启勋《稼轩先生之特殊性格》云："一、先生乃一热烈之爱国者，且具规复中原之大计划。读《请练民兵守淮疏》、《美芹十论》、《九议》、《应问》诸文可见。见辛敬甫之《稼轩集钞存》。二、先生乃一勇敢之强健男儿。二十二岁，率部曲二千投耿京。《鹅湖夜坐》诗云：'昔者戍南郑，泰山郁苍苍。铁衣卧枕戈，睡觉身满霜。'二十三岁，赤手缚张安国，献俘于临安。洪景卢《稼轩记》云：'齐虏负国，辛侯赤手领五十骑，缚取于五十万众中，如挟菟兔，束马衔枚，由关西奏淮，至昼夜不粒食。壮声英概，儒士为之兴起，天子为之动容。'三、先生作事敏捷，且勇于负责。大计划虽不见用，然有机会辄为地方造福。如苏滁州民于兵烬之余，见周孚《奠枕楼记》。平江西、湖南之籴，实其仓廪，见《宋史》及《朱子大全集》。为福州府藏积锱至五十万缗，充其府库，见《宋史》。凡此数事，皆以极短时间而奏大效者。至于创立湖南飞虎军垒，尤见伟业。当时因此事而弹章纷上，至降御前金牌，令即日停工。先生乃受牌而藏之，严令速工兼作，期以一月成。既成，然后开陈本末，绘图缴进，上始释然，见《宋史》。四、先生在官，不猛进亦不苟退，真可谓乐则行之，忧则违之，卓乎其不可拔。故自二十三岁以至六十八岁，受职四十五年，虽三仕而已，然未尝一度求去。只有帅闽时因受谤太甚乃请陛见以自明，亦未尝一度召不起。生平弹章数十见，迄不为动。陈同甫之先生像赞曰：'呼而来，麾而去，无所逃天地之间。'最能写先生之真。五、先生精力弥满，不松不懈。张功甫和先生之《贺新郎》曰：'何日相从云水去，看精神峭紧芝田鹤。''精神峭紧'四字最能得先生神理。六、先生富于建设性。上饶与铅山两宅，构造皆自出意匠，见洪景卢《稼轩记》及丘宗卿和《汉宫春》词。不宁唯是，即在传舍之官府，亦复如之。知滁州，则建奠枕楼、繁雄馆，见周孚《奠枕楼记》。帅浙东，则建秋风亭，见张功甫和《汉宫春》词题。七、先生对于家人之爱极厚。见哭子诗及寿其夫人词。然殊不恋家，常独居于外，甚且在距家不远之萧寺度岁，见'元日投宿博山寺'之《水调歌头》。八、先生虽好营第宅，然绝非求田问舍者流。以渊明之超逸，其宅毁于火，集中且数见。先生带湖之甲第毁于火，六百二十三首词中，无一语道及。证以本集，此虽小事，然性格实与常人殊。九、先生交游虽广，然择友颇严。唯与朱晦庵、陈同甫二人交最笃，见《祭朱晦翁文》、《祭陈同甫文》及唱和诸作。此外如洪氏兄弟、韩氏父子、赵氏兄弟等，则诗酒之交而已。十、先生宗教观念似颇薄。虽常寄居于僧院，然集中与方外人词，似仅'别澄上人并送性禅师'之《浣溪沙》一首，且犹是题于壁上而非写呈，有韩仲止之和章可证。岂以当时当地无高僧，先生视此碌碌者为不足与耶？唯丙寅九月二十八日，有律诗一首云：'渐识虚空不二门，扫除诸幻绝尘根。此心自拟终成佛，许事从今只任真。'丙寅九月二十八日，距属纩已不满一年，可见人之精神，终须求一最后之归宿，殆天性也。"

稼轩一生作词甚多，今存六百二十余首，为两宋词人之冠。辛词刊本有四卷本，分甲、乙、丙、丁四集，称《稼轩词》；十二卷本，称《稼轩长短句》。《全宋词》据四卷本，补以十二卷本及《稼轩词补遗》，另从《清波别志》、《草堂诗余后集》、《类编草堂诗余》、《永乐大典》等补入五首，共六百二十五首。其诗文集自明代中叶后失传，今人邓广铭有《辛稼轩诗文抄存》，辑录诗二十余首，文十七篇。

李濂《批点稼轩长短句序》："稼轩有逸才，长于填词，平生与朱晦庵、陈同父、洪景卢、刘改之辈相友善。晦庵《答稼轩启》有曰：'经纶事业，股肱王室之心；游戏文章，脍炙士林之口。'刘改之气雄一世，其寄稼轩词有曰：'古岂无人，可以似吾稼轩者谁？'后百余年，邯郸张埜过其墓而以词酹之曰：'岭头一片青山，可能埋得凌云气？'又曰：'谩人间留得阳春白雪，千载下无人继观。'同时之所推奖，异代之所追

慕，则稼轩人品之豪，词调之美，概可见矣。"刘熙载《艺概》卷四："辛稼轩风节建
竖，卓绝一时，惜每有成功，辄为议者所沮。观其《踏莎行》和赵兴国有云：'吾道悠
悠，忧心悄悄。'其志与遇概可知矣。《宋史》本传称其'雅善长短句，悲壮激烈'，
又称'谢枋勘过其墓旁，有疾声大呼于堂上，若鸣其不平'。然则其长短句之作，固莫
非假之鸣者哉？"汪莘《方壶诗余自序》："唐宋以来词人多矣，其词主乎淫，谓不淫非
词也。余谓词何必淫？顾所寓何如尔。余于词所爱喜者三人焉，盖至东坡而一变，其
豪妙之气，隐隐然流出言外，天然绝世，不假振作；二变而为朱希真，多尘外之想，
虽杂以微尘，而其清气自不可没；三变而为辛稼轩，乃写其胸中事，尤好陶渊明。此
词之三变也。"刘克庄《辛稼轩集序》："辛公文墨议论尤英伟磊落。乾道、绍熙奏篇及
所进《美芹十论》、上虞雍公《九议》，笔势浩荡，智略辐凑，有《权书》、《衡论》之
风。其策完颜氏之祸，论请绝岁币，皆验于数十年之后。符离之役，举一世以咎任事
将相，公独谓张公虽未捷，亦非大败，不宜罪去。又欲使李显忠将精锐三万出山东，
使王任开赵贾瑞辈领西北忠义为前锋。其论与尹少稷王瞻叔诸人绝异。……世之知公
者，诵其诗词，而以前辈谓有井水处皆倡柳词，余谓耆卿直留连光景、歌咏太平尔；
公所作大声镗鞳，小声铿鍧，横绝六合，扫空万古，自有苍生以来所无。其秾纤绵密
者亦不在小晏、秦郎之下。"又《刘叔安感秋八词跋》："近岁放翁、稼轩一扫纤艳，不
事斧凿，高则高矣，但时时掉书袋，要是一癖。"魏庆之《诗人玉屑》卷二一引《中兴
词话》："'宝钗分，桃叶渡……'此辛稼轩词也，风流妩媚，富于才情，若不类其为
人矣。至于《贺王宣子平寇》则云：'白羽风生貔虎噪，青溪路断猩鼯泣。'《送郑舜
举赴召》则云：'此老自当兵十万，长安正在天西北。'与夫'吴楚地，东南坼，英雄
事，曹刘敌。被西风吹尽，了无陈迹'等语，则铁石心肠发于词气间，凛凛也。盖其
天才既高，无适而不宜，故能如此。"陈模《怀古录》卷中："蔡光工于词，靖康间陷
于虏中。辛幼安常以诗词参请之，蔡曰：'子之诗则未也，他日当以词名家。'故稼轩
归本朝，晚年词笔尤高。尝作《贺新郎》云：'绿树听鹈鴂……'此词尽集许多怨事，
全与李太白《拟恨赋》手段相似。又止酒赋《沁园春》云：'杯汝来前……'此又如
《答宾戏》、《解嘲》等作，乃是把古文手段寓之于词。赋《筑偃湖》云：'叠嶂西驰
……'且说松而及谢家子弟、相如车骑、太史公文章，自非脱落故常者未易闯其堂奥。
刘改之所作《沁园春》，虽颇似其豪，而未免于粗。近时作词者只说周美成、姜尧章
等，而以稼轩词为豪迈，非词家本色。紫岩潘坊云：'东坡词诗，稼轩词论。'此说固
当。盖曲者曲也，固当以委曲为体，然徒狃于风情婉变，则亦不足以启人意。回视稼
轩所作，岂非万古一清风也？"周密《浩然斋雅谈》卷下："辛幼安尝有句云：'闻道
绮陌东头，行人曾见，帘底纤纤月。'则以月喻足，无乃太媟乎。"刘辰翁《辛稼轩词
序》："词至东坡，倾荡磊落，如诗如文，如天地奇观，岂与群儿雌声学语较工拙，然
犹未至用经用史，牵《雅》《颂》入郑卫也。自辛稼轩前，用一语如此者必且掩口。及
稼轩横竖烂漫，乃如禅宗棒喝，头头皆是；又如悲笳万鼓，平生不平事并厄酒，但觉
宾主酣畅，谈不暇顾。词至此亦足矣。然陈同父效之，则与左太冲入群媸相似，亦无
面而返。嗟乎，以稼轩为坡公少子，岂不痛快灵杰可爱哉，而愁髻龋齿作腰步者阘然
笑之。《敕勒之歌》拙矣，'风吹草低'之句，与'大风起'语高下相应，知音者少。

顾稼轩胸中今古，止用资为词，非不能诗，不事此耳。斯人北来，喑呜鸷悍，欲何为者；而诮摈销沮，白发横生，亦如刘越石。陷绝失望，花时中酒，托之陶写，淋漓慷慨，此意何可复道，而或者以流连光景、志业之终恨之，岂可向痴人说梦哉。为我楚舞，吾为若楚歌，英雄感怆，有在常情之外，其难言者未必区区妇人孺子间也。"张炎《词源》卷下："辛稼轩、刘改之作豪气词，非雅词也。于文章余暇，戏弄笔墨，为长短句之诗耳。"沈义父《乐府指迷》："近世作词者，不晓音律，乃故为豪放不羁之语，遂借东坡、稼轩诸贤自诿。诸贤之词，固豪放矣，不豪放处，未尝不叶律也。如东坡之《哨遍》、杨花之《水龙吟》、稼轩之《摸鱼儿》之类，则知诸贤非不能也。"赵文《吴山房乐府序》："近世辛幼安跌荡磊落，犹有中原豪杰之气，而江南言词者宗美成，中州言词者宗元遗山，词之优劣未暇论，而风气之异，遂为南北强弱之占，可感已。"陈霆《渚山堂词话》卷二："辛稼轩词，或议其多用事，而欠流便。予览其《琵琶》一词，则此论未足凭也。《贺新郎》云：'凤尾龙香拨……'此篇用事最多，然圆转流丽，不为事所使，称是妙手。"王世贞《艺苑卮言》附录："词至辛稼轩而变，其源实自苏长公，至刘改之诸公极矣。南宋如曾觌、张抡辈应别之作，志在铺张，故多雄丽。稼轩辈抚时之作，意存感慨，故饶明爽。然而秾情致语，几于尽矣。"俞彦《爰园词话》："唐诗三变愈下，宋词殊不然。欧、苏、秦、黄，足当高、岑、王、李。南渡以后，矫矫陡健，即不得称中宋、晚宋也。唯辛稼轩自度粱肉不胜前哲，特出奇险为珍错供，与刘后村辈俱曹洞旁出。学者正可钦佩，不必反唇并捧心也。"杨慎《词品》卷二："辛稼轩词'泛菊杯深，吹梅角暖'，盖用易安'染柳烟轻，吹梅笛怨'也。然稼轩改数字更工，不妨袭用，不然，岂盗狐白裘手耶？"刘体仁《七颂堂词绎》："稼轩'杯汝前来'，《毛颖传》也；'谁共我，醉明月'，《恨赋》也，皆非词家本色。"又："文字总要生动，镂金错采，所以为笨伯也。词尤不可参一死句。辛稼轩非不自立门户，但是散仙入圣，非正法眼藏。"贺裳《皱水轩词筌》："稼轩虽入粗豪，尚饶骨气。其不堪者，如'以手推松曰去'、'一松一竹真朋友，山鸟山花好弟兄'及'检点人间快活人，未有如翁者'等句耳。"彭孙遹《金粟词话》："稼轩之词，胸有万卷，笔无点尘，激昂措宕，不可一世。"邹祗谟《远志斋词衷》："词至稼轩，经子百家，行间笔下，驱斥如意。"又："稼轩雄深雅健，自是本色，俱从南华冲虚得来。然作词之多，亦无如稼轩者。中调短令亦间作妩媚语，观其得意处，真有压倒古人之意。"沈谦《填词杂说》："稼轩词以激荡奋厉为工，至'宝钗分，桃叶渡'一曲，昵狎温柔，魂销意尽，才人伎俩，真不可测。"王士禛《花草蒙拾》："石勒云：'大丈夫磊磊落落，终不学曹孟德、司马仲达狐媚。'读稼轩词，当作如是观。"沈雄《古今词话·词品》下卷："稼轩《踏莎行》云：'长沮桀溺耦而耕，某何为是栖栖者。'……用经书语入词，毕竟非第一义。"又："杨慎曰：'词于文章为末艺，非自选诗、乐府来，必不能入妙。'……若在稼轩，诸子百家，行间笔下，驱斥如意矣。如'天气殊未佳，汝定成行否？得且住为佳耳'，此晋帖中无名氏语也，语本入妙，而稼轩引用之。"又《古今词话·词评》上卷："稼轩亦有不堪者，'一松一壑真朋友，山鸟山花好弟兄'是也。"徐釚《词苑丛谈》卷四："梨庄云：'辛稼轩当弱宋末造，负管、乐之才，不能尽展其用，一腔忠愤，无处发泄。观其与陈同甫抵掌谈论，是何等人物。故其悲歌慷慨、抑郁无聊之气，一寄之于词。今乃欲与搔头傅粉者比，是岂知稼轩者。'王阮亭谓：'石勒云：大丈夫磊磊落落，终不学曹孟德、司马仲达狐媚。稼轩词当作如是观。'予谓有稼轩之心胸，殆可为稼轩之词。"四库提要卷一九八："《稼轩词》四卷。……其词慷慨纵横，有不可一世之概，于倚声家为变调，而异军特起，能于剪红刻翠之外，屹然别立一宗，迄今不废。观其才气俊迈，虽似乎奋笔而成，然岳珂《桯史》记弃疾自诵《贺新凉》、《永遇乐》二词，使座客指摘其失。珂谓《贺新凉》词首尾二腔语句相似，《永遇乐》词用事太多。弃疾乃自改其语，日数十易，累月犹未竟，其刻意如此云云，则未始不由苦思得矣。"李调元《雨村词话》卷三："辛稼轩词肝胆激烈，有奇气，腹有诗书，足以运之，故喜用四书成语，如自己出。如'今日既盟之后'、'贤哉回也'、'先觉者贤乎'等句，为词家另一派。"田同之《西圃词说》："今人论词，动称辛、柳，不知稼轩词以'佛狸祠下，一片神鸦社鼓'为最，过此则颓然放矣。"又引华亭宋尚木征璧曰："稼轩之豪爽，而或伤于霸。"陈其年《词选序》："东坡、稼轩诸长调，又骎骎乎如杜甫之歌行，西京之乐府也。盖天之生才不尽，文章之体格亦不尽。"周济《介存斋论词杂著》："稼轩不平之鸣，随处辄发，有英雄语，无学问语，故往往锋颖太露。然其才情富艳，思力果锐，南北两朝，实无其匹，无怪流传之广且久也。世以苏、辛并称，苏之自在处，辛偶能到。辛之当行处，苏必不能到。二公之词，不可同日语也。后人以粗豪学稼轩，非徒无其才，并无其情。稼轩固是天才，然情至处，后人万不能及。"又："北宋词多就景叙情，故珠圆玉润，四照玲珑。至稼轩、白石，一变而为即事叙景，使深者反浅，曲者反直。吾十年来服膺白石，而以稼轩为外道，由今思之，可谓瞽人扪籥也。稼轩郁勃，故情深；白石放旷，故情浅。稼轩纵横，故才大；白石局促，故才小。唯《暗香》、《疏影》二词，寄意题外，包蕴无穷，可与稼轩伯仲。"又《宋四家词选序论》："稼轩敛雄心，抗高调，变温婉，成悲凉。……苏、辛并称。东坡天趣独到处，殆成绝诣，而苦不经意，完璧甚少。稼轩则沈著痛快，有辙可循，南宋诸公无不传其衣钵，固未可同年而语也。稼轩由北开南，梦窗由南追北，是词家转境。……白石脱胎稼轩，变雄健为清刚，变驰骤为疏宕。盖二公皆极热中，故气味吻合。辛宽姜窄，宽故容秽，窄故斗硬。"吴蘅照《莲子居词话》卷一："辛稼轩别开天地，横绝今古。《论》、《孟》、《诗小序》、《左氏春秋》、《南华》、《离骚》、《史》、《汉》、《世说》、《选》学、李杜诗，拉杂运用，弥见其笔力之峭。"邓廷桢《双砚斋词话》："世称词之豪迈者，动曰苏、辛，不知稼轩词自有两派，当分别观之。如《金缕曲》之'听我三章约'、'甚矣吾衰矣'二首，及《沁园春》、《水调歌头》诸作，诚不免一意迅驰，专用骄兵。若《祝英台近》之'是他春带愁来，春归何处。却不解、带将愁去'，《摸鱼儿》发端之'更能消、几番风雨，匆匆春又归去'，结语之'休去倚危阑，斜阳正在，烟柳断肠处'，《百字令》之'旧恨春江流不尽，新恨云山千叠'，《水龙吟》之'楚天千里清秋，水随天去秋无际。遥岑远目，献愁供恨，玉簪螺髻'，《满江红》之'怕流莺乳燕，得知消息'，《汉宫春》之'年时燕子，料今宵梦到西园'，皆独茧初抽，柔毛欲腐，平欺秦、柳，下轹张、王。宗之者固仅袭皮毛，诋之者亦未分肌理也。"李佳《左庵词话》卷上："辛稼轩词，慷慨豪放，为词家别调。集中多寓意作，如《摸鱼儿》云：'更能消、几番风雨，匆匆春又归去。惜春长怕花开早，何况落红无数。春且住。见说道、天涯芳草无归路。怨春不语。算只有殷勤，画檐蛛网，尽日惹飞絮。　　长门事，准拟佳期又误。蛾眉曾有人妒。千金纵买相如赋，脉脉此情谁诉。君莫舞。君不见、玉环飞燕皆尘土。闲愁最苦。休去倚危阑，斜阳正在、烟柳断肠处。'又如：'怕上层楼，十日九烟雨。断肠点点飞红，都无人管，更谁劝、流莺声住。'又如：'一番风雨，一番狼藉。尺素如今何处也，绿云依旧无踪迹。谩教人、羞去上层楼，平芜碧。'又如：'把吴钩看了，阑干拍遍，无人会、登临意。'又如：'剩水残山无态度，被疏梅、料理成风月。两三雁、也萧瑟。'此类甚多，皆为北狩南渡而言。以是见词不徒作，岂仅批风咏月。"刘熙载《艺概》卷四："稼轩词龙腾虎掷，任古书中理语、廋语，一经运用，便得风流，天姿是何复异。"又："苏、辛皆至情至性人，故其词潇洒卓荦，悉出于温柔敦厚。世或以粗犷托苏、辛，固宜有视苏、辛为别调者哉。"又："白石才子之词，稼轩豪杰之词。才子豪杰，各从其类爱之，强论得失，皆偏辞也。"又："陈同甫与稼轩为友，其人才相若，词亦相似。"谢章铤《赌棋山庄词话》卷一："学稼轩，要于豪迈中见精致。近人学稼轩，只学得莽字、粗字，无怪阑入打油恶道。试取辛词读之，岂一味叫嚣者所能望其顶踵？……学稼轩者，胸中须先具一段真气奇气，否则虽纸上奔腾，其中俄空焉，亦萧萧索索如牖下风耳。"又卷四："稼轩《摸鱼儿》（'更能消几番风雨'阕）、《永遇乐》（'如此江山'阕）等篇，其句法连属处，按之律谱，率多参差。……盖词人笔兴所至，不能不变化。"冯煦《蒿庵论词》："稼轩负高世之才，不可羁勒，能于唐、宋诸大家外，别树一帜。自兹以降，词遂有门户主奴之见。而才气横轶者，群乐其豪纵而效之，乃至里俗浮嚣之子，亦靡不推波助澜，自托辛、刘，以屏蔽其陋，则非稼轩之咎，而不善学者之咎也。即如集中所载《水调歌头》'长恨复长恨'一阕，《水龙吟》'昔时曾有佳人'一阕，连缀古语，浑然天成，既非东家所能效颦，而《摸鱼儿》、《西河》、《祝英台近》诸作，摧刚为柔，缠绵悱恻，尤与粗犷一派判若秦、越。"又："龙洲自是稼轩附庸，然得其豪放，未得其宛转。"陈廷焯《词坛丛话》："稼轩词，粗粗莽莽，桀傲雄奇，出坡老之上。唯陆游《渭南集》可与抗手，但运典太多，真气稍逊。"又："稼轩词非不运典，然运典虽多，而其气不掩，非放翁所及。"《白雨斋词话》卷一："苏、辛并称，然两人绝不相似。魄力之大，苏不如辛；气体之高，辛不逮苏远矣。"又："辛稼轩，词中之龙也，气魄极雄大，意境却极沉郁。不善学之，流入叫嚣一派，论者遂集矢于稼轩，稼轩不受也。"又："稼轩词如《永遇乐》（京口北固亭怀古）、《南乡子》（登京口北固亭）、《浪淘沙》（山寺夜作）、《瑞鹤轩》（南涧双溪楼）等类，才气虽雄，不免粗鲁。"又："稼轩《水调歌头》诸阕，直是飞行绝迹。一种悲愤慷慨郁结于中，虽未能痕迹消融，却无害其为浑雅，后人未易摹仿。"又："稼轩词仿佛魏武诗，自是有大本领、大作用人语。"又："稼轩词着力太重处，如《破阵子》（为陈同甫赋壮诗以寄之）、《水龙吟》（过南涧双溪楼）等作，不免剑拔弩张。余所爱者，如'红莲相倚浑如怨，白鸟无言定是愁'；又，'不知筋力衰多少，但觉新来懒上楼'；又，'城中桃李愁风雨，春在溪头荠菜花'之类，信笔写去，格调自苍劲，意味自深厚。不必剑拔弩张，洞穿已过七札，斯为绝技。"又："稼轩最不工绮语。'寻芳草'一章，固属笑柄，即'蓦然回首，那人却在，灯火阑珊处'及'玉觞泪满却停筋，怕酒似、郎情薄'，亦了无余味。唯'尺书如今何处也，绿云依旧无踪迹'，又'芳草不迷行客路，垂杨只碍离人目'为婉妙。然可作无题，亦不定是绮言也。"又："放翁词亦为当时所推重，几欲与稼轩颉颃，然粗而不精，枝而不理，去稼轩远甚。大抵稼轩一体，后人不易学步。无稼轩才力，无稼轩胸襟，又不处稼轩境地，欲于粗莽中见沉郁，其可得乎？"又卷六："稼轩词，于雄莽中别饶隽味。如'马上离愁三万里，望昭阳宫殿孤鸿没'，又'休去倚危栏，斜阳正在，烟柳断肠处'，多少曲折。惊雷怒涛中，时见和风暖日，所以独绝古今，不容人学步。"又："稼轩词如'旧恨春江流不尽，新恨云山千叠'，又'前度刘郎今重到，问玄都千树花存否'，又'重阳节近多风雨'，又'秋江上，看惊弦雁避，骇浪船回'，又'佳处径须携杖去，能消几两平生屐。笑尘劳三十九年非，长为客'，又'楼观甫成人已故，旌旗未卷头先白。叹人生哀乐转相寻，今犹昔'，又'秋晚莼鲈江上，夜深儿女灯前'，又'三十六宫花溅泪，春声何处说兴亡。燕双双'，又'布被秋宵梦觉，眼前万里江山'，又'功成者去，觉团扇便与人疏。吹不断斜阳依旧，茫茫禹迹都无'，皆于悲壮中见深厚。后之狂呼叫嚣者，动托苏、辛，真苏、辛之罪人也。"又："稼轩词有以朴处见长，愈觉情味不尽者。如《水调歌头》结句云：'东岸绿阴少，杨柳更须栽。'信手拈来，便成绝唱，后人亦不能学步。"又："东坡心地光明磊落，忠爱根于性生，故词极超旷，而意必和平。稼轩有吞吐八荒之概，而机会不来，正则可以为郭、李，为岳、韩，变则即桓温之流亚，故词极豪雄，而意极悲郁。苏、辛两家，各自不同。"又："稼轩《满江红》（送李正之提刑入蜀）云：'东北看剩诸葛表，西南更草相如檄。把功名，收拾付君侯，如椽笔。'又云：'赤壁矶头千古恨，铜鞮陌上三更月。正梅花、万里雪深时，须相忆。'龙吟虎啸之中，却有多少和缓。不善学之，狂呼叫嚣，流弊何极。"又卷七："辛稼轩词运用唐人诗句，如淮阴将兵，不以数限，可谓神勇。而亦不能牢笼万态，变而愈工，如腐迁《夏本纪》之点窜《禹贡》也。"又卷八："东坡词全是王道，稼轩则兼有霸气，然犹不悖于王也。"又："稼轩求胜于东坡，豪壮或过之，而逊其清超，逊其忠厚。"张德瀛《词徵》卷三："辛稼轩檃括陶渊明诗，以江窗借叶濛韵，卷二《一剪梅》，亦以窗借叶丛韵。案刘熙《释名》曰：'窗，聪也，《尚书·舜典》"达四聪"，杜预注四聪作"四窗"。'鲍明远诗，亦以窗叶东韵，读'窗'若'聪'。词非其类，稼轩殆因陶诗而偶用之。"又卷五："辛稼轩用四书语，气韵之胜，离貌得神，又非徒以青兕自雄者。"又："稼轩词，趣昭事博，深得漆园遗意，故篇首以秋水观冠之。其题张提举玉峰楼词，借庄叟自喻，意已可知。它如《兰陵王》引梦蝶事，《水调歌头》引吓鼠鲲鹏事，此类不一而足。其词凌高厉空，殆夸而有节者也。"又："稼轩寄吴子似词云：'酌酒援北斗，我亦虱其间。'用韩退之诗：'得无虱其间，不武亦不文。'又《汉宫春》词'却笑东风，从此便薰梅染柳，更没些闲。'案李昌谷《瑶华乐》'薰梅染柳将赠君'，本指仙乐，盖与辛词异诂。"王国维《人间词话》："南宋词人，白石有格而无情，剑南有气而乏韵。其堪与北宋人颉颃者，唯一幼安耳。近人祖南宋而祧北宋，以南宋之词可学，北宋不可学也。学南宋者，不祖白石，则祖梦窗，以白石、梦窗可学，幼安不可学也。学幼安者，率祖其粗犷滑稽，以其粗犷滑稽处可学，佳处不可学也。幼安之佳处，在有性情有境界。即以气象论，亦有'横素波、干青云'之概，宁后世龌龊小生所可拟耶？"

又："东坡之词旷，稼轩之词豪。"又："读东坡、稼轩词，须观其雅量高致，有伯夷、柳下惠之风。"又："稼轩中秋饮酒达旦，用《天问》体作《木兰花慢》以送月，曰：'可怜今夕月，向何处、去悠悠。是别有人间，那边才见，光景东头。'词人想象，直悟月轮绕地之理，与科学家密合，可谓神悟。"又《人间词话删稿》："稼轩《贺新郎》词送茂嘉十二弟，章法绝妙，且语语有境界，此能品而几于神者。然非有意为之，故后人不能学也。"又："稼轩《贺新郎》词：'柳暗凌波路。送春归猛风暴雨，一番新绿。'又《定风波》词：'从此酒酣明月夜。耳热。''绿''热'二字，皆作上去用。与韩玉《东浦词·贺新郎》以'玉''曲'叶'注''女'，《卜算子》以'夜''谢'叶'食''月'，已开北曲四声通押之祖。"况周颐《蕙风词话》卷一："东坡、稼轩，其秀在骨，其厚在神。"又卷三："辛、党二家，并有骨干，辛凝劲，党疏秀。"蒋兆兰《词说》："南宋辛稼轩，运深沉之思于雄杰之中，遂以苏、辛并称。他如龙洲、放翁、后村诸公，皆嗣响稼轩，卓卓可传者也。"陈洵《海绡说词》："词笔莫妙于留，盖能留则不尽而有余味。离合顺逆，皆可随意指挥，而沉深浑厚，皆由此得。虽以稼轩之纵横，而不流于悍疾，则能留故也。"又："尝论词有真气，有盛气。真气内充，盛气外著，此稼轩也。学稼轩者无其真气，而欲袭其盛气，鲜有不败者矣。能者则真气内含，盛气外敛。"蔡嵩云《柯亭词论》："看人词极难，看作家之词尤难。……有原意本深，而视之过浅者，如稼轩词多有寓意，后人但看其表面，以为豪语易学是也。"又："稼轩词，豪放师东坡，然不尽豪放也。其集中，有沉郁顿挫之作，有缠绵悱恻之作，殆皆有为而发。其修辞亦种种不同，焉得概以'豪放'二字目之。"

刘克庄《后村诗话》续集卷四："稼轩五言绝句，《元日》云：'老病忘时节，空斋晓尚眠。儿童唤翁起，今日是新年。'《偶题》云：'黄花眼倦开，见酒手频推。不恨吾年老，恨他将病来。'七言云：'错处真成九州铁，落时能得几钓丝。酒肠未减长鲸吸，诗思如抽独茧丝。'皆佳句，然为词所掩。"

稼轩卒后，平生交游者之哀辞祭文现唯存陆游、项安世二人之作，余皆已无可考。陆游《寄赵昌甫》有句云："君看幼安气如虎，一病遽已归荒墟。"刘克庄《后村诗话》续集卷四："项平庵《祭辛幼安》：'人之生也能致天下之憎，则其死也必享天下之名。岂天之所生必死而后美，盖人之所憎必死而后正，呜呼哀哉！死者人之所恶，公乃以此而为荣；予者公之所爱，必当与我而皆行。局旦暮而相从，固予心之所爱；尚眠食以偷生，恨公行之不待！'自昔哀词未有悲于此者。"

本月，方信孺以忤韩侂胄，坐用私觌物擅作大臣馈遗金将，夺三官，临江军居住。

秋

陆游感慨故旧零落，赋诗寄怀。题曰《绍兴辛未至丙子六年间，予年方壮，每遇重九，多与一时名士登高于戬山宇泰阁，距开禧丁卯六十年，忧患契阔，何所不有，追数同游诸公，乃无一人在者，而予犹强健，惨怆不能已，赋诗识之》。按，自绍兴辛未至丙子六年间，陆游于癸酉赴锁厅试，甲戌赴礼部试，余时均里居。同游之人见于诗文中可知者，有王峤、陈山、王廉清及从兄升之等。

十一月

韩侂胄、苏师旦被诛杀；陈自强被贬永州居住；周筠被杖脊，刺配岭外。

十二月

丘崈为江、淮制置大使；史弥远以礼部尚书同知枢密院事；落叶适宝文阁待制；夺许及之二官，泉州居住；卫泾参知政事。

冬

陆游赋诗《书文稿后》。诗云："上蔡牵黄犬，丹徒作布衣。苦言谁解听？临祸始知非。"按：钱仲联《剑南诗稿校注》卷七十四此诗"题解"曰："此诗开禧三年冬作于山阴，伤韩侂胄之死也。文稿盖指《南园记》。记文不收入《渭南文集》，见毛晋所辑《放翁逸稿》。作记在庆元五、六年间。文中有云：'自绍兴以来，王公将相之园林相望，莫能及南园之仿佛者，公之志岂在于登临游观之美哉。始曰"许闲"，终曰"归耕"，是公之志也。公之为此名，皆取于忠献王（韩琦）之诗，则公之志，忠献之志也。……或曰：上方倚公如济大川之舟，公虽欲遂其志，其可得哉？是不然。知上之倚公而不知公之自处，知公之勋业而不知公之志，此南园之所以不可无述。'此游之所谓'苦言'也。"陆游又有《读书杂言》亦有感于韩侂胄及韩党之被杀被逐而发。另有《观诸将除书》，望朝廷严将帅之选；《杂兴》其三，叹朝廷抗金意志不坚，恐蹈昔年和议之覆辙。

本年

姜夔作《卜算子》八首。题曰："吏部梅花八咏，夔次韵。"按，吏部指曾三聘，宁宗时为考功郎，故有是称。

章良能直舍人院除直学士院。

张镃为司农少卿，坐事追两官，送广德军居住。

王居安为秘书丞、著作郎兼考功郎官。

易袚追三官，融州安置。

金王若虚除门山令，撰《门山县吏隐堂记》。

史达祖本年在世，生卒年不详。达祖字邦卿，号梅溪，祖籍汴，寓居杭州。早年屡试不第，飘泊于扬州、荆楚一带，曾任幕僚之职。韩侂胄为平章事，达祖为省吏，奉行文字，拟帖撰旨，俱出其手。权炙缙绅，侍从简札，至用申呈。开禧三年，韩侂胄被诛，史达祖亦被黥面流放。事迹见《四朝闻见录》丙集、戊集及《浩然斋雅谈》卷上。达祖以词名世，著有《梅溪词》，今存《唐宋名贤百家词》抄本、《宋元名家词》抄本、汲古阁《宋六十名家词》本、《四印斋所刻词》本、《四库全书》本等。一九八八年上海古籍出版社雷履平、罗焕章校注本，共收词一百一十二首。

张镃《题梅溪词》："盖生之作，辞情俱到，织绡泉底，去尘眼中，妥帖轻圆，特其余事。至于夺苕艳于春景，起悲音于商素，有环奇警迈、清新闲婉之长，而无泚荡污淫之失，端可以分镳清真，平睨方回，而纷纷三变行辈，几不足比数。"黄昇《中兴以来绝妙词选》卷七："史邦卿名达祖，号梅溪，有词百余首。……尧章称其词奇秀清逸，有李长吉之韵，盖能融情景于一家，会句意于两得。"胡薇元《岁寒居词话》："梅溪词极工，镃称其'分镳清真，平睨方回，三变行辈，不足比数'，则未免推奖溢美矣。姜尧章云：'邦卿词奇秀清逸，融情景于一家，会句意于两得。'此论平允。"张炎《词源》卷下："词中句法，要平妥精粹。一曲之中，安能句句高妙，只要拍搭衬副得去，于好发挥笔力处，极要用功，不可轻易放过，读之使人击节可也。……如史邦卿春雨云：'临断岸、新绿生时，是落红、带愁流处。'灯夜云：'自怜诗酒瘦，难应接许多春色。'……此皆平易中有句法。"又："诗难于咏物，词为尤难。体认稍真，则拘而不畅，模写差远，则晦而不明。要须收纵联密，用事合题。一段意思，全在结句，斯为绝妙。如史邦卿《东风第一枝》咏春雪云：'巧剪兰心……'《绮罗香》咏春雨云：'做冷欺花……'《双双燕》咏燕云：'过春社了……'皆全章精粹，所咏了然在目，且不留滞于物。"毛晋《梅溪词跋》："余幼读《双双燕》词，便心醉梅溪。今读其全集，如'醉玉生香'、'柳发梳月'等语，则'柳昏花暝'之句又不足多矣。"王士禛《史邦卿词跋》："史达祖邦卿，南渡后词家冠冕。"又《花草蒙拾》："宋南渡后，梅溪、白石、竹屋、梦窗诸子，极妍尽态，反有秦、李未到者。虽神韵天然处或减，要自令人有观止之叹。"邹祗谟《远志斋词衷》："咏物固不可不似，尤忌刻意太似。取形不如取神，用事不若用意，宋词至白石、梅溪，始得个中妙谛。"又引朱承爵《存余堂诗话》："梅溪、白石、竹山、梦窗诸家，丽情密藻，尽态极妍。要其瑰琢处，无不有蛇灰蚓线之妙，则所云一气流贯也。"又："南宋词人，如白石、梅溪、竹屋、梦窗、竹山诸家之中，当以史邦卿为第一。昔人称其分镳清真，平睨方回，纷纷三变行辈，不足比数，非虚言也。"四库提要卷一九九："达祖人不足道，而词则颇工。……清词丽句，在宋季颇属铮铮，亦未可以其人掩其文也。"江春《乾隆刊本白石诗词序》："以禅宗论，白石为曹溪六祖能，竹屋、梦窗、梅溪、玉田之流，则江西让、南岳思之分支也。"李调元《雨村词话》卷三："史达祖《梅溪词》最为白石所赏，炼句清新，得未曾有，不独《双双燕》一阕也。余读其全集，爱不释手，间书佳句，汇为摘句图。起句云：'杏花烟，梨花月，谁与晕开春色。'又，'馆娃春睡起，为发妆酒暖，脸霞轻腻。'又，'蕙花老尽《离骚》句，绿染遍，江头树。'又，'秋是愁乡，自锦瑟断弦，有泪如江。'又，'雨入愁边翠树，晚无人，风叶如颤。'又，'秋风早入潘郎鬓，斑斑遽惊如许。'又，'阑干只在鸥飞处。'又，'鸳鸯拂破蘋花影，低低趁凉飞去。'又，'西风来劝凉云去，天东放开金镜。'又，'好领青衫，全不向诗书重得。'又，'人若梅娇，正愁横断坞，梦绕溪桥。'又咏雪云：'梦回虚白初生，便疑冷月通窗户。'又尾句云：'明朝双燕定归来，叮嘱重帘休放下。'又，'深闭重门听夜雨。'又，'如今但柳发晞春，夜来和露梳月。'又，'直须吟就绿杨篇，湾头寄小怜。'又，'将愁去也，不成今世，终误王昌。'又，'记取崔徽模样，归来暗写。'又，'莫教无用月，来照可怜宵。'又，'想吾曹便是神仙也，问今夜是何夜。'又，'向来箫鼓地，犹见柳婆娑。'又，'瘦因缘此瘦，羞亦为郎羞。'又，'常待不吟诗，诗成癖。'又，'[新愁]换尽风流性，偏恨鸳鸯不念人。'又，'料也和前度金笼鹦鹉，说人情浅。'又散句云：'无人深巷，已早杏花先卖。'又，'最妨他佳约风流，钿车不到杜陵路。'又，'燕子不知愁，惊堕黄昏泪。'又，'梅春人不春。'又，'还因秀句，意流江外，便随轻梦，身堕愁边。'又，'讳道相思，偷理绡裙，自惊腰衩。'又，'余花未落，似供残蝶经营。'又，'蝴蝶一生花里活。'又，'船向少陵佳处放。'又，'怕见绿荷相倚恨，恨白鸥见了清波阔。'又，'折取断虹堪作钓，待玉奁今夜来时节。'又，'青榆钱小，碧苔钱古，难买东君住。'又，'西湖游子，惯识雨愁烟恨。'又，'沙鸥未落，怕愁沾诗句。'又，'卖花门馆生秋草，怅弯弓、几时重见。'又，'愁在何处，不离淡烟衰草。'又，'想凄凉欠郎偎抱。'又，'还被乱鸥飞去，秀句难续。'又，'可怜闲叶，犹抱凉蝉。'又，'谢娘悬泪立风前。'又，'见说西风，为人吹恨上瑶树。'又，'时有露萤自照，占风裳可喜影欹金。'又，'相思因甚到纤腰，定知我，今无魂可销。'又，'秦楚横殿可怜身。'又，'一程烟草一程愁。'又，'江痕妥帖，日光熨动黄金叶，阑干直下愁相接。一朵红莲，飞上越人楫。'又，'闭门明月关心，倚窗小梅索句。'此皆史氏碎金也。"周济《宋四家词选序论》："梅溪才思，可匹竹山，竹山粗俗，梅溪纤巧。"又《介存斋论词杂著》："梅溪甚有心思，而用笔多涉尖巧，非大方家数，所谓一钩勒即薄者。梅溪词中喜用'偷'字，足以定其品格矣。"邓廷桢《双砚斋词话》："史邦卿为中书省堂吏，事侂胄久。嘉泰间，侂胄亟持恢复之议，邦卿习闻其说，往往托之于词。如《双双燕》前阕云：'过春社了，度帘幕中间，去年尘冷。差池欲住，试入旧巢相并。还相雕梁藻井，又软语商量不定。'后阕云：'应自栖香正稳。便忘了天涯芳信。'《瑞鹤仙》云：'归鞭隐隐，便不念芳盟未稳。'《金缕曲》云：'落日年年宫树绿，堕新声、玉笛西风劲。'《玉蝴蝶》云：'故园晚，强留诗酒，新雁远，不致寒暄。'大抵写怨铜驼，寄怀麑幕，非止流连光景，浪作艳歌。"戈载《梅溪词选跋》："周清真善运化唐人诗句，最为词中神妙之境，而梅溪亦善其术，笔意更为相近。余尝谓梅溪乃清真之附庸，若仿张为作'词家主客图'，周为主，史为客，未始非定论也。"刘熙载《艺概》卷四："周美成律最精审，史邦卿句最警炼，然未得为君子之词者，周旨荡，而史意贪也。"孙麟趾《词径》："词中四字对句，最要凝炼，如史梅溪云'做冷欺花，将烟困柳'，只八个字，已将春雨画出。"陈廷焯《白雨斋词话》卷二："竹屋、梅溪并称，竹屋不及梅溪远矣。梅溪全祖清真，高者几于具体而微。论其骨韵，犹出梦窗之右。"又："梅溪词，如：'碧袖一声歌，石城怨、西风随去。沧波荡晚，菰蒲弄秋，还重到断魂处。'沉郁之至。又：'三年梦冷，孤吟意短，屡烟钟津鼓。屐齿厌登临，移橙后，几番凉雨。'亦居然美成复生。又《临江仙》结句云：'枉教装得旧时多。向来箫鼓地，曾见柳婆娑。'慷慨生哀，极悲极郁。较'临断岸、新绿生时。是落红、带愁流处'之句，尤为沉至。此种境界，却是梅溪独绝处。"又："梅溪《东风第一枝》（立春）精妙处，竟是清真高境。张玉田云：'不独措词精粹，又且见时节风物之感。'乃深知梅溪者。余谓白石、梅溪皆祖清真，白石化矣，梅溪或稍逊焉。然高者亦未尝不化，如此篇是也。"又卷八："白石一家，如闲云野鹤，超然物外，未易学步。……至梅溪则全祖清真，与白石分道扬镳，判然两途。"况周颐《蕙风词话》卷二："《寿楼春》，梅溪自度曲，前段：'因风飞絮，照花斜阳。'后段：'湘云人散，楚兰魂伤。'

风、飞，花、斜，云、人，兰、魂，并用双声叠韵字，是声律极细处。"又："梅溪词：'几曾湖上不经过。看花南陌醉，驻马翠楼歌。'下二语人人能道，上七字妙绝，似乎不甚经意，所谓'得来容易却艰辛'也。"王国维《人间词话》："梅溪、梦窗诸家写景之病，皆在一'隔'字。"又："咏物之词，自以东坡《水龙吟》为最工，邦卿《双双燕》次之。"蒋兆兰《词说》："史梅溪词，以幽秀胜。"夏敬观《忍古楼词话》："南宋唯史邦卿《梅溪词》为能炼铸精粹，上比清真，得其大雅，下方梦窗，不伤于涩。"

徐梦莘（1126—1207）卒，年八十二。**梦莘字商老，清江人。**绍兴二十四年进士，官潭州湘阴令，知宾州。因议盐法不合，罢归。绍熙五年，撰成《三朝北盟会编》二百五十卷。

张缜（？—1207）卒，生年不详。缜字季长，唐安人。隆兴元年进士。乾道间，为秘书省正字。淳熙间，知遂宁府。累官夔州路漕运使、大理少卿。绍熙二年，主管建宁府武夷山冲佑观。与陆游过从甚密，又与杨万里、周必大、袁说友相酬唱。杨万里称其"文辞高寒，山巉泉涌，楷法奇崛，铁屈石出。陶泓诸铭，山谷之菁；房湖诸记，柳子之裔；《鲁论明微》，闯神之机；《春秋述义》，泄圣之秘"（《答张季长少卿书》）。《爱日斋丛钞》卷三："张季长缜赋梅自序云：'余往岁和任子渊《梅花》诗有云：梦随影瘦溪横月，诗与香深竹拥门。子渊喜曰：新语也。又和张惠之诗云：有月婵娟来伴住，无人寂寞为谁香。薛元发屡相叹曰：清语也。后在双峰戏和陈齐正诗云：醉余钗拥横枝睡，梦破香随浅笑来。查元章偶见之，笑曰：韵语也。举酒相饮。'"今《全宋诗》录其诗九首，《全宋文》卷五七七二收有其文。事迹见《南宋馆阁录》卷八、《宋蜀文辑存作者考》。

第二章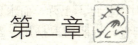

公元 1208 年至公元 1264 年　共 57 年

·引　言·

吴仲子《苔石效颦集序》：宋自南渡大江以来，中兴于杭，和议既成，上下率以诗文藻饰治具，文教益隆。至宁宗、理宗朝，经史纂修，发先儒之所未言者，至于今昭然如日星之丽乎上，彝伦之所以攸叙，人文之所以昭宣，深有赖焉。道统固根于人心，岂不因文而益著也？

《蟫精隽》卷一五：庆元、嘉定以来，有江湖谒客如龙洲刘过改之、石屏戴复古式之、壶山宋谦父自逊、阮梅峰秀实、林可山洪、孙花翁唯信季蕃、高菊涧九万、刘江村澜，号江湖体。

叶适《徐文渊墓志铭》：初，唐诗废久，君与其友徐照、翁卷、赵师秀议曰："昔人以浮声切响、单字只句计巧拙，盖风骚之至精也。近世乃连篇累牍，汗漫而无禁，岂能名家哉。"四人之语遂极其工，而唐诗由此复行矣。

又《题刘潜夫南岳集稿》：往岁徐道晖诸人，摆落近世律诗，敛情约性，因狭出奇，合于唐人，夸所未有，皆自号"四灵"云。于时刘潜夫年甚少，刻琢精丽，语特惊俗，不甘为雁行比也。今四灵丧其三矣，冢钜沦没，纷唱迭吟，无复第叙。而潜夫思益新，句益工，涉历老练，布置阔远，建大将旗鼓，非子孰当！

刘克庄《瓜圃集序》：近岁诗人，唯赵章泉五言有陶、阮意，赵蹈中能为韦体。如永嘉诗人，极力驰骤，才望见贾岛、姚合之藩而已。

又《韩隐君诗序》：古诗出于情性，发必善；今诗出于记问，博而已。自杜子美未免此病，于是张籍、王建辈稍束起书袋，划去繁缛，趋于切近。世喜其简便，竞起效颦，遂为晚唐体，益下，去古益远，岂非资书以为诗失之腐，捐书以为诗失之野欤。

又《虞德求诗序》：近世诗人莫盛于温、台。水心叶公倡于温，四灵辈和之；竹隐徐公倡于台，和者尤众，德求其一也。

王埜《石屏诗集跋》：近世以诗鸣者多学晚唐，致思婉巧，起人耳目，然终乏实用。所谓言之者无罪，闻之者足以戒，要不专在风云月露间也。

俞文豹《吹剑录》云：近世诗人好为晚唐体，不知唐祚至此，气脉浸微，士生斯时，无他事业，精神伎俩，悉见于诗。局促于一题，拘挛于律切，风容色泽，轻浅纤微，无复浑涵气象，求如中叶之全盛，李杜元白之瑰奇，长章大篇之雄伟，或歌或行之豪放，则无此力量矣。故体成而唐祚亦尽，盖文章之正气竭矣。今不为中唐全盛之体，而为晚唐哀思之音，岂习矣而不察耶？

《瀛奎律髓汇评》卷二〇方回评：叶水心适以文为一时宗，自不工诗，而永嘉四灵从其说，改学晚唐，诗宗贾岛、姚合。凡岛、合同时渐染者，皆阴持取摘用，骤名于时，而学之者不能有所加，日益下矣。名曰厌傍江西篱落，而盛唐一步不能少进。

方回《滕元秀诗集序》：近世为诗者，七言律宗许浑，五言律宗姚合，自谓足以符水心、四灵之好，而斗钉粉绘，率皆死语哑语。试令作七言大篇如苏、黄、李、杜，五言短篇如韦、陶、三谢、嵇、阮、建安七子，则皆缩手不能。又且借是以为游走乞索之具，而诗道丧矣。

又《送胡植芸北行序》：近世诗学许浑、姚合，虽不读书之人，皆能为五七言，无风云月露、冰雪烟霞、花柳松竹、莺燕鸥鹭、琴棋书画、鼓笛舟车、酒徒剑客、渔翁樵叟、僧寺道观、歌楼舞榭，则不能成诗。而务谀大官，互称道号，以诗为干谒乞觅之赀。败军之将，亡国之相，尊美之如太公望、郭汾阳。刊梓流行，丑状莫掩。鸣呼，江湖之弊，一至于此。

又《赠邵山甫字说》：近日江湖，言古文止于水心，言律诗止于四灵、许浑，又其实姑以藉口藉手，未尝深造其域者，识者所甚不取也。

张之翰《跋王吉甫直溪诗稿》：近时东南诗学，问其所宗，不曰晚唐，必曰四灵，不曰四灵，必曰江湖。盖不知诗法之弊始于晚唐，中于四灵，又终江湖。

杨慎《升庵诗话》卷九：黄鹨山评翁灵舒、戴式之诗云："近世有江湖诗者，曲心苦思，既与造化迥隔，朝推暮敲，而未有以溉其本根，而诗于是乎始卑。"然予以为其卑非自江湖始，宋初九僧已为许洞所困，又上溯于唐，则大历而下，如许浑辈，皆空吟不学，平生镂心呕血，不过五七言短律而已。

胡应麟《诗薮》外编卷五：宋末诸人学晚唐者，赵师秀"野水多于地，春山半是云"，徐道晖"流来天际水，裁断世间尘"，张功父"断桥斜取路，古寺半关门"，翁灵舒"岚蒸空寺坏，雪压小庵清"，世亦称之。然率浅近，不若惠崇辈之精深也。至戴式之、刘克庄辈，又自作一等晚唐，体益下矣（谢翱五言律亦然）。

王绰《薛瓜庐墓志铭》：永嘉之作唐诗者，首四灵。继灵之后，则有刘咏道、戴文子、张直翁、潘幼明、赵几道、刘成道、卢次夔、赵叔鲁、赵端行、陈叔方者作，而鼓舞倡率，从容指论，则又有瓜庐隐君薛景石者焉。……继诸家之后，又有徐太古、陈居端、胡象德、高竹友之伦。风流相沿，用意益笃，永嘉视昔之江西几似矣，岂不盛哉！

《瀛奎律髓汇评》卷二〇方回评：江湖游士，多以星命相卜，挟中朝尺书，奔走阃台郡县糊口耳。庆元、嘉定以来，乃有诗人为谒客者，龙洲刘过改之之徒不一人，石屏亦其一也。相率成风，至不务举子业，干求一二要路之书为介，谓之"阔匾"，副以诗篇，动获数千缗，以致万缗。如壶山宋谦父自逊，一谒贾似道，获楮币二十万缗以造华居是也。钱塘湖山，此曹什伯为群，阮梅峰秀实、林可山洪、孙花翁季蕃、高菊涧九万，往往雌黄士大夫，口吻可畏，至于望门倒屣。石屏为人则否，每于广坐中，口不谈世事，缙绅多之。然其诗苦于轻俗，高处颇亦清健，不至如高九万之纯乎俗。

如刘江村澜，最晚辈，本天台道士，能诗，还俗，磨莹工密，自谓晚唐。

《宋百家诗存》卷一四《芸居乙稿》：（陈起）开书肆于临安，鬻书以奉母，因取江湖间名人小集数十家，选为《江湖集》，汇刊以售，人盛称之。时史弥远当国，起有诗云："秋雨梧桐皇子府，春风杨柳相公桥。"哀济邸而诮弥远也。宝庆初，李知孝为言官，见之弹事，一时江湖之士同获罪者六人，而起坐流配焉，寻诏禁士大夫作诗。弥远死，禁始解。其诗有《芸居乙稿》一卷。刘克庄赠诗云："炼句岂非林处士，鬻书莫是穆参军。"叶茵赠诗云："气貌老成闻见熟，江湖指作定南针。"盖嘉定间东南诗人集于临安，而起则声气之荟萃也。

《四库全书总目》卷一八七《江湖小集》提要：集所录凡六十二家：洪迈二卷、僧绍嵩七卷、叶绍翁一卷、严粲一卷、毛珝一卷、邓林一卷、胡仲参一卷、陈鉴之一卷、徐集孙一卷、陈允平一卷、张至龙一卷、杜旃一卷、李龏三卷、施枢二卷、何应龙一卷、沈说一卷、王同祖一卷、陈起一卷、吴仲孚一卷、刘翼一卷、朱继芳二卷、林尚仁一卷、陈必复一卷、斯植二卷、刘过一卷、叶茵五卷、高似孙一卷、敖陶孙二卷附《诗评》、朱南杰一卷、余复观一卷、王琮一卷、刘仙伦一卷、黄文雷一卷、姚镛一卷、俞桂三卷、薛嵎一卷、姜夔一卷、周文璞三卷、危稹一卷、罗与之二卷、赵希（㯨）一卷、黄大受一卷、吴汝弌一卷、赵崇鉘一卷、葛天民一卷、张弋一卷、邹登龙一卷、吴渊二卷、宋伯仁一卷、薛师石一卷附《跋》及《墓志》、高九万一卷、许棐四卷、戴复古四卷、利登一卷、李涛一卷、乐雷发四卷、张蕴一卷、刘翰一卷、张良臣一卷、葛起耕一卷、武衍二卷、林同一卷。内唯姚镛、周文璞、吴渊、许棐四家，有赋及杂文，余皆诗也。……此本无曾极诗，亦无赵师秀诗，且洪迈、姜夔皆孝宗时人，而迈及吴渊位皆通显，尤应列之江湖，疑原本残阙，后人掇拾补缀，已非陈起之旧矣。宋末诗格卑靡，所录不必尽工，然南渡后诗家姓氏，不显者多，赖是书以传，其摭拾之功亦不可没也。

又《江湖后集》提要：检《永乐大典》所载，有《江湖集》，有《江湖前集》，有《江湖后集》，有《江湖续集》，有《中兴江湖集》诸名。其接次刊刻之迹，略可考见。以世传《江湖集》本互校，其人为《前集》所未有者，凡巩丰、周弼、刘子澄、林逢吉、林表民、周端臣、赵汝鐩、郑清之、赵汝绩、赵汝回、赵庚夫、葛起文、赵崇嶓、张榘、姚宽、罗椅、林昉、戴植、林希逸、张炜、万俟绍之、储泳、朱复之、李时可、盛烈、史卫卿、胡仲弓、曾由基、王谌、李自中、董杞、陈宗远、黄敏求、程炎子、刘植、张绍文、章采、章粲、盛世宗、程垣、王志道、萧澥、萧元之、邓允端、徐从善、高吉、释圆悟、释永颐，凡四十八人。考林逢吉即林表民之字，盖前后刊版，所题偶异，实得四十七人。又《诗余》二家，为吴仲方、张辑，共四十九人。有其人已见《前集》，而诗为《前集》未载者，凡敖陶孙、李弃、黄文雷、周文璞、叶茵、张蕴、俞桂、武衍、胡仲参、姚镛、戴复古、危稹、徐集孙、朱继芳、陈必复、释斯植及起所自作，共十七人。唯是当时所分诸集，大抵皆同时之人。随得随刊，稍成卷帙，即别立一名以售，其分隶本无义例，故往往一人之诗，而散见于数集之内。如一一复其旧次，转嫌割裂参差，难于寻检，谨校验前集，删除重复，其余诸集，悉以人标目，以诗系人，合为一编，统名之曰《江湖后集》。庶条理分明，篇什完具，俾宋季诗人姓名、篇什湮没不彰者，一一复显于此日，亦谈艺之家见所未见者矣。

又卷一六四《梅屋集》提要：（许）棐生当诗教极弊之时，沾染于江湖末派。大抵以赵紫芝等为矩矱，杂著中《跋四灵诗选》曰"斯五百篇，出自天成，归于神识，多而不滥，玉之纯、香之妙者欤，后世学者爱重之"是也。以高翥等为羽翼，《招高菊涧》诗所谓"自改旧诗时未稳，独斟新酒不成欢"是也。以书贾陈起为声气之联络，《赠陈宗之》诗所谓"六月长安热似焚，鄌中清趣总输君"；又《谢陈宗之叠寄书籍》诗所谓"君有新刊须寄我，我逢佳处必思君"是也。以刘克庄为领袖，《读南岳新稿》诗所谓"细把刘郎诗读后，莺花虽好不须看"是也。厥后以《江湖小集》中"秋雨梧桐"一联，卒搆诗祸，起坐黥配，克庄亦坐弹免官，而流波推荡，唱和相仍，终南宋之世，不出此派。然其咏歌闲适，模写山林，时亦有新语可观。

又卷一五六《苇航漫游稿》提要：南宋末年，诗格日下，四灵一派撼晚唐清巧之思，江湖一派多五季衰飒之气。故（胡）仲弓是编，及其兄仲参所作《竹庄小集》，均不出山林枯槁之调。如七言律中《旱湖》一首，当凶祲流离之时，绝无恻隐，乃云"但使孤山梅不死，其余风物不关情"，尤宋季游士矫语高蹈之陋习。

翁方纲《石洲诗话》卷四：徐玑之言曰："昔人以浮声切响、单字只句计巧拙，盖风骚之至精也。近世乃连篇累牍，汗漫而无禁，岂能名家哉。"赵师秀亦云："一篇幸止有四十字，更增一字，吾未如之何矣。"右皆深悉甘苦之语。然亦惜其知专一而不知变化，故能事止于琢句也。师秀所谓'饱吃梅花数斗，使胸次玲珑'者，全在工于炼句处耳。

焦循《雕菰楼词话》：刘克庄诸作，磊落抑塞，真气百倍，非白石、玉田辈所能到。可知南宋人词，不尽草窗一派也。

冯煦《蒿庵论词》：后村词，与放翁、稼轩，犹鼎三足。其生丁南渡，拳拳君国，似放翁；志在有为，不欲以词人自域，似稼轩。

陈廷焯《白雨斋词话》卷二：梦窗在南宋，自推大家。唯千古论梦窗者，多失之诬。尹唯晓云："求词于吾宋，前有清真，后有梦窗，此非予之言，四海之公言也。"为此论者，不知置东坡、少游、方回、白石等于何地。沈伯时云："梦窗深得清真之妙，但用事下语太晦处，人不易知。"其实梦窗才情超逸，何尝沉晦。梦窗长处，正在超逸之中见沉郁之意，所以异于刘、蒋辈，乌得转以此为梦窗病？至张叔夏云："吴梦窗如七宝楼台，眩人眼目，拆碎下来，不成片段。"此论亦余所未解。窃谓七宝楼台，拆碎不成片段，以诗而论，如太白《牛渚西江夜》一篇，却合此境。词唯东坡《水调歌头》近之。若梦窗词，合观通篇，固多警策，即分摘数语，亦自入妙，何尝不成片段耶？总之，梦窗之妙，在超逸中见沉郁，不及碧山、梅溪之厚，而才气较胜。

冯金伯《词苑萃编》卷五引《古今词话》：高观国精于咏物，《竹屋痴语》中最佳者，有《御街行》咏轿、咏帘，《贺新郎》咏梅，《解连环》咏柳，《祝英台近》咏荷，《少年游》咏草。皆工而入逸，婉而多风。

公元 1208 年（宋宁宗嘉定元年戊辰　金章宗泰和八年　蒙古成吉思汗三年）

正月

以史弥远知枢密院事。许奕为金国通谢使。

立春日，滕仲因跋郭应祥《笑笑词》。云："词章之派，端有自来，溯源徂流，盖可考也。昔闻张于湖一传而得吴敬斋，再传而得郭遁斋，源深流长，故其词或如惊涛出壑，或如绉縠纹江，或如净练赴海，可谓冰生于水而寒于水矣。长沙刘氏书坊既以二公之词锓诸木，而遁斋《笑笑词》独家塾有本。一日，予叩遁斋，愿并刊之，庶几来者知其气脉，且以成湘中一段奇事。况三公俱尝从宦是邦，则珍词妙句，岂容有其二而阙其一？遁斋笑而可之，于是并书于后云。嘉定元年立春日，宋人滕仲因谨书。"

郭应祥，字承禧，号遁斋，临江人。生卒年不详。淳熙八年进士。十二年，为巴陵簿。十六年，调衡阳丞。绍熙二年，赴任。开禧间，为知县。事迹见郭应祥《省斋集跋》、《笑笑先生传赞》。所著《笑笑词》，今存《唐宋名贤百家词》本、《彊村丛书》本。《全宋词》录其词一百二十九首。"《笑笑词》百余首，多著年干，止嘉泰二年至嘉定二年七载间奔走靴板酬应庆寿所作"（饶宗颐《词集考》卷五）。詹傅《笑笑词序》："遁斋先生以宏博之学，发为经纬之文，形于言语议论，著于发策决科，高妙天下，模楷后学。以其绪余寓于长短句，岂唯足以接张于湖、吴敬斋之源流而已。窃窥其措辞命意，若连冈平陇，忽断而后续；其下语造句，若奇葩丽草，自然而敷荣，虽参诸欧、苏、柳、晏，曾无间然。……近世词人如康伯可，非不足取，然其失也诙谐；如辛稼轩，非不可喜，然其失也粗豪。唯先生之词典雅纯正，清新俊逸，集前辈之大全，而自成一家之机轴。"

二月

追复赵汝愚观文殿大学士，谥忠定。

陆游为淮南西路安抚使兼知庐州田琳作《庐帅田侯生祠记》，备叙其抗金之威名战绩。又为曾季貍作《曾裘父诗集序》："古之说诗曰言志。夫得志而形于言，如皋陶、周公、召公、吉甫，固所谓志也；若遭变遇谗，流离困悴，自道其不得志，是亦志也。然感激悲伤，忧时悯己，托情寓物，使人读之，至于太息流涕，固难矣。至于安时处顺，超然事外，不矜不挫，不诬不怼，发为文辞，冲淡简远，读之者遗声利，冥得丧，如见东郭顺子，悠然意消，岂不又难哉？如吾临川曾裘父之诗，其殆庶几于是乎！予绍兴己卯庚辰间，始识裘父于行在所。自是数见其诗，所养愈深，而诗益加工。比予来官临川，则裘父已没。欲求其遗书，而予蒙恩召归，至今以为恨。友人赵去华彦稑寄裘父《艇斋小集》来，曰：'愿序以数十语！'然裘父得意可传之作，盖不止此。遗珠弃璧，识者兴叹。去华为郡博士，尚能博访之，稍增编帙，计无甚难者，敢以为请。裘父讳季貍，及与建炎过江诸贤游，尤见赏于东湖徐公。嘉定元年二月丁酉山阴陆某序。"自本月起享半俸，有诗《半俸自戊辰二月置不复言作绝句》。又游沈氏园，怅触旧情，感慨赋诗："沈家园里花如锦，半是当年识放翁。也信美人终作土，不堪幽梦太匆匆。"（《春游》其四）

三月

王柟至金，请依靖康故事，世为伯侄之国；增岁币为三十万，犒军钱三百万贯；俟和议定后当函苏师旦等首级以献。

四月

陆游有诗《赠邢刍甫》。按，游本月作《邢刍甫字序》："吾友邢子名淇，请字于予。……请字子曰刍甫。"

真德秀作《戊辰四月上殿奏札》，以为"北伐之举，宗社安危所系"。

赠彭龟年宝谟阁直学士。

参知政事卫泾兼太子宾客。

五月

赐礼部进士郑自成以下四百二十六人及第、出身。

陆游为南城吴伸、吴伦兄弟作《吴氏书楼记》。云："天下之事，有合于理而可为者；有虽合于理而不可得为之者。士于可为者，不可不力；力不足，则合朋友乡闾之力而为之；又不足，告于在仕者以卒成之；成矣，又虑其坏，则吾有子，子又有孙，孙又有子，虽数十百世，吾之志犹在也，岂不贤哉？彼不可得为之者，则有命焉，有义焉，不知命义，徒呶呶纷纷，奚益？故君子不为也。……盖吴君未命之士尔，为社仓以惠其乡，为书楼以善其家，皆其力之所及，自是推而上之，力可以及一邑一郡一道，以致谋谟于朝者，皆如吴君自力而不愧，则民殷俗媺，兵寝刑措，如唐虞三代，可积而至也。……予读唐李卫公文饶《平泉山居记》，有曰：'鬻平泉者，非吾子孙也；以平泉一木一石与人者，非佳子弟也。'平泉特燕游地，木石之怪奇者亦奚足道？而其言且如此，况义仓与书楼乎？后之人读吾记至此，将有涣然汗出，霍然涕下者，虽百世之后，常如吴君时，有不难者矣。嘉定元年五月甲子记。"又作《灵秘院营造记》："出会稽城西门，舟行二十五里，曰柯桥灵秘院。自绍兴中，僧海净大师智性筑室设供，以待游僧，名接待院，久而寖成，始徙废寺故额名之。海净年九十，坐八十三夏而终，以其法孙德恭领院事。……恭来请记曰：先师之塔，公实与之铭；今院当有记，非公谁宜为哉？予报之曰：子庐于此，凡东之会稽、四明与西入临安者，风帆日相属也，彼其得志于仕宦、获利于商贾者宁可计耶？有能家世相继，支久不坏，如若之为父子者乎？有能容众聚族，燮和安乐，如若之处兄弟者乎？至于度地筑室，以奢丽相夸，斤斧之声未停，丹垩之饰未干，而盛衰之变已遽至矣，亦有如若之安居奠处子传之孙孙又传之子者乎？此无他，彼其初与若异也。虽曰有天数，然人事常参焉。人事不尽而诿之数，於乎！其可哉？嘉定元年夏五月庚申记。"按，前者借吴氏兄弟尽力建书楼以推论"天下之事"，后者借僧人营造寺院以敷衍"人事"，皆有讽喻当局之意。又，陆游为徐庚（载叔）作《桥南书院记》亦当在此时。

六月

王柟以韩侂胄、苏师旦首级至金，以易淮、陕侵地。金遣使归宋大散关及濠州。

卫泾罢参知政事。以史弥远兼参知政事。

邹应龙奉遣使金贺金主生辰。

夏

陆游所赋《感事六言》、《自贻》、《异梦》、《夏夜纳凉》等，皆关心国事之作。

七月

以丘崈同知枢密院事。

陆游为朱钦则心远堂、万卷楼作记。《心远堂记》云："大卿朱公以开禧元年筑第于昭武城东，取陶渊明诗语，名其堂曰心远。既成，与士大夫落之，而以书来告曰：子为我记！始嘉泰壬戌，予蒙恩召为史官，朱公丞秘书，日相从甚乐。公去为御史，予领监事，闲剧异趣，会见甚疏；然每与同舍焚香煮茶于图书钟鼎之间，时时言及公，未尝不相与兴怀绝叹也。明年，国史奏御之明日，予乞骸骨而归。俄而公亦自寺卿得请外补，不复相闻者累岁。比书来，予方卧病，作而言曰：朱公真可人哉！士得时遇主，施其才于国；退居闾里，闲暇之日为多，樽俎在前，琴弈迭进，欣然自得，悠然遐想，问馈宴乐，以修亲旧夙昔之好，讲解诵说，以垂后进无穷之训，进退两得，可谓贤矣！予独相望累千里，不得持一觞为公寿，且庆斯堂之成，顾方以为歉。今乃得以不腆之文，自托于后世，亦可谓幸矣夫！嘉定元年秋七月甲子记。"又《万卷楼记》："学必本于书。一卷之书，初视之，若甚约也；后先相参，彼是相稽，本末精粗，相为发明，其所关涉，已不胜其众矣。一编一简，有脱遗失次者，非考之于他书，则所承误而不知。同字而异诂，同辞而异义，书有隶古，音有楚夏，非博极群书，则一卷之书，殆不可遽通，此学者所以贵夫博也。自先秦两汉，迄于唐五代以来，更历大乱，书之存者既寡，学者于其仅存之中，又鲁莽焉以自便其怠惰因循，曰：吾惧博之溺心也。岂不陋哉！故善学者通一经而足；藏书者虽盈万卷，犹有憾焉。而近世浅士，乃谓藏书如斗草，徒以多寡相为胜负，何益于学？呜呼！审如是说，则秦之焚书，乃有功于学者矣。昭武朱公敬之粹于学而笃于行。早自三馆为御史，为寺卿，出典名藩，尊所闻，行所知，亦无负于为儒矣。然每怏然自以为歉，益务藏书，以栖于架藏于椟为未足，又筑楼于第中，以示尊阁传后之意，而移书嘱予记之。予闻故时藏书如韩魏公万籍堂、欧阳兖公六一堂、司马温公读书堂，皆实万卷，然未能绝过诸家也。其最擅名者曰宋宣献、李邯郸、吕汲公、王仲至，或承平时已丧，或遇乱散佚，士大夫所共叹也。朱公齿发尚壮，方为世显用，且淡然无财利声色之奉，倘网罗不倦，万卷岂足道哉！予闻是楼南则道人三峰，北则石鼓山，东南则白渚山，烟岚云岫，洲渚林薄，更相映发，朝暮万态，公不以登览之胜名之，而独以藏书见志；记亦详于此而略于彼者，盖朱公本志也。嘉定元年秋七月甲子记。"按，此二文涉及朱氏之仕历出处、陆游对于治学处世之态度及其晚年交游情况。

八月

楼钥以吏部尚书签书枢密院事。

丘崈（1135—1208）卒，年七十四。崈字宗卿，江阴人。隆兴元年进士。为建安府推官，除国子博士，出知华亭县。后迁户部郎中、提点浙东刑狱，知平江府，移知绍兴府，除两浙转运副使，进户部侍郎，擢四川安抚制置使兼知成都府。官至同知枢密院事。事迹见《宋史》卷三九八本传。《直斋书录解题》卷一八载《丘文定集》十卷、《拾遗》一卷，谓："其文慷慨有气，而以吏能显，故其文不彰。"《善本书室藏书志》卷四〇："文定骈体鸿丽工整，有唐贤燕、许之遗。词亦清转华妙，无愧作者。"歌词多有与辛弃疾、范成大、韩元吉唱和者，故词风较近豪放一路，如《水调歌头·登赏心亭怀古》、《水调歌头·秋日登浮远堂作》诸作，家国之恨，身世之感，并入笔端。今存《文定公词》一卷，有《彊村丛书》本。《全宋词》录存其词八十一首，存目二首，《全宋诗》录其诗十三首。

九月

诏以和议成谕天下。

真德秀召为博士。

秋

陆游多有论诗之作。如《读近人诗》："琢雕自是文章病，奇险尤伤气骨多。君看大羹玄酒味，蟹螯蛤蛙岂同科？"按，陆游《何君墓表》云："大抵诗欲工，而工亦非诗之极也。锻炼之久，乃失本指，斲削之甚，反伤正气。"（《渭南文集》卷三九）可与此诗互参。又《示子遹》："我初学诗日，但欲工藻绘；中年始少悟，渐若窥宏大。怪奇亦间出，如石漱湍濑。数仞李、杜墙，常恨欠领会。元、白才倚门，温、李真自郐。正令笔抗鼎，亦未造三昧。诗为六艺一，岂用资狡狯？汝果欲学诗，工夫在诗外。"按，《剑南诗稿》所存陆游早期作品，并无藻绘之迹，盖其于严州刻集之时，已严加删汰。《渭南文集》卷二七《跋诗稿》："此予丙戌以前诗二十之一也。及在严州，再编，又去十之九。然此残稿，终亦惜之，乃以付子聿。"丙戌为乾道二年，今《剑南诗稿》所存是年以前诗，仅九十四首，故知"藻绘"之篇，已被删汰。

十月

钱象祖为左丞相；史弥远为右丞相。楼钥同知枢密院事。

十一月

金章宗完颜璟（1168—1208）卒，年四十一。《金史》卷一二《章宗本纪赞》："章宗在位二十年，承世宗治平日久，宇内小康，乃正礼乐，修刑法，定官制，典章文物粲然曾一代治规。又数问群臣汉宣综核名实，唐代考课之法，盖欲跨辽、宋而比迹于汉、唐，亦可谓有志于治者矣。"刘祁《归潜志》卷一："章宗天资聪悟，诗词多有可称者。《宫中》绝句云：'五云金碧拱朝霞，楼阁峥嵘帝子家。三十六宫帘尽卷，东风无处不扬花。'真帝王诗也。《翰林待制朱澜侍夜饮》诗云：'夜饮何所乐，所乐无喧哗。三杯淡醽醁，一曲冷琵琶。坐久香成穗，夜深灯欲花。陶陶复陶陶，醉乡岂有涯。'《聚骨扇》词云：'几股湘江龙骨瘦，巧样翻腾，叠作湘波皱。金缕小钿花草斗，翠绦更结同心扣。金殿日长承宴久，招来暂喜清风透。忽听传宣须急奏，轻轻褪入香罗袖。'又《擘橙为软金杯》词云：'风流紫府郎，痛饮乌沙岸。柔软九回肠，冷怯玻璃碗。纤纤白玉葱，分破黄金弹。借得洞庭春，飞上桃花面。'尝为《铁券行》数十韵，笔力甚雄。又有《送张建致仕归》、《吊王庭筠下世》诗，具载《飞龙记》中。"《历代诗话》卷六二《金诗》："章宗工书画，所作诗词皆饶思致，即此'鹤惊'二语，清英疏豁，不意明昌中复见开元、大历辞也。尝赋《云龙川五月牡丹》云：'洛阳谷雨红千叶，岭外朱明玉一枝。地力发生虽有异，天公造物本无私。'"

冬

陆游又有论诗之作。其《宋都曹屡寄诗，且督和答，作此示之》云："古诗三千篇，删取才十一，每读先再拜，若听清庙瑟。《诗》降为《楚骚》，犹足中六律。天未丧斯文，杜老乃独出。陵迟至元、白，固已可愤疾；及观晚唐作，令人欲焚笔。此风近复炽，隙穴始难窒，淫哇解移人，往往丧妙质。苦言告学者，切勿为所怵；杭川必至海，为道当择术。"按，此诗论及诗歌之流变，而对时人步武晚唐，则不以为然。又《读陶诗》："陶谢文章造化侔，篇成能使鬼神愁。君看夏木扶疏句，还许诗家更道不？"

本年

辛弃疾卒后一年，摄给事中倪思劾其迎合开边，请追削爵秩，夺从官恤典。事见魏了翁《鹤山先生大全集》卷八十八《显谟阁学士特赠光禄大夫倪公墓志铭》。按，辛启泰《稼轩年谱》开禧二年下有云："先生因韩侂胄将用兵，值其生日作词寿之云：'如今塞北，传得真消息：赤地人间无一粒，更五单于争立。 熊罴百万堂堂，维师尚父鹰扬。看取黄金假钺，归来异姓真王。'假钺、真王皆曹操、司马昭秉政时事。先生卒后为倪正甫所论，尽夺遗恩，即指此词。"

章良能试礼部侍郎兼直学士院，又为御史中丞。

何澹以观文殿学士知建康府兼江淮制置大使。

杨简累迁至诸作佐郎兼兵部郎官。

刘克庄赋诗《戊辰即事》，慨叹宋金和约成，将使民穷财尽。

韩瞟约于本年前后在世，生卒年不详，生平事迹无考。瞟字子耕，号萧闲。著有《萧闲词》一卷，不传，今人赵万里辑得六首。小令学晏几道，间有民歌风味。况周颐《蕙风词话》卷二云："韩子耕词，妙处在一'松'字，非功力甚深不办。"

刘仙伦约于本年前后在世，生卒年不详。仙伦，一名儗，字叔儗，号招山，庐陵人。与刘过并称"庐陵二刘"（张端义《贵耳集》卷上）。有才名，以布衣终身。著有诗集《招山小集》一卷，今存《两宋名贤小集》本、《宋百家诗存》本。"其诗新警峭拔，洗脱尘腐，不为格律所拘"（《宋百家诗存》卷一二）。岳珂《桯史》卷六评其《题岳阳楼》、《登快目楼》诸诗，"大概皆一轨辙，新警峭拔，足洗尘腐而空之矣。独以伤露筋骨，盖与改之为一流人物"。又雅善乐章，今存词共三十一首，赵万里辑为《招山乐章》一卷。杨慎《词品》卷四："刘叔拟……乐章为人所脍炙。其赏牡丹《贺新郎》'谁把天香和晚露……'最佳，而结句意俗。秋日《念奴娇》云：'西风何事……'此首绝佳。又有《系裙腰》一词云：'山儿矗矗水儿清……'此词秾薄而意优柔，亦柳永之流也。"刘毓盘《辑校招山乐章跋》："其怨别《菩萨蛮》一首，词鄙意浓，《系裙腰》一首，词儇薄而意优柔，皆可喜也。……其送张明之、呈洪守《念奴娇》二词，皆念念中原，不忘恢复之意，与陆放翁、陈同甫之吐属略同。陆辅之作《词旨·警句》，独采其'一般离思两销魂，马上黄昏，楼上黄昏'《一剪梅》三句，是犹以寻常词人目之矣。"

项安世（1129—1208）**卒，年八十。安世字平甫，号平庵，又号江陵病叟，其先括苍人，徙居江陵。**淳熙二年进士，除秘书正字。历官校书郎兼实录院检讨官、户部员外郎、湖广总领等。事迹见《宋史》卷三九七本传。其著述今存《易玩辞》十六卷、《项氏家说》十卷等。又著有《平庵悔稿》十五卷、《后编》六卷（《直斋书录解题》卷二〇），《丙辰悔稿》四十七卷（《宋史·艺文志七》）。今存《平庵悔稿》十四卷、《丙辰悔稿》一卷、《悔稿后编》六卷、《补遗》一卷，系清乾隆间吴长元所编，有清钞本。《全宋诗》录其诗十三卷，《全宋文》收其文。安世自云："学诗当学杜诗，学词当学柳词。"（《贵耳集》卷上）朱绪曾《开有益斋读书志》卷五谓项安世"七言古《夔州永安宫词》绝类温飞卿，其余各体出入剑南、诚斋之间，才力富健，无琐屑噍杀之音，非四灵、江湖诸人可及也"。刘克庄《后村诗话》续集卷四："平庵五言绝句，《武夷铁笛亭》云：'夜啸千崖裂，朝吟万象苏。山人大自在，无泪捋君须。'《诸葛祠堂》云：'羽扇白纶巾，堂堂六尺身。我评秦汉下，宇宙只斯人。'《永州》云：'日日长沙岸，看云只念家。如何永州梦，偏爱在长沙。'《欸乃曲》云：'霭乃出深溪，湘山日落时。若非尧女哭，即是楚神啼。'杂五言如《隆中评刘牧》云：'阿琦去梯策，尚识抱膝公。谁云豚犬愚，颇复胜乃翁。'又'平生万事伪，唯有病是实'，时方攻伪，其言如此。"又："《与潘德文唱和糟蟹诗》，押韵至六首，皆新奇，而首篇尤工。"安世文存世不多，以奏议见长，周必大谓之"意婉义深，学广文赡"（《与项平甫正字书》）。

徐谊（1144—1208）**卒，年六十五。**谊字子宜，一字宏父，平阳人。乾道八年进士，为枢密院编修官，累官太常丞。历知徽州、吏部员外郎、权工部侍郎兼知临安府。庆元元年，因忤韩侂胄，责惠州团练副使，南安军安置。嘉泰二年，起知江州。嘉定元年，改知隆兴府，卒于官。事迹见《宋史》卷三九七本传。谊以道学知名，主悟说。有文名，其《谪官南安军》诗，借落花寓身世之感，言浅意深。今《全宋诗》录其诗五首，《全宋文》卷六三九二收其文。

　　刘德秀（？—1208）卒，生年不详。德秀字仲洪，自号退轩，丰城人。隆兴元年进士。历官右正言、右谏议大夫、四川制置使、荆湖南路安抚使、签书枢密院事等。《直斋书录解题》卷二一著录其《默轩词》一卷，不传。《全宋词》据《永乐大典》辑录其《贺新郎》（西湖）一首。

　　王阮（？—1208）卒，生年不详。阮字南卿，德安人。隆兴元年进士。仕至抚州守。尝从朱熹游，又尝学诗于张孝祥。因忤韩侂胄，使奉祠，遂归隐庐山，从容觞咏，尽弃人间事。事迹见《宋史》卷三九五本传。著有《义丰集》。四库提要卷一五九："《义丰集》一卷，编修励守谦家藏本，王阮撰。……今其文集未见，所存仅诗一卷。"《全宋诗》录其诗一卷。刘克庄《王南卿集序》："公之诸文，变态无穷，不主一体；论事必古今，据义理，不祖旧说。诗高处逼陵阳茶山，四六不减汪藻。如《王景文集序》、《醉文》，虽欧公于子美、曼卿不能加矣。"吴愈《义丰集序》："先生所为文，无一字无来处。盖其多识前言往行，以蓄其德，而又深于忧患，才老而气定，故流于既溢之余，崭然出人意表。自其省闱三策，辞严而义伟，已不肯为举子之文矣。厥后论边事则晁、贾其伦也，为记铭则韩、柳其亚也。其诗如《题浯溪碑》、《兰亭记》、《金山庙》之类，折衷古人之得失，发越辞令所未言。至于感物兴怀，酬唱嘲咏，笔力雄放，皆有深意，杜少陵其比也。"四库提要卷一五九："刘克庄尝跋其诗，谓其高处逼陵阳茶山。陵阳者韩驹，茶山者曾几也。岳珂《桯史》称阮学于张紫微，载其《万杉寺唱和绝句》及《重过万杉寺》绝句。紫微者，张孝祥也。曾诗祖述黄庭坚，张诗则摹拟苏轼，韩诗则出入于苏、黄。今观阮诗，于两派之间各得一体，克庄及珂所述，固皆为近实矣。"翁方纲《石洲诗话》卷四："后村称王义丰诗'高处逼陵阳、茶山'。今观其诗，清切有味，远出诚斋、石湖之上，而世不甚称之。即以近体中《姑苏龙塘》云：'浮玉北堂三万顷，扁舟西子二千年。'此岂南渡诸公所能耶？其他如'山在断霞明处碧，水从白鸟去边流'，'倚松茅屋斜开径，近水人家半卖鱼'，亦皆佳句。"

　　李兼（？—1208）卒，生年不详。兼字孟达，宣城人。开禧三年，以朝请郎知台州。嘉定元年，除宗正丞，未行，卒。博学工诗，为杨万里所推许。尝编《宣城总集》二十八卷，分二十三门，辑诗千余首，文二百篇（吴潜《宣城总集序》）。又尝编梅尧臣遗集（陆游《梅圣俞别集序》）。《全宋诗》录其诗一卷，《全宋文》卷六八八七收其文。事迹见《嘉定赤城志》卷九、《嘉靖浙江通志》卷三〇。

公元1209 年（宋宁宗嘉定二年己巳　金卫绍王大安元年　蒙古成吉思汗四年）

正月

　　陆游赋诗《新年书感》。有"残躯未死敢忘国？病眼欲盲犹爱书"之句。时陆子虡官淮西，游有诗《寄子虡》系念之。

楼钥参知政事；章良能以御史中丞同知枢密院事。

三月

陆游为陈造作《陈长翁文集序》。序云："汉之文章，犹有《六经》余味。及建武中兴，礼乐法度，粲然如西京时，唯文章顿衰。自班孟坚已不能望太史公之淳深；崔、蔡晚出，遂堕卑弱。识者累欷而已。我宋更靖康祸变之后，高皇帝受命中兴，虽艰难颠沛，文章独不少衰。得志者司诏令，垂金石；流落不偶者，娱忧纾愤，发为诗骚。视中原盛时，皆略可无愧，可谓盛矣！久而寝微，或以纤巧摘裂为文，或以卑陋俚俗为诗，后生或为之变而不自知。方是时，能居今行古，卓然杰立于颓波之外如吾长翁者，岂易得哉？其子师文来乞予为长翁集序，乃寓叹以慰其子，且以慰长翁于地下云。长翁，高邮陈氏，讳造，字唐卿。嘉定二年三月丁巳，渭南伯陆某务观序。"

春

陆游被劾，落宝谟阁待制。周密《浩然斋雅谈》卷上："韩平原南园既成，遂以记属之陆务观，务观辞不获，遂以其归耕、退休二亭名，以警其满溢勇退之意甚婉。韩不能用其语，遂致于败；务观亦以此得罪，遂落次对太中大夫致仕。外祖章文庄（良能）兼外制，行词云：'山林之兴方适，已遂挂冠；子孙之累未忘，胡为改节？虽文人不顾于细行，而贤者责备于《春秋》。某官早著英猷，寝跻肤仕。功名已老，潇然镜曲之酒船；文采不衰，贵其长安之酒价。岂谓宜休之晚节，蔽于不义之浮云。深刻大书，固可追于前辈；高风劲节，得无愧于古人？时以是而深讥，朕亦为之慨叹。二疏既远，汝其深知足之思；大老来归，朕岂忘善养之道。勉图终去，服我宽恩。'"陆游《落职谢表》有云："此盖伏遇皇帝陛下励精大猷，惠养遗老。念臣生当全盛，被六圣之涵濡；怜臣仕遇中兴，荷三宗之识拔。虽名薄责，益示殊私。"又《春日登小台西望》有句云："乞身七年罪未除，君恩尚许宽严谴。"按，游自嘉泰三年乞归，次年以宝谟阁待制致仕，至是落职，共七个年头。

陆游时乘肩舆出游。并赋《小霁乘竹舆至柳姑庙而归》、《肩舆历湖桑堰东西过陈湾至陈让堰小市抵暮乃归》、《肩舆至石堰村》诸诗以记其行。此时，爱国诗作甚富，如《新年书感》、《春日杂兴》其四、《春寒复作》、《花下小酌》其二、《赏山园牡丹有感》等，忧国忧民之心，不因年老、贬责而略衰。游又作《读许浑诗》，题下自注云："浑居丹阳丁卯桥，其诗《丁卯集》。"诗云："裴相功名冠四朝，许浑身世落渔樵。若论风月江山主，丁卯桥应胜午桥。"按，钱钟书《谈艺录》（补订本）三四："《养一斋诗话》卷四、卷五皆谓，放翁虽尝云：'文章光焰伏不起，甚者自谓宗晚唐'，而所作闲居、遣兴七律，时仿许丁卯云云，颇有见地。《瀛奎律髓》卷十六曾茶山《长至日述怀》诗原批早言：'放翁出其门，而诗在中晚唐之间，不主江西。'养一所引'文章'二句，见《追怀往事》第三首。《记梦》又云：'李白、杜甫生不遭，英气死岂埋蓬蒿。晚唐诸人战虽鏖，眼暗头白真徒劳'；《示子遹》云：'数仞李、杜墙，常恨欠领会。元、白才倚门，温、李真自郐'；《宋都曹屡寄诗作此示之》有云：'天未丧斯文，杜老乃独出。陵迟至元、白，固已可愤疾。及观晚唐作，令人欲焚笔。'然放翁时用白香山句，《自咏》且云：'闭门谁共处，枕藉乐天诗'；《假中闭户终日偶得绝句》第三首云：'剩喜今朝寂寞事，焚香闲看玉谿诗'；《杨廷秀寄南海集》第二首云：'飞卿数阕峤南曲，不许刘郎夸竹枝。'以此类推，其鄙夷晚唐，乃违心作高论耳。集中《读乐天诗》一绝后，即继以《读许浑诗》云：'若论风月江山助，丁卯桥应胜午桥。'《渭南文集》卷二十八《跋许用晦丁卯集》云：'在大中以后，亦可为杰作。自是而后，唐之诗益衰矣。'赏识丁卯，隐然欲别之出于晚唐；养一何不引此一诗一文为其论之显证乎？江西宗派悬晚唐为厉禁，陈后山《次韵苏公西湖观月听琴》末韵即曰：'后世无高学，末俗爱许浑。'放翁嗜好，独殊酸咸，良由性分相近。譬如丁卯《陵阳初春日寄汝洛旧游》云：'万里绿波鱼恋钓，九重霄汉鹤愁笼。'放翁反其意《寄赠湖中隐者》云：'万顷烟波鸥境界，九天风露鹤精神。'丁卯《赠王山人》云：'君臣药在宁忧病，子母钱成岂患贫。'放翁《幽居夏日》放其体云：'子母瓜新间荬苴，公孙竹长映帘枨。'此皎然《诗式》所谓'偷格'，可补养一斋所未及。放翁五七律写景叙事之工细圆匀者，与中晚唐诗人如香山、浪仙、飞卿、表圣、武功、玄英格调皆极相似，又不特近丁卯而已。"

五月

陆游出游，登卧龙山，有诗《题望海亭，亭在卧龙绝顶》、《小憩卧龙山亭》。

七月

陆游为傅崧卿帖作跋，题曰《跋傅给事帖》。有云："绍兴初，某甫成童，亲见当时士大夫相与言及国事，或裂眦嚼齿，或流涕痛哭，人人自期以杀身翊戴王室，虽丑裔方张，视之蔑如也。卒能使虏消沮退缩，自遣行人请盟；会秦丞相桧用事，掠以为功，变恢复为和戎，非复诸公初意矣。志士仁人抱恨入地者，可胜数哉！"又为张宇发家传作跋，题曰《跋张待制家传》，有云："待制公颉于仕宦，晚途仅得一郎吏，而感激国难，冒兵渡河北行，忠义之气，可沮金石。方其客死灵丘，寓骨云中时，虽夷狄异类，亦为赍涕也。今其家寖微，一孙未去天官侍郎选。公卿大夫，乃未有表出之以为忠义劝者，诚某所不识也。"按，此二文皆意在追慕前贤，悼念忠节，以激励时人志气。

八月

安丙为四川制置大使，罢宣抚司。

九月

增太学内舍生十员。

陆游得子虡自庐州来书。《卧病杂题》"今朝更堪喜，书札得淮沘"，句下自注云：

"是日得五郎庐州书。"

秋

陆游所赋《文章》一诗，乃论文之作。诗云："文章本天成，妙手偶得之。粹然无疵瑕，岂复须人为！君看古彝器，巧拙两无施。汉最近先秦，固已殊淳漓；胡部何为者，豪竹杂哀丝？后夔不复作，千载谁与期！"

十月

赵秉文出为宁边州刺史。

十二月

二十九日（公元一二一○年一月二十六日），陆游（1125—1210）卒，年八十五。按，关于陆游卒年，向有二说，一说谓卒于嘉定二年，年八十五。张淏《宝庆会稽续志》卷五："嘉定二年卒，年八十有五。"《宋史》本传："嘉定二年卒，年八十五。"《山阴陆氏族谱》："宁宗嘉定二年己巳十二月二十九日卒，年八十五。"一说谓卒于嘉定三年，年八十六。陈振孙《直斋书录解题》卷一八："嘉定庚午，年八十六而终。"方回《瀛奎律髓》、钱大昕《陆放翁先生年谱》从此说。按，嘉定二年十二月月小，二十九日己丑正是除夕。陆游弟子苏泂《冷然斋集》卷六《金陵杂兴二百首》第十六首云："三山惨别是前年，除夕还家翁已仙。"此乃陆游殁于本年本月二十九日之力证。

陆游临终前，赋诗《示儿》。云："死去元知万事空，但悲不见九州同。王师北定中原日，家祭无忘告乃翁。"此诗乃其一生素志之归结。钱钟书《宋诗选注》："参看《剑南诗稿》卷九《感兴》第一首：'常恐先狗马，不及清中原'；卷三十七《太息》：'砥柱河流仙掌日，死前恨不见中原'；卷三十六《北望》：'宁知墓木拱，不见塞尘清'；卷三十八《夜闻落叶》：'死至人所同，此理何待评？但有一可恨，不见复两京。'这首悲壮的绝句最后一次把将断的气息又来说未完的心事和无穷的希望。陆游死后二十四年宋和蒙古会师灭金，刘克庄《后村大全集》卷十一《端嘉杂诗》第四首就说：'不及生前见虏亡，放翁易箦愤堂堂；遥知小陆羞时荐，定告王师入洛阳。'陆游死后六十六年元师灭宋，林景熙《霁山先生集》卷三《书陆放翁书卷后》又说：'青山一发愁濛濛，干戈况满天南东；来孙却见九州同，家祭如何告乃翁。'"按，据《山阴陆氏族谱》载，陆游之孙元廷（子修之子）祥兴二年闻厓山之变，忧愤而卒；曾孙传义（子龙之孙）祥兴二年闻厓山之变，忧愤数日，不食而卒；玄孙天骐（子龙之曾孙）祥兴二年于厓山蹈海殉国；玄孙天骥（子龙之曾孙）宋亡后杜门不仕；来孙世和、世荣（俱子龙之玄孙）拒绝元朝征辟。此皆不负陆游爱国之诗教者。

游字务观，号放翁，越州山阴人。宣和七年冬十月，游父陆宰奉调入京，携家眷自寿春由淮河沿水陆赴开封。十七日，陆游诞生于淮上。"少傅奉诏朝京师，舣船生我淮之湄。宣和七年冬十月，犹是中原无事时。"（《十月十七日，予生日也。孤村风雨潇然，偶得二绝句。予生淮上，是日平旦，大风雨骇人，及余堕地，雨乃止》）绍兴十三年，与进士试落第。二十三年，参加锁厅试为第一。次年，应礼部试，列秦桧孙秦埙之前，由此触怒秦桧，被黜落。二十八年，以恩荫为福州宁德主簿，调福州决曹。迁大理寺直兼宗正簿。孝宗即位，调枢密院编修官，赐进士出身，兼编类圣政所检讨官。历官隆兴、夔州通判，并参王炎、范成大帅幕。绍熙元年，迁礼部郎中兼实录院检讨官。嘉泰二年，权同修国史、实录院同修撰，兼秘书监。三年，书成，升宝谟阁待制，致仕。事迹见《宋史》卷三九五本传。陆游著述甚丰，有诗集《剑南诗稿》二十卷、《续稿》六十七卷，今存宋刊本（残）、明毛晋汲古阁刊本。文集有《渭南文集》五十卷，初刻于南宋嘉定年间，今存两种版本：五十卷本，有宋嘉定十三年溧阳学宫刊本（残）、明毛氏汲古阁刊本等；五十二卷本，有明正德八年梁乔刊本、明万历刊本、《四库全书》本等。今人整理本有中华书局一九七六年版诗文合集《陆游集》，上海古籍出版社一九八五年出版钱仲联《剑南诗稿校注》。词集在宋代已有单刻本《放翁词》一卷行世（《直斋书录解题》卷二一），今存明毛晋汲古阁刊本（作二卷）、《四库全书》本。另著有《老学庵笔记》十卷，今存《稗海》本、《津逮秘书》本、《四库全书》本；《入蜀记》四卷（影宋抄本作六卷）；《家世旧闻》二卷，今存明毛氏汲古阁刊本、明穴砚斋抄本。《全宋词》收其词一百四十余首，《全宋诗》录其诗八十八卷，《全宋文》收其文三十三卷。

赵翼《瓯北诗话》卷六："放翁诗凡三变。宗派本出于杜，中年以后，则益自出机杼，尽其才而后止。观其《答宋都曹》诗云：'古诗三千篇，删取才十一。《诗》降为《楚骚》，犹足中六律。天未丧斯文，杜老乃独出。陵迟至元、白，固已可愤嫉。'《示子遹》诗云：'我初学诗日，但欲工藻绘；中年始少悟，渐若窥宏大。数仞李、杜墙，常恨欠领会。元、白才倚门，温、李真自《郐》。'此可见其宗尚之正。故虽挫笼万有，穷极工巧，而仍归雅正，不落纤佻。此初境也。后又有自述一首云：'我昔学诗未有得，残余未免从人乞，力孱气馁心自知，妄取虚名有惭色。四十从戎驻南郑，酣宴军中夜连日，打毬筑场一千步，阅马列厩三万匹。华灯纵博声满楼，宝钗艳舞光照席，琵琶弦急冰雹乱，羯鼓手匀风雨疾。诗家三昧忽见前，屈贾在眼元历历，天机云锦用在我，剪裁妙处非刀尺。世间才杰固不乏，秋毫未合天地隔，放翁老死何足论，《广陵散》绝还堪惜。'是放翁诗之宏肆，自从戎巴、蜀而境界又一变。及乎晚年，则又造平淡，并从前求工见好之意亦尽消除，所谓'诗到无人爱处工'者，刘后村谓其'皮毛落尽'矣。此又诗之一变也。"又："宋诗以苏、陆为两大家。后人震于东坡之名，往往谓苏胜于陆，而不知陆实胜苏也。盖东坡当新法病民时，口快笔锐，略少含蓄，出语即涉谤讪。'乌台诗案'之后，不复敢论天下事。及元祐登朝，身世俱泰，既无所用其无聊之感；绍圣远窜，禁锢方严，又不敢出其不平之鸣。故其诗止于此，徒令读者见其诗外尚有事在而已。放翁则转以诗外之事，尽入诗中。时当南渡之后，和议已成，庙堂之上，方苟幸无事，讳言用兵，而士大夫新亭之泣，固未已也。于是以一筹莫展之身，存一饭不忘之谊，举凡边关风景、敌国传闻，悉入于诗。虽神州陆沉之感，已非时事所急，而人终莫敢议其非。因得肆其才力，或大声疾呼，或长言咏叹，命意既有关系，出语自觉沉雄。此其诗之易工一也。东坡自黄州起用后，敭历中外，公私事冗，其诗多即席即事、随手应付之作，且才捷而性不耐烦，故遣词或有率略，押韵亦有生硬。放翁则生平仕宦，凡五佐郡、四奉祠，所处皆散地，读书之日多，故往往有先得佳句，而后标以题目者。如《写怀》、《书愤》、《感事》、《遣闷》以及《山行》、《郊行》、《书室》、《道室》等题，十居七八，而酬应赠答之作，不一二焉。即如纪梦诗，核计全集，共九十九首。人生安得有如许梦？此必有诗无题，遂托之于梦耳。心闲则易触发，而妙绪纷来；时暇则易琢磨，而微疵尽去。此其诗之易工二也。由斯以观，其才之不能过苏在此，其诗之实能胜于苏亦在此。试平心以两家诗比较，当不河汉其言矣。"

姜特立《应致远谒放翁》："此翁笔力回万牛，淡中有味枯中膏。有时奇险不可迫，剑门石角钱塘涛。源流不嗣江西祖，自有正宗传法乳。"周必大《与陆务观书》："《剑南诗稿》，连日快读，其高处不减曹思王、李太白，其下犹伯仲岑参、刘禹锡，何真积顿悟一至此也。前又从张镃直阁借得《续稿》及富沙新编，所谓精明之至反造疏淡，诗家事业殆无余蕴矣。"杨万里《跋陆务观剑南诗稿二首》其一："今代诗人后陆云，天将诗本借诗人。重寻子美行程旧，尽拾灵均怨句新。鬼啸狨啼巴峡雨，花红玉白剑南春。锦囊缲罢清风起，吹仄西窗月半轮。"朱熹《答徐载叔赓书》："放翁之诗，读之爽然。近代唯见此人为有诗人风致。如此篇者，初不见其著意用力处，而语意超然，自是不凡，令人三叹不能自已。"又《答巩仲至书》："放翁老笔尤健，在今当推为第一流。"刘应时《读放翁剑南集》："放翁前身少陵老，胸中如觉天地小。平生一饭不忘君，危言曾把奸雄扫。……少陵间关兵乱中，放翁遭时乐且丰。饱参要具正法眼，切忌错下将毋同。茶山夜半传机要，断非口耳得其妙。"赵蕃《呈陆严州》："一代诗盟孰主张？试探原委见深长。家声甫里归严濑，句法茶山出豫章。"林希逸《方君节诗序》："中兴而后，放翁、诚斋两致意焉。然诚斋主于兴，近李；陆主于雅，近杜。"戴复古《读放翁先生剑南诗草》："茶山衣钵放翁诗，南渡百年无此奇。入妙文章本平淡，等闲言语变瑰奇。三春花柳天栽减，历代兴衰世转移。李、杜、陈、黄题不尽，先生摹写一无遗。"刘克庄《后村诗话》前集卷二："古人好对偶，被放翁用尽：箬纸笔、摸床棱，烈士壮心、狂奴故态，生希李广名飞将，死慕刘伶赠醉侯，下泽乘车、上方请剑，酒宁剩欠寻常债、剑不虚施细碎仇，空虚腹、垒块胸，爱山入骨髓、嗜酒在膏肓，手板、肩舆，鬼子、天公，贵人自作宣明面、老子曾闻正始音，床头《周易》、架上《汉书》，温卷、热官，醉学究、病维摩，无事饮、不平鸣，乞米帖、借车诗，麹道士、楮先生，土偶、天公，长剑拄颐、短衣掩胫，已得丹换骨、肯求香返魂，子午谷、丁卯桥，洛阳二顷、光范三书，酒圣、钱愚，茶七碗、稷三升，一弹指、三折肱，天女散花、麻姑掷米，玉麈尾、金裹蹄，虎头、鸡肋，金鸦觜、玉辘轳，客至难令三握发、佛来仅可小低头，百衲琴、双钩帖，藏经、阁帖，摩诘病说法、虞卿穷著书，读书十纸、上树千回，风汉、醉侯，见虎犹攘臂、逢狐肯叩头，天爱酒、地理忧，一齿落、二毛侵，痴顽老、矍铄翁，曲肱、纵理，竹郎、木客，百钱拄杖、一锸随身，百瓮齑、两囷枣，炼炭、劳薪，铜臭、饭香，记书身大似椰子、忍事瘿生如瓠壶，笑尔辈、爱吾庐，僧坐夏、士防秋，麈尾清谈、蝇头细字，岩下电、雾中花，唐夹寨、楚成皋。《剑南集》八十五卷，八千五百首，别集七卷不预焉，似此者不可殚举，姑记一二于此。"又："近岁诗人，杂博者堆队仗，空疏者窘材料，出奇者费搜索，缚律者少变化，唯放翁记问足以贯通，力量足以驱使，才思足以发越，气魄足以凌暴，南渡而后，故当为一大宗。末年云：'客从谢事归时散，诗到无人爱处工。'又云：'外物不移方是学，俗人犹爱未为诗。'则皮毛落尽矣。"又："放翁，学力也，似杜甫；诚斋，天分也，似李白。"魏庆之《诗人玉屑》卷一九引《玉林诗话》："陆放翁诗本于茶山，故赵仲白题曾文清公诗集云：'清于月出初三夜，淡似汤烹第一泉。咄咄逼人门弟子，剑南已见一灯传。''剑南'谓放翁也。然茶山之学，亦出于韩子苍，三家句律大概相似，至放翁则加豪矣。近岁又有学唐人诗，而实用陆之法度者，其间亦多酷似处。"罗大经《鹤林玉露》丙编卷五："朱文公于当世之文，独取周益公，于当世之诗，独取陆放翁。盖二公诗文，气质浑厚故也。"周密《浩然斋雅谈》卷中："放翁诗多用新语。如'厚味无人设佞汤，微芬时自炷廉香'，自注：'以松子胡桃蜜作汤，谓之佞汤；以炭末乳香蜜作湿香，谓之廉香。'"方回《沧浪会稽十咏序》："学唐人丁卯桥诗，逼真而又过之者，王半山、陆放翁。"李东阳《怀麓堂诗话》："杨廷秀学李义山，更觉细碎；陆务观学白乐天，更觉直率。概之唐调，皆有所未闻也。"王世贞《艺苑卮言》卷四："南渡以后，陆务观颇近苏氏而粗，杨万里、刘改之俱弗如也。"又："诗自正宗之外，如昔人所称广大教化主者，于长庆得一人曰白乐天，于元丰得一人曰苏子瞻，于南渡后得一人曰陆务观，为其情事景物之悉备也。"潘是仁《宋元名公诗集·陆放翁诗集小引》："韵学家留心宋、元者，称陆务观，莫不啧啧也。及绎先生诗，诸体具备，如善音律者，奏商则商，奏角则角，无不洋洋盈耳也。真中兴之翘楚，接武欧、苏，舍公谁属。"毛晋《汲古阁刊剑南诗稿跋》："孝宗一日御华文阁，问周益公曰：'今代诗人，亦有如唐李太白者乎？'益公以放翁对。由是人竟呼为小太白。篇什富以万计，今古无双，或评如怒猊抉石，渴骥奔泉；或评如翠岭明霞，碧溪初月，何足尽其胜概耶？"徐乾学《渔洋续诗集序》："宋之诗浑涵汪茫，莫若苏、陆，合杜与韩而畅其旨者子瞻也，合杜与白而伸其辞者务观也，初未尝离唐人而别有所师。"朱彝尊《书剑南集后》："诗家比喻，六义之一，偶然为之可尔。陆务观《剑南集》，句法稠叠，读之终卷，令人生憎。若'身似老僧犹有发，门如村舍强名官'，'踪似春萍本无柢，心如秋燕不安巢'，'身似在家狂道士，心如退院病禅师'，'心似春鸿宁久住，身如秋扇合长捐'，'身似败棋难复振，心如病木已中空'，'心似枯葵空向日，身如病栎孰知年'，'家似江淮归业户，身如湖岭罢参僧'，'心似游僧思道远，身如败将陷重围'，'居似穷边荒马驿，身如深谷老桑门'，'人似登仙唯火食，俗如太古欠巢居'，'闲似苦矶垂钓叟，淡如村院罢参僧'，'懒似老鸡频失旦，衰如蠹叶早知秋'，'喜似系囚闻纵掉，快如疥痒得爬搔'，'闲似白鸥虽自足，健如黄犊已无缘'，'酒似粥浓知社到，饼如盘大喜秋成'，'难似车登蛇退岭，险如舟过马当时'，'月似有情迎马见，莺如相识向人鸣'，'心如泽国春归雁，身似云堂旦过僧'，'身如巢燕临归日，心似堂僧欲动时'，'身如病木惊秋早，心似鳏鱼怯夜长'，'心如老骥长千里，身似春蚕已再眠'，'身如海燕不逢社，家似瓜牛仅有庐'，'心如老马难知路，身似鸣蛙不属官'，'身如病鹤长停料，心似山僧已弃家'，'心如顽石忘荣辱，身似孤云任去留'，'心如脱阱奔林鹿，迹似还山不雨云'，'恩如长假容居里，官似分司不限年'，'瘦如饭颗吟诗面，饥似柴桑乞食身'，'勇如持虎但堪笑，学似累棋那易成'，'爽如瑞露零仙掌，清似寒冰贮玉壶'，'衰如蠹叶秋先觉，愁似鳏鱼夜不眠'，'乐如逐兔牵黄犬，快似麾兵卷白波'，'壁如龟莢难占卜，瓦似鱼鳞不接连'，'路如剑阁逢秋雨，山似炉峰锁暮云'，'云如山坏长空黑，风似潮回万木倾'，'雨如梅子初黄日，水似桃花欲动时'，'花如上苑长成市，酒似新丰不直钱'，'雁如著意频惊枕，月似知愁故入门'，'蚕如黑蚁桑生后，秧似青针水满时'。余诗腰漆用'如'、'似'字作对，难以悉数，就中非无佳句，此陆平原所云'离之双美，合之两伤'者也。"王士禛《带经堂诗话》卷一："宋人之诗，多者莫如子瞻、务观。……务观闲适，写村林茅舍、农田耕渔、花石琴酒事，每逐月日，记寒暑，读其诗如读其年谱也，然中间勃勃有生气。中原未定，梦寐思建功业，其真朴处多，雕镂处少，取其多者为佳。"又："南渡气格，下东都远甚，唯陆务观为大宗。七言逊杜、韩、苏、黄诸大家，正坐沉郁顿挫少耳，要非余人所及。"陈衍《宋十五家诗选·剑南诗选》："放翁一生精力尽于七律，故全集所载最多最佳。古诗稍有松处，然至其精采发露，自斑驳可爱。读放翁诗，须深思其炼字炼句、猛力炉锤之妙，方得真面目。若以浅易求之，不啻去而万里。"贺裳《载酒园诗话》卷一："宋陆务观本于曾茶山，茶山生硬粗鄙，务观逸韵翩翩，此鹤巢之出鸾凤也。"又《宋·陆游》："予初读《瀛奎律髓》，每遇一类，唐诗后必继宋诗，鄙俚粗拙，如狪獠接语。得务观一篇，辄有洋洋盈耳之喜，因极赏之。及阅《剑南全集》，不觉前意顿减。大抵才具无多，意境不远，唯善写眼前景物，而音节琅然可听。一诗中必有一联致语，如雨中草色，葱翠欲滴。间出新脆之句，犹十月海棠，枯条特发数蕊，妖艳撩人。亦时为激昂磊落之言，颇有祢衡踏地前来、嵇康扬锤不辍之态。要唯七言近体有之，余不能尔。"梁清远《雕丘杂录》："陆放翁诗，山居景况，一一写尽，写为山林史。但时有抑郁不平之气，及浮夸自侈之谈。去此，便与陶渊明何殊?"汪琬《剑南诗选序》："宋南渡百四十年，诗文最盛，其以大家称者，于文当推文公朱子，于诗当推务观，其他皆名家而已。当时或取务观配杨诚斋，谓之杨、陆，甚至评骘两人，以诚斋拟太白，务观拟子美，非笃论也。务观不欲竞名，故迂其词曰：'我不如诚斋，此评天下公。'果公乎?非公乎?予尝论之，范石湖之诗非不新也，然而边幅则太窘矣；四灵非不工也，然而景象则太狭矣；刘后村非不博且隽也，然而思致则太纤矣。滔滔滚滚，多或数百言，少或数十言，不窘、不狭、不纤，独能出奇无穷者，舍务观谁归?朱子每慎许可，顾尝以奇才称之。其人其诗，决当袝食于子美、乐天、子瞻三君子之间，未可以前后进置优劣也。"田雯《古欢堂杂著》卷二："南渡诸诗，亦似晚唐已后，格卑气弱，非复东都之旧矣。陆务观挺生其间，被濯振拔，自成一家，真未易才。七言古诗登杜、韩之堂，入苏、黄之室，虽功不敌前人，亦一杰搆。"又："放翁意摹香山，取材甚广，作态更妍，读去历历落落，如数家珍。有作诗之乐，而无伤于大雅。"又："放翁七言绝句，却有数种，读者不可不知。如《秋风亭》云：'人生穷达谁能料，蜡泪成堆又一时'；'巴东诗句澶州策，信手拈来尽可惊。'《筹笔驿》云：'一等人间管城子，不堪谯叟作降笺。'《归舟重五》云：'屈平乡国逢重五，不比寻常角黍盘。'《游近村》云：'死后是非谁管得，满村听说蔡中郎。'《读李泌传》云：'人生若要常无事，两颗梨须手自煨。'《剡溪图》云：'从今步步须回棹，不独山阴兴尽时。'《读杜诗》云：'拾遗大欠修行力,小吏相轻便动心。'《项羽传》云:'范增力尽无施处,路到乌江君自知。'《曹公传》云:'赤壁归来应叹息,人间更有一周瑜。'《读史》云:'可怜赫赫丹阳尹,数颗槟榔尚系怀。'此一种也。如'细腰宫畔过重阳','细雨骑驴入剑门','卧听蛮童放辘轳','射雉归来夜读书','数声柔橹下巴陵','幅巾短褐小篮舆','又乘微雨去锄瓜','庭树鸣枭鬼弄灯','病观《周易》闷梳头','一双黄蝶弄秋光','一窗晴日写《黄庭》','红蜻蜓点绿荷心','丁卯桥应胜午桥','一树梅花一放翁','时有残蝉一两声',此又一种也。如《听雨》云:'忆在锦城歌吹海,七年夜雨不曾知。'《蔬圃》绝句云:'可怜遇事常迟钝,九月区区种晚菘';'凭谁为向阿瞒道,彻底无能合种蔬','一事尚非贫贱分,芼羹僭用大官葱。'《秋夜读书》云:'也知赋得寒儒分,五十灯前见细书','三十三年真一梦,茅檐寒雨夜萧萧。'《梅花》云:'今日溪头须小饮,冷官不禁看梅花。'《秋怀》云:'年来多病题诗懒,付与鸣蛩替说愁。'《探梅》云:'平生不许凡桃李,看了梅花睡过春。'《晚眺》云:'樊川诗句营丘画,尽在先生拄杖前。'《闻笛》云:'一曲忽闻高士笛,临窗和以读书声。'《梨花》云:'征西幕府煎茶地,一幅边鸾画折枝。'《读书》云:'灯前目力虽非昔,犹课蝇头二万言。'《闻百舌》云:'闲眠不作华胥计,说与春鸟自在啼。'《有怀》云:'何时得与平生友,作字观书共一灯。'此又一种也。如《醉道士图》云:'迩来祭酒皆巫祝,眼底难逢此辈人。'《叹俗》云:'看渠皮底元无血,那识虞卿鲁仲连。'《冬日暄甚》云:'为君小试回春手,便似暄妍二月天。'《排闷》云:'白头烂醉东吴市,自拔长刀割彘肩。'《戏赠园中花》云:'我欲小施调燮手,酌中寒暖半阴晴。'《夜过大姓》云:'醉饱要胜饥欲死,看渠也复面团团。'《社日小饮》云:'世事恰如风过耳,微聋身好不须医。'《村行》云:'不须更求芎芷辈,吾诗读罢自醒然。'《华佗传》云:'华佗老黠徒惊俗,吾岂无书可活人。'此又一种也。如《题城南堂》云:'春寒催唤客尝酒,夜静卧听儿读书。'《郊居》云:'已炊菰散真珠米,更点丁坑白雪茶。'《农桑》云:'山歌高下皆成调,野水纵横自入塘。'《春日杂兴》云:'花间款款宁为晚,日出迟迟却是晴。'《夏日》云:'倚床奴子垂头坐,摇手孙儿小步行。'《斋中杂题》云:'辈几砚涵鸲鹆眼,古奁香斸鹧鸪斑。'此又一种也。"周之鳞《宋四名家诗钞·放翁诗钞序》:"古来诗人富于诗者,莫如渭南。或谓其语多重沓,撼情貌景,不能远览穷搜,而仅工于体物。是将以戋戋之诚,没作述之苦心耶。夫乐无定声,而务和其节;绘无定状,而期肖其形。渭南之诗,唯其意之得耳。其志夷宕,故于节也和;其思刻苦,故于形也肖。其细入毫芒,幽穷影响,固隐如风雨之集,而莫测其端;而队仗鲜明,冠服伟丽时,又何尝不如西山校射,猎骑千群;别馆张筵,从官百辈乎?且独不见夫惓惓忧国之诗耶?自夫神京陆沈,偷安南渡,渭南以一书生,蒿目当途,弯弧跃马之思,既老不释。观于'家祭无忘'之语,千秋而下,亦为长恸。此其用心与子美何以异?诗云尔哉!若其诗之前后错出,譬之深山大泽,包含者多,不暇剪除荡涤,岂如守半亩之宫,一木一石,可屈指计数,而顾欲以此傲彼乎?"杨大鹤《剑南诗钞序》:"近年以来,有识者始读宋诗,始读陆放翁诗,然而放翁非诗人也。颂其诗,不知其人可乎?是以论其世,以意逆志,使为得之。夫志非他,情之发于性者。是故传曰:诗可以道性情。南宋自绍兴改元,讫于嘉定,中间五六十年,金壬柄国之日为多。朝廷之上，前有谗而不见，后有贼而不知，忠义为傻，道学为邪，正人君子，朝进用而夕报罢，见机明决者，求去唯恐不速，此为放翁所遭之世。初为权奸所嫉，后怍贵幸自免，五为州别驾，西溯夔道，宿留十载，竟有终焉之志。仅以笔力回斡，见知当宁，得拜爵致仕以老。少不治生事，老不请祠禄，晚岁东归，补书巢，插东篱，安贫自得，未尝有戚戚之容。尤与张魏公父子、吕伯恭、朱晦翁诸贤厚善。忠孝节义，本乎天资，理学文章，由于学力，此为放翁生平之为人。孝宗即位，首赐进士出身，入对辄上言，乞信诏令以示中外，诛沮格以惩玩习，于建都立国，积粟练兵，三致意焉。迄不得大用。酒旗鼓，笔刀槊，一饭不忘，没齿无二，临绝《示儿》之作，至今读之，使人泪如雨下，此为放翁不可夺之志。论其世，知其人，考其志，以放翁为诗人而已，可乎？知放翁之不为诗人，乃可以论放翁之诗。或曰：是长袖之舞，多财之贾，积厚矣。或曰：是庖之游刃，僚之走丸，妙熟矣。余盖不谓然。一书之不读，一物之不识，一理之不明，皆有憾于诗，是固然矣。然放翁自言：'读书取畅达性灵，不必终卷。'又言：'藏书万卷读至老，固愿少出苏黎元。'此岂徒夸多斗靡，为捻须骘句，储不时之需者哉。年十二能诗，卒年八十有五。长子子虡编其稿为八十五卷，数不下万首，三日不作，见于篇章，数日不作，发为浩叹，是固然矣。然放翁又言：'文章本天成，妙手偶得之。粹然无疵瑕，岂复须人为。'自言：'间为长谣短章，楚调唐律，酬答风月烟雨之态度，非唯娱耳目、遣暇日而已。'此岂黏头缀尾、朝镌夕琢，必待月久岁深，以多作为能者哉。刘后村之论曰：陆放翁似少陵，杨诚斋似太白。孝宗一日问周益公：'今代诗家亦有如唐李太白者乎？'益公以放翁对。盖宋人之诗，多学李、杜，画疆分道，各不相谋，南宋以后，愈见痕迹，故当时之论如此。余亦不尽谓然。放翁之于李、杜，皆时时有之，而皆不足以定放翁。盖可定者，世间纸上之李、杜，时时有之者，放翁胸中之李、杜也。论放翁之胸中，吐纳众流，浑涵万有，神明变化，融为一气，眼空手阔，肝肺槎枒，容王导辈数百，吞云梦者八九。此乃放翁之诗，非诗人所能为者尔。或又曰：诚如子言，放翁独有千古矣乎？余曰：岂唯放翁，由放翁而溯之，从李、杜而推之，略举一二，如陶渊明、韩昌黎、苏东坡辈，凡不为诗人而已者，其诗皆独有千古者也。放翁之读杜亦曰：'后世但作诗人看，使我抚几空咨嗟。'此非其证耶？后妃夫人，江汉游女，固不可以为诗人，其诗乃载于《三百篇》，列于六经，为后世作诗之祖。由此言之，诗果非诗人之所能为也。若夫殚见洽闻，搜神志怪，心不绝吟，手不停笔，某篇逼真某代，某章酷肖某家，若者升浣花之堂，若者入青莲之室，以为如是则工，不如是则不工者，皆可以为诗人者也，而岂复有诗也哉。"吴陈琰《葛庄诗钞序》："至于摹写情景，最在逼真者，唐则有白乐天，宋则有陆务观。两公而外，或风格声调高出其上者尚多，而论自然之境，必以两公称最。……务观诗自钜至细，无不曲写入微，几于捻断吟髭，而不屑为人所爱，然使人不能不爱，不啻亲履其境，目睹其事，皆人所难也。"张谦宜《絸斋诗谈》卷五："陆剑南、范石湖皆学杜有得者，范较养胜，陆较才胜耳。"又："剑南学杜，如研金成泥，不碍挥洒，非他人临摹之比。此全在气骨坚劲，虽白话不碍大雅。"又："放翁诗浑厚雄健，真得杜髓，又且家数甚大，无所不刻。"又："放翁似杜处，全是性情与他一般，不在字句临摹。性情何以相似？忠孝白直，人心之公理也。先要留得这个在，方许做诗。诗所以可传，正在此。"

又："陆诗须求其思路刻苦处，须得其游行自在处，不可目为轻浅，全是杜诗熟极，心能变化之验。"又："放翁古诗，笔墨性情俱妙。但是他意思太爽快，才气太迅发，正在力追古人处露出议论作用，未免筋脉怒张，少简穆浑噩之味，然已越出宋人界外。"又："七言古可以豪放驰骋，故放翁得意处多。然须以结构坚牢，精神肃穆者为最。"又："五言律尤有笔力，老健无敌。此沉酣于少陵，而脱落其肤者。要之此老固有异禀。"又："七言律，其精神骨格则大家也，其字句时有颓唐处，有顺手拈来落入宋调处。缘诗太多，难于检点合法。至其运俗字用成语，时有入妙境者。一则是他文机熟，无物不化；二则是锤炼精巧，良工心苦；三则是生古人之后，翻新出色，势必至此。但看他容易脱手，读之妥当者，都是丹成效验。"又："五言截句太爽快，便无含蓄不尽之味。"又："七言截句，求其思致绵缈，神味渊永，此诚不及唐人，然精力才气已咄咄逼人，要是高手。"《宋诗钞·剑南诗钞序》："宋诗大半从少陵分支，故山谷云：'天下几人学杜甫，谁得其皮与其骨？'若放翁者，不宁皮骨，得其心矣。所谓爱君忧国之诚见乎辞者，每饭不忘。故其诗浩瀚峥嵘，自有神合。呜呼！此其所以为大宗也欤。"沈德潜《说诗晬语》卷下："放翁七言律，对仗工整，使事熨贴，当时无与比埒。然朱竹垞摘其雷同之句，多至四十余联。缘放翁年八十余，'六十年间万首诗'后，又添四千余首，诗篇太多，不暇持择也。初不以此遂轻放翁，然亦足为贪多者镜矣。八句中上下时不承接，应是先得佳句，续成首尾，故神完气厚之作，十不得其二三。"宋荦《漫堂说诗》："南渡后，江西派盛行，推崇山谷，而槎枒晦涩，百病丛生，既入偏锋，复堕恶趣。……唯放翁老炼峭洁，七古简而能厚，清而能辣；七律佳者，沈雄近杜，真巨擘矣！第存诗太多，流连光景之作，十居七八，而世人又以平调秀句易于谐俗效之，遂减声价。然可冠南宋，石湖非其伯仲。"叶矫然《龙性堂诗话》续集："放翁诗多至万首，其佳句甚多，当分别观之。世多诋其俚浅，然实有警处、逸处、造作处。如《感怀》云：'故人不见暮云合，客子欲归春草生。'《雨霁》云：'雨声已断时闻滴，云气将归别起峰。'《雨泊》云：'风吹暗浪重添缆，雨送新寒半掩门。'《夜步》云：'风递钟声云外寺，水摇灯影酒家楼。'《小雨》云：'煎灯院落晨犹冷，卖酒楼台晚放晴。'《幽居》云：'燕低去地不盈尺，鹊喜傍檐时数声。'《寄意》云：'客从谢事归时散，诗到无人爱处工。'《初冬》云：'枫叶欲残看愈好，梅花未动气先香。'诸如此类，皆古调也。至其用叠字入妙处，则有'孤村寂寂潮生浦，小院昏昏雨送梅'，'稻垄牛行泥滑滑，野塘桥坏雨昏昏'，'草烟漠漠柴门里，牛迹重重野水滨'，'陂塘漫漫行秧马，门巷阴阴挂艾人'，'白塔昏昏才半露，青山淡淡欲平沉'，皆言近致远，有浣花、曲江之遗焉。"四库提要卷一六○："《剑南诗稿》八十五卷。……游诗法传自曾几，而所作《吕居仁集序》又称源出居仁。二人皆江西派也。然游诗清新刻露，而出以圆润，实能自辟一宗，不袭黄、陈之旧格。刘克庄号为工诗，而《后村诗话》载游诗，仅摘其对偶之工，已为皮相。后人选其诗者，又略其感激豪宕、沉郁深婉之作，唯取其流连光景、可以剽窃移掇者，转相贩鬻，放翁诗派遂为论者口实。夫游之才情繁富，触手成吟，利钝互陈，诚所不免。故朱彝尊《曝书亭集》有是集跋，摘其自相蹈袭者至一百四十余联。是陈因窠臼，游且不能自免，何况后来。然其托兴深微、遣词雅隽者，全集之内，指不胜屈，安可以选者之误，并集矢于作者哉？"赵翼《瓯北诗话》卷五："昌黎之后，东坡自成一家，不可方物。……放翁古诗好为俪句，以炫其绚烂，东坡则行墨间多单行而不屑于对属。且昌黎、放翁多从正面铺张，而东坡则反面旁面，左萦右拂，不专以铺叙见长。昌黎、放翁使典亦多正用，而东坡则驱使书卷入议论中，穿穴翻簸，无一板用者。此数处似东坡较优，然雄厚不如昌黎，而稍觉轻浅；整丽不如放翁，而稍觉率略。此固才分各有不同，不能兼长也。"又卷六："放翁以律诗见长，名章俊句，层见叠出，令人应接不暇。使事必切，属对必工；无意不搜，而不落纤巧；无语不新，而不事涂泽，实古来诗家所未见也。然律诗之工，人皆见之，而古体则莫有言及者。抑知其古体诗，才气豪健，议论开辟，引用书卷，皆驱使出之，而非徒以数典为能事。意在笔先，力透纸背，有丽语而无险语，有艳词而无淫词，看似华藻，实则雅洁，看似奔放，实则谨严，此古体之工力更深于近体也。或者以其平易近人，疑其少炼；抑知所谓炼者，不在乎奇险诘曲、惊人耳目，而在乎言简意深，一语胜人千百。此真炼也。放翁工夫精到，出语自然老洁，他人数言不能了者，只用一二语了之。此其炼在句前，不在句下，观者并不见其炼之迹，乃真炼之至矣。试观唐以来古体诗，多有至千余言四五百言者。放翁古诗，从未有至三百言以外，而浑灏流转，更觉沛然有余，非其炼之极功哉。至近体之刮垢磨光，字字稳惬，更无论矣。又放翁古今体诗，每结处必有兴会、有意味，绝无鼓衰力竭之态。此固老寿享福之征，亦其才力雄厚，不如是则不快也。"又："放翁自蜀东归，正值朱子讲学提倡之时，放翁习闻其绪言，与之相契。家居，有《寄朱元晦提举》诗、《谢朱元晦寄纸被》诗，又《寄题朱元晦武夷精舍》诗，所谓'有方为子换凡骨，来读晦翁新著书'也。及朱子卒，放翁祭之以文云：'某有捐百身、起九原之心，倾长河、决东海之泪。路修齿耄，神往形留。'是可见二公道义之交矣。时伪学之禁方严，放翁不立标榜，不聚徒众，故不为世所忌。然其优游里居，啸咏湖山，流连景物，亦足见其安贫守分，不慕乎外，有昔人'衡门泌水'之风。是虽不以道学名，而未尝不得力于道学也。其集中亦有以道学入诗者，如《冬夜读书》云：'六经万世眼，守此可以老。多闻竟何为，绮语期一扫。'又有云：'虽叹吾何适，犹当尊所闻。从今倘未死，一日亦当勤。'《平昔》云：'皎皎初心质天地，兢兢晚节蹈渊冰。'《书怀》云：'平生学六经，白首颇自信。所觊未死间，犹有分寸进。'《示儿》云：'闻义贵能徙，见贤思与齐。'又云：'《易经》独不遭秦火，字字皆如见圣人。汝始弱龄吾已耄，要当致力各终身。'可见其晚年有得，非随声附和，以道学为名高者矣。至其诗之清空一气，明白如话，而无迂腐可厌之习，则又其余事也。"又："放翁与杨诚斋同以诗名。诚斋专以俚言俗语阑入诗中，以为新奇。放翁则一切扫除，不肯落其窠臼。盖自少学诗，即趋向大方家，不屑屑以纤佻自贬也。然间亦有一二语似诚斋者。如《晚步》云：'寓迹个中谁耐久，问君底事不归休？'《饥坐》云：'落笔未妨诗衮衮，闭门犹喜气扬扬。'《老学庵》云：'名誉不如心自肯。'《醉中走笔》云：'过得一日过一日，人间万事不须谋。'《自咏》云：'作个生涯君勿笑。'《新作篱门》云：'虽设常关果是么？'《自诒》云：'愈老愈知生有涯，此时一念不容差。'《遣兴》云：'关上衡门那得愁。'此等诗派，南宋时盛行，在放翁则为下劣诗魔矣。"又："放翁万首诗，遣词用事，少有重复者。唯晚年家居，写乡村景物，或有见于此，又见于彼者。《老境》云：'智士固知穷有命，达人元谓死为归。'

《寓叹》又云：‘达士共知生是赘，古人尝谓死为归。’《晨起》云：‘大事岂堪重破坏，穷人难与共功名。’《忆昔》又云：‘壮士有心悲老大，穷人无路共功名。’《夜坐》云：‘风生云尽散，天阔月徐行。’《夜坐》又一首云：‘湖平波不起，天阔月徐行。’《冬夜》云：‘残灯无焰穴鼠出，槁叶有声村犬行。’《枕上作》又云：‘孤灯无焰穴鼠出，枯叶有声邻犬行。’《初夏闲居》云：‘民有裤襦知岁乐，亭无桴鼓喜时康。’《寒夜》又云：‘市有歌呼知岁乐，亭无桴鼓喜时平。’《羸疾》云：‘羸疾止还作，已过秋暮时。但当名百药，那更谒三医。’《题药囊》又云：‘残暑才属尔，新秋还及兹。真当名百药，何止谒三医。’此则未免太复。盖一时凑用完篇，不及改换耳。”翁方纲《石洲诗话》卷四：“虽以陆公有杜之心事，有苏之才分，而驱使得来，亦不离平熟之径。气运使然，豪杰亦无如何耳。”又：“放翁诗善用‘痕’字，如‘窗痕月过西’、‘水面痕生验雨来’之类，皆精炼所不能到也。”又：“自后山、简斋抗怀师杜，所以未造其域者，气力不均耳。降至范石湖、杨诚斋，而平熟之径，同辈一律，操牛耳者，则放翁也。平熟则气力易均，故万篇酬酢，迥非后山、简斋可望。而又平生心力全注国是，不觉暗以杜公之心为心，于是乎言中有物，又迥出诚斋、石湖上矣。然在放翁，则自作放翁之诗，初非希杜作前身者，此岂后之空同、沧溟辈但取杜貌者所可同日而语！”徐晓亭《麈谈笔存》：“杨诚斋诗，力求超脱。范石湖诗，力求精工。却不道诗从至性至情流出，不求超脱而自超脱，不求精工而自精工，此妙唯陆放翁先生得之。南渡以后诗，断宜推此老为第一。”马星翼《东泉诗话》卷二：“放翁善用成句，如‘胸中那可有一事，天下故应无两人’、‘只知秋菊有佳色，哪问荒鸡非恶声’、‘百岁能穿几两屐，千诗不及一囊钱’、‘敢言日近长安远，唯恨天如蜀道难。’又善用古人意趣，如‘平生忧患苦萦缠，菱刺磨成芡实圆’，即百炼钢化为绕指柔义。《孤学》诗句‘家贫占力量，夜梦验工夫’，即夜卜诸梦寐，昼观诸妻子义。”又：“‘闲愁如飞雪，入酒即消融。好花如故人，一笑杯自空’，‘流莺有情应念我，柳边尽日啼春风。长安不到十四载，酒徒往往成衰翁。九环宝带光照地，不如留君双颊红’，放翁对酒之作，骎骎入古。世称放翁，多就其律诗、绝句言之，不知近体乃其余事。近体甚多，亦非一律，如‘飞飞鸥鹭陂塘绿，郁郁桑麻风露香’，‘山重水复疑无路，柳暗花明又一村’，皆极自然；‘山从飞鸟行边出，天向平芜尽处低’，‘丹枫断岸秋来早，澹日孤村客到稀’，‘湖心月上明如昼，树杪风生冷逼秋’，‘天空列嶂开图画，水落寒江学篆文’，此类又极研炼；至‘白菡萏香初过雨，红蜻蜓弱不禁风’，‘午瓯谁致叶家白，春瓮旋拨郎官清’，句甚丽矣；‘江山好处得新句，风月佳时逢故人’，‘时平酒价贱如水，病起老身闲似云’，又多野趣。唯其步趋者多，不名一家，所以为大家也。”潘德舆《养一斋诗话》卷四：“范晞文论七律，谓李、杜之后，当学者许浑而已。吾甚不嘉其说。……放翁云：‘文章光焰伏不起，甚者自谓宗晚唐。’然翁闲居遣兴七律，时或似此，虽圆密稳顺，一时可喜，而盛唐之气魄，中唐之情韵，杳然尽矣。”又卷五：“前谓剑南闲居遣兴七律，时仿许丁卯之流，非冤之也。如‘数点残灯沽酒市，一声柔橹采菱舟’，‘高柳簇桥初转马，数家临水自成村’，‘似盖微云才障日，如丝细雨不成泥’，‘夜雨长深三尺水，晓寒留得一分花’，‘童儿冲雨收鱼网，婢子闻钟上佛香’，‘绕庭数竹饶新笋，解带量松长旧围’，‘钓收鹭下虚舟立，桥断僧寻别径归’，‘瓶花力尽无风堕，炉火灰深到晓温'，'绿叶忽低知鸟立，青蘋徐动觉鱼行'，如此更仆难尽，无句不工，无工句而非许丁卯之流也。陈讦曰：'放翁一生精力尽于七律，故最多最佳。古诗稍有松处。'夫谓陆之律胜于古，已属一误。又谓七律乃一生精力全注，尤不识其用力处也；且放翁七律，佳者诚多，然亦佳句耳。若通体浑成，不愧南渡称首者，尝精求之矣。如'地连秦雍川原壮，水下荆扬日夜流'，'早岁君王记姓名，只今颠顿客边城'，'时平壮士无功老，乡远征人有梦归'，'少日壮心轻玉塞，暮年幽梦堕沧州'，'诸公勉画平戎策，投老深思看太平'，'一点烽传散关信，两行雁带杜陵秋'，'三峡猿催清泪落，两京梅傍战尘开'，'只要闾阎宽箠楚，不须亭障肃弓刀'，'今皇神武是周宣，谁赋南征北伐篇'，'老子犹堪绝大漠，诸君何至泣新亭'，'十月风霜欺客枕，五更鼓角满江天'，'夷甫诸人骨作尘，至今黄屋尚东巡'，'细雨春芜上林苑，颓垣夜月洛阳宫'，'远戍十年临的博，壮图万里战皋兰'，'绿沈金锁俱尘委，雪洒寒灯泪数行'，'荣河温洛帝王州，七十年来千黍秋'，此十数章七律，著句既遒，全体亦警拔相称。盖忠愤所结，志至气从，非复寻常意兴。较之全集七律，数十之一耳。然论放翁七律者，必以此为根本，而以'数点残灯沽酒市'等诗附之，乃知诗之大主脑，翁之真力量，否则赞翁而翁不愿也。翁诗云'苦心自古乏真赏'，其信然矣。"又："放翁作梅诗，多用全力。如'山矾水仙晚角出，大是春秋吴楚僭。余花岂无好颜色，病在一俗无由砭。朱栏玉砌渠有命，断桥流水君何欠'。又如'冰崖雪谷木末芽，造物破荒开此花。神全形枯近有道，意庄色正知无邪。高坚政要饱忧患，放弃何遽愁荒遐'。又如'精神最遇雪月见，气力苦战冰霜开。羁臣放士耿独立，淑姬静女知谁媒。摧伤虽多意愈厉，直与天地争春回'。笔力横绝，实能为此花写出性情气魄者，但不无著力太过。至如'平生不喜凡桃李，看了梅花睡过春'，'梅花自避新桃李，不为高楼一笛风'，语涉讥刺，亦非本色。若'坐收国士无双价，独立东皇太一前'，'相逢只怪影亦好，归去始知身染香'，又嫌好使事也。尝谓放翁咏梅七律至数十首，唯'孤城小驿初飞雪，断角残钟半掩门'一联，稍得神耳。"梅曾亮《陈邦芑诗序》："诗莫盛于唐，而工诗者多幕府时作。陆务观归老鉴湖，其诗亦不如成都、南郑时为极盛。夫鸟归巢者无声，叶落粪本者不鸣，其势然也。"刘熙载《艺概》卷二："东坡、放翁两家诗，皆有豪有旷，但放翁是有意要做诗人，东坡虽为诗，而仍有夷然不屑之意，所以尤高。"又："西江名家好处，在锻炼而归于自然。放翁本学西江者，其云：'文章本天成，妙手偶得之。'平昔锻炼之功，可于言外想见。"又："放翁诗明白如话，然浅中有深，平中有奇，故足令人咀味。观其《斋中弄笔诗》云：'诗虽苦思未名家。'虽自谦，实自命也。"又："诗能于易处见工，便觉亲切有味。白香山、陆放翁擅长在此。"《妙香室丛话》卷三："剑南诗……'霜晓方惊群木脱，春晴又喜一花新。''俗客炉闲来衮衮，流年欺老去翩翩。''每因清梦游敷水，自觉前身老华山。''花经风雨人方惜，士在江湖道更尊。''花发时时携浊酒，客来往往羡朱颜。''闭户不知春已去，钞书但觉日方长。''擘浪忽看鱼对跃，入云时见鹤高骞。''烟添半篙绿，山可一窗青。''两卷硬黄书老子，数峰破墨画庐山。''水生溪面大鱼跃，风定草头双蝶飞。''民有裤襦知岁乐，亭无桴鼓喜时康。''时平里巷吹弹闹，岁熟人家嫁娶多。'想见承平气象。《送子龙赴吉州》云：'署衔汝弗憎铜臭，就养吾方喜饭香。'别有风趣也。'风梢解箨竹斋母，露叶成阴桐有孙'，点缀工绝。更爱其'呼童不应自生火，待饭未来还读书'之句，闲适处天怀坦然。'团扇卖时春渐晚，袷衣换后日初长'，风景可想。'过期未死更强健，与世不谐犹啸歌'一联，寄托遥深。'小蝶弄晴飞不去，珍禽喜静语多时'、'陶士寄云从地肺，游僧问路上天台'，此语未经人道。'潮通支浦鱼舟活，露湿繁花醉帽偏'，超逸之至。'茅檐唤客家常饭，竹院随僧自在茶'，想见先生天怀澹定，香山、东坡后一人而已。'断云残雨岁华晚，丹实碧花新意深'一联，恐荆、关名手亦写不出。'群鱼聚散忽无迹，孤蝶去来如有情'此联当令人书之。"《无事为福斋随笔》卷上："放翁诗善用'阴'字，以心地清闲，故体贴得到。如'乞借春阴护海棠'、'正开却要日微阴'、'月过花阴故故迟'、'春在轻阴薄霭中'，无不入妙。'一年佳处是初寒'，'寒'字妙处，又为放翁觅得。"陈衍《宋诗精华录》卷三《剑南摘句图》："剑南最工七言律、七言绝句，略分三种：雄健者不空，隽异者不涩，新颖者不纤。古体诗次之。五言律又次之。七言律断句，美不胜收，略摘如左：'正欲清言闻客至，偶思小饮报花开'，'号野百虫如自诉，辞柯万叶竟安归'，'鱼市人家满斜日，菊花天气近新霜'，'寒束幽花如有待，风延啼鸟苦相催'，'还乡且尽田家乐，举世谁非市道交'，'邻谙好事频赊酒，家不全贫肯卖文'，'云容山意商量雪，柳眼桃腮领略春'，'津吏报添三尺水，山僧归入万重云'，'傍水无家无好竹，卷帘是处是青山'，'冻云傍水封梅萼，嫩日烘窗释砚冰'，'山重水复疑无路，柳暗花明又一村'，'郊原远带新晴色，人语中含乐岁声'，'楼船夜雪瓜洲渡，铁马秋风大散关'。按，'楼船'一联，唯《瓯北诗话》引之，选宋诗者，皆未之及，异矣。"又《石遗室诗话》卷一六："宋诗人工于七言绝句，而能不袭用唐人旧调者，以放翁、诚斋、后村为最。大略浅意深一层说，直意曲一层说，正意反一层侧一层说。"梁启超《读陆放翁集》："诗界千年靡靡风，兵魂销尽国魂空。集中什九从军乐，亘古男儿一放翁（中国诗家无不言从军苦者，唯放翁则慕为国殇，至老不衰）。"又："辜负胸中十万兵，百无聊赖以诗鸣。谁怜爱国千行泪，说到胡尘意不平。"自注："放翁诗中'胡尘'等字，凡数十见，盖南渡之音也。"又："叹老嗟卑却未曾，转因贫病气峥嵘。英雄慨道当如此，笑尔儒冠怨杜陵。"自注："放翁集中只有夸老颂卑，未尝一叹嗟，诚不愧其言也。"

四库提要卷一九八："《放翁词》一卷。……游平生精力尽为诗，填词乃其余力，故今所传者，仅及诗集百分之一。刘克庄《后村诗话》谓其时掉书袋，要是一病。杨慎《词品》则谓其纤丽处似淮海，雄快处似东坡。平心而论，游之本意，盖欲驿骑于二家之间，故奄有其胜，而皆不能造其极。要之，诗人之言，终为近雅，与词人之冶荡有殊。其短其长，故俱在是也。"刘克庄《刘叔安感秋八词跋》："长短句昉于唐，盛于本朝。……近岁放翁、稼轩一扫纤艳，不事斧凿，高则高矣，但时时掉书袋，要是一癖。"又《后村诗话》续集卷四："放翁长短句云：'元知造物心肠别，老却英雄似等闲。''秘传一字神仙诀，说与君知只是顽。''一句叮咛君记取，神仙须是闲人作。''君记取，封侯事在，功名不信由天。''元来只有闲难得，青史功名，天却无心惜。'《渔父词》云：'一竿风月，一蓑烟雨，家在钓台西住。卖鱼生怕近城门，况肯到红尘深处。　潮生理棹，潮平理缆，潮落浩歌归去。时人错把比严光，我自是无名渔父。'《鹧鸪天》云：'杖履寻春苦未迟，洛城樱笋正当时。三千界外归初到，五百年前总自知。　　吹玉笛，渡清伊。相逢休问姓名谁。小车处士深衣叟，曾是天津共赋诗.'《好事近》云：'混迹寄人间，夜夜画楼银烛。谁见五云丹灶，养黄芽初熟。春风归从紫皇游，东海宴旸谷。进罢碧桃花赋，赐玉麈千斛.'又云：'平旦出秦关，雪色驾车双鹿。借问此行安往，赏清伊修竹。　　汉家宫殿劫灰中，春草几回绿。君看变迁如许，况纷纷荣辱.'《朝中措》云：'怕歌愁舞懒逢迎，妆晚托春醒。总是向人深处，当时枉道无情。　　关心近日，啼红密诉，剪绿深盟。杏馆花阴恨浅，画堂银烛嫌明.''情知言语难传恨，不似琵琶道得真.'其激昂感慨者，稼轩不能过；飘逸高妙者，与陈简斋、朱希真相颉颃；流丽缜密者，欲出晏叔原、贺方回之上，而世歌之者绝少。"魏庆之《诗人玉屑》卷二一引《中兴词话》："杨诚斋尝称放翁之诗敷腴，尤梁溪复称其诗俊逸。余观放翁之词，尤其敷腴俊逸者也。如《水龙吟》云：'韶光妍媚，海棠如醉，桃花欲暖。挑菜初闲，禁烟将近，一城丝管.'如《夜游宫》云：'璧月何妨夜夜满，拥芳柔，恨今年，寒尚浅.'如《临江仙》云：'鸠雨催成新绿……'皆思致精妙，超出近世乐府。至于'月照梨花'一词云：'霁景风软……'此篇杂之唐人《花间集》中，虽具眼未知乌之雌雄也。"杨慎《词品》卷五："放翁词纤丽处似淮海，雄概处似东坡。其感旧《鹊桥仙》一首：'华灯纵博……'英气可掬，流落亦可惜矣。其'坠鞭京洛，解珮潇湘。欲归时，司空笑问，渐近处，丞相嗔狂'，真不减少游。"毛晋《放翁词跋》："杨用修云'纤丽处似淮海，雄慨处似东坡'，予谓超爽处更似稼轩耳。"李调元《雨村词话》卷二："放翁词似诗，然较诗浓缛，所欠一醒字，而《破阵子》词却甚工。词云'仕至千钟良易'，此不但句醒，且唤醒世间多少人。"冯金伯《词苑萃编》卷五引《词统》："放翁《呈范至能待制双头莲》末句云：'空怅望鲙美菰香，秋风又起.'又《夜闻杜鹃鹊桥仙》末句云：'故山犹自不堪听，况半世，飘然羁旅.'去国怀乡之感，触绪纷来，读之令人於邑。"谢章铤《赌棋山庄词话》卷四："维扬张世文云：陆放翁《水龙吟》首句本是六字，第二句本是七字，若'摩诃池上追游客'，则七字。下云'红绿参差春晚'，却是六字。又如后篇《瑞鹤仙》'冰轮桂花满溢'为句，以'满'字住，而以'溢'字带在下句。别如二句分作三句，三句合作二句者尤多。然句法虽不同，而字数不少，妙在歌者上下纵横取协尔。"又续编卷三："陆放翁词，佳者在苏、秦间，然乏超然之致、天然之韵，是以人得测其所至。"冯煦《蒿庵论词》："剑南屏除纤艳，独往独来，其逋峭沉郁之慨，求之有宋诸家，无可方比。《提要》以为诗人之言，终为近雅，与词人之冶荡有殊，是也。至谓游欲驿骑东坡、淮海之间，故奄有其胜，而皆不能造其极，则或非放翁之本意欤。"陈廷焯《词坛丛话》："稼轩词，粗粗莽莽，桀傲雄奇，出坡老之上。唯陆放翁《渭南集》可与抗手，但运典太多，真气稍逊。"《白雨斋词话》卷一："放翁词亦为当时所推重，几欲与稼轩颉颃。然粗而不精，枝而不理，去稼轩甚远。"又："放翁词唯《鹊桥仙》（夜闻杜鹃）一章，借物寓言，较他作为合乎古。然以东坡《卜算子·雁》较之，相去殆不可道里计矣。"又卷八："放翁《蝶恋花》云：'早信此生终不遇，当年悔草《长杨赋》.'情见乎词，更无一毫含蓄处。稼轩《鹧鸪天》云：'却将万字平戎策，换取东家种树书.'亦即放翁之意，而气格迥乎不同。彼浅而直，此郁而厚也。"郑文焯《大鹤山人词话》附录《放翁词跋》："今读放翁诗集，既滋多口，议其浅薄，颇有复沓之讥，而词则能摆落故态，斐娓可观，其高淡处出入稼轩、于湖之间。"刘师培《论文杂记》："剑南之词，屏除纤艳，清真绝俗，逦峭沉郁，而出以平淡之词，例以古诗，亦元亮、右丞之匹，此道家之词也。"

陆子遹《刊渭南文集跋》："先太史之文，于古则《诗》、《书》、《左氏》、《庄》、《骚》、《史》、《汉》，于唐则韩昌黎，于本朝则曾南丰，是所取法。然禀赋宏大，造诣深远，故落笔成文，则卓然自为一家，人莫测其涯涘。"刘埙《隐居通议》卷二："陆放翁……有四六前、后、续三集。其文初不累叠全句，专尚风骨，雄浑沉著，自成一家，真骈俪之标准也。……《贺茶山曾秘监》有云：'闻诸耆旧，昔在祖宗，朝有道德魁岸之臣，士鄙刑名功利之学。'……以上皆放翁集中语。凡此皆以议论为文章，以学识发议论，非胸中有千百卷书、笔下能挽万钧重者不能及。"吴宽《弘治新刊渭南集序》："按待制以文名当时，其言雍雅典则，足为学者资益。今观子遹跋语，称其所闻于父者，以六经、《左氏》、《庄》、《骚》、班、马、韩、曾为师匠，而天资工力，自得尤深。然则其言岂剽略割缀之所成哉？宜其沛然为一家言，而莫之御也。集中如表、启、状、劄、记、序、铭、赞、碑志、题跋，以及道释词疏、长短曲调皆具。大率宋多弥文，而四六之习滋甚，偶俪萎弱，士恒病之。若斯集之浑成，读之新妙可爱，而又何有于厌倦哉！"祝允明《书弘治新本渭南集后》："放翁文笔简健，有良史风，故为中兴大家。"毛晋《重刊渭南文集跋》："放翁富于文辞，诸体具备。"四库提要卷一六○："《渭南文集》五十卷、《逸稿》二卷。……游以诗名一代，而文不甚著。集中诸作，篇幅颇狭，然元祐党家，世承文献，遣词命意，尚有北宋典型。故根柢不必其深厚，而修洁有余；波澜不必其壮阔，而尺寸不失。……较南渡末流以鄙俚为真切，以庸沓为详尽者，有云泥之别矣。"《古今文派述略》："南宋陆游……文亦高华朗畅，有大家风。"陈振孙《直斋书录解题》卷五："《新修南唐书》十五卷，宝谟阁待制山阴陆游务观撰。采获诸书，颇有史法。"又卷一一："《老学庵笔记》十卷，陆游务观撰。生识前辈，年登耄期，所记见闻，殊可观也。"四库提要卷一二一："《老学庵笔记》十卷、《续笔记》二卷。……轶闻旧典，往往足备考证。"钱曾《读书敏求记》卷二："务观《南唐书》，详核有法，卷例俱遵《史》、《汉》体。"又："陆游《入蜀记》六卷……凡途中山川易险，风俗淳漓，及古今名胜战争之地，无不排日记录。一行役而留心世道如此，后时家祭无忘，盖有素焉。"萧士玮（伯玉）《南归日录》："余读欧公《于役志》、陆放翁《入蜀记》，随笔所到，如空中之雨，小大萧散，出于自然。"

本月，追赐朱熹谥曰文。

本年

张震本年前后在世，生卒年不详。震字东父，号无隐居士，龙湖人。庆元三年守湖州。历福建、江西提刑。嘉定元年为右司郎中。工词，风格婉媚。《全宋词》据《中兴以来绝妙词选》录其词五首。

许及之（？—1209）卒，生年不详。及之字深甫，温州永嘉人。隆兴元年进士，知袁州分宜县。历太常少卿、大理少卿、礼部侍郎等。庆元二年，除吏部尚书，兼给事中。谄事韩侂胄，无所不至。四年，进同知枢密院事。嘉泰二年，拜参知政事。四年，罢。开禧三年，侂胄败，及之降两官，泉州居住。事迹见《宋史》卷三九四本传。《宋史·艺文志》著录《许及之文集》三十卷、《涉斋课稿》九卷，已佚。清四库馆臣据《永乐大典》辑为《涉斋集》十八卷。今《全宋词》录其词一首，《全宋诗》录其诗十八卷，《全宋文》收其文二卷。及之在当时以"词章精敏"见称（楼钥《礼部侍郎许及之该覃恩转官制》）。《温州经籍志》卷二〇："涉斋少历清要，与同时名流文燕最盛，如杨万里、袁说友诸人酬赠诸诗，今并见集中。永嘉诗人则与潘转庵柽唱和尤多，其次韵至六七叠不已，足见一时文字之乐。徒以晚节依阿，遂蒙大诟。然其文采富艳，自不可掩。其卒时，水心叶忠定公为作挽诗两章，亦深致推挹，盖非徒乡曲之私矣。"按，叶适有《许相公挽词二首》。四库提要卷一五九："《涉斋集》十八卷。……观其《读王文公诗绝句》曰：'文章与世为师范，经术于时起世仇。少读公诗头已白，只应无奈句风流。'知其瓣香在王安石。安石之文，平挹欧、苏，而诗在北宋诸家之中，其名稍亚，然早年锻炼熔铸，功力至深。《瀛奎律髓》引司马光之言，称其晚年诸作，华妙精深，殆非虚誉。是集虽下笔稍易，未能青出于蓝，而气体高亮，要自琅琅盈耳，较宋末江湖诗派刻画琐屑者，过之远矣。"孙衣言《涉斋集跋》："今按其所作，七言古诗用意妙远者，几非后人所能骤然领略，其他古诗亦皆排奡峭厉，在南宋诗人中当为健者，不但超越江湖一派。唯近体诗篇幅浅狭，殊乏深意，则所谓下笔稍易者耳。"

姜夔（1155？—1209？）约卒于本年。按，关于姜夔之生卒年，尚无确考。夏承焘《白石道人行实考·生卒考》及《姜白石系年》考定其生年约在绍兴二十五年（1155）左右，此从其说；又考其卒年约在嘉定十四年（1221）。《复旦大学学报》一九八三年第二期载陈尚君《姜夔卒年考》一文，谓据韩淲诗注，夔与潘柽同年去世；又据徐照《哭潘德久》诗及《徐道晖墓志铭》等，知潘柽去世当在嘉定二三年间。另有数条旁证，综此考定夔之卒年当在嘉定二年夏至后到嘉定三年间。此从其说。

姜夔，字尧章，鄱阳人。自幼随父宦游至汉阳，父卒，依姊而居。成年后出游，涉江淮，往来沔、鄂近二十年。淳熙间，客湖南，结识萧德藻，萧以兄女妻之，遂寓居湖州苕溪。所居近白石洞天，因号石帚。友人潘柽赠以诗曰："世间官职似菖蒲，采到枯松亦大夫。白石道人新拜号，断无缴驳任称呼。"因号白石道人。绍熙二年，至苏州谒范成大，为作《暗香》、《疏影》。庆元三年，进《大乐议》、《琴瑟考古图》。五年，又上《圣宋铙歌鼓吹》，幸得免解，与试进士于礼部，不中。夔一生布衣，以清客身份游于名公钜儒之门，往来于湖州、杭州、苏州、金陵、合肥等地，死后至贫不能殡，得友人资助，方葬于杭州钱塘门外西马塍。苏泂《到马塍哭尧章》云："除却乐书谁殉葬，一琴一砚一兰亭。"周密《齐东野语》卷十二载有夔之自述云："某早孤不振，幸不坠先人之绪业。少日奔走，凡世之所谓名公钜儒，皆尝受其知矣。内翰梁公（按：未详何人）于某为乡曲，爱其诗似唐人，谓长短句妙天下。枢使郑公（郑侨）爱其文，使坐上为之，因击节称赏。参政范公（成大）以为翰墨人品皆似晋宋之雅士。待制杨公（万里）以为于文无所不工，甚似陆天随，于是为忘年友。复州萧公（德藻），世所谓千岩先生者也，以为四十年作诗，始得此友。待制朱公（熹）既爱其文，又爱其深于礼乐。丞相京公（镗）不特称其礼乐之书，又爱其骈俪之文。丞相谢公（深甫）爱其乐书，使次子来谒焉。稼轩辛公（弃疾），深服其长短句。如二卿孙公从之（逢吉），胡氏应期（纮），江陵杨公（冠卿），南州张公（按：未详何人），金陵吴公（柔胜），及吴德夫（猎）、项平甫（安世）、徐子渊（似道）、曾幼度（丰）、商翚仲（飞卿）、王晦叔（炎）、易彦章（祓）之徒，皆当世俊士，不可悉数，或爱其人，或爱其诗，或爱其文，或爱其字，或折节交之。若东州之士则楼公大防（钥）、叶公正则（适），则尤所赏激者。嗟乎！四海之内，知己者不为少矣，而未有能振之于窭困无聊之地者。旧所依倚，唯有张兄平甫（鉴），其人甚贤。十年相处，情甚骨肉。而某亦竭诚尽力，忧乐同念。平甫念其困踬场屋，至欲输资以拜爵，某辞谢不愿；又欲割锡山之膏腴以养其山林无用之身。惜乎平甫下世，今惘惘然若有所失。人生百年有几，宾主如某与平甫者复有几？抚事感慨，不能为怀。平甫既殁，稚子甚幼，入其门则必为之凄然，终日独坐，逡巡而归。思欲舍去，则念平甫垂绝之言，何忍言去！留而不去，则既无主人矣，其能久乎？"于中可知其旅食权门、浪游江湖之凄凉况味。事迹见《宋史翼》卷二八、陈思《白石道人年谱》及夏承焘《白石道人行实考》。

《直斋书录解题》卷二〇著录《白石道人集》三卷，《宋史·艺文志》著录《白石丛稿》十卷，已佚。今存《白石道人诗集》一卷，有《汲古阁景钞南宋六十家小集》本、清康熙五十七年曾时灿刻本、乾隆八年陆钟辉刻《姜白石诗词合集》二卷本、《四部丛刊》本，《白石诗说》附刻诗集后。《白石道人歌曲》六卷、《别集》一卷，有陶宗仪影宋钞本、《彊村丛书》本。夏承焘《姜白石词编年笺校》（一九五八年中华书局出版），尤称详尽。《全宋词》收其词八十七首，《全宋诗》录其诗一卷，《全宋文》卷六六一一收其文。

江春《乾隆刊本白石诗词序》："工于诗者不必兼于词，工于词者或不能长于诗，比比然矣。然吾观唐之李太白、白乐天、温飞卿，宋之欧阳永叔、苏子瞻，皆诗词兼工者，古或有其人焉。其在南渡，则白石道人实起而继之。其诗初学江西，已而自出机杼，清婉拔俗，其绝句则骎骎乎半山矣。其词则一屏靡曼之习，清空精妙，复绝前后。以禅宗论，白石为曹溪六祖能，竹屋、梦窗、梅溪、玉田之流，则江西让、南岳思之分支也。盖自唐、五代、北宋之南渡，而白石始得其宗，截断众流，独标新旨，可谓长短句之至工者矣。……白石又精书法，其所撰《绛帖平》、《续书谱》、《禊帖偏旁考》，论订精审，不爽絫黍。其言曰：'小学既废，流为法书，法书又废，唯存法帖。'非得其元要，而能凿凿言之乎。则白石不特工诗词，又工书矣。"

黄昇《题白石词》："姜夔尧章，自号白石道人，中兴诗家名流，其《岁除舟行十绝》脍炙人口。词极精妙，不减清真乐府，其间高处有美成所不能及。善吹箫，自制曲，初则率意为长短句，然后协以音律云。"柴望《凉州鼓吹自序》："词起于唐而盛于宋，宋作尤莫盛于宣、靖间，美成、伯可，各自堂奥，俱号称作者。近世姜白石一洗而更之，《暗香》、《疏影》等作，当别家数也。大抵词以隽永委婉为尚，组织涂泽次之，呼嘯叫啸抑末也。唯白石词登高瞻远，慨然感今悼往之趣，悠然托物寄兴之思，殆与古《西河》、《桂枝香》同风致，视青楼歌、红窗曲万万矣。"张炎《词源》卷下："词要清空，不要质实，清空则古雅峭拔，质实则凝涩晦昧。姜白石词如野云孤飞，去留无迹；吴梦窗词如七宝楼台，炫人眼目，碎拆下来，不成片段。此清空质实之说。……白石词如《疏影》、《暗香》、《扬州慢》、《一萼红》、《琵琶仙》、《探春》、《八归》、《淡黄柳》等曲，不唯清空，又且骚雅，读之使人神观飞越。"又："美成词只当看他浑成处，于软媚中有气魄。采唐诗融化如自己者，乃其所长，惜乎意趣却不高远。所以出奇之语，以白石骚雅句法润色之，真天机云锦也。"沈义父《乐府指迷》："姜白石清劲知音，亦未免有生硬处。"杨慎《词品》卷四："姜夔字尧章，号白石道人，南渡诗家名流。词极精妙，不减清真乐府，其间高处有周美成不能及者。善吹箫，自制曲，初则率意为长短句，然后协以音律云。其咏蟋蟀《齐天乐》一词最胜。其词云：'庾郎先自吟愁赋……'其过苕雪云：'拂雪金鞭，欺寒茸帽，不记章台走马。雁碛沙平，渔汀人散，老去不堪游冶。'人日词云：'池面冰胶，墙头雪老，云意还又沉沉。朱户粘鸡，金盘簇燕，空叹时序侵寻。'《湘月》词云：'归禽时度，月上汀洲冷。中流容与，画桡不点清镜。'从柳子厚'绿净不可唾'之语翻出。戏张平甫纳姜云：'别母情怀，随郎滋味，桃叶渡江时。'《翠楼吟》云：'槛曲萦红，檐牙飞翠。''酒祓清愁，花消英气。'《法曲献仙音》云：'过秋风未成归计，重见冷枫红舞。'《玲珑四犯》云：'轻盈唤马，端正窥户。酒醒明月下，梦逐潮声去。'其腔皆自度者，传至今，不得其调，难入管弦，只爱其句之奇丽耳。"天虚我生《曲海总目序》："填词家所奉圭臬，曩不过《花间》、《草堂》，未尝注有工尺。唯白石自度，恒注管色于行边。盖新声自倡，欲使小红低唱而与箫声相协，自不得不有定谱以示准绳，此足以见宋词未尝无谱也。"朱彝尊《黑蝶斋词序》："词莫善于姜夔，宗之者张辑、卢祖皋、史达祖、吴文英、蒋捷、王沂孙、张炎、周密、陈允平、张翥、杨基，皆具夔之一体。基之后，得其门者寡矣。"又《词综发凡》："世人言词，必称北宋。然词至南宋，始极其工，至宋季而始极其变。姜尧章氏最为杰出。……填词最雅，无过石帚。"汪森《词综序》："鄱阳姜夔出，句琢字炼，归于醇雅。于是史达祖、高观国羽翼之。张辑、吴文英师之于前，赵以夫、蒋捷、周密、陈允衡、王沂孙、张炎、张翥效之于后。譬之于乐，舞箾至于九变，而词之能事毕矣。"刘体仁《七颂堂词绎》："词亦有初盛中晚，不以代也。……至姜白石、史邦卿，则如唐之中。"王士祯《花草蒙拾》："宋南渡后，梅溪、白石、竹屋、梦窗诸子，极妍尽态，反有秦、李未到者。虽神韵天然处或减，要自令人有观止之叹。"邹祗谟《远志斋词衷》引朱承爵《存余堂诗话》："梅溪、白石、竹山、梦窗诸家，丽情密藻，尽态极妍。要其瑰琢处，无不有蛇灰蚓线之妙，则所云一气流贯也。"又："咏物固不可不似，尤忌刻意太似。取形不如取神，用事不如用意，宋词至白石、梅溪，始得个中妙谛。"吴淳还《武唐俞氏白石词钞序》："南宋词至姜氏尧章，始一变花间、草堂纤秾靡丽之习。野云孤飞，去留无迹，前人称之审矣。"王昶《词雅序》："姜夔、张炎诸人，以高贤志士，放还江湖，其旨远，其词文，托物比兴，因时丧事，即酒食游戏，无不有《黍离》周道之感，《蒹葭》周礼之思，与《诗》异曲而同其工。且清婉窈眇，言者无罪，听者泪落……其为《三百篇》之苗裔，无可疑也。"四库提要卷一九八："《白石道人歌曲》四卷、别集一卷。……夔诗格高秀，为杨万里等所推。词亦精深华妙，尤善自度新腔，故音节文采，并冠绝一时。其诗所谓'自制新词韵最娇，小红低唱我吹箫'者，风致尚可想见。……此本从宋椠翻刻，最为完善。

卷一宋铙歌十四首，越九歌十首，琴曲一首。卷二词三十三首，总题曰令。卷三词二十首，总题曰慢。卷四词十三首，皆题曰自制曲。别集词十八首，不复标列总名。疑后人所掇拾也。其九歌皆注律吕于字旁，琴曲亦注指法于字旁。皆尚可解。唯自制曲一卷，及二卷《鬲溪梅令》、《杏花天影》、《醉吟商小品》、《玉梅令》，三卷之《霓裳中序》第一，皆记拍于字旁。宋代曲谱，今不可见，亦无人能歌。莫辨其似波似磔，婉转欹斜，如西域旁行字者，节奏安在。然歌词之法，仅仅留此一丝。"江藩《词源跋》："玉田生词与白石齐名。词之有姜、张，如诗之有李、杜也。"郭麐《灵芬馆词话》卷一："姜、张诸子，一洗华靡，独标清绮，如瘦石孤花，清笙幽磬，入其境者，疑有仙灵，闻其声者，人人自远。梦窗、竹屋，或扬或沿，皆有新隽，词之能事备矣。"许昂霄《词综偶评·补录宋词》评史达祖《寿楼春》："白石、梅溪，昔人往往并称。骤阅之，史似胜姜，其实则史稍逊尧章。昔钝翁尝问渔洋曰：'王、孟齐名，何以孟不及王。'渔洋答曰：'孟诗味之未能免俗耳。'吾于姜、史亦云。倚声者试取两家词熟玩之，当不以予为蚍蜉之撼。"周济《宋四家词选序论》："白石脱胎稼轩，变雄健为清刚，变驰骤为疏宕。盖二公皆极热中，故气味吻合。辛宽姜窄，宽，故容秽；窄，故斗硬。白石号为宗工，然亦有俗滥处（《扬州慢》'淮左名都，竹西佳处'）、寒酸处（《法曲献仙音》'象笔鸾笺，甚而今、不道秀句'）、补凑处（《齐天乐》'邠诗漫与，笑篱落呼灯，世间儿女'）、敷衍处（《凄凉犯》'追念西湖'上半阕）、支处（《湘月》'旧家乐事谁省'）、复处（《一萼红》'翠藤共闲穿径竹'，'记曾共西楼雅集'），不可不知。白石小序甚可观，苦与词复。若序其缘起，不犯词境，斯为两美已。"又《词辨自序》："白石疏放，酝酿不深。"《介存斋论词杂著》："北宋词多就景叙情，故珠圆玉润，四照玲珑。至稼轩、白石，一变而为即事叙景，使深者反浅，曲者反直。吾十年来服膺白石，而以稼轩为外道，由今思之，可谓瞽人扪籥也。稼轩郁勃，故情深；白石放旷，故情浅；稼轩纵横，故才大；白石局促，故才小。唯《暗香》、《疏影》二词，寄意题外，包蕴无穷，可与稼轩伯仲。余俱据事直书，不过手意近辣耳。"又："白石词如明七子诗，看似高格响调，不耐人细思。白石以诗法入词，门径浅狭，如孙过庭书，但便后人模仿。"又："白石好为小序，序即是词，词仍是序，反覆再观，如同嚼蜡矣。"吴蘅照《莲子居词话》卷一："东坡之大，与白石之高，殆不可以学而至。"宋翔凤《乐府余论》："词家之有姜石帚，犹诗家之有杜少陵，继往开来，文中关键。其流落江湖，不忘君国，皆借托比兴于长短句寄之。如《齐天乐》，伤二帝北狩也；《扬州慢》，惜无意恢复也；《暗香》、《疏影》，恨偏安也。盖意愈切，则辞愈微，屈、宋之心，谁能见之？乃长短句中，复有白石道人也。"谢元淮《填词浅说》："自度新曲，必如姜尧章、周美成、张叔夏、柳耆卿辈，精于音律，吐辞即叶宫商者，方许制作。"邓廷桢《双砚斋词话》："词家之有白石，犹书家之有逸少，诗家之有浣花。盖缘识趣既高，兴象自别。其时临安半壁，相率恬熙，白石来往江淮，缘情触绪，百端交集，托意哀丝。故舞席歌场，时有击碎唾壶之意。如《扬州慢》之'自胡马窥江去后，废池乔木，犹厌言兵。渐黄昏，清角吹寒，都在空城'，《齐天乐》之'候馆吟秋，离宫吊月，别有伤心无数。幽诗漫与。笑篱落呼灯，世间儿女'，《凄凉犯》之'马嘶渐远，人归甚处，戍楼吹角。情怀正恶，更衰草寒烟淡薄。似当时将军部曲，迤逦度沙漠'，《惜红衣》之'维舟试望，故国渺天北'，则周京离黍之感也。《疏影》前阕之'昭君不惯胡沙远，但暗忆江南江北。想佩环月下归来，化作此花幽独'，后阕之'还教一片随波去，又却怨玉龙哀曲'，《长亭怨慢》之'第一是早早归来，怕红萼无人为主'，乃为北庭后宫言之，则《卫风·燕燕》之旨也。读者以意逆志，是为得之。至其运笔之曲，如'阅人多矣，争得似长亭树？树若有情时，不会得青青如此'。琢句之工，如'天涯情味，仗酒祓清愁，花销英气'，'二十四桥仍在，波心荡，冷月无声'，则如堂下斲轮，鼻尖施垩。若夫新声自度，筝柱旋移，则如郢中之歌，引商刻羽，杂以流徵矣。以此辉映湖山，指挥坛坫，百家腾跃，尽入环中。评者称其有缝云剪月之奇，戛玉敲金之妙，非过情也。"丁绍仪《听秋声馆词话》卷六："词至南宋而极工，然如白石、梦窗、草窗、玉田，皆胥疏江湖，故语多婉笃，去北宋疏越之音远矣。"李佳《左庵词话》卷上："词以意趣为主，意趣不高不雅，虽字句工颖，无足尚也。意能迥不犹人最佳。东坡词最有新意，白石词最有雅意。"刘熙载《艺概》卷四："张玉田盛称白石，而不甚许稼轩，耳食者遂于两家有轩轾意。不知稼轩之体，白石尝效之矣，集中如《永遇乐》、《汉宫春》诸阕，均次稼轩韵。其吐属气味，皆若秘响相通，何后人过分门户耶？"又："白石才子之词，稼轩豪杰之词，才子豪杰，各从其类爱之，强论得失，皆偏辞也。"又："姜白石词幽韵冷香，令人挹之无尽。拟诸形容，在乐则琴，在花则梅也。"又："词家称白石曰'白石老仙'。或问毕竟与何仙相似？曰：藐姑冰雪，盖为近之。"又："词中用事，贵无事障。晦也，肤也，多也，板也，此类皆障也。姜白石词用事入妙，其要诀所在，可于其《诗说》见之，曰：'僻事实用，熟事虚用。''学有余而约以用之，善用事者也。乍叙事而间以理言，得活法者也。'"谢章铤《赌棋山庄词话》卷一二："词家讲琢句，不讲养气，养气至南宋善矣。白石和永，稼轩豪雅。然稼轩易见，而白石难知。史之于姜，有其和而无其永。"冯煦《蒿庵论词》："白石为南渡一人，千秋论定，无俟扬榷。《乐府指迷》独称其《暗香》、《疏影》、《扬州慢》、《一萼红》、《琵琶仙》、《探春慢》、《淡黄柳》等曲。《词品》则以咏蟋蟀《齐天乐》一阕为最胜。其实石帚所作，超脱蹊径，天籁人力，两臻绝顶，笔之所至，神韵俱到。非如乐笑、二窗辈，可以奇对警句，相与标目，又何事于诸调中强分轩轾也？孤云野飞，去留无迹。彼读姜词者必欲求下手处，则先自俗处能雅、滑处能涩始。"陈廷焯《词坛丛话》："词中之有姜白石，犹诗中之有渊明也。琢句炼字，归于纯雅。不独冠绝南宋，直欲度越千古。《清真集》后，首推白石。"又："美成乐府，开阖动荡，独有千古。南宋白石、梅溪，皆祖清真，而能出入变化者。"又："白石词，如白云在空，随风变灭，独有千古。同时史达祖、高观国两家，直欲与白石并驱，然终让一步。他如张辑、吴文英、赵以夫、蒋捷、周密、陈允平、王沂孙诸家，各极其盛，然未有出白石之范围者。"《白雨斋词话》卷二："姜尧章词，清虚骚雅。每于伊郁中饶蕴藉，清真之劲敌，南宋一大家也。梦窗、玉田诸人，未易接武。"又："南渡以后，国势日非。白石目击心伤，多于词中寄慨。不独《暗香》、《疏影》二章，发二帝之幽愤，伤在位之无人也。特感慨全在虚处，无迹可寻，人自不察耳。……南宋词人，感时伤事，缠绵温厚者，无过碧山，次则白石。白石郁处不及碧山，而清虚过之。"又："白石词以清虚为体，而时有阴冷处，格调最高。沈伯时讥其生硬，不知白石者也。黄叔旸叹为美成所不及，亦漫为可否者也。唯赵子固云：'白石，词家之申、韩也。'真刺骨语。"又："词法之密，无过清真。词格之高，无过白石。词味之厚，无过碧山。词坛三绝也。"又："白石长调之妙，冠绝南宋，短章亦有不可及者。如《点绛唇》（丁未过吴淞作）一阕，通首只写眼前景物。至结处云：'今何许，凭栏怀古，残柳参差舞。'感时伤事，只用'今何许'三字提唱。'凭栏怀古'以下，仅以'残柳'五字咏叹了之。无穷哀感，都在虚处。令读者吊古伤今，不能自止，洵推绝调。"又卷八："汪玉峰（森）之序《词综》云：'言情者或失之俚，使事者或失之伉。鄱阳姜夔出，句琢字炼（此四字甚浅陋，不知本原之言），归于醇雅。于是史达祖、高观国羽翼之。张辑、吴文英师之于前，赵以夫、蒋捷、周密、陈允衡、王沂孙、张炎、张翥效之于后。譬之于乐，舞箾至于九变，而词之能事毕矣。'此论盖阿附竹垞之意，而不知词中源流正变也。窃谓白石一家，如闲云野鹤，超然物外，未易学步。竹屋所造之境，不见高妙，乌能为之羽翼？至梅溪则全祖清真，与白石分道扬镳，判然两途。东泽得诗法于白石，却有似处。词则取径狭小，去白石远甚。梦窗才情横逸，斟酌于周、秦、姜、史之外，自树一帜，亦不专师白石也。虚斋乐府，较之小山、淮海，则嫌平淡。方之美成、梅溪，则嫌优坠，似郁非纡，亦是一病，绝非取径于白石。竹山则全袭辛、刘之貌，而益以疏快，直率无味，与白石尤属歧途。草窗、西麓两家，则皆以清真为宗，而草窗得其姿态，西麓得其意趣。草窗间有与白石相似处，而亦十难获一。碧山则源出风骚，兼采众美，托体最高，与白石亦最异。至玉田乃全祖白石，面目虽变，托根有归，可为白石羽翼。仲举则规模于南宋诸家，而意味渐失，亦非专师白石。总之，谓白石拔帜于周、秦之外，与之各有千古则可，谓南宋名家以迄仲举，皆取法于白石，则吾不谓然也。"又："白石《长亭怨慢》云：'阅人多矣，谁得似长亭树。树若有情时，不会得青青如此。'白石诸词，唯此数语最沉痛迫烈。此外如'最可惜一片江山，总付与啼鴂'，又'文章信美知何用，漫赢得、天涯羁旅'，皆无此沉至。"《云韶集》卷九："碧山学白石得其清者，他如西麓得白石之雅，竹山得白石之俊快，梦窗、草窗得白石之神，竹屋、梅溪得白石之貌，玉田得其骨，仲举得其格，盖诸家皆有专司，白石其总萃也。"王国维《人间词话》："美成《苏幕遮》词：'叶上初阳干宿雨。水面清圆，一一风荷举。'此真能得荷之神理者。觉白石《念奴娇》、《惜红衣》二词，犹有隔雾看花之恨。"又："白石写景之作，如'二十四桥仍在，波心荡、冷月无声'，'数峰清苦，商略黄昏雨'，'高树晚蝉，说西风消息'，虽格韵高绝，然如雾里看花，终隔一层。梅溪、梦窗诸家写景之病，皆在一'隔'字。北宋风流，渡江遂绝，抑真有运会存乎其间耶？"又："古今词人格调之高，无如白石。惜不于意境上用力，故觉无言外之味，弦外之响，终不能与第一流之作者也。"《人间词话删稿》："东坡之旷在神，白石之旷在貌。"

杨万里《进退格寄张功父姜尧章》："尤萧范陆四诗翁，此后谁当第一功？新拜南湖为上将，更差白石作先锋。"姜夔《白石道人诗集自序》："近过梁溪，见尤延之先生，问余诗自谁氏。余对以异时泛阅众作，已而病其驳如也，三薰三沐师黄太史氏。居数年，一语噤不敢吐。始大悟学即病，顾不若无所学之为得，虽黄诗亦偬然高阁矣。先生因为余言曰：'近世人士喜宗江西。温润有如范致能者乎？痛快有如杨廷秀者乎？

高古如萧东夫，俊逸如陆务观，是皆自出机杼，亶有可观者，又奚以江西为？'余曰：'诚斋之说政尔。昔闻其历数作者，亦无出诸公右，特不肯自屈一指耳。'虽然，诸公之作，殆方圆曲直之不相似，则其所许亦可知矣。余识千岩于潇湘之上，东来识诚斋、石湖，尝试论兹事，而诸公咸谓其与我合也。岂见其合者而遗其不合者耶？抑不合乃所以为合耶，抑亦欲俎豆余于作者之间，而姑谓其合耶？不然，何其合者众也！余又自哂曰：余之诗，余之诗耳。穷居而野处，用是陶写寂寞则可，必欲其步武作者，以钓能诗声，不唯不可，亦不敢。"又："作者求与古人合，不若求与古人异；不若不求与古人合而不能不合，不求与古人异而不能不异。彼唯有见乎诗也，故向也求与古人合，今也求与古人异；及其无见乎诗已，故不求与古人合而不能不合，不求与古人异而不能不异。其来如风，其止如雨，如印印泥，如水在器，其苏子所谓不能不为者乎。余之诗盖未能进乎此也。未进乎此，则不当自附于作者之列，悉取旧作秉畀炎火，俟其庶几于不能不为，而后录之。"潘柽《书昔游诗后》："我行半天下，未能到潇湘。君诗如图画，历历记所尝。起我远游兴，其如鬓毛霜。何以舒此怀，转轸弹清商。"陈郁《藏一话腴》内编卷下："作诗作文，非多历贫愁者，决不入圣处。……白石道人姜尧章，气貌若不胜衣，而笔力足以抗百斛之鼎。家无立锥，而一饭未尝无食客。图史翰墨之藏充栋汗牛，襟期洒落，如晋、宋间人。意到语工，不期于高远而自高远。"又外编卷下："白石姜夔尧章，奇声逸响，卒多天然，自成一家，不随近体。"罗大经《鹤林玉露》丙集卷二："姜尧章学诗于萧千岩，琢句精工。有诗云：'夜暗归云绕柁牙，江涵星影雁团沙。行人怅望苏台柳，曾与吴王扫落花。'杨诚斋喜诵之。尝以诗送《江东集》归诚斋云：'翰墨场中老斵轮，真能一笔扫千军。年年花月无虚日，处处江山怕见君。箭在的中非尔力，风行水上自成文。先生只可三千首，回视江东日暮云。'诚斋大称赏，谓其冢嗣伯子曰：'吾与汝弗如姜尧章也。'"陈振孙《直斋书录解题》卷二〇："石湖范至能尤爱其诗，杨诚斋亦爱之，尝称其《岁除舟行》十绝，以为有裁云缝月之妙思，敲金戛玉之奇声。"王士祯《香祖笔记》卷五："宋姜夔尧章《白石集》，予钞之近百首，盖能参活句者。白石词家大宗，其于诗亦能深造自得。……其诗初学黄太史，正以不深染江西派为佳。"全祖望《春凫集序》："予言诗自盛唐而后推三家，柳子厚不可尚矣，次之则宛陵，次之则南渡姜白石，皆以其源深孤诣，拔出于风尘之表，而不失魏、晋以来神韵，淡而弥永，清而能腴，真风人之遗也。"沈德潜《说诗晬语》卷下："姜白石《诗说》谓一篇之妙，全在结句。如截奔马，辞意俱尽；如临水送将归，辞尽意不尽；又有意尽辞不尽，剡溪归棹是也；辞意俱不尽，温伯雪子是也。微妙语言，诸家未到。"四库提要卷一六二："《白石诗集》一卷附《诗说》一卷。……其学盖以精思独造为宗。……今观其诗，运思精密，而风格高秀，诚有拔于宋人之外者，傲视诸家，有以也。"方东树《昭昧詹言》卷一："南渡以后，冗长纤琐。姜白石《自叙》，独主于摆落一切，冥心独造，此与山谷同恉。今观其诗，诚不负所言。然间有近快利轻便之病，此自宋人习气，时代使然。如《昔游诗》，如'飞鹅车碛'四语，已开俗派，须分别之以为戒。然较之陈后山之钝拙，则才气纵横跌宕，峥嵘飞动，相去远矣。盖及与东坡相近，惜篇什不富，不能开宗耳。"又卷六："姜白石冥心独造，摆落一切，直书即目，诚为独造，然终是宋体文体。后人学之，恐有流病。不典而浅易,则空疏人弄笔便能之。"《静居绪言》:"姜尧章不离江西派,绝句颇有晚唐气味。"潘德舆《养一斋诗话》卷八:"宋人诗话,《沧浪》及《岁寒堂》两种外,足以鼎立者,殆唯《白石诗说》乎?其说极简极精,极平极远,此道中金绳宝筏也。独谓'诗有四种高妙:一曰理高妙,二曰意高妙,三曰想高妙,四曰自然高妙'。夫'理'即'意'之托始,'想'即'意'之别名,既曰'高妙',不'自然'者何以能之?吾惜其名目之琐而复也,虽自为疏解,庸可训乎?"刘熙载《艺概》卷二:"论诗者,或谓炼格不如炼意,或谓炼意不如炼格。唯《白石诗说》为得之,曰:'意出于格,先得格也;格出于意,先得意也。'"陈衍《宋诗精华录》卷四:"晚宋人多专工绝句,白石其尤者。与词近也。"

潘柽约卒于本年前后,生年不详。柽字德久,号转庵,永嘉人。举进士,不第,用父赏授右职,为阁门舍人,福建兵钤。"漫浪江湖,吟号不择地,故所至有声"(叶适《周会卿诗序》)。尝与袁说友、许及之、叶适、徐照、姜夔等唱和。叶适谓"德久十五六,诗律已就,永嘉言诗者,皆本德久。读书评文,得古人深处"(《宋诗纪事》卷五九)。方岳《跋潘君诗卷》:"潘德久诗不宫不商,自成音调。"《万姓统谱》卷八三:"自乾、淳以来,濂洛之学方行,诸儒类以穷经相尚,诗或言志,取足而止,固不暇如昔人体验声病律吕相宜也。潘柽出,始创为唐诗,而师秀与徐玑、翁卷、徐照绎寻遗绪,日锻月炼,一字不苟下,繇是唐体盛行。"柽诗善锻炼,富警句,然整体格调不高。代表作有《题钓台》、《过虞美人墓》、《上龟山寺》等。《直斋书录解题》卷二〇著录《转庵集》一卷,今存《两宋名贤小集》本。《全宋诗》录其诗一卷。事迹见《瀛奎律髓》卷三、《娱书堂诗话》卷上。

欧阳守道(1209—1273)生。

许衡(1209—1281)生。

商挺(1209—1288)生。

公元1210年(宋宁宗嘉定三年庚午 金卫绍王大安二年 蒙古成吉思汗五年)

二月

王居安以工部侍郎知隆兴府,督捕峒寇。

三月

曹彦约以湖南转运判官知潭州,督捕峒寇。

追赐彭龟年谥曰忠肃。

五月

金诏儒臣编《续资治通鉴》。

六月

黄中奉遣使金贺金主生辰。

本年

邹应龙为起居舍人，出知赣州。

杨炎正为大理司直。

赵秉文自宁边州刺史改平定州。

徐似道本年前后在世，生卒年不详。似道字渊子，号竹隐，台州黄岩人。乾道二年进士，历吴县尉、知太和县。庆元三年，主管官告院。五年，出知郢州。开禧元年，召为礼部员外郎兼翰林权直。二年，除秘书少监，迁起居舍人，旋放罢。嘉定间，任江西提刑。事迹见《南宋馆阁续录》卷七、《嘉定赤城志》卷三三、《万历黄岩县志》卷六。著有《竹隐集》十一卷，不传。《全宋词》录其词四首，《全宋诗》录其诗一卷，《全宋文》卷五八四三收其文。刘克庄《后村诗话》续集卷三："渊子有《竹隐集》十一卷，多其旧作，暮年诗无枣木。此公曾见石湖、放翁、诚斋一辈人，又材气飘逸，记问精博，警句巧对，天造地设，略不戟人喉舌，费人思索。人品在姜尧章诸人之上。集中及晚作尤佳者，昔已有绝句诗选，今摘其警句于后：'晓梵鱼出听，夜禅石点头'（《体千进夫》），'胸中著云梦，皮里有阳秋'，'自作先生传，谁为故吏碑'（《挽钱观文》），'鬲上春坊酒，眉尖野店茶'，'肩成山耸因寻句，眼作花昏为勘碑'（《陈宣子求碑》），'天寒不知翠袖薄，日暖但觉玉烟生'（《水仙花》），'黄四娘花空朵朵，谢三郎鬓已苍苍'（《燕生》）……"吴乔《围炉诗话》卷五："杨诚斋云：'隆兴以诗名者，林谦之、范至能、陆务观、尤延之、萧东夫，皆有集。后进有张镃功甫、赵蕃昌甫、刘翰武子、黄景说严老、徐似道渊子、项安世平甫、巩丰仲至、姜夔尧章、徐贺恭仲、汪经仲权、方翥。'乔读其所引者，皆有好句，颇带打油气。"罗大经《鹤林玉露》甲编卷四："渊子词清雅，余尤爱其《夜泊庐山》词。"

卓田约于本年前后在世，生卒年不详。田字稼翁，号西山，建阳人。未第时铭座右云："吾家三世，业儒而贫。小子勉之，以酒解醒。"开禧元年进士，改秩而卒。事迹见《后村诗话》后集卷二。《全宋词》录其词七首，《全宋诗》录其诗十三首，多为赠酬、庆颂之作。

陈鹄约于本年前后在世，生卒年不详。鹄号西塘，南阳人。生平事迹无考。著有《耆旧续闻》十卷。四库提要卷一四一："《耆旧续闻》十卷。……（陈）鹄始末无考，书中载陆游、辛弃疾诸人遗事，又自记尝与知辰州陆子逸游，则开禧以后人也。所录自汴京故事及南渡后名人言行，捃拾颇多，间或于条下夹注书名及所说人名字，盖亦杂采而成。……所据皆南渡以后故家遗老之旧闻，故所载多元祐诸人绪论，于诗文宗旨，具有渊源。又如驳《苕溪渔隐丛话》议东坡《卜算子》词之非，据宋祁奏议摘欧阳修撰《薛参政墓志》之误，亦颇有考据。虽丛谈琐语，间伤猥杂，其可采者不少也。"

庞铸约于本年前后在世，生卒年不详。铸字才卿，自号默翁，辽东人。金明昌五年进士。南渡后，为翰林待制，迁户部侍郎。坐游贵戚家，出倅东平，改京兆路转运使，卒。博学能文，工诗，造语奇健不凡，代表作有《田器之燕子图》、《洛阳怀古》、《题杨秘监云谷晓装图》等。原有集，已佚。《中州集》录其诗十九首。

　　刘中约于本年前后在世，生卒年不详。中字正夫，渔阳人。登金明昌五年词赋经义第。以省掾从军南下，改授应奉翰林文字。军还，授右司都事，卒。《中州集》卷四谓其"诗清便可喜，赋甚得《楚辞》句法。尤长于古文，典雅雄放，有韩、柳气象。教授弟子，王若虚、高法飈、张履、张云卿皆擢高第。学古文者翕然宗之，曰刘先生"。原有文集，已佚。仅《中州集》存其诗二首。

　　车若水（1210—1275）**生。**

公元 1211 年（宋宁宗嘉定四年辛未　金卫绍王大安三年　蒙古成吉思汗六年）

正月

　　徐照（？—1211）**卒，生年不详。**按，叶适《徐道晖墓志铭》作于"嘉定四年闰月二十三日，距（徐照）卒四十五日"，是年闰二月，据此知徐照卒于本年正月。

　　照字道晖，又字灵晖，号山民，永嘉人。嗜好苦茗，喜游山水，行迹及今江西、湖南、广西等地，布衣终身。工诗，好苦吟，自谓"昨来曾寄茗，应念苦吟心"（《访观公不遇》）、"吟有好怀忘瘦苦"（《山中寄翁卷》）。尝与叶适、潘柽、薛师石等游从唱和，而与同郡徐玑（灵渊）、翁卷（灵舒）、赵师秀（灵秀）酬唱尤多，共倡晚唐诗，号"永嘉四灵"。事迹见叶适《徐道晖墓志铭》。所著《芳兰轩集》三卷补一卷，有《敬乡楼丛书》本，又有明潘是仁刻《宋元四十三家》所收五卷本，读画斋刊《南宋群贤小集》所载一卷本，一九八五年浙江古籍出版社出版陈增杰校点本《永嘉四灵诗集》。叶适《徐道晖墓志铭》谓其"有诗数百，斲思尤奇，皆横绝欻起，冰悬雪跨，使读者变踔慄栗，肯首吟叹不自已。然无异语，皆人所知也，人不能道尔"。又《薛景石兄弟问诗于徐道晖请使行质以子钱异之》："弹丸旧是吟边物，珠走钱流义自通。认得徐家生活句，新来栏典讳诗穷。"徐玑《读徐道晖集》："悟得玄虚理，能令句律精。生前唯瘦苦，身后得名清。"四库提要卷一六二："《芳兰轩集》一卷。……盖四灵之诗，虽镂心鈇肾，刻意雕琢；而取径太狭，终不免破碎尖酸之病。照在诸家中尤为清瘦。如其《寄翁灵舒》诗中'楼高望见船'句，方回以为'眼前事道著便新'，又《冬日书事》诗中'梅迟思闰月，枫远误春花'，方回亦以为'思'、'误'字，当是推敲不一乃得之。"《四库全书简明目录》卷一六："《芳兰轩集》一卷。……其诗源出武功，取境太狭，然清瘦不俗，故亦能自成丘壑。"《宋元诗·南宋诸名公姓氏爵里》谓其"性嗜茗，耽丘壑，二好虽声色不易。其诗斲思横绝，如冰悬雪跨，使读者变踔慄慄，自是四灵词长"。其代表作有《和翁灵舒冬日书事三首》、《题翁卷山居》、《促促词》、《石门瀑布》、《贫居》、《分题得渔村晚照》等。

　　照之卒，翁卷、赵师秀、薛师石等皆有挽诗。

四月

四川制置大使司置安边司以经制蛮事，命成都路提刑李壆、潼川路安抚许奕共领之。

国子司业刘爚请开"伪学"之禁。《宋史》本传载刘爚"言于丞相史弥远，请以熹所著《论语》、《中庸》、《大学》、《孟子》之说以备劝讲，正君定国，慰天下学士大夫之心。奏言：'宋兴，《六经》微旨，孔、孟遗言，发明于千载之后，以事父则孝，以事君则忠，而世之所谓道学也。庆元以来，权佞当国，恶人议己，指道为伪，屏其人，禁其书，学者无所依乡，义利不明，趋向污下，人欲横流，廉耻日丧。追唯前日禁绝道学之事，不得不任其咎。望其既仕之后，职业修，名节立，不可得也。乞罢伪学之诏，息邪说，正人心，宗社之福。'又请以熹《白鹿洞规》颁示太学，取熹《四书集注》刊行之"。

五月

赐礼部进士赵建大以下四百六十五人及第、出身。

程公许登进士第。

八月

十五日，王炎作《浪淘沙》（月色十分圆），题曰："辛未中秋与文尉达可饮。"

九月

党怀英（1134—1211）卒，年七十八。怀英字世杰，号竹溪，冯翊人。其父宦于泰安军，遂徙家泰安。少与辛弃疾为同舍生，共师亳社刘瞻（岩老）。刘祁《归潜志》卷八："党承旨怀英，辛尚书弃疾，俱山东人，少同舍。属金国初遭乱，俱在兵间，辛一旦率数千骑南渡，显于宋。党在北方，擢第，入翰林有名，为一时文字宗主。二公虽所趋不同，皆有功业宠荣，视前朝陶毂、韩熙载亦相况也。"大定十年，擢进士甲科，调莒州军事判官，迁汝阴县令，入为史馆编修官，应奉翰林文字，累官国子祭酒、侍讲学士、翰林学士承旨。谥文献。著有《竹溪集》十卷，已佚。事迹见赵秉文《中大夫翰林学士承旨文献党公神道碑》、《金史》卷一二五本传。

赵秉文《翰林学士承旨文献党公碑》："其文章字画盖天性。儒道释诸子百家之说，乃至图纬篆籀之学无不淹贯。文似欧阳公，不为尖新奇险之语；诗似陶、谢，奄有魏晋；篆籀入神，李阳冰之后一人而已。"又《中大夫翰林学士承旨文献党公神道碑》："文章非能为之为工，乃不能不为之为工也。非要之必奇，要之不得不然之为奇也。譬如山水之状，烟云之姿，风鼓石激，然后千变万化，不可端倪：此先生之文与先生之诗也。"又《竹溪先生文集序》："故翰林学士承旨党公，天资既高，辅以博学，文章冲粹，如其为人。当明昌间，以高文大册，主盟一世。自公之未第时，已以文名天下。然公自谓入馆阁后，接诸公游，始知为文法，以欧阳公之文为得其正。信乎，公之文有似乎欧阳公之文也。晚年五言古体，寄兴高妙，有陶、谢之风。此又非可与夸多斗靡者道也。"胡应麟《诗薮》杂编卷六："《赵飞燕写真》一首甚工，又《金山》一章，亦宋体之佳者。"《金元诗选·金诗选一》谓其《雪中四首》"体物精细，足达难显之情"；又谓其《奉使行高邮道中二首》"所谓眼前景口头语也，妙不入俚"。沈雄《古今词话·词话》下卷："《中州乐府》曰：宇文太学虚中、蔡丞相伯坚、蔡太常珪、党承旨怀英、赵尚书秉文、王内翰庭筠，其所制乐府，大旨不出苏、黄之外。要之，直于宋而伤浅，质于元而少情。"况周颐《蕙风词话》卷三："辛、党二家，并有骨干。辛凝劲，党疏秀。"又："党承旨《青玉案》云：'痛饮休辞今夕永。与君洗尽，满襟烦暑，别作高寒境。'以松秀之笔，达清劲之气，倚声家精诣也。'松'字最不易做到。"又："《月上海棠》用前人韵，后段云：'断霞鱼尾明秋水。带三两飞鸿点烟际。疏林飒秋声，似知人、倦游无味。家何处，落日西山紫翠。'融情景中，旨淡而远，迂倪画笔，庶几似之。"又："《鹧鸪天》云：'开帘放入窥窗月，且尽新凉睡美休。'潇洒疏俊极矣。尤妙在上句'窥窗'二字。窥窗之月，先已有情。用此二字，便曲折而意多。意之曲折，由字里生出，不同矫揉钩致，不堕尖纤之失。"

十一月

金以上京留守徒单镒为右丞相。

十二月

陈元龙注周邦彦《片玉集》成，刘肃为作序。云："周美成以旁搜远绍之才，寄情长短句，缜密典丽，流风可仰。其征辞引类，推古夸今，或借字用意，言言皆有来历，真足冠冕词林。欢筵歌席，率知崇爱，知其故实者几何人斯？殆犹瞩目于雾中花、云中月，虽意其美，而皎然识其所以美则未也。章江陈少章家世以学问文章为庐陵望族，涵泳经籍之暇，阅其词，病旧注之简略，遂详而疏之，俾歌之者究其事，达其辞，则美成之美益彰，犹获崑山之片珍，琢其质而彰其文，岂不快夫人之心目也。因命之曰《片玉集》云。少章名元龙。时嘉定辛未杪腊，庐陵刘肃必钦序。"按，《四库全书提要》："《详注周美成片玉集》十卷。……此宋陈元龙注释本。……是书分春、夏、秋、冬四景，及单题、杂赋诸体为十卷。元龙以美成词借字用意，言言俱有来历，乃广为考证，详加笺注焉。"

著作郎李道传奏请除道学之禁。《宋史纪事本末》卷八十《道学崇黜》："嘉定四年十二月，著作郎李道传上奏：'孔、孟既没，正学不明，汉、唐非无儒者，然于圣门大学之道，或语之而未近，或近之而未真，理未能尽穷，义未能尽精，施之于事，未能尽得其当。故千数百年之间，虽有随时以就功名之臣，不能极其天资力分之所止而已。治不如古，职此之由。至于本朝，河、洛之间，大儒并出，于是孔、孟之学复明于世，用虽未究，功则已多。近世儒者又得其说而推明之，择益精，语益详，凡学者修己接物，事君临民之道，本末精粗，殆无余蕴。诚使此学益行，则人才众多，朝廷正而天下治矣。往者权臣顾以此学为禁，十数年间，士气日衰，士论日卑，士风日坏，识者忧之。今其禁虽除，而独未尝明示天下以除之之说，臣窃谓当世先务，莫要于此。今有人焉，入则顺于亲，出则信于友，上则不欺其君，下则不欺其民，义不可进不肯苟进以易其终身之操，义不可生不忍苟生以害其本心之德。诚得此等人，布满中外，平居可任，缓急可恃，岂非陛下所愿哉！如此等人，岂皆天资？知而行之，非学不可。然则学术成人才，非今日最要之务乎！臣愿陛下特出明诏，崇尚此学，指言前日所禁之误，使天下晓然知圣意所在，君臣上下同此一心，感应之机捷于影响。此诏一下，必有振厉激昂以副陛下作成之意者。臣闻学莫急于致知，致知莫大于读书，书之当读者莫出于圣人之经，经之当先者莫要于《大学》、《论语》、《孟子》、《中庸》之篇。故侍讲朱熹有《论语孟子集注》、《大学中庸章句》、《或问》，学者传之，所谓择之精而语之详者，于是乎在。臣愿陛下诏有司取是四书，颁之太学，使诸生以次诵习，俟其通贯浃洽，然后次第以及诸经，务求所以教育天下人才，为国家用。……'会西府中有不喜道学者，未及施行。"

奉议郎张镃坐扇摇国本除名，象州羁管。此后不久，卒于贬所。确切卒年不详。 张镃（1153—?），字功甫，一字时可，号约斋居士，祖籍成纪，徙居临安。循王张俊曾孙、词人张炎之曾祖。以祖荫官奉议郎。淳熙十三年直秘阁、权通判临安府。庆元元年，为司农寺主簿。三年，为司农寺丞，与宫观。开禧三年，为司农少卿，助史弥远诛韩侂胄。后坐扇摇国本，除名编管。事迹见杨万里《约斋南湖集序》及《齐东野语》卷三、一五。著述颇丰，今存《玉照堂梅品》一卷、《桂隐百课》一卷、《四并集》一卷、《皇朝仕学规范》四十卷。又著有文集《南湖集》二十五卷，原书已佚，清四库馆臣自《永乐大典》辑出十卷，含诗九卷，词一卷，今存《四库全书》本、《知不足斋丛书》本。词集有单刻本《玉照堂词抄》，今存清吴氏绣谷亭抄本、《宋人小集四十二种》本。《全宋词》收其词八十五首，《全宋诗》录其诗十卷，《全宋文》卷六五六五收有其文。

杨万里《诚斋诗话》："自隆兴以来，以诗名者：林谦之、范致能、陆务观、尤延之、萧东夫。近时后进有张镃功父。……功父云：'断桥斜取路，古寺未关门。'绝似晚唐人。《咏金林禽花》云：'梨花风骨杏花妆。'《咏黄蔷薇》云：'已从槐借叶，更染菊为裳。'写物之工如此。予归自金陵，功父送之，末章云：'何时重来桂隐轩，为我醉倒春风前。看人唤作诗中仙，看人唤作饮中仙。'此诗超然矣。"方回《读张功父南湖集并序》谓镃"所谓得活法于诚斋者。生长于富贵之门，綦毂之下，而诗不尚丽，亦不务工。洪景卢谓功父深自厓而瘿，予谓其诗亦犹其人也。……今且题八句以寄予心：'生长勋门富贵中，秕糠将相以诗雄。端能活法参诚叟，更觉豪才类放翁。举似今人谁肯信，元来妙处不全工。镂金组绣同时客，合向南湖立下风。'"四库提要卷一六○："《南湖集》十卷。……其席祖父富贵之余，湖山歌舞，极意奢华，亦未免过于豪纵，然其诗学则颇为精深。赵与虤《娱书堂诗话》称其游意风雅，与诚斋、放翁唱和，诗多佳句，载其《晚晴》绝句二首、《题六合寺》五言律诗一首。杨万里《诚斋诗话》谓其写物之工，绝似晚唐。又有《寄张功甫姜尧章》诗云：'尤、萧、范、陆四诗翁，此后谁当第一功？新拜南湖为上将，更差白石作先锋。'其意直跻诸姜夔之右矣。……评其格律，大都清新独造，于萧散之中时见隽永之趣，以视嘈杂者流，可谓翛然自远。

诗固有不似其人者，镃之谓欤。镃又工长短句，有《玉照堂词》。"鲍廷博《刻南湖集缘起》："公之于诗，善参活法，远宗香山，于唐而近，则得力于诚斋、放翁诸人，诚斋至以上将目之，虽同时忌之者谓为'将家子强吟小诗'，而不能掩也。"杨慎《词品》卷四："张功甫，名镃，有《玉照堂词》一卷。玉照堂以种梅得名，其词多赏梅之作。其佳处如'光摇动，一川银浪，九霄珂月'，又'宿雨初干，舞梢烟瘦金丝袅。粉围香阵拥诗仙，战退春寒峭'，皆咏梅之作。虽不惊人，而风味殊可喜。"镃之慢词则笔力苍劲，大开大阖，与辛弃疾声气相侔。如《八声甘州·秋夜奉怀浙东辛帅》、《贺新郎·李颐正路分见访留饮即席书赠》、《水调歌头·项平甫大卿索赋武昌凯歌》、《满江红·贺项平甫起复知鄂渚》等篇，寄意恢宏，慷慨激越，读之令人振奋。

本年

徐文卿卒于本年或稍后，生年不详。文卿字斯远，号樟丘，玉山人。朱熹弟子。省试不偶，耽游山水，工诗，与赵蕃、韩淲齐名，相互唱和。嘉定四年始登进士第，未授官而卒。事迹见朱熹《答巩仲至书》、《考亭渊源录》初稿卷一二。著有《萧秋诗集》，已佚。《全宋诗》录其诗十一首，《全宋文》卷七三二四收其文。叶适谓"斯远尽平生文才二十余首，首辄精善"；又谓"斯远淹玩众作，凌暴偃蹇，情瘦而意润，貌枯而神泽"（《徐斯远文集序》）。朱熹称"斯远诗文虽小，毕竟清"（《朱子语类》卷一四〇）。刘克庄《后村诗话》续集卷一："徐斯远绝句云：'纸衣竹几一蒲团，闭户然其自屈盘。诵彻《离骚》二千五，不知月落夜深寒。'水心称远有冻饿自守之乐，非过也。"《瀛奎律髓汇评》卷二三冯班评："四灵诗无作用，然辛苦锻句，气味自清，但不禁薄弱耳。如此公（徐文卿）亦近唐人，但苦于淡弱。"

周昂（？—1211）卒，生年不详。昂字德卿，真定人。年二十一（一说年二十四）擢第。调南和簿，有异政。迁良乡令，入拜监察御史。路铎因言事被斥，昂以诗送别，语涉谤讪，得罪罢官。久之，起为隆州都军，以边功复召为三司官。从宗室承裕军，承裕失利，跳走上谷，众欲径归，昂独不从，城陷，与从子嗣明同死于难。事迹见《中州集》卷四《常山周先生昂》、《金史》卷一二六本传。周昂尝传其甥王若虚文法曰："文章工于外而拙于内者，可以惊四筵而不可以独坐，可以取口称而不可以得首肯。"又曰："文章以意为主，以字语为役，主强而役弱，则无令不从。今人往往骄其所役，至跋扈难制，甚者反役其主，虽极辞语之工，而岂文之正哉？"（《中州集》卷四《常山周先生昂》）又曰："以巧为巧，其巧不足；巧拙相济，则使人不厌。唯其巧者乃能就拙为巧，所谓游戏者，一文一质，道之中也。雕琢太甚则伤其余，经营过深则失其本。"（王若虚《滹南诗话》卷一）昂诗以杜甫为法，沉郁苍凉，凝重洗炼。代表作有《翠屏口七首》、《感秋》等。

公元1212年（宋宁宗嘉定五年壬申　金卫绍王崇庆元年　蒙古成吉思汗七年）

九月

有司上《续编中兴礼书》。

十二月

除夕，王炎作《清平乐》（一杯椒醑）。题曰："嘉定壬申除夜。"

本年

陈淳仍在漳州居村食贫，"训童"以生。赵汝谠守漳州，招致陈淳处以宾师之位。泉、莆之间，学子问道踵至。

黄景说约于本年前后在世，生卒年不详。景说字岩老，号白石，福州闽清人。乾道五年进士。绍熙中，知永丰县。庆元二年，通判全州。嘉泰四年，除秘书丞。开禧元年，为广东转运使。嘉定中，除直秘阁、知静江府。与姜夔同学诗于萧德藻，时号"双白石"。杨万里称其诗似萧德藻，谓"黄语似萧语，已透最上关。道黄不是萧，萧乃随我前。佳句鬼所泣，盛名天甚悭"（《答赋永丰宰黄岩老投赠五言古句》）。事迹见《南宋馆阁续录》卷七、《宋诗纪事》卷五三。著有《白石丛稿》，曾丰为序，称"岁在乙巳，见遗一卷，与古容有无未合者。至壬子见遗一编，合矣"，又《直斋书录解题》卷二○、《宋史·艺文志七》皆著录其《白石丁稿》一卷，均已佚。《全宋诗》录其诗五首。曾丰《白石丛稿序》谓"其体多风，其用多比喻"。《诗人玉屑》卷一九引《玉林诗话》："萧千岩《立春》诗云：'半夜新春入管城，平明铜雀绿苔生。浮渐把断东风路，诉与青州借援兵。'黄白石《雪》诗云：'瑶林中有鷃桑儿，鼎贵生涯不救饥。愿缩天人散花手，放渠奔走趁晨炊。'白石学于千岩，此二诗未易伯仲也。"贺裳《载酒园诗话》卷一："宋人误以气质为气格，遂以生硬为高，鄙俚为朴。始于数名家作俑，至末流益甚。……黄白石《咏雪》'愿缩天人散花手，放渠奔走趁晨炊'，语既酸鄙，状尤扭捏。"

赵公豫（1135—1212）**卒，年七十八。**公豫字仲谦，秦王廷美六世孙，徙居常熟。绍兴二十四年进士，调无为尉。历知仁和、余姚、真州、常州。庆元四年，提举浙东常平茶盐。嘉泰三年，除江东转运副使，进集英殿修撰，奉祠。开禧元年，以宝谟阁待制致仕。公豫为人沉厚简重，居官廉正，颇有政绩。事迹见《琴川志》卷二八、《燕堂诗稿》后所附传记。公豫喜文事，诏诰表策多为时传诵。其诗因属对不甚工切，泉州守蒋邕选录其诗，澄汰大半，仅有若干首，皆中年游历而作者，自州郡以迄馆阁所赋，率删去不存。著有《燕堂类稿》十六卷，已佚。今存《燕堂诗稿》一卷，有旧钞本、《四库全书》本。《全宋诗》收其诗一卷，《全宋文》卷六三九三收其文。四库提要卷一五九："《燕堂诗稿》一卷。……公豫止优于文，而诗则非所擅长。……今读其诗，虽吐属未工，而直写胸臆，要自落落不凡。"

薛嵎（1212—?）生。

柴望（1212—1280）生。

公元 1213 年（宋宁宗嘉定六年癸酉　金卫绍王至宁元年　蒙古成吉思汗八年）

二月

王炎赋《卜算子》二首（"渡口唤扁舟"、"散策问芳菲"），题曰："嘉定癸酉二月雨后到双溪。"又赋《江城子》（清波渺渺日晖晖），题曰："癸酉春社。"

三月

楼钥罢参知政事，进大学士、提举万寿观。

四月

章良能参知政事。

楼钥（1137—1213）卒，年七十七。钥字大防，自号攻愧主人，鄞县人。隆兴元年，赐同进士出身，以辞艺称，胡铨谓其乃"翰苑长才"。试教官，调温州教授，为敕令所删定官。乾道五年，以书状官随汪大猷使金。淳熙八年，迁太府寺丞，寻除宗正丞。丁忧，起知温州。光宗即位，除考功郎中，迁国子司业，除太府少卿，迁起居郎。绍熙五年，以中书舍人兼实录院同修撰。草内禅诏书，辞婉而切，朝野传诵。宁宗即位，独当内外制，明白正大，得代言体。迁给事中，权吏部尚书，兼侍读。庆元元年，忤韩侂胄，出知婺州，提举太平兴国宫。开禧三年，起为翰林学士，迁吏部尚书。嘉定元年，签书枢密院事，兼太子宾客，进同知枢密院事。二年，参知政事。六年，罢。既还乡，乞休致愈力，转两官致仕，命下而卒。谥宣献。事迹见袁燮《资政殿大学士赠少师楼公行状》、《宋史》卷三九五本传。其著述今存《书乐正误》、《宋汪文定公行实》、《范文正公年谱》等。有《攻愧集》一百二十卷（《直斋书录解题》卷一八），今存南宋家刻本（缺十七卷）、明抄本、清抄本。清四库馆臣删去青词、朱表、疏文等数卷，编为一百一十二卷，有武英殿聚珍版本、《四部丛刊》影印聚珍本。《全宋词》录其词四首，《全宋诗》录其诗十四卷，《全宋文》收其文十七卷。

袁燮作《资政殿大学士赠少师楼公行状》。谓钥"平生静专，琐琐尘务，不经于心。唯酷嗜书，潜心经学，旁贯史传以及诸子百家之书，前言往行，博采兼取，森如武库。……属辞叙事，以意为主，不事雕镂，自然工致。旧有诗声，晚造平淡，而中有山高水深之趣。以铭墓为请者，与之不靳，英辞妙语，散落人间，殆如唐人所谓'碑版照四裔'者。"周必大《与楼大防尚书劄子》谓其"内外制远追两汉，燕、许、常、杨曾何足道"。陈傅良《楼钥除中书舍人诏》："寿皇初策在廷之士，盖极一时之选矣。……具官某于是时尝褎然为举首，而偶不中有司之度，然至今海内士所乐道，议论文章，风流蕴藉，则未尝不在称首也。"真德秀《攻愧集序》："公之文如三辰五星，森丽天汉，昭昭乎可观而不可穷；如泰、华乔岳，蓄泄云雨，岩岩乎莫测其巅际；如九江百川，波澜荡漾，渊渊乎不见其涯涘。人徒睹英华发外之盛，而不知其本有在也。……公生于故家，接中朝文雅，博极群书，识古文奇字。文备众体，非如他人窘狭僻涩，以一长名家。而又发之以忠孝，本之以仁义，其大典册、大议论，则世道之消长，学术之废兴，善类之离合系焉。方淳、绍间鸿硕满朝，每一奏篇出，其援据该洽、义理条达者，学士大夫读之，必曰楼公之文也。一诏令下，其词气雄浑、笔力雅健者，亦必曰楼公之文也。……德秀尝窃论南渡以来词人固多，其力量气魄可与全盛时先贤并驱，唯钜野李公汉老、龙溪汪公彦章及公三人而已。"王士祯《带经堂诗话》卷一〇："宋人工于题跋。……予读楼宣献《攻愧集》题跋多至十数卷，往往可稽掌故。"四库提要卷一五九："《攻愧集》一百一十二卷。……钥居官持正有守，而学问赅博，文章淹雅，尤多为世所传述。本传称其代言坦明，得制诰体。叶绍翁《四朝闻见录》载，钥草光宗内禅制词，有'虽丧纪自行于宫中，而礼文难示于天下'二语，为海内所称。此言其工于内外制也。本传又称钥试南宫，以犯讳请旨冠末等，投赞诸公，胡铨称为翰林才。今集中《谢省闱主文启》一首，即是时所作。此言其工于启劄也。王应麟《困学纪闻》取其'门前莫约频来客，坐上同观未见书'二句，载入'评诗类'中。此言其工于声偶也。而袁桷《延祐四明志》称其于中原师友传授，悉穷渊奥，经训小学，精据可传信，尤能尽钥之实。盖宋自南渡而后，士大夫多求胜于空言，而不甚究心于实学。钥独综贯今古，折衷考较，凡所论辨，悉能洞澈源流，可谓有本之文，不同浮议。……至于题跋诸篇，尤多元元本本，证据分明，不止于《居易录》所称《三笑图赞》、《吴彩鸾玉篇钞》、《唐昭宗赐憘实敕书》三篇。"《带经堂诗话》卷一〇："宣献与杨诚斋、范石湖、陆放翁同时，诗亦石湖伯仲。歌行学苏、黄，气或不遒，格诗苦钝，然不为杨、范佻巧取媚。七字如：'行尽杉松三十里，看来楼阁几由旬。''一百五日麦秋冷，二十四番花信风。''水真绿净不可唾，鱼若空行无所依。'虽宋调，亦佳句也。"《宋诗钞·攻愧集钞序》："诗雅赡有本，然往往浸淫于禅。禅学之传，莫炽于四明，当时老宿如攻愧，已不能辨矣。"翁方纲《石洲诗话》卷四："楼大防之诗，密于考证，盖其凤学如此。至于气格，则终自单窘，未能自树一帜。"

楼钥卒，袁燮有《祭参政大资楼公文》。

王楙（1151—1213）卒，年六十三。楙字勉夫，号野客，原籍福州，徙居吴县。少孤，事母以孝闻。清澹寡欲，刻苦嗜书，宽厚长者，耻言人过，乡里称为善人君子。少尝有志功名，蹭蹬不偶。尝以文谒范成大，成大一见为之击节，雅相推誉。著有《野客丛书》三十卷，门分类聚，钩隐抉微，考证经史百氏，下至骚人墨客佚事，细大不捐。又有《巢睫稿笔》五十卷，已佚。亦间赋小词，清澹可诵，今《全宋词》存其词一首。事迹见《吴都文粹续集》卷四〇郭绍彭《宋王勉夫圹铭》。

八月

金主卫绍王完颜永济为其下右副元帅胡沙虎所杀，立章宗兄昇王完颜珣，是为宣宗，改元贞祐。

闰九月

史弥远等上《三祖下七世仙源类谱》、《高宗宝训》、《皇帝玉牒》、《会要》。

十月

真德秀奉使贺金主即位，会金国乱，不至而还。李埴奉遣使金贺正旦，亦不至而还。

黄度（1138—1213）卒，年七十六。度字文叔，绍兴新昌人。隆兴元年进士。历国子监主簿、国子监丞、监察御史。宁宗即位，迁右正言，以忤韩侂胄罢，出知平江府，改知婺州。嘉定元年，召为太常少卿，兼国史院编修官、实录院检讨官，权吏部侍郎。五年，为礼部尚书兼侍读。六年，知隆兴府，归越，提举万寿宫。事迹见叶适《故礼部尚书龙图阁学士黄公墓志铭》、《宋史》卷三九三本传。著有《诗说》三十卷、《周礼说》五卷、《历代边防》六卷、《仁皇从谏录》三卷、奏议及杂著一编等，已佚。又有《书说》二十卷，今存七卷，有《四库全书》本。《全宋诗》录其诗九首，《全宋文》卷六一一四收其文。

十一月

吴猎（1143—1213）卒，年七十一。猎字德夫，号畏斋，醴陵人。从张栻学，复请益于朱熹、吕祖谦。淳熙二年，赐同进士出身，授浔州平南县主簿，摄静江府教授。历官秘书省正字、监察御史、户部员外郎、秘阁修撰、刑部侍郎等。嘉定五年，提举隆兴府玉隆万寿观。卒谥文定。事迹见魏了翁《敷文阁直学士赠通议大夫吴公行状》、《宋史》卷三九七本传。著有《畏斋文集》、奏议六十卷，已佚。《全宋文》卷六三一收其文。

本年

冀禹锡登进士第。

雷渊登金词赋进士甲科，调泾州录事。

赵秉文建言时事可行者三：一迁都，二导河，三封建。朝廷略施行之。又，金自泰和、大安以来，科举之文其弊益甚。盖有司唯守格法，所取之文卑陋陈腐，苟合程度而已，稍涉奇峭，即遭黜落，于是文风大衰。秉文为省试，得李献能赋，虽格律稍疏而词藻颇丽，擢为第一。举人遂大喧噪，愬于台省，以为赵公大坏文格，且作诗谤之，久之方息。俄而献能复中宏词，入翰林，而秉文竟以是得罪。事见《金史》卷一一〇本传。

周南（1159—1213）卒，年五十五。南字南仲，平江人。尝从学叶适。绍熙元年进士，调池州教授。开禧三年，以叶适荐，召试馆职，授秘书省正字，旋丁母忧。嘉定二年，服除，再为正字，以对策诋权要罢，卒于家。事迹见叶适《周君南仲墓志铭》、《宋史》卷三九三《黄度传》。著有《周氏山房集》二十卷、《后集》二十卷

（《直斋书录解题》卷一八），已佚，清四库馆臣自《永乐大典》辑为《山房集》九卷，有乾隆翰林院抄本、《四库全书》本。《全宋诗》录其诗二卷，《全宋文》收其文十卷。《宋史·黄度传》谓周南"为文词，雅丽精切，而皆达于时用"。四库提要卷一六一："《山房集》九卷。……南长于四六，以俊逸流丽见称。制诰诸篇，尤得训词之体。其初入馆也，叶适实荐之。考吴子良《荆溪林下偶谈》有云：开禧用兵，韩侂胄欲以叶适直学士院草诏，适谢不能。既而卫泾被命草诏云：'百年为墟，谁任诸人之责；一日纵敌，遂贻数世之忧。'泾见适举似，误'为墟'为'成墟'。他日周南至，适告以泾文字近颇长进，然'成墟'字可疑。南愕然曰：本"为墟"字，何改也？适方知南实代作，因荐其宜为文字官，遂召试馆职，盖即其事。按，此四语，今在南所作《秦桧降爵易谥敕》中，则当时已载入己集，足征其不能割爱。而敕内别有'兵于五材，谁能去之；臣无二心，天之制也'数语，亦极为王应麟所激赏。是其织组之工，脍炙人口，尤可以概见矣。集中又有诸书题跋二十余则，与《馆阁续书目》体例相近，疑似在馆校勘时所作。又杂记数十条，多述宋代故事，间或直录古书之文，无所论断。"

王琢本年在世（琢本年有《癸酉岁大热》诗），**生卒年不详**。《中州集》卷七《姑汾漫士王琢》："琢字器之，平阳人，与毛牧达同时，相友善，天性孝友，为乡里所称。酷嗜读书，往往手自抄写。家素贫乏，而能以刚介自持，未尝有所丐贷。时命不偶，年四十五以病卒，士论惜之。有《姑汾漫士集》行于世。所著中《圣人赋》，今世少有能到者，诗好押强韵，务以驰骋为工。《七月十五日夜看月》云：'历树有惊鹊，悄邻无吠庞。'《对雨》云：'春雨薄如梦，晓云闲似愁。'《秋霖》云：'窗寒知气重，人静觉泥深。'《骤雨》云：'雹点撒冰弹，电光飞火绳。'《春阴》云：'庭澹梨花月，楼寒燕子风。'《久雨》云：'练挂遮檐直，麻悬到地齐。'此类甚多。"按，《姑汾漫士集》已佚。《中州集》选录其诗六首。

路铎（？—1213）**卒，生年不详**。铎字宣叔，冀州人。历官台谏，有直臣之风。金章宗称其敢言，每优礼之。后为孟州防御使，城陷，投沁水死。铎为文尚奇，尤长于诗，精致温润，自成一家。著有《虚舟居士集》。事迹见《中州集》卷四《路司谏铎》、《金史》卷一〇〇本传。

释道璨（1213—1271）**生**。

公元 1214 年（宋宁宗嘉定七年甲戌　金宣宗贞祐二年　蒙古成吉思汗九年）

正月

王炎赋《虞美人》（镜中失画双青鬓）。题曰："甲戌正月望后燕来。"又赋《南乡子》（云淡日曨明），题曰："甲戌正月。"后又赋《忆秦娥》（胭脂点），题曰："甲戌赏春。"

巩丰摘戴复古诗句成编。其《石屏诗摘句跋》云："乾道间，东皋子以诗鸣，式之（戴复古）尚幼，壮乃能承其家。余顷于都中尝见江西胡都司、杨监丞皆甚称其诗，盖二公导诚斋宗派，不轻许与。别去逾三年矣，一日，忽见过于武川村舍，袖出近作一编，款论终日。余为之废睡，挑灯熟读，仍为《摘句》，犹未能尽。大抵唐律尤工，务新奇而就帖妥，道路江湖间尤多语意之合，读之使人不厌。……嘉定七年正月甲戌，栗斋巩丰。"

章良能（？—1214）**卒，生年不详。**良能字达之，丽水人，居吴兴。淳熙五年进士。历枢密院编修官、著作佐郎、起居舍人。开禧三年，权兵部侍郎，兼修国史，除礼部侍郎。嘉定元年，除吏部侍郎，擢监察御史。二年，同知枢密院事。六年，除参知政事。著有《嘉林集》一百卷，已佚。《全宋词》据《绝妙好词》录其《小重山》词一首，《全宋诗》卷二七一八录其诗二首，《全宋文》卷六五九五收其文。事迹见《宋史·宁宗本纪》、《南宋馆阁续录》卷八、九。

三月

安丙同知枢密院事。

元好古（1186—1214）**卒，年二十九。**好古字敏之，太原人。性颖悟，读书能强记，务为无所不窥。试科举不中，意殊不自得。又娶妇不谐，日致恶语，遂以狷介得疾。尝作《望月诗》，有"莫倦夜深仍坐待，密云或有暂开时"之句。或言诗境不开廓，非佳语也。曰："吾得年不能三十，境趣能开廓乎？"未及，没于蒙古兵屠城之祸。事迹见元好问《敏之兄墓铭》。

五月

赐礼部进士袁甫以下五〇四人及第、出身。王伯大、吴渊、陈耆卿同等进士第。

金决意迁都南京（今河南开封）。太学生赵昉等上章极论利害，以大计已定，不能中止，皆慰谕而遣之。

七月

以起居舍人真德秀奏，罢金国岁币。

八月

宋复建宗学，置博士、谕各一人，弟子员百人。

安丙为观文殿学士，知潭州。

九月

史弥远等上《高宗中兴经武要略》。

十月

二十日，**徐玑**（1162—1214）**卒，年五十三。**玑字文渊，一字致中，号灵渊，永嘉人。以荫入仕，历官建安主簿、永州司理、龙溪丞等。后移武当令，改长泰令，未至官，病卒。事迹见叶适《徐文渊墓志铭》。著有《泉山集》，已佚。今存《二薇亭诗集》一卷，有《敬乡楼丛书》本、读画斋刊《南宋群贤小集》本。一九八五年浙江古籍出版社有排印本《永嘉四灵诗集》。《全宋诗》收其诗。徐玑诗学晚唐，宗贾岛、姚合。叶适《徐文渊墓志铭》："初，唐诗废久，君与其友徐照、翁卷、赵师秀议曰：'昔人以浮声切响、单字只句计巧拙，盖风骚之至精也。近世乃连篇累牍，汗漫而无禁，岂能名家哉。'四人之语遂极其工，而唐诗由此复行矣。"《四库全书简明目录》卷一六："其诗与徐照如出一手，盖四灵同一机轴，而二人才分尤相近。"玑诗多赠答送别之作，题材较窄，工于琢句。贺裳《载酒园诗话·四灵》："徐玑佳句，则有'寒烟添竹色，疏雪乱梅花'，'水风凉远树，河影动疏星'，'月生林欲晓，雨过夏如秋'，皆其项上窬也。"然"惜其专一而不知变化，故能事止于琢句也"（翁方纲《石洲诗话》卷四），而如《新凉》、《建剑道中》、《六月归途》一类新巧灵秀、饶有韵味者不多见。方回尝评"其诗在四灵中当居丁位"（《瀛奎律髓汇评》卷一一）。

玑之卒，叶适、翁卷、薛师石等皆有诗文悼念。

十一月

遣聂子述使金贺正旦，刑部侍郎刘烱等及太学诸生上章言其不可，不报。

十二月

十一日，舒邦佐（1137—1214）卒，年七十八。邦佐字辅国，后更字平叔，隆兴府靖安人。淳熙八年进士，初授鄂州蒲圻簿，改潭州善化簿，用荐迁衡州录事参军。绍熙五年，得疾奉祠。从容三径，文史自娱，不以利达萦其胸次。嘉泰二年，以通直郎致仕。卒于家。事迹见李大异《舒邦佐墓志铭》。所著《双峰猥稿》，今存明崇祯刻本《双峰先生存稿》六卷，清道光、咸丰刻本《双峰猥稿》九卷。《全宋诗》录其诗一卷，《全宋文》收其文八卷。

邦佐自称"喜属对偶"，复从刘宰、孙从之、吴镒请益，"得刘之说，而知以意胜；得孙之说，而知以严胜；得吴之说，而知以奇胜"（《双峰猥稿自序》）。其文以四六为主，炼意铸辞，本于义理；亦工诗。李大异《舒邦佐墓志铭》："公诗温润而缜密，隽逸而清新，如太羹元酒，素有典则，如琼杯玉斝，烂然可珍。"戴用《题舒邦佐双峰猥稿后》："文章丽比黄山谷，诗句清如陈简斋。远矣双溪溪上月，一轮皎皎照天阶。"徐炼《永乐本双峰猥稿序》："宋双峰舒公文稿九卷……表启多于他作，是虽一时应用之文，然熔意铸辞，一皆以理为本，而长篇大章，波澜老成，其气象典则，远非晚近流辈所能及。宋、元诸老谓其篇篇有气，句句有眼，良不虚也。"张廷璐《雍正重刻双峰猥稿序记》："集中多骈俪之词，熔铸经史，杼轴予怀，天然工妙，尽化排比之迹。其致朱子、周相等篇，则皆粹然儒者之言，不独湛深经术已也。诗格高雅秀逸，抒写天机，每多事外远致。要皆得之于淡泊宁静之余。"周大璋《雍正重刊双峰猥稿序》："其文多骈俪体，属辞隶事，真有璧合珠连蒂附之妙。至其讽咏篇什，直追汉、魏，驾轶三唐矣。其取材也宏，其托寄也远，其借资于己事也意醉而神畅。因其言以想见其人，苟非经明行修、胸次磊落者，能如是乎？"

本年

杨炎正知藤州，被论放罢。

陈规为监察御史。

王宾登金进士第。

赵秉文上书金宣宗，愿为国家守残破一州，以宣布朝廷恤民之意。且曰："陛下勿谓书生不知兵，颜真卿、张巡、许远辈以身许国，亦书生也。"又曰："使臣死而有益于国，犹胜坐縻廪禄为无用之人。"上曰："秉文志固可尚，然方今翰苑尤难其人，卿宿儒当在左右。"不许。事见《金史》卷一一〇本传。

王子俊本年在世，生卒年不详。子俊字才臣，一字巨臣，号格斋，吉水人。以文鸣江西，尝作《淳熙内禅颂》，其文赡蔚典丽。以荐得官，初任四川制置使属官。嘉定七年，自蜀东归，尝携文稿访岳珂于九江（《桯史》卷一五）。后栖迟衡泌。事迹见杨万里《送王才臣赴秋试序》（《诚斋集》卷七七）、《桯史》卷一五。《直斋书录解题》卷一八著录其《三松集》十八卷，已佚，今存《格斋四六》一卷，有清钞本、《四库全书》本。《全宋诗》录其诗十首，《全宋文》收其文四卷。岳珂《桯史》卷一五："才臣盖师诚斋，诚斋亟称其文，有'发而为文，自铸伟词。其史论有迁、固之风，其古文有韩、柳之则，其诗句有苏、黄、后山之味。至于四六，踵六一、东坡之步武，超然绝尘，崛奇层出，自汪彦章、孙仲益诸公而下不论也。小技如尺牍，本朝唯山谷一人，今王君亦咄咄逼之矣。挟希世之宝，而未应时之需，可为长太息'等语。"朱彝尊《格斋四六跋》："宋人骈语，其初率仿杨亿、刘筠体，无逸出四字六字者。欧阳永叔厌薄之，一变而尚真率。苏子瞻尤以流丽见长。于是汪彦章擅此名家，镕铸六经诸史以成对偶，可谓升堂入室之选矣。庐陵王子俊才臣为周子充、杨廷秀赏识，尝引以代草笺奏书记。其所撰《三松集》世罕流传，予抄得宋本《格斋四六》计一百二首，爱其由中而发，渐近自然，无组织之迹，斯则彦章之亚也。"四库提要卷一五九："《格斋四六》一卷，浙江鲍士恭家藏本，宋王子俊撰。……所著有《史论》、《师友绪言》、《三松类稿》诸书，俱已不传。此编原本题曰《格斋三松集》，疑即《类稿》中之一种，散佚仅存者。朱彝尊《曝书亭集》有是书跋，称'抄得宋本《格斋四六》计一百二首'。今检勘其数，与所跋相同，当即彝尊所见之本。杨万里尝谓其史论有迁、固之风，古文有韩、柳之则，诗有苏、黄之味。至于四六，踵六一、东坡之步武，超然绝尘，自汪彦章、孙仲益诸公而下不论。其推之甚至。今其他文已湮没不传，无由证所评之确否，但就此一卷而论，其典雅流丽，亦复斐然可观。故朱彝尊亦谓其由中而发，渐近自然，无组织之迹。必谓胜于汪藻、孙觌，固友朋标榜之词。要之，骖驾二人，亦足步其后尘矣。"

王明清本年在世，生卒年不详。明清字仲言，汝阴人。少侍亲居山阴。绍兴三十二年，以外舅方滋帅淮西，侍行至建康，见张孝祥。孝宗即位，得补官。乾道初，奉祠居山阴，撰《挥尘录》。淳熙十二年，以朝请大夫主管台州崇道观。绍熙三年，为杂买务杂买场提辖官。居临安七宝山，撰《挥尘后录》。五年，添差通判泰州，撰《挥尘第三录》。庆元间，寓居嘉禾。嘉泰初，为浙西参议官。事迹见《挥尘录》跋、《玉照新志》卷四及《宋史翼》卷二九等。明清以史学知名，父兄并称博学，王禹锡《挥尘后录跋》称其"雅健之文，著述之体，诚有所自来"。所著《挥尘前录》四卷、《后录》十一卷、《第三录》三卷、《余话》二卷，有宋龙山堂刻本、《四库全书》本、一九六一年中华书局校点本等。四库提要卷一四一："《挥麈前录》四卷、《后录》十一卷、《第三录》三卷、《余话》二卷。……是编皆其札记之文，《前集》为乾道丙戌奉亲会稽时所纪，多国史中未见事。自跋谓'记忆残阙，以补册府之遗'是也。末附沙随程迥、临汝郭九惪二跋，李垕一简，及庆元二年实录院移取《挥麈录》牒文二道。《后录》为绍熙甲寅武林官舍中所纪，有海陵王禹锡跋。《第三录》为庆元初请外时所纪，于高宗东狩事独详。《余话》兼及诗文碑铭，补前三录所未备。……明清为中原旧族，多识旧闻，要其所载，较委巷流传之小说，终有依据也。"又所著《玉照新志》六卷，有明抄本、《四库全书》本、一九九一年上海古籍出版社校点本等。四库提要卷一四一："《玉照新志》六卷。……此书多谈神怪及琐事，亦间及朝野旧闻及前人逸作。……明清博物洽闻，兼娴掌故，故随笔记录，皆有裨见闻也。"又所著《投辖录》一卷，有《四库全书》本、一九九一年上海古籍出版社校点本等。四库提要卷一四一："《投辖录》一卷。……是书乃其晚年所作。……其以'投辖'为名者，陈振孙谓'所记皆奇闻轶事，客所乐听，不待投辖而留也'。所列凡四十四事，大都掇拾丛碎，随笔登载，不能及《挥麈录》之援据赅洽，有资考证。然故家文献，所言多信而有征，在小说家中，犹为不失之荒诞者。……其称己未岁金人归我河南地者，为高宗绍兴九年，又称甲戌岁者，乃宁宗嘉定七年，则明清之老寿，可以概见，宜其于轶闻旧事多所谙悉也。"

田紫芝（1192—1214）卒，年二十三。紫芝字德秀，沧州人。少孤，养于外祖家。年十三，赋《丽华引》，语意警绝，人谓李长吉复生。年二十，读经传子史几遍。为人疏俊，而以蕴藉见称。避兵台山，仓卒为游骑所驰，遇害，士论惜之。《中州集》卷七录存其诗三首。事迹见《中州集》卷七。

罗椅（1214—?）生。

王义山（1214—1287）生。

陈著（1214—1297）生。

公元1215年（宋宁宗嘉定八年乙亥　金宣宗贞祐三年　蒙古成吉思汗十年）

四月

金下诏自今策论词赋进士。第一甲第一人特迁奉直大夫，第二人以下、经义第一人并儒林郎，第二甲以下征事郎，同进士从仕郎，经童将仕郎。

五月

十九日，金李俊民与友人同游碧落山。其《游碧落》诗序云："乙亥仲夏十有九日，平水曹汉卿、杨子方，本郡李鉴臣、刘济之君祥、姚子昂、史遂良同谒治平院，与上人和霁月煮茗道话，抵暮而归。"

七月

曾从龙以礼部尚书签书枢密院事。

八月

追赐张栻谥曰宣。

本年

韩淲有诗《涧上腊梅香甚》。《瀛奎律髓汇评》卷二〇方回评："中四句引四物，若不切于梅者，而句句有委折萦纡无尽之意。所谓'腊梅香甚'，在其中矣。嘉定八年乙亥诗也。"

张孝忠新知金州，旋罢。

李廷忠知夔州，放罢。

金李献能获特赐词赋进士，廷试第一人，宏词优等，授应奉翰林文字。

卢炳本年前后在世，里居、生卒年不详。炳字叔阳，自号丑斋。嘉定七年，知融州，被论凶狠奸贪，放罢。《直斋书录解题》卷二一著录其《哄堂集》一卷，毛晋刻作《烘堂词》，四库提要卷二〇〇已辨其作"烘"之误，今存《唐宋名贤百家词》本、明抄本、《四库全书》本。《全宋词》录其词六十三首。集中多与同官唱和之作。喜用僻字、古韵。毛晋《烘堂词跋》："词中喜用僻字，如祅溇、皴皱、褑子之类。异花幽鸟，虽属小品，亦自可人。共六十余调，长于描写，令人生画思。"李调元《雨村词话》卷二："卢炳……喜用僻字。如《念奴娇》之'短发萧萧襟袖冷，便觉都无祅溇'，'祅'字；《减兰》咏梅'皴皱寒枝，未必生绡画得宜'，'皱'字；《少年游》词'绣罗褑子间金丝'，'褑'字。"四库提要卷二〇〇："《烘堂词》一卷。……炳盖尝试州县，故多同官唱和之词。然其同官无一知名士，其颂祝诸作亦俱庸下。至于《武陵春》之以'老'叶'头'，《水龙吟》之以'斗'、'奏'叶'表'，《清平乐》之以'皱'叶'好'、'笑'，虽古韵本通，而词家无用古韵之例，亦为破格。他如《贺新郎》之'问天公底事教幽独，待拉向锦屏曲'；《玉团儿》之'把不定红生脸肉'；《蓦山溪》之'鞭宝马，闹竿随，簇著花藤轿'，皆鄙俚不文，有乖雅调。唯咏物诸作，尚细腻熨帖，间有可观耳。"而《词综偶评·补录宋词》则谓："烘堂词下语用字，亦复楚楚有致。"

李经本年前后在世，生卒年不详。经字天英，号无尘道人，大定人。金泰和六年应试至京，不第，入太学。大安元年再试，又不第，归辽东。南渡后，曾为乡帅代书奏表，朝廷以武功命倅其州，后不知所终。事迹见《中州集》卷五、《归潜志》卷二、《金史》卷一二六本传。《中州集》卷五谓其"作诗极刻苦，如欲绝去翰墨蹊径间者。李、赵诸人颇称道之。尝有诗云：'雁奴失寒更，拍拍叫秋水。天长梦已尽，秋思纷难理。’最为得意，其余或有不可晓者"。赵秉文《复李天英书》："寄来诗，如：'长河老秋冻，马怯冰未牢。河山冷鞭底，日暮风更号。''晨井冻不爨，谁料寒士饥。天厩玉山禾，不救我马尴。'……其余老昏，殊不可晓。然此迄今大成，不过长吉、卢仝合二为一，未能以故为新，以俗为雅，非所望于吾友也。昔人有吹箫学凤鸣者，凤鸣不可得闻，时有枭音耳。君诗勿乃闻有枭音者乎？向者屏山尝语足下云：'自李贺死二百年，去此作矣。'理诚有之，仆亦云然。"《归潜志》卷二："天英为诗刻苦，喜出奇语，不蹈袭前人，妙处人莫能及。号无尘道人。《题太真图》云：'君前欲拜还未拜，花枝无力东风羞。'又《夜雨》云：'灯火万家夜，萧萧帘下声。'《晚望》云：'夕阳万里眼，人立秋黄中。'《夜起》云：'夜半不得月，河汉空星辰。'又《步云意》云：'一片昆仑心，夕阳小烟树。'又四言云：'老峰蹙云，壁立挽秀。林阴洒雨，苍苍玉斗。虚明满镜，夜气成昼。'此其诗体也。"

吴锡畴（1215—1276）生。

赵顺孙（1215—1277）生。

公元 1216 年（宋宁宗嘉定九年丙子 金宣宗贞祐四年 蒙古成吉思汗十一年）

正月

追赐吕祖谦谥曰成。

七月

李心传撰成《建炎以来朝野杂记》乙集。并序云："《朝野杂记》既成之三年，复为书，号《续记》。既抵乙丑之冬矣，顾视前集所书，往往缺略未备，而所忆中兴以来旧闻遗事，尚或有之，欲补缀成编，未暇也。客有谓心传曰：'自昔权臣用事，必禁野史，故孙盛作《晋春秋》，而桓温谓其诸子言："此史若行，自是关卿门户事。"近世李庄简作《小史》，秦丞相闻之，为兴大狱，李公一家，尽就流窜，此往事之明戒也，子其虑哉！'心传瞿然而止。未几，权臣殛死，始欲次比其书，会有旨给札，上心传所著《高庙系年》，铅椠纷然，事遂中辍。既而自念曰：'此非为己之学也。'乃取旧编束之高阁，而熟复乎圣经贤传之书。又念前所未录者尚数百条，不忍弃也，萃而次之，谓之乙集。昔安陆郑尚书尝献言于寿皇，指近岁史官记载疏谬，谓当质诸衣冠故老之传闻，与夫山林处士之纪录，庶几善恶是非不至差误。寿皇嘉纳，报下如章，实录所书，可覆视也。间者，滕宗卿又举以为言，圣上亦既从其所请矣。然则是编也，或可以备汗青之采摭乎？若夫择焉而不精，语焉而不详，则单见浅闻无所逃罪，后之览者亦尚恕之哉！嘉定九年岁次丙子七月哉生明，秀岩野人李心传序。"

十月

王炎赋《玉楼春》二首（"往年糊口谋升斗"、"大都四绪阴晴半"）。题曰："丙子十月生。"

十二月

元好问为隐者娄公作《市隐斋记》。

本年

危穚为宗学博士，迁著作郎。

金赵秉文为翰林侍讲学士。

周文璞约于本年前后在世，生卒年不详。文璞字晋仙，号方泉，又号野斋、山楹，原籍阳谷人。庆元间，为溧阳丞。历官内府守藏吏等职。与韩淲、姜夔、葛天民等人交游。事迹见《贵耳集》卷上、《词品》卷二。著有《方泉集》四卷，今存《四库全书》本、清钞本。《全宋词》录存其词三首，《全宋诗》收其诗三卷，《全宋文》卷六六八三收有其文。张端义《贵耳集》卷上："野斋周晋仙文璞曾语余曰：'《花间集》只有五字绝佳：细雨湿流光，景意俱微妙。'《题钟山》云：'往来秦淮问六朝，江楼只有女吹箫。昭阳太极无行路，几岁鹅黄上柳条。'《晨起》云：'闭门不与俗人交，《玄晏春秋》日日抄。清晓偶然随鹤出，野风吹折白樱桃。'有《灌口二郎歌》、《听欧阳琴行》、《金铜塔歌》，不减贺、白。"翁方纲《石洲诗话》卷四："周方泉气味颇自不俗，当在姜尧章伯仲间。"四库提要卷一六二："《方泉集》四卷。……文璞古体长篇微病颓唐，不出当时门径，较诸东坡、山谷，已相去不知几许，端义拟以青莲、长吉，未免不伦。至于古体短章、近体小诗，如端义所称《题钟山》一绝、《晨起》一绝，固可肩随于白石、涧泉诸集之间，宜其迭相唱和也。端义所称《灌口二郎歌》，集无此题，唯四卷之首有《瞿塘神君歌》，观其词意，殆即所谓《灌口二郎歌》者，或文璞以名不雅驯，后改此题欤？"

李廷忠约于本年前后在世，生卒年不详。廷忠字居厚，号橘山，於潜人。淳熙八年进士。历任於潜教授、无为教官、旌德知县，官终夔州通判。著有《洞霄诗集》，已佚。《宋诗纪事》卷五五存其《游大涤》一首，有"空庭有客扫松影，古径无人踏藓痕"之句，清新可诵。又有《橘山四六》二十卷，明孙云翼注，有明万历刊本、明钞本、《四库全书》本。四库提要卷一六一："《橘山四六》二十卷。……廷忠名位不显，故集中启劄为多，大抵候问酬谢之作。……北宋四六，大都以典重渊雅为宗；南渡末流，渐流纤弱。廷忠生当淳熙、绍熙之间，正风会将变之时，故所作体格稍卑，往往好博务新，转伤繁冗。然织组尚为工稳，其佳处要不可掩。"其词今存《橘山乐府》一卷，有《校辑宋金元人词》本。《全宋词》录存其词十五首，多为颂祝应酬之作。《全宋诗》收其诗一首，《全宋文》收其文十三卷。

张孝忠约卒于本年前后，确切生卒年不详。孝忠字正臣，历阳人，寓居鄞县。隆兴元年进士。庆元中，权知荆门军。嘉泰四年，知郴州。开禧三年，为京西运判。嘉定元年，直显谟阁，落职放罢。八年，知金州，旋罢。事迹见《宋史》卷三七三《张邵传》、《直斋书录解题》卷二一。喜为词，然琢语生硬，时近粗俗，用杜甫诗及秦观词句等，亦不能浑成。著有《野逸堂词》一卷，不传，近人周泳先辑有《野逸堂长短句》。《全宋词》收其词八首，《全宋诗》录其诗二首，《全宋文》卷五七二〇收其文。

刘爚（1144—1216）卒，年七十三。爚字晦伯，号云庄，建阳人。受学于朱熹、吕祖谦。乾道八年进士，调山阴主簿。历饶州录事，知莲城县、闽县。庆元中，伪学禁兴，从朱熹于武夷山讲道读书，怡然自适。筑云庄山房，为终老隐居之计。嘉定元年，知德庆府，提举广东常平。四年，召为国子司业，言于丞相史弥远，请以朱熹所著《论语》、《中庸》、《大学》、《孟子》之说以备劝讲，正君定国，慰天下学士大夫之心。五年，进国子祭酒，兼权兵部侍郎，改兼权刑部侍郎。六年，除刑部侍郎。八年，权工部尚书。卒谥文简。事迹见真德秀《刘文简公神道碑》、《宋史》卷四〇一本传。著有《奏议》、《史稿》、《经筵故事》、《东宫诗解》、《礼记解》、《讲堂故事》、《云庄外稿》等，已佚。今传《云庄集》二十卷，有明刻本、《四库全书》本，然集中诗文与真德秀《西山集》相同，不可信。《全宋诗》录存其诗五首。李垕《云庄文简公文集序》："公异时虽不欲自鸣以文，然其于学能尊其所闻，又能深造自得于义理之至精，故其文词约而旨远，宜哉言立于后世而传不朽。"刘稳《正统本云庄文简公文集序》："其学以持敬为涵养之本，以致知为进修之功，理无不明，事无不体，朱公器重之。……观其祭享郊庙则有祀祝，播告寰宇则有诏令，胙土分茅则有册命，陈师鞠旅则有警戒，谏诤陈请则有章疏，纪功耀德则有铭颂，吟咏鼓舞则有诗骚，宴赏宾客则有致语，岁时伏腊则有阁帖。以至兴学校，劝农桑，饯行谕俗，上自天理之精微，下至人事之曲折，罔所弗尽，言简而文，事当而实，是皆切于民彝，关于世教，而有功于继往开来者矣，谓之有道之文，不亦宜乎？"

王万钟（1190—1216）卒，年二十七。万钟字元卿，秀容人。少有逸才，读书有先后，不欲速成，诗文闲适，似其为人。与同郡田德秀齐名，号"王田"。殁于兵乱。古诗有萧散自得之趣，惜皆亡于兵火，仅《中州集》存其诗三首。事迹见《中州集》卷七《王万钟》。

姚勉（1216—1262）生。

刘秉中（1216—1274）生。

公元1217年（宋宁宗嘉定十年丁丑　金宣宗兴定元年　蒙古成吉思汗十二年）

四月

金发兵渡淮，分道南侵宋。

五月

赐礼部进士吴潜以下五百二十三人及第、出身。姚镛、尹焕、赵以夫、刘子寰、楼采、王迈同榜进士。

六月

宋下诏伐金。自是宋、金连年交兵。

九月

十九日，刘学箕作《方是闲居士小稿自记》。云："游季仙来山中相访，索予诗文不置口，辞拒不能，为检寻旧唱和，独出一百首，新作七十一首，杂著二十七首，词四十一首，集成两编，以酬其雅志。予语尘俗不足道，季仙先世文学彰在人口，而季仙伯仲词翰又皆称于朋侪，今弃彼取此，岂厌膏粱而思藜糗、忘黄钟而取瓦缶者乎？因书其后而归之。嘉定丁丑重阳后十日，种春子刘学箕习之书于方是闲堂。"

刘学箕（生卒年不详），字习之，自号种春子，又号方是闲居士，崇安人，刘子翚之孙。廉静退托，志在四方，游襄汉，经蜀都，寄湖浙，历览名山大川，取友于天下。嘉泰四年返乡里，年未五十，筑室于南山之下，疏林剔薮，引泉植竹，蒔鱼种秫，造亭立馆，取其最宏敞者，名曰方是闲堂。日与宾客饮，饮醉吟诗，诗成更酌，或至达旦，俨然竹林避世者。其自六经、诸子、史传、百家之书，天文、地理、谶纬之学，古今文集、典故之文，历世医药、方技，异书奇字，莫不研究。事迹见刘淮《方是闲居士小稿序》及本集周世兴、赵蕃、赵必愿、方立、陈以庄等跋及《嘉靖建宁府志》卷一八。著有《方是闲居士小稿》二卷，弟子游郴于嘉定十年编刊，今存元至正间重刊本、汲古阁影元抄本、《四库全书》本。《全宋词》录其词三十八首，《全宋诗》录其诗二卷。刘淮谓其"笔力豪放，诗摩香山之垒，词拍稼轩之肩，至若《松江哨遍》，直欲与苏仙争衡，真奇作也"（《方是闲居士小稿序》）。赵蕃《方是闲居士小稿跋》："习之诗佳处固多矣。如《与二犹子送生荔枝》诗'骊山往事不古监，艮岳驯致烽烟狂'；如《夏雨叹旧》'会既收新会降至，遂令百姓愈惶惑'之类，殊有风人之体。如《追和林子仁》绝句，不类和者；如《武夷山长句》欲删'十年不到武夷山，几与神仙绝往还。我见溪山浑似旧，溪山见我鬓毛斑'，自是一好绝句。《昌蒲记》不唯赞诗俱佳，而记二十四盆斛亦有笔力。"陈以庄《方是闲居士小稿跋》："其文富赡渊源，其诗雄丽清壮，如长江大河，波澜起伏，有优游自得之趣而无惨戚无聊之意，有疏旷自放之志而无怨怒不平之态。"四库提要卷一六一："《方是闲居士小稿》二卷。……刘淮序称其笔力豪放，诗摩香山之垒，词拍稼轩之肩。今观集中诸词，魄力虽少逊辛弃疾，然如其和弃疾《金缕词》韵述怀一首，悲壮激烈，忠孝之气，奕奕纸上，不愧为翰之孙，虽置之《稼轩集》中，殆不能辨。淮所论者不诬。至其诗，虽大体出白居易，而气味颇薄，歌行则往往放笔纵横，时露奇崛，或伤于稍快稍粗，与居易又别一格。淮以为抗衡居易，则似尚未能矣。"

金改元兴定。

本年

吴潜授承事郎，签镇东军节度判官，改签广德军判官。

陈淳以特试寓中都，四方士友所萃，有平昔同门而未识面者，闻其至，叩门求质者甚众，朝士大夫争迎馆焉（陈宓《有宋北溪先生主簿陈公墓志铭》）。归过严陵，郡守郑之悌延请讲学于郡庠。淳叹陆、张、王学问无源，全用禅家宗旨，认形气之虚灵知觉为天理之妙，不由穷理格物，而欲径造上达之境，反托圣门以自标榜。遂发明道学之体统，师友之渊源，用功之节目，读书之次序，为《道学体统》、《师友渊源》、《用功节目》、《读书次等》四章以示学者（《宋史》卷四三〇）。

赵秉文拜礼部尚书，兼侍读学士，同修国史，知集贤院事。

元好问作《论诗三十首》。又尝集前人有关文章法度之议论为《锦机》一编（已佚）。序云："文章天下之难事，其法度杂见于百家之书，学者不遍考之，则无以知古人之渊源。予初学属文，敏之兄为予言如此。兴定丁丑，闲居河南，始集前人议论为一编，以便观览。盖就李嗣荣、卫昌叔家前有书录之，故未备也。山谷与王直方书云：'欲作《楚辞》，须熟读《楚辞》，观古人用意曲折处，然后下笔。'喻如世之巧女，文绣妙一世，误欲织锦，必得锦机乃能成锦。因以《锦机》名之。"

刘黼（1217—1276）生。

公元 1218 年（宋宁宗嘉定十一年戊寅　金宣宗兴定二年 蒙古成吉思汗十三年）

本年

岳珂撰成《金陀粹编》二十八卷。

危稹为著作佐郎，兼吴益王府教授。

卢祖皋主管刑、工部架阁文字。

陈耆卿为青田县主簿，以书谒叶适，一见称许为晁、张之流。

赵秉文知贡举，坐取进士卢亚重用韵，削两阶，因请致仕。

王炎（1137—1218）卒，年八十二。炎字晦叔，一字晦仲，号双溪，婺源人。乾道五年进士，调明州司法参军。丁母忧，再调鄂州崇阳簿。时张栻帅江陵，闻而器之，檄于幕府，议论相得。秩满，授潭州教授，以荐知临湘县。通判临江军，召除太学博士。庆元三年，迁秘书郎。四年，除著作佐郎，兼实录院检讨官。五年，迁著作郎兼考功郎，兼礼部员外郎。六年，除军器少监，迁军器监，主管武夷山冲佑观。起知饶州，改湖州。以谤罢，再奉祠。所居有双溪，筑亭寄兴，以白乐天自比。事迹见《新安文献志》卷六九胡升《王大监炎传》并参《南宋馆阁续录》卷八、卷九。一生著述甚丰，有《读易笔记》、《尚书传》、《礼记解》、《论语解》、《孝经解》、《老子解》、《春秋衍义》、《象数稽疑》、《禹贡辨》、《考工记》、《乡饮酒仪》、《诸经考疑》、《编年通纪》、《纪年提要》、《天对解》、《韩柳辨证》、《伤寒论》，总题曰《双溪类稿》，已失传。今存诗文二十七卷，题为《双溪类稿》，或曰《双溪集》，有明嘉靖十二年王懋元刻本、万历二十四年王孟达刻本、《四库全书》本。《双溪诗余》一卷，有《四印斋所刻词》本。《全宋词》录其词五十二首，《全宋诗》收其诗九卷，《全宋文》收编其文为二十三卷。四库提要卷一六〇："《双溪集》二十七卷。……凡赋、乐府一卷，诗、词九卷，文十七卷。炎初与朱子相契，朱子集中《和炎寄弟诗》有'只今心事同千里，静对箪瓢独喟然'之句。炎亦多与朱子往还之作，其交谊颇笃。……其诗文博雅精深，亦具有根柢。程敏政辑《新安文献志》，所采最多，其所未采诸篇，议论醇正，引据典确者，尚不可悉数。盖学有本原，则词无鄙诞。较以语录为诗文者，固有蹈空、征实之别矣。"汪思《嘉靖刊双溪文集序》："大矣哉，先生之学乎！夫其经以为之极也，史以为之鉴也，政以为之符也，守以为之闲也。极以正其准也，鉴以昭其戒也，符以征其施也，闲以卫其违也。准不正则本亡矣，戒不昭则警忽矣，施不征则用蔑矣，违不卫则节弛矣。人知先生之文，不知先生之学之大固然也。是故读《易解》、《书传》、《周礼》、《明堂》等篇而知先生之经矣；读《编年通纪》、《纪年提要》等篇而知先生之史矣；读《上宰执》、《上执政》、上当道诸书而知先生之政矣；读《谢林宝文》、《谢李侍郎》、谢苏、曹诸启而知先生之守矣。"郑昭先《嘉靖刊双溪文集序》："双溪居士风流蕴藉，万卷在手，融为春风，散为雨露，范范如河汉，铿铿若金石。其纤秾简远，则奇葩异卉，清波来云；其凄怆慷慨，则古台废殿，哀弦急管。态度横出，字无一尘意。其左图右史，划然中机，振褒命笔，湏洞流转，与含毫对简、出吻悲鸣者，不可同日语也。"《宋诗钞·双溪诗钞序》："炎诗颇为世所称许，然亦多庸调。"翁方纲《石洲诗话》卷四："王晦叔炎《双溪集》诗，力庸格窘。"《善本书室藏书志》卷四〇："今读其词，质实妍雅，虽未能与姜白石、高竹屋方驾，亦一时作手也。"王国维《跋双溪诗余》："词虽不甚工，亦一家眷属也。"

陈人杰（1218—1243）生。

公元 1219 年（宋宁宗嘉定十二年己卯　金宣宗兴定三年　蒙古成吉思汗十四年）

二月

曾从龙同知枢密院事兼江、淮宣抚使。

三月

曾从龙参知政事。

四月

曾从龙罢参知政事。
安丙为四川宣抚使。

五月

工部尚书胡榘欲和金人，太学生何处恬等伏阙上书，请诛之以谢天下。

九月

赵善湘以淮南转运判官主管淮西制置司公事。

本年

李孟传（1136—1219）卒，年八十四。孟传字文授，越州上虞人，李光季子。以荫入仕，干办江东提刑司。历将作监主簿、太府丞。以不附韩侂胄，出知江州，复知处州。侂胄卒，迁提点刑狱，移江东，辞。迁浙东提刑，旋奉祠，进直宝谟阁致仕。事迹见《宋史》四〇一本传。孟传刚正有风概，博识多闻，著有《盘溪文稿》五十卷，《宏词类稿》、《左氏说》、《读史》、《杂志》各十卷，《记善》、《纪异录》各五卷，均佚。《全宋文》卷五八四四录其文。

赵师秀（1170—1219）卒，年五十。师秀字紫芝，号灵秀，又号天乐，永嘉人，太祖八世孙。绍熙元年进士。庆元元年，为上元主簿。嘉泰三年，为瑞州推官。入江东安抚司幕，官终知天台。事迹见《弘治温州府志》卷一〇。《直斋书录解题》卷二〇著录《师秀集》二卷，别本《天乐堂集》一卷，已佚。今存《清苑斋集》一卷，有明潘是仁辑刻《宋元四十三家集》本、读画斋刊《南宋群贤小集》本、《永嘉诗人祠堂丛刻》本等。《全宋诗》收其诗二卷。

苏泂《书紫芝诗后》："为爱君诗清入骨，每常吟便学推敲。"戴复古《哭赵紫芝》："东晋时人物，晚唐家数诗。瘦因吟思苦，穷为宦情痴。"张端义《贵耳集》卷上："赵天乐……作晚唐诗，'野水多于地，春山半是云'。《白石岩》云：'起来闲把青衣袖，裹得阑干一片云。'又云：'有约不来过夜半，独敲棋子落灯花。'《移居》云：'笋从坏砌砖中出，山在邻家树上青。'《呈二友》云：'禽翻竹叶霜初下，人立梅花月正高。'又云：'一片叶初落，数联诗已清。'《再移居》云：'地僻传闻新事少，路遥牵率故人多。'"刘克庄《野谷集序》："古人之诗文，大篇短章皆工。后人不能皆工，始以一联一句擅名。顷赵紫芝诸人尤尚五言律体，紫芝之言曰：'一篇幸止有四十字，更增一字，吾未如之何矣。'"又《后村诗话》新集卷三："亡友赵紫芝选姚合、贾岛诗为《二妙集》，其诗语往往有与姚、贾相犯者。"林希逸《方君节诗序》："诗有近体，始于唐，非古也。今人以绳墨矩度求之，故江西长句，紫芝有诗论之讥。盖紫芝于狭见奇，以脁求瘠，每曰：'五言字四十，七言字五十六，使益其一，吾力匮焉。'其法严如此。"魏庆之《诗人玉屑》卷一九引《玉林诗话》："赵天乐《冷泉夜坐》诗云：'楼钟晴更响，池水夜如深。'后改'更'为'听'，改'如'为'观'。《病起》诗云：'朝客偶知承送药，野僧相保为持经。'后改'承'作'亲'，改'为'作'密'。二联改此四字，精神顿异，真如光弼入子仪军矣。"又："天乐《送真玉堂》诗云：'每于言事际，便作去朝心。'用唐人林宽语也。（林宽《送惠补阙》云：'长因抗疏日，便作去朝心。'）《寄赵昌父》诗云：'忆就江楼别，雪晴江月圆。'用无可语也。（无可《同刘升宿》云：'忆就西池宿，月圆松竹深。'）《赠孔道士》诗云：'生来还姓孔，何不戴儒冠？'用姚合语也。（姚合《赠傅山人》云：'悲君还姓傅，独不梦高宗。'）《宝冠寺》诗云：'流来桥下水，半是洞中云。'用武陵语也。（武陵《赠王隐人》云：'飞来南浦水，半是华山云。'）《瓜庐》诗云：'野水多于地，春山半是云。'亦用姚合语也。（姚合《送宋慎言》云：'驿路多连水，州城半是云。'）此类甚多，姑举一二，盖读唐诗既多，下笔自然相似，非蹈袭也。其间又有青于蓝者，识者自能辨之。"范晞文《对床夜语》卷二："四灵，倡唐诗者也。就而求其工者，赵紫芝也。然具眼犹以为未尽者，盖惜其立志未高，而止于姚、贾也。学者闯其闽奥，辟而广之，犹惧其失，乃尖纤浅易，相煽成风，万喙一声，牢不可破，曰'此四灵体也'。其植根固，其流波漫，日就衰坏，不复振起。吁，宗之者反所以累之也。"胡应麟《诗薮》外编卷五："赵师秀虽学姚、许，然不无宋调杂之。"贺裳《载酒园诗话·四灵》："永嘉四灵，赵紫芝最为佼佼。……《示友》：'中夜清寒入缊袍，一杯山茗当香醪。禽翻竹叶霜初下，人立梅花月正高。无欲自然心似水，有营何止事如毛。春来拟约萧闲伴，同上天台看海潮。'第二联神骨俱清，可谓脱西江尘土气殆尽。（黄白山评：'亦只下句工。'）颔联却以酸语败群，真可痛惜，何怪为严羽所轻。然如'野水多于地，春山半是云'，'池成逢夜雨，篱坏出秋山'，固是《选》语。又《延禧观》：'鹤毛兼叶下，井气与云同。'井为藏丹之所，此言丹气也，妙甚。"四库提要卷一六二："《清苑斋集》一卷。……其诗亦学晚唐，然大抵多得于武功一派，专以炼句为工，而句法又以炼字为要。如《诗人玉屑》载师秀《冷泉夜坐》诗'楼钟晴更响，池水夜知深'一联，后改'更'字为'听'字，改'知'字为'观'字。《病起》诗'朝客偶知承送药，野僧相保为持经'一联，后改'承'字为'亲'字，'为'字为'密'字，可以知其门径矣。又《梅涧诗话》：杜小山问句法于师秀，答曰'但能饱吃梅花数斗，胸次玲珑，自能作诗'云云。故其诗主于野逸清瘦，以矫江西之失，而开、宝遗风则不复沿溯也。"

师秀之卒，薛师石、戴复古、刘克庄、释永颐、释居简等皆有诗文悼念。

舒岳祥（1219—1298）生。

李珏（1219—1307）生。

公元 1220 年（宋宁宗嘉定十三年庚辰　金宣宗兴定四年　蒙古成吉思汗十五年）

五月

史弥远等上《玉牒》及《三祖下第七世宗藩庆系表》。

六月

赐礼部进士刘渭以下四百七十五人及第、出身。包恢、王埜、戴昺登进士第。

十五日，元好问与雷渊、李献能同游玉华谷。元好问《水调歌头》（云山有宫阙）词序云："庚辰六月，游玉华谷，回过少姨庙，壁间得古仙人词，同希颜、钦叔谱词中语，为之赋仙人词。"又引雷渊古仙人辞题跋："兴定庚辰六月望，予与河南元好问、赵郡李献能同游玉华谷，将历嵩少诸刹，因过少姨祠，遂周行廊庑，得古仙人词于壁间。"好问又有《水调歌头》词，题序云："少室玉华谷月夕，与希颜、钦叔饮，醉中赋此。"《遗山集》卷十一有《同希颜、钦叔玉华谷分韵得军华二字二首》。雷渊有《玉华山中同裕之分韵送钦叔得归字》、《同裕之、钦叔分韵得莫论二字》，李献能亦有《玉华谷同希颜、裕之分韵得秋字》。

七月

韩淲赋诗《七月四首》。《瀛奎律髓汇评》卷一二方回评："此嘉定十三年庚辰诗，所谓'归来已九秋'，则出处亦可考也。……老笔劲健，非'江湖'近人斗钉可及。"

八月

安丙遣夏人书，定议夹攻金人。

十月

倪思（1147—1220）卒，年七十四。思字正甫，号齐斋，湖州归安人。乾道二年进士，授遂安军节度掌书记。淳熙五年，中博学宏词科。历官太学博士、著作郎、中书舍人、礼部侍郎。庆元二年，因忤韩侂胄，出知太平州。开禧三年，召除兵部尚书兼侍读。嘉定元年，进礼部尚书。因论史弥远专政，出知镇江府，改福州。二年，奉玉隆祠。八年，复元官。十一年，提举嵩山崇福宫。卒谥文节。事迹见魏了翁《显谟阁学士特赠光禄大夫倪公墓志铭》、《宋史》卷三九八本传。著有《齐斋甲稿》二十卷、《乙稿》十五卷、《兼山小集》三十卷、《兼山四六集》十卷、《词科旧稿》五卷、《翰林前稿》二十卷、《南征北辕诗》二卷、《论著》三十卷、《近体乐府》二卷等，均已佚。今存《经鉏堂杂志》八卷、《马班异同》三十五卷、《重明节馆伴语录》一卷。《全宋诗》录其诗十三首，《全宋文》收其文四卷。四库提要卷一二四："《经鉏堂杂志》八卷。……是编乃其晚年剳记之文。其学杂出于释老，务为恬退高旷之说。然如谓妻子无论贤不肖，皆当以冤家视之，害理殊甚。其他亦皆浅陋无味，明代陈继儒一派，发源于此。又议论空疏，多无根据。"

十一月

陆子遹刊《渭南文集》于溧阳学宫。并跋云："先太史之文，于古则《诗》、《书》、《左氏》、《庄》、《骚》、《史》、《汉》，于唐则韩昌黎，于本朝则曾南丰，是所取法。然禀赋宏大，造诣深远，故落笔成文，则卓然自为一家，人莫测其涯涘。盖今学者皆熟诵《剑南》之诗，《续稿》虽家藏，世亦多传写；唯遗文自先太史未病时故已编辑，而名以《渭南》矣，第学者多未之见。今别为五十卷，凡命名及次第之旨，皆出遗意，今不敢紊。乃锓梓溧阳学宫，以广其传。'渭南'者，晚封渭南伯，因自号为陆渭南。尝谓子遹曰：'《剑南》乃诗家事，不可施于文，故别名《渭南》。如《入蜀记》、《牡丹谱》、乐府词，本当别行，而异时或至散失，宜用庐陵所刊《欧阳公集》例，附于集后。'此皆子遹尝有疑而请问者，故备著于此。嘉定十三年十一月壬寅，幼子承事郎、知建康府溧阳县、主管劝农公事子遹谨书。"

十二月

陆子虞刊《剑南诗稿》于江州郡斋。并跋云："先君太史，晚自号曰放翁。……五为州别驾，西溯夔道，乐其风土，有终焉之志。蜀之名卿巨儒，皆倾心下之，争先挽留。晁公子止侍郎，欲捐其别墅以舍之，先君诺焉，而未之决也。尝为子虞等言：蜀风俗厚，古今类多名人，苟居之，后世子孙宜有兴者。宿留殆十载。戊戌春正月，孝宗念其久外，趣召东下，然心未尝一日忘蜀也，其形于歌诗，盖可考矣。是以题其平生所为诗卷曰《剑南诗稿》，以见其志焉，盖不独谓蜀道所赋诗也。后守新定，门人请以锓梓，遂行于世。其戊申、己酉后诗，先君自大蓬谢事归山阴故庐，命子虞编次为四十卷，复题其签曰《剑南诗续稿》，而亲加校定，朱黄涂撺，手泽存焉。自此至捐馆舍，通前稿，凡为诗八十五卷。子虞假守九江，刊之郡斋，遂名曰《剑南诗稿》，所以述先志也。其佗杂文论著，季弟子遹亦已刊之溧阳。会子虞上乞骸之请，旦暮且去，故有所未暇。初，先君在新定时，所编前稿，于旧诗多所去取。其所遗诗，存者尚七卷。念先君之遗之也，意或有在，且前稿行已久，不敢复杂之卷首，故别其名曰《遗稿》云。嘉定十三年十二月既望，男朝请大夫知江州军州事借陆子虞谨书。"

本年

韩淲赋诗《探梅》。《瀛奎律髓汇评》卷二〇方回评："瘦淡之中自秾粹。嘉定庚辰诗。"

刘克庄赋诗《落梅》，后以此致祸。《瀛奎律髓汇评》卷二〇方回评："潜夫淳熙十四年丁未生，二十五为靖安尉，嘉定中从李珏江淮制幕，监南岳庙以归。诗集始此，初有《南岳五稿》。此二诗嘉定十三年庚辰作，年三十四，时正奉祠家居。后从辟巡广西，帅蜀，知建阳县。当宝庆初，史弥远废立之际，钱塘书肆陈起宗之能诗，凡江湖诗人皆与之善。宗之刊《江湖集》以售，《南岳稿》与焉。宗之赋诗有云：'秋雨梧桐皇子府，春风杨柳相公桥。'哀济邸而诮弥远，本改刘屏山句也。敖臞庵器之为太学生时，以诗痛赵忠定丞相之死，韩侂胄下吏逮捕，亡命。韩败，乃始登第，致仕而老矣。或嫁'秋雨'、'春风'之句为器之所作，言者并潜夫《梅》诗论列，劈《江湖集》板，二人皆坐罪。初，弥远议下大理逮治，郑丞相清之在琐闼，白弥远中辍，而宗之坐流配。于是诏禁士大夫作诗，如孙花翁唯信季蕃之徒寓行在所，改业为长短句。绍定癸巳，弥远死，诗禁解，潜夫为《病后访梅九绝句》云：'梦得因桃却左迁，长源为柳忤当权。幸然不识桃并柳，却被梅花累十年。'又云：'一言半句致魁台，前有沂公后简斋。自是君诗无警策，梅花穷杀几人来。'又云：'春信分明到草庐，呼儿沽酒买溪鱼。从前弄月嘲风罪，即日金鸡已赦除。'时潜夫废闲恰十年矣。其诗格本卑，晚而渐进。如此诗'迁客''骚人'、'金刀''玉杵'二联，皆费妆点，气骨甚弱。……《后集》梅绝句至百首，谓之《百梅》。如方乌山澄孙诸人，各和至百首。颇不无赘，而亦有奇者。唯此可备梅花大公案也。"

从魏了翁之奏请，追谥周敦颐曰元，程颢曰纯，程颐曰正，张载曰明。按，据《宋史纪事本末》卷八十《道学崇黜》，魏了翁之奏请在嘉定九年正月。

戴昺授赣州法曹参军。

陈耆卿为庆元府府学教授。

卢祖皋为秘书省正字、校书郎。

郑域任行在诸军粮料院干办。

王武子约于本年前后在世，生卒年不详。武子一作子武，字文翁，丰城人。开禧元年进士。为江夏尉。嘉定间，裘万顷赴大理司直任，尝与武子别。以词名，今存词二首。《阳春白雪》选其《朝中措》，《花草粹编》复选其《玉楼春·闻笛》，沈际飞评曰："寂寥行径，壮愤衷肠。唐绝气味，在陈去非'忆昔午桥'之上。"（《草堂诗余》续集卷下）事迹见《楚纪》卷五二。

李讹（1144—1220）卒，年七十七。讹字诚之，自号山泽道人，祖籍济州，迁居晋江。以荫补承务郎，历知袁州、夔州路提点刑狱。召对，除吏部郎，迁大理卿，权户部侍郎，以论罢。起帅广西，除集英殿修撰，升宝谟阁待制。乞祠以归。事迹见真德秀《通议大夫宝文阁待制李公墓志铭》。著有文稿七十卷、《续资治通鉴长编分类》三十八卷、《谈丛》七卷，已佚。《全宋词》存词二首，词风近辛弃疾、刘过。《全宋诗》录其诗五首，《全宋文》卷六三九二收其文。

公元1221年（宋宁宗嘉定十四年辛巳　金宣宗兴定五年　蒙古成吉思汗十六年）

正月

韩淲赋诗《十三日》。按，《瀛奎律髓汇评》卷一〇方回评："此嘉定十四年辛巳正月十三日诗也，涧泉年六十三，不仕久矣，山林间滋味兴况，于诗中纵横无不可者。"

黄榦撰成《朝奉大夫文华阁待制赠宝谟阁直学士通议大夫谥文朱先生行状》。按，陈义和《勉斋先生黄文肃公年谱》谓榦于嘉定九年"始草《文公行状》"。叶士龙曰：夫子殁已十七年，而行状未有所属。季子在以先生知夫子行履为最详，讲夫子道德为最密，请先生述其事。先生至是始为草定其状。是时虽已草具此文，而未欲传布。……（十四年）正月，《文公行状》成。

三月

黄榦（1152—1221）卒，年七十。榦字直卿，号勉斋，福州闽县人。早年受业朱熹，熹称其志坚思苦，以女妻之。庆元元年，授迪功郎。熹病危，出所著书授榦，并手书与诀曰："吾道之托在此，吾无憾矣。"历知临川县、剑浦县、新淦县等。嘉定八年，奉祠，主管武夷山冲佑观。九年，除权发遣安庆府事，兼制置司参议官。所至多善政。十一年，除大理寺丞，论罢，奉祠归乡，从学弟子日盛。卒谥文肃。事迹见《勉斋黄先生行实》、《宋史》卷四三〇本传。著有《书说》十卷、《六经讲义》三十卷、《礼语意原》一卷，已佚。《宋史·艺文志》著录《黄榦文集》十卷，黄震《跋勉斋集》谓有衡阳十卷本、严溪赵氏二十四卷本、三山黄友进四十卷本，咸淳九年复刊为《勉斋大全集》。今存元延祐二年重修本《勉斋先生黄文肃公集》四十卷、附录一卷，又有《四库全书》本《勉斋集》四十卷及清康熙间刊本、钞本等。《全宋诗》录其诗一卷，《全宋文》收其文三十七卷。四库提要卷一六一："《勉斋集》四十卷。……其文章大致质直，不事雕饰。虽笔力未为挺拔，而气体醇实，要不失为儒者之言焉。"

五月

史弥远等上《孝宗宝训》、《皇帝会要》。

十一月

安丙（？—1221）卒，生年不详。丙字子文，号皛然山叟，广安人。淳熙五年进士，调大足县主簿。历知大安军，迁知兴州、安抚使兼四川宣抚副使，升大学士、四川制置大使兼知兴元府。嘉定七年，同知枢密院事兼太子宾客，除知潭州、湖南安抚使。十二年，为四川宣抚使，授保宁军节度使兼知兴元府、利东安抚使。十三年，进少保。卒谥忠定。事迹见《宋史》卷四〇二本传。著有《皛然集》、《靖蜀编》，已佚。《全宋诗》录存其诗二首，《全宋文》卷六四二九收其文。

闰十二月

华岳（？—1221）卒，生年不详。岳字子西，号翠微，贵池人。为武学生，轻财好侠。开禧元年，叩阍上书，谏朝廷未宜用兵启边衅，且乞斩韩侂胄、苏师旦、周筠以谢天下。下大理狱，编管建宁。侂胄诛，放还，复入学。嘉定十年，登武科第，为殿前司官属。十四年，任殿前司同正将，谋去丞相史弥远，事觉，下临安狱，杖死东市。事迹见叶绍翁《四朝闻见录》甲集、《宋史》卷四五五本传。著有《翠微先生北征录》，有元抄本、《贵池先哲遗书》本；《翠微南征录》十卷，有清康熙三十年郎遂还朴堂刻本、《四库全书》本。《全宋诗》录其诗十卷，《全宋文》收其文二卷。词作久佚，孔凡礼《全宋词补辑》自《诗渊》中辑得十八首。韦居安《梅涧诗话》卷下谓其"豪放不羁，诗文皆有气骨"。曹廷栋《宋百家诗存》卷一四："《翠微南征录》十卷，脱口豪纵，多破胆险句，锤炼处又极冶衍遒丽，卓然诗人之杰，而以气节特闻，尤足重也。"王士禛《跋翠微南征录》："第一卷开禧元年上皇帝书，请诛韩侂胄、苏师旦，语最伉直。余诗十卷，率粗豪使气。……如岳诗，不以工拙论可也。"

本年

卢祖皋为著作郎。

元好问登金进士第。本年赋词《太常引》（渚莲寂寞倚秋烟），序云："予年廿许，时自秦州侍下，还太原，路出绛阳，适郡人为观察判官祖道。道傍少年有与红袖泣别者，少焉车马相及，知其为观察之孙振之也，所别即琴姬阿莲。予尝以诗道其事。今二十五年，岁辛巳，振之因过予，语及旧游，恍如隔世，感念今昔，殆无以为怀，因为赋此。”

麻九畴府试经义第一，词赋第二。

耶律铸（1221—1285）生。

公元1222年（宋宁宗嘉定十五年壬午　金宣宗元光元年　蒙古成吉思汗十七年）

五月

刘光祖（1142—1222）卒，年八十一。光祖字德修，号后溪，一号山堂，简州阳安人。乾道五年进士，授剑南东川节度推官，辟潼川提刑司检法。淳熙五年，除太学正，旋迁校书郎。丁忧，起知果州。绍熙三年，除军器少监，兼权侍左郎官，又兼礼部，除殿中侍御史，极言道学朋党论之弊。宁宗即位，召为司农少卿，除起居舍人，迁起居郎。后知眉州。开禧三年，除潼州路提刑，权知泸州。嘉定二年，知襄阳。三年，知遂宁府，改京湖制置使，知潼川府。告老，进显谟阁直学士，提举玉隆万寿宫，改提举崇福宫。卒谥文节。事迹见真德秀《刘阁学墓志铭》、《宋史》卷三九七本传。《刘阁学墓志铭》：“公于文章，不事雕缋，而浑厚正大之气，实似其为人。诗尤清婉，南轩先生张公栻一见所赋，大奇之。有《后溪集》百余卷。在襄有《岘山集》，潼曰《鹤林集》，果曰《金泉集》，眉曰《眉山集》，合若干卷。《诸经讲义》若干卷。……间与诸子讲论，辑为一编，曰《山堂疑问》。”上述诸作，均佚。《直斋书录解题》卷二一著录《鹤林词》一卷，今存赵万里辑本。沈雄《古今词话·词评》上卷称其词“亦庄重而出之者”。《草堂诗余》别集卷一选录其《长相思》（玉樽凉玉人凉），沈际飞评曰“凄丽。数语收尽情款欲滴”；卷二选录其《一斛珠》（春风开者一时还），评曰“落韵疏野”，又选录《踏莎行》（扫径花寒），评曰“旧语不能新，便知才短”。今《全宋词》录存其词十一首，《全宋诗》录存其诗八首，《全宋文》收其文六卷。

光祖之卒，曹彦约、叶适有诗文悼念。

六月

李壁（1159—1222）卒，年六十四。壁字季章，号雁湖居士，又号石林，丹稜人。绍熙元年进士，除将作监簿。历校书郎、宗正少卿、权礼部侍郎兼内制等职。开禧二年，权礼部尚书，拜参知政事。三年，兼同知枢密院事，后为御史劾罢，谪居抚州。嘉定二年，令自便。越三年，复元秩，奉洞霄宫。八年，以御史奏削三秩，仍罢祠。十三年，除端明殿学士、知遂宁府。明年，引疾奉祠。事迹见真德秀《故资政殿学士李公神道碑》、《宋史》卷三九八本传。壁“平生嗜学如饥渴，群经百氏，搜讨弗遗。于本朝故实，尤所综练，国有疑义，旁摭广引，如指诸掌。其为文本于至理，而达之实用，浮淫佹丽之作，未尝辄措一词。少而好诗，晚谪临川，笺王文公诗为五十卷，至《怀清台》、《明妃曲》等篇，则显讥之不置也。其所自作，知诗者谓不减文公。有《雁湖集》一百卷、《内外制》二十卷、《临汝闲书》百五十卷、《援毫》八十卷、《涓尘录》三卷、《中兴战功》三卷"（真德秀《故资政殿学士李公神道碑》）。今存《王荆公诗注》五十卷，于王安石诗之"丰容有余之词，简婉不迫之趣，既各随义发明。若博见强志，廋词险韵，则又为之证辨钩析，俾览者皆得以开卷了然"（魏了翁《临川诗注序》）。又存《中兴战功录》一卷，有《藕香零拾》本。《全宋词》录存其词十首，《全宋诗》收其诗一卷，《全宋文》收其文四卷。吴子良《荆溪林下偶谈》卷四："水心称当时诗人可以独步者，李季章、赵蹈中耳。"刘克庄《后存诗话》续集卷四："李雁湖诗，程沧州守宜春，刊于郡斋。……晚得宜春本，摘其警句一二于此：《红梅》云：'晚觉郑公殊妩媚，生憎夷甫太鲜明。'《送杨子直知吉州》云：'忧时铁石孤忠在，阅世风花老眼空。'《酬景建》云：'新有千丝明晓镜，旧无一画赞宵衣。闲吟此外唯须饮，老觉人间万事非。'又云：'向来交态云翻手，静里无言石点头。'雁湖注半山诗，甚精确，其绝句有绝似半山者，已采入诗选矣。如'平生阅世朦胧眼，偏向白鸥飞处明'，如'鸦健触翻红菽菽，鸥闲占断碧粼粼'，皆可讽咏。如金谷友、玉川奴，鷓鹆赋、蛱蝶图，双蓬鬓、寸草心，鹤友、雁奴，鹏客、蟹奴，皆的对。"

壁之卒，叶适、程珌、魏了翁皆有祭文。

八月

曹彦约跋宋自逊《壶山诗集》。 云："宋谦甫讲书生远业，发诗人巧思，放达于古体，而韫藉于唐律，是区区词章者岂将以取重于世哉。昔东莱先生作《丽泽编》，诗中含深意，为儒道立正理，为国是立公论，为贤士大夫立壮志，为山林立逸气。非胸中有是四者，不足与议此。谦甫乃西园（按，自逊之父姓号西园）贤嗣，西园入丽泽阃奥，源流知所自来，其必有造乎此矣。嘉定壬午八月癸未，东汇泽曹某书于湖庄所性堂。"

宋自逊，字谦父，号壶山，金华人，侨居南昌。 生卒年不详。父子兄弟皆能诗，而谦父名颇著。谒附贾似道，获楮币二十万，归而造专壑堂于西山下，刘克庄为作《专壑堂记》。事迹见《瀛奎律髓》卷一三。著有《壶山诗集》，词集《渔樵笛谱》，均不传。《全宋词》录其词七首，《全宋诗》录其诗二十七首。戴复古续其《壶山好》词，谓其"诗律变成长庆体，歌词绰有稼轩风，最会说穷通"（戴复古《望江南》）。方回称其"诗篇篇一体，无变态"（《瀛奎律髓汇评》卷一三）。其诗如《萍》、《蚊》、《一室》等，颇为前人称引。李佳《左庵词话》卷下："宋谦甫《贺新凉》云：'唤起东坡老……'此词慷慨激昂，坡老见之，定当把臂入林。"贺裳《皱水轩词筌》："稼轩虽入粗豪，尚饶气骨。……若宋谦父'客来随分，家常茶饭。若肯小留连，更薄酒三杯两盏。江湖上转不如前日，步步危机。人到中年以后，云雨梦可曾常有。被老天开眼看人忙，成今古'，鄙俚村俗，何异盘列五侯之鲭，忽加臭膻一碟也。"

宋自适，字正甫，号清隐，金华人，宋自逊之兄。 生卒年不详。尝记苏翁本末，又得其遗址，筑小庵以寄仰高之思，赵蕃为名曰"灌园庵"。以诗得名，刘克庄谓"年来鸣者皆喑，大宋（自适）独啾啾不已"（《跋宋自适诗》）。真德秀《跋宋正甫诗集》："清隐之诗……予尤爱其《赠陆伯微》曰：'老去放令心胆健，后来留得姓名香。'《寄御史》曰：'阴阳消长风闻际，堂陛尊严山立时。'《送愿父弟》曰：'江湖多少盟鸥地，莫近平津阁畔行。'此皆有益之言。又《送谦父弟》曰：'日用功夫在细微，行逢碍处便须疑。高言怕被虚空笑，阔步先防堕落时。'《和人》云：'三圣传心唯主一，六经载道不言真。'是又近理之言，非尝从事于学者不能道也。至若'三甲未全，一丁不识'等句，新奇工致，则人所共喜，不待予评云。"今《全宋诗》录其诗八首。事迹见真德秀《跋宋正甫诗集》、《游宦纪闻》卷三。

金以彗星见，改元元光。

本年

王居安为工部侍郎，出知温州。

卢祖皋为将作少监。

岳珂为朝奉郎、守军器监、淮东总领。

郑域（1153—?）**约于本年前后在世，卒年不详。**域字中卿，号松窗，闽县人。乾道九年，为庠序诸生，曾蒙闽帅史浩训教。淳熙元年灯夕，和《宝鼎现》词以献，又蒙称赏，时年二十二（郑域《友林乙稿序》）。十一年，进士及第，授清流县尉。庆元中，曾随张贵谟使金，著《燕谷剽闻》二卷，记金国事甚详，惜不传。又尝作《南园记》，并砻石以献韩侂胄，侂胄以陆游所作《南园记》为重，仆其石于地（《四朝闻见录》乙集）。嘉泰四年，知宜春县，又知仁和县。嘉定七年，为武冈军判官，在丞相史浩从子弥宁幕下，为编刊《友林诗稿》。十三年，干办行在诸军粮料院。著有《松窗丑镜集》，曾丰《松窗丑镜集序》："嘉泰四年，余得宜春邑大夫三山郑域字中卿《松窗丑镜》，散语韵语十数种，大抵散语文体，韵语诗体也。其种十，其力百，故十者全；其体二，其心一，故二者精。既缲既绎，且革且缇，而中卿自小其业，若悔为者。"今此集已佚。能词，近人赵万里辑有《松窗词》。谢章铤《赌棋山庄词话》卷四谓"其人品不足道，而词自是作家。如生日《念奴娇》云：'嗟来咄去……'此等作肩随竹山，差无愧色。"沈雄《古今词话·词评》上卷亦谓其"词亦清醒可喜"。《徐氏笔精》卷五："宋郑域……《昭君怨》咏梅一词云：'道是春来花未，道是雪来香异。水外一枝斜，野人家。冷淡竹篱茅舍，富贵玉堂琼榭。两地不同栽，一般开。'兴、比甚佳。《丽情》云：'合是一钗双燕，却成两镜孤鸾。'乐府多传之。"今《全宋词》录其词十首，《全宋诗》录其诗十首，《全宋文》卷六四六三收其文。

裘万顷（?—1222）**卒，生年不详。**万顷字元量，号竹斋，新建人。淳熙十四年进士。绍熙四年，授乐平簿。嘉定六年，召除吏部架阁。七年，迁大理司直，求为江西抚干以便养亲。与真德秀、杨简交游，雅相倾倒。秩满不调，退归西山。十五年，以曹彦约等荐再入江西幕，一月而卒。事迹见杨简《宋大理司直裘竹斋墓志铭》。著有《竹斋诗集》三卷、附录一卷，至明嘉靖间始刊行于世，今存清康熙刊本、《四库全书》本、《宋人集》甲编本等。《全宋诗》录其诗三卷。胡泳《跋竹斋漫存遗稿》谓其"坚苦好修，发之声画，其清彻骨"。倪祖义《跋竹斋遗稿》谓其"文章典雅，字画妍秀，足以自成一家"。刘克庄《跋裘元量司直诗》："其言若近而远，若淡而深。近而淡者可能，远而深者不可能也。君为人自贵重，耻表襮，唯诗亦然。"陈元晋《跋裘元量竹斋漫存诗》："尝见章泉老先生言公之诗气和韵远，当入江西后派。……窃独爱其《与弟元德安乐窝诗》，有莫春浴沂，风雩咏归气象，是可以知其人矣。"张鏊《嘉靖刊竹斋诗集序》："夫纪物以阐幽，要之在明；婉辞以道志，要之在实；涵悟以抉真，要在不渝雅朴。先生之诗，三者备矣，是故律而咏，粹而真，可以传已。"贺裳《载酒园诗话·裘万顷》："《雨后》曰：'秋事雨已毕，秋容晴为妍。新香浮�椏，余润溢潺湲。机杼蛩声里，犁锄鹭影边。吾生一何幸，田里又丰年。'《出门》曰：'出门复入门，吾行竟安之？携书北窗下，翻阅聊自怡。有怀千载人，掩卷还歔欷。采采首阳薇，恋恋商山芝。一裘或终身，欣然钓江湄。斯人不可作，古道曰式微。目前稻粱谋，凫雁方齐飞。青田寂无音，岁晚将畴依？慎勿出门去，尘埃染人衣。'元量生于豫章，殊不染其恶气，大可敬也。《见雪》一篇，尤见义烈之概。"宋荦《康熙重镌竹斋集序》："《竹斋诗集》三卷，大抵罗罗清疏，直撼胸臆，不欲为山谷之峭刻，而别自成家。"张尚瑗《康熙重刻竹斋诗集序》："其诗之恬澹峻洁，迈往不屑，亦与菊涧相上下，非近世浮文弱植、模声范势者所得而窃附。……亦有宁疏毋密、宁拙毋工之意象焉，视彼揣摩依附以为仕，粉泽盗窃以为诗者，不啻奴隶命之。"四库提要卷一六一："《竹斋诗集》三卷、附录一卷。……陈宏绪《寒夜录》称，万顷在当时，与胡桐源、万澹庵、徐竹堂往来唱和，号为'四杰'。今三人俱已湮没，唯万顷集存。……其诗虽风骨未高，而清婉有余，不染江湖之滥派。赵与虤《娱书堂诗话》尝称其《归兴》一篇，又称其初官乐平印曹，与洪迈诗篇往来，迈最推其'雪归青嶂雨初歇，花卧碧苔春已休'之句云。"

万顷之卒，真德秀、刘克庄、方大琮皆有诗文悼念。

方信孺（1177—1222）卒，年四十六。信孺字孚若，号好庵，兴化军人。有俊才，未冠能文，周必大、杨万里见而异之。以父荫补番禺县尉。开禧三年，假朝奉郎使金，自春至秋三往返，以言辞折强敌。使还，忤韩侂胄，夺三秩，临江军居住。以诗酒自娱，江湖士友多慕名从游。历知韶州、道州，提点广西刑狱。召为大理丞，除淮东转运判官，兼知真州。后奉祠归，屏居岩穴，放浪诗酒以终。事迹见刘克庄《宝谟寺丞诗境方公行状》、《宋史》卷三九五本传。尝从陆游问诗，游为大书"诗境"二字。刘克庄《诗境集序》称其"于书一目十行，诗文操简立成，而宫羽协谐，经纬丽密，若素思而得者"；又称其"无韵之作，言之短长者也；有韵之作，声之高下者也"。著有《南海百咏》、《南冠萃稿》、《南辕拾稿》、《曲江啸吟》、《九疑漫编》、《桂林丙三集》、《击缶编》、《好庵游戏集》、《寿湖稿》一卷、《通问语录》三卷，大多已佚。今存《南海百咏》一卷，有《琳琅秘室丛书》影印元抄本等。《观我轩集》一卷，收入《两宋名贤小集》。《南海百咏》乃信孺为番禺县尉时所作，取南海古迹，每一事为七言绝句一首，每题之下各注其始末，注中多记五代南汉刘氏事。《全宋词》录存其词一首，《全宋诗》录其诗二卷，《全宋文》卷七〇三八收其文。

魏初（1222—1292）生。

马廷鸾（1222—1289）生。

公元1223年（宋宁宗嘉定十六年癸未　金宣宗元光二年　蒙古成吉思汗十八年）

正月

二十六日，**叶适**（1150—1223）卒，年七十四。适字正则，号水心居士，温州永嘉人。淳熙五年进士第二，授平江节度推官。丁母忧，改武昌军节度判官。以荐召为太学正，迁博士。进奏，除太常博士兼实录院检讨官。尝荐陈傅良等三十四人，后皆召用，时称得人。光宗嗣位，由秘书郎出知蕲州。入为尚书左选郎官。宁宗即位，除太府卿，总领淮东军马钱粮。韩侂胄专政，适为言官所劾，降两官罢，主管冲佑观。起为湖南转运判官，迁知泉州。召入对，除权兵部侍郎，以父忧去。服除，除权工部侍郎，改权吏部侍郎兼直学士院，以疾力辞兼职。北伐失利，适除宝谟阁待制、知建康府兼沿江制置使。建议应以江北守江，乞节制江北诸州。诏从其请。金兵退，进宝文阁待制，兼江淮制置使，措置屯田，上堡坞之议。侂胄诛，适以附和用兵遭劾，夺职奉祠十三年。卒谥文定。事迹见《宋史》卷四三四本传。著有《水心先生文集》二十九卷，为明人黎谅编刻，有《四部丛刊》影印本、《四部备要》本等。《水心别集》十六卷，清人李春龢重刊，有《永嘉丛书》本。一九六一年中华书局将《文集》、《别集》点校合编为《叶适集》排印。另有《习学记言》五十卷，辑录经史百家各为论述，有《四库全书》本；《习学记言序目》五十卷，有《敬乡楼丛书》本。《全宋词》录其词一首，《全宋诗》录其诗三卷，《全宋文》收其文五十三卷。

叶适为南宋著名思想家，永嘉学派主要代表人物。哲学上反对程、朱"理在气先"说，坚持"道在物中"、"物之所在，道即在焉"（《习学记言》卷四七）之观点。推崇陈亮之功利观，提倡事功，反对空谈性理，以为"既无功利，则道义者，乃无用之虚语"（《习学记言》卷二三）。与之相应，其论文则重功效，主义理，以为"为文不能关教事，虽工无益也"（《赠薛子长》）；"古人约义理以为言，言所未究，稍曲而伸之尔"（《周南仲文集后序》）。

周必大《回第二人叶状元适启》谓适"学主渊源乎六籍，词章驰骋乎多闻。……切时要论，自是一家；备问陈言，略无半语"。赵汝谠《水心文集序》："备众文名一家言者，在唐始著，前不多见也。先生之作，从壮至老，由今并古，日迈月超，神心穷天地，伟刻动海岳，翼然如登明堂，入清庙，黻冕崇丽，金奏而玉应，其光耀变化，如骊龙翔而庆云随也，盛矣哉其于文乎！粹矣哉其于道乎！……以词为经，以藻为纬，文人之文也；以事为经，以法为纬，史氏之文也；以理为经，以言为纬，圣哲之文也；本之圣哲而参之史，先生之文也，乃所谓大成也。"真德秀《跋著作、正字二刘公墓铭》："永嘉叶公之文，于近世为最。铭墓之作，于他文又为最。著作、正字二刘公同为一铭，笔势雄拔如太史公，叹咏悠长如欧阳子，于他铭又为最。呜呼！二刘公不可复见矣，若永嘉之文，亦岂易得哉！"刘克庄《王秘监合斋集跋》："义理至伊洛，文字至永嘉，无余蕴矣。止斋、水心诸名人之作，皆以穷巧极丽擅天下。"孙德之《翁处静文集序》：“唐文自皇甫湜、孙樵以后，作者不复出，其弊至五季极矣。……近世最推陈、叶。龙川以萦纡巧妙者为到，水心以精深刻峭者为工，可谓极文人之能事矣。”吴子良《荆溪林下偶谈》卷二：“水心于欧公四六，暗诵如流，而所作亦甚似之，顾其简淡朴素，无一毫妩媚之态，行于自然，无用事用句之癖，尤世俗所难识也。”又：“自古文字，如韩、欧、苏，犹间有无益之言，如说酒、说妇人，或谐谑之类。唯水心篇篇法言，句句庄语。”又：“水心文本用编年法，自淳熙后，道学兴废，立君用兵始末，国势污隆，君子小人离合消长，历历可见，后之为史者当资焉。”又卷三：“四时异景，万卉殊态，乃见化工之妙；肥瘠各称，妍淡典尽，乃见画工之妙。水心为诸人墓志，廊庙者赫奕，州县者艰勤，经行者粹醇，辞华者秀颖，驰骋者奇崛，隐遁者幽深，抑郁者悲怆，随其资质，与之形貌，可以见文章之妙。”又：“铭诗之工者，昌黎、六一、水心为最。”黄震《黄氏日钞》卷六八：“文平意顺，水心大手笔也。四六语如此，近世雕镂自以为工者，何如也。”又：“水心能力排老庄，正矣，乃并讥程伊川，则异论也；能力主恢复，正矣，乃反斥张魏公，则大言也；能力诋本朝兵财靡弊天下而至于弱，正矣，乃欲割两淮、江南、荆湖，弃诸人以免养兵，独以两浙为守，又欲抑三等户代兵，兹又靡弊削弱之尤者也。水心之见称于世者，独其铭志序跋，笔力横肆尔。近世自号得水心文法者，乃以阴寓讥骂为能。愚观水心文，虽间讥骂，实皆显白。如曰：‘旁县田一顷，蛙鸣聒他姓。’此显斥翁灵舒废家业而工晚唐诗，直以为世戒，非阴寓也。如曰：‘蛛丝委架诗书愠，鹭羽空陂菡萏愁。’此明言陈益谦不读书而冒儒衣冠，不得已为作诗，非阴寓也。如曰：‘丁村未尝有此，其村民不学，而崛起未可知。’唯‘数花鬓，嗅松叶’，世传状鲍清卿为猴精，此为讥讽。然他日志其妻刘氏，直举庞蕴夫妇弃家学佛，至卖漉篱，此其偏好，自有取轻者。终篇述其治行甚褒，瑕瑜不相掩也。借曰水心时一以文为戏，可尽以例其余耶？学之者不于其横肆，而独于其戏者耶？”王直《景泰本水心文集序》：“先生之学，浩乎沛然，盖无所不窥，而才气之卓越，又足以发之。然先生之心，思行道于当时而见之功业，不但为文而已也。观其议论谋猷，本于民彝物则之常，欲以正人心，明天理。至于求贤、审官、训兵、理财，一切施诸政事之间，可以隆国体，济时艰。”四库提要卷一一七：“《习学记言》五十卷。……所论喜为新奇，不屑摭拾陈语，故陈振孙《书录解题》谓其文刻峭精工，而义理未得为纯明正大。刘克庄为赵虚斋作《注庄子序》，亦称其讲学析理，多异先儒。今观其书，如谓‘太极生两仪’等语为文浅义陋，谓《檀弓》肤率于义理而謇缩于文词，谓《孟子》‘子产不知为政’、‘仲尼不为已甚’，语皆未当，此类诚不免于骇俗。然如论读《诗》者专溺旧文，不得诗意，尽去本序，其失愈多。言《国语》非左氏所作，以及考子思生卒年月，斥汉人言洪范五行灾异之非，皆能确有所见，足与其雄辩之才相副。至于论唐史诸条，往往为宋事而发，于治乱通变之原，言之最悉，其识尤未易及。特当宋之末世，方恪守洛、闽之言，而适独不免于同异，故振孙等不满之耳。”又卷一六〇：“《水心集》二十九卷。……适文章雄赡，才气奔逸，在南渡卓然为一大宗。其碑版之作，简质厚重，尤可追配作者。适尝自言：‘譬如人家筵客，虽或金银器照座，然不免出于假借，唯自家罗列者，即仅瓷缶瓦杯，然都是自家物色。’其命意如此，故能脱化町畦，独运机轴。韩愈所谓文必己出者，殆于无忝。”《文章精义》："司马子长文拙于《春秋》内、外传，而力量过之；叶正则之文巧于韩、柳、欧、苏，而力量不及。"《四库未收书目提要》："《贤良进卷》四卷。……适抱匡时之用，故初年轮对，即以经世之说进。且观其《上西府书》及《执政荐士书》，所举陈傅良以下三十四人，如刘清之、陆九渊、章颖、吕祖谦、杨简、项安世，皆一时贤杰，洵属有心当世之人。即以文体而论，亦笔力横肆，足以振刷浮靡。唯持论间有不纯。"李春龢《同治刊水心别集序》："宋乾、淳间，永嘉之学盛于东南，屹然与新安、金华鼎足而立。其诸儒纂述之传于世者，若薛文宪之渊雅，陈文节之醇粹，叶忠定之闳博，可以想见一时之盛；而文章之工，尤以忠定为最，同时讲学诸儒，自东莱吕氏外，莫能及也。……此集凡《进卷》九卷，《廷对》一卷，《外稿》五卷，《后总》一卷，盖论治之言为多。其论宋政之弊及所以疗复之方，至为详备。春龢每读此书，至于《资格》、《铨选》、《科举》、《学校》、《新书》、《吏胥》诸篇，盖未尝不掩卷叹息，以为古今之有同患也。"

《荆溪林下偶谈》卷四："水心诗早已精严，晚尤高远。古调好为七言八句，语不多而味甚长。其间与少陵争衡者非一，而义理尤过之，难以全篇概举，姑举其近体成联者：'花传春色枝枝到，雨递秋声点点分'，此分量不同，周匝无际也；'江当阔处水新涨，春到极头花倍添'，此地位已到，功力倍进也；'万卉有情风暖后，一筇无伴月明边'，此惠和夷清气象也；'包容花竹春留巷，谢遣蒲荷雪满涯'，此阳舒阴惨规模也；'隔垣孤响度，别井暗泉通'，此感通处无限断也；'举世声中动，浮生胥带来'，此真实处非安排也；'峙岩桥畔船辞柁，冷水观边花发枝'，此往而复来也；'有儿有女后应好，同穴同时今奈何'，此哀而不伤也；'此日深探应彻底，他时直上自摩空'，此高下本一体，特有等级也；'蓍蔡羲前识，萧韶舜后音'，此古今同一机，初无起止也。所谓关于义理者如此，虽少陵未必能追攀。至于'因上嵩峣览吴越，遂从开辟数羲皇'，此等境界，此等襟度，想象无穷极，则唯子美能之。他如'驿梅吹冻蕊，柁雨遂春声'、'绿围齐长柳，红糁半含桃'、'听鸡催谒驾，立马待细书'、'野影晨迷树，天文夜照城'、'晒书天象切，浴砚海光翻'、'地深湘渚浪，天远桂阳城'，置杜集中何以别。乃若'遣腊冰千箸，勾春柳一丝'、'磷迷王弼宅，蒿长孟郊坟'、'帆色挂晓月，橹音穿夕烟'、'门邀百客醉，囊讳一金存'、'难招古渡外，空老夕阳滨'，又特其细者。"刘克庄《后存诗话》后集卷二："水心大儒，不可以诗人论。……此二篇（按，指《中塘梅林，天下之盛也，聊伸鄙述，启好游者》、《余顷为中塘梅林诗，他日来游复作》二诗）兼阮、陶之高雅，沈、谢之丽密，韦、柳之情深，一洗古今诗人寒俭之态矣。"贺裳《载酒园诗话·叶适》："宋人于乐府一途，尤为河汉，水心《白纻辞》一篇，深得古意：'有美人兮来独处，陟彼南山兮伐寒纻。挑灯细缉抽苦心，冰花织成雪为缕。不忧绝技无人学，只愁不堪嫁时着。郑侨吴札今悠悠，争看买笑锦缠头。'深叹知音难遇，又不忍遽自决绝，徊翔婉转，无限风流。"《宋诗钞·水心诗钞序》："诗用工苦而造境生，皆镕液经籍，自见天真，无排迕刻绝之迹。艳出于冷故不腻，淡生于炼故不枯。曾点之瑟方希，化人之酒欲清，其意味足当之。"赵汝回《瓜庐诗序》："唐风不竞，派沿江西，此道蚀减尽矣。永嘉徐照、翁卷、徐玑、赵师秀乃始以开元、元和作者自期，冶择淬炼，字字玉响，杂之姚、贾中，人不能辨也。水心先生既啧啧叹赏之，于是四灵之名天下莫不闻。"俞文豹《吹剑录外集》："盖自叶水心喜晚唐体，世遂靡然从之，凡典雅之诗，皆不入时听。"

叶适之卒，刘宰、程珌、魏了翁皆有诗文悼念。

二月

戴复古自跋《石屏小集》。有云："懒庵赵蹈中寺丞作湘漕时，为仆选此诗，凡一百三十首。……嘉定癸未二月朔日，复古书。"

四月

初一日，陈淳（1159—1223）卒，年六十五。淳字安卿，号北溪，漳州龙溪北溪人。淳熙十六年乡贡进士。为朱熹晚年高弟，曾两度从学，一在绍熙元年熹守漳州时，一在庆元五年，不久熹即病逝。嘉定十年，以特试寓中都，四方学子登门求教者甚众。十五年，以恩循修职郎。十六年，以特奏恩授迪功郎、泉州安溪主簿，未赴而卒。事迹见陈宓《有宋北溪先生主簿陈公墓志铭》、《宋史》卷四三〇本传。著有《北溪大全集》，今存明弘治刻本、清乾隆刻本、《四库全书》本。《全宋诗》收其诗四卷，《全宋文》收其文三十三卷。

王环翁《北溪大全集序》："观其问目，如《小戴·曾子问》，随事辩诘，毫发不遗；《戒惧》、《谨独》二箴，与朱子箴敬斋同一辙；《程张吕言仁》二辨，与朱子辨《辑略》同一机；《字义》，《近思录》也；《杂咏》，《感兴诗》也。篇篇探心法之渊源，字字究性学之蕴奥，诚又与《朱子大全》文相先后。朱子之道学大明于世，羽翼之功，先生居多，当时称为朱子嫡嗣，其信然欤！"四库提要卷一六一："《北溪大全集》五十卷、外集一卷。……其生平不以文章名，故其诗其文皆如语录。然淳于朱门弟子之中最为笃实，故发为文章，亦多质朴真挚，无所修饰。元王环翁序以为'读其文者，当如布帛菽粟，可以济乎人之饥寒。苟律以古文律度，联篇累牍，风形露状，能切日用乎否'云云。是虽矫枉过直之词，要之儒家实有此一派，不能废也。又淳以朱子终身与陆九渊如水火，故生平大旨，在于力申儒释之辨，以针砭金溪一派之失。集中如《道学体统》等四篇，《似道》、《似学》二辨，皆在严陵时所作，反覆诘辨，务阐明鹅湖会讲之绪论，亦可谓坚守师传，不失尺寸者矣。"

陈淳之卒，王隽、董必昌有祭文。

五月

赐礼部进士蒋重珍以下五百四十九人及第、出身。赵崇嶓、徐鹿卿登进士第。

十二月

金宣宗完颜珣（1163—1223）卒，年六十一。太子完颜守绪即位，是为哀宗。

本年

郑清之迁国子学录。

卢祖皋权直学士院。

刘铎为金太常博士。

赵汝说（？—1223）**卒，生年不详。**汝说字蹈中，号懒庵，祖籍开封，徙居余杭。太宗八世孙，赵汝谈之弟。以祖荫补承务郎，历泉州市舶务、利州大军仓属官。庆元初，上疏言赵汝愚冤，忤韩侂胄，坐废十年。登嘉定元年进士第，为太社令，迁将作监簿，大理、司农丞。与史弥远不合，请外，历湖南、江西提举常平，江西、湖南提点刑狱。迁知温州。事迹见《宋史》卷四一三本传。著有《懒庵集》，已佚。《全宋诗》录其诗一卷，《全宋文》卷六九三六收其文。刘克庄《瓜圃集序》："近岁诗人，唯赵章泉五言有陶、阮意，赵蹈中能为韦体。"又《后村诗话》前集卷二："南塘（赵汝谈）评蹈中诗文，节奏似韦、谢，信有之。至于'慕先儒而遐想，挽名流以自近'，则居然悬隔。南塘惜其未拨弃浮论，可谓名言。其豪心侠气，极力推磨不尽，不若南塘之近道也。《题会春苑》云：'草荒故苑几春风，尚想花开春树红。欲问当时马王事，寂寥残照野亭中。'《寒食》云：'人家插柳春将过，时节浇松老未归。'《挽赵从善尚书》云：'先朝怀族远，平世责人深。'皆于近体中有远意。"《咸淳临安志》卷六七："汝说颖悟英特，与汝谈齐名，称二赵。叶适谓其'韩篇杜笔，高出于时'，盖兼言之也。"《瀛奎律髓汇评》卷二〇："蹈中诗，至中年不为律体，独喜《选》体，有三谢、韦、柳之风。"

萧贡（1158—1223）**卒，年六十六。**贡字真卿，咸阳人。金大定二十二年进士。历官泾州观察推官、监察御史、右司郎中、刑部侍郎、御史中丞。以户部尚书致仕，卒谥文简。尝预修泰和律令，所上条画皆委曲当上心，章宗比为汉之萧何。善诗文，好论说。《金元诗选·金诗选二》谓其《米元章大字卷》诗"倔强槎牙，似此笔力，要足自开生面"；又谓其《临泉道中》"匀称稳贴"。原有集，已佚。《中州集》存其诗三十二首。另有注《史记》百卷、《公论》二十五卷。事迹见《中州集》卷五、《金史》卷一〇五本传。

李纯甫（1177—1223）**卒，年四十七。**按，刘祁《归潜志》卷一谓纯甫"正大末，由取人逾新格，出倅坊州，未赴，改京兆府判官。卒于南京，年四十七"。以纯甫之卒在正大末（1231）。《金史》卷一二六本传同。考《归潜志》卷九载赵秉文与刘从益唱和诗云："屏山殁后使人悲，此外交亲我与雷。……心知契阔留陈土，时复登临上吹台。"刘从益（云卿）兴定五年四月罢御史，归陈州，元光二年秋起为叶县令。"心知"二句说从益在陈，则赵诗亦当作于元光中。据此，则纯甫之卒断不会在正大末。又赵秉文《滏水集》卷七有《九日会极目亭》诗，该诗下首《再和》"前年此日登高会，点检唯无短李才"句下自注云："谓屏山死矣。"此诗作年见于《归潜志》卷八："正大初，赵闲闲长翰苑……同馆诸公九日登极目亭，俱有诗。赵云云。"知赵诗作于正大元年，"前年"为正光二年，乃纯甫卒年。金代国医张子和《儒门事亲》卷一列举病例时亦称纯甫卒于"元光春"。逆推四十七年，则纯甫当生于大定十七年（1177）。

又，《金史》本传谓其"擢承安二年进士"，《归潜志》谓其"逾冠擢高第"，与上述论据互证，亦相符合。

纯甫字之纯，号屏山居士，弘州襄阴人。擢承安二年经义进士。历官翰林、京兆府判官。为人聪敏，少自负其才，谓功名可俯拾，作《矮柏赋》，以诸葛亮、王猛自期。中年以后，志不得伸，遂无意仕进，日与禅僧士子游，以文酒为事，或饮数月不醒，虽沉醉亦未尝废著书，至于谈笑怒骂，璨然皆成文理。晚年喜佛，力探其奥义。自类其文，拟《庄子》内、外篇，凡论性理及关乎佛老二家者，号"内稿"，其余应物文字，如碑志、诗赋，号"外稿"。又解《楞严经》、《金刚经》、《老子》、《庄子》，又有《中庸集解》、《鸣道集解》，号为中国心学、西方文教，凡数十万言。事迹见《中州集》卷四、《归潜志》卷一、《金史》卷一二六本传。《归潜志》卷一谓其"初为词赋学，后读《左氏春秋》，大爱之，遂更为经义学。逾冠擢高第，名胜烨然。为文法庄周、左氏，故其词雄奇简古，后进宗之，文风由此一变"。又卷八："南渡后文风一变，文多学奇古，诗多学风雅，由赵闲闲、李屏山倡之。"又："李屏山教后学为文欲自成一家，每曰：'当别转一路，勿随人脚跟。'故多喜奇怪。然其文亦不出庄、左、柳、苏，诗不出卢仝、李贺。晚甚爱杨万里诗，曰：'活泼剌底，人难及也。'……赵（秉文）亦语余曰：'之纯文字止一体，诗只一向去也。'"又卷一〇："屏山南渡后文字多杂禅语葛藤，或太鄙俚不文，迄今刻石镂板者甚众。余先子尝云：'之纯晚年文字半为葛藤。古来苏、黄诸公亦语禅，岂至如此？可以为戒。'"王若虚《忆之纯》其三："隽气轻天下，高情到古人。衔杯曼卿放，下笔老坡神。时论谁优劣，人材自屈伸。"

纯甫之卒，元好问有《李屏山挽章》七律二首。

郝经（1223—1275）生。

王应麟（1223—1296）生。

公元 1224 年（宋宁宗嘉定十七年甲申　金哀宗正大元年　蒙古成吉思汗十九年）

五月

金赐策论进士十余人及第，经义进士五人及第，词赋进士五十人及第。

八月

袁燮（1144—1224）卒，年八十一。燮字和叔，号絜斋，鄞县人。乾道初，入太学，师陆九龄。淳熙八年进士，调江阴尉。宁宗即位，召除太学正，旋以伪学党禁罢。嘉定元年，召为宗正簿、枢密院编修官，权考功郎，迁奉常丞。历司封郎官、秘书监、权礼部侍郎等。十一年，除礼部侍郎，兼侍读。十二年，与史弥远争和议，罢归。明年，提举鸿庆宫。起知温州，辞。卒谥正献。事迹见真德秀《显谟阁学士致仕赠龙图阁学士开府袁公行状》、《宋史》卷四〇〇本传。其著述今存《絜斋家塾书钞》、《絜斋毛诗经筵讲义》，有《四明丛书》本。《直斋书录解题》卷一八著录其《絜斋集》二十六卷、《后集》十三卷，已佚。今存《絜斋集》二十四卷，为清四库馆臣自《永乐大典》中辑得，有《四库全书》本、《四明丛书》本。《全宋诗》录其诗二卷，《全宋文》收其文二十六卷。

袁甫《絜斋集后序》："先君子之属辞也，吐自胸中，若不雕镂，而明洁如星河，粹润如金玉，真所谓浑然天成者乎！……记览甚博，渟蓄日富，而未尝袭人畦径，尤不喜用难字，每诵先圣之言曰：'辞达而已矣。'立朝抗疏，恳恻忠爱，不为矫激，至其指事力陈，略无回挠。入侍经幄，讲读从容，每援古谊，以证时务，启沃之功良多。训诱后进，开明本心，一言一字，的切昭白，闻者感动。其他论著，多有补于世教，凡矜夸粉饰、峭刻奇险之语，一无有焉，非全于天而能若是乎！"真德秀《显谟阁学士致仕赠龙图阁学士开府袁公行状》："其辞章根本至理，一言一句，皆胸臆流出。谓《论》、《孟》中无难通之辞，难晓之字，故凡所著，不为奇险刻峭语，而温纯条鬯，自不可及。晚而好诗，尝赋《进德堂》诸篇，趣味幽远，而于一卉木之芬馨，一羽毛之皭洁，辄寄兴焉，曰：'吾之自修当如是也。'此岂苟为赋咏者耶！奏议蔼然忠诚，读者感动。铭志叙事有史法。"四库提要卷一六〇："《絜斋集》二十四卷。……文二百四十八首，病，凡议论为语录所未采、事迹为史传所未详者，亦多足证焉，固不徒以文章贵也。"

袁燮之卒，刘宰赋诗《挽袁絜斋侍郎三首》以悼念。

闰八月

宋宁宗赵扩（1168—1224）**卒，年五十七**。权相史弥远传遗诏，以贵诚为皇子，改赐名昀，嗣皇帝位，是为理宗。以原皇子赵竑为济阳郡王，出居湖州。

韩淲（1159—1224）**卒，年六十六**。淲字仲止，号涧泉，祖籍雍丘，寓居上饶。韩元吉之子。以父荫入仕，任主簿，为平江府属官，又尝官贵池。庆元六年药局官满，还家。嘉泰元年秋，入吴。未几，辞官归隐上饶，家居二十年。事迹见《瀛奎律髓》卷二〇。其著作今存《涧泉集》二十卷、《涧泉日记》三卷，皆四库馆臣从《永乐大典》辑出。《涧泉诗余》一卷，从《涧泉集》析出。《全宋词》录其词一百九十七首，《全宋诗》录其诗十九卷，《全宋文》卷六六九八收其文。

戴复古《哭涧泉韩仲止二首》其一："雅志不同俗，休官二十年。隐居溪上宅，清酌涧中泉。慷慨伤时事，凄凉绝笔篇。三篇遗稿在，当并史书传。"诗末自注云："闻时事惊心，得疾而死。作《所以桃源人》、《所以商山人》、《所以鹿门人》三诗，此绝笔之诗也。"四库提要卷一二一："《涧泉日记》三卷。……考《东南纪闻》载，淲清高绝俗，不妄见贵人，亦不妄受馈遗，其人品学问即具有根柢。又参政韩亿之裔，吏部尚书韩元吉之子，其亲串亦皆当代故家，如东莱吕氏之类，故多识旧闻，不同剿说。所记明道二年明肃太后新谒太庙事，可证《石林燕语》之误；大观四年四月命礼部尚书郑允中等修哲宗正史事，亦可补史传之遗。其他议论，率皆精审，在宋人说部中固卓然杰出者也。"又卷一六三："《涧泉集》二十卷。……淲诗稍不逮其文，而渊源家学，故非徒作。同时赵蕃号章泉，有诗名，与淲并称曰二泉。……方回《瀛奎律髓》绝推重之，有'世言韩涧泉名下固无虚士'之语，尤称其'人家寒食常晴日，野老春游近午天'之句。而所录滮作，亦属寥寥。……观滮所撰《涧泉日记》，于文章所得颇深。又制行清高，恬于荣利，一意以吟咏为事，平生精力，具在于斯。"

九月

理宗下诏褒表老儒，以傅伯成为显谟阁学士，杨简为宝谟阁直学士，并提举南京鸿庆宫；柴中行叙复原职，授右文殿修撰，主管南京鸿庆宫。

诏以礼部侍郎程珌、吏部侍郎朱著、中书舍人真德秀兼侍读；工部侍郎葛洪、起居郎乔行简、宗正少卿陈贵谊、军器监王塈兼侍讲。

十一月

诏改明年为宝庆元年。

本年

郑清之因参与史弥远谋立理宗，迁宗学博士、宗正寺丞。除起居郎，兼枢密院编修官。

吴文英重游德清，赋词《贺新郎》（浪影龟纹皱）。题曰："为德清赵令君赋小垂虹。"按，据夏承焘先生考证，赵令君当是赵善春。见《唐宋词人年谱·吴梦窗系年》。

赵秉文再乞致仕，不许。改翰林学士，同修国史，兼益政院说书官。进《无逸直解》、《贞观政要》、《申鉴》各一通。其与翰苑同仁作诗会当在本年或稍后。按，刘祁《归潜志》卷八："正大初，赵闲闲长翰苑，同陈正叔、潘仲明、雷希颜、元裕之诸人作诗会。尝赋野菊，赵有云：'冈断秋光隔，河明月影交。荒丛号蟋蟀，病叶挂蠨蛸。欲访陶彭泽，柴门何处敲。'诸公称其破的也。又分咏古瓶腊梅，赵云：'苕华吐碧龙文涩，烛泪痕疏雁字横。'后云：'娇黄唤起昭阳梦，汉苑凄凉草棘生。'句甚工。潘有云：'命薄从教官独冷，眼明犹喜迹双清。'语亦老矣。后分忆橙、射虎题甚多，最后咏道学。雷云'青天白日理分明'，亦为题所窘也。闲闲同馆阁诸公九日登极目亭，俱有诗，赵云：'魏国山河残照在，梁王楼殿野花开。鸥从白水明边没，雁向青天尽处回。未必龙山如此会，座中三馆尽英才。'雷希颜云：'千古雄豪几人在，百年怀抱此时开。'李钦止云：'连朝悾偬簿书堆，辜负黄花酒一杯。'"

卢祖皋约卒于本年前后，确切生卒年不详。祖皋字申之，又字次夔，号蒲江，永嘉人。庆元五年进士。历池州教授、吴江主簿。嘉定十一年，主管刑、工部架阁文字。十二年正月，除秘书省正字。后历秘书郎、著作郎兼权司封郎官、将作少监等职。十六年，权直学士院。旋卒于官。事迹见《南宋馆阁续录》卷八、九及四库提要卷一九八等。陈振孙《直斋书录解题》卷二一著录《蒲江集》一卷，今传《蒲江词》一卷，有《宋名家词》本、《永嘉诗人祠堂丛刻》本等。《全宋词》录存其词九十六首，《全宋诗》录存其诗十三首，《全宋文》卷六九一三收其文。

《四库全书提要》卷一九八："祖皋为楼钥之甥，学有渊源。尝与永嘉四灵以诗相唱和，然诗集不传，唯《贵耳集》载其《玉堂有感》、《松江别友》二绝句，《舟中独酌》一联。《梅涧诗话》载其《庙山道中》一绝句，《全芳备祖》载其《酴醾》一绝句，僧《北涧集》附载其《读书》、《种橘》二绝句，《东瓯诗集》载其《雨后得月小饮怀赵天乐》五言一律而已。《贵耳集》又称其小词纤雅，曰《蒲江集》，然不言卷数。陈振孙《书录解题》著录一卷。其篇数多寡，亦不可考。”孙应时《蒲江诗稿序》：“《蒲江诗稿》一编，读之郁然其春，若时禽之高下而众芳之杂袭也；洒然其秋，若风露之清高而山川之寥朗也。澹兮如幽人处士，自足于尘埃之外；俨兮如王孙公子，相命于礼乐之间也。窈兮其思之深，悠兮其味之长也。盖申之天分自高，而用心尤苦，视古今作者神交而力角之，不惬其意不止，非余子碌碌新有诗声者比也。”魏庆之《诗人玉屑》卷二一引《中兴词话》：“彭传师于吴江三高堂之前作钓雪亭，蒲江为之赋词云：‘挽住风前柳……’无一字不佳。每一咏之，所谓如行山阴道中，山水映发，使人应接不暇也。”毛晋《蒲江词跋》：“黄叔旸谓其乐府甚工，字字可入律吕，浙人皆唱之。《中兴集》中几尽采录。或病其偶句太多，未足警目。余喜其‘柳色津头泫绿，桃花渡口啼红’，较之秦七‘莺嘴啄花红溜，燕尾点波绿皱’，不更鲜秀耶？又‘玉箫吹未彻，窗影梅花月。无语只低眉，闲拈双荔枝’，直可步趋南唐‘孤枕梦回鸡塞远，小楼吹彻玉笙寒’矣。至如‘江涵雁影梅花瘦’、‘花片无声帘外雨’云云，盖古乐府佳句也。”周济《宋四家词选目录序论》：“竹屋、蒲江，并有盛名。蒲江窘促，等诸自郐，竹屋硗硗，亦凡响耳。”又《介存斋论词杂著》：“蒲江小令，时有佳趣。长篇则枯寂无味，此才小也。”冯煦《蒿庵论词》：“竹屋精实有余，超逸不足。以梅溪较之，究未能旗鼓相当。今若求其同调，则唯卢蒲江差足肩随耳。”况周颐《蕙风词话》卷二：“卢申之《江城子》后段云：‘年华空自感飘零。拥春醒，对谁醒。天阔云闲，无处觅箫声。载酒买花年少事，浑不似、旧心情。’与刘龙洲词‘欲买桂花重载酒，终不似、少年游’，可称异曲同工。然终不如少陵之‘诗酒尚堪驱使在，未须料理白头人’为倔强可喜。其《清平乐》歇拍云：‘何处一春游荡，梦中犹恨杨花。’是加倍写法。”

祖皋之卒，释居简、戴栩有祭文。

刘从益（1181—1224）卒，年四十四。从益字云卿，浑源人。金大安元年进士，拜监察御史，坐与当路者辩曲直，得罪去。久之，起为叶县令，修学励俗，有古良吏之风。未及被召，百姓诣尚书省乞留，不果。入授应奉翰林文字，逾月，以疾卒。著有《蓬门集》。《中州集》选录其诗三十三首。事迹见《中州集》卷六、《金史》卷一二六本传。《中州集》卷六：“云卿博学强记，于经学有所得，为文章长于诗，五言古诗又其所长。”《归潜志》卷八：“凡作诗和韵为难，古人赠答皆以不拘韵字，迨宋苏、黄，凡唱和须用元韵，往返数回以出奇。余先子颇留意，故每与人唱和，韵益狭语益工，人多称之。尝与雷希颜、元裕之论诗，元云：‘和韵非古，要为勉强。’先子云：‘如能以彼韵就我意，何如？亦一奇也。’尝在史院与屏山诸公唱和李唐卿《海藏斋诗》‘舟’字韵，往返十余首，先子有云：‘绣坼旧图翻短褐，朱书小字记归舟。’屏山大称其工用事也。后居淮阳，与刘少宣唱和‘村’字韵，亦往返数十首。最后论诗有云：‘杨刘变体号西崑，窃笑登坛子美村。大抵俗儒无正眼，唯应后世有公言。光生杜曲今千古，派出江西本一源。此道陵迟嗟久矣，不才安敢擅专门。’又：‘乐府虚传山抹云，诗名浪得柳连村。九原太白有生气，千古少陵无闲言。登泰山巅小天下，到昆仑口知河源。如君少进可入室，顾我今衰不及门。'少宣以为全不觉用他人韵也。"《历代诗发》卷三一谓其《次韵刘少宣》"超旷之怀正与景会，非故为放言者也"。《金元诗选·金诗选二》谓其《和渊明饮酒颂》"颇学清淡，然苦气促"。

公元 1225 年（宋理宗宝庆元年乙酉　金哀宗正大二年　蒙古成吉思汗二十年）

正月

史弥远矫诏杀济王赵竑。

二月

诏故太师、鄂王岳飞谥忠武。

六月

诏史弥远为太师，依前右丞相兼枢密使，进封魏国公。弥远辞免太师。

元好问撰成《杜诗学》（已佚）。其《杜诗学引》云："杜诗注六七十家，发明隐奥，不可谓无功。至于凿空架虚，旁引曲证，鳞杂米盐，反为芜累者亦多矣。要之，蜀人赵次公作证误，所得颇多；托名于东坡者为最妄，非托名者之过，传之者过也。窃尝谓子美之妙，释氏所谓'学至于无学'者耳。今观其诗，如元气淋漓，随物赋形；如三江五湖合而为海，浩浩瀚翰，无有涯涘；如祥光庆云，千变万化，不可名状。固学者之所以动心而骇目。及读之熟，求之深，含咀之久，则九经百氏古人之精华所以膏润其笔端者，犹可仿佛其余韵也。夫金屑丹砂，芝术参桂，识者例能指名之；至于合而为剂，其君臣佐使之玄用，甘苦酸咸之相入，有不可复以金屑丹砂芝术参桂而名之者矣。故谓杜诗为无一字无来处亦可也，谓不从古人中来亦可也。前人论子美用故事，有著盐水中之喻，固善矣；但未知九方皋之相马，得天机于灭没存亡之间，物色牝牡，人所共知者为可略耳。先东严君有言，近世唯山谷最知子美，以为今人读杜诗，至谓草木虫鱼皆有比兴，如试世问商度隐语然者，此最学者之病。山谷之不注杜诗，试取《大雅堂记》读之，则知此公注杜诗已竟，可为知者道，难为俗人言也。乙酉之夏，自京师还，闲居嵩山，因录先君子所教与闻之师友之间者为一书，名曰《杜诗学》。子美之传志、年谱及唐以来论子美者在焉。候儿子辈可与言，当以告之，而不敢以示人也。六月十一日河南元某引。"

八月

真德秀被劾舛论纲常，简节上语，曲为济王地。诏德秀焕章阁待制，提举玉隆万寿宫。

九月

赵汝适撰成《诸蕃志》。详述提举福建路市舶司时见闻及访闻有关海外诸国事迹，为宋代中外交通史重要资料。

十一月

朱端常言魏了翁封章谤讪，真德秀奏劾诬诋。诏魏了翁落职，夺三秩，靖州居住；真德秀落职罢祠。

本年

元好问为金国史院编修。

陈起以刊《江湖集》肇祸，诏禁作诗。按，《瀛奎律髓汇评》卷二〇方回曰："当宝庆初，史弥远废立之际，钱塘书肆陈起宗之能诗，凡江湖诗人皆与之善。宗之刊《江湖集》以售，《南岳稿》与焉。宗之赋诗有云：'秋雨梧桐皇子府，春风杨柳相公桥。'哀济邸而诮弥远，本改刘屏山句也。敖臞庵器之为太学生时，以诗痛赵忠定丞相之死，韩侂胄下吏逮捕，亡命。韩败，乃始登第，致仕而老矣。或嫁'秋雨'、'春风'之句为器之所作，言者并潜夫《梅》诗论列，劈《江湖集》板，二人皆坐罪。初，弥远议下大理逮治，郑丞相清之在琐闼，白弥远中辍，而宗之坐流配。于是诏禁士大夫作诗，如孙花翁唯信季蕃之徒寓行在所，改业为长短句。绍定癸巳，弥远死，诗禁解。"《鹤林玉露》乙编卷四："渡江以来，诗祸殆绝，唯宝、绍间，《中兴江湖集》出，刘潜夫诗云：'不是朱三能跋扈，只缘郑五欠经纶。'又云：'东风谬掌花权柄，却忌孤高不主张。'敖器之诗云：'梧桐秋雨何王府，杨柳春风彼相桥。'曾景建诗云：'九十日春晴景少，一千年事乱时多。'当国者见而恶之，并行贬斥。景建，布衣也，临川人，竟谪春陵，死焉。"

高似孙本年在世，生卒年不详。似孙字续古，号疏寮，鄞县人，一说余姚人。早有俊声，词章敏赡，为程大昌所称赏。淳熙十一年进士，调会稽主簿。庆元五年，除校书郎。六年，通判徽州。嘉泰三年，知信州，放罢。开禧元年，知严州，奉祠。嘉定元年，起知江阴军。十六年，除秘书郎。十七年，为著作佐郎。宝庆元年，出知处州。晚家于越，作嵊县志《剡录》，"序述有法，简洁古雅，迥在后来《武功》诸志之上"（《四库全书总目》卷六八）。事迹见《南宋馆阁续录》卷八、《宋史翼》卷二九。著述颇丰，今存《唐科名记》一卷、《剡录》十二卷、《史略》六卷、《子略》四卷、《蟹略》四卷、《砚笺》四卷、《纬略》十二卷等。其诗文集曰《疏寮集》，《直斋书录解题》卷二〇著为三卷，今存一卷，有《汲古阁景钞南宋六十家小集》本、《两宋名贤小集》本、《四库全书》本。又《骚略》三卷，"皆所拟骚赋，凡三十三篇。其后《欸乃词》一篇，集杜甫诗八句、柳宗元诗四句为之，殊纤诡也"（《四库全书总目》卷一七四），有《百川学海》本、《四库全书》本。又《剡溪诗话》一卷，有明正德十二年俞弁抄本、清抄本。《全宋词》录其词三首，《全宋诗》录其诗三卷。刘克庄谓"高续古曾参诚斋，警句往往似之"（《茶山诚斋诗选序》）。《后村诗话》续集卷四谓其"老笔如湘弦泗磬，多人间俚耳所未闻者，有石湖、放翁、诚斋之风"；又前集卷二："高续古《题四圣观》云：'射熊馆暗花扶崁，下鹤池深柳拂舟。'极藻绘追琢之功，二宋殆不能过。晚兼都官，《题直舍》云：'无诗如郑谷，有发似冯唐。'亦警策。"《直斋书录解题》卷二〇谓其"少有俊声，登甲辰科，不自爱重，为馆职，上韩侂胄生日诗九首，皆暗用'锡'字，为时清议所不齿。晚知处州，贪酷尤甚。其读书以隐僻为博，其作文以怪涩为奇，至有甚可笑者，就中诗犹可观也"。《复小斋赋话》卷下："宋高似孙《水仙花后赋》，依仿《洛神》句调，已为明人作俑矣。"俞樾《徐诚庵荔园词序》："词之初兴，小令而已。椎轮大辂，踵事而增，柴桑《归去》之辞，东坡衍之而成《哨遍》；屈子《东皇太一》之歌，高疏寮采其意而成《莺啼序》。一唱三叹，大放厥词，实开元人北曲之权舆焉。"

陈藻（1151—1225）卒，年七十五（据刘克庄《乐轩集序》）。藻字元洁，号乐轩，长乐人。师林光朝高弟林亦之，复传门人林希逸，共倡伊、洛之学于东南。屡举进士不第，布衣终身。景定四年，赠迪功郎，谥文远（《宋史》卷四五《理宗本纪》）。事迹见刘克庄《乐轩集序》、《闽中理学渊源考》卷八等。著有《乐轩集》八卷，门人林希逸编、刘克庄序，今存清抄本、《四库全书》本。《全宋诗》录其诗三卷，《全宋文》收其文三卷。刘克庄谓藻文"阐学明理，浩乎自得，不汲汲于希世求合"（《乐轩集序》）。林希逸《乐轩诗筌序》："玉质金相，春明秋洁，绝出群言，探入微赜，先生之文若是已。……洗削秾华，完复素朴，群诮鄙俚，自谓奇崛，先生之诗若是已。"四库提要卷一五九："《乐轩集》八卷。……刘克庄序希逸《竹溪诗集》称，乾、淳间，艾轩林光朝始好深湛之思，加锻炼之工，有经岁累月缮一章未就者。尽生平所作不数卷，能以约敌繁、密胜疏、精掩粗。一传而为网山林亦之，再传而为乐轩陈藻。……今观集中所载诸体诗，颇涉粗率，而真朴之处实能自抒性情。古文亦主于锻炼字句，不为奔放阆肆之作，与艾轩集体格相近。虽其蹊径太僻，不免寒瘦之讥，然在南宋诸家中，实亦自成一派也。"

公元 1226 年（宋理宗宝庆二年丙戌　金哀宗正大三年　蒙古成吉思汗二十一年）

正月

诏赠沈焕、陆九龄官，焕谥端宪，九龄谥文达。

召布衣李心传赴阙。

二月

监察御史梁成大言真德秀有五大恶，仅落职罢祠，罚太轻。诏削二秩。

三月

二十三日，杨简（1141—1226）卒，年八十六。简字敬仲，慈溪人。乾道五年进士，授富阳主簿，适陆九渊道经富阳，言语相契，遂师事之。绍熙五年，召为国子博士。因上书辨赵汝愚去国事，主管台州崇道观。嘉定年间，历著作郎、知温州、工部员外郎等职。六年，除将作监，兼国史院编修官，兼实录院检讨官。七年，转朝散大夫。乞祠，除直宝谟阁、主管成都府玉局观。后接连提举宫观。宝庆二年，除宝谟阁学士、太中大夫致仕。家居十四载，筑室慈湖，与四方学子讲学其间，学者称慈湖先生。事迹见钱时《宝谟阁学士正奉大夫慈湖先生行状》及《宋史》卷四〇七本传。一生多所著述，今存《杨氏易传》、《五诰解》、《慈湖诗传》、《慈湖春秋传》、《先圣大训》、《石鱼偶记》等。又《慈湖遗书》十八卷、《续集》二卷，有明嘉靖四年秦钺校刻本、《四明丛书》增附补编本。《全宋诗》录其诗一卷，《全宋文》收其文二十七卷。陈洪谟《慈湖先生遗书序》："侍御史秦君……遗予一编，读且绎，既终卷，则识夫所谓天命之正与公，人心之灵与广，理欲义利毫厘千里之异，为学存省体充先后缓急之序，古今礼乐制度之变之详，天地日月鬼神历数高远运行之奥之幽，人伦庶物之巨之细之要，规模条贯，阔大森整。而诗文若赋诸什，皆温润尔雅，不规时好，作俗下语。"潘汝桢《刻慈湖先生遗书序》："先生之学，超然自悟。本心乃易简，直截根源，以毋起意为宗旨。而所遗诸书，大都阐悉自心灵，明变化之妙，以我为书，非支离附会成书。驾漆园之雄，而析理最渺；离曹溪之幻，而谭性极玄。"罗大经《鹤林玉露》丙编卷五："杨慈湖诗云：'山禽说我胸中事，烟柳藏他物外机。'又云：'万里苍茫融妙意，三杯虚白浴天真。'又六言云：'净几横琴晓寒，梅花落在弦间。我欲清吟无句，转烦门外青山。'句意清圆，足视其所养。"宋长白《柳亭诗话》卷一二："杨慈湖有六言诗曰：'净几横琴晓寒……'胸次悠然，绝无学究语气。"傅增湘《明嘉靖本慈湖先生遗书跋》："慈湖以讲学知名，文字初不经意，但取疏畅条达而已。诗尤平浅，颇仿《击壤》之体，其杂以语录气者，尤类近代语体诗。"

六月

赐进士王会龙以下九百八十九人及第、出身有差。赵与时、马光祖、赵孟坚、赵汝腾、吴子良、洪天锡、李昴英、徐经孙、罗大经等登进士第。

诏以孔子五十二代孙孔万春袭封衍圣公。

八月

金诏设益政院于内廷，以礼部尚书杨云翼等为益政院说书官。

卫泾（1160—1226）卒（据《宋史》卷四一《理宗本纪》），年六十七。泾字清叔，初号拙斋居士，改号西园居士，自号后乐居士，华亭人，后徙昆山。淳熙十一年，举进士第一，特添差镇东军签判。十四年，除秘书省正字。绍熙元年，迁著作郎兼司封郎官。庆元初，召为尚书右司郎官。三年，以起居舍人假工部尚书使金，还，除知兴元府兼沿海制置使，以言者论罢。十年不调，于里中辟西园，取范仲淹格言名其堂曰"后乐"。开禧元年，得旨入朝。明年，除中书舍人兼直学士院。三年，拜参知政事。嘉定五年，出知潭州。后知隆兴府、知扬州。十七年，除资政殿学士、金紫光禄大夫致仕。卒赠太师，谥文节。事迹见《宋史翼》卷一五。著有《后乐集》七十卷，已佚。清四库馆臣自《永乐大典》辑为二十卷，有《四库全书》本。《全宋诗》录其诗一卷，《全宋文》收其文三十二卷。四库提要卷一六一："《后乐集》二十卷。……卫氏在宋世，以文学知名。……泾所作大都和平温雅，具有体裁。归有光《震川集》称其文章议论，有裨当世。……今即集中诸奏疏考之，其《应诏论北伐劄子》谓两国相敌，持重者安，轻动者危，应兵常胜，首事常沮，力诋侂胄开衅之非，词意极为切直。其劾易祓、朱质、林行诸状，亦能抵触奸佞，侃侃不阿。他所论列，并中窾要，在当时可称正人。"

本年

王居安本年前后在世，生卒年不详。居安字资道，原名居敬，字简卿，号方岩，台州黄岩人。淳熙十四年进士，授徽州推官。历国子正、太学博士，迁校书郎。开禧三年，为秘书丞，迁著作郎，兼国史实录院检讨编修官，兼权考功郎官。后入权工部侍郎，以集英殿修撰知隆兴府，徙镇襄阳，以言者罢，闲居十一年。嘉定十五年，召为工部侍郎，又以极言奉祠，起知温州。理宗即位，知福州，升龙图阁直学士，转大中大夫，提举崇福宫。卒，累赠少保。事迹见《宋史》卷四〇五本传。著有《方岩集》十卷，已佚。今《全宋词》录存其词二首，《全宋诗》录其诗八首，《全宋文》卷六六七五收其文。吴子良谓居安之文"明白夷畅，绝类其胸襟。诗尤圆妥旷达，尝有句云：'高下水痕元自定，后先花信不须催。'公之于出处去就，此二语可以占矣"（《赤城集》卷一七吴子良《方岩王公文集序》）。

黄机约于本年前后在世，生卒年不详。机字几仲，一字几叔，号竹斋，东阳人。"其事迹无可考见。据词中所注，有'时欲之官永兴'语，盖亦尝仕宦于州郡，但不知为何官耳。其游踪则多在吴楚之间，而与岳总干以长调唱酬为尤夥。总干者，岳飞之孙珂也，时为淮东总领兼制置使。岳氏为忠义之门，故机所赠词亦皆沉郁苍凉，不复作草媚花香之语。其《乳燕飞》第二阕，乃次徐斯远寄辛弃疾韵者，弃疾亦有和词"（《四库全书总目》卷一九九）。李调元《雨村词话》卷二谓其词"清真不减美成"，而《鹊桥仙》（薄宦也见）一词"言赅而意远"。冯煦《蒿庵论词》："黄机《竹斋诗余》，亦幼安同调也。"《善本书室藏书志》卷四〇："几叔词笔沈郁豪浑，在南宋人颇近辛稼轩。盖相友既久，耳濡目染，几于具体，特逊其雄厚耳，要非批风抹月者所及也。"如《霜天晓角·仪真江上夜泊》、《霜天晓角·金山吞海亭》、《清平乐·江上重九》、《虞美人》（十年不作湖湘客）等，感时伤事，激楚苍凉，颇有稼轩风致。著有《竹斋诗余》一卷，今存《宋名家词》本、《四库全书》本。《全宋词》录其词九十六首。

陈元晋（1186—?）**本年在世，卒年不详。**元晋字明父，崇仁人。嘉定四年进士（《弘治抚州府志》卷八），初授雩都尉，后授学乡里。嘉定末，为广州增城县丞。宝庆二年，知奉化县兼兵马监押。通判衢州，历知福、融、南安诸州军。迁广东经略使，累官邕管安抚使。尝建渔墅书院，因以名诗文集。事迹见《四库全书总目》卷一六二、《南宋文范作者考》下。著有《渔墅类稿》，已佚，清四库馆臣自《永乐大典》中辑为八卷，有《四库全书》本、清抄本。《全宋诗》录其诗二卷，《全宋文》收其文五卷。四库提要卷一六二："《渔墅类稿》八卷。……《江西志》称元晋嗜学好义，为德于乡人者甚多。历官所至，俱著政绩。今观集中，如《乞差甲首科札子》，则极论当时赋役之弊；《上曾知院书》，则力陈上疏防江之策。且谓天下非事功难立之为忧，而人心不睦之可畏。又谓边遽戒警，则号召郡国不教之卒，坐糜粟于长江以南，谓之警报，及日远则散遣解弛，又复置之度外。自开国以来，同一痼病。其于南宋废弛聚讼之象，指陈痛切，可谓深中膏肓。又上魏了翁启有云：'善类之势不振，付之乍佞乍贤；正论之脉仅存，听其自鸣自息。以奔趋为捷径，以软熟为圆机，习成脂韦，病入骨髓。'皆愤世嫉俗之言，则知其生平必伉直不谐于时者。读其遗文，犹可以见其人也。"

谢枋得（1226—1289）生。

白朴（1226—1312 后）生。

公元 1227 年（宋理宗宝庆三年丁亥　金哀宗正大四年　蒙古成吉思汗二十二年）

正月

理宗下诏赠，朱熹太师，追封信用公。曰："朕观朱熹集注《大学》、《论语》、《孟子》、《中庸》，发挥圣贤蕴奥，有补治道。朕励志讲学，缅怀典刑，可特赠熹太师，追封信国公。"（《宋史·理宗本纪》）

五月

诏岳珂为户部侍郎，依前淮东总领兼制置使。

六月

蒙古军尽占夏城邑，夏主降，夏亡。

七月

九日，丘处机（1148—1227）**卒，年八十。**处机字通密，号长春子，登州栖霞人。年十九为道士，师从全真道创始人王重阳。成吉思汗召见于西域，封国师，命总领道教。处机于道经无所不读，儒书梵典亦历历上口。又喜属文赋诗，然未始起稿，大率以提倡玄要为意，虽不事雕镂而自然成文。有《磻溪集》六卷传世。事迹见陈时可《长春真人本行碑》（《甘水仙源录》卷二）、《元史》卷二〇二本传。毛麾《磻溪集序》谓其诗文"恬淡闲逸，纵凡俪俚，无所拘碍，若游戏于翰墨畦径外者。不雕不琢，匪丹匪青，土鼓黄桴之不求响奏，玄酒太羹之不事味享，知音知美，其在斯乎"。胡光谦《磻溪集序》："不求高而自高，不期神而自神，岂非一气通彻，六窗洞辟，动容无不妙，出语总成真，本来如是，非假他通者耶？如《磻溪集》云：'手握灵珠常奋笔，心开天籁不吹箫。'又云：'顶戴松花吃松子，松溪和月饮松风。'又云：'偏撮山头三伏暑，都教化作一团冰。'又云：'有无皆自定，贪爱复何为。'又云：'酒倾金露滑，茶点玉芝香。'又词云：'般般放下头头是，选甚花街并柳市。虚空体，本来一物无凝滞。'又云：'天下周游身不动，人间照了心无用。'又云：'踏尽铁鞋迷，不出庵门透。'略举二三数，读者当广知焉。"沈雄《古今词话·词话》上卷："词选中有方外语，芜累与空疏同。要寓意言外，一如寻常，不别立门户，斯为入情。仲殊、觉范、祖可尚矣。若世称白玉蟾、丘长春，皆仙家之有词名者。"况周颐《蕙风词话》卷三："邱长春《磻溪词》，十九作道家语，亦有精警清切之句。"又："《无俗念·枰棋》云：'初似海上江边，三三五五，乱鹤群鸦出。打节冲关成阵势，错杂蛟龙蟠屈。'前调《月》云：'露结霜凝，金华玉润，淡荡何飘逸。'其形容棋势，如见开奁落子时。淡荡飘逸，尤能写出月之神韵。向来赋此二题者，殆未曾有。"

成吉思汗（1162—1227）**病卒**，年六十六。后追尊元太祖。第四子托雷监国。

十月

元好问赋词《满庭芳》（妆镜韶华）。词序有云："赵礼部为雷御史希颜所请，即席同予赋之，时正大四年之十月也。"

十一月

敖陶孙（1154—1227）**卒**，年七十四。陶孙字器之，号臞翁、臞庵，福清人。淳熙七年乡荐第一，省试下第，客居吴中，吴士从者云集。后入太学，庆元五年，中进士第。历官海门县簿、漳州教授、广东转运司主管文字、签书平海军节度判官厅公事兼南外宗正簿。理宗即位，转奉议郎，主管华州西岳庙。事迹见刘克庄《臞庵敖先生墓志铭》。著有《臞翁集》二卷，有读画斋刊《南宋群贤小集》本、《两宋名贤小集》本。又著有《诗评》，附见集中，又见《诗人玉屑》卷二。《全宋诗》录其诗五卷，《全宋文》卷六五九八收其文。器之"文皆有气骨，可行世传远，而天下独诵其诗"（刘克庄《臞庵敖先生墓志铭》），且重其诗评。王士禛《带经堂诗话》卷一〇："敖陶孙器之《臞翁集》，古诗歌行颇有盛时江西风味，其《诗评》尤为谈艺家所推引。"又："器之非江西诗派中人，而诗深得江西之体。其评诗最精。"曹廷栋《宋百家诗存》卷一一《臞翁集》："其诗雄浑深厚，虽至平浅处，不易涯涘。尝作《诗评》，自魏历宋凡二十九家，辞意雅确，世服其知言。"许学夷《诗学辩体》卷三五："敖器之评诗，自魏武而下，人各数语。其评陶彭泽、鲍明远、李太白、王右丞、韦苏州、柳子厚、韩退之、白乐天、孟东野、李义山，正变各得其当，则似有兼识者。"陈模《怀古录》卷中："近时敖陶孙为诗未见其工，而其评诗却甚当，其评后山诗云：'冲寂自甘，不求识赏。'岂特足以尽其诗，亦足以得其为人矣。"

本年

陈耆卿为校书郎。

曾极本年在世，生卒年不详。刘克庄《跋宋自达梅谷序》："宝庆丁亥，景建以诗祸谪春陵，不以其身南行万里为戚，方且惓惓然忧宋（自达）君营栖之无力，尤可悲也。"

曾极，字景建，临川人。布衣终身，江湖诗人，曾与戴复古、刘克庄等唱酬。又尝与朱熹书信往来，熹称其书"文辞通畅，笔力快健，蔚然有先世遗法，三复令人亹亹不倦"（《答曾景建书》）。宝庆间，因《江湖集》诗祸而谪春陵，卒于贬所。事迹见《鹤林玉露》乙编卷四、《齐东野语》卷一六。著有《春陵小雅》，已佚。今存《金陵百咏》一卷，有清抄本、《四库全书》本。《全宋诗》录其诗一卷。四库提要卷一六〇："《金陵百咏》一卷，浙江鲍士恭家藏本，宋曾极撰。……此乃其咏建康故迹之作，皆七言绝句，凡一百首，词旨悲壮，有磊落不羁之气。罗椅尝谢其惠《百咏》书云：'不知景建是何肺腑，能办此等恼人语于千载下。'今观其诗，如《天门山》云：'高屋建瓴无计取，二梁刚把当殽函。'《新亭》云：'江右于今成乐土，新亭垂泪亦无人。'大抵皆以南渡君臣画江自守、无志中原而作，其寓意颇为深远。……其愤激之词虽不无过于径直，而淋漓感慨，与刘过《龙洲集》中诗句气格往往相同，固不徒以模山范水为工者也。"刘克庄《后村诗话》前集卷二："亡友临川曾景建，博学强记，无所不通。工诗，有《金陵百咏》。《同泰寺》云：'此身终属侯丞相，谁办金钱赎帝归。'《澄心堂纸》云：'一幅降笺安用许，价高缘写宋文章。'《荆公书堂》云：'愁杀天津桥上客，杜鹃声里两眉攒。'皆峭拔有风骨。其少作云：'九十日春晴意少，一千年事乱时多。'佳句也。"罗椅《谢曾景建惠金陵百韵》："《金陵百咏》，拜赐拜教。黍苗离离，麦秀芄芄，吊西宫于荒畦，抚颓城于野草，仆悲马怀之叹，至《百咏》极矣。"

赵与虤约于本年在世，生卒年不详。与虤字威伯，太祖十世孙。生平事迹不详，著有《娱书堂诗话》一卷，今存《四库全书》本、《历代诗话续编》本。四库提要卷一九五："《娱书堂诗话》一卷。……书中多称陆游、杨万里、楼钥晚年之作，又称宗人紫芝，是宁宗以后人矣。其论诗源出江西，而兼涉于江湖宗派，故所称述如罗隐、范仲淹《钓台》诗，高端叔《雨》诗，又'桂子梅花'一联，毛国英投岳飞诗……及'作诗用法语'一条，大抵皆凡近之语，评品殊为未当，盖尔时风气类然。然名章俊句，轶事逸文，亦络绎其间，颇足以资闻见。失于芜杂则有之，要其精华不可弃也。"

汪莘（1155—1227）卒，年七十三。莘字叔耕，号柳塘，休宁人。自幼不羁，卓荦有大志，不事科举，退安丘园，博览群书。后隐居黄山。嘉定间，三次上书，论天变人事、民穷吏污之弊及行师布阵之法，不报。徐谊帅江东，欲以遗逸引荐于朝，不果。筑室柳溪之上，围以方渠，自号方壶居士。每醉必浩歌赋诗，以宣其郁积。事迹见《新安文献志》卷八七李以申《汪居士传》。著有《方壶存稿》九卷，今存明刻本、清钞本，《四库全书》本为八卷；《方壶集》四卷，今存雍正九年汪栋刻本，系九卷本之重编者；《方壶词》三卷，系从《方壶存稿》中摘出别刊者，今存旧抄本、《四库全书》本。《全宋词》录其词六十七首，《全宋诗》录其诗六卷，《全宋文》卷六六四五收其文。孙嵘叟《方壶存稿序》："方壶居士抱迈往轶群之气，颐神天隐，高蹈物表，不屑习举子业，以绁名利之纲。发为文章，雄壮奇伟，飘飘然如驭风骑气，与造物者游，无一点烟火气。古赋似宋玉，诗歌似太白，长短句似坡翁，不受音律束缚者，真是邦之英材间气也。"史唐卿《方壶存稿跋》："新安，江右名都，山峭厉而水清激，禀气食土者率多英才。休阳汪叔耕嘉定间驰诗声于缙绅之间，且叩阍献书，若有心于用事，当时诸老亦有欲为言者。奈时不我与，终身高蹈，而日以咏歌自娱，长篇短句，布在方册，多有意外惊人语，生平之志，于斯见之。"《宋百家诗存》卷一五《方壶存稿》："其诗造境生而出语险，不拘绳墨法度，自为方壶一家言。"四库提要卷一六三："《方壶存稿》八卷。……是编第一卷为书、辨、序、说、颂，第二卷为赋、歌行，第三卷至第七卷为古今体诗，第八卷为诗余。……集中诸文，皆排宕有奇气。诗源出李白，而天姿高秀不及之，故往往落卢仝蹊径。虽非中声，要亦不俗。诗余前有自序，称所爱者苏轼、朱希真、辛弃疾三人，谓之'词家三变'，故所作稍近粗豪。其中《水调歌头》二首，至以'持志''存心'为题，则自有诗余，从无此例。苟欲讲学，何不竟作语录乎？"《海日楼丛钞》引《笔记》："叔耕词颇质木，其人盖学道有得者。"《善本书室藏书志》卷四〇："叔耕爱苏、辛之词，故涉笔颇涉粗豪，间涉理语，未为当家也。"

胡祗遹（1227—1293）生。

王恽（1227—1304）生。

方回（1227—1307）生。

牟巘（1227—1311）生。

杨公远（1227—?）生。

公元 1228 年（宋理宗绍定元年戊子　金哀宗正大五年　蒙古托雷监国）

八月

七日，杨云翼（1170—1228）**卒，年五十九。**云翼字之美，其先赞皇人，移籍平定乐平。金明昌五年经义进士第一，词赋亦中乙科，特授承务郎、应奉翰林文字。历官太学博士、太常寺丞、礼部侍郎。兴定元年，迁翰林侍讲学士，兼修国史，知集贤院事。二年，拜礼部尚书。四年，改吏部尚书。哀宗即位，摄太常卿，拜翰林学士。正大二年，复为礼部尚书，兼侍读。卒谥文献。著有文集若干卷，校《大金礼仪》若干卷，《续通鉴》若干卷，《周礼辨》一篇，《左氏》、《庄》、《列》、《赋》各一篇。事迹见元好问《内相文献杨公神道碑》、《金史》卷一一〇本传。元好问《内相文献杨公神道碑》："若夫才量之充实，道念之醇正，政术之简裁，言论之详尽，粹之以天人之学，富之以师表之业，则我内相文献杨公其人矣。识者以为中国之大，平治之久，河岳炳灵，实生人杰，非宏衍博大之器如公者，曷足以当之？降材尔殊，取称斯允，商略前后，拟伦名胜，唯其视千古而无愧，是以首一代而绝出。"《中州集》卷四《礼部杨公云翼》谓其"天资颖悟，博通经传，至于天文律历医卜之学，无不臻极。事母孝，与人交款曲周密，处事详雅，而能以大节自任。南渡后二十年，与礼部闲闲公代掌文柄，时人号'杨赵'。"刘祁《归潜志》卷四："公笃学，于九流无不通，又善天文、算学，博洽人莫及。尝上疏谏宣宗南征，鞠狱以宽恕，待士谦甚，士无贤不肖称焉。晚年与赵闲闲齐名，为一时人物领袖，且屡知贡举，多得人。南渡时诏，皆公笔。其应制《白兔诗》云：'光摇玉斗三千丈，气傲金风五百篇。'又吊余先子有云：'清华方翰府，憔悴忽佳城。'其余文字甚多，家有集。"

云翼之卒，元好问有《杨之美尚书挽章》、《内相杨文献公哀挽三章白少傅体》。

十一月

金王若虚等修成《宣宗实录》。按，刘祁《归潜志》卷八："正大中，王翰林从之（若虚）在史院领史事，雷翰林希颜（渊）为应奉兼编修官，同修《宣宗实录》。二公由文体不同，多纷争。盖王平日好平淡纪实，雷尚奇峭造语也。王则云：'实录止文其当时事，贵不失真。若自作史，则又异也。'雷则云：'作文字无句法，萎靡不振，不足观。'故雷所作，王多改革，雷大愤不平，语人曰：'请将吾二人所作，令天下文士定其是非。'王亦不屑，王尝曰：'希颜作文好用恶硬字，何以为奇？'雷亦曰：'从之持论甚高，文章亦难，止以经义科举法绳之也。'"

十二月

以薛极知枢密院事兼参知政事，郑清之端明殿学士、签书枢密院事。

曹彦约（1157—1228）**卒，年七十二**。彦约字简甫，号昌谷，南康军都昌人。淳熙八年进士，授广德军建平尉。历知汉阳、权知鄂州兼湖广总领、荆湖南路安抚等。嘉定十年，差知隆兴府兼江南西路安抚。十二年，迁大理少卿，权户部侍郎，以宝谟阁待制知成都，改知福州，辞，提举亳州明道宫。理宗即位，以兵部侍郎兼同修国史、实录院同修撰。宝庆元年，除礼部侍郎。三年，除兵部尚书，辞，提举嵩山崇福宫。事迹见魏了翁《宝谟阁学士通议大夫致仕赠宣奉大夫曹公墓志铭》、《宋史》卷四一〇本传。著有《舆地纲目》十五卷、《昌谷类稿》六十卷，已佚；《经幄管见》七卷，有《四库全书》本。文集已佚，四库馆臣据《永乐大典》辑得《昌谷集》二十二卷，有《四库全书》本。《全宋词》录存其词一首，《全宋诗》录其诗三卷，《全宋文》收其文九卷。四库提要卷一六一："《昌谷集》二十二卷。……其间奏议，大都通达政体，可见施行，所论兵事利害，尤确凿有识，不同摭拾游谈。其应诏陈言二封事，乃庆元、宝庆间先后所上，于当日苟且玩愒之弊，反覆致意，切中窾要，亦可征其鲠直之概。唯俪词韵语，稍伤质朴，然不事修饰而自能词达理明，要非学有原本者不能也。"

本年

岳珂撰成《金陀粹编》续编三十卷。

程元凤登进士第，调江陵府教授。

何澹（1146—?）卒于本年前后。澹字自然，龙泉人。乾道二年进士第一。淳熙二年，召为秘书省正字。历官著作郎、国子司业、右谏议大夫兼侍讲等。宁宗即位，召为中丞，即劾赵汝愚，又论伪学。庆元二年，除同知枢密院事、参知政事。六年，迁之枢密院事兼参知政事。嘉泰元年，以忤韩侂胄罢，提举洞霄宫。起知福州，移知隆兴府。嘉定元年，除江淮制置大使兼知健康府，移江陵。奉祠，赋闲几二十年，卒。事迹见《宋史》卷三九四本传。《直斋书录解题》卷一八著录其《小山杂著》八卷，《宋史·艺文志》著录其《历代备览》二卷、《笑林》三卷，均佚。《全宋诗》录其诗二十五首，《全宋文》收其文四卷。《永乐大典》卷一四五四五引陈耆卿《何澹小山杂著序》谓其"少负轶才，落笔惊豪隽。自其试礼部，试秘府，辞驶若流水，义皭如揭日，盖天下诵之矣。其后在禁路，在政途，在帅垣，在祠馆，忧哀娱乐，靡不于文发之。其篇章旷而清，其铭碣典而润，其记序婉而富，其笺翰妥而熟。盖有能为之实，而又有不能不为之思，以故言文者纪焉。夫癯之中贵有腴，平之中贵有味，约之中贵有度，直之中贵有体。公之文虽号粹易明白，而非若他人之谫帅肤露也。盖囿巧于朴，而寄勇于闲暇。辞之所至，意亦随之，其斯以为贤欤！"

薛师石（1178—1228）卒，年五十一。师石字景石，号瓜庐，永嘉人。磊落有大志，多读书，通八阵八门之变。平生未仕，筑庐会昌湖西，题曰瓜庐，与朋好日举文会，于世味淡无所羡。事迹见《瓜庐集》附王绰《薛瓜庐墓志铭》。有《瓜庐集》一卷，有读画斋刊《南宋群贤小集》本、《南宋八家集》本；又《瓜庐诗》一卷，有明抄本、《四库全书》本。《全宋词》录其《渔父词》七首，《全宋诗》录其诗一卷。赵汝回《瓜庐诗序》："唐风不竞，派沿江西，此道蚀减尽矣。永嘉徐照、翁卷、徐玑、赵师秀乃始以开元、元和作者自期，冶择淬炼，字字玉响，杂之姚、贾中，人不能辨也。水心先生既喷喷叹赏之，于是四灵之名天下莫不闻，而瓜庐翁薛景石每与聚吟，独主古淡，融狭为广，夷镂为素，神悟意到，自然清空。如秋天迥洁，风过而成声，云出而成文。间谓四灵君为姚、贾，吾于陶、谢、韦、杜何如也？……四灵陋晚唐，不为语不惊人不止，而后生常则其步趋馨欬，扬扬以晚唐夸人，此人所不悟也。然则景石脱颖而出，自成一家，真知几之士哉！"曹豳《瓜庐集跋》："余读四灵诗，爱其清而不枯，淡而有味。及观瓜庐诗，则清而又清，淡而益淡。始看若易，而意味深长，自成一家，不入四灵队也。盖四灵诗虽摆脱尘滓，然其或仕或客，未免与世接，犹未纯乎淡也。若瓜庐则终身隐约，不求人知，其所为诗若淳音淡泊，自有余韵，其分数又高矣。"王汶《瓜庐诗后序》："余蚤游东嘉，于瓜庐君投分最密。……君最爱刘长卿诗，余一日偶问姚、贾如何，则曰：'某自爱此，何论姚、贾？'后十年复过之，则手翻口讽，一以杜老为师矣。且时时为余言诗，唯恐其不空远，空易到，远难及。余洒然识其所谓。今是集所编，大概趣极澹，意极玄，句法极精妥。霜雪松柏，虽不以葩卉自命，然虬枝直上，势摩霄汉，人不得不仰而视也。信矣，其名家哉！"赵希迈《瓜庐诗后序》："薛景石悟简恬于群动，续雅正于千古，声调所寄，不假斧凿。世评其诗如陶彭泽、梅都官，盖人品同，夷澹同，所发者自不能异也。"四库提要卷一六二："《瓜庐诗》一卷。……今观其诗，语多本色，不似四灵以尖新字句为工，所谓'夷镂为素'者，殆于近之。至于边幅太窄，兴象太近，则与四灵同一门径，所谓'融狭为广'者，殊未见其然。盖才地视四人稍弱，而耕钓优游，以诗自适，意思萧散，不似四灵之一字一句刻意苦吟，故所就大同而小异也。荆山刘植跋称其多肥遁之词，斯言谅矣。"

赵元约卒于本年或稍后，生年不详。元字宜之，自号愚轩居士，忻州定襄人。经童出身，举进士不第，以年及调巩西主簿。未几，病目失明。自少日博通书传，作诗有规矩。泰和以后，有诗名河东。李纯甫为赋愚轩，有"屏山有眼不如无，安得恰似愚轩愚"之句。南渡以后，往来洛西山中，赵秉文、雷渊、崔遵等皆重之，所至必虚左以待。为人有才干，处事详雅。既病废，无所营为，万虑一归于诗，故诗益工。后病殁。著有《愚轩集》，已佚。《中州集》录存其诗三十四首，《全金元词》录其《行香子》词三首。李纯甫《赵宜之愚轩》："先生有胆乃许大，落笔突兀无黄初。轩昂学古澹，家法出《关雎》。暗中摸索出奇语，字字不减琼瑶琚。"（《中州集》卷四）元好问谓其"五言平淡处，他人未易造也"（《中州集》卷五《愚轩居士赵元》）《金元诗选·金诗选二》谓其《书怀继元弟裕之韵四首》其一"胸次空旷，笔底超妙，虽未到靖节淡处，要自而无俗尘"。沈际飞评其《行香子》（镜里流年）"幽愤高爽，大像坡仙"（《草堂诗余》续集卷下）。况周颐《蕙风词话》卷三："赵愚轩《行香子》云：'绿荫何处，旋旋移床。'昔人诗句'月移花影上阑干'，此言移床就绿荫，意趣尤生动可喜。即此是词与诗不同处，可悟用笔之法。"

公元 1229 年（宋理宗绍定二年己丑　金哀宗正大六年　蒙古窝阔台汗元年）

五月

赐进士黄朴以下五百五十七人及第、出身有差。高斯得、萧泰来登进士第。

八月

蒙古贵族遵成吉思汗遗嘱，拥立其第三子窝阔台为大汗，是为太宗。

九月

改封朱熹徽国公。

本年

元好问撰成《东坡诗雅》（已佚）。其《东坡诗雅引》云："五言以来，六朝之谢、陶，唐之陈子昂、韦应物、柳子厚，最为近风雅。自余多以杂体为之，诗之亡久矣。杂体愈备，则去风雅愈远，其理然也。近世苏子瞻绝爱陶、柳二家，极其诗之所止，诚亦陶、柳之亚。然评者尚以其能似陶、柳，而不能不为风俗所移为可恨耳！夫诗至于子瞻，而且有不能近古之恨，后人无所望矣。乃作《东坡诗雅目录》一篇。正大己丑河南元某书于内乡刘邓州光父之东斋。"

张淏本年在世，生卒年不详。淏字清源，号云谷，原籍开封，侨居武义，又尝寓居会稽。庆元二年，预乡荐，寻以荫补官。累官主管尚书吏部架阁文字。绍定二年，守太社令致仕。事迹见《金华贤达传》卷六、《云谷杂记》卷末附《张右史特荐状》等。尝纂修《宝庆会稽续志》八卷，有《宋元方志丛刊》本。所著《艮岳记》一卷，有《百川学海》本、《四库全书》本。又著有《云谷杂记》，原本失传，清四库馆臣自《永乐大典》中辑为四卷，有《四库全书》本、一九五八年中华书局上海编辑所校点本。《全宋诗》录其诗一首，《全宋文》卷七〇三五收其文。四库提要卷一一八："《云谷杂记》四卷。……宋人说部纷繁，大都摭拾琐屑，侈谈神怪。唯淏此书，专为考据之学，其大旨见自跋中。故其折中精审，厘定详明，于诸家著述能析其疑而纠其谬。……其厘正是非，确有依据，颇足为稽古之资，宜当时极重其书也。"

赵蕃（1143—1229）卒，年八十七。蕃字昌父，号章泉，原籍郑州，侨居信州玉山。少从刘清之学，以荫补饶州浮梁尉、福州连江簿，皆不赴。初任吉州太和簿，榜斋名曰思隐，已有山林之思。在官清苦，唯以赋咏自娱，杨万里赠诗有"西昌主簿如禅僧，日飧秋菊嚼春冰"之句。刘清之知衡州，求为监衡州安仁赡军酒库，至衡而清之罢，遂与之同归。奉祠家居，积三十三年。宝庆元年，除太社令，辞不拜，特改奉议郎、直秘阁、主管建昌军仙都观，又辞不允。越三年，差主观华州云台观。绍定二年，致仕，旋卒。事迹见刘宰《章泉赵先生墓表》、《宋史》卷四四五本传。《文渊阁书目》卷一〇著录《章泉赵先生诗》一部十二册，未见传本。清四库馆臣自《永乐大典》辑得《乾道稿》一卷、《淳熙稿》二十卷、《章泉稿》五卷，有《四库全书》本。《全宋词》录存其词二首，《全宋诗》收其诗二十七卷，《全宋文》卷六三五〇收其文。刘宰《章泉赵先生墓表》谓蕃"自少喜作诗，答书亦或以诗代，援笔立成，不经意而平淡有趣，读者以为有陶靖节之风。岁时宾友聚会，尊酒从容，浩歌长吟，心融意适，见者又以为有浴沂咏归气象"。朱熹谓"昌父志操文词，皆非流辈所及"，并"欲其刊落枝叶，就日用间深察义理之本然，庶几有所据依，以造实地，不但为骚人墨客而已"（《答徐斯远书》）；又称其诗"孤瘦"、"清苦寒瘦，如其为人"（《答巩仲至书》）。方回谓其"平生恬淡，而诗尚瘦劲，不为晚唐，亦不为江西，隐然以后山为宗"（《跋赵章泉诗》）；又谓"江西苦于丽而冗，章泉得其法而能瘦，能淡，能不拘对，又能变化而活动"（《瀛奎律髓汇评》卷一〇）。四库提要卷一六〇："蕃始受学刘清之，年至五十，乃问学于朱子。……然蕃本词人，晚乃讲学，其究也仍以诗传，与涧泉韩淲有'二泉先生'之称。……初，蕃为太和簿时，受知于杨万里，万里……赞其写真云：'貌恭气和，无月下推敲之势；神清骨耸，非山头瘦苦之容。一笑诗成，万象春风。'刘克庄跋亦云：'近岁诗人，唯赵章泉五言有陶、阮意。'《诗人玉屑》载蕃论诗一则，以陈后山《寄外舅诗》为全篇之似杜者；后戴式之《思家》用陈韵，又全篇之似陈者。观其持论，其诗学渊源亦可概见矣。"代表作有《孤寞》、《山居》、《出郭》、《雨后呈斯远》、《送赵成都》等。

何梦桂（1229—?）生。

公元 1230 年（宋理宗绍定三年庚寅　金哀宗正大七年　蒙古窝阔台汗二年）

二月

赵葵起复，依前知滁州、节制本州屯戍军马。

七月

十六日，李汾作《感遇述史杂诗五十首引》。云："正大庚寅，予行年三十有九，献赋明廷，为有司所病，遂有不遇时之叹。皂衣斗食，从事史馆，以素非所好，愈郁郁不得志，卧病中僻居萧条，尽日无来人。缅维先哲，凡所以进退出处之际，穷达荣辱之分，立身行道，建功立事，关诸人事者，窃有所感焉。于是始自骚人屈平以来，下逮汉、晋、隋、唐诸公，终之以远祖雁门赞皇，作为《述史》诗五十首，以自慰其羁旅流落之怀。述近代则恐涉时事，故断自唐，以下不论。呜呼，《三百篇》大抵皆圣贤感愤之所为作也。余以愚忠谬信，获讥于斯世久矣，非敢示诸作者，庶几后世有扬子云者出，或能亮予之宿心。是岁秋七月既望，并州人李汾引。"按，《中州集》选录其中五首。

十二月

以郑清之参知政事兼签书枢密院事，乔行简端明殿学士、同签书枢密院事。

本年

赵善湘进焕文阁学士、江淮制置使。

刘褒约于本年前后在世，生卒年不详。褒字伯宠，一字春卿，号梅山老人，崇安人。淳熙五年进士。绍熙中，为静江府教授。嘉定六年，监尚书六部门，以台评奉祠而归，作《题小桨》云："去日春蚕吐素丝，归时秋菊剥金衣。沙鸥不入鸳鸿侣，依旧沧浪绕钓矶。"怨而不怒（《诗人玉屑》卷一九引《柳溪吕炎近录》）。官终朝请郎、知泉州。事迹见《嘉靖建宁府志》卷一五等。著有《梅山诗集》，已佚。今《全宋词》录其词五首，《全宋诗》录其诗二首，《全宋文》卷六四四〇收其文。工词，其《水龙吟·桂林元夕呈师座》、《雨中花慢·春日旅况》，"下字造语，精深华妙"（《诗人玉屑》卷二一引《中兴词话》）。杨慎谓"其词多俊语"（《词品》卷五）。沈雄谓"其《满庭芳·别情》，善于言情者。《水调歌头》亦不减于东坡也"（《古今词话·词评》上卷）。

詹初约于本年前后在世，生卒年不详。初字以元，一作子元，号流塘，休宁人。初为县尉，以荐入太学为学录，上《乞辨邪正疏》，请辨君子小人，忤韩侂胄，罢归，遂入庐山，日与海内名贤讲明道学。著有《流塘集》二十一卷，毁于火，后其子詹阳得残稿，编为一卷，已佚。明嘉靖三十七年，裔孙景凤等重刊于詹初读书旧址寒松草阁，分为三卷，附录一卷，名《宋国录流塘詹先生集》，又名《寒松阁集》，今存明嘉靖三十七年刻本、清初钞本、《四库全书》本等。《全宋诗》录其诗一卷，《全宋文》收其文一卷。四库提要卷一六三："《寒松阁集》三卷。……首卷《翼学》十篇，述学问大旨；又《序经》二篇，《序论语》上下篇，义如《易·序卦》之例。次卷为《日录》五十五条，分上下二篇。三卷为古今体诗四十九首，又附以往来书简。……核其立言大旨，如与詹体仁论道，体仁摘其《咏水》诗'野人见清不见水，却道无水亦无清'之句，深以为疑，盖不免稍涉于禅。至《翼学·大道章》所言器理有无之旨，《日录》第一条所言知止、运用二段工夫之说，则又皆力辟释老。观其《日录》载'或问：尊德性，道问学，朱子本来自全，陆子前面只尊德性一边，因朱子方走道问学。曰：此非学者所可轻议。'则所学实介于朱、陆之间，似明代调停之说。"其"诗则《击壤》之流，不论工拙耳"（李兆洛《校录詹以元翼学跋》）。

夏元鼎（1181—?）**约于本年前后在世，卒年不详。**元鼎字宗禹，自号云峰散人，又号西城散人，永嘉人。博极群书，屡试不第。嘉定间曾入贾涉帅幕，为小校武官，出入兵间。后弃官入道，十三年，往龙虎山设醮受箓，时年四十。工词，词集名《蓬莱鼓吹》，有《唐宋名贤百家词》本。《全宋词》录其词三十首。大抵炼形服气者言，乃押韵协律之铅汞歌诀，唯《满江红》（人世何为）一阕，尚不愧词人吐属。

严仁约于本年前后在世，生卒年不详。仁字次山，号樵溪，邵武人。杨巨源诛吴曦，安丙甚而杀之，仁作《长愤歌》，为时传诵。与同族严羽、严参齐名，世称"邵武三严"。工词，著有《清江欸乃集》，杜月渚为之序，《直斋书录解题》卷二一著录《欸乃集》八卷，已佚。今《全宋词》录存其词三十首。杨慎《词品》卷四："严仁，字次山，词名《清江欸乃》，其佳处有'粘云江影伤千古，流不去、断魂处'之句。又长于庆寿、赠行，洒然脱俗。如寿萧禹平云：'云表金茎珠璀璨，当日投怀惊玉燕。文章议论压西昆，风流姓字翔东观。'赠欧太守云：'坐啸清香画戟，听丁丁，滴花晴漏，棠阴昼寂。'赓宾客竹枝杨柳送别云：'相逢斜柳绊轻舟，渚香不断蘋花老。'又'窗儿上，几条残月，斜玉界罗帏'，皆为当时脍炙。"沈雄《古今词话·词评》上卷："严次山词，极能道闺帏之趣。"又引《柳塘词话》："近代选家，无有不知次山词者。《玉楼春·春思》、《鹧鸪天·别情》是也。甚则《多丽》之记恨，《金缕曲》之送春，有不能释卷者。"贺裳《皱水轩词筌》："词虽以险丽为工，实不及本色语之妙。……严次山'一春不忍上高楼，为怕见、分携处'，观此种句，觉'红杏枝头春意闹'尚书，安排一个字，费许大气力。"

蔡沈（1167—1230）**卒，年六十四。**沈字仲默，号九峰，建阳人，蔡元定第三子。少从朱熹学，传其《书》学，成《书经集传》；又传父《洪范》之学，著《洪范皇极》。屡荐不仕，隐居九峰山下，潜心著述。事迹见真德秀《九峰先生蔡君墓表》、《宋史》卷四三四本传。著有《蔡九峰集》，已佚。明蔡有鹍辑有《九峰公集》一卷，收入《蔡氏九儒书》。《全宋诗》录其诗一卷，《全宋文》卷六八八五收其文。

陈宓（1171—1230）**卒，年六十。**宓字师复，号复斋，莆田人，陈俊卿之子。少登朱熹之门，常从黄榦游。以父荫入仕，庆元三年，监泉州南安盐税。嘉定三年，知安溪县（《嘉靖安溪县志》卷三）。七年，入监进奏院，寻迁军器监簿。九年，因指陈弊政，忤史弥远，出知南康军。改知南剑州，仿白鹿洞书院规制，创延平书院。十七年，改知漳州，闻宁宗卒，请致仕。宝庆二年，起提点广东刑狱，不就，主管崇禧观。端平初，追赠直龙图阁。事迹见《宋史》卷四〇八本传。著有《论语注义问答》、《春秋三传抄》、《读通鉴纲目》、《唐史赘疣》等，已佚。今存《复斋先生龙图陈公文集》二十三卷，有清抄本。《全宋诗》录其诗六卷，《全宋文》收其文十八卷。郑清之《复斋先生龙图陈公文集序》："公之立朝也，位虽居卑，而应诏论事，言人所不敢；其归闲也，年虽未及，而引疾告老，为人所未能。然其为辞忠诚恻怛，和缓明白，而无一毫矫亢激迫之意。至于诗咏，雅正和平，既足以写性情之真，又有以窥造化之妙，读者味之亦足以发，此皆有德之言也。"

胡三省（1230—1302）生。

公元1231年（宋理宗绍定四年辛卯　金哀宗正大八年　蒙古窝阔台汗三年）

正月

赐李心传同进士出身。

赵范、赵葵等因诛李全有功，诏各进两官。

四月

赵范、赵葵并进中大夫、右文殿修撰，赐紫章服、金带。同月，赵范权兵部侍郎、淮东安抚副使、知扬州兼江淮制司参谋官；赵葵换福州观察使、右骁卫大将军、淮东提刑、知滁州兼大使司参议官。

郑清之兼同知枢密院事；乔行简签书枢密院事；赵善湘为兵部尚书、江淮制置大使、知建康府，依旧安抚使。

俞灏（1146—1231）卒，年八十六。灏字商卿，祖籍杭州，徙居乌程。绍熙四年进士，授吴县尉。历知安丰军、常德府，提举湖北常平茶盐。宝庆二年致仕，筑室九里松，荡舟西湖，以诗词自适，喜释老，自号青松居士。事迹见洪咨夔《提举俞太中行状》、《咸淳临安志》卷六七。著有《青松居士集》，已佚。《全宋词》录其词一首，《全宋诗》收其诗七首。其文自出胸臆，摆落陈言，诗有晚唐风致，词之妙处近秦、晏。

六月

诏魏了翁、真德秀、尤焴、尤𤊽并叙复原官祠禄。

八月

二十三日，雷渊（1184—1231）卒，年四十八。按，《中州集》卷六《翼都事禹锡》："希颜长予六岁，泽长四岁，钦与京少余二岁。希颜殁于正大辛卯之八月，年四十八。"元好问生于明昌元年（1190），雷渊长六岁，则生年为大定二十四年（1184）。

《金史》卷一一〇本传、《归潜志》卷一皆以其卒年为四十八。元好问《雷希颜墓铭》："希颜年四十六，以（正大）八年辛卯八月二十有三日暴卒。"据此，则生年当为大定二十六年（1186），与诸书异，且与"长予六岁"不合。盖"八""六"形近，因而致误。渊字希颜，别字季默，浑源人。登至宁元年词赋进士甲科，调泾州录事，后改东平府录事。转徐州观察推官。召为荆王府文学兼记室参军，转应奉翰林文字，同知制诰兼国史院编修官。考满，再任，俄拜监察御史，以公事免。用宰相侯莘卿荐，除太学博士，还应奉翰林文字，终于翰林修撰。"博学有雄气，为文章专法韩昌黎，尤长于叙事，诗杂坡、谷。喜新奇，好收古人书画碑刻藏于家，甚富。……尝为文祭高公献臣，其词高古，一时传诵。工于尺牍，辞简而甚文，朋友得之，辄以为珍藏"（《归潜志》卷一）。其集不传。《中州集》录存其诗三十首。事迹见元好问《雷希颜墓铭》、《金史》卷一一〇本传。

耶律楚材任蒙古中书省中书令，奏以州县长吏理民事，万户府理军政，课税所管钱谷，不相统摄。

十月

李𡊉为焕章阁直学士、四川制置使、知成都府。

十一月

赵与时（1175—1231）卒，年五十七。与时字行之，又字德行，太祖十世孙，寓居临江。幼聪敏，尝从杨简学。弱冠应举不第，宁宗即位，补官右选，历婺、泰、衢三州管库。逾三十年而未尝一日忘科举业，至宝庆二年始及第，调丽水丞。事迹见赵孟坚《从伯故丽水丞赵公墓铭》。著有《甲午存稿》，乃与时"所吟赋，主以义理之精微，而铸辞以发之。古律清润闲远，不作时世妆。长短句亦不效《花间》靡丽之光"（陈宗礼《宾退录序》），惜此稿已佚。又著有《宾退录》十卷，有明影宋钞本、清乾隆十七年存恕堂刻本、《四库全书》本等。与时《宾退录自序》云："余里居待次，宾客日相过，平生闻见所及，喜为客诵之。意之所至，宾退或笔于牍，阅日滋久，不觉盈轴。欲弃不忍，因稍稍傅益，析为十卷，而题曰《宾退录》云。"四库提要卷一一八："《宾退录》十卷。……书中唯论诗多涉迂谬，于吟咏之事茫然未解。至于考证经史，辨析典故，则精核者十之六七，可为《梦溪笔谈》及《容斋随笔》之续。"今《全宋诗》卷二八七四录其诗四首，《全宋文》卷六九八三收其文。

本年

刘镇约于本年前后在世，生卒年不详。镇字叔安，号随如，学者称为随如先生，南海人。嘉泰二年进士。性恬淡，兄弟皆以文鸣于时。谪居三山二十余年，绍定间，真德秀奏令自便，知州赵以夫为其钱行，坐客二十八人，分韵赋诗，戴复古得"君"字赋《送刘镇叔安入京》，称"横水流传无垢集，海神惊见老坡文"，极力推许。其余事迹无考。事迹见明黄佐《广州人物传》卷七、刘毓盘《辑校随如百咏跋》。所著词集《随如百咏》，不传，近人赵万里有辑本，存词二十六首，《全宋词》据以录入。《全宋诗》录其诗七首。刘克庄《跋刘叔安感秋八词》："长短句昉于唐，盛于本朝。余尝评之：耆卿有教坊丁大使意态，美成颇偷古句，温、李诸人困于搏扯。近岁放翁、稼轩一扫纤艳，不事斧凿，高则高矣，但时时掉书袋，要是一癖。叔安刘君落笔妙天下，间为乐府，丽不至亵，新不犯陈，借花卉以发骚人墨客之豪，托闺怨以寓放臣逐子之感，周、柳、辛、陆之能事，庶乎其兼之矣。然词家有长腔，有短阕。坡公《戚氏》等作，以长而工也；唐人《忆秦娥》之词曰'西风残照，汉家陵阙'，《清平乐》之词曰'夜夜常留半被，待君魂梦归来'，以短而工也。余见叔安之似坡公者矣，未见其似唐人者。"杨慎《词品》卷三："刘叔安词'暮烟细草粘天远'，'粘'字极工，且有出处。"又卷五："刘叔安，名镇，号随如。元夕《庆春泽》一首，入《草堂》选。又有《阮郎归》云：'寒阴漠漠夜来霜……'亦清丽可诵。其咏茉莉云：'月浸阑干天似水，谁伴秋娘窗户。'评者以为不言茉莉，而想象可得，他花不能承当也。又《春宴》云：'庭花弄影，一帘香月娟娟。'有富贵蕴藉之味。《饯元宵》、《饯春》二词皆奇，南渡填词钜工也。"贺裳《皱水轩词筌》："作词不待用事，用之妥切，则语始有情。刘叔安《水龙吟·立春怀内》曰：'双燕无凭，尺书难表，甚时回首。想画阑倚遍东风，闲负却、桃花咒。'此用樊夫人刘纲事，妙在与己姓暗合。若他人用之，虽亦好语，终减量矣。"

辛愿（？—1231）卒，生年不详。愿字敬之，自号女几野人，又号溪南诗老，福昌人。年二十五始知读书，此后聚书环堵之中而读之，由是博极群书，于三传为尤精，至于内典，亦称该洽。杜诗韩笔，未尝一日去其手。性野逸，不修威仪。居女几山下，往来长水、永宁间，唯以吟咏讲诵为事。愿雅负高气，不能从俗俯仰，又迫于冻饥，不得不与世接，故其枯槁憔悴，流离顿踣，往往见之于诗。作诗甚多，然今存无多。《中州集》录存其诗二十首。事迹见《中州集》卷一〇、《金史》卷一二七本传。《中州集》卷一〇谓其"作文有纲目不乱，诗律深严而有自得之趣。……佳句极多，如'自怜心似鲁连子，人道面如裴晋公'，'万事直须称好好，百年端欲付休休'，'院静宽留月，窗虚细度云'，'浪翻鱼出浦，花动鸟移枝'之类，恨不能悉记耳"。《归潜志》卷二称其"喜作诗，五言尤工，人以为得少陵句法。……有诗数千首，常在行囊中。其佳句有云：'院静宽留月，窗虚细度云。'又：'莺衔晚色啼深树，燕掠春阴入短墙。'又：'波摇朗月浮金镜，岭隔华星断玉绳。'又：'箕山颍水春风里，唤起巢由共一杯。'又：'黄、绮暂来为汉友，巢、由终不是唐臣。'真处士诗也"。《金元诗选·金诗选例言》："金诗中气骨苍劲，体制最高者，推刘迎无党、李汾长源、辛愿敬之、麻革信之。"又《金诗选三》引陶玉禾评："敬之诗骨苍古，风格最老，又经乱离，食困穷，乃益工。诸作雅健，不以聱牙为奇。"又《金诗选三》谓其《山园》"诗意极深，'兰衰菊悴'以况君子，'无名草'以况小人，'残阳暖处'喻国家也。托意微婉，得风人之音"。

公元 1232 年（宋理宗绍定五年壬辰　金哀宗开兴元年、天兴元年　蒙古窝阔台汗四年）

正月

真德秀编《文章正宗》成。其自序云："'正宗'云者，以后世文辞之多变，欲学者识其源流之正也。……夫士之于学，所以穷理而致用也。文虽学之一事，要亦不外乎此。故今所辑，以明义理、切世用为主，其体本乎古，其指近乎经者，然后取焉。否则，辞虽工亦不录。其目凡四：曰辞命，曰谈论，曰叙事，曰诗赋。今凡二十余卷云。绍定执徐之岁正月甲申，学易斋书。"四库提要卷一八七："《文章正宗》二十卷、《续集》二十卷。……是集分辞令、议论、叙事、诗歌四类，录《左传》、《国语》以下，至于唐末之作。其持论甚严，大意主于论理而不论文。刘克庄集有《赠郑宁文》诗曰：'昔侍西山讲读时，颇于函丈得精微。书如逐客犹遭黜，辞取横汾亦恐非。筝笛焉能谐雅乐，绮罗原未识深衣。嗟予老矣君方少，好向师门识指归。'其宗旨具于是矣。然克庄《后村诗话》又曰：'《文章正宗》初萌芽，以诗歌一门属予编类，且约以世教民彝为主，如仙释、闺情、宫怨之类，皆弗取。余取汉武帝《秋风辞》，西山曰："文中子亦以此辞为悔心之萌，岂其然乎？"意不欲收，其严如此。然所谓"怀佳人兮不能忘"，盖指公卿扈从者，似非为后宫而设。凡余所取，而西山去之者大半，又增入陶诗甚多，如三谢之类，多不收。'详其词意，又若有所不满于德秀者。盖道学之儒与文章之士各明一义，固不可得而强同也。顾炎武《日知录》亦曰：'真希元《文章正宗》所选诗，一扫千古之陋，归之正旨。然病其以理为宗，不得诗人之趣。且如古诗十九首，虽非一人之作，而汉代之风略具乎此。今以希元之所删者读之，"不如饮美酒，被服纨与素"，何异《唐风·山有枢》之篇？"良人唯古欢，枉驾惠前绥"，盖亦《邶风》"雄雉于飞"之义。牵牛织女，意仿《大东》，兔丝女萝，情同《车辇》。十九作中，无甚优劣，必以坊淫正俗之旨严为绳削，虽矫昭明之枉，恐失《国风》之义。六代浮华固当刊落，必使徐、庾不得为人，陈、隋不得为代，毋乃太甚，岂非执理之过乎！'所论至为平允，深中其失。……《续集》二十卷，皆北宋之文，阙诗歌、辞命二门，仅有叙事、议论，而末一卷议论之文又有录无书，盖未成之本。"

金汴京戒严，哀宗命赵秉文为赦文，以布宣悔悟哀痛之意。秉文指事陈义，辞情俱尽。及蒙古兵退，大臣欲称贺，且命为表，秉文曰："《春秋》'新宫火，三日哭'。今园陵如此，酌之以礼，当慰不当贺。"遂已。据《金史·赵秉文传》。

金改元开兴。

三月

三日，刘克庄赋诗《上巳》。《瀛奎律髓汇评》卷一六方回评："绍定五年壬辰诗，后村年四十六，闲居莆中，所以言'俊游亦恐是前身'，皆思旧事也。"

赵秉文草《开兴改元诏》。闾巷间皆能传诵，洛阳人拜诏毕，举城痛哭，其感人如此。据《金史·赵秉文传》。

四月

魏了翁复起，以集英殿修撰知遂宁府。

金改元天兴。

五月

十一日，完颜璹（1172—1232）**卒，年六十一。**按，《遗山集》卷九有《五月十一日樗轩老忌辰追怀》诗。又《金史·哀宗纪》："五月辛卯，大寒如冬，密国公璹薨。"五月辛巳朔，辛卯为十一。璹本名寿孙，金世宗赐名，字仲实，一字子瑜，自号樗轩居士。世宗之孙。资质简重，博学有俊才，喜为诗，工真草书。大定二十七年，加奉国上将军。明昌初，加银青荣禄大夫。累封胙国公、密国公。薄于世味，以讲诵、吟咏为乐。与赵秉文、杨云翼、雷渊、元好问、李汾等交善。所著诗文甚多，晚年自刊其诗三百首，乐府一百首，号《如庵小稿》，赵秉文为作序，已佚。事迹见《中州集》卷五、《归潜志》卷一及《金史》卷八五本传。《归潜志》卷一："其佳句有《闻闲闲再起为翰林》云：'莲烛光中久废吟，一朝超擢睿恩深。……'又《过胥相墓》云：'亭亭华表立朱门，始信征南宰相尊。下马读碑人不识，夷山高处望中原。'甚有唐人远意。又《绝句》：'孟津休道浊于泾，若遇承平也敢清。河朔几时桑柘底，只谈王道不谈兵。'不可谓无志者也。"《金元诗选·金诗选二》："密国律诗力求生新，及入浅俗，如'新诗淡似鹅黄酒，归思浓如鸭绿江'，'富贵倘来终作么，勋名便了又何如'等语，不脱尔时习气。"沈雄《古今词话·词评》下卷引蔡正甫云："密公子瑜，宗室中第一流人物。小词可歌，非比南宋之有侂气。"况周颐《蕙风词话》卷三："密国公（璹）词，《中州乐府》著录七首。姜、史、辛、刘两派，兼而有之。《春草碧》云：'旧梦回首何堪，故苑春光又陈迹。落尽后庭花，春草碧。'《青玉案》云：'梦里疏香风似度。觉来唯见、一窗凉月，瘦影无寻处。'并皆幽秀可诵。《临江仙》云：'薰风楼阁夕阳多。倚阑凝思久，渔笛起烟波。'淡淡著笔，言外却有无限感怆。"

十二日，赵秉文（1159—1232）**卒，年七十四。**秉文字周臣，号闲闲老人，磁州滏阳人。金大定二十五年进士。章宗明昌初，调安塞主簿，迁邯郸令，再迁唐山令。因荐为应奉翰林文字、同知制诰。泰和二年，改户部主事，迁翰林修撰。大安元年，出为宁边州刺史。二年，改平定州。贞祐四年，除翰林侍讲学士。兴定元年，拜礼部尚书兼侍读、同修国史、知集贤院事。又明年，知贡举，坐为同官所累，夺一官致仕。五年，复拜为礼部尚书，兼官如故。哀宗即位，再乞致仕，不许。改翰林学士，同修国史，兼益政院说书官。秉文至诚乐易，与人交不立崖岸。仕五朝，官六卿，自奉养如寒士，不知富贵为何物。事迹见元好问《翰林学士承旨资善大夫知制诰兼同修国史上护军天水郡开国侯食邑一千户实封一百户赵公墓志铭》、《金史》卷一一〇本传。著有"《易丛说》十卷、《中庸说》一卷、《扬子发微》一卷、《太玄笺赞》六卷、《文中子类说》一卷、《南华略释》一卷、《列子补注》一卷。删集《论语》《孟子解》各一十卷。《资暇录》一十五卷。所著文章号《滏水集》者，前后三十卷"（《中州集》卷三《礼部闲闲赵公秉文》），今存《闲闲老人滏水文集》二十卷，有《畿辅丛书》本、

《四部丛刊》影汲古阁抄本。

　　杨云翼《闲闲老人滏水集序》：**"今礼部赵公实为斯文主盟，近日择其所为文章，厘为二十卷，过以见示。**予披而读之，粹然皆仁义之言也。盖其学一归诸孔孟，而异端不杂焉，故能至到如此。所谓儒之正，理之主，尽在是矣。天下学者景附风靡，知所适从。虽有狂澜横流，障而东之，其有功吾道也大矣。"《中州集》卷三《礼部闲闲赵公秉文》："大概公之文出于义理之学，故长于辨析，极所欲言而止，不以绳墨自拘。七言长诗笔势纵放，不拘一律；律诗壮丽，小诗精绝，多以近体为之。至五言大诗，则沈郁顿挫学阮嗣宗，真淳简澹学陶渊明。"刘祁《归潜志》卷八："兴定、元光间，余在南京，从赵闲闲、李屏山、王从之、雷希颜诸公游，多论为文作诗。赵于诗最细，贵含蓄功夫，于文颇粗，止论气象大概。"又："赵闲闲平日字画工夫最深，诗其次，又其次散文也。"又："李屏山（纯甫）教后学为文欲自成一家，赵闲闲教后进为诗文，则曰：'文章不可执一体，有时奇古，有时平淡，何拘？'李（纯甫）尝与余论赵文曰：'才甚高，气象甚雄，然不免有失支堕节处，盖学东坡而不成者。'赵亦语余曰：'之纯（李纯甫）文字止一体，诗只一向去也。'又赵诗多犯古人语，一篇或有数句，此亦文章病。屏山（李纯甫）尝序其《闲闲集》云：'公诗往往有李太白、白乐天语，某辄能识之。'又云：'公谓男子不食人唾，后当与之纯、天英作真文字。'亦阴讥云。"又："明昌承安间，作诗者尚尖新。……南渡后，文风一变，文多学奇古，诗多学风雅，由赵闲闲、李屏山倡之。……赵闲闲晚年，诗多法唐人李、杜诸公，然未尝语于人。已而，麻知几、李长源、元裕之辈鼎出，故后进作诗者争以唐人为法也。"潘德舆《养一斋诗话》卷九："赵闲闲、元裕之诗，脱口便有劲气，此岂幽燕之风土为之，抑寝馈于古大家深耶？……然裕之澹远之作甚希，而闲闲则多有之，集中和韦诸作，当其合处，颇有焚香扫地之趣。如'岸帻送归鸟，隐几见遥岑'，'不下溪头路，坐看檐际山'，'云蒸坐禅石，露湿行道径'，'宿云不归山，野水自成塘'，'呼儿问牛饱，又向山田耕'，'近树敛暝色，远山犹夕晖'，未必即左司，而尘土之气，洗炼殆尽。唯《和陶》则率笔多耳。"又："闲闲亦有率句开裕之派者，如《上方》云：'贪看归鸟过林隙，不觉奇峰堕眼前。'沿袭长公句法。《光武庙》云：'洒落君臣契，艰危庙社图。'《侯公云溪图》云：'沧海未全归《禹贡》，山东且愿变齐民。'径以杜句对己句，均非诗法，而裕之亦时复犯此。又如'一证万万古'，'洪荒万万古'，则尤裕之所习见之调也。"又："赵闲闲诗多效古人，除拟和陶、韦数十首外，又有《杂拟》十首，效摩诘《独坐幽篁里》一首，仿严武《临边》一首，仿太白《登览》一首，仿李长吉《击毬行》一首，仿张志和《西塞》一首，仿玉川子《为吕唐卿作》一首，仿乐天《新宅》一首，仿郎士元《宝刀塞下儿》一首，拟东坡《谪居三适》三首，仿梅圣俞《月出断崖口》二首，何其好摹古人，一至于此！姜白石云：'一家之语，自有一家之风味，模仿者语难似之，韵亦无矣。'诚哉是言也！"赵翼《瓯北诗话》卷一一："赵秉文《题明妃出塞图》：'无情汉月解随人，羞向天涯照妾身。闻道将军侯万户，已将功业画麒麟。'此亦咏其和戎之功，而词旨特蕴藉。"《金元诗选·金诗选一》谓其《仿王右丞独坐幽篁里》"萧淡自喜，不见模拟痕迹"，《游华山寄元裕之》"规模青莲，尚未可到，而放笔为直干，纵恣横逸，极意所之，于遗山乃正相似"，《庐州城下》则"起得警拔，即在唐人中亦是高调。结处兜裹，有法有力"。

沈雄《古今词话·词话》下卷引《中州乐府》云："赵尚书秉文……所制乐府，大旨不出苏、黄之外。要之，直于宋而伤浅，质于元而少情。"尝擘窠书自作《大江东去·用东坡先生韵》词，"雄快震动，有渴骥怒猊之势，而词亦壮伟不羁，视'大江东去'信在伯仲间，可谓词翰两绝者。……元遗山题云：'夏口之战，古今喜备道之，东坡《赤壁》词，殆戏以周郎自况也。词才百许言，而江山人物之胜，无复余蕴，宜其号乐府中绝唱。闲闲公以仙语追和之，非特词气放逸，绝去翰墨畦畛，其字画亦无愧也。……'商挺题云：'东坡《赤壁》词，闲闲公追和，书于玉堂之署，遗山谓坡词乐府中绝唱，闲闲词为仙语，题评已竟，欲复何言。前代风流，可敬可慕。'"（李日华《六研斋笔记》卷三）

诏薛极、郑清之、乔行简并复原官。

六月

二十八日，李汾（1192—1232）卒，年四十一。按，《金史·哀宗纪》："天兴元年六月丁丑，恒山公武仙杀士人李汾。"

汾本名让，字敬之，后字长源，太原人。少游秦中，喜读史书，览古今成败治乱，慨然有功名心。为人尚气，跌宕不羁，颇褊躁，触之辄怒，以是多为人所恶。元光间，举进士不第，因荐为史馆书写。因与雷渊、李献能等纷竞，出馆归陕西。后复入京师，上书言时事，不报。出客唐邓，恒山公武仙署为行尚书省讲议官，旋被杀。事迹见《中州集》卷一〇、《金史》卷一二六本传。《归潜志》卷二谓其"工于诗，专学唐人，其妙处不减太白、崔颢"。《中州集》卷一〇《李讲议汾》："平生以诗为专门之学，其所得为尤多，如'洛阳才子怀三策，长乐钟声又一年'，'清镜功名两行泪，浮云亲旧一囊钱'，'烟波苍苍孟津渡，旌旗历历河阳城'，'长河不洗中原恨，赵括元非上将才'，'三辅楼台失归燕，上林花木怨啼鹃'，'空余一掬伤时泪，暗堕昭陵石马前'。同辈作七言诗者，皆不及也。辛卯秋遇予于襄城，杯酒间诵关中往来诗十数首，道其流离世故，妻子凋丧，道途万里，奔走狼狈之意，虽辞旨危苦而耿耿自信者故在，郁郁不平者不能掩，清壮磊落，有幽并豪侠歌谣慷慨之气。"胡应麟《诗薮》杂编卷六："李汾长源在诸人中，稍有气格，如'紫禁衣冠朝玉马，青楼阡陌瞰铜驼'，'汴水波光摇落日，太行山色照中原'，'日晚豺狼横路出，天寒雕鹗傍人飞'，'崑崙劫火惊人代，瀛海风涛撼客查'，皆颇矫矫。年未四十而卒，不尔，当出元裕之上。"翁方纲《石洲诗话》卷五："遗山举李长源佳句，如'洛阳才子怀三策'之类凡数联。阮亭则于中独举'烟波苍苍孟津戍，渡旌旗历历河阳城'一联。愚谓长源《怀淮阴侯》诗'渭水波涛喧陇陂，散关形势轧兴元'，气格亦不减古人也。大约以幽并慷慨之气出之，非尽追摹格调而成。"《金元诗选·金诗选三》谓其《汴梁杂诗四首》"沉郁顿挫，寄托遥深，每遇结语，隐然自负，所云耿耿自信也。遗山称其磊落清壮，有幽并豪侠歌谣之气，数首足见其概。"

七月

吴潜为太府少卿、总领淮西财赋。

王渥（1186—1232）卒，年四十七。《中州集》卷六《翼都事禹锡》："希殁于正大辛卯之八月，年四十八。泽殁于明年之七月，年四十七。"渥字仲泽，太原人。金兴定二年进士，调管州司候，不赴。在军中凡十年。正大七年，使宋至扬州，应对华敏，宋人重之，有"中州豪士"之目。使还，授太学助教，充枢密院经历官。八年，权右司郎中。天兴元年，以左右司员外郎从思烈往邓州召军，与元兵战，殁于阵。"仲泽博通经史，有文采，善谈论，工书法，妙于琴事，诗其专门之学。人物楚楚，若素宦于朝，吏事则与冀京父相上下，其辩博又屏山所许天下谈士三人之一也"（《中州集》卷六）。"作诗多有佳句，其《过颖亭》云：'九山西络烟霞去，一水南吞涧壑流。宾主唱酬空翠琰，干戈横绝自沧州。'又《赠李道人云》：'簿领沈迷嫌我俗，云山放浪觉君贤。'又《颍州西湖》云：'破除北客三年恨，惭愧西湖五月春。'又《过龙门》云：'诗成一大笑，浩浩洪波东。'"《中州集》录存其诗十一首。事迹见《中州集》卷六、《归潜志》卷二及《金史》卷一一一本传。

八月

起用真德秀为徽猷阁待制、知泉州。

魏了翁以宝章阁待制、潼川安抚使知泸州。

赐进士徐元杰等四百九十三人及第、出身有差。方岳登进士第。

闰九月

史弥远乞归田里，诏不允。

吴文英赋《声声慢》（檀栾金碧），题曰："陪幕中饯孙无怀于郭希道池亭，闰重九前一日。"时吴文英在苏州，为仓台幕僚。其《木兰花慢》（题曰"虎丘陪仓幕游。时魏益斋已被亲擢，陈芬窟、李方庵皆将满秩"）、《八声甘州》（题曰"陪庾幕诸公游灵岩"）、《祝英台近》（题曰"饯陈少逸被仓台檄行部"）诸词，皆为仓台幕僚时所作。

十一月

乔行简累疏乞归田，诏不允。

李献能（1192—1232）卒，年四十一。《中州集》卷六《翼都事禹锡》："希殁于正大辛卯之八月，年四十八。泽殁于明年之七月，年四十七。钦殁于其年十一月，年四十一岁。"献能字钦叔，河中人。贞祐三年，特赐词赋进士，廷试第一，宏词优等，授应奉翰林文字。在翰苑凡十年，出为鄜州观察判官。正大末，以镇南军节度副使充河中帅府经历官。元兵破河中，奔陕州，权左右司郎中。值兵变遇害。"钦叔苦学，博览无不通，尤长于四六。……作诗有志于风雅，又刻意乐章，在翰院应机敏捷，号得体。赵闲闲、李屏山尝曰：'李钦叔天生今世翰苑材。'"（《归潜志》卷二）《金元诗选

·金诗选二》引陶玉禾评："钦叔诗清新俊逸，善学青莲，气骨甚合其雄迈耳。"又《金诗选二》谓其《郏城秋夜怀李仁卿》"挥洒磅礴，流转如意"，《赠王飞伯杂言一首》"豪宕感激，俊逸处极模青莲"，《昆阳元夜南寺小集》"气骨峭逸，色韵古雅，其秀可餐"。《蕙风词话》卷三："李钦叔（献能），刘龙山外甥也。以纯孝为士论所重。诗词余事，亦卓越辈流。《江梅引·赋青梅》云：'冰肌夜冷滑无粟，影转斜廊。冉冉孤鸿，烟水渺三湘。青鸟不来天也老，断魂些、清霜静楚江。''冰肌'句熨帖工致。'冉冉'以下，取神题外，设境意中。'断魂'二句拍合，略不吃力，允推赋物圣手。《浣溪沙·环胜楼》云：'万里中原犹北顾，十年长路却西归。倚楼怀抱有谁知。'尤为意境高绝。以南北名贤拟之，辛（幼安）殆伯仲之间，吴（彦高）其望尘弗及乎。"《中州集》录存其诗二十首，《全金元词》录其词三首。事迹见《中州集》卷六、《归潜志》卷二、《金史》卷一二六本传。

十二月

蒙古围金汴京，哀宗出奔归德。

元好问作《壬辰十二月车驾东狩后即事五首》。《金元诗选·金诗选四》："元攻汴京，城中粮尽援绝，金主奔河北，与太后皇后妃主别，大恸，遂入归德。此五诗为其时作也。时河东、襄、邓已失，故云'并州豪杰今谁在，万里荆襄入战云'，国势盖无可为矣。"

本年

陈耆卿为著作佐郎。

元好问赋词《玉漏迟》（浙江归路遥），题曰："壬辰围城中，有怀浙江别业。"

商挺时年二十四岁。在汴京破后北走依赵天锡，与元好问等交游。

严参约于本年前后在世，生卒年不详。参字少鲁，自号三休居士，邵武人。为人高傲，不喜广交延誉，与同族严羽、严仁齐名，江湖诗友目为"邵武三严"。其词近辛弃疾、刘过一派。《全宋词》录存其词二首，《全宋诗》收其诗四首。事迹见《闽中理学渊源考》卷三九。

马天来（1172—1232）卒，年六十一。天来字云章，人称元章，介休人。金至宁元年进士及第。调颍州司候、灵璧簿。南渡后，召为国史院编修官。卒于京师。"元章多作诗，欲别出卢仝、马异之外，又多用俳体作讥刺语。如云'木偶衣冠休吓我，瓦伶口颊欲谩谁'，'啮骨取肥屠肆狗，哺糟得醉酒家猪'。如此之类，不得不谓之乏中和之气。至其《赋丹霞下寺竹》云：'人天解种不秋草，欲界独为无色花。'《雪》云：'夜来窗外浑疑月，今日墙头不见山。'末云：'先生睡起骑驴看，太素一游非世间。'《龙门》云：'白含云窦雪，青补石门天。'则知诗者，亦当以功掩过耳"（《中州集》卷七《马编修天来》）。其诗仅《中州集》录存《山中》一首。事迹见《中州集》卷七、《归潜志》卷五。

麻九畴（1183—1232）卒，年五十。九畴初名文纯，字知几，莫州人。弱冠入太学，有文名。金室南渡后，读书北阳山中，始以古学自力，博通五经，于《易》、《春秋》为尤长。兴定末，府试经义第一，词赋第二，省试亦然，然廷试以脱误下第，遂隐居不出。正大三年，经侯挚、赵秉文连章荐举，赐进士出身，授太祝、权太常博士，俄迁应奉翰林文字。九畴性资野逸，高蹇自便，自度终不能与世合，未几，遂谢病去。天兴元年，元兵入河南，九畴为所执，驱至广平，病殁。事迹见《中州集》卷六、《金史》卷一二六本传。元好问《逃空丝竹集引》："南渡后，李长源七言律诗清壮顿挫，能动摇人心，高处往往不减唐人。麻知几七言长韵，天随子所谓'陵轹波涛，穿穴险固，囚锁怪异，破碎陈敌'者，皆略有之。然长源失在无穰茹，知几病在少持择，诗家亦以此为恨。"《中州集》卷六谓其"作诗工于赋物，如《夏英公篆韵》及《手植桧印章》等诗可见也"。《归潜志》卷二谓其"为文精密巧健，诗尤奇峭，妙处似唐人。尝作《透光镜篆韵诗》，人争传写"。《金元诗选·金诗选二》引陶玉禾评："金诗七言长篇，刘迎、李汾之外，笔力奇劲，才气横溢者，知几能独张一军。"又《金诗选二》谓其《赋伯玉透光镜》"思理奇，笔力险，警策处能刿目怵心"，而《梁山宫图》则"议论颖妙"。

王郁（1204—?）**卒于本年或稍后**。郁字飞伯，大兴人。正大六年，举进士不第，乃西游洛阳，放怀诗酒，尽山水之欢。八年，复至京师。遇兵难，京城被围，郁上书言事，不报。明年秋，逃出围城，被俘，后遇害。《归潜志》卷三谓其"为文闳肆奇古，动辄数千百言，法柳柳州，歌诗飘逸，有太白气象。……其论为文，以为近代之文章为习俗所蠹，不能遽洗其陋，非有绝世之人奋然以古作者自任，不能唱起斯文。故尝欲为文，取韩柳之辞、程张之理，合而为一，方尽天下之妙。其论诗，以为世人皆知作诗，而未尝有知学诗者，故其诗皆不足观。诗学当自《三百篇》始，其次《离骚》、汉魏六朝、唐人，过此皆置之不论，盖以尖慢浮杂，无复古体。故先生之诗，必求尽古人之所长，削去后人之所短。"元好问《黄金行赠王飞伯》："王郎少年诗境新，气象惨澹含古春。笔头仙语复鬼语，只有温李无他人。"《金元诗选·金诗选二》谓其《楚妃怨》、《游子吟》"情含景中，凄怨之意都在言外"。《中州集》录存其诗十二首。事迹见《归潜志》卷三、《金史》卷一二六本传。

刘辰翁（1232—1297）生。

周密（1232—1298）生。

金履祥（1232—1303）生。

公元 1233 年（宋理宗绍定六年癸巳　金哀宗天兴二年　蒙古窝阔台汗五年）

正月

岳珂元夕京口观灯，因作诗及祐陵事，门人韩正伦疑其借端讽己，遂构怨陷以他罪，罢官。

赵善湘为光禄大夫、江淮制置大使兼知建康府、行宫留守，加食邑四百户。

金西面元帅崔立叛降蒙古，挟太后召卫绍王之子梁王监国。崔立自负有救一城生灵之功，劫太学生刘祁、麻革及王若虚、元好问等撰文立碑颂其功德。《金史·王若虚传》："天兴元年，哀宗走归德。明年春，崔立变。群小附和，请为立建功德碑，翟奕以尚书省命召若虚为文。时奕辈恃势作威，人或少忤，则谗构立见屠灭。若虚自分必死，私谓左右司员外郎元好问曰：'今召我作碑，不从则死，作之则名节扫地，不若死之为愈。虽然，我姑以理谕之。'乃谓奕辈曰：'丞相功德碑当指何事为言。'奕辈怒曰：'丞相以京城降，活生灵百万，非功德乎？'曰：'学士代王言，功德碑谓之代王言可乎？且丞相既以城降，则朝官皆出其门，自古岂有门下人为主帅诵功德而可信乎后世哉？'奕辈不能夺，乃召太学生刘祁、麻革辈赴省，好问、张信之喻以立碑事，曰：'众议属二君，且已白郑王矣，二君其无让。'祁等固辞而别。数日，促迫不已，祁即为草定，以付好问。好问意未惬，乃自为之，既成以示若虚，乃共删定数字，然止直叙其事而已。后兵入城，不果立也。"按，刘祁《归潜志》卷一三《录崔立碑事》所记与此无大异。

二月

赵范为工部侍郎兼中书门下省检正公事；赵葵为秘书监兼侍讲。

三月

冀禹锡（1192—1233）卒，年四十二。《中州集》卷六《翼都事禹锡》："希殁于正大辛卯之八月，年四十八。泽殁于明年之七月，年四十七。钦殁于其年十一月，年四十一岁。京殁于又明年之三月，年四十二。"禹锡字京父，利州龙山人。金至宁元年进士，调沈丘簿，与县令不和，为其所诬，坐废十年。正大中，当路诸公极力辨其被诬，乃得以常调守扶风丞。七年，召补省掾，不就。闲居睢阳，归德守臣聘为知事。天兴二年，哀宗至归德，授左右司都事，兼应奉翰林文字。三月，遭兵变，自投水死。"京父少年作诗，锻炼甚工，书画亦劲健可喜。……散文亦精致"（《归潜志》卷二）。《金元诗选·金诗选二》谓其《赠雷御史兼及松庵冯丈》"起势迅发，而接笔极跌宕顿挫之致"。《中州集》录存其诗三首。事迹见《中州集》卷六、《归潜志》卷二。

四月

二十九日，元好问在蒙古军队拘羁下离开汴梁，赋诗《癸巳四月二十九日出京》。按，赵翼《瓯北诗话》卷八："遗山在汴梁围城中，自天兴二年春，崔立以城降蒙古后，四月二十九日始得出京，而二十二日已先有书上蒙古相耶律楚材，自称门下士（诗文俱有月日可考），此不可解。时楚材为蒙古中书令，遗山在金由县令累迁郎曹，平日料无一面而遽干以书，已不免未同而言。即楚材慕其名，素有声气之雅，然遗山仕金，正当危乱，尤不当先有境外之交。此二者皆名节所关，有不能为之讳者。岂蒙古曾指名取索，如赵秉文之类耶？抑汴城之降在正月，至四月则已百余日，此百余日中，楚材早慕其名，先寄声物色，因有感恩知己之谊耶？按，楚材奉蒙古主命，亲至汴来索其弟思忠等，遗山盖即是时与楚材投契故也。"

五月

三日，元好问在蒙古军队拘羁下北渡黄河，赋诗《癸巳五月三日北渡三首》。

六月

二十三日，王宾（？—1233）卒，生年不详。《金史·哀宗纪》："六月丙申（二十三日），亳州镇防军崔复哥杀守臣王宾等。"宾字德卿，金贞祐二年进士，调兰陵主簿，辟虹县令。入为尚书省令史，坐事罢归乡里。天兴二年六月，哀宗迁蔡，道出于亳，宾迎之于州北，诏其行六部尚书事，旋为乱军所杀。"德卿学诗甚力，故所得亦多。如'风生传令箭，星落受降城'，'烟外暮钟催倦马，林间残照聚归鸦'，'仓小军争米，村荒虎食牛'。又《赠刚上人》云：'楞严读罢炉烟冷，澹坐山堂阅世人。'《言怀》云：'功名不到书生手，坐抚吴钩惜壮图。'《题马丘寺壁》云：'落叶拥窗僧入静，孤灯穿屋客吟秋。'人甚称之。"（《中州集》卷七）《中州集》录存其诗三首。事迹见《中州集》卷七、《归潜志》卷三、《金史》卷一一七。

蒙古续封孔子五十一代孙孔元措袭衍圣公，修孔庙。

十月

史弥远进太师、左丞相兼枢密使、鲁国公，加食邑一千户。旋卒于本月，年七十。

郑清之进光禄大夫、右丞相兼枢密使，加食邑一千户。

乔行简为参知政事兼同知枢密院事。

诏崔与之、李埴赴阙。

真德秀以显谟阁待制、知福州兼福建安抚使。

十一月

诏改明年为端平元年。

魏了翁为华文阁待制、知泸州、潼川安抚使，赐金带。

赵葵进兵部侍郎、淮东制置使兼知扬州。

洪咨夔以礼部郎中进对："今日急务，进君子，退小人，如真德秀、魏了翁当聚于朝。"理宗是其言，以咨夔为监察御史。见《宋史·理宗本纪》。

十二月

吴潜为太府卿，仍淮西总领财赋，暂兼沿江制置、知建康府。

本年

宋诗禁解。《瀛奎律髓汇评》卷二〇："绍定癸巳，弥远死，诗禁解。"

元好问时被编管聊城，始撰《中州集》。其《翰苑英华中州集序》云："商右司平叔衡尝手抄《国朝百家诗略》，云是魏刑州元道道明所集，平叔为附益之者，然独其家有之，而世未之知也。岁壬辰，予掾东曹，冯内翰子俊延登、刘邓州光甫祖谦，约予为此集。时京师方受围，危急存亡之际，不暇及也。明年留滞聊城，杜门深居，颇以翰墨为事，冯、刘之言日往来于心，亦念百余年以来诗人多为苦心之士，积日力之久，故其诗往往可传。兵火散亡，所存者才什一耳，不总萃之，则将遂埋灭而无闻，为可惜也。乃记忆前辈及交游诸人之诗，随即录之。会平叔之子孟卿携其先公手抄本来东平，因得合予所录者为一编，目曰《中州集》。嗣有所得，当以甲乙第之。”

张辑本年在世，生卒年不详。按，张世南《游宦纪闻》卷一〇：“绍定癸巳，汤制干仲能主白鹿教席，始品题，以为不让谷帘。尝有诗寄二泉于张宗瑞曰：‘九叠峰头一道泉……’张赓之曰：‘寒碧朋尊胜酒泉……’”张辑，字宗瑞，号东泽，鄱阳人。得诗法于姜夔。浪游湖北，以布衣终老。冯去非目为东仙。事迹见《江湖后集》卷一七。传世词集《欸乃集》（一作《清江渔谱》）、《东泽绮语债》，有《彊村丛书》本。《全宋词》录其词四十四首，《全宋诗》录其诗二首。陈郁《藏一话腴》内编卷下：“鄱阳张东泽受诀白石，攻研澄洁，骎骎欲溯太白而上之。余尝观东泽家本二千石而瓶不储粟，身本贵游子而癯如不胜衣，举世阿附而日夜延骚人韵士论说古今，宾退吟余，寄趣徽轸，曾不一毫预尘世事。盖所养相似，所吟亦不相违，信诗人之杰，不可不尚友也。”杨慎《词品》卷五：“张宗瑞，鄱阳人，号东泽，词一卷，名《东泽绮语债》。其词皆倚旧腔，而别立新名，亦好奇之过也。《草堂词》选其《疏帘淡月》一篇，即《桂枝香》也。予爱其《垂杨碧》一篇，即《谒金门》，其词云：‘花半湿……’”沈雄《古今词话·词辨》上卷：“花庵词客曰：张宗瑞词‘睡起愁怀无处着，无风花自落’，为《花自落》；又‘楼外垂杨如此碧，问春来几日’，为《垂杨碧》。皆以篇末之语而立新名者。”李调元《雨村词话》卷二：“张辑《东泽绮语债》，皆取词中字，题以新名。如《桂枝香》名《疏帘淡月》，《齐天乐》名《如此江山》，《长相思》名《山渐青》，《忆秦娥》名《碧云深》，《点绛唇》名《南浦月》，又名《沙头雨》，《谒金门》名《花自落》，又名《垂杨碧》，《忆王孙》名《阑干万里心》，《好事近》名《钓船笛》，虽于题下自注寓某调，已属掩耳盗铃。乃后世作谱，好一一改旧易新，极无意味，见之令人呕恶。”陈廷焯《白雨斋词话》卷八：“东泽得诗法于白石，却有似处，词则取径狭小，去白石甚远。”

张世南本年在世，生卒年不详。世南字光叔，鄱阳人。少随侍宦游入蜀，及壮，又涉江湖，达浙、闽，见闻益广，复搜访异书，极力传写。绍定元年，因兄弟去世，遂闭门谢客，撰成《游宦纪闻》十卷。是书今有《四库全书》本、《稗海》本、一九八一年中华书局校点本。四库提要卷一二一：“《游宦纪闻》十卷，两江总督采进本，宋张世南撰。……其纪年称嘉定甲戌，又称绍定癸巳，盖宁宗、理宗间人。自称尝官闽中，多记永福县事，亦不知永福何官也。世南与刘过、高九万、赵蕃、韩淲诸人游，而述程迥之说尤多。……其书多记杂事旧闻，而无一语及时政。如记秦观元祐刺字，记黄师尹解打字义……皆足资考证。其驳黄伯思八十一首之说，及推阐王湜百六之义，尤极精核。其他如论犀角、龙涎、端研、古器之类，亦足以资博识。宋末说部之佳本也。”

刘铎（？—1233）卒，生年不详。铎字文仲，号柳溪先生，冀州枣强人。金承安五年进士。元光二年入为太常博士。正大初，改兵部员外郎，以昌武军节度副使致仕。病殁于京师。著有《柳溪先生集》，已佚。《中州集》录存其诗七首。事迹见《中州集》卷七《刘太常铎》。

冯延登（1176—1233）卒，年五十八。延登字子骏，吉州（今山西吉县）人。金承安二年词赋进士，授临真主簿，再调德顺州军事判官。历官国史院编修官、太常博士、吏部郎中、翰林待制、国子祭酒。天兴元年，授礼部侍郎。二年，京城陷落，自投井而卒。有集名《横溪翁》，不传。《中州集》录存其诗十七首。尝"学诗于闲闲公，从是诗律大进，致密工巧，时辈少见其比"（元好问《国子祭酒权刑部尚书内翰冯公神道碑铭》）。《中州集》卷五："子骏资禀淳雅，与人交殊款曲，读书长于《易》、《左氏传》，好贤乐善，有前辈风调。尝欲作《国朝百家诗》，而不及也。"《归潜志》卷四："公为人谨厚，吏事亦精，笃学问，长年犹不辍。在公署日抄书，为文苦思尚奇涩，诗亦新巧可称。"《历代词话》卷九谓其"劲骨正气，可与洪忠宣、文信国并传。其所作《玉楼春》、《临江仙》诸调，亦不减'天涯池馆'、'雨过霞明'之句也"。《金元诗选·金诗选二》谓其《寄笏青柯平》"句法巧而不纤"。事迹见元好问《国子祭酒权刑部尚书内翰冯公神道碑铭》、《中州集》卷五及《大金国志》卷二八本传。

公元 1234 年（宋理宗端平元年甲午　金哀宗天兴三年　蒙古窝阔台汗六年）

正月

初九，金哀宗传位于东面元帅完颜承麟，次日即位，是为末帝。典礼甫毕，宋军突破蔡州南门，宋、蒙军入城。金哀宗自缢而死，末帝为乱兵所杀。金亡。

李献甫（1195—1234）卒，年四十。献甫字钦用，河中人，李献能从弟。金兴定五年登进士第，历咸阳簿，辟行台令史。后迁镇南军节度副使，兼右警巡使。哀宗出走蔡州，献甫扈从，死于蔡州之难。献甫博通书传，于《左氏》及地理之学为精。所著诗文名《天倪集》。《中州集》录存其诗十三首。事迹见《中州集》卷一〇、《金史》卷一一〇本传。

四月

吴渊、吴潜以言官论劾，落职放罢。《宋史·理宗本纪一》："臣僚言：'江淮、荆襄诸路都大提点坑冶吴渊，恃才贪虐，籍人家赀以数百万计，掩为己有，其弟潜违道干誉，任用非类。'诏吴渊落右文殿修撰，吴潜落秘阁修撰，并放罢。"

五月

诏魏了翁赴阙。

崔与之为端明殿学士、提举西京嵩山崇福宫。

理宗下诏："黄榦、李燔、李道传、陈宓、楼昉、徐宣、胡梦昱皆阨于权奸，而各行其志，没齿无怨，其赐谥、复官、优赠、存恤，仍各录用其子，以旌忠义。戴埜，其复元资，以励士风。"（《宋史·理宗本纪一》）

六月

乔行简知枢密院事。曾从龙为参知政事。

八月

赵葵为京河制置使、知应天府、南京留守。

权邵武军王埜以平建阳寇有功，转两官。

十月

真德秀进《大学衍义》。

本年

元好问首次编定词集《遗山新乐府》。

杨长孺（1155—1234）卒，年七十九。长孺字伯子，号东山潜夫，吉水人，杨万里长子。绍熙元年，以荫补永州零陵主簿。嘉定四年，守湖州，弹压豪强，牧养小民，政声赫然。九年，迁广东经略安抚使、知广州事。每对人言："士大夫清廉，便是七分人矣。"以清白廉洁著称。十三年，改福建安抚使兼知福州。绍定元年，以敷文阁直学士致仕。端平初，累诏不起，以集英修撰致仕家居。事迹见《宋史翼》卷二二。著有《东山集》，已佚。《全宋诗》录其诗九首，《全宋文》卷六七六四收其文。

危稹约卒于本年前后，确切生卒年不详，年七十四。稹字逢吉，号巽斋，又号骊塘，临川人。淳熙十四年进士。调南康军教授，与转运使杨万里一见相得，偕游庐山，相与酬唱。嘉定六年，为太学录。七年，迁武学博士，又迁诸王宫教授。十年，迁秘书郎。十二年，除著作郎。后知漳州，建龙江书院，横经自讲。请老以归，提举崇禧观，与乡里耆艾七人结为真率会。事迹见《宋史》卷四一五本传。所著有《巽斋集》，诸经有讲义、集解，选编魏、晋、唐诗文，辑先贤奏议为《玉府》、《药山》，《宋史·艺文志》著录《危稹文集》二十卷，均佚。今存《巽斋小集》一卷，收入《汲古阁景钞南宋六十家小集》、《两宋名贤小集》。《全宋词》录其词三首，《全宋诗》录其诗一卷，《全宋文》收其文三卷。魏庆之《诗人玉屑》卷五引《骊塘文集》载逢吉论诗云："诗不可强作，不可徒作，不可苟作。强作则无意，徒作则无益，苟作则无功。"刘克庄《后村诗话》后集卷一："临川危逢吉诗有思致，《禽言》二首尤佳。《接客篇》云：'接客接客，高亦接，低亦接。大儿稳善会传茶，小儿踉跄能作揖。家人不用剪髻云，我典《唐书》充馈设。《唐书》典了犹可赎，宾客不来门户俗。'《郭公篇》云：'郭公郭公，闻尔失国春秋时，何事到此犹悲啼。郭公前言亡国故，当时只缘臣子误。百年社稷不得归，而今家住柘冈西。满目春风都是恨，声声说与齐侯知。国亡矣，君勉之。'词意音节，欲迫张籍、王建矣。《题杨妃齿痛图》云：'痛入香龈欲不禁，三郎心痛亦何深。当时更有唇亡处，只是君王不动心。'《妇叹》云：'记得萧郎登第时，谓言即日凤凰池。而今老等闲官职，日欠人钱夜欠诗。'《落花》云：'马嵬路险失妃子，金谷楼高堕绿珠。'皆清婉可爱。然古今咏落花，无出二宋兄弟两联追琢精妙，逢吉语稍率矣。"

关汉卿、王实甫、杨显之、费君祥均生于本年以前。

公元 1235 年（宋理宗端平二年乙未　蒙古窝阔台汗七年）

正月

诏议胡瑗、孙明复、邵雍、欧阳修、周敦颐、司马光、苏轼、张载、程颢、程颐等十人从祀孔子庙庭。

二月

蒙古建都和林，筑和林城，并仿照汉人宫殿仪制建万安宫。

三月

诏太学生陈均编《宋长编纲目》，进士陈文蔚著《尚书解》，并补迪功郎。

曾从龙兼同知枢密院事；真德秀参知政事。

元好问赋词《鹊桥仙》（槐根梦觉），序云："乙未三月，冠氏紫微观桃符上，开花一枝。予与杨焕然共饮，以为此亦当却一春耶，因取此意作此以自喻云。"按，时元好问移居冠氏（今山东冠县）。

吴文英在苏州。按，明年所作《探芳信》词有云："正卖花吟春，去年曾听。"

五月

真德秀（1178—1235）卒，年五十八。德秀字景元，后更为希元，号西山，浦城人。庆元五年进士，调南剑州判官。开禧元年，复中博学宏词科，入闽帅萧逵幕。二年，召为太学正。嘉定间，历官校书郎、秘书郎、著作佐郎、起居舍人等。理宗即位，召为中书舍人兼侍读，擢礼部侍郎，直学士院。宝庆元年，以忤史弥远落职。居家，修《西山读书记》、《诸老先生集略》，又编《文章正宗》。绍定四年，复原官，与祠。五年，起知泉州。端平元年，召为户部尚书，除翰林学士。二年，拜参知政事。卒赠银青光禄大夫，谥文忠。事迹见刘克庄《西山真文忠公行状》、魏了翁《参知政事资政殿学士致仕真公神道碑》及《宋史》卷四三七本传。著有《西山甲集》、《对越集》、《翰林词草》、《江东救荒录》、《清源杂志》、《星沙杂志》等，今存《三礼考》、《四书集编》、《政经》、《西山政训》、《大学衍义》、《读书记》、《心经》、《教子斋规》、《谕俗文》、《西山题跋》等，及所辑《昌黎文式》、《文章正宗》、《文章正宗续集》，清康熙中家祠刻为《真西山全集》。《西山先生真文忠公文集》五十五卷，今存元刻本、《四部丛刊》影印明正德刻本、《四库全书》本。《全宋词》录存其《蝶恋花》词一首，《全宋诗》录其诗二卷，《全宋文》收其文七十六卷。

德秀以学术、政事、文章享名当时，与魏了翁并称"真魏"。其学力崇朱熹，为一时大儒。为文主义理，切于实用。王迈《真西山集后序》："穷理以致用者，先生之学也；修辞以立诚者，先生之文也。其陈仁义以告君者直而婉，正大而不迁，一片赤诚，对越无愧，其所谓'上帝临女，无贰尔心'者欤。其代王言以戒百官也，戒休董威，意在言外，或举一以励众，或嘉始以责终，其所谓'无有师保，如临父母'者欤。其颁教条于所治也，本其风俗，谕以理道，历历皆肺腑中语，其所谓'心诚求之，若保赤子'者欤。至于训教子弟，私淑其徒，辨析理义之精微，条列学问知行之次第，参之周、程先儒之书，又几于集儒先之大成者也。先生言语文字，足以感发人心，皆其诚之不可掩者。"吴泳《与真西山书》："《夜气》一箴，冥升利于不息之正也。《拱极》一记，考槃在涧，永矢弗谖之义也。《楮衾》一铭，怙侈灭义，服美于人之训也。坐右十图简而严，勉励僚属四事明而切。《翰林词章》一编，温醇深润，其思油然以幽，其味黯然以长也。"罗大经《鹤林玉露》丙编卷二："杨东山尝谓余曰：'……渡江以来，汪、孙、洪、周，四六皆工，然皆不能作诗，其碑铭等文，亦只是词科程文手段，终乏古意。近时真景元亦然，但长于作奏疏。'"刘克庄《跋张天定四六》记真德秀言："某掌内制六年，每觉文思迟滞即看东坡，汗漫则有曲阜。"翁方纲《石洲诗话》卷四："西山真文忠公帅潭州日，《会长沙十二县宰》之作，可谓'仁义之人，其言蔼如'。"吴乔《围炉诗话》卷五："真西山《宫中帖子》云：'直将底事消长日，《大学》《中庸》两卷书。'纵欲规讽，在诗各有其体，如此出语，谓之不自重。取厌取轻，伊川之方长不折亦然。"谢章铤《赌棋山庄词话》卷一一："真西山，作《大学衍义》人也，而有《蝶恋花》之词，盖古来忠孝节义之事，大抵发于情，情本于性，未有无情而能自立于天地间者。"陈廷焯《白雨斋词话》卷六："朱晦翁《水调歌头》、真西山《蝶恋花》，虽非高作，却不沉闷，固知不是腐儒。"

真德秀卒后，刘克庄有《祭真西山文》。

乔行简兼参知政事。

六月

郑清之为特进、左丞相兼枢密使。乔行简为金紫光禄大夫、右丞相兼枢密使。曾从龙知枢密院事兼参知政事。崔与之为参知政事。

赐进士吴叔告以下四百五十四人及第、出身有差。潘牥、林希逸登进士第。

刘祁撰《归潜志》成，自叙云："余生八年去乡里，从祖父游宦于大河之南。时南京为行宫，因得从名士大夫问学。不幸弱冠而先子殁，其后进于有司不得志，将归隐于太皞之墟。一旦遭值金亡，干戈流落，由魏过齐入燕，凡二千里。甲午岁复于乡，盖年三十二矣。因思向日二十余年间，所见富贵权势之人，一时烜赫如火烈烈者，迨遭丧乱，皆烟销灰灭无余，而吾虽贫贱一布衣，犹得与妻子辈完归，是亦不幸之幸也。

由是其所以经涉忧患与夫被攻劫之苦，奔走之劳，虽饭蔬饮水，橐中无寸金，未尝蒂诸胸臆。独念昔所与交游皆一代伟人，人虽物故，其言论谈笑，想之犹在目。且其所闻所见可以劝戒规鉴者，不可使湮没无传，因暇日记忆，随得随书，题曰《归潜志》。归潜者，予所居之堂之名也，因名其书以志岁月，异时作史亦或有取焉。岁乙未季夏之望，浑源刘祁京叔自叙。"

七月

魏了翁在礼部尚书任，上十事，不报。

十一月

曾从龙为枢密使、督视江淮军马。魏了翁同签书枢密院事、督视京湖军马。

十二月

魏了翁兼督江淮军马。

吴潜为枢密都承旨、督府参谋官。

曾从龙（1175—1235）卒，年六十一。从龙初名一龙，字君锡，晋江人，曾公亮四世孙。庆元五年进士第一，授签书奉国军节度判官厅公事。历校书郎、秘书郎、著作郎等。嘉定元年，除起居舍人。七年，除礼部尚书，升兼太子詹事。十二年，同知枢密院事兼江淮宣抚使，改参知政事，寻以论罢，提举洞霄宫。端平元年，除沿江制置使，兼知建康府。二年，进知枢密院事。事迹见《宋史》卷四一九本传。今《全宋诗》卷二八七七录存其诗二首，《全宋文》卷六九一五收其文。

本年

姚镛自编《雪篷稿》成。序云："予自壮喜学文，而苦于拙涩，虽才气有定禀，亦根本薄，故枝叶疏。既谪衡，杜门省咎之外，稍尽力于圣经言传，若有所觉。取旧稿读之，大有愧焉，将畀烈炬，有类鸡肋者，因为一编，以识予愧。他日苟能勉进于道，斯亦不足观也已。端平二年岁乙未。"

张端义应诏三次上书，坐妄言，韶州安置。

刘克庄为枢密院编修官，兼权侍右郎官。

度正（1166—1235）卒，年七十。正字周卿，号性善，又号乐活，合州人。少从朱熹学，年二十四登绍熙元年进士，初官于遂宁，迁益昌学官。历知华阳县、权知重庆府。绍定四年，迁太常少卿。端平元年，权礼部侍郎兼侍读，兼国史院编修官、实录院同修撰。迁礼部侍郎，致仕。二年，卒（阳枋《字溪集》附《纪年录》）。事迹见《宋史》卷四二二本传。著有《性善堂文集》，原集已佚，清四库馆臣自《永乐大典》辑为《性善堂稿》十五卷，有《四库全书》本。《全宋诗》录其诗四卷，《全宋文》收其文九卷。曹彦约《跋性善堂后集》谓"其为文操纵卷舒，真得钜儒心法，非拘拘泛泛袭纸上已成之说、架屋于屋下者。今观《性善堂后集》，则其平日所作固已磊落于歌行，而谆复于书序记跋，反复于宏议，而微妙于至理，以为未足，悦晦庵先生之道，南学于考亭。孟子所谓豪杰之士，不是过也"。四库提要卷一六二："《性善堂稿》十五卷，永乐大典本，宋度正撰。……正游于朱子之门，文章质实，大都原本经济，不为流连光景之语。其条奏便民诸疏，不下万余言，指陈利弊，明晰剀切，亦可谓留心世务，不徒为性命空谈。诗品虽不甚高，而词意畅达，颇与朱子格律相近。观其《书易学启蒙后》、《书晦庵所释西铭后》、《跋申请释奠礼》诸篇，悉于师说笃信不疑，宜其一步一趋矣。"

卢挚（1235—约1314以后）生。

公元1236年（宋理宗端平三年丙申　蒙古窝阔台汗八年）

正月

吴文英在苏州，作词《探芳信》（暖风定）。序云："丙申岁，吴灯市盛常年，余借宅幽坊，一时名胜遇合，置杯酒，接殷勤之欢，甚盛事也。"

二月

吴泳以起居郎上疏论淮、蜀、京、襄捍御十事，不报。

魏了翁依旧端明殿学士、签书枢密院事，诏其速赴阙。

赵以夫以左曹郎官上备边十策。

四月

魏了翁乞归田里，诏不允，以资政殿学士知潭州。

五月

赵葵为华文阁直学士、淮东安抚制置使兼知扬州。

姚镛诠次《石屏第四稿》下卷成。跋云："式之以诗鸣江湖间垂五十年，多识前辈，晚乃与余为忘年友。余既流放，式之由闽峤度梅岭，涉西江，吊余于衡岳之阳，此意古矣。观近作一编，其于朋友故旧之情，每惓惓不能忘。至于伤时忧国，耿耿寸心，甚矣其似少陵也。忠义根于天资，学问培于诸老，故其发见，非直为言句而已。式之复俾诠次，不敢辞，得六十篇，为《第四稿》下，且效李友山摘奇左方。端平三年岁在丙申五月丁卯，剡人姚镛。"

六月

洪咨夔（1176—1236）卒，年六十一。咨夔字舜俞，号平斋，於潜人。嘉泰二年进士，授如皋主簿，寻试为饶州教授。作《大治赋》，楼钥赏识之。复应博学宏词科，崔与之辟置淮东幕府。嘉定十七年，召为秘书郎。宝庆元年，迁金部员外郎。以言事忤史弥远，罢。绍定六年，弥远死，召为礼部员外郎，拜监察御史。端平元年，乞下诏求言，登进诸儒，除殿中侍御史，擢中书舍人。卒，诏特赠两官，谥忠文。事迹见《宋史》卷四〇六本传。著有《平斋文集》三十二卷，有《四部丛刊》影宋刻本、洪氏《晦木斋丛书》本。又《平斋词》，有《宋名家词》本。《全宋词》录其词四十余首，《全宋诗》录其诗八卷，《全宋文》收其文三十一卷。

《平斋文集》三十二卷，以经筵进讲及制诰之文居多，不录奏疏，诗歌、杂著仅十之三。咨夔在当时以论事谠直、制词贴切著称。吴泳《洪咨夔授试中书舍人制》谓其"性从敏悟，学以博闻。刚大直方，不改山林之操；温纯深润，能为廊庙之文"。又《洪咨夔授兼侍讲制》谓其"行介如石，节清于冰。直道事君，深得静而方之体；英词纬国，自成奇而法之文"。劢庵《影钞宋本平斋文集跋》："其《进讲经义》六条，陈善责难，忠诲谆切，方之古大臣亦何愧焉。"《赋话》卷一〇："洪舜俞《老圃赋》，虽未免簇事，然治择精，援引工，亦得鲍、谢之祖者也。"《徐氏笔精》卷四："宋洪咨夔《直玉堂》诗云：'宝鸭炷云朝太紫，玉蜍泊露校铅黄。'又云：'云收翠戟龙文润，日透金铺兽面明。'……皆工丽可诵。"毛晋《平斋词跋》："其诗余四十有奇，多送行献寿之作，无判花嗜酒之篇。昔人谓王岐公文多富贵气，余于舜俞之词亦云。"四库提要卷一九八："咨夔以才艺自负，新第后上书卫王，自宰相至州县，无不捃摭其短，遂为时相所忌，十年不调。故其词淋漓激壮，多抑塞磊落之感，颇有似稼轩、龙洲者。晋跋乃徒以王岐公文多富贵气拟之，殊为未允。"李调元《雨村词话》卷三："洪咨夔《平斋词》，喜用成语作起句。如《沁园春》云：'《诗》不云乎，蒹葭苍苍，白露为霜。'又云：'归去来兮，杜宇声声，道不如归。'皆极自然。按《宋史》，公毁邓艾祠，更祠诸葛武侯，告其民曰：'毋事仇雠而忘父母。'其忠鲠直亮可知，故其词轩轩多爽致。"

咨夔之卒，刘克庄有《内翰洪公舜俞哀诗》。

蒙古耶律楚材请立编修所于燕京、经籍所于平阳，编集经史，召儒士梁陟为长官，以王万庆、赵著为副。

九月

左丞相兼枢密使郑清之罢为观文殿大学士、醴泉观使兼侍读；右丞相兼枢密使乔行简罢为观文殿大学士、醴泉观使兼侍读。

崔与之为右丞相兼枢密使。

李贾跋《石屏第四稿》。有云："石屏南归，过仆于渝江尉舍，出示雪篷姚公所选《四稿》下卷。仆永歌不足，并入梓以全其璧。端平丙申九月十日，月洲李贾友山敬识。"

十一月

乔行简为特进、左丞相兼枢密使，封肃国公。

魏了翁依旧资政殿学士，知绍兴府、浙东安抚使。

吴潜、袁甫、徐清叟赴阙。

冬至日，潘牥作《海琼白玉蟾先生文集序》。序云："（彭）征君与琼山为莫逆交，此集诗文若干首，皆征君手自纂集，又亲为审订，去其'悲来笑矣'之类，得四十卷。……端平丙申日长至，文林郎、新镇南军节度推官潘牥序。"按，白玉蟾即葛长庚。长庚字如晦，闽清人。七岁能诗赋，十岁应童子科。父亡母嫁，弃家游海上，号海琼子。至雷州，继白氏后，改名白玉蟾，字白叟，师事陈楠，长期修道于罗浮山、武夷山。号海南翁、琼山道人、琼琯、蟾庵、武夷散人、神霄散吏。嘉定中，诏赴阙，命馆太乙宫，赐号紫清明道真人。事迹见彭耜《海琼玉蟾先生事实》。著有诗文集《海琼集》、《武夷集》、《上清集》，今存元刊本、《道藏》本。端平间，彭耜纂《海琼白玉蟾先生文集》四十卷，作为上述三集之补佚。今存《海琼玉蟾先生文集》六卷、续集二卷，明正统七年朱权重编本；《白玉蟾海琼摘稿》十卷，嘉靖十二年唐胄刻本；《新刻琼琯白先生集》十四卷，万历二十二年安正堂刘双松刻本。又，《海琼子词》一卷，有明抄本；《玉蟾先生诗余》一卷、续一卷，有《彊村丛书》本。《全宋词》录其词一百三十余首，《全宋诗》录其诗六卷，《全宋文》收其文十二卷。朱权谓其"博洽儒术，出言成章，文不加点。……其言皆囊括造化之语，儒者谓出入三氏，笼罩百家，非世俗所能也"（《正统重编本海琼玉蟾先生文集序》）。潘是仁谓"其诗真若肺腑有烟霞，喉舌有冰雪，非丹台紫府中人，能构只字耶？"（《宋元诗集存·白玉蟾诗集序》）宋长白《柳亭诗话》卷二九："曹唐、葛长庚颇有思致，然曹如李少君招魂，在是耶非耶之间；葛则似云水全真，未脱走方卖药之态。"杨慎《词品》卷二："白玉蟾武昌怀古词云：'汉江北泻，下长淮……'此调雄壮，有意效坡仙乎？词名《念奴娇》，因坡公词尾三字，遂名《酹江月》。又恰百字，又名《百字令》。玉蟾词，他如'一叶飞何处，天地起西风'、'鳞鳞波上，烟寒水冷剪丹枫'，皆佳句。咏燕子有'秋千节后初相见，被禊人归有所思'，亦有思致，不愧词人云。"陈廷焯《白雨斋词话》卷二："葛长庚词，一片热肠，不作闲散语，转见其高。其《贺新郎》诸阕，意极缠绵，语极俊爽，可以步武稼轩，远出竹山之右。"又卷六："两宋词家各有独至处，流派虽分，本原则一。唯方外之葛长庚，闺中之李易安，别于周、秦、姜、史、苏、辛外，独树一帜，而亦无害其为佳，可谓难矣。然毕竟不及诸贤之深厚，终是托根浅也。"又："葛长庚词，脱尽方外气；李易安词，却未能脱尽闺阁气。然以两家较之，仍是易安为胜。"

十二月

吴渊为户部侍郎、淮东总领财赋兼知镇江府。

郑清之辞免观文殿大学士、醴泉观使兼侍读，诏仍旧观文殿大学士、提举洞霄宫。

诏改明年为嘉熙元年。

本年

方大琮因上疏论济王之冤，为御史所劾，与王逸、刘克庄同日去国。

王伯大奉诏赴阙，迁尚右郎官，寻兼权左司郎官。

张侃约于本年前后在世，生卒年不详。侃字直夫，号拙轩，祖籍大梁，徙居邘城，绍兴末，渡江居潮州，张岩之子。嘉定十四年，监常州奔牛镇酒税，调上虞丞。宝庆二年，知句容县。端平二年，为镇江签判。晚年以退名斋，吴泳为作《退斋记》。事迹见《弘治句容县志》卷六。著有《拙轩集》（或题《拙轩初稿》），已佚。清四库馆臣自《永乐大典》辑为《张氏拙轩集》六卷，有《四库全书》本。《全宋词》收其词四首，《全宋诗》录其诗四卷，《全宋文》收其文二卷。四库提要卷一六四谓侃"志趣萧散，浮沉末僚。所与游者，如赵师秀、周文璞辈，皆吟咏自适、恬静不争之士，故所作格律，亦多清隽圆转，时有闲澹之致"。

刘子寰约于本年前后在世，生卒年不详。子寰字圻父，号篁嵊翁，建阳人。早年登朱熹之门。嘉定十年进士。曾知钦州，官至观文殿学士。事迹见《闽中理学渊源考》卷二〇。著有《篁嵊集》、《己未文公语录》等，已佚。《全宋词》录其词十九首，《全宋诗》录其诗一卷。刘克庄谓其诗"融液众格，自为一家，短章有孔鸾之丽，大篇有鲲鹏之壮，枯槁之中含腴泽，舒肆之中富擎敛，非深于诗者不能也"（《刘圻父诗序》）。又称其诗"得之夷淡而失之槁干"（《陈敬叟集序》）。其词多寿词、纪游词与节物词，琢语平直，韵趣不足。

陈耆卿（1180—1236）卒，年五十七。耆卿字寿老，号篔窗，临海人。嘉定七年进士。十一年，为青田县主簿，以书谒叶适，适一见称许为晁、张之流。宝庆二年，召试馆职，除正字，迁校书郎。绍定元年，除秘书郎。六年，迁著作郎。端平元年，兼国史院编修官、实录院检讨官。官至国子司业。事迹见方回《读篔窗荆溪集跋》、《宋史翼》卷二九。著有《论孟纪蒙》，已佚。编有《嘉定赤城志》四十卷，有《四库全书》本。又有《篔窗集》三十卷、《续集》三十八卷。原集已佚，四库馆臣自《永乐大典》中辑出文一百三十一篇、诗三十八首、词四首，编为《篔窗集》十卷，今存《四库全书》本、清抄本。今《全宋词》录其《鹧鸪天》词二首，《全宋诗》录其诗一卷，《全宋文》收其文十二卷。

吴子良《篔窗初集跋》："为文大要有三：主之以理，张之以气，束之以法。篔窗先生探周、程之旨趣，贯欧、曾之脉络，非徒工于文者也。"又《篔窗续集序》："寿老少壮时，远参洙泗，近探伊洛，沉涵渊微，恢拓广大，固已下视笔墨町畦矣。及夫满而出之，则波浩渺而涛起伏，麓秀郁而峰峻嶒，户管摄而枢运转，舆卫设而冠冕雍容。其奇也非怪，其丽也而非靡，其密也不乱，其疏也不断，其周旋乎贾、马、韩、柳、欧、苏、曾之间，疆场甚宽，而步武甚也。"叶适《题陈寿老文集后》："今陈君耆卿之作，驰骤群言，特立新意，险不流怪，巧不入浮。建安、元祐，恍焉再睹，盖未易以常情限也。……君之为文，绵涉既多，培蕴亦厚，幅制广而密，波游浩而平，错综应会，纬经匀等，膏润枯笔之后，安徐窘步之末。若是，则荐之庙郊而王度善，藏之林薮而幽愿惬矣。"吴子良《荆溪林下偶谈》卷二："水心见篔窗四六数篇，如《代谢希孟上钱相》之类，深叹赏之，盖理趣深而光焰长，以文人之华藻，立儒者之典刑，合欧、苏、王为一家者也。"四库提要卷一六三："《篔窗集》十卷。……今观其集，虽当南渡后文体衰弱之余，未能尽除积习，然其纵横驰骤，而一归之于法度，实有灏气行乎其间，非啴缓之音所可比，宜其与适代兴矣。"

文天祥（1236—1283）生。

阎复（1236—1312）生。

公元 1237 年（宋理宗嘉熙元年丁酉　蒙古窝阔台汗九年）

正月

魏了翁知福州兼福建安抚使。

二月

邹应龙为端明殿学士、签书枢密院事。

诏以朱熹《通鉴纲目》下国子监，并进经筵。

三月

清明日，赵汝回作《瓜庐诗序》。序云："唐风不竞，派沿江西，此道蚀减尽矣。永嘉徐照、翁卷、徐玑、赵师秀乃始以开元、元和作者自期，冶择淬炼，字字玉响，杂之姚、贾中，人不能辨也。水心先生既啧啧叹赏之，于是四灵之名天下莫不闻，而瓜庐翁薛景石每与聚吟，独主古淡，融狭为广，夷镂为素，神悟意到，自然清空。如秋天迥洁，风过而成声，云出而成文。间谓四灵君为姚、贾，吾于陶、谢、韦、杜何如也？夫古诗三百，不过比兴，然上下数千年间，骚人文士望而知其难，拟之而弗似矣。四灵陋晚唐，不为语不惊人不止，而后生常则其步趋謦欬，扬扬以晚唐夸人，此人所不悟也。然则景石脱颖而出，自成一家，真知几之士哉！景石名家子，多读书，通八阵八门之变，乃心物外，至忘形骸，筑庐会昌湖西，灌瓜贴树，篘醇系鲜，日为文会，论切阖析，恐不人人陶、谢、韦、杜也。情真气和，庶几乎有道者，而年五十一死矣。死后，人士无远近争致其诗。其子弟手钞不能给，于是相与刻之。呜呼，使景石健至今，诗又止是乎？嘉熙元年清明日，东阁赵汝回序。"

魏了翁（1178—1237）卒，年六十。了翁字华父，号鹤山，邛州蒲江人。幼聪悟，年十五作《韩愈论》。庆元五年进士，授签书剑南西川节度判官厅公事。嘉泰二年，召为国子正。开禧二年，出知嘉定府。丁父忧，筑室白鹤山下，开门授徒，士争负笈从之。嘉定初，知汉州。继知眉州、泸州。十七年，迁秘书监、起居舍人。理宗即位，迁起居郎。宝庆元年，御史劾其朋邪谤国，谪居靖州，著《九经要义》百卷，订定精密。绍定四年，复职，主管建宁府武夷山冲佑观。端平元年，召权礼部尚书兼直学士院，兼同修国史、侍读，俄兼吏部尚书。因忌者排挤，以同签书枢密院事督视江淮京湖军马。后知绍兴府、浙东安抚使。卒赠太师，谥文靖。事迹见《宋史》卷四三七本传、清缪荃孙《魏文靖公年谱》。著述甚多，合编为《重校鹤山先生大全文集》一百一十卷，有宋开庆刊本（缺十八卷）、《四部丛刊》影印校补宋刻本、明嘉靖吴凤刻本、《四库全书》本等。《全宋词》录其词一百八十九首，《全宋诗》录其诗十四卷，《全宋文》收其文八十二卷。

罗大经《鹤林玉露》卷六："凡作文章，须要胸中有万卷书为之根柢，自然雄浑有筋骨，精明有气魄，深醇有意味，可以追古作者。……魏鹤山答友人书云：'须从诸经字字看过，思所以自得，不可只从前贤言语上作工夫。'又云：'要作穷理格物工夫，须将三代以前模规在胸次，若只在汉、晋诸儒脚迹下盘旋，终不济事。'又云：'向来多看先儒解说，近思之，不如一一自圣经看来。盖不到地头亲自涉历一番，终是见得不真。又非一一精体实践，则徒为谈辨文采之资耳。来书乃谓只须祖述朱文公诸书，文公诸书，读之久矣，政缘不欲于卖花担上看桃李，须树头枝底方见活精神也。'鹤山此论，学者不可不佩服。"吴渊《鹤山集序》："窃唯公天分颖拔，早从诸老游，书无不读，而见道卓，守道约，故作为文，率深衍闳畅，微一物不推二气五行之所以运，微一事不述三纲九法之所以尊。言己必致知力行，言人必均气同体。神怪必不语，老佛必斥攘。以至一纪述，一咏歌，必劝少讽多，必情发礼止，千变万态，卒归于正。及究其所以作，则皆尚体要而循法度，浩乎如浮云空而莫可状，凛乎如星寒芒而莫可干，蔚乎如风毂波而皆自然也。其理到之言欤！其有德之言欤！程、张之问学，而发以欧、苏之体法欤！公文视西山，理致同，醇丽有体同，而豪赡雅健，则所自得。故近世言文者曰真、魏，要皆见道君子欤！"吴泳《答魏鹤山书》二："侍郎养熟道凝，神全志壹，作为文章，天力自到，其趣窈窕而深，其声清越而长。如《梦笔山记》，捻起'老去才尽'一段，《洗笔池记》说《咸》之良，感《艮》之实，见处俱造微密。最是《李侍郎北园记》，于丰道扶教极有功。而《舜俞山房记》，根本六经之奥义，演出先王之大法，其于学者进学功夫尤所关系。迨夫意与神驰，文随笔肆，隐然有味之言，出于记事之外，此则侍郎之所独得。"又《答魏鹤山书》三："居今之世而闻侍郎之一言一行，莫不刻意竦慕，而况侍郎不以此举自满，著书渠阳，内乐宴如。于《魏公论语序》见修身践言之有法，于《文公年谱序》见丰道扶教之有功，于濂溪诸老先生祠堂等记，见根极理气，分劈义利，辨明德性物欲与夫圣传之真，俗学之痼，邪说之诬，尤为有警于后学。其他杂著，春容简短，虽若不齐，而卒泽于仁义道德，炳如也。前辈尝谓退之、子厚皆于迁谪中始收文章之极功，盖以其落浮夸之气，得忧患之助，言从字顺，遂造真理。今观《渠阳》一编，则又岂可例以文士目之耶？然尚有可商量者。记、序、铭、说、诗、词，各自有体，虽文公老先生素号秉笔太严，而乐府十三篇咏梅花与人作生日，清婉骚润，未尝不合节拍。如侍郎歌词内'重卦三三''后天八八''三三律管''九九玄经'等语，觉得竟非词人之体。是虽胸次义理之富，浇灌于舍本，滂沛于笔端，不自知其然而然，但恐或者见之，乃谓侍郎尽以《易》玄之妙谱入歌曲，是则可惧也。"四库提要卷一六二："南宋之衰，学派变为门户，诗派变为江湖，了翁容与其间，独以穷经学古，自为一家。……史称了翁年十五时，为《韩愈论》，抑扬顿挫，已有作者之风。其天资本自绝异，故自中年以后，覃思经术，造诣益深，所作醇正有法，而纡徐宕折，出乎自然，绝不染江湖游士叫嚣狂诞之风，亦不染讲学诸儒空疏拘腐之病。在南宋中叶，可谓翛然于流俗外者。"程钜夫《跋魏鹤山帖》："鹤山翁记州县学十数，究学道之本原，药学者之痼疾，黔阳其尤深切著明者也。'小有才则溺益深，居近利则坏逾速'，又黔阳一篇之警策。"洪咨夔《答魏鹤山书》："《简州三贤阁

349

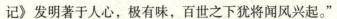

记》发明著于人心，极有味，百世之下犹将闻风兴起。"

周密《浩然斋雅谈》卷中："魏华父《墨梅》诗：'素王本自难淄涅，墨者胡为乱等差。玄里只知杨子白，皓中谩见圣人污。'鹤山又有'东西日月自来往，遑恤人间有喘牛'之句，亦佳。"杨慎《词品》卷五："魏了翁……道学宗派，词不作艳语。长短句一卷，皆寿词也。《菩萨蛮》寿范靖倅云：'东窗五老峰前月……'又《鹧鸪天》寿范靖州云：'谁把璇玑运化工，参旗又挂玉梅东。三三律琯声余亥，九九元经卦起中。'又《水调歌头》云：'玉围腰，金系肘，绣笼鞍。'宋代寿词，无有过之者。"李调元《雨村词话》卷三："宣和而后，士大夫争为献寿之词，连篇累牍，无谓极矣。吾蜀魏了翁华甫为宋名臣，乃词非寿不作，虽《花庵》选入数首，吾终不取。"吴蘅照《莲子居词话》卷三："生日献词，盛于宋时。以谀佞之笔，拦入风雅，不幸而传，岂不倒却文章架子。……至如魏华父则非此不作，不可解已。"谢章铤《赌棋山庄词话》续编卷一："竹垞曰：'宣、政而后，士大夫争为献寿之词，连篇累牍，殊无意味。至魏华父则非此不作矣，置之不录也。'按此说本于《花庵》，然华父《鹤山长短句》三卷，虽未臻上乘，亦未尝全作谀辞。其《水调歌头》过凌云和太博张方韵云：'千古蛾眉月……'亦疏畅可诵。竹垞谓曾览观是集，殆未谛审乎？又《临江仙》上元放灯约束伎前灯火云：'千灯浑是泪，一笑不论钱。'《八声甘州》'多少曹符气势……'则不可谓非有心人也。"

魏了翁卒后，释居简有《祭魏鹤山》。

四月

李塈同知枢密院事、四川安抚使、知成都府。

二十六日，汪晫（1162—1237）卒，年七十六。晫字处微，绩溪人。开禧三年，至临安应举，以时政日非，感而赋词，绝意仕进，不应试而归。后栖隐山中，结庐曰环谷，作堂曰静观，赋诗十绝以见志。参知政事真德秀久敬晫名，端平初，嘱绩溪令李遇求其言行之实，以逸民论荐，会德秀卒而未果。晫卒日，赋词《如梦令》，以舟自况，中有"把柁更须牢，无碍，无碍，匹似子猷访戴"之句。私谥曰康范先生。事迹见唐廷瑞《康范先生行状》（《康范诗集》附录）。著有《曾子》、《子思子》，杂著《静观常语》三十余卷，均已佚。元至元间，三世孙汪梦斗辑其诗什编为《康范诗集》一卷，今存明嘉靖刻本、《四库全书》本。《全宋词》收其词十三首，《全宋诗》录其诗一卷。晫"为文多伟杰，吟诗率成咳唾间"（吕午《宋处士汪君处微父墓碣铭》）。张纯仁谓其诗词"其言典雅，其声和平，无一毫晚宋气息，其旷达恒依乎理，未尝坠晋人之弊"（《元刊本西园康范先生遗稿叙》）。章瑞《弘治本环谷存稿叙》："元人入武林，大家流离，先生稿存者无几。音节凌厉，阐幽揭明，譬诸古钟磬，虽不谐里耳，自可寻玩。使立朝廷，为雅颂，咏太平，勒鼎彝，岂不伟哉！顾长歌短吟，寄虫鱼花卉、羁愁感叹间，来仪率舞之意亡，风刺忧惧之音作，有才流落至此，盖知宋之不复竞矣。……先生冲淡典丽，可与建安、黄初角上下。易箦《如梦令》一阕，犹精明不乱。"况周颐《蕙风词话》卷二："宋汪晫《康范诗余·水调歌头》次韵荷净亭小集云：'落日水亭静，藕叶胜花香。'与秦湛'藕叶香风胜花气'同意，藕叶之香，非静中不能领略。净而后能静，无尘则不嚣矣。只此起二句，便恰是咏荷净亭，不能移到他处，所以为佳。"

六月

邹应龙为资政殿学士、知庆元府兼沿海制置使。

八月

金亡后，士子多流寓东平，宋子贞周济供给，选其才者荐于行台严实，如刘肃、李昶均被用，实亦收养寒士，四方之士云集。严实以商挺为诸子老师，王磐为诸生老师，又迎请元好问校试诸生文章，中选者阎复、徐炎、李谦、孟祺四人，后皆知名。

蒙古用耶律楚材议，始以经义、词赋、论三科试中原士子，中选者列为儒户，得免差役，部分中试者并被选为本籍州县议官。此为蒙元科举之最初尝试，然以后至仁宗延祐以前并未继续进行。

本年

陈人杰赋词《沁园春》（谁使神州），题曰："丁酉岁感事。"

沈义父以赋领乡荐。

赵以夫为枢密都承旨。

湖州思溪资福禅院开始雕印《大藏经》，至淳祐十二年（1252）完成，共收佛典一千四百五十九部。

袁甫本年在世，生卒年不详。甫字广微，号蒙斋，鄞县人，袁燮之子。嘉定七年进士第一，授签书建康军节度判官。召为秘书省正字，迁校书郎。历官著作佐郎、知衢州、江东提刑、秘书少监、起居舍人。嘉熙元年，除中书舍人，权吏部侍郎。迁兵部侍郎，兼给事中。除吏部侍郎兼国子祭酒。权兵部尚书，暂兼吏部尚书。卒赠通奉大夫，谥正肃。事迹见《宋史》卷四〇五本传。著有《孝说》、《孟子解》、《后省封驳》、《信安志》、《江东荒政录》、《防拓录》、《乐事录》及文集等，均佚。清四库馆臣自《永乐大典》中辑为《蒙斋集》二十卷，有《四库全书》本，武英殿聚珍版本复增拾遗一卷。《全宋诗》录其诗二卷，《全宋文》收其文二十卷。四库提要卷一六二："《蒙斋集》十八卷。……甫承其家学，具有渊源，历官所至，唯汲汲以兴利除害为事，凡有奏请，凿然可见诸施行。其在徽州所上便民诸条，迄今利赖，不同纸上空谈。至于遇朝廷大事，侃侃直陈，尤为切中窾要。如史嵩之议约蒙古伐金，甫力持不可，且言嵩之轻脱难信，几罹危祸。又力斥史弥远之专政，而劝理宗以独揽乾纲，更为人所难言。今诸疏虽不尽得，而所存割子尚多，要皆剀切权贵，抗论不阿，可称忠鲠之士。其他诗文，类多明白晓畅，切近事理，亦不屑为藻缋之词。"

楼采约于本年前后在世，生卒年不详。采字君亮，鄞县人。嘉定十年进士。工词，今《全宋词》据《绝妙好词》录存其词六首。沈雄《古今词话·词评》上卷："楼君亮词，见于草窗所选者，《瑞鹤仙》、《玉漏迟》、《二郎神》、《法曲献仙音》、《好事近》、《玉楼春》诸阕，词意具足，而又工力悉敌者也。"陆辅之《词旨》多举其警句，如于"属对"下举"花匣么弦，象奁双陆"、"珠鬘花舆，翠翻莲额"、"汗粉难融，袖香新窃"等；于"词眼"下举《玉漏迟》之"月约星期"等。事迹见《宝庆四明志》卷一〇等。

赵汝谈（？—1237）卒，生年不详。汝谈字履常，号南塘，余杭人。淳熙十一年进士，调汀州教授，改广德军，添差江西安抚司干办公事。开禧三年，以李壁荐，召试馆职，叶适谓"二十年馆职策，无此简切"。除正字，以言去，主管崇道观。理宗即位，授江西转运判官，一月即以言者罢，家居八年，杜门著述。端平初，以礼部郎官召，改秘书少监兼权直学士院。迁宗正少卿，兼编修国史、实录院检讨，兼崇政殿说书。后以言去，提举崇禧观。三年，起知婺州。召权礼部侍郎兼直学士院，改侍讲。权给事中，权刑部尚书。卒谥文懿。事迹见《宋史》卷四一三本传。著有《易》、《书》、《诗》、《论语》、《孟子》、《周礼》、《礼记》、《荀子》、《庄子》、《通鉴》、《杜诗》注等，皆不传。《国史经籍志》卷五著录其有《南塘文集》九卷，已佚。今存《南塘四六》一卷，有宋刻本、《四库全书》本、清抄本。又有《介轩诗集》，收入《两宋名贤小集》。《全宋诗》录存其诗十五首，《全宋文》收其文四卷。

刘克庄《跋赵崇安诗卷》："前代宗室嗜章句者如楚元王父子，皆从申公、白公受诗。……本朝全盛时，贵显而负诗名者有德麟，近岁有南塘兄弟，诗工而命穷者有紫芝、仲白，而南塘遂为一代骚人之宗。"又《后村诗话》前集卷二："赵南塘挽余干相云：'枢前留素杖，帘下进黄袍。'语简而事核。又云：'汉阁新图迥，秦筝旧曲长。'挽巩仲至云：'万卷非其祟，单方或以封。'有无穷之味。《和韩仲止怀蹈中弟》云：'黄台瓜辞可怜矣，老根连蒂摘都稀。风流遂至尔身尽，衰病况堪吾道非。少日槊棋豪索酒，莫年丝竹泪沾衣。人生至此将何遣，一卷《南华》坐掩扉。'《立春》云：'苍规不与先生智，白发唯添老在身。'《绝句》云：'我欲与君洞庭野，斜河澹月听云和。'要妙之音也。"黄文雷《看云小集自序》："诗以唐体为工，清丽婉约，自有佳处。或者乃病格力之浸卑。南塘先生为宜稍抑所长，而兼进其短，斯殆名言。"《瀛奎律髓汇评》卷二〇方回曰："履常诗文俱高，尤精四六跋语。"四库提要卷一七四："《南塘四六》一卷。……汝谈在当时，颇以诗名。历掌制诰，亦以文章典雅见称。其嘉定《贺玉玺表》有'函封远致，不知何国之白环，璓刻孔彰，咸曰宁王之大宝'四语，王应麟《困学纪闻》极称之，今全篇在集中，然他作不尽如是也。"《诗人玉屑》卷一九引《玉林诗话》："赵南塘《题三山黄瀛父拟陶集》云：'闽士工雕篆，陶翁暇讨论。''暇'之一字，盖他人不能到处，唯用工于诗者知之。"《徐氏笔精》卷四："宋赵汝谈《直玉堂》诗……隽永有味，不似宋格。"

汝谈之卒，方大琮、刘克庄有诗文悼念。

公元 1238 年（宋理宗嘉熙二年戊戌　蒙古窝阔台汗十年）

正月

王堑以两浙转运判官察访江西还，进对，劾吴潜知平江府不法历民数事。诏堑直华文阁、知建宁府。

三月

李心传为秘书少监、史馆修撰，修高宗、孝宗、光宗、宁宗四朝《国史》、《实录》。

四月

李壐同签书枢密院事，督视江淮、京湖军马。

闰四月

赐礼部进士周坦以下四百二十二人及第、出身有差。

五月

严州布衣钱时以隐居著书，奉诏选为秘阁校勘。

诏崔与之提举洞霄宫，任便居住。

六月

吴渊知太平州，措置采石江防。

吴潜为淮东总领财赋、知镇江府。

李壐（1161—1238）卒，年七十八。壐字季允，号悦斋，丹棱人，李焘之子。绍熙元年进士。历官秘书省正字、校书郎、秘书少监、礼部侍郎等。端平元年，以权刑部尚书兼修国史、实录院同修撰。除吏部尚书，兼给事中，兼侍读。卒谥文肃。事迹见《宋史翼》卷三五及《宋史》宁宗、理宗本纪。壐之主要成就在史学，今存《皇宋十朝纲要》二十五卷。又有《李文肃集》，已佚。《全宋诗》录存其诗五首，《全宋文》收其文二卷。魏了翁谓其"诗思平澹而致密，记体详缜而粹明"。吴子良《荆溪林下偶谈》卷四："悦斋季允和王仲宣《登楼赋》，不特语言工，其爱君恋国，感事忧时，忠操过仲宣矣。"

李壐卒后，刘克庄有《祭李尚书文》。

秋

吴文英作《木兰花慢》（几临流送远）。题云："施芸隐随绣节过浙东，作词留别，用其韵以饯。"按，施枢（芸隐）《横舟稿》自序："枢自丙申冬趋浙漕，节戊戌秋捧檄东越。"据此，则吴文英此词当作于本年秋。

十月

蒙古建太极书院于燕京，选俊秀有识度者为学生，以赵复主讲，王粹佐之，传播程朱理学。

本年

岳珂复被召用，起为湖广总领。

赵以夫同知枢密院事。

姚燧（1238—1313）生。

公元 1239 年（宋理宗嘉熙三年己亥　蒙古窝阔台汗十一年）

正月

乔行简为少傅、平章军国重事，封益国公。

吴文英作《金缕歌》（乔木生云气）。题云："陪履斋先生沧浪看梅。"按，据《吴县志·职官表六》，吴潜（履斋）去年八月改知平江府，本年正月予祠。吴文英此词有"遨头小簇行春队"句，可断为本年正月作。

三月

吴潜为敷文阁直学士、沿海制置使兼知庆元府。

十八日，李俊民与友人游青莲山，作《游青莲分韵得春字》诗。序云："己亥暮春十有八日，刘巨川济之、秦汉臣、王特升用亨、郭甫仲山、姚昇子昂、史显忠遂良同游福严禅院，与巨川、彦广二山主道旧。兵革之余，不胜感叹，仍以'春山多胜事'为韵赋诗，以纪其来。"

四月

吴渊权工部尚书、沿江制置副使、知江州。

五月

吴潜为兵部尚书、浙西制置使、知镇江府。

乔行简上五疏乞罢机政，诏不允。

七月

吴渊兼都督行府参赞军事。

八月

许应龙签书枢密院事。

十二月

崔与之（1158—1239）卒，年八十二。与之字正子，号菊坡，增城人。绍熙四年进士。累官秘书监、权工部侍郎，出知成都府兼四川安抚使，除四川制置使。乞归，除礼部尚书，辞，径归广州。理宗即位，提举西京嵩山崇福宫。端平二年，除广东经略安抚使兼知广州。拜参知政事、右丞相，皆力辞。嘉熙三年，以观文殿大学士提举洞霄宫致仕。卒赠少师，谥清献。事迹见李昴英《崔清献公行状》、《宋史》卷四〇六本传。有文集若干卷，已佚。后人辑其遗文、言行为《崔清献公全录》十卷，有明嘉靖刻本。又《崔清献公集》五卷、《言行录》三卷、附录一卷，有粤雅堂刻本。《全宋词》录存其词二首，《全宋诗》录其诗一卷，《全宋文》收其文四卷。与之为文明白谨严，而词风豪纵近苏、辛。如《水调歌头》（万里云间戍），李昴英以为"卷卷爱君忧国，遑恤身计，此意类《出师表》"（《题菊坡水调歌头后》）；或以为"此词豪迈，何减稼轩"（《艺蘅馆词选》附录麦孟华评），"雄壮极矣，虽苏、辛无以过之"（《粤词雅·崔与之词》评）。

与之之卒，刘克庄有《祭菊坡崔丞相文》。

本年

李昴英直秘阁福建提举。

施枢约于本年前后为浙东转运使幕属。

许棐约于本年起，始隐于秦溪，专事著述。

叶绍翁本年在世，生卒年不详。按，《诗人玉屑》卷一九："岳王之死，天下冤之，坟在西湖之傍，人多题咏，独叶靖逸一诗甚佳。公之孙守武昌日，以此诗尝致遗于靖逸焉。"岳珂起为湖广总领在嘉熙二年，至四年七月，为淮南、江、浙、荆湖制置茶盐使，兼知太平州。故其《玉楮集》自序云："予自戊戌西溯沔鄂，庚子东游当涂，岁凡三周。"绍翁，字嗣宗，一字靖逸，建安人。博学工诗，尝卜居西湖之滨，与葛天民往来酬唱。诗多散佚，《江湖小集》中存其《靖逸小稿》一卷，又有《汲古阁景钞南宋六十家小集》本、《两宋名贤小集》本。《全宋诗》录其诗一卷。《宋百家诗存》卷一八："《靖逸小稿》一卷，辞澹意远，颇耐人咀味。如'春色满园关不住，一枝红杏出墙来'，至今脍炙人口，虽村巷妇稚皆能诵之。梅屋许棐赠诗云：'声华馥似当风桂，气味清于著露兰。'斯言可谓雅称。"韦居安《梅涧诗话》卷中谓其《西湖秋晚》"颇得野趣"，陈衍《宋诗精华录》卷四评其《登谢屐亭赠谢行之》云："晚唐诗人工古体者不多，此篇其最清脆者。"而七律《题岳王墓》竟使岳珂"致遗于靖逸"（《诗人玉屑》卷一九）。又著有《四朝闻见录》五卷，"所录分甲、乙、丙、丁、戊五集，凡二百有七条。甲、乙、丙、戊四集皆杂叙高、孝、光、宁四朝轶事，各有标题，不以时代为先后。唯丁集所记仅宁宗受禅、庆元党禁二事，不及其他。……南渡以后诸野史足补史传之阙者，唯李心传之《建炎以来朝野杂记》号为精核，次则绍翁是书。"（四库提要卷一四一）

黄简约卒于本年前后，生卒年不详。简一名居简，字元易，号东浦，建安人，隐居吴郡光福山，所居号淡庵，布衣终身。工诗，与章康、陈起、谢耘诸人为诗友。事迹见《崇祯吴县志》卷五一。著有《东浦集》、《云墅谈隽》，已佚。其诗载于陈起《江湖集》（辑本《前贤小集拾遗》）、刘瑄《诗苑众芳》等书。词多散佚，宋人赵闻礼《阳春白雪》、周密《绝妙好词》皆选录其词，今仅存三阕，颇具轻倩婉丽之致。《全宋词》收其词，《全宋诗》录其诗八首。

刘宰（1166—1239）卒，年七十四。宰字平国，自号漫塘病叟，镇江金坛人。绍熙元年进士，调江宁尉。授泰兴令，有能名。为浙东仓司干官，寻告归，监南岳庙，退居云茅山之漫塘。理宗立，屡辞官不就。隐居三十年，平生无嗜好，唯书靡所不读。事迹见《宋史》四〇一本传。著有《京口耆旧传》九卷。《漫塘文集》三十六卷，有明正德十六年任佃刻、嘉靖八年王皋续刻本，《嘉业堂丛书》本，《四库全书》本等。《全宋诗》录其诗五卷，《全宋文》收其文四十一卷。

赵葵《漫塘刘先生文集序》："近世以文名者不一，虽高谈阔论雅足动人，而行不掩言者居多。唯金坛刘公，学术本乎伊洛，文艺胜于汉、唐，其居乡也正直温和，其服官也明敏仁恕，诚一时之奇才，而道学之宗派也。"王遂《漫塘文集前序》："汉、唐而后，言语、性命离而为两，合乎一者，韩子而已。《原道》一篇，通贯六籍，然《上丞相书》则近乎佞，《赠李愿序》则近乎慢，《符读书城南》又近乎诎。岂道与文果二物耶？学韩子者唯漫塘刘公，而漫塘之文则不然。胚浑数世之积累，培养云茅之气节，秀钟一身，植而为行，发而为言，但闻道鸣以文，未闻文鸣乎道也。读其文雅正似《骚》，咏其诗精切似《选》，其奏请似《檀弓》、《左氏》，其论思反复似《国语》、司马子长。信矣，非汉、唐以后之文也。"周应宾《嘉靖本漫塘文集跋》："其诗文之尔雅不似南宋口吻，其品格之高洁亦南宋有数人物也。"王藩臣《万历重刻漫塘文集序》："其原本人情，通达国体，诗典以则，非无疾之呻吟，文简而法，实有用之著作，非第辞澜之东障，固经世之南指也。"四库提要卷一六二："宰秉性恬淡，平生无他嗜好，唯书靡所不读。所为文章，淳古质直，不事藻饰，而自然畅达，其《漫塘》一赋，尤为世所传诵。"韦居安《梅涧诗话》卷中："漫塘先生刘宰平国……尝有《题荆公游半山图》云：'归来心自平，蹇驴踏秋风。举鞭问髯奴，何如浣花翁。道旁几高松，风来自相语。桃李今何之，岁寒吾与汝。'起句佳，意有含蓄，末托兴亦深。"贺裳《载酒园诗话》谓宰之《猛虎行》"亦即'苛政猛于虎'意，而曲折抑扬，备极剀畅。古无此体，实自漫塘创调，遂为近世李西涯乐府之祖。"

刘宰卒后，杜范有《祭少监刘漫塘文》。

公元 1240 年（宋理宗嘉熙四年庚子　蒙古窝阔台汗十二年）

三月

蒙古军进窥宋万州，宋舟师溯江迎战，为蒙古军败于夔门。

宋以孟珙为四川宣抚使兼知夔州。

春

李俊民与友人游济源，赋《游济源》诗。序云："庚子春季，与刘济之君祥、仲宽、仲美、姚子昂、秦懿夫、马子温、李德、方深之、伯英、朱寿之下太行，抵覃怀，望方口，临沇水。二十三日丁亥，郡侯段正卿因西山镇遏，回自析城，来赴期。值雨，留宿奉仙观。翌日己丑，天霁，具牲酒币帛谒清源王庙。礼毕，会友人郭伯玉、李庆之、王天盆、史德秀、王辅卿、纥石烈仲杰、完颜寿之、方外士祁定之、郭道正、元明道、部将段玉等，大饮于裴公亭，用麾下鼓吹以乐宾。薄暮，极欢而罢，故赋之纪一时之胜游也。"

五月

吴潜奉命兼侍读。

七月

岳珂为户部尚书，淮南、江、浙、荆湖制置茶盐使，兼知太平州。

秋

陈人杰赋词《沁园春》（记上层楼）。序云："予弱冠之年，随牒江东漕闱，尝与友人暇日命酒层楼。不唯钟阜、石城之胜，班班在目，而平淮如席，亦横陈樽俎间。既而北历淮山，自齐安溯江泛湖，薄游巴陵，又得登岳阳楼，以尽荆州之伟观，孙、刘虎视遗迹依然，山川草木，差强人意。泊回京师，日诣丰乐楼以观西湖，因诵友人'东南妩媚，雌了男儿'之句，叹息者久之。酒酣，大书东壁，以写胸中之勃郁。时嘉熙庚子秋季下浣也。"

十月

诏改明年为淳祐元年。

十二月

闰十二月，吴潜为福建安抚使。

岳珂编《玉楮集》成。自序云："予自戊戌西溯沔鄂，庚子东游当涂，岁凡三周，哀汇诗稿得三百五十有八，名以《玉楮》。……嘉熙庚子闰月己丑晦序，相台岳珂肃之著。"按，四库提要卷一六四："《玉楮集》八卷。……此集凡诗三百八十五首。其编年起理宗嘉熙戊戌，迄于庚子。珂《桯史》称，绍熙壬子年十岁，则是集其五十八岁所编。名曰《玉楮》，盖取列子刻玉为楮叶，三年而成之意也。考珂于绍定癸巳元夕京口观灯，因作诗及祐陵事，韩正伦疑其借端讽己，遂构怨陷以他罪。会事白得释，至戊戌复召用，故首篇有'五年坐奇谤'之语，他诗亦屡及此。诗止录此三年者，其意实原于此。自序云：'木以不材寿，雁以不鸣弃，牺尊以青黄丧，大瓠以浮游取。'盖有慨乎其言之也。虽时伤浅露，少诗人一唱三叹之致，而轩爽磊落，气格亦有可观。"

本年

洪瑹约于本年前后在世，生卒年、里居及事迹皆不详。瑹字叔玙，自号空同词客。著有《空同词》一卷，今存《宋名家词》本、《洪氏晦木斋丛书》本、《四库全书》本。《全宋词》录存其词十六首。沈雄《古今词话·词评》上卷谓"其词多赋别情，稔悉人意，可歌也"。杨慎《词品》卷四："其《瑞鹤仙》云：'听梅花吹动……'，咏新月《南柯子》云：'柳浪摇晴沼……'，水宿《菩萨蛮》云：'断虹远饮横江水……'，其余如：'笑捐琼佩遗交甫，肯把文梭掷幼舆。花上蝶，水中凫，芳心密意两相於。'用事用韵皆妙。又'合数松儿，分香帕子，总是牵情处'，用唐诗'楼头击鼓转花枝，席上藏阄握松子'事也。全篇如《月华清》、《水龙吟》、《蓦山溪》、《齐天乐》，皆不减周美成。"毛晋《空同词跋》："叔玙自号空同词客，先辈称其不减周美成，如'燕子又归来，但惹得、满身花雨'，又'花上蝶，水中凫，芳心密意两相於'等语，尤艳惊一时，惜不多见。"

冯伟寿约于本年前后在世，生卒年不详。伟寿字艾子，号云月，延平人。精音乐，词多自制腔，著有《云月词》。《中兴以来绝妙词选》录其词六首，《全宋词》收入。杨慎《词品》卷四："冯伟寿……词多自制腔。《草堂词》选其'春风恶劣，把数枝香锦，和莺吹折'一首。又《春风袅娜》，其自度曲也。……殊有前宋秦、晁风艳，比之晚宋酸馅味、教督气，不侔矣。"

苏泂（1170—?）本年前后在世，卒年不详。泂字召叟，山阴人，苏颂四世孙。与赵师秀同年（苏泂《寄赵紫芝》有"同年今半百，同病半年赊"句）。生平事迹不见于史书，从其诗中所自纪考之，少时即从其祖宦游入蜀，以荐做过短暂朝官，后落拓走四方，在荆湖等地作幕宾，又尝再入建康幕府。终偃蹇不遇，归乡以老，卒年七十余。《直斋书录解题》卷二○著录其《泠然斋集》二十卷、卷二一著录其《泠然斋诗余》一卷，均佚。四库馆臣自《永乐大典》中辑为《泠然斋集》八卷，凡诗八百五十余篇，有《四库全书》本、旧抄本。《全宋词》据《宦游纪闻》卷八录其《摸鱼儿》（忆刘改之）及《雨中花》并序二首，《全宋诗》录其诗八卷。四库提要卷一六三："《泠然斋集》八卷，永乐大典本，宋苏泂撰。……生平所与往来唱和者，如辛弃疾、刘过、王柟、潘柽、赵师秀、周文璞、姜夔、葛天民等，皆一时知名士。集中又有《送陆游赴修史之命》诗云：'弟子重先生，丱角以至斯。文章起婴慕，德行随萧规。'

是洞本从学于游，诗法流传，渊源有自。故其所作皆能镌刻淬炼，自出清新，在江湖诗派之中可谓卓然特出。其《金陵杂咏》多至二百首，尤为出奇无穷。周文璞为作跋，以刘禹锡、杜牧、王安石比之。虽称许不免过情，要其才力富赡，实亦一时之秀也。"《开有益斋读书志》卷五谓其"著《泠然斋集》，格意清拔。……《金陵杂咏》二百首，为周文璞所心折，比以杜樊川、王荆公，其他金陵诗皆妙绝"。吴继曾《金陵杂兴跋》谓"其中咏怀古迹暨感时书事之作，多与曾景建同其悲愤。……《爱日斋丛钞》曾举其《龙光寺里》一首，谓结语惨然，颇类韩昌黎'一间茅屋祭昭王'之句，则固当时所推许也"。

易袚（1156—1240）卒，年八十五。袚字彦章，或作彦祥、彦伟，号山斋，宁乡人。淳熙十一年上舍释褐，为昭庆军节度掌书记。历官秘书省正字、著作郎、国子司业。开禧二年，附和韩侂胄用兵，除礼部尚书，寻以谄事苏师旦罢，提举江州太平兴国宫。三年，被论夺职，谪融州，移全州。嘉定十三年，复故官。事迹散见于《南宋馆阁续录》卷八、《楚纪》卷四三及《同治宁乡县志》卷九《礼部尚书易袚墓志》。所著今存《周易总义》二十卷、《周官总义》三十卷、《周礼总义》六卷。《全宋词》录存其词三首，《全宋诗》录其诗十一首，《全宋文》卷六四四三收其文。《论学绳尺》卷六谓其《萧曹丙魏孰优论》"议论当理，文字圆熟，终篇反覆抑扬，婉曲不直。致判断到优劣，又含蓄不明言，褒贬之意自见，深得论体"。袚在后世以夫妇皆能词而得名，其《蓦山溪·春情》"等闲莺燕，转掉得新"（《草堂诗余》正集卷二沈际飞评）；其"《喜迁莺》云：'记得年时，胆瓶儿畔，曾把牡丹同嗅。'语小而不纤，极不经意之事，信手拈来，便觉旖旎缠绵，令人低徊不尽"（《蕙风词话》续编卷一）。其妻亦能词，有《一剪梅》（染泪修书寄彦章）传世。

陈孚（1240—1303）生。

胡长孺（1240—1314）生。

刘壎（1240—1319）生。

公元 1241 年（宋理宗淳祐元年辛丑　蒙古窝阔台汗十三年）

正月

理宗下诏以周敦颐、张载、程颢、程颐、朱熹从祀孔子。诏曰："朕唯孔子之道，自孟轲后不得其传，至我朝周敦颐、张载、程颢、程颐，真见实践，深探圣域，千载绝学，始有指归。中兴以来，又得朱熹精思明辨，表里混融，使《大学》、《论》、《孟》、《中庸》之书，本末洞彻，孔子之道，益以大明于世。朕每观五臣论著，启沃良多，今视学有日，其令学官列诸从祀，以示崇奖之意。"寻以王安石谓"天命不足畏，祖宗不足法，人言不足恤"，为万世罪人，黜其从祀孔子庙庭。又封周敦颐为汝南伯、张载为郿伯、程颢为河南伯、程颐为伊阳伯。事见《宋史·理宗本纪二》。

二月

乔行简（1156—1241）卒，年八十六。行简字寿朋，号孔山，东阳人。绍熙四年进士。历官秘书省正字、校书郎、起居舍人、权工部侍郎兼侍讲。理宗时，累拜参知政事兼同知枢密院事。进知枢密院事，拜右丞相。端平三年，进左丞相兼枢密使。嘉熙二年，为特进、左丞相。拜平章军国重事，封益国公。卒谥文惠。事迹见《宋史》卷四一七本传。著有《周礼总说》、《孔山文集》，已佚。《全宋诗》卷二七二九录其诗二首，《全宋文》收其文二卷。

五月

赐礼部进士徐俨夫以下三百六十七人及第、出身有差。王应麟、冯去非登进士第。

八月

程公许自编《沧洲尘缶编》成。序云："公暇，阅所藏稿编，盈箱累篋，因取筮仕以来次第编缀古律诗，以一官为一集，赋、骚、箴、颂、铭、赞、书、序、记、志、表、启，各以类相从；奏篇、谠议、内外进退故事，则自为一帙。……用采陆士衡'惧蒙尘于叩缶，顾取笑于鸣玉'之句，名其编曰《尘缶》，并叙所以未暇蒐择之本意。……是编成于淳祐改元岁辛丑之中秋，嗣有譔述，续缀右方。程公许书于翰苑之摛文堂。"

十一月

蒙古窝阔台汗（1186—1241）卒。乃马真后称制。

十二月

张端义《贵耳集》初集撰成。自序云："余从江湖游，接诸老余绪，半生钻研，仅得《短长录》一帙。秀岩李心传先生见之，则曰：'余有《朝野杂录》，至戊巳矣，借此以助参订之阙。'余端平上书得罪落南，无一书相随，思得此录增补近事，贻书索诸妇，报云：'子录非《资治通鉴》，奚益于迁臣逐客！火之久矣。'余悒怏弥日，叹曰：'妇人女子，但知求全于匹夫，斯文奚咎焉。'大抵人生天地间，唯闲中日月最难得。使余块然一物，与世相忘，视笔砚简编为土苴，固亦可乐。幸而精力气血未衰，岂忍自叛于笔砚简编之旧，对越天地，报答日月，舍是而何为耶？因追忆旧录，记一事，必一书，积至百则，名之《贵耳录》。耳为人至贵，言由音入，事由言听，古人有'入耳著心'之训，又有贵耳贱目之说。怅前录之已灰，喜斯集之脱稿，得妇在千里外，虽闻有此录，束缊之怒不及矣。录尾述其大略，窃比太史公自序云。淳祐元年十二月大雪日，东里张端义序。"

本年

赵以夫罢同知枢密院事。

李昴英擢龙图阁待制、吏部侍郎。

江万里在江西吉州城东白鹭洲创立白鹭洲书院，自任山长。

冯取洽约于本年前后在世，生卒年不详。取洽字熙之，号双溪翁，延平人。尝与刘子寰、黄昇交游。著有《词韵》，已佚。今存《双溪词》一卷，有《宋元人词》本。《全宋词》录存其词二十四首，《全宋诗》录其诗二首。魏庆之《诗人玉屑》卷一九引《玉林诗话》："双溪冯熙之有送刘篁嵊绝句云：'来似孤云出岫闲，去如高月耿难攀。若为化作修修竹，长伴先生篁嵊山。'辞意洒落，送别之作少能及之。其自赋交游《风月楼》诗，有'一溪流水一溪月，八面疏棂八面风'，诗流脍炙，以为秀杰之句。"其词多感时之语，故黄昇称为"落落元龙湖海气"。如《贺新郎·送别定轩》、《贺新郎·次玉林感时韵》等，慷慨淋漓，大气磅礴。《沁园春》三首，全效稼轩之《沁园春·带湖新居将成》，几于神似。

唐士耻本年前后在世，生卒年不详。士耻字子修，金华人。以荫补官，嘉定、淳祐间，历任吉州、临江、建昌、万安等州军掾属，其他事迹不详。事迹见其有关诗文及四库提要卷一六四。著有《灵岩集》，已佚。清四库馆臣据《永乐大典》辑为十卷，有《四库全书》本、《续金华丛书》本。《全宋诗》录其诗一卷，《全宋文》收其文八卷。四库提要卷一六四："《灵岩集》十卷，永乐大典本，宋唐士耻撰。……其文字纪年可考者，上自嘉定，下至淳祐，知为宁宗、理宗时人。其他则集无明文，莫得而稽矣。集中制诰等作，绝无除授姓名，即表、檄、箴、铭、赞、颂诸篇，亦皆拟作。其题自羲、轩以至汉、唐，间取北宋八朝与南渡初年时事。考高宗立词科，凡十二题，制、诏、诰、表、露布、檄、箴、铭、记、赞、颂、序，内杂出六题，分为三场，每场体制，一古一今。士耻所作，盖即备词科之用也。……集久失传，非唯史不著录，即志乘亦不登其姓名，故谈艺诸家，率不之及。今从《永乐大典》内采辑，次为十卷，并其代人之作，以类附焉。循诵其文，洽闻殚见，古泽斑然，非南宋末流操臆见、骋空谈者所能望其涯涘，未可以其名不著而忽之也。"

高翥（1170—1241）卒，年七十二。翥字九万，号菊涧，余姚人。幼习科举，累试不第，遂弃去，专力于诗，师事林宪，得其句法。又与杜旃、周文璞、刘过、释义铦游，思益大进，流美圆转，金石相宜，卓然自为名家。晚年归隐西湖，与周文璞诗酒相乐。事迹见孙德之《菊涧高君墓铭》、姚燧《菊涧集序》。著有《菊涧集》二十卷，已佚。今存《菊涧小集》一卷，有汲古阁影钞《南宋六十家小集》本。清高士奇辑为《信天巢遗稿》一卷，有康熙二十六年刻本、《四库全书》本。《全宋诗》录其诗二卷。姚燧《菊涧集序》谓翥"平生特崇志节，出乎人表，焕烂文章，在人心目。……其气象浑厚，不务险怪艰深，哀乐皆适其中，辞气圆美流转如弹丸，则其功也精矣，足有关于风化者哉，实当代之儒宗，良有以备后之观也"。释居简《送高九万菊涧游吴门序》："山阴菊涧高九万，得句法于雪巢林景思，于后山为第五世。尝出唐律数十篇，活法天机，往往擅时名者并驱争先，加以数年沉潜反复，树《离骚》、《大雅》之根，长汉魏六朝之干，发少陵劲正之柯，垂晚唐婆娑之阴，撷百氏余芳，成溜雨四十围，俾困顿于风烟草木者息阴休影。"张端义亦谓其"好作唐诗"，并激赏其《春词》、《孤山》、《荤下酒市多祭二郎祠山神有诗》、《同周晋仙睡》诸诗（《贵耳集》卷上）。翁方纲《石洲诗话》卷四：“高菊涧矞诗亦有风致，不减白石、方泉。”《诗人玉屑》卷一九引《玉林诗话》：“高菊涧《山行即事》：‘主人一笑先呼酒，劝客三杯便当茶。’杜小山诗：‘酿雪不成微有雨，被风吹散却为晴。’皆直述其事，意脉贯通。前辈所谓作文字如写家书，殆谓是欤。”宋长白《柳亭诗话》卷五：“高菊涧诗：‘二十年前欲住山，不禁寂寞掩柴关。如今寂寞禁当得，欲掩柴关却又难。’非深于涉世之人，不识此诗真味，岂可与巢由买山而隐，一例抹却。”方回则谓“高九万诗俗甚，为《老妓》诗二首尤俗于后村”（《瀛奎律髓汇评》卷四二）。贺裳《载酒园诗话·音调》：“宋人力贬绮靡，意欲澹雅，不觉竟入酸陋。……高菊涧‘主人一笑先呼酒，劝客三杯便当茶’……当时自以为入情切事，不知皆村儿之语，徒供后人捧腹耳。”

郑思肖（1241—1318）生。

公元 1242 年（宋理宗淳祐二年壬寅　蒙古乃马真后元年）

正月

吴文英在苏州，赋词《六丑》（渐新鹅映柳），题曰：“壬寅岁，吴门元夕风雨。”

二月

李莘所编集句诗集《梅花衲》将付梓，为作跋云：“宝庆丁亥，余留句曲，尝录寄漫塘刘平国。今十五年矣，喜事人屡嘱板出，或者欲易为《天机云锦》。余曰：‘此集实如野僧败袄，将新捺旧，拆东补西，元无一片完物，非衲而何？是名岂可易也！’客曰：‘唯。’传而见者，岂不直一笑！淳祐二年壬寅二月八日，李彝书。”刘宰《梅花衲序》：“菏泽李君寄示《梅花衲》，余读之，若武陵渔人误入桃源，但见深红浅红，后先相映，虽有奇花异卉间厕其间，莫能辨其孰彼孰此也。”按，今此集存汲古阁影宋钞本。

徐荣叟参知政事。

赵葵赐进士出身、同知枢密院事。

王若虚自编集成，请王鹗作序。王鹗《滹南集引》：“壬寅之春，先生归自范阳，道顺天，为予作数日留。以手书四帙见示曰：‘吾平生颇好议论，向所杂著，往往为人窃去，今记忆止此，子其为我去取之。’予再拜谢不敏。明年春，先生亡矣。”

五月

台臣言知建宁府吴潜有三罪，诏夺职，罢新任。

赵葵为湖南安抚使、知潭州。

六月

徐荣叟乞归田里，从之。

高定子签书枢密院事。

七月

蒙古兵渡淮入扬州、滁州、和州，屠通州，边警日亟。

十二月

赵葵为资政殿大学士、福建安抚使、知福州。

本年

宋修《宁宗会要》成，凡一百五十卷。

宋伯仁（1199—?）本年在世，卒年不详。按，宋伯仁尝嘱吕午为其自编诗集作序，吕序作于本年五月二十三日。伯仁字器之，小字忘机，号雪岩，湖州人。曾举宏词科。绍定六年，监泰州拼桑盐场。嘉熙元年，寓居临安，北游淮扬，复卜居临安之西马塍。与江湖诗人高翥、孙唯信等论诗交游。性喜梅，筑圃栽培，赏玩赋诗，刊《清臞集》，又作《梅花喜神谱》，图形百品，后系以诗。事迹见《西塍稿》卷首附《宋伯仁传略》、《同治湖州府志》卷七四。其著述今存《酒小史》，有《说郛》本。《梅花喜神谱》二卷，有文物出版社一九八一年影印宋刊本。诗集有《雪岩吟草甲卷·忘机集》一卷，今存密韵楼影印宋刊本；《雪岩吟草乙卷·西塍稿》一卷，今存旧抄本。又《海陵稿》一卷、《西塍稿》一卷、《续稿》一卷，收入《南宋群贤六十家小集》。《全宋诗》录其诗四卷，《全宋文》卷七八六四收其文。

吕午《宋雪岩诗集序》："晚唐诗盛行于时，雪岩酷好之，至有轻轩冕之意。每诵其编，令人欲尽弃人间事，从之吟弄于山间水涯、烟霞缥缈之间。如'桥影分溪月'、'柳丝绾住东风脚'句，尤清新可爱。"宋伯仁《雪岩吟草乙卷马塍稿自序》："伯仁学诗，出于随口应心，高下精粗，狂无节制。有如败草翻风，枯荷闹雨，低昂疾徐，因势而出，虽欲强之而不可。"潘是仁《宋元诗集存·雪岩诗集序》："宋伯仁之为诗，天然流迈，不事锤凿……去世之攒眉断髯、吐韵如荼者远矣。"四库提要卷一六四："《西塍集》一卷。……伯仁字器之……亦江湖派中人也。是编卷首题《雪岩吟草》，下注《西塍集》。又《寓西马塍诗》题下注云'嘉熙丁酉五月二十一日，寓京遭热，侨居西马塍'，其曰'西塍'，盖由于是。是《雪岩吟草》乃全集之总名，'西塍'特集中之一种。……其诗有流丽之处，亦有浅率之处，大致不出四灵余派。自序称随口应声，高下精粗，狂无节制，低昂疾徐，因势而出，虽欲强之而不可。足知其称意挥洒，本乏研炼之功。然点缀映媚，时亦小小有致，盖思清而才弱者也。"

《四库提要》卷二○○"词曲类存目"著录《永乐大典》本《烟波渔隐词》二卷，宋伯仁撰。"其书盖作于淳祐元年，取太公、范蠡、陶潜诸人，各系以词一首。又有潇湘八景、春夏四时景，亦系以词。调皆《水调歌头》也。后附《烟波钓具图》，凡舟、笛、蓑、笠之属，各系以七绝一首。绝句小有意致，词殊浅俗"。按，是集今只字未见。

赵善湘（？—1242）**卒，生年不详。**善湘字清臣，鄞人。庆元二年进士，调金坛县丞。历知常州、湖州、和州、镇江府。宝庆二年，拜大理卿兼权刑部侍郎，兼知建康府。绍定四年，进兵部尚书，转江淮安抚制置使。嘉熙二年，知绍兴府，兼浙东安抚使。淳祐二年，致仕，卒。事迹见《宋史》卷四一三本传。所著《周易约说》、《周易指要》、《中庸约说》、《大学解》、《孟子解》、《春秋三传通议》及诗词杂著三十五卷，均佚。今存《洪范统》十一卷。《全宋诗》卷二八五一录其诗一首，《全宋文》卷六八七五收其文。

程珌（1164—1242）**卒，年七十九。**珌字怀古，休宁人。以先世居洺州，因自号洺水遗民。绍熙四年进士，授迪功郎、昌化主簿。历官枢密院编修官、秘书省著作郎、权吏部尚书，除翰林学士、知制诰。历知建宁府、宁国府、赣州。淳祐二年，除端明殿学士致仕。事迹见吕午《宋端明殿学士程公行状》、程若遇《程公墓志》及《宋史》卷四二二本传。著有《洺水先生集》六十卷、《内制类稿》十卷、《外制类稿》二十卷，已佚。明嘉靖间程元昺搜刻为二十六卷，有明崇祯刊本、《四库提要》本。《洺水词》一卷，有汲古阁刊本、《四库提要》本。《全宋词》录其词四十余首，《全宋诗》录其诗二卷，《全宋文》收其文二十三卷。吕午《宋端明殿学士程公行状》谓珌"于书无所不读，发而为文，自成机杼，神韵绝出，故落笔妙天下。援引今昔，博学之士不能究知。其词雅健精深，追逮古作，根本义理，扶植名教，有补于当世，学者夸传而争诵之。论奏皆剀切当上意"。《四库提要》卷一六二："珌立朝以经济自任，诗词皆不甚擅长。俞文豹《吹剑录》称其省试《红药当阶翻》诗'黄麻方草罢，红药正花翻'一联，亦未为佳句。至于论备边、蠲税诸疏，则拳拳于国计民瘼，详明剀切，利病井然，盖所长在此不在彼也。其跋洪迈《万首绝句》，以为不当进之于朝，与张栻诋吕祖谦撰《文鉴》大意相类，未免操之已蹙；至于跋张载《西铭》，论其欲复井田为不可，则深明今古之宜，破除门户之见，其识迥在讲学诸儒上矣。"又卷二〇〇："《洺水词》一卷。……珌文宗欧、苏，其所作词，亦出入于苏、辛二家之间。中多寿人及自寿之作，颇嫌寡味。至《满庭芳》第二阕之'萧'、'歌'通叶，《减字木兰花》后阕之'好'、'坐'同韵，皆系乡音，尤不可为训也。"冯煦《蒿庵论词》："与辛幼安周旋而效其体者，若西樵（杨炎正）、洺水两家，惜洺水味薄，西樵笔亦不健。"

林景熙（1242—1310）**生。**

卢挚约生于本年前后。

公元 1243 年（宋理宗淳祐三年癸卯　蒙古乃马真后二年）

正月

俞文豹撰《吹剑录》成。自序云："予以文字之缘漫浪江湖者四十年，今倦游索居京国……条理故书，以昔见闻与今所得，信笔录之。……淳祐三年人日，括苍俞文豹文蔚序。"四库提要卷一二七："《吹剑录》一卷。……此编作于淳祐三年癸卯，前有自序，谓取《庄子》'吹剑者映而已'之语以名其书，言无韵也。然议论实多纰缪，于古人多所诋诃。"此集今有明嘉靖间百川高氏抄本。

吴文英在苏州，赋词《水龙吟》（澹云笼月微黄），题曰："癸卯元夕。"

高定子兼参知政事。

李曾伯为华文阁待制，依旧淮东西制置使、知扬州。

四月

二十五日，王若虚（1174—1243）卒，年七十。若虚字从之，号慵夫，藁城人。金承安二年经义进士。历管城、门山县令。以荐入为国史院编修官，稍迁应奉翰林文字、同知制诰。正大末，除翰林待制，入为直学士。金亡，微服归里，自号滹南遗老。事迹见元好问《内翰王公墓表》、《金史》卷一二六本传。《内翰王公墓表》谓若虚"所著文编，称《慵夫》者若干卷、《滹南遗老》者若干卷"，《慵夫集》已佚，今存《滹南遗老集》四十五卷，凡《五经辨惑》二卷、《论语辨惑》五卷、《孟子辨惑》一卷、《史记辨惑》十一卷、《诸史辨惑》二卷、《新唐书辨》三卷、《君事实辨》二卷、《臣事实辨》三卷、《议论辨惑》一卷、《著述辨惑》一卷、《杂辨》一卷、《谬误杂辨》一卷、《文辨》四卷、《诗话》三卷、杂文及诗五卷，有《四部丛刊》影旧抄本、《丛书集成》本。

元好问《内翰王公墓表》谓其"学无不通，而不为章句所困。颇讥宋儒经学以旁牵远引为夸，而史学以探赜幽隐为功，谓天下自有公是，言破即足，何必呶呶如是？……经解不善张九成，史例不取宋子京，诗不爱黄鲁直，著论评凡数百条，世以刘子玄《史通》比之。为人强记默识，诵古诗至万余首，他文称是。文以欧、苏为正脉，诗学白乐天，作虽不多，而颇能似之"。王鹗《滹南集引》谓其"自应奉文字至为直学士，主文盟几三十年。出入经传，手未尝释卷。为文不事雕篆，唯求当理，尤不喜四六"。李治《滹南集引》："滹南先生学博而要，才大而雅，识明而远，所谓虽无文王，犹兴者也。以为传注六经之蠹也，以之作《六经辨》；《论》、《孟》圣贤之志也，以之作《论孟辨》；史所以信万世，文所以饬治具，诗所以道情性，皆不可后也，各以之为辨；而又辨历代君臣之事迹，条分区别，美恶著见，如粉墨然。非夫独立当世，取古今天下之所共与者与诸人，能然乎哉？"四库提要卷一六六："《滹南遗老集》四十五卷。……《论语孟子辨惑》乃杂引先儒异同之说，断以己意，其间疑朱子者有之，而从朱子者亦不少，实非专为辨驳朱子而作。……其《五经辨惑》颇诘难郑学，于《周礼》、《礼记》及《春秋三传》亦时有所疑。然所攻者皆汉儒附会之词，亦颇树伟观。其自称不深于《易》，即于《易》不置一词，所论实止四经，则亦非强所不知者矣。《史记辨惑》、《诸史辨惑》、《新唐书辨》皆考证史文，掊击司马迁、宋祁似未免过甚，或乃毛举细故，亦失之烦琐。然所摘迁之自相牴牾与祁之过于雕研，中其病者亦十之七八。《杂辨》、《君事实辨》、《臣事实辨》皆所作史评。《议论辨惑》、《著述辨惑》皆品题先儒之是非，其间多持平之论，颇足破宋人之拘挛。《杂辨》二卷于训诂亦多订正。《文辨》宗苏轼而于韩愈间有指摘。《诗话》尊杜甫而于黄庭坚多所訾议。盖若虚诗文不尚劖削锻炼之格，故其论如是也。统观全集，偏驳之处诚有，然金、元之间学有根柢者，实无人出若虚右。吴澄称其博学卓识，见之所到，不苟同于众，亦可谓不虚美矣。"潘德舆《养一斋诗话》卷三："王若虚曰：'宋人之诗，虽大体衰于前古，要亦有以自立，不必尽居其后也。近岁诸公，鄙薄而不道，不已甚乎！'又曰：'画山水者，未能正作一木一石，而托云烟杳霭，谓之气象。赋诗者，茫昧僻远，按题而索之，不知所谓，乃曰格律贵尔。不求是而求奇，真伪未知而先论高下，亦自欺而已矣。'此二则意议笃至，可为好持高论者之戒，学诗者不可不书置座隅。"《善本书室藏书志》卷三三："金源征实之学，鲜有出其右者，文则宗苏而左韩，诗则宗杜而抑黄，自为诗文转若不甚经意者。"《金元诗选・金诗选二》："从之诗多寒饿之音，牢骚拂郁，苦少蕴藉。"

王若虚卒后，曹之谦有诗《吊王内翰从之》，金全有诗《吊王若虚》，李庭有《王内翰挽词》。

九月

孙唯信（1179—1243）卒，年六十五。唯信字季蕃，号花翁，祖籍开封，寓居婺州。少受祖泽，调监当。光宗时，弃官归隐。后漫游四方，留苏、杭最久，诗名为公卿所重，与赵师秀、赵庚夫、曾极、刘克庄等游从甚密。刘克庄称其"以家为系缧，以货为赘疣，一身之外无它人，一榻之外无长物"，"所谈非山水风月一不挂口，长身缊袍，意度疏旷，见者疑为侠客异人。其倚声度曲，公谨之妙；散发横笛，野王之逸；奋袖起舞，越石之壮"。事迹见刘克庄《孙花翁墓志铭》。《直斋书录解题》著录其《花翁集》一卷、《花翁词》一卷，已佚。《全宋词》录存其词十一首，《全宋诗》卷二九五〇收其诗九首。《直斋书录解题》卷二〇谓其"在江湖中颇有标致，多见前辈，多闻旧事，善雅谈，长短句尤工"。沈义父《乐府指迷》："孙花翁有好词，亦善运意。但雅正中忽有一两句市井句，可惜。"查礼《铜鼓书堂词话》："孙花翁……《夜合花》闺情云：'风叶敲窗，露蛩鸣甃，谢娘庭院秋宵。'又云：'断魂留梦，烟迷楚驿，月冷蓝桥。'又云：'几时重凭，玉骢过处，小袖轻招。'又《烛影摇红》咏牡丹云：'对花临景，为景牵情，因花感旧。'又云：'絮飞春尽，天远书沈，日长人瘦。'又《南乡子》感旧云：'霜冷阑干天似水，扬州，薄幸声名总是愁。'又云：'一梦觉来三十载，风流，空对梅花白了头。'词之情味缠绵，笔力幽秀，读之令人涵泳不尽。"沈雄《古今词话・词评》上卷："《昼锦堂》一阕，如'柳裁云剪腰支小，风盘鸦耸髻鬟偏'与'杏梢空闹相思泪，燕翎难系断肠笺'，周挚纤艳，已为极则。但卒章云'银屏下，争信有人，真个病也天天'，情至之语，又开一种俳调也，奈何！"

唯信之卒，刘克庄有《哭孙季蕃二首》，徐集孙有《挽孙花翁》。

王元粹（？—1243）卒，年四十余，生年不详。元粹字子正，初名元亮，后止名粹，号恕斋先生，平州人。系出辽代世族。年十八九，作诗便有高趣，性习专固，不以世事相累，时辈无能当之者。正大末，以门资叙为南阳酒官，遭乱流寓襄阳。元兵破襄阳，只身北归，寄食燕中，拜真常真人李志常为师，入道为黄冠。杨唯中立周敦颐祠，建太极书院，延赵复、王元粹等讲授其间。元好问《陶然集序》："贞祐南渡后，诗学为盛。洛西辛敬之、淄川杨叔能、太原李长源、龙坊雷伯威、北平王子正之等，不啻十数人，称号专门。"（《遗山集》卷三七）《历代诗发》卷三一评其《武侯庙》云："丞相祠堂诗已为千秋绝唱，而缅怀企慕，凭吊低回，则人人所自有也，故只淡言情，亦不为浣花所压。"《金元诗选·金诗选二》谓其《春日》"感慨蕴藉"；《西山避乱三首》"气骨苍健，有少陵风格"；《哭李长源》"恰切长源身份，不独生劲有力，结尤真至可感"。事迹见《中州集》卷七《王元粹》。

本年

吴文英初识沈义父，相与酬唱。沈氏《乐府指迷》："余自幼好吟诗，壬寅秋，始识静翁于泽滨，癸卯识梦窗，暇日相与唱酬，率多填词，因讲论作词之法，然后知词之作难于诗。"

翁卷本年在世，生卒年不详。卷字续古，一字灵舒，乐清人。尝领理宗淳祐三年乡荐，终身不仕（《四库全书总目》卷一六二）。翁卷在永嘉四灵中年事最高，以诗游士大夫间，尝与张弋、赵汝鐩、葛天民、孙唯信、戴复古、薛师石、刘克庄等唱酬，行迹及今浙江、江苏、江西、湖南等地。著有《苇碧轩集》四卷，有明潘是仁辑刻《宋元四十三家集》本，《四库全书》所收一卷本，名曰《西岩集》。《全宋诗》录其诗二卷。胡应麟《诗薮》外编卷五："学晚唐者，九僧。林和靖、赵天乐、徐照、翁卷、戴石屏、刘克庄诸人，亦自有近者，总之不离宋人面目。"徐玑《书翁卷诗集后》："五字极难精，知君合有名。磨砻双鬓改，收拾一编成。泉落秋岩洁，花开野径清。渐多来学者，体法似元英。"刘克庄《赠翁卷》："非止擅唐风，尤于《选》体工。有时千载事，只在一联中。世自轻前辈，天犹活此翁。江湖不相见，才见又西东。"杨慎《升庵诗话》卷九："黄鄮山评翁灵舒、戴式之诗云：'近世有江湖诗者，曲心苦思，既与造化迥隔，朝推暮敲，又未有以溉其本根，而诗于是乎始卑。'然予以为其卑非自江湖始，宋初九僧已为许洞所困，又上溯于唐，则大历而下，如许浑辈，皆空吟不学，平生镂心呕血，不过五七言短律而已。"贺裳《载酒园诗话·四灵》："翁卷视赵师秀差逊，长律佳句，有'种得溪蒲生似发，教成野鹤舞如人'。又《寄题赵灵秀》'闲灯妨远梦，秋雨乱愁吟'，亦可喜。"四库提要卷一六二："《西岩集》一卷。……叶适序其诗，称为'自吐性情，靡所依傍'。刘克庄《后村集》亦有赠卷诗云：'非止擅唐风，尤于《选》体工。有时千载事，只在一联中。'张端义《贵耳集》曰：'翁卷，四灵也。有《晓对》诗云："梅花分地落，井气隔帘生。"《瀑布》诗云："千年流不尽，六月地长寒。"《春日》云："一阶春草碧，几片落花清。"《游寺》云："分石同僧坐，看松见鹤来。"《吾庐》云："移花连旧土，买石带新苔。"'其所收取者，大抵尖新刻画之词，盖一时风气所趋，四灵如出一手也。"《宋元诗·南宋诸名公姓氏爵里》："四灵中公（翁卷）齿居长，叶水心品公诗'变化秀逸则过唐，守格遣辞不失唐'，此亦千载笃论。"《瀛奎律髓汇评》卷二三冯班评其《幽居》云："四灵用思太苦，而首尾俱馁若。然当江西盛行之日，能特立如此，亦可取也。"又卷四二纪昀评其《赠滕处士》云："格在中、晚之间，视中唐较浅薄，而较晚唐为浑成。"

黄孝迈约于本年前后在世，生卒年不详。孝迈字德夫，号雪舟，闽清人。以能词称，刘克庄《跋黄孝迈长短句》谓其"词采溢出，天设神授，朋侪推独步，耆宿辟三舍。酒酣耳热，倚声而作者，殆欲劘刘改之、孙季蕃之垒"。又《再跋黄孝迈长短句》："复睹新腔一卷，《赋梨花》云：'一春花下，幽恨重重，又愁晴，又愁雨，又愁风。'《水仙花》云：'自侧金卮，临风一笑，酒容吹尽。恨东风，忙去薰桃染柳，不念淡妆人冷。'又云：'惊鸿去后，轻抛素袜，杳无音信。细看来，只怕蕊仙，不肯让梅花俊。'《暮春》云：'店舍无烟，关山有月，梨花满地。二十年好梦不曾圆合，而今老，都休矣。'其清丽叔原、方回不能加，其绵密骎骎秦郎'和天也瘦'之作矣。"况周颐《蕙风词话》续编卷一："黄雪舟词，清丽芊绵，颇似北宋名作。唯传作无多，殊为憾事。其《水龙吟》云：'柔肠一寸，七分是恨，三分是泪。'盖仿东坡'春色三分，二分尘土，一分流水'之句。所不逮者，以刻镂稍著痕迹耳。其歇拍云：'待问春、怎把千红，换得一池绿水。'亦从'一分流水'句引伸而出。"今《全宋词》录存其词四首。（事迹见刘克庄《跋黄孝迈长短句》）。

陈人杰（1218—1243）卒，年二十六。人杰一名经国，字刚父，号龟峰，长乐人。以才气自负，弱冠随牒江东漕闱，不第，随后流落两淮、荆湘、吴地，嘉熙四年回到临安寓居。其生平事迹可参考胡念贻《陈人杰和他的词》（载《文学评论丛刊》第七辑）、饶宗颐《词集考》卷六。今传其《龟峰词》一卷，有明抄本、《四印斋所刻词》本等。《全宋词》收其词三十一首。人杰身处南宋末期，国势危殆，又一生蹭蹬，流落不偶，故词中大都抒写家国之恨和身世之悲。尝谓"丈夫涉世，非心木石，安得无愁时？顾所愁何如尔。杜子美平生困踬不偶，而叹老羞卑之言少，爱君忧国之意多，可谓知所愁矣。若于着衣吃饭，一一未能忘情，此为不知命者"（《沁园春》词序）。所作皆用《沁园春》调，其中《丁酉岁感事》、《问杜鹃》、"记上层楼"、"我自无忧"、"抚剑悲歌"诸阕为代表作。词风慷慨发越，沉郁跌宕，语言典雅凝重，堪为南宋后期稼轩词派后劲。

岳珂（1183—?）卒于本年前后，年六十余。珂字肃之，号亦斋、东几，晚号倦翁，汤阴人，侨居江州。岳飞之孙，岳霖之子。嘉泰二年，以荫监镇江府户部大军仓。开禧元年，试南宫不第，与刘过、辛弃疾相善。嘉定初，召对，历司农寺主簿、光禄丞、太官令。十四年，除军器监丞、淮南东路总领。绍定六年，因元夕诗为门人韩正伦告讦，罢官。嘉熙二年，起为湖广总领，奉祠。四年，复起为淮南江浙荆湖八路制置茶盐使，兼知太平州。淳祐元年，以言官劾其横敛罢职，居吴门。事迹见《宋史》卷三六五《岳飞传》附传、《宋百家诗存》卷一二。珂著有《桯史》十五卷，"载南北宋杂事，凡一百四十余条。其间虽多俳优诙谑之词，然唯'金华士人'、'著命司'诸条，不出小说习气，为自秽其书耳，余则大旨主于寓褒刺，明是非，借物论以明时事，非他书所载徒资嘲戏者比。……所录诗文，亦多足以旁资考证，在宋人说部中，亦王明清之亚也"（《四库全书总目》卷一四一）。编《金陀粹编》二十八卷、续编三十卷，"为辨其祖岳飞之冤而作。珂别业在嘉兴金陀坊，故以名书"（《四库全书总目》卷五七）。《愧郯录》十五卷，"多记宋代制度，参证旧典之异同。……其征引可云博洽，与《石林燕语》诸书亦如骖有靳矣。……大致考据典赡，于史家礼家均为有裨"（《四库全书总目》卷一二一)。《宝真斋法书赞》二十八卷，"以其家所藏墨迹，自晋、唐迄于南宋，各系以跋而为之赞。珂处南渡积弱之余，又承家难流离之后，故其间关涉时事者，多发愤激烈，情见乎词。至于诸家古帖，尤征人论世，考核精审。其文亦能兼备众体，新颖百变，层出不穷，可谓以赏鉴而兼文章者矣"(《四库全书总目》卷一一二)。珂亦工诗文，有《棠湖诗稿》一卷，"兹编乃所作宫词一百首，皆咏北宋之事。……其本为鲍氏知不足斋所刊，宋以来公私书目悉不著录，不知其所自来，珂序亦无年月。……珂《玉楮集》具存，其词与此迥殊，虽酷学唐人，未必遽失故步至于如此。……昔厉鹗作《宋诗纪事》，凡鲍氏藏书，无不点勘，今所进本标识一一具存，独无一字及此书，则出在鹗后矣。疑鹗及符曾等七人尝合作《南宋杂事诗》，而其《北宋杂事诗》则未及成书，或遗稿偶存，好事者嫁名于珂耶"(《四库全书总目》卷一七四)。《玉楮集》八卷，"其诗刊除浮艳，风格峭异，骤若不见可喜，而咀嚼既久，亦自有得味于无味中者"(卢文弨《玉楮诗稿跋》);"虽伤浅露，少诗人一唱三叹之致，而轩爽磊落，气格亦有可观"(《四库全书总目》卷一六四)。此集今存明刻本（作《玉楮诗稿》)、《四库全书》本。近人周咏先辑有《玉楮词》,《全宋词》据以收其词八首。《全宋诗》录其诗十九卷，《全宋文》收其文六卷。

李心传（1166—1243）**卒**，年七十八。心传字微之，一字伯微，号秀岩，隆州人。累举不中，遂闭户著书。嘉定元年，奏进《建炎以来系年要录》。绍定四年，赐同进士出身，除国史院校勘官，擢将作监丞兼国史院编修官、实录院检讨官。端平元年，迁著作佐郎。嘉熙三年，除工部侍郎。淳祐元年，罢职，寓居湖州雪川。事迹见《宋史》卷四三八本传。心传以编年史学知名，著述颇丰，今存《建炎以来系年要录》二百卷、《建炎以来朝野杂记》甲乙集各二十卷、《旧闻证误》四卷、《道命录》十卷、《丙子学易录》一卷。著有诗文集一百卷，已佚。《全宋文》收其文二卷。

刘敏中（1243—1318）**生**。

公元 1244 年（宋理宗淳祐四年甲辰　蒙古乃马真后三年）

正月

杜范同知枢密院事。

李曾伯为宝章阁直学士，依旧淮东安抚制置使、知扬州兼淮西制置使。

五月

吴文英在苏州，赋词《满江红》，题曰："甲辰岁盘门外寓居过重午。"

邹应龙（1172—1244）**卒**，年七十三。应龙原名应隆，字景初，号南谷，泰宁人。庆元二年进士第一。历官秘书省正字、校书郎、起居舍人、工部尚书、礼部尚书等。嘉熙元年，签书枢密院事，权参知政事。卒赠少保，谥元襄。事迹见《宋史》卷四一九本传。今《全宋词》收其词六首，皆为寿母、娱亲之作。《全宋诗》卷二八六三录其诗二首，《全宋文》卷六九七六收其文。

耶律楚材（1190—1244）**卒**，年五十五。楚材字晋卿，号湛然居士，辽代契丹贵族后裔。曾仕金至左右司员外郎。成吉思汗定燕，召用之。元太宗即位后，拜中书令，定策立制，参与商定军国大事。仕太祖、太宗朝近三十年，元朝立国规模，多有其参与奠定。卒谥文正。事迹见宋子贞《耶律公神道碑》、《元史》卷一四六本传。著有《湛然居士集》，今存十四卷，有明抄本、《四库全书》本、清光绪元年袁昶刊渐西村舍丛刻本等。

《四库提要》卷一六六："《湛然居士集》十四卷，元耶律楚材撰。……是集所载诗为多，唯第八卷、第十三卷、十四卷稍以书、序、碑、记错杂其中，编次殊无体例，疑传写者乱之。史称其旁通天文、地理、术数及二氏、医卜之说，宜其多有发挥。而文止于斯，不敌诗之三四，意者尚有佚遗欤？然十四卷之数与诸家著录皆符，或经国之暇，唯以吟咏寄意，未尝留意于文笔也。王士祯《池北偶谈》摘录其《赠李郡王笔》、《寄平阳润老》、《和陈秀玉韵》、《赠富察元帅》、《河中游西园》、《壬午元旦》诸诗，以为颇有风味，而称其集多禅悦之说。考僧行秀所作集序，称楚材年二十七受显诀于万松，尽弃宿学，其耽玩佛经，盖亦出于素习。平水王邻则曰'按元裕之《中州集》载右相文献公诗，又称赵闲闲为吾道主盟，李屏山为中州豪杰，知晋卿学问渊源有自来矣。故旁通诣极，而要以儒者为归'云云。今观其诗语皆本色，唯意所如，不以研炼为工，虽时时出入内典，而大旨必归于风教，邻之所云，殆为能得其真矣。"王邻《湛然居士集序》："中书湛然性禀英明，有天然之才，或吟哦数句，或挥扫百张，皆信手拈来，非积习而成之，盖出胸中之颖悟，流于笔端敏捷，味此言言语语，其温雅平淡，文以润金石，其飘逸雄挧，又以薄云天。如宝鉴无尘，寒水绝翳，其照物也莹然。"王士祯《池北偶谈》卷一七："元耶律文正《湛然居士集》十四卷，中多禅悦之语。其诗亦质率，间有可采者，略摘数篇：'管城从我自燕都'……（《赠李郡王笔》）；'昔年萍水便相寻'（《寄平阳净名院润老》）；'班姬零落到而今'（《过武川赠仆散令人》）；'狐死曾闻尚首丘'（《过燕京和陈秀玉韵》）；'闲骑白马思无穷'（《赠蒲察元帅》）；'河中春晚我邀宾'（《河中游西园》）；'万里西征出玉关'（《壬午元旦》）。已上数作，颇有风味，皆从军西域之作也。"翁方纲《石洲诗话》卷五："耶律文约总不出乎'质率'。"《金元诗选·元诗选》卷一："湛然诗亦以多胜，而牵率补凑，殊少成竹。其字法则'穷兵'曰'兵穷'、'伤财'曰'财伤'，句法如'瀚海沟而涌，阴山彷且徨'，尤不成语。"王国维《耶律文正公年谱余记》："《湛然集》中，律诗以入声作平声者凡数十见。此决非讹字，亦非拗体，盖公习用方言，不自觉其为声病也。公为诗在三十以后，及官既高，人亦无以此告公者，遂有此病。"况周颐《蕙风词话》卷三："耶律文正《鹧鸪天》歇拍云：'不知何限人间梦，并触沈思到酒边。'高浑之至，淡而近于穆矣，庶几合苏之清、辛之健而一之。"

耶律楚材卒后，麻革有《中书大丞相耶律公挽词》，曹之谦有《中书耶律公挽词》。

本月夏至日，黄昇为魏庆之《诗人玉屑》作序。序云："诗之有评，犹医之有方也。评不精，何益于诗；方不灵，何益于医！然唯善医者能审其方之灵，善诗者能识其评之精，夫岂易言也哉！诗话之编多矣，《总龟》最为疎驳，其可取者唯《苕溪丛话》；然贪多务得，不泛则冗，求其有益于诗者，如披沙简金，闷闷而后得之，故观者或不能终卷。友人魏菊庄，诗家之良医师也，乃出新意，别为是编。自有诗话以来，至于近世之评论，博观约取，科别其条；凡升高自下之方，繇粗入精之要，靡不登载。其格律之明，可准而式；其鉴裁之公，可研而核；其斧藻之有味，可咀而食也。既又取《三百篇》、《骚》、《选》而下，及宋朝诸公之诗，名胜之所品题，有补于诗道者，尽择其精而录之。盖始焉束以法度之严，所以正其趋向；终焉极夫古今之变，所以富其见闻。是犹仓公、华佗按病处方，虽庸医得之，犹可藉以已疾，而况医之善者哉！方今海内诗人林立，是书既行，皆得灵方；取宝囊玉屑之饭，瀹之以冰瓯雪碗，荐之以菊英兰露，吾知其换骨而仙也必矣。姜白石云：不知诗病，何由能诗；不观诗法，何由知病？人非李杜，安能径造圣处！吾党相与懋之！君名庆之，字醇甫，有才而不屑科第，唯种菊千丛，日与骚人侠士觞咏于其间。阁学游公受斋先生尝赋诗嘉之，有'种菊幽探计何早，想应苦吟被花恼'之句，视其所好事，以知其人焉。淳祐甲辰长至日，玉林黄昇叔旸序。"

六月

赐礼部进士留梦炎以下四百二十四人及第、出身有差。陈宗礼登进士第。

吴潜提举隆兴府玉隆万寿宫，任便居住。

七月

理宗下诏："故直龙图阁项安世正学直节，先朝名儒，可特赠集英殿修撰。"（《宋史·理宗本纪三》）

吴文英作《凤栖梧·甲辰七夕》。

八月

吴文英作《尾犯·甲辰中秋》。

十二月

杜范为右丞相兼枢密使。

赵葵同知枢密院事。

郑清之授少保，依旧观文殿大学士、醴泉观使兼侍读，仍奉朝请，进封卫国公。

冬

吴文英寓居杭州，有词《喜迁莺》。题曰："甲辰冬至寓越，儿辈尚留瓜泾萧寺。"按，夏承焘《唐宋词人年谱·吴梦窗系年》："梦窗本年四词，皆有怀人语。《满江红》云：'帘底事，凭燕说。合欢缕、双条脱。自香消红臂，旧情都别。'《凤栖梧》云：'夜色银河情一片。轻帐偷看，银烛罗屏怨。陈迹晓风吹雾散，帘钩空带蛛丝卷。'《尾犯》云：'影留人去，忍向夜深帘户照陈迹。''露蓼香泾，记年时相识。'《喜迁莺》

云：'雁影秋空，蝶情春荡，几处路穷车绝。'以词中用事考之，盖新遣其妾也。其时在夏秋……其地在苏州。……《齐天乐》有'柳蛮樱素'句，《新雁过妆楼》有'宜城放客'句，用白居易、顾况事，其为遣妾无疑。"又云："梦窗似不止一妾。其另一人殆娶于杭州。……其人必死于别后。……总之，集中怀人诸作，其时夏秋，其地苏州者，殆皆忆苏州遣妾；其时春，其地杭者，则悼杭州亡妾。"

忽必烈在藩邸，访求遗逸之士，遣使聘王鹗。及至，使者数辈迎劳。召对，进讲《孝经》、《书》、《易》，及齐家治国之道，古今事物之变，每夜分乃罢。见《元史·王鹗传》。

本年

王伯大奉召至阙，授权吏部侍郎兼权中书舍人。

戴栩本年在世，生卒年不详。栩字文子，一作立子，永嘉人。嘉定元年进士。历官太学录、太学博士、通判信州。淳祐四年，以实录院检讨官除秘书郎，出为湖南安抚司参议官（《南宋馆阁续录》卷八）。事迹见《弘治温州府志》卷一〇、《四库全书总目》卷一六二。著有《五经说》、《诸子辨论》、《浣川集》十八卷，已佚。清四库馆臣自《永乐大典》中辑为《浣川集》十卷，有《四库全书》本，《敬乡楼丛书》本复增补遗一卷。《全宋诗》录其诗三卷，《全宋文》收其文五卷。四库提要卷一六二："《浣川集》十卷，永乐大典本，宋戴栩撰。……焦竑《国史经籍志》载所著《浣川集》十八卷。按栩有绝句云：'近来万境心如洗，笑改斜川作浣川。'盖其罢官后所自号，因以名集也。外间久无传本，今从《永乐大典》采掇编次，厘为十卷。栩与徐照、徐玑、翁卷、赵紫芝等同里，故其诗派去四灵为近。然其命词琢句，多以镂刻为工，与四灵之专主清瘦者，气格稍殊。盖同源异流，各得其性之所近。至其文章法度，则本为叶适之弟子，一一守其师传，故研炼生新，与《水心集》尤为酷似。中如《论圣学》、《论边备》诸劄子，亦复敷陈剀切，在永嘉末派，可云尚有典型。唯是史弥远柄国之时，栩献诗谀颂，不一而足。而胡知柔以争济王事忤弥远，谪赴象台，栩又赋诗赠行，深致惋惜，前后若出两辙。……岂非内托于权幸，外又附于清流欤？其人殊不足道，以词采取之可矣。"

钱时（1175—1244）卒，年七十。时字子是，学者称融堂先生，淳安人。读书不为世儒之习，绝意科举，究明理学。年四十四，师从杨简。嘉熙元年，理宗召见，赐进士出身，授秘阁校勘。后归居蜀阜玉屏北山之冈，创融堂书院。事迹见吕人龙《融堂先生行实》（《蜀阜存稿》卷首）、《宋史》卷四〇七《杨简传》附。著有《周易释传》、《尚书演义》、《学诗管见》、《春秋大旨》、《昏冠记》、《百行冠冕集》等，均佚。今所存者有《四书管见》、《两汉笔记》，四库馆臣还辑有《融堂书解》。《蜀阜存稿》十八卷，已佚，今存民国十六年徐氏刻本《蜀阜存稿》三卷。《全宋诗》录其诗二卷，《全宋文》收其文四卷。

戴表元（1244—1310）生。

丘葵（1244—1333）生。

公元 1245 年（宋理宗淳祐五年乙巳　蒙古乃马真后四年）

正月

杜范辞免右丞相，不允。

二月

有司上《孝宗光宗御集》、《经武要略》、《宁宗实录》。

四月

杜范（1182—1245）卒，年六十四。范字成之，号立斋，黄岩人。嘉定元年进士，调金坛尉。历官大理司直、军器监丞、监察御史、秘书监、起居郎。嘉熙四年，除权吏部侍郎兼侍讲，擢礼部尚书。淳祐四年，迁同知枢密院事，拜右丞相兼枢密使。卒赠少傅，谥清献。事迹见《宋史》卷四〇七本传、清王棻《杜清献公年谱》。《宋史》本传载其著有古律诗歌词五卷，杂文六卷，奏稿十卷，外制三卷，进故事五卷，经筵讲义三卷。明嘉靖间，黄绾刻为《杜清献公集》十九卷，有《四库全书》本、清同治九年吴县孙氏刻本。《全宋诗》录其诗四卷，《全宋文》收其文十四卷。四库提要卷一六二："《清献集》二十卷，编修汪如藻家藏本，宋杜范撰。……史载范所著古律诗五卷，今此本四卷；又杂文六卷，今此本亦四卷；又奏稿十卷，今此本十卷，又多书劄一卷；又外制三卷，进故事五卷，经筵讲义三卷，今此本俱不载，而有行状、本传、祠记等一卷，列于卷首，共为二十卷，盖后人重辑之本，非其旧矣。范有公辅才，正色立朝，议论鲠切。其为御史时，累劾李鸣复等行贿交结之罪，鸣复卒以去位。其守宁国还朝时，又极陈内忧外患之交迫，而劝理宗以屏声色、远邪佞，言多切挚。及其为相，前后所上五事及十二事，无不深中时弊。虽在位未久而没，不能大有所匡正，然奏疏之见于集者，大都悱恻恳到，足以征其忠爱之忱矣。"王棻《杜清献公集跋》："清献之文，渊茂条达，气体丰洁，而其奏议谆切恳到，忠诚溢于楮墨。"

五月

李曾伯以淮东制置使辞免焕章阁学士，从之。

六月

徐元杰（1194—1245）卒，年五十二。元杰字仁伯，一字子祥，号梅垫，信州上饶人。幼往铅山从朱熹门人陈文蔚学，后师事真德秀。绍定五年进士第一，调签书镇东节度判官。嘉熙二年，召为秘书省正字，迁校书郎。三年，迁著作佐郎兼兵部郎官。淳祐元年，知南剑州。迁将作监。四年，上疏论丞相史嵩之起复，朝野传诵一时。拜太常少卿，兼给事中、国子祭酒，权中书舍人。五年，特拜工部侍郎，暴卒，传为史嵩之毒死。三学诸生相继叩阍讼冤，台谏交疏论奏，监学官亦合辞闻于朝，然狱迄无成，海内人士伤之。谥忠愍。事迹见《宋史》卷四二四本传。著有文集二十五卷，赵汝腾为作序，景定二年其子徐直谅刊于兴化，已佚。清四库馆臣据《永乐大典》辑为《梅埜集》十二卷，有清乾隆翰林院抄本、《四库全书》本。《全宋词》录存其词一首，《全宋诗》录其诗一卷，《全宋文》收其文十五卷。四库提要卷一六四："《梅埜集》十二卷，《永乐大典》本，宋徐元杰撰。……其中如《戊戌轮对劄子》，则为校书郎时所上；《甲辰上殿劄子》，则为左司郎官时所上，其论济王之宜置后，骄奢之宜戒抑，敌国外患之宜以宗社为心，皆惓惓纳忠，辞旨恳到。其白左揆论时事数书，乃为杜范所延而作，亦多关系国家大计，言无不尽。虽凤从陈文蔚、真德秀游，或不免过泥古义，稍涉拘迂，然不可谓之不轨于正也。周密《浩然斋雅谈》记元杰母张氏能诗，有'不知帘外溶溶月，上到梅花第几枝'之句，而元杰诗乃颇朴僿，盖真氏《文章正宗》持论如是，元杰亦笃守其师说云。"

元杰之卒，刘克庄有《祭徐仁伯文》，方凤有《祭徐侍郎文》。

八月

吴文英在苏州，赋词《永遇乐》（风拂尘徽），题曰："乙巳中秋风雨。"又，《声声慢·寿魏方泉》亦当作于此时。按，朱孝臧《梦窗词集小笺》引《吴郡志》，魏峻（方泉）知平江府，淳祐四年到，六年三月除刑部侍郎。此词是梦窗重莅吴中时作，词中有云"重来两过中秋"、"应是香山续梦，又凝香追咏，重到苏州"。

十一月

郑清之乞归田，不允。

十二月

郑清之为少师、奉国军节度使，依前醴泉观使兼侍读，仍奉朝请，赐玉带及赐第行在。

赵葵知枢密院事兼参知政事。

本年

吴泳（1180—?）本年在世，卒年不详。泳字叔永，号鹤林，潼川人。嘉定元年进士。历仕著作郎、秘书少监、起居舍人、权刑部尚书。嘉熙二年，出知宁国府，提举太平兴国宫。三年，起知温州。淳祐元年，退居湖州雪川，时年六十二（《鹤林集》卷三一《与李微之书》）。五年，起知隆兴府（《万历重修南昌府志》卷一二），改泉州，以言罢。事迹见《宋史》卷四二三本传。著有《鹤林集》，原本已佚，清四库馆臣自《永乐大典》中辑为四十卷，今存《四库全书》本、清抄本。《全宋词》录其词三十七首，《全宋诗》录其诗四卷，《全宋文》收其文七卷。四库提要卷一六二："《鹤林集》四十卷，永乐大典本，宋吴泳撰。……史称所著有《鹤林集》，而不详卷数，《艺文志》

亦不著录。唯《永乐大典》各韵中，颇散见其诗文，谨裒辑编次，厘为四十卷。放佚之余，篇什尚夥，亦可见其著作之富矣。泳当南宋末造，正权奸在位，国势日蹙之时，独能正色昌言，力折史弥远之锋，无所回屈，可谓古之遗直。至当时边防废弛，泳于山川阨塞，筹画瞭如，慷慨敷陈，悉中窾要。本传所载诸疏，简略未详。今以本集考之，如绍定二年上西陲八议，五年疏四失三忧及保蜀三策，端平二年言元兵先通川路，后会江南，不可不固上流，三年乞预储蜀帅及陈坏蜀四证及救蜀五策，大抵于四川形势言之最晰。良由南宋以蜀为后户，于形势最为冲要，泳又蜀人，深知地利，故所言切中窾会，非揣摩臆断者比，实可以补史所未备。其他章疏表奏，明辨骏发，亦颇有眉山苏氏之风。在西蜀文字中，继魏了翁《鹤山集》后，固无多让也。”

严羽（1192？—1245？）**约卒于本年。**羽字仪卿，自号沧浪逋客，邵武人。少时师事包扬，不事科举，隐居在家。壮年后浪游江西、吴越、江汉、潇湘、四川等地，后复归乡隐居，吟诗著述。喜论诗，自谓“论诗精子”。与同宗严仁、严参齐名，江湖诗友目为“三严”。又与严肃、严参等均有诗名，号“九严”。事迹见黄公绍《沧浪吟卷序》、朱霞《严羽传》。羽诗多散佚，邑人李南叔辑为《沧浪吟卷》，咸淳间黄公绍序而传之。今存《沧浪严先生吟卷》（或名《沧浪吟》、《沧浪集》）三卷，有元至元二十七年刊本、明正德刻本、嘉靖刻本、《适园丛书》本等。《沧浪诗话》附集刊行，单行本《沧浪严先生诗谈》一卷，有明万历刻本、《宝颜堂秘笈》本。人民文学出版社一九六一年出版排印本《沧浪诗话校释》。《全宋词》录其词二首，《全宋诗》录其诗二卷。

严羽以论诗知名，其《沧浪诗话》分《诗辨》、《诗体》、《诗法》、《诗评》、《诗证》五章，自谓“仆之《诗辨》，乃断千百年公案，诚惊世绝俗之谈，至当归一之论。其间说江西诗病，真取心肝刽子手，以禅喻诗，莫此清切。是自家实证实悟者，是自家闭门凿破此片田地，即非傍人篱壁，拾人涕唾得来者”（《答吴景仙书》）。其论诗“大旨取盛唐为宗，主于妙悟，故以‘如空中音，如象中色，如镜中花，如水中月，如羚羊挂角，无迹可寻’为诗家之极则”（《四库全书总目》卷一九五）。四库提要卷一六三：“《沧浪诗话》有曰‘论诗如论禅，汉、魏、晋与盛唐之诗，则第一义也；大历以还之诗，则小乘禅也；晚唐之诗，则声闻辟支果也。盛唐诸人唯在兴趣，羚羊挂角，无迹可求，故其妙处透彻玲珑，不可凑泊，如空中之音，相中之色，水中之月，镜中之象，言有尽而意无穷。近代诸公乃作奇特解会，以才学为诗，以议论为诗，夫岂不工，终非古人之诗也’云云。其平生大旨，具在于是。考《困学纪闻》载唐戴叔伦语，谓诗家之景，如蓝田日暖，良玉生烟，可望而不可即。司空图《诗品》有‘不著一字，尽得风流语’；其与李秀才书，又有‘梅止于酸，盐止于咸，而味在酸咸之外’语，盖推阐叔伦之意。羽之持论又源于图，特图列二十四品，不名一格，羽则专主于妙远。”胡应麟《诗薮》杂编卷五：“南渡人才，远非前宋之比，乃谈诗独冠古今。严羽卿崛起烬余，涤除榛棘，如西来一苇，大畅玄风。昭代声诗，上追唐、汉，实有赖焉。”毛晋《沧浪诗话跋》：“诸家诗话，不过月旦前人，或拈警句，或拈瑕句，聊复了一段公案耳。唯沧浪先生《诗辨》、《诗体》、《诗法》、《诗评》、《诗证》五则，精切简妙，不袭牙后。其《与临安表叔吴景先》一书，尤诗家金针也。”冯班《严氏纠谬》：“以禅喻诗，沧浪自谓亲切透彻者，自余论之，但见其漫漶颠倒耳。”又：“沧浪论诗，止是浮光掠影，如有所见，其实脚跟未曾点地，故云盛唐之诗如空中之色，水中之月，镜中之象，种种比喻，殊不如刘梦得云'兴在象外'一语妙绝。又孟子言：'说诗者不以文害辞，不以辞害志。以意逆志，是为得之。'更自确然灼然也。呜呼！可以言此者寡矣。沧浪只是兴趣言诗，便知此公未得向上关捩子。"

李东阳《怀麓堂诗话》："严沧浪所论超离尘俗，真若有所自得，反覆譬说，未尝有失。顾其所自为作，徒得唐人体面，而亦少超拔警策之处。予尝谓识得十分，只做得八九分，其一二分乃拘于才力，其沧浪之谓乎？"李坚《书正德胡刊本沧浪先生吟卷后》："先生华实相副，论述裁制，二力两到。卷中《塞下》、《从军》诸篇，杂之盛唐家数，殆未易别其淄渑也。"许学夷《诗源辩体》后集纂要卷一："宋人之诗大都出于元和，非但初、盛唐之音绝响，即中、晚之调亦不多得。唯严仪卿诸体悉出《骚》、《选》、盛唐，但未能自然耳，楚辞《云山操》最佳，乐府、歌行多出太白。"又："仪卿识见有余，涵养未至，故其诸体虽刻意范古，寡自然之致，而神韵亦有未扬。故五言律让昌谷，七言律让仲默，七言绝让于鳞。"《闽中理学渊源考》："羽诗虽祖唐人，然其体裁匀密，词调清壮，无一语轶绳尺之外，同时台人戴石屏深加奖重。其子凤山，凤山子子野半山，邑人上官阆风、吴潜夫、朱力庵、吴半山、黄则山。盛传宗派，殆与黄山谷江西诗派无异。"贺裳《载酒园诗话·严羽》："读严沧浪诗，真如诸于绣膈中独见司隶将史，且喜其言行相顾，不为鹦鹉之效人语也。古诗亦甚用功于太白，惜气力不逮耳。短律有沈云卿、岑嘉州之遗，长律于高适、李颀尤深。独乐府不能入古，彼自得力于盛唐也。"王世贞《艺苑卮言》卷四："严沧浪论诗，至欲如那吒太子析骨还父，析肉还母。及其自运，仅具声响，全乏才情，何也？七言律得一联云：'晴江木落时疑雨，暗浦风多欲上潮。'然是许浑境界，又'晴''暗'二字太巧稚，不如别本作'空江''别浦'差稳。"四库提要卷一六三谓其"专主于妙远，故其所自为诗，独任性灵，扫除美刺，清音独远，切响遂稀。五言如'一径入松雪，数峰生暮寒'，七言如'空林木落长疑雨，别浦风多欲上潮'、'洞庭旅雁春归尽，瓜步寒潮夜落迟'，皆志在天宝以前，而格实不能超大历之上。由其持'诗有别才，不关于学；诗有别趣，不关于理'之说，故止能摹王、孟之余响，不能追李、杜之巨观也。"翁方纲《石洲诗话》卷四："自唐之司空表圣、宋之敖器之，皆精于评语，为谭艺家所推，而所自作，皆未能与所评相称。若严沧浪五言数篇，稍与所谈微中，《闺怨》、《懊侬》诸小诗，亦不减唐贤风味，但惜不多见耳。"陈衍《宋诗精华录》卷四："沧浪有《诗话》，论诗甚高，以禅为喻，而所造不过如此。专宗王、孟者，囿于思想，短于才力也。即如此首（《和上官伟长芜城晚眺》）三四，'鸦外''雁边'，意分一近一远，终嫌两鸟无大界限。"

李刘（1175—1245）卒，年七十一。刘字公甫，号梅亭，崇仁人。嘉定元年进士。历官礼部郎官兼崇政殿说书、起居舍人，迁吏部侍郎，穆陵书"梅亭"以赐之。嘉熙三年，为中书舍人，直学士院。事迹见虞集《李梅亭续类稿序》、《宋史翼》卷二九。著有《梅亭类稿》三十卷，《续类稿》三十卷，已佚。今存《梅亭先生四六标准》四十卷，有宋刻本、元刊本；文渊阁《四库全书》所采为明孙云翼笺释本。《全宋词》录其词十一首，多为颂寿之作。《全宋诗》录其诗一卷，《全宋文》收其文二卷。四库提要卷一六三：“《四六标准》四十卷，内府藏本，宋李刘撰，明孙云翼笺释。……刘平生无他事可述，唯以俪语为专门。所著《类稿》、《续类稿》、《梅亭四六》，今皆未见。此本乃其门人罗逢吉所编，以刘初年馆何异家，及在湖南、蜀中所作汇为一集，题曰‘标准’，盖门弟子尊师之词也。凡分七十一目，共一千九十六首。自六代以来，笺启即多骈偶，然其时文体皆然，非以是别为一格也。至宋而岁时通候、仕宦迁除、吉凶庆吊，无一事不用启，无一人不用启。其启必以四六，遂于四六之内别有专门。南渡之始，古法犹存。孙觌、汪藻诸人，名篇不乏。迨刘晚出，唯以流丽稳贴为宗，无复前人之典重。沿波不返，遂变为类书之外编、公牍之副本，而冗滥极矣。然刘之所作，颇为隶事亲切，措词明畅，在彼法之中，犹为寸有所长。”刘克庄《林太渊文稿序》：“四六家必用全句，必使故事，然鸿庆欠融化，梅亭稍堆垛，要是文字之病。”俞焯《诗词余话》：“四六尤难作，宋末如方岳、李刘诸公，骈花俪叶，联芳媲丽，至有一句累十余字者，则失其为四六之体矣。与其事异而句奇，孰若字平而句雅，去陈腐，取浑成，方可以言制作之妙。”

公元 1246 年（宋理宗淳祐六年丙午　蒙古贵由汗元年）

正月

吴文英赋词《塞垣春·丙午岁旦》。

三月

吴文英赋词《水调歌头·赋魏方泉望湖楼》。按，《吴县志·职官表六》，魏峻（方泉）淳祐四年四月知平江，六年三月迁刑部侍郎。梦窗此词有云“绣鞍马，软红路，乍回班”，据此可断定此词作于此年此月。

四月

释居简（1164—1246）卒，年八十三。居简字敬叟，号北磵，潼川王氏子。幼喜佛书，依邑之广福院图澄，得度，参别峰涂毒于泾山。嘉泰间，初住台之般若，迁报恩光孝寺。真德秀为江东部使者，延住东林云居，以疾辞。居杭州飞来峰北磵十年。嘉熙中，奉诏住净慈光孝寺。晚居天台委羽。事迹见《补续高僧传》卷二四。所著《北磵文集》十卷、《北磵诗集》九卷、《外集》一卷、《续集》一卷，今存日本翻刻宋元旧本、宋崔尚书宅刊本、明抄本，《四库全书》本名《北磵集》。《全宋诗》录其诗十二卷，《全宋文》收其文二十卷。四库提要卷一六四：“《北磵集》十卷。……因寓北磵日久，故以名集。其集诗文各为一编，此则皆其所作杂文也。张诚子序称：‘读其文，与宗密未知伯仲；诵其诗，合参寥、觉范为一人不能当也。’宗密即圭峰禅师，裴休为书传法碑者，其文集《唐志》不著录，今亦未见传本，无从较其工拙。第以宋代释子而论，则九僧以下，大抵有诗而无文，其集中兼有诗文者，唯契嵩与惠洪最著。契嵩《镡津集》，好力与儒者争是非，其文博而辨；惠洪《石门文字禅》多宣佛理，兼抒文谈，其文轻而秀。居简此集，不摭拾宗门语录，而格意清拔，自无蔬笋之气，位置于二人之间，亦未遽为蜂腰矣。"方回谓其"古诗颇瘦，而诗题多俗士往来"，并称其律诗《赠浩律师》"工之又工，似乎过于工者"（《瀛奎律髓汇评》卷四七）。

闰四月

李曾伯以台谏论，诏落职予祠，寻罢祠禄。

张端义撰《贵耳三集》成。自序云："余《贵耳三集》成，乃补拾前二集之遗，可以绝笔矣。未能守圣门'寡尤'之训，粗可备稗官虞初之求，必不忘其事之陋也。……东里张端义，淳祐丙午闰四月四日书。"

张端义（1179—？），字正夫，自号荃翁，原籍郑州，居苏州。少苦读，肆举子业。曾官真州录事参军，又曾为节度推官。端平中，应诏三次上书，坐妄言，韶州安置，往来韶、广间。又以言忤当路，复谪居化州而卒。事迹见《贵耳集》卷上自序。著有《荃翁集》，凡上皇帝三书、诗五百首、词二百首、杂著三百篇，即收入集中，今不传。《全宋词》录其词一首，《全宋诗》录其诗二首及残句若干，《全宋文》卷七二一一收其文。李昂英谓"其诗累篇，骨处实，眼处活，峭奇而非怪，含婉而不怒，多从胸中书流出"（《题节推张端义荃翁集》）。其诗佳句如"碧云千里暮，红叶十分秋"、"怨春红艳冷"、"不因花退尽，怕是梦残时"等，均为时人所称赏（《贵耳集》卷上）。又著有笔记《贵耳集》三卷，有明抄本、《四库全书》本。四库提要卷一二一："《贵耳集》一卷、二集一卷、三集一卷，江苏巡抚采进本，宋张端义撰。……凡三集，每集各有自序。初集成于淳祐元年。序言生平接诸老绪余，著《短长录》一帙，得罪后为妇所火，因追旧事记之，名《贵耳集》。以耳为人至贵，言由音入，事由言听，古人有入耳著心之训，且有贵耳贱目之说也。集末一条，自序生平甚悉。二集成于淳祐四年，三集成于淳祐八年（按，应为淳祐六年）。其书多记朝廷轶事，兼及诗话，亦有考证数条。二集之末缀'王排岸女孙'一条，始涉神怪。三集则多积猥杂事，故其序有稗官虞初之文也。……观其三集，大抵本江湖诗派中人，而负气好议论，故引据非其所长，往往颠舛如此。然所载颇有轶闻，足资考证，其论诗、论文、论时事皆往往可取，所长固亦不可没焉。"

五月

曹豳作《瓜庐集跋》。跋云："余读四灵诗，爱其清而不枯，淡而有味。及观瓜庐诗，则清而又清，淡而益淡。始看若易，而意味深长，自成一家，不入四灵队也。盖四灵诗虽摆脱尘滓，然其或仕或客，未免与世接，犹未纯乎淡也。若瓜庐则终身隐约，不求人知，其所为诗若淳音淡泊，自有余韵，其分数又高矣。此水心先生之所称赏，而诸灵之所推逊而待以别席也。瓜庐没后，其诗始出，而求者益众。平生所为诗不多，其子峻辈始收拾，仅得几篇，旋锓诸板，以应好事者之求。峻以明经进士为常德郡博士，亦喜吟哦，工字画，雅有父风，而出处异矣。淳祐丙午夏五，东畎老人曹豳题。"

六月

赵汝鐩（1172—1246）卒，年七十五。汝鐩字明翁，号野谷，太宗八世孙，居袁州。嘉泰二年进士。历东阳主簿、临安通判、军器监主簿。绍定二年，出知郴州。四年，改转运使。移广东转运使，解总领饷。后召为刑部郎官，提举崇禧观。淳祐四年，知温州。卒于州治。事迹见刘克庄《刑部赵郎中墓志铭》。著有《野谷集》，刘克庄为序。今存《野谷诗稿》六卷，有读画斋刊《南宋群贤六十家集》本、《四库全书》本、清抄本。《全宋诗》录其诗六卷。

刘克庄《野谷集序》："明翁诗兼众体，而又遍行吴楚百粤之地，眼力既高，笔力益放。卷中歌行跌宕顿挫，剚蛟缚虎手也。及敛为五七言，则又妥帖丽密，若唐人锻炼之作。订其品，自元和、大历溯于建安、黄初者也。"又《跋赵明翁诗稿》："昔孤山居士有《摘句图》，盖自择其生平警句行于世。嘉熙戊戌，余尝为明翁序诗，后四年，明翁更示近作，乃录集中警句于后。五言云：'风霜先远客，天地独扁舟'，似老杜；'巧须出天造，清欲与秋争'，似孟郊；'山寒梅意峭，林茂鸟声深'，似张祜；'笠戴天童雨，鞋穿雪窦秋'，似刘梦得；'鸟残桃见核，虫蠹叶留痕'，似林逋。七言《多景楼》云：'江连淮海东南胜，山出金焦左右青'；《岳阳楼》云：'左右江湖同浩荡，东西日月递沉浮'，似许浑。'径有泉流安得暑，亭因风扫自无尘'；'锄草就平眠鹿地，芟松勿损挂猿枝'，似张籍、王建。'墨涌清池聚科斗，雪明碧嶂过春鉏'，殆天然着色画，水田白鹭、夏木黄鹂之句无以加也。"王士禛《带经堂诗话》卷一〇："开封赵汝鐩明翁《野谷集》，五言律诗时有佳句，七言俚俗，歌行漫无音节顿挫。后村序乃谓跌宕顿挫，真剚蛟缚虎手，又许以建安、黄初，妄矣。"《宋百家诗存》卷一三："《野谷诗集》六卷。其古体诗气雄笔健，远追太白，近接坡公。今体诗造境奇而命意新，与四灵分坛树帜，直欲更出一头地也。"四库提要卷一六二："《野谷诗稿》六卷。……王士禛《池北偶谈》载，黄虞稷尝钞宋人小集二十八家，士禛手钞姜夔、周弼、邓林三家，余摘录佳句者十九家，以汝鐩为首。所录凡五言二十联、七言一联，称其五言律时有佳句，七言俚俗，歌行漫无音节顿挫，而谓刘克庄序推其跌宕，真剚蛟缚虎手，又许以建安、黄初，皆失之妄。又评释斯植《采芝集》曰：'此君及赵汝鐩五言，皆多佳句，而无远神。'其论良允。然自唐以来，兼擅诸体者不过数家，余皆互有短长。孟浩然、韦应物以五言笼罩千古，而七言则皆不工，无论姚合以下。至于晚唐五季，以迄九僧、四灵，刻意苦吟，不过求工于五字。盖江湖一派，门径如斯，不能兼责以他体。一花一石，时饶佳致，如汝鐩之流，固亦谈艺者所不废也。"《历代诗发补遗》卷三〇谓其《古剑歌》"写古剑，先虚后实，故光芒精采与夫身分志愿，无不透现行间，此歌行之最有纪律者"。

七月

蒙古贵族推窝阔台长子贵由为大汗，是为定宗。

379

八月

刘克庄赐同进士出身，为秘书少监兼国史院编修官、实录院检讨官。同月，兼崇政殿说书。

潘牥（1204—1246）卒，年四十三。牥字庭坚，初名公筠，避理宗讳改，号紫岩，闽县人。端平二年进士。历浙西茶盐司干官，改宣教郎，除太学正，旬日出通判潭州，卒于官。事迹见刘克庄《潘庭坚墓志铭》、《宋史》卷四二五本传。著有《紫岩集》，已佚。《全宋词》录存其词四首，《全宋诗》录其诗一卷，《全宋文》卷七九六五收其文。陈模《怀古录》卷中："近时三山潘牥庭坚乐府，篇篇寓新意。如《金铜仙人辞汉歌》云：'茂陵弓剑松烟紫，强自驱来向何处。霸城土凹牛脚肿，司马门高自翁仲。'《定情诗》云：'人人笑妾陋，偏得夫君怜。不为夫君怜，纵美向谁妍？'《行路难》云：'君不见风雨孤舟老渔夫，换鱼得钱醉踏舞。何曾上到玉堂来，□竟不识崖州路。'《青青河畔草》云：'青我者雨露，黄我者雪霜。天公实云然，委落庸何伤。'虽句语有未浑成细嫩处，然皆有所发越。故作记而必寓警拔之议论，乐府而必立高人之新意。虽若破体，然使其庸庸而无以起人意，则亦不足贵。"牟巘《潘善甫诗序》："潘紫崖早岁已奇，人谓太白、子瞻后身。……后村谓紫崖脱去笔墨畦径，秀拔精妙，其后益进德，铲奇崛，趋平粹。"其《南乡子·题南剑州妓馆》一词，向为论者所激赏，杨慎谓"此词有许多转折委宛情思"（《草堂诗余》卷二），黄蓼园称"词致俊雅，故自不同凡响"（《蓼园词选》），况周颐则曰："潘紫岩词，余最喜其《南乡子》一阕，小令中能转折，便有尺幅千里之势。……歇拍尤意境幽瑟。"（《蕙风词话》续编卷一）

九月

吴文英在杭州，赋词《瑞鹤仙·丙午重九》。

十一月

吴文英赋词《西江月·丙午冬至》。

本年

程元凤进秘书丞兼权刑部郎官。

柴望因上《丙丁龟鉴》而放归田里。苏幼安《宋国史秋堂柴公墓志铭》："淳祐六年丙午元旦，日蚀，诏求中外直言。公素明象数，每夜瞻星斗，时复惨怛，悲歌慷慨，左右莫知其所为也。及闻诏，乃撰《丙丁龟鉴》一十卷，起周威烈王五十二年丙午，止后汉高祖天福十二年丁未。自秦、汉、五代上下通一千二百六十年，为丙午、丁未二十有一，数其吉凶祸福于前，指其治乱得失于后。正月书成上进，忤时相意，秋七月诏下府狱，逮诘几不免。时大尹尚书节斋赵公素知公忠直，上疏言：'柴望忠诚恳切，所述根据史传，未可重以为愆。'得旨放归田里。京师之人谓公谠论不容，无不嗟惜。在时名公设祖道涌金门外，时与公为文字交者，三山郑震、绍武吴陵、建安叶元素、松溪朱继芳、钱塘翁孟寅、田井、陈麟、黄溙、南康冯去辨、西江赵崇嶓、曾原一、旴江黄载、汶阳周弼咸在焉。晚色涵岫，商飙振林，各赋诗为别。公神思澹然，不以得失介意，爱君忧国，眷恋不忘，而桑梓松菊之怀托之于声律者，蔼然有度。既抵家，和渊明《归去辞》，隐长台之高斋，有楼扁曰奇气，厅曰百客。读书鼓琴，时或焚香，宴坐终日。宾友至，则相与笑傲物外。阶下兰蕙菀然，清气逼人，就之游者，挹其神采，飘飘起驭风之想。"按，今存《丙丁龟鉴》五卷、《续录》二卷，有《四库全书》本。又，本年秋柴望有词《摸鱼儿》（问长江几分秋色），题曰："丙午归田，严滩褚孺奇席上赋。"

施枢本年在世，生卒年不详。 枢字知言，号芸隐，丹徒人。绍定五年举进士不第，始学吟诗。端平二年，入吴，摄庾台幕。三年，入浙东转运司幕。嘉熙二年，奉檄至绍兴，董筑江堤。淳祐三年，知溧阳县。六年，离任。事迹见诗集卷首自序及《景定建康志》卷二七。自编有《芸隐倦游稿》、《芸隐横舟稿》，有汲古阁影钞《南宋六十家小集》本、《四库全书》本。《全宋词》录其词三首，《全宋诗》收其诗二卷。曹廷栋谓"其诗间涉俗调，而清俊之致自在，格律亦老成"（《宋百家诗存》卷一六）。四库提要卷一六四："《芸隐横舟稿》一卷、《芸隐倦游稿》一卷。……《横舟稿》前有嘉熙庚子《自序》一首；《倦游稿》前有丙申《自序》一首。考其纪年，《倦游稿》当成于《横舟稿》前，而原本以《横舟稿》为首。……盖以《横舟稿》篇什较多，故以为主，而《倦游稿》特从附载之例也。宋人编《江湖小集》已收入其诗，此乃其别行之本。别集中有《漕闱揭晓后述怀》一首，盖当时曾举进士而未第。其自序称'萍泛不羁，每多感赋，至市桥见月之句，若有悟解'。今考集中《见月》诗云：'楼台叠翠绕清溪，浅澹云边月一眉。行到市声相接处，傍桥灯火未多时。'亦属寻常赋咏，未见有超诣之处，不知何以矜诩若是。至其他登临酬赠之作，虽乏气格，而神韵尚为清婉，在江湖诗派中，固犹为庸中佼佼矣。"

徐荣叟（？—1246）卒，生年不详。 荣叟字茂翁，号橘坡，浦城人。嘉定七年进士。历官秘书郎、著作佐郎、著作郎兼权礼部郎官。嘉熙四年，除右谏议大夫，迁权礼部尚书兼权吏部尚书，签书枢密院事。淳祐二年，参知政事。六年，致仕。卒谥文靖。事迹见《宋史》卷四一九本传、《南宋馆阁续录》卷八。著有《谏垣存稿》、《西掖代言》、《橘坡杂著》等，已佚。《全宋诗》录其诗九首，《全宋文》卷七四二〇收其文。

公元 1247 年（宋理宗淳祐七年丁未　蒙古贵由汗二年）

四月

王伯大签书枢密院事；吴潜同签书枢密院事。

郑清之为太傅、右丞相兼枢密使，封越国公；赵葵为枢密使兼参知政事，督视江淮、京西、湖北军马。

同月，赵葵兼知建康府、行宫留守、江东安抚使，应军行调度并听便宜行事。

吴潜兼权参知政事。

方大琮（1183—1247）**卒，年六十五。**大琮字德润，号铁庵，又号壶山，莆田人。开禧元年进士。历著作佐郎、右正言、起居舍人兼国史院编修官、实录院检讨官。嘉熙元年，兼权直舍人院。为蒋岘所劾，主管绍兴府千秋鸿禧观，俄起知建宁府。淳祐元年，知广州。四年，兼广东经略安抚使。六年，改知隆兴府。卒谥忠惠。事迹见刘克庄《铁庵方阁学墓志铭》。著有《铁庵遗稿》，已佚。明正德八年族孙良永等辑成《铁庵方公文集》四十五卷，今存原刻本、清抄本、《四库全书》本。《全宋诗》录其诗十三首，《全宋文》收其文四十七卷。

刘克庄《铁庵遗稿序》："宝章阁直学士方公既没，余于其家得公《谏垣奏疏》四，又二疏稿而未上，《右螭直前疏》二，《西掖缴疏》三，《进故事》八，杂表章二十五，如良医以单方起危疾，不杂试也；如善弈以紧着救坏局，不泛应也。外制三十六，如汤盘孔鼎，单词只字足矣，不在多言也；如庙瑟一倡足矣，不待九奏也。君遗补仅数十日而千古之名节系焉，通所作仅八十篇而一代之文献在焉。自端平以来，天下推贤谏臣曰平斋，曰实斋，公稍后出，几于齐名。……公他言皆典严精丽。与人尺牍，蝉联绩密，语妙天下，可以宝玩，尤勤民事，决讼或数千言，皆切于世教民彝，异乎所谓龙筋凤髓者。"林俊《正德本方忠惠公文集序》："公后村同时人，平生著述甚谨，尺楮片翰，刊落陈言，辨博虽间不及后村，而粹慎过之。命词运意，以心术为根柢，气节为枝干，义理为华实，名贤为标格，澄润丰洁，如寒江素月，碧落之峙青峰，虽无幻怪献艳应接之劳，而丰神自适，争先睹之为快，亦名作矣。"四库提要卷一六三："《铁庵集》三十七卷。……其奏疏多能疏通畅达，切中时弊。经义亦颇有可观。虽文格稍涉平衍，而要非游谈无根也。"

又，四库提要卷一六三："《壶山四六》一卷，浙江鲍士恭家藏本，不著撰人名氏。考南宋文士号壶山者有四：其一为宋自逊字谦父，方回《瀛奎律髓》所谓谒贾似道获楮币二十万以造华居者也；其一为徐师仁字存圣，所著有《壶山集》七十卷，见于《续文献通考》中；其一为黄士毅字子洪，自莆徙吴，不忘故乡，因号壶山，从学朱子，尝编类其语录以行世者；其一则方大琮也。四人之中，师仁事迹已无考；自逊为江湖游客，未尝仕宦；士毅则藉承师荫，列名道学，亦非显官；唯大琮曾任闽漕，而此集第一首即《除福建漕谢乔平章启》，其中所云'竟坐非宜言之诛，当伏不可赦之罪'者，亦与大琮疏论济王被斥事迹相符，似当为大琮所作。第今所传大琮《铁庵集》，为其族孙良永等所编，取入四六启劄六十四首，多不与此相同。而此本所收八十余首，其数转浮于本集。良永等既加搜辑，不应疏脱如是，其偶未见此本耶？以其属对亲切，工于剪裁，当南宋骈体之中，尚为佳手。疑以传疑，姑附录于《铁庵集》后，以备参考云尔。"

方大琮卒后，刘克庄有《祭方铁庵文》，李昴英有《祭广帅右史方铁庵大琮公文》。

六月

赐礼部进士张渊微以下五百二十七人及第、出身有差。马廷鸾进士及第。

七月

吴潜罢同签书枢密院事兼权参知政事，依旧端明殿学士、知福州、福建安抚使。

八月

蔡抗进其父蔡沈《尚书解》。

高定子（？—1247）卒，生年不详。定子字瞻叔，号著斋，蒲江人。嘉泰二年进士，授郫县主簿。历刑部郎中、太常少卿兼国史院编修官、起居舍人、吏部尚书等。淳祐二年，签书枢密院事。三年，兼权参知政事。因忤时相，提举洞霄宫，退居吴中，以资政殿学士致仕。卒赠少保。事迹见《宋史》卷四〇九本传、《宋史·理宗本纪》。著有《著斋文集》、《北门类稿》、《薇垣类稿》、《经说》、《绍熙讲议》、《历官表奏》等，已佚。《全宋诗》卷二八七〇录其诗三首，《全宋文》收其文三卷。

程元凤兼权右司郎官，迁著作郎。

十二月

张德辉荐举李治等二十一人于忽必烈。

本年

尹焕自畿漕除左司郎官，吴文英赋词《凤池吟·庆梅津自畿漕除右司郎官》、《塞翁吟·饯梅津除郎赴阙》。按，朱孝臧《梦窗词集小笺》："按，《咸淳临安志·秩官门》，两浙转运名氏，尹焕下注：淳祐六年运判，七年除左司。则此词七年作也；特左右异耳。"按，夏承焘《唐宋词人年谱·吴梦窗系年》："梦窗与焕交最笃，集中有酬焕词十一阕：《汉宫春》'追和尹梅津赋俞园牡丹'，《瑞龙吟》'送梅津'（'待归来共倚齐云话旧'），《惜黄花慢》'次吴江饯尹梅津'，皆苏州作；《水龙吟》'寿尹梅津'（'槐省红尘昼静'），前调'寿梅津'（'又看看便系金狨莺晓，傍西湖路'），皆杭州作。"

赵汝茪约于本年前后在世，生卒年不详。茪字参晦，号霞山，又号退斋，太宗八世孙。以词名世。原有集，已佚。今存《退斋词》为近人赵万里所辑，《全宋词》据以录存其词九首。沈雄《古今词话·词评》上卷："赵汝茪字参晦，《绝妙好词》载其词为多，而语意为人所重。弁阳老人有《十拟》词，直与花翁、梦窗并列于前，且作《醉落魄》以咏之。及读其《梅花引》、《汉宫春》，有不虚一时之所奖借者。"况周颐《蕙风词话》卷二："词衰于元，当时名人词论，即亦未臻上乘。如陆辅之《词旨》所谓警句，往往抉择不精，适足启晚近纤妍之习。宋宗室名汝茪者，词笔清丽，格调本不甚高。《词旨》取其《恋绣衾》句'怪别来、胭脂慵传，被春风、偷在杏梢'，此等句不过新巧而已。"又："余喜其《汉宫春》云：'故人老大，好襟怀消减全无。漫赢得、秋声两耳，冷泉亭下骑驴。'以清丽之笔作淡语，便似冰壶濯魄，玉骨横秋，绮纨粉黛，回眸无色。"

陈文蔚（1154—1247）**卒，年九十四。**文蔚字才卿，号克斋，信州上饶人。淳熙十一年始与同里余大雅师事朱熹，笃信谨守，传其师说。举进士不第，绍熙二年，至嘉兴，游吴江。庆元初，回上饶教授子弟。三年，应朱熹之邀讲学武夷精舍。端平二年，进所著《尚书类编》（已佚），诏补迪功郎。事迹见张时雨《陈克斋先生记述》、《嘉靖广信府志》卷一六、《宋史翼》卷二五。今传《克斋集》十七卷，乃明时郡人张时雨所掇拾刻印，有明崇祯刻本、《四库全书》本。《全宋诗》录其诗四卷，《全宋文》收其文八卷。其文"论其大略，以求仁为本，以省私慎意为事，以学问思辨先致其知，可谓卓然信踏而亦不流于蔓支者也"（侯峒曾《克斋集序》）。四库提要卷一六二："《克斋集》十七卷。……其诗虽颇拙俚，不及朱子远甚，其文则皆明白淳实，有朱子之遗。讲义九条，剖析义利之辨，亦为谆切，均不愧儒者之言，与后来依门傍户者，固迥殊矣。"

唐珏（1247—?）**生，卒年不详。**珏字玉潜，号菊山，山阴人。少孤，能力学，以明经教授乡里子弟。景炎三年，元浮屠总统杨琏真伽发赵氏诸陵，窃取珠宝，弃尸荒野。珏时年三十二岁，激于义愤，倾家资邀里中少年夜往收贮遗骸，瘗兰亭山后，上种冬青树为帜。汴人袁俊官越，延为子师。事迹见《南村辍耕录》卷四、张丁《唐珏传》（《宋遗民录》卷六）。《全宋词》录其词四首，《全宋诗》录其诗二首。其《冬青行》二诗，记发陵瘗骨事，吞声鸣咽。其词如"咏莼咏莲咏蝉诸作，巧夺天工，亦宋人所未有"（《词苑萃编》卷五引陈卧子语）；"咏蟹诸作，多是说人食蟹，唯此调（《桂枝香·天柱山房拟赋蟹》）不偏枯。'西风有恨无肠断'，此一警语足矣。此唐义士也，《昭陵》、《玉匣》数首，并沉痛伤怀，非复宋人。此君诗词，俱参上流，不独高节"（《词洁辑评》卷五）；"其《水龙吟》白莲一首，中仙（王沂孙）无以远过。信乎忠义之士，性情流露，不求工而自工"（周济《介存斋论词杂著》）。

仇远（1247—?）**生。**

邓牧（1247—1306）**生。**

郝天挺（1247—1313）**生。**

公元 1248 年（宋理宗淳祐八年戊申　蒙古贵由汗三年）

正月

罗大经撰《鹤林玉露》甲编成。自序云："余闲居无营，日与客清谈鹤林之下。或欣然会心，或慨然兴怀，辄令童子笔之。久而成编，因曰《鹤林玉露》。盖'清谈玉露蕃'，杜少陵之句云尔。时宋淳祐戊申正月望日，庐陵罗大经景纶。"

二月

蒙古释奠孔子庙，致胙于忽必烈。

三月

王迈（1184—1248）**卒**，年六十五。迈字实之，一作贯之，号臞轩居士，仙游人。嘉定十年进士，授潭州观察推官，改浙西安抚司干官。端平元年，召试馆职，次年，除秘书省正字。因轮对直言，被劾，通判漳州。又因雷雨上封事，削秩免官。淳祐元年，通判吉州，迁知邵武军，奉祠。卒赠司农少卿。事迹见刘克庄《臞轩王少卿墓志铭》、《宋史》卷四二三本传。著有《臞轩集》二十卷，已佚。清四库馆臣据《永乐大典》等辑为十六卷，其中文十一卷，诗五卷，词五首，有《四库全书》本、清乾隆翰林院抄本。另有《臞轩先生四六》一卷，有清抄本、《四家四六》本；《臞轩诗余》一卷、补遗一卷，有《彊村丛书》本、《校辑宋金元人词》本。《全宋词》录其词十九首，《全宋诗》录其诗五卷，《全宋文》收其文十七卷。

四库提要卷一六三："《臞轩集》十六卷。……迈少负才名，而史尤称其练达世务，盖非徒以词藻见长者。考其初以殿试第四人出佐长沙幕，刘克庄作诗送之，有'策好人争诵，名高士责全'之句，见于《后村集》中，是当对策时，已有伉直之目。厥后历官所上封事，类多区别邪正，剖晰时弊之言。如谏乔行简再相及禋祀、雷雨应诏诸篇，敷陈皆极剀切。其于济王竑事，反覆规劝，更见拳拳忠爱之心。《癸辛杂识》称迈因轮对，追论史弥远擅权，词气过戆，帝以'狂生'目之，迈后归里，遂自称'敕赐狂生'。其事为本传所未载，亦足以见其气节。全集中诸疏并存，尚可考见一二。集中诗文亦多昌明俊伟，类其为人。读者因其言而论其行，固不徒取其文辞之工矣。"刘克庄《臞轩王少卿墓志铭》："公学可以经世，而毫芒未试；文可以华国，而终老不售。胸奇腹愤，一切发于穷居野处、逆旅行役之间，其抑扬顿挫，开阖变化，各有态度，不主一体。初若不抒思，徐考其机键密，首尾贯，音节谐，若他人呕心肝、抉胃肾而成者，子昂、太白之流也。"又《跋傅渚诗卷》："亡友王臞轩，天下隽人也，其文字脍炙万口，其论谏雷霆一世。虽偶然引笔行墨，为古风近体，单词半简，皆清拔巨丽，有一种风骨。"刘壎《隐居通议》卷九："王实之特狂士，其文叫呼促迫，无温润深沈之气，非中和硕大之声。"

王迈之卒，刘克庄有《祭王实之少卿文》。

蒙古贵由汗（1206—1248）卒，皇后海迷失称制，诸王多不服。

五月

赵葵进三秩序。

六月

徐鹿卿为枢密使兼参知政事兼侍讲。

七月

王伯大拜参知政事。同月，罢为资政殿学士、知建宁府。

九月

九日，许应龙（1168—1248）卒，年八十一。按，关于应龙之卒年，赵汝腾《资政许枢密神道碑》："淳祐戊申九月九日，前金书枢密院许公应龙薨于三山府第。……享年八十一。"而《宋史·理宗本纪三》载："（淳祐）九年春正月……丁卯，许应龙薨。"兹从前说。应龙字恭甫，号东涧，闽县人。嘉定元年进士，授婺源尉。历著作佐郎、礼部郎官、国子司业等。嘉熙元年，试吏部侍郎，升侍读，除兵部尚书，兼中书舍人、给事中。三年，签书枢密院事。罢为端明殿学士提举洞霄宫归第，奉祠十年。事迹见赵汝腾《资政许枢密神道碑》、《宋史》卷四一九本传。著有《东涧文集》，已佚。清四库馆臣自《永乐大典》中辑为《东涧集》十四卷，今存清乾隆翰林院抄本、《四库全书》本。《全宋诗》录其诗一卷，《全宋文》收其文十五卷。四库提要卷一六二："《东涧集》十四卷。……各体粗备，而制诰一类尤繁。盖应龙在理宗时，历掌内外制，尝以日昃拜命，夜半宣锁，不二鼓而草三麻，人服其敏。史称郑清之、乔行简罢相制，皆应龙所草，帝极称其善。今二制并在集中，典雅严重，实能得代言之体。其他亦多深厚简切，而于当时宰执、将帅、侍从诸臣姓名官爵、迁转拜罢，纪传所未详者，犹可藉以征信，于考史尤为有神。又应龙于经济干略，深所究心。其知潮州，属剧盗逼境，随机扦御，诸寇悉平。治潮政绩，与李宗勉治台齐名。及为兵部尚书，值乔行简行秤提楮币之法，民间不便，应龙奏罢之。今其劄子亦具存集内，大抵疏通畅达，切中事情，务为有用之言，非篆刻为文者可比。虽其格力稍弱，然春容和雅，能不失先正典型，在南宋馆阁之中，亦可称一作手矣。"

李治撰《测圆海镜》成。

本年

尹焕为朝奉大夫太府少卿兼尚书左司郎中，兼敕令所删定官。

楼扶约于本年前后在世，生卒年不详。扶字叔茂，号梅麓，鄞县人，楼钥之孙。端平中，通判建康府，兼沿江制置司干官。淳祐中，历知泰州、邵武军。事迹见查礼《铜鼓书堂词话》。著有《梅麓集》，已佚。工文章，尝为四明灵应庙作记。尤工词，风格近稼轩，周密《绝妙好词》录其《水龙吟·次清真梨花韵》及《菩萨蛮》二阕。《全宋词》录其词三首。

翁元龙约于本年前后在世，生卒年不详。元龙字时可，号处静，四明人。右丞相杜范之客，相随迁居黄岩。事迹见《光绪黄岩县志》卷二一。原有集，已佚。今《全宋词》录存其词二十首，《全宋诗》录其诗二首。杜范《跋翁处静词》："观翁君时可之作，如絮浮水，如荷湿露，萦旋流转，似沾非著，岂非游戏翰墨之妙耶？"孙德之《翁处静文集序》："朋友翁处静生长笔墨间，某夙所敬爱。……其临川后所作，布置周阔，培拥深厚，质而不俚，艳而不秽，多而不冗，简而不略，其理趣油然而长，词采烨然而光。"

张炎（1248—1320?）生。

白珽（1248—1328）生。

公元 1249 年（宋理宗淳祐九年己酉　蒙古海迷失后元年）

闰二月

郑清之为太师、左丞相兼枢密使，进封魏国公；赵葵为右丞相兼枢密使。同月，郑清之五辞免太师，许之。

三月

贾似道为宝文阁学士、京湖安抚制置大使。按，吴文英《木兰花慢·寿秋壑》、《宴清都·寿秋壑》、《金盏子·秋壑西湖小筑》及《水龙吟·过秋壑湖上旧居寄赠》诸阕，当作于贾似道制置京湖之日。刘毓崧《重刊吴梦窗词稿序》："唯是梦窗之词品，诸书言之甚详，而梦窗之人品，诸书言之甚略；故声律之渊源可溯，而行事之本末罕知。……梦窗曳裾王门，而老于韦布，足见襟怀恬澹，不肯藉藩邸以攀援，其品概之高，固已超乎流俗。若夫与贾似道往还酬答之作，皆在似道未握重权之前，至似道声势薰灼之时，则并无一阕投赠。试检丙稿内《木兰花慢》一阕，题为《寿秋壑》，《宴清都》一阕，题亦为《寿秋壑》，就其中所用地名古迹推之，必作于似道制置京湖之日。乙稿内《金盏子》一阕，题为《秋壑西湖小筑》，丙稿内《水龙吟》一阕，题为《过秋壑湖上旧居寄赠》，亦均作于似道制置京湖之日。盖《水龙吟》词，言'黄鹤楼头'，固京湖之确证。《金盏子》词，言'登临小队'，亦制置之明征。《金盏子》词，题言'西湖小筑'，必作于落成之初。《水龙吟》词，题言'湖上旧居'，必作于既居之后。其次第固显然也。似道官京湖制置使在淳祐六年九月，其进京湖制置大使在淳祐九年三月，迨十年三月，改两淮制置大使，始去京湖。梦窗此四阕之作，当不出此数年之中。或疑开庆元年正月，似道为京湖南北四川宣抚大使，次年四月还朝，此一年有余亦在京湖，梦窗之词安见其非作于此际？不知似道生辰系八月初八日，周草窗《齐东野语》言之甚详。开庆元年正月以后，元兵分攻荆湖、四川，七、八月间，正羽檄飞驰之际，似道膺专阃之任，身在军中，而梦窗此四阕之词皆系承平之语，无一字及于用兵，岂得谓其作于此际乎？似道晚节，误国之罪，固不容诛，而早年任事之才，实有可取。……则梦窗于似道未肆骄横之时，赠以数词，固不足以为累。况淳祐十年，岁在庚戌，下距景定庚申，已及十年。此十年之中，似道之权势日隆，而梦窗未尝续有投赠。且庚申、辛酉正似道入居揆席之初，而梦窗但有寿荣邸之词，更无寿似道之词，不独灼见似道专擅之迹日彰，是以早自疏远，亦以畴昔受知于吴履斋，词稿中有追陪游宴之作，最相亲善，是时履斋已为似道诬谮罢相，将有岭表之行，梦窗义不肯负履斋，故特显绝似道耳。否则以似道当国之日，每岁生辰，四方献颂者以数千计，悉俾翘馆誊考，以第甲乙。就中曾膺首选者，如陈唯善、廖莹中等人，其词备载于

《齐东野语》。梦窗词笔超越诸人，假令彼果肯作词，非第一人无以位置，势必众口喧传，一时纸贵，焉有不在草窗所录之内者乎？纵使草窗欲为故人曲讳，又岂能以一人之手掩天下之目，而禁使弗传乎？然而梦窗始与似道曾相赠答，继则恶其骄盈，而渐相疏远，较之薛西原始与严嵩曾相酬唱，继则嫉其邪佞而不相往来，先后洵属同揆。西原之集，为生前自定，故和嵩之作，一字不存。梦窗之稿为后人所编，故赠似道之词，四阕俱在。然删存虽异，而志趣无殊。梦窗之视西原，初无轩轾，则存此四阕，岂但不足为梦窗人品之玷，且适足见梦窗人品之高，此知人论世者所当识也。故详为推阐，以见词品之洁，实由人品之高。"

程元凤为江、淮等路都大提点坑冶铸钱公事兼知饶州。

四月

赵葵四辞免右丞相兼枢密使，诏不允。

五月

十五日，吕午为吴锡畴（号兰皋）作《兰皋诗集跋》，有云："兰皋吴君元伦，以吟编三十首见示。……淳祐九年五月望日，竹坡吕午书。"

赵汝回为薛嵎（号云泉）作《云泉诗序》。

赵葵乞归田里，又不允。

八月

吴潜为资政殿学士、知绍兴府、浙东安抚使。

诏趣赵葵治事，命吴渊宣谕赴阙。

中秋，赵以夫《虚斋乐府》结集。自序云："唐以诗鸣者千余家，词自《花间集》外不多见，而慢词尤不多。我朝太平盛时，柳耆卿、周美成羡为新谱，诸家又增益之，腔调备矣。后之倚其声者，语工则音未必谐，音谐则语未必工，斯其难也。余平时不敢强辑，友朋间相勉属和，随辄弃去。奚子偶于故书中得断稿，又于黄玉泉处传录数十阕，共为一编。……淳祐己酉中秋芝山老人。"

十二月

吴潜同知枢密院事兼参知政事。吴文英赋词《浣溪沙》，题曰："仲冬出迓履翁，舟中即兴。"又《江神子》题曰："送桂花吴宪，时已有检详之命，未赴阙。"亦当作于此时。

徐鹿卿（1170—1249）卒，年八十。鹿卿字德夫，号泉谷樵友，丰城人。嘉定十六年进士，调南安军教授。端平元年，知南安县。嘉熙元年，干办行在诸司审计司，迁国子监主簿，除枢密院编修官，权右司。以诗赠方大琮、刘克庄、王迈被劾，奉云台观祠，太学诸生为作《四贤诗》。二年，起知建康军。淳祐三年，擢太府少卿兼右司。八年，迁礼部侍郎。除知宁国府。后提举鸿禧观，致仕。卒谥文恭。事迹见刘克庄《待制徐侍郎神道碑》、《宋史》卷四二四本传。著有《泉谷文集》、《盐楮议政稿》、《历官对越集》等，多散佚。明万历中裔孙徐即登辑为《清正存稿》六卷，有明万历刊本、《四库全书》本。《全宋词》录其词十二首，《全宋诗》录其诗一卷，《全宋文》收其文九卷。四库提要卷一六三："《清正存稿》六卷附录一卷。……鹿卿博通经史，居官廉约清峻，多惠政。凡所建白，皆忠悃激发，不少隐讳。今观是集，如都城火则上封事言惑嬖宠、溺燕私、用小人三事；迁国子监主簿入对，则陈洗凡陋、昭劝惩等六事；为太府少监入对，则言定国本、正纲纪、立规模诸事，大抵真挚恳切，深中当时积弊。刘克庄以董子之醇、贾生之通许之，虽标榜之词不无稍过，要其纯忠亮节，无愧古人，固非矫激以取名者所得而比拟矣。"

曹豳（1170—1249）卒，年八十。豳字西士，又字潜夫，号东畎，一作东圳，瑞安人。嘉泰二年进士，调靖安簿。历大理寺簿、浙西提举常平、浙东提点刑狱。嘉熙元年，召为左司谏，以直声与王万、郭磊卿、徐清叟号"嘉熙四谏"。以论忤旨，迁起居郎，进礼部侍郎，皆不拜。出知福州兼福建安抚使。以宝章阁待制致仕。卒谥文恭。事迹见《宋史》卷四一六本传。有奏疏、讲义、进故事、申省状、杂著、古律诗若干卷，刘克庄为作序，已佚。《全宋词》录其词二首，《全宋诗》录其诗八首，《全宋文》卷六九四〇收其文。论诗宗江西而薄四灵，以为"灵诗如啖玉腴，虽爽不饱；江西诗如百宝头羹，充口适腹"（《随隐漫录》卷五）。其诗"古风调邑流离，得元、白之意；律体精切帖妥，拍姚、贾之肩"（刘克庄《曹东圳集序》）。亦能词，其《西河》言辞愤激，而病浅俗（《白雨斋词话》卷二）；《红窗迥》戏慰其足，以俳体写成，已近北曲（《蒉猗室曲话》卷一）。

本年

黄昇《绝妙词选》（《花庵词选》）结集。其自序云："宋词多见于曾端伯所编，而《复雅》一集，又兼采唐、宋，迄于宣和之季，凡四千三百余首，吁，亦备矣。况中兴以来，作者继出，及乎近世，人各有词，词各有体，知之而未见，见之而未尽者，不胜算也。暇日裒集，得数百家，名之曰《绝妙词选》。佳词岂能尽录，亦尝鼎一脔而已。……亲友刘诚甫谋刊诸梓，传之好事者，此意善矣，又录予旧作数十首附于后。不无珠玉在侧之愧，有爱我者其为删之。淳祐己酉百五，玉林。"胡德方《唐宋诸贤绝妙词选序》："古乐府不作而后长短句出焉。我朝钜公胜士，娱戏文章，亦多及此。然散在诸集，未易遍窥。玉林此选，博观约取，发妙音于众乐并奏之际，出至珍于万宝毕陈之中，使人得一编，则可以尽见词家之奇，厥功不亦茂乎。玉林早弃科举，雅意读书，间从吟咏自适。阁学受斋游公尝称其诗为晴空冰柱，闽帅秋房楼公闻其与魏菊庄为友，并以泉石清士目之。其人如此，其词选可知矣。淳祐己酉上巳，前进士胡德方季直序。"四库提要卷一九九："《花庵词选》二十卷，内府藏本，宋黄昇撰。其书成于淳祐乙酉（按，当为己酉之误），前十卷曰《唐宋诸贤绝妙词选》，始于唐李白，终于北宋王昴，方外、闺秀各为一卷附焉。后十卷曰《中兴以来绝妙词》，始于康与之，终于洪瑹，昇所自作词三十八首亦附录于末。……观昇自序，其意盖欲以继赵崇祚《花间集》、曾慥《乐府雅词》之后，故蒐罗颇广。其中如李后主《山花子》一首，本李璟之作，《南唐书》载冯延巳之对可证，亦未免小有疏舛。然昇本工词，故精于持择。自序称暇日裒集得数百家，而所录止于此数，去取亦特为谨严，非《草堂诗余》之类参杂俗格者可比。又每人名之下各注字号里贯，每篇题之下亦间附评语，俱足以资考核，在宋人词选，要不失为善本也。"今《唐宋诸贤绝妙词选》有《四部丛刊》影印明翻宋刻本；《中兴以来绝妙词选》有明万历二年舒伯明刻本。

黄昇字叔旸，号玉林，又号花庵词客，闽之建安人。生卒年不详。隐居于玉林之散花庵。早年弃科举，专意读书，曾以诗受知于游九功，又与魏庆之为挚友，时人并以"泉石清士"目之。事迹见胡德方《唐宋诸贤绝妙词选序》。著有《散花庵词》一卷，有汲古阁刊本、《四库全书》本、《彊村丛书》本。《全宋词》录存其词三十九首，《全宋诗》录其诗一首，《全宋文》卷七七五九收其文。又编有《绝妙词选》。茹天成谓昇词"隽语秀发，风流蕴藉"（《重刻绝妙词选引》）。杨慎《词品》卷四："玉林之词……《草堂词》选其二，'南山未解松梢雪'及'枕铁棱棱近五更'是也，然非其佳者。其《月照梨花》一首云：'昼景方永……'此首有《花间》遗意。又《贺新郎·梅》词云：'自扫梅花下……'此词用文句，入音律而不酸，宋词之体也。其余若《九日》词'兰珮秋风冷，茱囊晚露新'，《秋怀》词'月印金枢晓未收'，《夜凉》词'冰雪襟怀，琉璃世界，夜气清如许'，《暮春》词'戏临小草书团扇，自拣残花插净瓶'，又'夜来能有几多寒，已瘦了梨花一半'，《赠丁南邻》云'待踞龟食蛤，相期汗漫，与烟霞会'，用卢敖事也，见《淮南子》。"四库提要卷一九九："昇早弃科举，雅意歌咏。……其词亦上逼少游，近摹白石。九功赠诗所云'晴空见冰柱'者，庶几似之。"李调元《雨村词话》卷三："花庵黄昇，自号玉林，尝辑《绝妙词选》，附以自制，其词工于炼字。如《鹧鸪天》句云：'一行归鹭拖秋色，几树鸣蝉饯夕阳。''拖'字犹人所及，'饯'字人所不及也。"

许棐约于本年前后在世，生卒年不详。棐字忱夫，海盐人。嘉熙中隐居秦溪，种梅数十树，构屋读书，自号梅屋。慕乐天、东坡，画二像悬室中事之。好储书，积至数千卷。事迹见《宋百家诗存》卷一八、《宋史翼》卷三六。著有《樵谈》一卷，四库提要卷一二四："《樵谈》一卷……旧本题宋许棐撰。……是编皆劝戒之言，然核其词气，如出屠隆、陈继儒一辈人口，殊不类宋人之作。"《梅屋诗稿》一卷、《融春小缀》一卷、《第三稿》一卷、《第四稿》一卷、《杂著》一卷，有清抄本；《梅屋集》五卷，有《四库全书》本；《献丑集》一卷，有《百川学海》本、《四库全书》本；《梅屋诗余》一卷，有《影刊宋金元明本词四十种》本。《全宋词》录其词二十首，《全宋诗》录其诗二卷。《宋百家诗存》卷一八谓"其诗清俊闲远，尤长于绝句"。四库提要卷一六四："《梅屋集》五卷。……首为《梅屋诗稿》一卷，次《融春小缀》一卷，次为《第三稿》一卷，次为《第四稿》一卷，次为《杂著》一卷。盖《梅屋诗稿》其初集，《融春小缀》其二集，故以下称《第三稿》、《第四稿》。……棐生当诗教极弊之时，沾染于江湖末派。大抵以赵紫芝等为矩矱，杂著中《跋四灵诗选》曰'斯五百篇，出自天成，归于神识，多而不滥，玉之纯、香之妙者欤，后世学者爱重之'是也。以高翥等为羽翼，《招高菊涧》诗所谓'自改旧诗时未稳，独斟新酒不成欢'是也。以书贾陈起为声气之联络，《赠陈宗之》诗所谓'六月长安热似焚，鄽中清趣总输君'；又《谢陈宗之叠寄书籍》诗所谓'君有新刊须寄我，我逢佳处必思君'是也。以刘克庄为领袖，《读南岳新稿》诗所谓'细把刘郎诗读后，莺花虽好不须看'是也。厥后以《江湖小集》中'秋雨梧桐'一联，卒搆诗祸，起坐黥配，克庄亦坐弹免官，而流波推荡，唱和相仍，终南宋之世，不出此派。然其咏歌闲适，模写山林，时亦有新语可观。录而存之，亦足以观诗道之变也。"亦善赋词，"秾艳绮丽，有《金荃》、《阳春》之遗意"（《善本书室藏书志》卷四〇）。

　　赵汝回本年在世，生卒年不详。汝回字几道，太宗八世孙，居永嘉。嘉定七年进士。历忠州判官（《雍正浙江通志》卷一二七）。绍定四年，为会昌军使（《嘉靖赣州府志》卷七）。淳祐九年，监澉水镇（《澉水志》卷下）。官终主管进奏院。事迹见《江湖后集》卷七、《弘治温州府志》卷一〇、《宋诗纪事补遗》卷九二。著有《东阁吟稿》，已佚。《江湖后集》卷七、《两宋名贤小集》卷二二存其诗。《全宋诗》卷三〇一二收其诗。王绰《薛瓜庐墓志铭》："永嘉之作唐诗者，首四灵。继灵之后，则有刘咏道、戴文子、张直翁、潘幼明、赵几道、刘成道、卢次夔、赵叔鲁、赵端行、陈叔方者作，而鼓舞倡率，从容指论，则又有瓜庐隐君薛景石者焉。"

　　谢翱（1249—1295）生。

　　刘因（1249—1293）生。

　　吴澄（1249—1333）生。

公元 1250 年（宋理宗淳祐十年庚戌　蒙古海迷失后二年）

三月

　　赵葵以言者论其不由科举出身，非读书人，不能为相，遂力辞相位。为观文殿大学士、醴泉观使兼侍读，奉朝请。

　　李曾伯为徽猷阁学士、京湖安抚制置使、知江陵府。

五月

　　吴渊为资政殿学士，依旧职任，与执政恩数。

夏

　　刘秉忠在忽必烈藩邸，上《万言策》，所陈数十余条，皆尊主庇民之事。首言正朝廷，振纲纪，选相任贤，安民固本。忽必烈嘉纳之。见张文谦《刘公行状》。

八月

　　俞文豹《吹剑录外集》撰成。仲秋日自序云："始余作此编，盖即前言往事，辨证发明，以寓劝戒之意。而好高者以人微而嘲玄，好奇者以文多而阁束。虽余亦自病其繁芜。宋景文曰：'每见旧作文，憎之欲焚弃。'欧公曰：'著述须老后，积勤宜少时。'二公之言，不我欺也。因续三为四，以验其学之进否。淳祐庚戌仲秋日括苍俞文豹。"四库提要卷一二一："《吹剑录外集》一卷。……宋俞文豹撰。文豹字文蔚，括苍人。其始末未详。所作先有《吹剑录》，故此曰'外集'。然卷首有淳祐庚戌序，称'续三为四，以验其学之进否'，则中间尚有二编，今已佚矣。《吹剑录》持论偏驳，多不中理，今别存其目。此集卷末载二诗，诗前题词有'绝笔斯录'之语，盖其晚年之所作。故学问既深，言多醇正，其记道学党禁始末甚详。所称韩、范、欧、马、张、吕诸公，无道学之名，有道学之实，故人无间言。伊川、晦庵二先生言为世法，行为世师，道非不宏，学非不粹，而动辄得咎。由于以道统自任，以师严自居，别白是非，分毫不贷。与安定角，与东坡角，与东川、象山辨，求必胜而后已，亦未始非平心之论也。"此集今存《知不足斋丛书》本、《四库全书》本。

九月

赐礼部进士方梦魁以下五百一十三人及第、出身有差。进士第一名方梦魁改赐名逢辰。

十一月

赵葵授特进，依旧观文殿大学士、判潭州、湖南安抚大使。

参知政事吴潜乞解机政，诏不允。

十二月

郑清之乞归田里，诏不允。

本年

吴潜帅越，吴文英在越州，赋词《绛都春》（螺屏暖翠）。题曰："题蓬莱阁灯屏，履翁帅越。"

赵闻礼约于本年前后在世，生卒年不详。闻礼字立之，又字粹夫，号钓月，临濮人。曾官胥口监征，以诗卷干谒程公许于蜀中。淳祐中，客居临安，与江湖词人丁默、林表民往还唱酬。事迹见刘毓盘《辑校钓月词跋》。闻礼编有宋词选本《阳春白雪》八卷、外集一卷，有清道光十年瞿氏清吟阁刻本、《宛委别藏》本。《四库未收书目提要》："《阳春白雪》八卷、外集一卷，宋赵闻礼编。……所选凡二百余家，宋代不传之作，多萃于是。去取亦复谨严，绝无猥滥之习。"《铁琴铜剑楼藏书目录》卷二四："所辑词凡二百余家，一归雅音，堪与《花庵词选》、《绝妙好词》并重。"闻礼有《钓月集》刻于当时，其中杂有时人楼采、施岳之作。周密《浩然斋雅谈》卷下："《谒金门》云：'人病酒……'《踏莎行》云：'照眼菱花……'此二词并见赵闻礼《钓月集》。然集中大半皆楼君亮、施梅川所作，安知非他人者。"其词今有赵万里辑本《钓月词》，存十四首，《全宋词》据以收录。沈雄《古今词话·词评》上卷："闻礼字立之，于南宋播迁之后，而词章饶有北宋风味。在诸选中亦一二仅见者。《千秋岁》、《风入松》与《水龙吟》之咏水仙，《贺新郎》之咏萤火，犹可被诸管弦也。"陆辅之《词旨·警句》、李佳《左庵词话》卷下皆摘其《风入松》词中"珠帘卷起还重下，怕东风吹散歌声"作为警句。

尹焕约于本年前后在世，生卒年不详。焕字唯晓，号梅津山人，长溪人，寓居山阴。嘉定十年进士。嘉熙间，通判宁国府，受知于知府杜范。淳祐六年，为两浙运判。七年，除左司郎官。八年，除太府少卿兼左司郎中兼敕令所删定官。事迹见《淳熙三山志》卷三一、《正德永康县志》卷四。著有《梅津集》，已佚。《全宋词》录其词三首，《全宋文》卷七四七四收其文。论词雅推吴文英，谓"求词于吾宋，前有清真，后有梦窗，此非予之言，四海之公言也"（陈廷焯《白雨斋词话》卷二）。其《唐多令·苕溪有牧之感》一词，传为湖州乐籍中女子所作（《齐东野语》卷一〇）。《蕙风词话》卷二："尹梅津《眼儿媚》咏柳云：'一好百般宜。'五字可作美人评语。"

刘祁（1203—1250）卒，年四十八。祁字京叔，号神川遁士，浑源人。为太学生，有文名。弱冠举进士，庭试失意，遂闭门读书。与赵秉文、李纯甫、杨云翼、雷渊、王若虚诸名流多所交往。金亡，归乡隐居，题所居之堂曰归潜，潜心著述，成《归潜志》。元太宗十年，诏试儒人，祁赴试，魁南京，选充山西东路考试官。后征南行省辟置幕府，凡七年而殁。事迹见《金史》卷一二六本传、王恽《浑源刘氏世德碑》。著有《神川遁士集》二十二卷，《处言》四十三篇，已佚。今存其《归潜志》十四卷，有《知不足斋丛书》本、《四库全书》本等。四库提要卷一四一："《归潜志》十四卷，浙江范懋柱家天一阁藏本，元刘祁撰。……卷首有祁乙未自序，谓昔所闻见，暇日记忆，随得随书。第一卷至六卷悉为金末诸人小传；第七卷至十卷杂记遗事；第十一卷题曰《录大梁事》，纪哀宗亡国始末；第十二卷题曰《录崔立碑事》，纪立作乱时，廷臣立碑以媚之，劫祁使撰文事；又一篇题曰《辨亡》，叙金前代之所以治平，末造之所以乱亡。自此二篇以下至十三卷，悉为杂说，略如语录之体，殊不相类。疑此二篇本自为一卷，殿全书之末，别以语录为第十三卷，诗文为第十四卷，附缀于后。后人因篇页不均，割语录之半移缀此卷，故体例参差也。壬辰之变，祁在汴京目击事状，记载胥得其实，故《金史》本传称祁此志于金末之事多有足征，哀宗本纪全以所言为据。……其他年月先后，姓名官阶，与史不同者甚多，皆足以资互考。谈金源遗事者，以此志与元好问《壬辰杂编》为最，《金史》亦并称之。《壬辰杂编》已佚，则此志尤足珍贵矣。"

马致远约生于本年前后。

公元 1251 年（宋理宗淳祐十一年辛亥　蒙古蒙哥汗元年）

<u>正月</u>

监察御史程元凤言，资善堂宜选用重厚笃实之士，上嘉纳之。

二月

郑清之等上《玉牒》、《日历》、《会要》及《光宗宁宗宝训》、《宁宗经武要略》。诏郑清之等各进秩有差。

三月

吴潜入为参知政事。

四月

进《淳祐条法事类》凡四百三十篇，郑清之等各进二秩。

罗大经撰《鹤林玉露》乙编成。自序云："或曰：'子记事述言，断以己意，惧贾僭妄之讥奈何？'余曰：'樵夫谈王，童子知国，余乌乎僭？若以为妄，则疑以传疑，《春秋》许之。'时宋淳祐辛亥四月，庐陵罗大经景纶。"

六月

诏求遗书并山林之士有著述者，许上进。

八月

诏以故直龙图阁楼昉所著《中兴小传》百篇、《宋十朝纲目》并《撮要》二书，付史馆誊写。昉追赠龙图阁待制。

闰十月

吴潜五疏乞罢机政，不允。

十一月

郑清之乞解机政，诏依前太傅、保宁军节度使充醴泉观使，封齐国公，仍奉朝请。

郑清之（1176—1251）卒，年七十六。清之字德源，别号安晚，鄞县人。少能文，为楼钥所称赏。嘉定十年进士，调峡州教授。因参预史弥远谋立理宗，累迁参知政事兼同知枢密院事。绍定六年，拜右丞相兼枢密使。端平二年，进左丞相。三年，以天变求去，提举洞霄宫。嘉熙四年，于里第筑小圃，名"安晚"，理宗亲书其匾，与友人啸咏其中者九年。后复拜左丞相，兼枢密使。卒谥忠定。事迹见刘克庄《丞相忠定郑公行状》、《宋史》卷四一四本传。本传称其著有《安晚集》六十卷，今存卷六至卷十二，有汲古阁影抄《南宋六十家小集》本、《四库全书》本等。《全宋词》录其词一首，《全宋诗》收其诗九卷，《全宋文》收其文二卷。林希逸《安晚先生丞相郑公文集序》："公早游太学，即有异声。越从经以至大用，高文大册，流布人间。黜陟两朝，既极文章之用；敷陈九陛，无非仁义之言。谏稿多焚，仅存其略。乃若渊跃龙潜，初继大统，两宫同异，监在治平，公竭忠忱以裨圣孝，时则有甲申尊亲之书；逆全骁张，声震江南，廷议不齐，类唐淮、蔡，公赞其决，卒成圣功，时则有绍定当国之书；亲事法宫，乾纲甫正，公忧旁落，力折机牙，时则有政柄之疏；和使往来，国是未一，公条间慧，迄如蓍龟，时则有边备之疏。他如《敬》、《思》二铭，《元吉十箴》，与夫《祖训》四言，发挥帝梦，又宗社之大计也。功言共立，不既伟乎！……公学穷古今，出入经史，胸中所有浩如也。镕炼而出，俄顷千言，形之声歌，兴味尤远，岂常流所可及！"朱彝尊《橡树诗序》："今之言诗者，多主于黄鲁直，吾见其太生。……杨廷秀、郑德源吾见其俚。"四库提要卷一六二："《安晚堂诗集》七卷。……考王士禛《蚕尾集》有《安晚集跋》……但谓其诗多禅语，而不言其工拙。今观所作，大都直抒性情，于白居易为近，其《咏梅》、《咏雪》七言歌行二十首，亦颇有可观。且清之为相，擢用正人，时有'小元祐'之号，在南宋中叶，犹属良臣，不但其诗为足重，固不容以残阙废也。"刘克庄《后村诗话》前集卷二："安晚丞相《昭君》诗云：'解移尤物柔强虏，延寿当年合议功。'意新而理长。"

吴潜为右丞相。

本年

吴文英与陈起（芸居）交往约在本年。吴文英有词《丹凤吟·赋陈宗之芸居楼》。

谢采伯（1179—1251）卒，年六十三。采伯字元若，临海人。嘉泰二年进士。历知广德军、湖州，除大理寺丞，擢大理正。宝庆元年，出知严州。四年，知徽州。淳祐元年，致仕，时年六十三（成公策《密斋笔记跋》），杜门读书，潜心著述。事迹见《淳熙严州图经》卷一、《嘉定赤城志》卷三三。著有《密斋笔记》，原本久佚，清四库馆臣自《永乐大典》中辑出，凡《笔记》五卷、《续记》一卷。四库提要卷一二一："《密斋笔记》五卷、《续记》一卷。……是编乃其易班东归时所撰，录以示其子者。杂论经史文义凡五万余言，自序以为无牴牾于圣人。其间援据史传，颇足以考镜得失。杂录前贤懿言微行，亦多寓惩劝，虽持论间有未醇，其援引证据，亦未能如《容斋随笔》、《梦溪笔谈》之博洽，而语有本源，瑜多瑕少，要亦说部之善本也。"

程公许（1181—1251）卒，年七十一。公许字季与，一字希颖，号沧洲，叙州宣化人。嘉定四年进士。历太常博士、著作郎兼国史编修、实录检讨。淳祐元年，迁秘书少监，兼直学士院，拜太常少卿，出知袁州。五年，除中书舍人，进礼部侍郎。十一年，差知婺州，未赴，召权刑部尚书，为陈垓劾罢。卒谥文简。事迹见《宋史》卷四一五本传。著有《沧洲尘缶编》，原集已佚，清四库馆臣自《永乐大典》中裒辑掇拾，分类编次，厘为十四卷。四库提要卷一六二："《沧洲尘缶编》十四卷，永乐大典本，宋程公许撰。……公许冲澹自守，而在朝谠直敢言，不避权幸，屡为群小齮龁，不安其位而去。当代推其风节，初不以文采见长，然所作才气磅礴，风发泉涌，往往下笔不能自休。本传称所著有《尘缶文集》、内外制、奏议、《奉常拟谥》、《掖垣缴奏》、《金华讲义》、《进故事》行世，今皆散佚不传。唯《永乐大典》载有公许诗文，题曰《沧洲尘缶编》，又有公许自序一篇，末署淳祐改元辛丑，盖公许为秘书少监时所自编也。按公许当日所论列，如《应诏言事乞留杜范》、《乞还言官》、《言蜀事十条》、《请蠲和籴》、《乞罢龚基先》、《论徐元杰事》诸疏，《宋史》皆撮其大纲，著于本传。其全文必更剀切详明，而详检《永乐大典》，均未之载。殆以内外制、奏议诸编当时皆别本单行，今唯文集仅存，故其他遂不复见。至古今体诗，据自序本以一官为一集，而其目为《永乐大典》所割裂，原第已无可考。杂文亦仅有序记、策问等寥寥数篇，尤非完帙。今姑就所存者裒辑掇拾，分类编次，厘为十四卷。大抵直抒胸臆，畅所欲言，虽不以锻炼为工，而词旨昌明，议论切实，终为有道之言，其格在雕章绘句上也。"王迈《沧洲尘缶编序》："沧州程公以道德文章之绪余，发而为大篇短章，无虑千百题。方濯缨儃沧浪，偃盖儃仙谷，览峨嵋象耳之胜，吸锦江泸水之清，落笔成章，神闲韵远，真之《经曲阿》、《游桃源》及《杂诗》中，所谓何其声之似我君者。旋罹兵祸，脱身豺虎中，冒瞿唐、滟滪而东下也，念家怀土，雪涕行途，前有《思治行》，后有《感怀》、《成都十绝》，可与《北征》同工异曲。他如'大地众生愁暍死，清风一壑可能专'等句，叠见层书，极其恻怛，谓非从'穷年忧黎元，叹息肠内热'得乎？……其势雄健如灵鳌之擘泰华，其步骤迅捷如峻坂之走铜丸。时乎绮丽，如晴空彩霞，奇谲百态；时乎萧散，如孤云野鹤，不受羁靮。盖其学餍经饫史，含《庄》咀《骚》，采掇菁华，材料饱足，故能兼陶、杜之体而有之。"

公元 1252 年（宋理宗淳祐十二年壬子　蒙古蒙哥汗二年）

五月

李曾伯自编《可斋杂稿》成。自序又云："一日，与书塾亲友偶阅旧作一二，有劝以刊诸梓示儿曹者，姑俾芟次之。……淳祐壬子夏五旦日，可斋书于荆州杞梓堂。"

八月

诏来年省试仍旧用二月一日，殿试用四月十五日以前，庶免滞留远方士子。

诏改明年为宝祐元年。

九月

刘克庄赋诗《壬子九日》。《瀛奎律髓汇评》卷一六方回评："淳祐十二年壬子。去年辛亥，后村在朝为秘书监，直玉堂。九月十日宣锁，有六绝句，其冬，郑丞相清之卒，去国。恰近一年家居之乐，亦何至'村酤草塞瓶'乎？周益公四六有云：'朝趋凤阙，绾五组之光华；夕侣渔舟，披一蓑之蓝缕。'文人之言，例过实也。尾句犹不能忘情于荣进者。"

十一月

吴潜罢右丞相。

十二月

吴潜为观文殿大学士、提举江州太平兴国宫。

本年

罗大经撰《鹤林玉露》丙编成。自序云："余为临川郡从事逾年，考举粗足，侍御史叶大有忽劾余罢官。临汝书院堂长黄景亮曰：'鹤林纵未通金闺之籍，殆将增《玉露》之编乎？'余谢不敢当也。还山数月，丙编遂成。时宋淳祐壬子，庐陵罗大经景纶。"

罗大经，字景纶，庐陵人，生卒年不详。少时曾就读太学，宝庆二年进士，曾任容州法曹。淳祐十一年，为抚州军事推官。事迹见四库提要卷一二一、《宋诗纪事》卷七二。著有《鹤林玉露》十六卷，有明刻本、《四库全书》本、中华书局校点本。《全宋诗》录其诗十六首，《全宋文》卷七九六五收其文。四库提要卷一二一："《鹤林玉露》十六卷，两江总督采进本，宋罗大经撰。……其书体例在诗话、语录之间，详于议论而略于考证。所引多朱子、张栻、真德秀、魏了翁、杨万里语，而又兼推陆九渊。极称欧阳修、苏轼之文，而又谓司马光《资治通鉴》且为虚费精力，何况吕祖谦《文鉴》。既引张栻之说谓词科不可习，又引真德秀之说谓词科当习。大抵本文章之士而兼慕道学之名，故每持两端，不能归一。然要其大旨，固不谬于圣贤也。陈耀文《学林就正》讥其载冯京《偷狗赋》乃捃摭滕元法事，伪托于京。今检《侯鲭录》所载滕赋，信然。盖是书多因事抒论，不甚以记事为主。偶据传闻，不复考核，其疏漏固不足异耳。"

张枢约于本年前后在世，生卒年不详。枢字斗南，号云窗，又号寄闲，西秦人，居临安，张炎之父。尝为宣词令、阁门簿书，详知朝仪典故。其姑缙云夫人承恩理宗，因得出入宫禁，备见一时宫中燕幸之事，尝赋《宫词》七十首，尽载当时盛际。事迹见周密《浩然斋雅谈》卷中、卷下及张炎《词源》卷下。尝有《寄闲集》，已佚。今《全宋词》录其词九首，《全宋诗》收其诗十二首。周密谓其"笔墨萧爽，人物蕴藉，善音律，尝度依声集百阕，音韵谐美，真承平佳公子也"（周密《浩然斋雅谈》卷下）。张炎《词源》卷下："先人晓畅音律，有《寄闲集》，旁缀音谱，刊行于世。每作一词，必使歌者按之，稍有不协，随即改正。曾赋《瑞鹤仙》一词云：'卷帘人睡起……'此词按之歌谱，声字皆协，唯'扑'字稍不协，遂改为'守'字，乃协。始知雅词协音，虽一字亦不放过，信乎协音之不易也。又作《惜春花·起早》云'锁窗深'，'深'字音不协，改为'幽'字，又不协，改为'明'字，歌之始协。"况周颐《蕙风词话》续编卷一："寄闲翁《风入松》云：'旧巢未著新来燕，任珠帘、不上琼钩。'用'待燕归来始下帘'句意，翻新入妙。《恋绣衾》云：'自不怨东风老。怨东风、轻信杜鹃。'是未经人道语。"

普济撰成《五灯会元》，将《景德传灯录》、《天圣广灯录》、《建中靖国续灯录》、《联灯会要》、《嘉泰普灯录》删繁就简，合五为一，故名。

元好问与张雄飞北上见忽必烈，请其保护儒生。忽必烈特准免除儒户兵赋。

王约（1252—1333）生。

陈栎（1252—1334）生。

公元1253年（宋理宗宝祐元年癸丑　蒙古蒙哥汗三年）

正月

理宗制《资善堂记》赐皇子。

蒙古忽必烈以皇弟开邸金莲川，召郝经，谘以经国安民之道，郝经条上数十事，遂留于王府。

三月

戴昺《东野农歌集》结集。自序云："余效官秋浦，公余弗暇他问，独未能忘情于吟。凡得诸山川之登览，景物之感触，宾友之应酬，率于五七字寄之。虽草根嘤嘤，柳梢嘈嘈，视鸣高冈、唳九皋，声韵邈乎不侔，而发乎情则一也。抖擞破囊，凡百篇，辄忘其丑，录以备或者枫落吴江之问。宝祐改元癸丑修禊日，东野子戴昺自叙。"

戴昺，字景明，号东野，天台人，戴复古从孙。生卒年不详。嘉定十三年进士，调赣州法曹参军。宝祐初，尝为池州幕僚。事迹见《东野农歌集》自序及《四库全书总目》卷一六三。著有《东野农歌集》五卷，有明潘是仁刻《宋元四十二种》本、《四库全书》本。《全宋诗》录其诗五卷，《全宋文》卷七六七九收其文。戴复古《题昺侄东野农歌》："侄孙昺以《东野农歌》一编来，细读足以起予。七言有'汲水灌花私雨露，临池叠石幻溪山'、'草欺兰瘦能香否，杏笑梅残标俗何'，似此两联，皆自出新意，自可传世。然言语之工，又未足多，其体格纯正、气象和平为可喜。余非谀言，自有识者，因题其卷末以归之。'吾宗有东野，诗律颇留心。不学晚唐体，曾闻大雅音。霜空孤鹤唳，云洞老龙吟。群噪无才思，昏鸦自满林。'"四库提要卷一六三："《东野农歌集》五卷，浙江巡抚采进本，宋戴昺撰。……其诗世有二本，一为两淮所进，题曰《戴东野诗》，只一卷，卷首又题曰《石屏诗集附录》，盖本缀复古诗后以行者。一为浙江所进，分为五卷，其编次稍有条理，而诗视两淮本较少数篇。今以浙江本为主，据两淮本增入诗十一首，又据《宋诗钞》增入诗三首，凡百有余篇。考卷内有宝祐改元癸丑修禊日昺自跋曰'抖擞破囊凡百篇'录之，则昺所自编不过此数，可以称足本矣。昺少工吟咏，为复古所称，有'不学晚唐体，曾闻大雅音'之句。今观所作，五言如'眼明千树底，春入数花中'、'秋床梧叶雨，晓袂竹林风'、'清池涵竹色，老树蚀藤荫'、'草润蛩声滑，松凉鹤梦清'，七言如'野水倒涵天影动，海云平压雁行低'、'飐柳轻风寒忽暖，催花小雨湿还晴'，格调不高，而皆清婉可讽，亦颇具石屏家法也。"翁方纲《石洲诗话》卷四："戴昺，石屏之从孙也。其《答妄论宋唐诗体》云："性情元自无今古，格调何须辨宋唐。"语意自是，而直率逞快者，未必不因乎此。"

五月

赐礼部进士姚勉以下及第、出身有差。文及翁登进士第。

六月

李曾伯为端明殿学士，职任依旧。

七月

王伯大（？—1253）卒，生年不详。伯大字幼学，号留耕，福州长溪人。嘉定七年进士。历官起居舍人、吏部侍郎兼权中书舍人、刑部尚书。淳祐七年，签书枢密院事兼权参知政事。八年，拜参知政事。为监察御史陈垓论罢，出知建宁府。事迹见《宋史》卷四二〇本传。伯大立朝直谅，论时政、边事，曲尽事情。《全宋诗》录其诗四首，《全宋文》卷七四二〇收其文。

八月

马光祖为司农卿、淮西总领财赋。

萧泰来以起居郎出知隆兴府。先是，起居舍人牟子才与泰来并除，子才四疏辞，极陈泰来奸险污秽，耻与为伍，泰来不得已请辞，遂予郡。

段克己赋诗《癸丑仲秋之夕，与诸君会饮山中，感时怀旧，情见乎辞》。

九月

程元凤升兼侍读，牟子才升兼侍讲。

十一月

冬至日，姚勉赋《贺新郎·及第作》。并序云："尝不喜旧词所谓'宴罢琼林，醉游花市，此时方显男儿志'，以为男儿之志，岂止在醉游花市而已哉？此说殊未然也，必志于致君泽民而后可，尝欲作数语易之而未暇。癸丑叨忝误恩，方圆前话，以为他日魁天下者之劝，非干自炫也。夫以天子之所亲擢，苍生之所属望，当如之何而后可以无负之哉？友人潘月崖首求某书之，是其志亦不在彼而在于此矣，故书不敢辞。是年一阳来复之日，姚某书。"

本年

刘秉忠从忽必烈征大理等地。

公元1254年（宋理宗宝祐二年甲寅　蒙古蒙哥汗四年）

二月

饶州布衣饶鲁，不事科举，一意经学，诏补迪功郎、饶州教授。

饶鲁，字伯舆，一字仲元，一字师鲁，余干人。生卒年不详。幼从黄榦学。赴试不第，遂专意经学，以致知力行为本。累征不起，作朋来馆以居学者，又作石洞书院，前有两峰，因号双峰。卒，门人私谥曰文元。事迹见《宋史翼》卷二五、《宋元学案》卷八三。著有《五经讲义》、《论孟纪闻》、《春秋节传》、《学庸纂述》、《近思录注》等，今存《饶双峰讲义》、《白鹿书院教规》、《程董二先生学则》。《全宋诗》录其诗六首，《全宋文》卷七九二七收其文。

六月

李曾伯为资政殿学士，依旧节制四川。

闰六月

包恢提点浙西刑狱，诏捕荻浦盐寇。

李曾伯为四川宣抚使兼京湖制置大使，进司夔路，诏赐同进士出身。

七月

包恢平荻浦海寇，进直龙图阁。

八月

有司上《玉牒》、《日历》、《会要》及《七朝经武要略》、《中兴四朝志传》。

十月

十五日，元好问为张胜予作《新轩乐府引》。有云："唐歌词多宫体，又皆极力为之。自东坡一出，情性之外，不知有文字，真有'一洗万古凡马空'气象。虽时作宫体，亦岂可以宫体概之。人有言乐府本不难作，从东坡放笔后便难作。此殆以工拙论，非知坡者。所以然者，《诗三百》所载，小夫贱妇幽忧无聊赖之语，时猝为外物感触，满心而发，肆口而成者尔。其初果欲被管弦，谐金石，经圣人手，以与六经并传乎？小夫贱妇且然，而谓东坡翰墨游戏，乃求与前人角胜负，误矣。自今观之，东坡圣处，非有意于文字之为工，不得不然之为工也。坡以来，山谷、晁无咎、陈去非、辛幼安诸公，俱以歌词取称，吟咏情性，留连光景，清壮顿挫，能起人妙思；亦有语意拙直，不自缘饰，因病成妍者，皆自坡发之。近岁新轩张胜予，亦东坡发之者。……岁甲寅十月望日，河东元某题。"

十六日，方岳为吴锡畴作《兰皋集跋》。有云："意王恺之珊瑚扶疏二尺，美止于此矣。比吴君过予崖下，出其宝，则高三四尺者六七株，如'燕未成家寒食雨，人如中酒落花风'者尚多也。……宝祐甲寅十月既望，秋崖方岳拜手书。"

本年

周密试吏部铨第十三人，约在本年前后。

王埜拜端明殿学士、签书枢密院事。封吴郡侯、主管洞霄宫。

李曾伯编《可斋续稿》成。其自识有云："《杂稿》锓梓，出于儿辈哀次，中多少作，未尝不动壮夫之悔。一二年间，复应酬，又欲从而续之，姑徇其意。然军书蜂午中，安有好语，徒重作者笑。"

段克己（1196—1254）卒，年五十九。克己字复之，号遁斋，绛州稷山人。早年与弟成己并以文才擅名，赵秉文目为"二妙"，大书"双飞"二字名其里。金末登进士第。入元，以金源遗逸避世林泉，与弟成己居龙门山中，终身不仕。事迹见吴澄《元赠奉议大夫骁骑尉河东县子段君墓表》、虞集《河东段氏世德碑铭》。所著《遁斋乐府》已刻入《二妙集》（与弟成己合集），有吴昌绶双照楼影元刊本、《九金人集》本、《四库全书》本。吴澄《二妙集序》："中州遗老值元兴金亡之会，或身殁而名存，或身隐而名显，其诗文传于今者，窃闻一二矣。有如河东二段先生者，则未之见也。心广而识超，气盛而才雄，其蕴诸中者参众德之妙，其发诸外者综群言之美，夫岂徒从事于枝叶以为诗文者之所能及哉？……斯人也而丁斯时也，斯时也而毓斯人也。"四库提要卷一八八："《二妙集》八卷，江苏巡抚采进本，金段克己、段成己兄弟诗集也。……集凡诗集六卷、乐府二卷，大抵骨力坚劲，意致苍凉，值故都倾覆之余，怅怀今昔，流露于不自知。吴澄序言其有感于兴亡之会，故陶之达、杜之忧，其诗兼而有之，所评良允。"况周颐《蕙风词话》续遍卷一："遁庵乐府《大江东去》云：'不如闻早，付他妻子耕织。'《江城子》云：'明日新年，闻早健还家。'《渔家傲》云：'住山活计宜闻早，身世沧溟一沤小。'闻早，当是北人方言，《菊轩乐府》中亦两见。"

赵孟頫（1254—1322）生。

马端临（1254？—1323）约生于本年。

公元 1255 年（宋理宗宝祐三年乙卯 蒙古蒙哥汗五年）

正月

起居郎牟子才上疏言："元夜张灯侈靡，倡优下贱，奇技献笑，媟污清禁，上累圣德。今因震霆示威，臣愿圣明觉悟，天意可回。"帝纳其言。见《宋史·理宗本纪四》。

二月

许衡应忽必烈征召，为京兆提学，在京兆兴学。

三月

吴渊为观文殿学士、京湖制置使、知江陵府。

春

欧阳守道任白鹭洲书院山长。文天祥入吉州白鹭书院。

周密随父守鄞江。尝侍父游长汀苍玉洞，赋诗《游苍玉洞》。后题云："昔年游苍玉洞，亲老尝赋诗三十韵，宾从皆有和篇。余时年甚少，亦属卷尾，亲老为一笑。比以少作不入卷，兴怀昔游，感慨特尽，因录于此，以记俯仰古今之情云。"按，周密诗可考年代者，此为最早。

四月

江万里为福建安抚使、知福州。

六月

王埜以御史胡大昌言罢给事中，依旧端明殿学士、提举洞霄宫。

八月

程元凤签书枢密院事、权参知政事。

江万里以台臣李衢言，罢新命福建安抚使，提举武夷山冲佑观。

郑性之（1172—1255）卒，年八十四。性之字信之，号毅斋，侯官人。师从朱熹。嘉定元年进士第一。历官校书郎、著作佐郎、起居舍人、吏部侍郎等。端平二年，擢同知枢密院事，兼权参知政事。三年，除参知政事。嘉熙元年二月，除知枢密院事兼参知政事。立朝无所阿附，与乔行简不睦，十一月，罢为资政殿大学士、知绍兴府、浙东安抚使，辞不拜，提举临安府洞霄宫，以通议大夫致仕。卒谥文定。事迹见刘克庄《毅斋郑观文神道碑》、《宋史》卷四一九本传。著有廷对策、奏议、诗文、杂著若干卷，已佚。《全宋诗》录其诗三首，《全宋文》卷六九七七收其文。

十二月

文天祥与弟文璧由父文仪带领赴临安，以应明春进士考试。

本年

萧泰来约于本年前后在世，生卒年不详。泰来字则阳，号小山，临江军新喻人。绍定二年进士。淳祐末，以荐擢监察御史，迁右补阙。宝祐元年，擢起居郎，以牟子才言其奸险污秽，出知隆兴府。事迹见《隆庆临江府志》卷一二、《弘治抚州府志》卷八。著有《小山集》，已佚。《全宋词》录其词二首，《全宋诗》录其诗九首，《全宋文》卷七八七三收其文。查礼《铜鼓书堂词话》谓其《霜天晓角·梅》"命意措词，自觉不凡。而于乐章风格，亦见雅俊，较之徒事艳冶绮语者，其身分高若干等第"，陆辅之《词旨》摘此词之"清绝，影也别，知心唯有月"为警句，而陈廷焯《白雨斋词话》卷六则谓"词贵浑涵，刻挚不能浑涵，终属下乘。……宋末萧泰来《霜天晓角》一阕，亦犯此病"。

吕午（1179—1255）卒，年七十七。午字伯可，号竹坡，歙县人。嘉定四年进士，授乌程主簿。调当涂县丞，与吴渊、吴潜兄弟定交。历知余杭县、龙阳县。嘉熙元年，为太府寺簿，迁监察御史。三年，以论赵葵左迁宗正少卿兼国史院编修官、实录院检讨官。淳祐元年，出知泉州。三年，复入为监察御史，兼崇政殿说书，迁起居郎兼史院官。四年，丁母忧。闲居十二年，宝祐三年卒。事迹见《宋史》卷四〇七本传。著有《竹坡类稿》，淳祐三年祝穆刻，有清抄本，五卷附录一卷；《左史谏草》一卷，有《四库全书》本，存奏疏六首。《全宋诗》录其诗六首，《全宋文》收其文七卷。四库提要卷五五："《左史谏草》一卷。……是编凡奏议六首，后附其子沆奏议一首，后又附载《家传》、诗文之类，最后载《吕氏节妇事》，皆因《家传》附编者也。午两为谏官，以风节自励，知无不言。理宗尝称其议论甚明切，又谓其论边事甚好。此六疏皆理宗嘉熙二年所上，虽篇数无多，而宋末时事颇可考见。其论宋宰相、台谏之弊，尤极详恳。其子沆一疏，并方回所为午及沆传，亦多与《宋史》本传可以相证。回称午文集名《竹坡类稿》，是午本有全集，而今佚之。兹六疏，盖存于散轶之余者。其他遗文，则颇散见于《新安文献志》诸书中云。"

赵崇嶓（1198—1255）卒，年五十八。崇嶓一作崇墦，字汉宗，号白云山人，居南丰，太宗九世孙。嘉定十六年进士，调金溪主簿。历知石城县、淳安县。嘉熙二年，以奉礼郎知乐平县。宝祐三年，为大宗丞，上书责丞相谢方叔，罢，寻卒。事迹见包恢《祭赵宗丞崇嶓文》、刘埙《隐居通议》卷九。著有《白云小稿》，已佚。仅《江湖后集》收其诗五十四首。词存二十首，散见于陈起《江湖集》、赵闻礼《阳春白雪》、周密《绝妙好词》诸书。《全宋词》收其词，《全宋诗》收其诗一卷，《全宋文》卷七七八二收其文。刘埙《隐居通议》卷九："赵宗丞崇嶓……为人倩俊洒落，富有文采，超然为宗籍冠。尝赋诗云：'壮老互沦谢，百年如奔霆。竞将无穷忧，劳此有尽形。生时一幻化，死即归杳冥。亦有贤达人，视死如未生。亦有醉梦人，既死心未平。逆旅朝暮间，八风无时停。扰扰安足计，熙然慰吾情。'赋《古意》云：'阿母带儿出，儿行自回皇。儿不倦行路，遣儿心内伤。问儿何所伤，儿语不敢详。将儿雇织作，不忍织鸳鸯。'赋《松柏》有云：'松柏生高冈，不依贵者门。松柏长青青，却荫贵者坟。生非门墙交，而与丘陇亲。'此等皆思致不群，超出世俗。《文德殿早朝》云：'苑墙当北斗，宫树近朝阳。'《龙翔宫》云：'地辟金光界，龙飞析木津。指麾开辇路，祠祀拜元辰。天近云光暖，花浓雨脉春。君王自仁寿，闲杀华封人。'皆妙句也。佗如'汉月通江白，秦云入塞黄'、'鹭依江渚冷，雁入楚云深'、'湖海三生梦，乾坤一寸心'、'天形低赴海，潮势直通吴'、'月入星辰大，山明天地秋'，《咏梅》云：'大雅终不群，古心应自许。对之鄙吝消，疑是黄叔度。'凡此皆一时传诵者。"

麻革卒于本年以后，生卒年不详。按，麻革卒后，陈庚有《吊麻信之二首》。陈庚卒于蒙古忽必烈汗中统二年（1261），麻革于蒙哥汗四年（1254）尚作《重修襄陵庙学碑》，则其卒年当在蒙哥汗五年（1255）至忽必烈汗中统元年（1260）之间。革字信之，号贻溪，临晋人。贞祐初，避兵华山，迁洛阳。正大四年，元好问为内乡令，移家就之。八年，入汴京，为太学生。北渡后，经代州，留滞居延。蒙古窝阔台汗十一年夏，赴试武川。秋归，道浑水，访刘祁于浑源。归乡里，隐居教授而终。元好问《麻杜张诸人诗评》："麻信之、杜仲梁、张仲经，正大中同隐内乡山中，以作诗为业。人谓东南之美尽在是矣。予尝窃评之：仲梁诗如偏将军将突骑，利在速战，屈于迟久，故不大胜则大败。仲经守有余而攻战不足，故胜负略相当。信之如六国合纵，利在同盟，而敝于不相统一，有连鸡不俱栖之势，虽人自为战而号令无适从，故胜负未可知。"《金元诗选·金诗选例言》："金诗中气骨苍劲，体制最高者，推刘迎无党、李汾长源、辛愿敬之、麻革信之。"又《金元诗选·金诗选三》谓其《置酒半山亭得秋字》"浑浑有气"，《送杜仲梁东游》"音节甚古"。著有《贻溪集》。事迹见《元诗选》三集卷一。

陈宜甫（1255—1299）生。

李孟（1255—1321）生。

曹伯启（1255—1333）生。

公元 1256 年（宋理宗宝祐四年丙辰　蒙古蒙哥汗六年）

正月

刘克庄赋诗《丙辰元日》。

吴渊为京湖制置使兼夔路策应使。

二月

诏袭封衍圣公孙孔洙添差通判吉州，不厘务。

赵以夫（1189—1256）卒，年六十八。以夫字用父，号虚斋，自称芝山老人，宗室德钧七世孙，居长乐。嘉定十年进士，知监利县。历通判南剑州、知漳州、提举江南西路常平茶盐公事。嘉熙二年，拜同知枢密院事。四年，召为太常少卿，除枢密都承旨。淳祐元年，乞祠，差知建宁府，提举江州太平兴国宫。三年，召为刑部侍郎。五年，除沿江制置使兼知建康府、江东安抚使。迁刑部尚书，兼权给事中。十年，除吏部尚书兼侍讲。宝祐三年，以资政殿学士致仕。事迹见刘克庄《虚斋资政赵公神道碑》。著有《诗传》、《书传》、《庄子解》、奏议、进故事、《易疏义》、杂著等，已佚。

今存《易通》六卷，有《四库全书》本；《虚斋乐府》二卷，有清初钱氏述古堂影宋抄本。《全宋词》录其词六十八首，《全宋诗》录其诗一首，《全宋文》卷七六七六收其文。汪森《词综序》："鄱阳姜夔出，句琢字炼，归于醇雅。于是史达祖、高观国羽翼之。张辑、吴文英师之于前，赵以夫、蒋捷、周密、陈允衡、王沂孙、张炎、张翥效之于后。譬之于乐，舞箭至于九变，而词之能事毕矣。"陈廷焯《白雨斋词话》卷八："虚斋乐府，较之小山、淮海，则嫌平淡；方之美成、梅溪，则嫌伉坠，似郁不纡，亦是一病，绝非取径于白石。"又："赵以夫《龙山会·九日》云：'西北最关情，漫遥指、东徐南楚。黯销魂，斜阳冉冉，雁声悲苦。'感时之作，但说得太显，不耐寻味。金氏所谓鄙词也。感时伤事者，必熟读碧山词，而后可以作不平鸣。"

以夫之卒，包恢有《祭赵虚斋以夫文》，刘克庄有《赵虚斋端明掩坎文》。

春

刘克庄赋诗《梅花》。《瀛奎律髓汇评》卷二○方回评："潜夫《后集》此诗乃宝祐四年丙辰作，年七十矣。诗太富艳，以梅为丈夫，而芍药、海棠以为妻、妾，亦不过一巧耳，乏自得趣味也。盖梅诗不贵流丽。后村诗，细味之极俗，亦颇冗。"

四月

程元凤为参知政事；李曾伯为资政殿大学士、福建安抚使；吴渊进二秩，职任依旧；吴潜为沿海制置使、判庆元府；马光祖为焕章阁直学士，职任依旧。

五月

八日，文天祥等参加廷对。《御试策一道》，以"法天不息"为对。有司置文天祥卷为第七卷，理宗易为第一卷。二十四日，集英殿赐第、唱名，赐文天祥以下六百○一人及第、出身有差。谢枋得、陆秀夫、胡三省等登同榜进士。理宗赐闻喜宴，文天祥进《集英殿赐进士及第恭谢诗》，内有"但坚圣志持常久，须使生民见泰通"句。

孙梦观兼资善堂赞读。

王埜夺端明殿学士罢祠，仍褫执政恩数。

七月

程元凤为右丞相兼枢密使；蔡抗为参知政事。

八月

程元凤上疏言正心、待臣、进贤、爱民、备边、守法、谨微、审令八事。

十月

吴潜赋词《沁园春》（夜雨三更）。题曰："丙辰十月十日。"

本年

张榘本年前后在世，生卒年不详。榘字方叔，号芸窗，润州人。端平元年，为建康府观察推官。淳祐五年，知句容县。宝祐中，为江东制置使司主管机宜文字、参议。与魏了翁、赵以夫友善，又与江湖诗人唱酬，许棐《赠芸窗》称曰："能书能画又能诗，除却芸窗别数谁。"事迹见《景定建康志》卷二四、二五、二七及《弘治句容县志》卷六。其诗集已佚，仅《江湖后集》收其诗五十五首。又《芸窗词稿》一卷，收入《宋名家词》。今《全宋词》录其词五十余首，《全宋诗》录其诗一卷，《全宋文》卷七九八七收其文。毛晋《芸窗词跋》谓其"最喜作次韵小令，惜诸家词选不载。余偶得《芸窗词》全帙，如'正挑灯，共听檐雨'，幽韵不减陆放翁。如'小楼燕子话春寒'，艳态不减史邦卿。其如'秋在黄花羞涩处'，又'苦被流莺，蹴翻花影，一阑红露'等语，直可与秦七、黄九相雄长。或病其饶贫寒气，毋乃太贬乎？"四库提要卷二〇〇："《芸窗词》一卷，江苏巡抚采进本，宋张榘撰。……其词诸家选本罕见采录，此本为毛晋所刻，亦不详其所自。词仅五十首，而应酬之作凡四十三首。四十三首之中，寿贾似道者五，寿似道之母者二，其余亦大抵谀颂上官之作。尘容俗状，开卷可憎。唯小令时有佳语。毛晋跋称其《摸鱼儿》之'正挑灯，共听檐雨'、《浪淘沙》之'小楼燕子话春寒'、《青玉案》之'秋在黄花羞涩处'、《水龙吟》之'苦被流莺，蹴翻花影，一栏红露'诸句，固自稍稍可观，然不能掩其全集之陋也。"李调元《雨村词话》卷三："人谓张榘《芸窗词》饶贫气，今观其全集如'小楼燕子话春寒'，又'秋在黄花羞涩处'，又'苦被流莺，蹴翻花影，一栏红露'诸句，俱不减少游丰韵。"陈廷焯《白雨斋词话》卷六："二帝蒙尘，偷安南渡，苟有人心者，未有不拔剑斫地也。南渡后词……张方叔《贺新凉》云：'世上岂无高卧者，奈草庐、烟锁无人顾。'……此类皆慷慨激烈，发欲上指。词境虽不高，然足以使懦夫有立志。"况周颐《蕙风词话》卷二："芸窗词《瑞鹤仙》次韵陆景思喜雪云：'农麦年来管好，禾黍离离，讵忘关洛。'《贺新郎》送刘澄斋归京口云：'西风乱叶长安树，叹离离、荒宫废苑，几番禾黍。'神州陆沉之感，不图于半闲堂寮吏见之。自来识时达节之士，功名而外无容心。偶有甚非由衷之言，流露于楮墨之表，讵故为是自文饰耶，抑亦天良发见于不自知也。"

陈起（？—1256）卒，生年不详。起字宗之，号芸居，又号陈道人，钱塘人。"宁宗时乡贡第一，时称陈解元。事母至孝，开书肆于临安，鬻书以奉母，因取江湖间名人小集数十家，选为《江湖集》，汇刊以售，人盛称之。时史弥远当国，起有诗云：'秋雨梧桐皇子府，春风杨柳相公桥。'哀济邸而诮弥远也。宝庆初，李知孝为言官，见之弹事，一时江湖之士同获罪者六人，而起坐流配焉，寻诏禁士大夫作诗。弥远死，禁始解。其诗有《芸居乙稿》一卷。刘克庄赠诗云：'炼句岂非林处士，鬻书莫是穆参军。'叶茵赠诗云：'气貌老成闻见熟，江湖指作定南针。'盖嘉定间东南诗人集于临安，而起则声气之荟萃也"（《宋百家诗存》卷一四）。今《芸居乙稿》一卷，收入《汲古阁影钞南宋六十家小集》、《两宋名贤小集》、《南宋群贤小集》中。《全宋诗》录其诗二卷。事迹见《梅涧诗话》卷中、《瀛奎律髓汇评》卷二〇及卷四二、《宋百家诗存》卷一四。四库提要卷一八七："《江湖小集》九十五卷，两淮盐政采进本，旧本题宋陈起编。……今所传宋本诸书，称临安陈道人家开雕者，皆所刻也。是集所录凡六十二家：洪迈二卷、僧绍嵩七卷、叶绍翁一卷、严粲一卷、毛珝一卷、邓林一卷、胡仲参一卷、陈鉴之一卷、徐集孙一卷、陈允平一卷、张至龙一卷、杜旃一卷、李龏三卷、施枢二卷、何应龙一卷、沈说一卷、王同祖一卷、陈起一卷、吴仲孚一卷、刘翼一卷、朱继芳二卷、林尚仁一卷、陈必复一卷、斯植二卷、刘过一卷、叶茵五卷、高似孙一卷、敖陶孙二卷附《诗评》、朱南杰一卷、余复观一卷、王琮一卷、刘仙伦一卷、黄文雷一卷、姚镛一卷、俞桂三卷、薛嵎一卷、姜夔一卷、周文璞三卷、危稹一卷、罗与之二卷、赵希（木+路）一卷、黄大受一卷、吴汝弌一卷、赵崇鉘一卷、葛天民一卷、张弌一卷、邹登龙一卷、吴渊二卷、宋伯仁一卷、薛师石一卷附《跋》及《墓志》、高九万一卷、许棐四卷、戴复古四卷、利登一卷、李涛一卷、乐雷发四卷、张蕴一卷、刘翰一卷、张良臣一卷、葛起耕一卷、武衍二卷、林同一卷。内唯姚镛、周文璞、吴渊、许棐四家，有赋及杂文，余皆诗也。……此本无曾极诗，亦无赵师秀诗，且洪迈、姜夔皆孝宗时人，而迈及吴渊位皆通显，尤应列之江湖，疑原本残阙，后人掇拾补缀，已非陈起之旧矣。宋末诗格卑靡，所录不必尽工，然南渡后诗家姓氏，不显者多，赖是书以传，其撷拾之功亦不可没也。"又："《江湖后集》二十四卷，永乐大典本，宋陈起编。……今检《永乐大典》所载，有《江湖集》，有《江湖前集》，有《江湖后集》，有《江湖续集》，有《中兴江湖集》诸名。其接次刊刻之迹，略可考见。以世传《江湖集》本互校，其人为《前集》所未有者，凡巩丰、周弼、刘子澄、林逢吉、林表民、周端臣、赵汝鐩、郑清之、赵汝绩、赵汝回、赵庚夫、葛起文、赵崇嶓、张榘、姚宽、罗椅、林昉、戴植、林希逸、张炜、万俟绍之、储泳、朱复之、李时可、盛烈、史卫卿、胡仲弓、曾由基、王谌、李自中、董杞、陈宗远、黄敏求、程炎子、刘植、张绍文、章采、章粲、盛世宗、程垓、王志道、萧澥、萧元之、邓允端、徐从善、高吉、释圆悟、释永颐，凡四十八人。考林逢吉即林表民之字，盖前后刊版，所题偶异，实得四十七人。又《诗余》二家，为吴仲方、张辑，共四十九人。有其人已见《前集》，而诗为《前集》未载者，凡敖陶孙、李龏、黄文雷、周文璞、叶茵、张蕴、俞桂、武衍、胡仲参、姚镛、戴复古、危稹、徐集孙、朱继芳、陈必复、释斯植及起所自作，共十七人。唯是当时所分诸集，大抵皆同时之人。随得随刊，稍成卷帙，即别立一名以售，其分隶本无义例，故往往一人之诗，而散见于数集之内。如一一复其旧次，转嫌割裂参差，难于寻检，谨校验前集，删除重复，其余诸集，悉以人标目，以诗系人，合为一编，统名之曰《江湖后集》。庶条理分明，篇什完具，俾宋季诗人姓名、篇什湮没不彰者，一一复显于此日，亦谈艺之家见所未见者矣。"

吴子良（1197—1256）卒，年六十。子良字明辅，号荆溪，临海人。初从表兄陈耆卿学，后师事叶适。宝庆二年进士，历国子录、司农寺丞、秘书丞。淳祐八年，除江南西路转运判官兼权隆兴府。历太府少卿、两浙转运使，移湖南转运使，因忤史嵩之、郑清之罢。官终司农少卿，宝祐四年致仕。事迹见方回《读筼窗荆溪集跋》、《宋史翼》卷二九。著有《荆溪集》、《荆溪讲义》，已佚。叶适甚赏其诗文，以为"意特新，语特工，韵趣特高远，虽昔之妙龄秀质，其终遂以名世者，不过若是，何止超越辈流而已哉"（《答吴明辅书》）。又有《荆溪林下偶谈》四卷，有清抄本、《四库全书》本、《宝颜堂秘笈续编》本。四库提要卷一九五："《荆溪林下偶谈》四卷，内府藏本，不著撰人名氏。以所载'文字好骂'一条，知其姓吴。书中推重叶适，不一而足。姚士粦跋谓以《水心集》考之，唯有《即事兼谢吴民表宣义》诗六首及《答吴明辅》一书，不知即其人否。案元无名氏《南溪诗话》引此书一条，称为吴子良《荆溪林下偶谈》。又陈栎《勤有堂随录》曰：'陈筼窗名耆卿字寿老，吴荆溪名子良字明辅，二人皆宗水心为文。'然则此书确为子良作矣。……此书皆其论诗评文之语，所见颇多精确。所记叶适作《徐道晖墓志》、《王木叔诗序》、《刘潜夫诗卷跋》，皆有不取晚唐之说，盖其暮年自悔之论，独详录之。其识高于当时诸人远矣。"又卷一九七："《吴氏诗话》二卷。……此书载曹溶《学海类编》中，题曰宋吴氏撰，名与字未详。今核其文，即吴子良《林下偶谈》中摘其论诗之语，非别一书也。"又卷一二七："《木笔杂钞》二卷……旧本题宋无名氏撰。……其书载曹溶《学海类编》中。今考其书，皆宋吴子良《荆溪林下偶谈》之文。原书本八卷，此本摘钞二卷，别标新名，又伪撰小序弁于首，盖奸黠书贾所为，曹溶不辨而收之耳。"

公元 1257 年（宋理宗宝祐五年丁巳　蒙古蒙哥汗七年）

正月

赵葵为少保、宁远军节度使、京湖宣抚使、判江陵府兼夔路策应大使，进封卫国公；吴渊为参知政事；李曾伯为荆湖南路安抚使兼知潭州；吴潜转一官。

吴渊（1190—1257）卒，年六十八。渊字道父，号退庵，宁国人。嘉定七年进士，调建德县主簿。历官枢密院编修官、户部侍郎、兵部尚书、端明殿学士、资政殿大学士等。宝祐五年，拜参知政事，寻卒，赠少师，谥庄敏。事迹见《宋史》卷四一六本传。著有《易解》、《退庵文集》、奏议等，已佚。今存《退庵先生遗集》二卷，有明吴伯敬刻本，收入《南宋群贤小集》、《两宋名贤小集》；《退庵词》一卷，有《彊村丛书》本。《全宋词》录存其词六首，《全宋诗》录其诗一卷，《全宋文》卷七六八六收其文。

乐雷发《雪矶丛稿》结集。自序云："比岁渝江罗季海、西湖胡雪江，间亦采而刊之，然传录失真，甚则杂以他人之作，以鱼目而混骊珠，仆得盗名之讥矣，其可乎？前岁归自京师，继罹忧患，盖不复言诗也。尝得李抑抄书，必欲为之刻梓，即尝谢之。继而友人朱嗣贤、何尧卿捐泉市梓，又有请焉，辞之再四，而请益坚。余诗本无可传，而诸贤之轸念者如此，仆不得辞矣。……时宝祐丁巳朔，乐雷发书。"

乐雷发，字声远，号雪矶，舂陵人。生卒年不详。累举不第，宝祐元年，以门人姚勉登第，上疏相让，召试，廷对万余言，条达舒畅，深切时弊，赐特科第一，授馆职。时元兵犯边，作《乌乌歌》、《车攻赋》以讽当路。四年，以病告归，遂不复出。

居于雪矶,自号雪矶先生,以诗文自遣。事迹见《雪矶丛稿》自序、《宋百家诗存》卷一八。所著《雪矶丛稿》五卷,有读画斋刊《南宋群贤小集》本、清观稼楼钞本、《四库全书》本。《全宋诗》录其诗四卷,《全宋文》卷八一六七收其文。曹廷栋谓其诗"雄深老健,突兀自放,南渡后诗家罕此标格"(《宋百家诗存》卷一八)。周洪谟《正统本宋雪矶先生诗集序》谓"其声于诗雄浑而无萎薾之弊,和畅而无乖疏之失,清新而出乎芜陋,奇古而脱乎凡陋,可谓能诗也已!"四库提要卷一六四:"《雪矶丛稿》五卷。……其诗旧列《江湖集》中,而风骨颇遒,调亦浏亮,实无猥杂粗俚之弊,视江湖一派迥殊。如《寄姚雪篷》、《寄许介之》、《送丁少卿》、《读系年录》诸篇,尚有杜牧、许浑遗意。即《秋日村落》绝句'一路稻花谁是主,红蜻蜓伴绿螳螂'之类,虽涉纤仄,亦无俗韵也。"

二月

赵葵兼湖广总领财赋。

柴望往访杨恢于湖上,赋词《祝英台近》。题曰:"丁巳春晚,访杨西村,湖上怀旧。"

闰四月

程元凤等进《玉牒》、《日历》、《会要》、《经武要略》及《中兴四朝志传》。

七月

十二日,孙梦观(1200—1257)卒,年五十八。梦观字守叔,号雪窗,慈溪人。宝庆二年进士,调桂阳军教授。历官太常寺簿、国子司业、太府卿、起居舍人、权吏部侍郎等。宝祐四年,出知建宁府。事迹见吴潜《孙守叔墓志铭》、《宋史》卷四二四本传。原有集,已佚。今存《雪窗集》二卷,明嘉靖间,裔孙应奎刊行,刘教、陈垲为序,有清抄本、《四库全书》本、《四明丛书》本。《全宋诗》卷三二四一录其诗一首,《全宋文》收其文三卷。赵孟坚《孙雪窗诗序》谓其"志古工吟","体备而不时世妆也","感而寓兴以有韵之文,春容大篇,《北征》、《庐山行》其行辈乎! 精密简短,秋浦其流乎!"陈垲《雪窗先生文集序》:"吾读雪窗孙先生之文,而知君子之心矣。先生生于宋季,事穆陵,其立朝议论有轮对、有缴纳、有建白、有论进故事,忠爱之真所以志也。……其言抑而不阿,抗而不激,博故而不迂,练务而不琐,有敬舆之遗焉。盖先生不以利害怵其素,故其言尽;不以嗜欲诎其刚,故其行危。"四库提要卷一六三:"《雪窗集》二卷,附录一卷。……其奏议自嘉熙庚子以迄宝祐丙辰,正宋政极坏之时,所言皆切直激昂,洞达时务。如谓理宗能容直言而不能用,又谓士大夫有宽厚之虚名,非国之福,尤切中宋末之弊。视当时迂腐儒生高谈三代衣冠而拯焚溺者,固不可同日而语矣。"

孙梦观卒后,蔡抗、赵嘉各有《祭孙守叔文》。

八月

蔡抗以资政殿学士并领祠在京。

九月

四日，元好问（1190—1257）卒，年六十八。 好问字裕之，号遗山，忻州秀容人。始生七月，出继叔父元格，元格携之宦游四方。七岁能诗，太原名士王汤臣目为神童。年十四，从陵川郝天挺学，不事举业，淹贯经传百家，六年而业成。下太行，渡黄河，为《箕山》、《琴台》等诗，礼部尚书赵秉文见之，以为少陵以来无此作也，以书召之，于是名震京师，时人目为"元才子"。兴定五年，登进士第，然未就选，往来箕山颍水之间，吟咏不绝，诗名益隆。正大元年，以赵秉文、杨云翼荐，应宏词科入选，权国史院编修官。后历任镇平、内乡、南阳县令。天兴初，任尚书省掾，除左司都事，转行尚书省左司员外郎。金亡，被编管聊城，后移居冠氏。蒙古窝阔台汗十一年，举家辗转回到故乡忻州读书山下。以年迈多病之躯，流转于齐、鲁、燕、赵、晋、魏之间，采摭金朝君臣遗言往行，积百余万言，拟纂修金史。终因身心交瘁而卒于获鹿寓舍。事迹见郝经《遗山先生墓铭》、《金史》卷一二六本传、李光廷《广元遗山年谱》。遗山著述甚富，《锦机》、《杜诗学》、《东坡诗雅》、《东坡乐府集选》诸作已佚。《遗山集》四十卷，有《四库全书》本、《四部丛刊》影印本。清光绪读书山房重刊本为《元遗山先生全集》，收诗文四十卷、词、小说（《续夷坚志》）各四卷和年谱三种。一九九〇年山西人民出版社又刊印《元好问全集》。诗集单刻者有明汲古阁本、清康熙刊本等。另有清施国祁《元遗山诗集笺注》道光刊本。《遗山乐府》五卷，有明吴讷《百家词本》、《彊村丛书》本，唐圭璋《全金元词》又据南塘本等校补，存录最为完备。此外，编有《中州集》十卷附《中州乐府》一卷，有《四库全书》本、《四部丛刊》本等。

郝经《遗山先生墓铭》："金源有国，士务决科干禄，置诗文不为；其或为之，则群聚讪笑，大以为异。委坠废绝，百有余年，而先生出焉。当德陵之末，独以诗鸣，上薄风雅，中规李、杜，粹然一出于正，直配苏、黄氏。天才清赡，邃婉高古，沈郁大和，力出意外，巧缛而不见斧凿，新丽而绝去浮靡，造微而神采粲发。杂弄金璧，糅饰丹素，奇芬异秀，洞荡心魄，看花把酒，歌谣跌宕；挟幽并之气，高视一世。以五言雅为正，出奇于长句杂言，至五千五百余篇。为古乐府不用古题，特出新意，以写怨思者，又百余篇。用今题为乐府，揄扬新声者，又数十百篇，皆近古所未有也。汴梁亡，故老皆尽，先生遂为一代宗匠，以文章独步几三十年，铭天下功德者，尽趋其门。有例有法，有宗有趣，又至百余首。为《杜诗学》、《东坡诗雅》、《锦机》、《诗文自警》等集，指授学者。方吾道坏烂，文曜曀昧，先生独能振而鼓之，揭光于天，俾学者归仰，识诗文之正，而传其命脉，系而不绝。其有功于世又大也。每以著作自任，以金源氏有天下，典章法度，几及汉唐，国亡史兴，己所当为。……乃为《中州集》百余卷，又为《金源君臣言行录》。"徐世隆《元遗山集序》："窃尝评金百年以来，得文派之正而主盟一时者，大定、明昌，则承旨党公；贞祐、正大，则礼部赵公；

北渡则遗山先生一人而已。自中州骈丧，文气奄奄几绝。起衰救坏，时望在遗山。遗山虽无位柄，亦自知天之所以畀付者为不轻，故力以斯文为己任，周流乎齐鲁燕赵魏晋之间，几三十年。其迹益穷，其文益富，其声名益大以肆。且性乐易，好奖进后学，春风和气，隐然眉睫间，未尝以行辈自尊，故所在士子从之如市然，号为泛爱。至于品题人物，商订古今，则丝毫不少贷，必归之公是而后已。是以学者知所指归，作为诗文，皆有法度可观，文体粹然，为之一变。大较遗山诗祖李、杜，律切精深，而有豪放迈往之气；文宗韩、欧，正大明达而无奇纤晦涩之语；乐府则清雄顿挫，闲婉浏亮，体制最备；又能用俗为雅，变故作新，得前辈天壤间，不知几年几时，复聚而为斯人乎？"杜仁杰《遗山先生文集后序》："今观遗山文集，又别是一副天生炉鞴，比古人转身处更觉省力。不使奇字，新之又新；不用晦事，深之又深。但见其巧，不见其拙；但见其易，不见其难。如梓匠轮舆各输技能，可谓极天下之工；如肥浓甘脆叠为餦饨，可谓并天下之味。从此家跳出，便知籍湜之汗流者多矣，必欲努力追配，当复积学数世，然后再议。曩在河南时，辛敬之先生尝为余言：'吾读元子诗，正如佛说法云"吾言如密，中边皆甜。"'此论颇近之矣。虽倡优驵侩、牛童马走闻之，莫不以为此皆吾心上言也。若夫文之所以为文，亦安用艰辛奇涩为哉！敢以东坡之后请元子继，其可乎，不识今之作者以为如何。"四库提要卷一六六："好问才雄学赡，金、元之际，屹然为文章大宗。所撰《中州集》，意在以诗存史，去取尚不尽精。至所自作，则兴象深邃，风格遒上，无宋南渡末江湖诸人之习，亦无江西流派生拗粗犷之失。至古文绳尺严密，众体悉备，而碑版志铭诸作尤为具有法度。晚年尝以史笔自任，构野史亭，采金源君臣遗言往行，衰辑纪录至百余万言。今《壬辰杂编》诸书虽已无传，而元人纂修《金史》多本多著，故于'三史'中独称完善，亦可知其著述之有裨实用矣。"赵翼《题元遗山集》："身阅兴亡浩劫空，两朝文献一衰翁。无官未害餐周粟，有史更愁失楚弓。行殿幽兰悲夜火，故都乔木泣秋风。国家不幸诗家幸，赋到沧桑句便工。"

元好问《杨叔能小亨集引》："初予学诗，以数十条自警，云：无怨怼，无谲浪，无鹜狠，无崖异，无婘阿，无傅会，无笼络，无炫鬻，无矫饰，无为坚白辨，无为圣贤癫，无为妾妇妒，无为仇敌谤伤，无为聋俗哄传，无为瞽师皮相，无为颣卒醉横，无为黠儿白捻，无为田舍翁木强，无为法家丑诋，无为牙郎转贩，无为市倡怨恩，无为琵琶娘人魂韵词，无为村夫子兔园策，无为算沙僧困义学，无为稠梗治禁词，无为天地一我、今古一我，无为薄恶所移，无为端人正士所不道。信斯言也，予诗其庶几乎。唯其守之不固，竟为有志者之所先。"段成己《遗山先生诗集引》："北渡而后，诗学日兴而遗山之名日重，世之留意于诗者虽知师宗之，至其妙处而人未必尽知之也。"瞿佑《归田诗话》卷中："元遗山在金末，亲见国家残破，诗多感怆，如云'高原水出山河改，战地风来草木腥'，'花啼杜宇归来血，树挂苍龙蜕后鳞'，'白骨又多兵死鬼，青山元有地行仙'，'燕南赵北无全土，王后卢前总故人'，皆寓悲怆之意。至云'神功圣德三千牍，大定明昌五十年'，不忘前朝之盛，亦可念也。"延君寿《老生常谈》："元遗山《宣和云峡石》云：'薰蒸似欲出泉脉，莹滑定应凝石髓。剥裂雯花渍秋月，辛苦诗仙费摹拟。车箱箭筈连西东，仇池百穴窗玲珑。飞堕不嫌灵鹫小，奇探已觉太湖空。'又：'膏血纲船枯九州，亡国愁颜为谁洗。'此种精炼实为集中上乘，学遗山正

411

当如此著力。若'举头西望忽大笑'、'太华落落长庚高'，以及'半空掷下金芙蓉'等句，仿去便觉省力容易，然后人已用之烂熟矣。学者作诗先读李、杜、韩、苏，若自家才气实在平弱，未必不知难而退，试取遗山之学前人者读之，当有彼丈夫之想，鼓气而前，终当有济。"王士禛《带经堂诗话》卷四："金元之间，元裕之其职志也。七言妙处，或追东坡而轶放翁。"《宋金三家诗选·遗山诗选例言》："遗山值金主守绪时，蒙古、宋师交攻之，君臣殽惑，生死不能自主。七言近体诗，愁惨之音，皆泪痕血点凝结而成。读其诗，应哀其志。古今体诗皆以气为主，故盛气所流，胸中成语有时时涌出者。至七言近体中连用二语（如'细水浮花归别涧，断云含雨入孤村'之类），诗虽可观，不可为训。"《宋金三家诗选·遗山诗选》赵翼评："遗山诗佳者极多，大要笔力苍劲，声情激越。至故国故都之作，尤沉郁苍凉，令读者声泪俱下。如'白骨又多兵死鬼，青山故有地行仙'、'蛟龙岂是池中物，虮虱空悲地上臣'之类，于极工炼之中，别有肝肠迸裂之痛，此作者所独绝也。"乔亿《剑谿说诗》卷上："放翁多和缓之音，遗山清壮顿挫，殆欲过之。"沈德潜《说诗晬语》卷下："元裕之七言古诗气王神行，平芜一望，时常得峰峦高插、涛澜动地之概，又东坡后一能手也。绝句寄托遥深，如《出都门》、《过故宫》等篇，何减庾兰成《哀江南赋》。"潘德舆《养一斋诗话》卷七："自李、杜后，诗遂无大句。元裕之崛起四百年后，有志追而复之。如'开门望吴楚，鸟去天无穷'，'斜阳半天赤，飞鸟大江远'，'长鲸驾空海波立，老鹤叫月苍烟愁'，'太行元气老不死，上与左界分山河'，'管涔汾源大车轮，平泉丈八琉璃盆'，豪情胜概，壮色沈声，直欲跨苏、黄，攀李、杜矣。"又卷八："遗山诗七古最健，五古次之，故能长雄北方，为苏、黄之后劲。然如《平湖曲》：'越女颜如花，吴儿洁于玉。天教并墙居，不著同被宿。'诗也近于词矣。《后芳华怨》云：'白玉搔头绿云发，玫瑰面脂透肉滑。春风著人无气力，不必相思解销骨。'皆亵狎太甚，又苏、黄所不肯为也。此外歌行放恣新奇处，亦时以苏、黄为粉本，大体则学杜耳。五律平衍处多，变化处少。如'老树高留叶，寒藤细作花'，'风雪貂裘暗，关山马骨高'，'地古村墟迥，川回县郭斜'，'古木冻欲折，断崖行复通'，'风霜侵晚节，天地入归心'，真少陵苗裔，然不多见也。五绝唯学少陵四句全对者，致有波峭。七绝佳者虽多，而率者亦多，此体亦非其所擅长也。……遗山诗在金、元间无敌手，其高者，即南宋诚斋、至能、放翁诸名家，均非其敌。爱之愈深，则求之愈细，一例推崇，恐仿其疵颣处耳。不然，予何独多求于遗山？"赵翼《瓯北诗话》卷八："元遗山才不甚大，书卷亦不甚多，较之苏、陆，自有大小之别。然正唯才不大，书不多，而专以精思锐笔清炼而出，故其廉悍沈挚处较胜于苏、陆。盖长生云朔，其天禀本多豪健英杰之气，又值金源亡国，以宗社丘墟之感，发为慷慨悲歌，有不求而自工者。此固地为之也、时为之也。同时李冶，称其律切精深，有豪放迈往之气，乐府则清雄顿挫，用俗为雅，变故作新，得前辈不传之妙。郝经亦称其歌谣跌宕，挟幽并之气，高视一世。以五言雅为工，出奇于长句杂言，揄扬新声，以写怨思。《金史》本传亦谓其'奇崛而绝雕刻，巧缛而谢绮丽'。是数说者，皆可得其真矣。"又："苏、陆古体诗，行墨间尚多排偶，一则以肆其辨博，一则以侈其藻绘，固才人之能事也。遗山则专以单行，绝无偶句，搆思宵渺，十步九折，愈折而意愈深，味愈隽，虽苏、陆亦不及也。七言律则更沈挚悲凉，自成声调。唐以来律诗之可歌可泣者，少陵十数联外，绝无嗣响，遗山则往往有之。如《车驾逭入归德》之'白骨又多兵死鬼，青山原有地行仙'，'蛟龙岂是池中物，虮虱空悲地上臣'，《出京》之'只知坝上真儿戏，谁识神州竟陆沉'，《送徐威卿》之'荡荡青天非向日，萧萧春色是他乡'，《镇州》之'只知终老归唐土，忽漫相看是楚囚。日月尽随天北转，古今谁见海西流'，《还冠氏》之'千里关河高骨马，四更风雪短檠灯'，《座主闲闲公讳日》之'赠官不暇如平日，草诏空传似奉天'。此等感时触事，声泪俱下，千载后，犹使读者低徊不能置。盖事关家国，尤易感人。惜此等杰作，集中亦不多见耳。"又："至元遗山，又创一种拗，在第五、六字。如'来时珥笔夸健讼，去日攀车余泪痕'，'大行秀发眉宇间，老阮亡来樽俎间'……之类，集中不可枚举，然后人习用者少。"又："遗山复句最多。如《怀州城晚望少室》云：'十年旧隐抛何处，一片伤心画不成。'《重九后一日作》云：'重阳拟作登高赋，一片伤心画不成。'《题家山归梦图》云：'卷中正有家山在，一片伤心画不成。'《雪香亭杂咏》十五首内有云：'赋家正有《芜城》笔，一片伤心画不成。'……此复句之最多者也。"翁方纲《石洲诗话》卷五："遗山虽较之东坡，亦自不免肌理稍粗。然其秀骨天成，自是出群之姿。若无其秀骨，而但于气概求之，则亦末矣。"又："当日程学盛于南，苏学盛于北，如蔡松年、赵秉文之属，盖皆苏氏之支流余裔。遗山崛起党、赵之后，器识超拔，始不尽为苏氏余波沾沾一得，是以开启百年后文士之脉。则以有元一代之文，自先生倡导，未为不可，第以入元人，则不可耳。"又："遗山以五言为雅正，盖其体气较放翁淳静。然其郁勃之气，终不可掩，所以急发不及入细，仍是平放处多耳，但较放翁，则已多淳蓄矣。"又："遗山五古，每叠一韵，以振其势，微与其七古相类。盖肌理稍疏，而秀色清扬，却自露出本色耳。"又："遗山七言歌行，真有牢笼百代之意。而却亦自有间笔、对笔，又搀和以平调之笔，又突兀以叠韵之笔，此固有陆务观所不能到者矣。"又："遗山七古，词平则求之于气，格平则求之于调。"又："遗山乐府，有似太白者，而非太白也；有似昌谷者，而非昌谷也。"翁方纲《书遗山集后诗三首》其一："程学盛南苏学北，陆元二老脉谁传？绍熙正际明昌日，南北相望二十年（遗山生于明昌元年庚戌，正放翁提举武夷冲佑观时，二先生竟算同时而未相见耳）。"陈仅《竹林答问》："问：元遗山诗何如？答：金诗皆学苏，独遗山学杜，遂横绝一代，所谓取法乎上也。"朱庭珍《筱园诗话》卷三："七古以长短句为最难，其伸缩长短，参差错综，本无一定之法。及其成篇，一归自然，不啻天造地设，又若有定法焉，非天才神力不能入妙。……此七古长短句之极则神功，李、杜二大家后，鲜有造诣及者。遗山时一问津，而未能纯入此境，嗣后竟绝响矣。"《婷雅堂诗话》："七古以盛唐人为极则，然尽其变必极之宋人而后已，所谓变而不失其正者也。欧阳文忠修、王荆公安石皆称大家，而苏东坡轼尤变化不可方物。……后如元遗山好问、虞伯玉集皆堪继美，然才力已弱。"

刘熙载《艺概》卷四："金元遗山又诗兼杜、韩、苏、黄之胜，俨有集大成之意。以词而论，疏快之中，自饶深婉，亦可谓集两宋之大成者矣。"张炎《词源》卷下："元遗山极称稼轩词，及观遗山词，深于用事，精于炼句，有风流蕴藉处，不减周、秦。如《双莲》、《雁丘》等作，妙在模写情态，立意高远，初无稼轩豪迈之气。岂遗山欲表而出之，故云尔。"李宗准《遗山乐府序》："乐府，诗家之大香奁也。遗山所著，清新婉丽，其自视似羞比秦、晁、贺、晏诸人，而直欲追配于东坡、稼轩之作，岂是以东坡为第一，而作者之难得也耶？"卢文弨《遗山乐府题辞》："遗山诗雄浑沉郁，有唐大家之嗣响也。老来更得其乐府，读之妍雅而不淫，和易而不流。其抒情也婉以畅，其赴节也亮以清，使竹山、草窗诸公见之，亦当推为作者。遗山生当易代，其诗不胜故国故君之思，今乐府中亦时时遇之。"章弇《重校元遗山先生新乐府序》："词盛于南宋，南宋人以姜、张为宗。吾谓姜、张非苏、辛比，苏、辛词外有词，其所托盖至尊已，而即事寄意，与苏、辛可并传者，于本朝得顾贞观，于金源得元好问。好问之诗，金源诗人之巨擘，词亦如其诗。或谓好问词能刚不能柔，故多筋角之音，律以梁汾《弹指词》，似不知词者。弇应之曰：《弹指词》之足传于后者，曲耳、真耳。好问词境真意真，其曲处虽不逮贞观，而词法则以苏、辛之法为法，于世道人心，颇有关系。且无夭阏抑塞之病，岂石帚、玉田浅斟低唱所能仿佛万一哉！"陈廷焯《白雨斋词话》卷三："金词于彦高外，不得不推遗山。遗山词刻意争奇求胜，亦有可观。然纵横超逸既不能为苏、辛，骚雅清虚复不能为姜、史。于此道可称别调，非正声也。"况周颐《蕙风词话》卷三："元遗山以丝竹中年，遭遇国变，崔立采望，勒授要职，非其意指。卒以抗节不仕，憔悴南冠二十余稔。神州陆沈之痛，铜驼荆棘之伤，往往寄托于词。《鹧鸪天》三十七阕，泰半晚年手笔。其赋隆德故宫及宫体八首、薄命妾辞诸作，蕃艳其外，淳至其内，极往复低徊、掩抑零乱之致。而其苦衷之万不得已，大都流露于不自知。此等词宋名家如辛弃疾固尝有之，而犹不能若是其多也。遗山之词，亦浑雅，亦博大，有骨干，有气象，以比坡公，得其厚矣，而雄不逮焉者。豪而后能雄，遗山所处不能豪，尤不忍豪。牟端明《金缕曲》云：'扑面胡尘浑未扫，强欢讴、还肯轩昂否？'知此可与论遗山矣。设遗山虽坎坷，犹得与坡公同，则其词之所造，容或尚不止此。……其词缠绵而婉曲，若有难言之隐，而又不得已于言，可以悲其志而原其心矣。"又："遗山词佳句夥矣，镫窗雒诵，率臆选摘，不无遗珠之惜也。《江城子·太原寄刘济川》云：'断岭不遮南望眼，时为我，一凭栏。'前调《观别》云：'万古垂杨，都是折残枝。'又云：'为问世间离别泪，何日是，滴休时。'《感皇恩·秋莲曲》云：'微雨岸花，斜阳汀树，自惜风流怨迟暮。'《定风波·杨叔能赠词留别因用其意答之》云：'至竟交情何处好，向道，不如行路本无情。'《临江仙·西山同钦叔送辛敬之归女几》云：'回首对床镫火处，万山深里孤村。'前调《内乡北山》云：'三年间为一官忙。簿书愁里过，笋蕨梦中香。'《南乡子》云：'为向河阳桃李道，休休，青鬓能堪几度愁。'《鹧鸪天》云：'醉来知被旁人笑，无奈风情未减何。'前调云：'殷勤昨夜三更雨，剩醉东城一日春。'前调云：'长安西望肠堪断，雾阁云窗又几重。'《南柯子》云：'画帘双燕旧家春，曾是玉箫声里、断肠人。'凡余选录前人词，以浑成冲淡为宗旨。余所谓佳，容或以为未是，安能起遗山而质之？"又："填词景中有情，此难以言传也。元遗山《木兰花慢》云：'黄星，几年飞去，澹春阴，平野草青青。'平野春青，只是幽静芳倩，却有难状之情，令人低徊欲绝。善读者约略身入景中，便知其妙。"又："元好问《清平乐》云：'飞去飞来双乳燕，消息知郎近远。'用冯延巳'双燕来时，陌上相逢否'句意。彼未定其逢否，此则直以为知，唯消息近远未定耳。

妙在能变化。"又续编卷一:"遗山句云:'草际露垂虫响遍。'写出目前幽静之境,小而不纤,妙在'垂'字、'响'字,此二字不可易。"

四库提要卷一四四:"《续夷坚志》二卷,浙江巡抚采进本,金元好问撰。……是编盖续宋洪迈《夷坚志》而作,所纪皆金泰和、贞祐间神怪之事。"石严《续夷坚志跋》:"《续夷坚志》乃遗山先生当中原陆沉之时,皆耳闻目见之事,非若洪景卢演史寓言也,其劝善戒恶,不为无补。"

翁方纲《石洲诗话》卷五:"《论诗绝句》'奇外无奇'、'金入洪炉'二篇,即先生自任之旨也。此三十首,已开阮亭'神韵'二字之端矣,但未说出耳。"都穆《南濠诗话》:"东坡云:'诗须有为而作。'山谷云:'诗文唯不造空强作,待境而生,便自工耳。'予谓今人之诗,唯务应酬,真无为而强作者,无怪其语之不工。元遗山诗云:'纵横正有凌云笔,俯仰随人亦可怜。'知此病者也。"又:"扬子云曰:'言,心声也;字,心画也。'盖谓观言与书,可以知人之邪正也。然世之偏人曲士,其言其字,未必皆偏曲,则言与书,又似不足以观人者。元遗山诗云:'心画心声总失真,文章宁复见为人。高情千古《闲居赋》,争信安仁拜路尘。'有识者之论固如此。"

好问之卒,郝经、阎复、王恽皆有诗文悼念。

文天祥葬父文仪于庐陵富川之佛原,家居守丧。作《先君子革斋先生事实》,阐述文仪之"化学来新"思想。

秋

李昂英(1201—1257)**卒,年五十七。**昂英字俊明,号文溪,番禺人。宝庆二年进士,调汀州推官。历官太学博士、宗正丞、著作郎、权兵部郎中等。宝祐二年,召为大宗正卿,兼国史院编修官、实录院检讨官,擢吏部侍郎。三年,因论救御史洪天锡,与俱贬,归隐五羊文溪。卒谥忠简。事迹见《广州人物传》卷九《宋吏部右侍郎李忠简公昂英》、裔孙李殿苞《忠简先公行状》。元至元间,门人李春叟辑其诗文为《文溪存稿》二十卷,凡奏稿杂文一百二十二篇,诗词一百二十五篇,有明嘉靖十年李翱刻崇祯三年李振鹭重修本、《四库全书》本。又有《文溪词》一卷,收入《宋名家词》第五集。《全宋词》录其词三十首,《全宋诗》录其诗五卷,《全宋文》收其文七卷。《广州人物传》卷九《宋吏部右侍郎李忠简公昂英》:"昂英天性劲直,议论高迈。其文简而有法,婉而成章,一时同馆名流如江万里、文天祥皆推服之。"李春叟《文溪集序》:"先生昭代伟人。……刚方正大之气蟠郁胸次,泄而为文,光芒自不可掩。大者中圭瓒,小者锵佩环,奇峭者如怪石之倚断崖,清丽者如明星之炯秋汉。进而立朝,则论奏丹青,言言药石,皆足以裨主德,格君心;而深衣独乐,则嬉笑怒骂,字字箴规,皆足以植民彝,垂世范。盖忠义以为之骨,学识以为之根,故芬郁葩华,烂漫宣吐,不自知其为文也,而文益工。"陈献章《文溪存稿序》:"文溪先生遗稿,初涉其流,渺瀰汪洋,若江河之奔驶,而又好为生语,险怪百出,读者往往惊绝,至或不能以句,以为文溪真文耳。徐考其实,则见其重内轻外,难进而易退,蹈义如弗及,畏利若懦夫,卓乎有以自立,不以物喜,不以己悲,盖亦庶几乎吾所谓浩然而自得者矣。

……嗟乎，此文溪所以为文也！"吕楠《文溪李公文集序》："其文质实而简劲，尽脱陈俗。初读颇难偶，以为樊、柳之俦也。及观跋菊坡之作及淳祐赴阙奏劄，乃知公正直忠信，学宗清献崔公，而立朝之谠论浩气，骨鲠凌人。数被史嵩之谗沮，有经纶之才，而不获辅相之任。其言之奇古，固有由也。"四库提要卷一六四："昴英盖具干济之才，而又能介然自守者。……其文质实简劲，如其为人。诗间有粗俗之语，不离宋格，而骨力遒健，亦非靡靡之音。盖言者心声，其刚直之气有自然不掩者矣。"《粤词雅》："《文溪集》慢体多而短调殊少，《浣溪沙》……似五代之作。"杨慎《词品》卷五谓"其《兰陵王》一首绝妙，可并秦、周"。毛晋《文溪词跋》："余读《摸鱼儿》诸篇，其佳处岂逊'杨柳外，晓风残月'耶？"李调元《雨村词话》卷三："升庵《词品》云：'李公昴，名昴英，盘石人。'予家藏《文溪词》又云：'名公昴，字俊明，鄱阳人。'因《摸鱼儿》送太平州太守王子文词得名。叔旸（黄昇）亦止选此一调，称为'词家射雕手'。今按其词有'长生寿母，更稳步安舆，三槐堂上，好看彩衣舞'句，乃献寿俗套谀词，不知当日何以得名。升庵独称《兰陵王》一阕，最为有眼，如'阶除拾取飞花嚼，是多少春恨，等闲吞却'句，前人所未经道。"

十一月

李曾伯兼节制广南，任责边防。

冬至日，李龏摘周弼古律体诗编为《端平诗隽》成。序云："汶阳周伯弼与予同庚生，同寓里，相与往来论诗三十余年，尝手刊《端平集》十二卷行于世。……但卷帙中有晚学未能晓者称多，予恐有不行之弊，兹于古体歌诗、五言律、七言律并五七言绝句，摘其坦然者，兼集外所得者近二百首，目曰《端平诗隽》，俾续芸陈君书塾入梓流行，庶使同好者便于看诵。吾伯弼平生心不下人，今隔九原，阅予此选，必不以予为谬。宝祐丁巳冬至日，菏泽李龏和父述。"

周弼（1194—?）卒于本年以前。弼字伯弼，祖籍汶阳，寓居笠泽。周文璞之子。嘉定间进士，十七年，解官归故里。"十七八时，即博闻强记，侍乃翁晋仙，已好吟。泊长而四十年间，宦游吴楚江汉，足迹所到，所作于七国、两汉、三国、六朝、隋唐之体，靡不该备。声腾名振，江湖人皆争先求市"（李龏《端平诗隽序》）。《笺注唐贤绝句三体诗法》二十卷，今存明刻本、《四库全书》本。仇远《跋仇仁近诗》："周伯弼诗法，分额联、颈联、四宝、四虚、前后虚实，此不过情景之分。如陈简斋'官里簿书何日了，楼头风雨见秋来'、'是非衮衮书生老，岁月匆匆燕子回'，乃是一联而一情一景，伯弼所不能道。"杨慎《升庵诗话》卷二："宋周伯弼选《唐三体诗》，取起句之工者二：'酒渴爱江清，余酣漱晚汀'，又'江天清更愁，风柳入江楼'是也。语诚工，而气衰飒。……伯弼之见，诚小儿也。"诗集有自刊《端平集》十二卷，已佚。李龏摘其古律体诗近二百首，编为《端平诗隽》四卷，今存《汲古阁景钞南宋六十家小集》本、读画斋刊《南宋群贤小集》本、《四库全书》本。《全宋词》录存其词二首，《全宋诗》录其诗四卷，《全宋文》卷七〇四三收其文。柴志道《三山郑菊山先生清隽集序》："在昔林鬳斋、周伯弼行辈，当时人物，林林焉如龙虎不可测，如凤凰不可睹，非有以自植立于天地间，何以与诸公相参错，照耀一世豪杰之耳目邪?"王士禛《带经堂诗话》卷一〇："《南宋诗小集》二十八家，黄俞邰钞自宋刻，所谓江湖诗也。大概规模晚唐，调多俗下。唯番阳姜夔尧章《白石集》、汶阳周弼伯弜《端平诗隽》、临江邓林性之《皇荂曲》三家最可观。"四库提要卷一六四："《汶阳端平诗隽》四卷。……其诗风格未高，不出宋末江湖一派，而时时出入晚唐，尚无当时粗犷之习。一丘一壑，亦颇有小小佳致也。"

十二月

李曾伯依旧资政殿学士、湖南安抚使兼广南制置使，移司静江府。

本年

谢枋得为建康考官，出题以贾似道政事为问，得罪遭贬。《宋史》卷四二五本传："（宝祐）五年，彗星出东方，枋得考试建康，摘似道政事为问目，言:'兵必至，国必亡。'漕使陆景思衔之，上其稿于似道，坐居乡不法，起兵时冒破科降钱，且讪谤，追两官，谪居兴国军。咸淳三年，赦，放归。"

周密二十六岁，重过衢州，作《长亭怨慢》（记千竹万荷深处），序云："岁丙午、丁未，先君子监州太末。时刺史杨泳斋员外、别驾牟存斋、西安令翁浩堂、郡博士洪恕斋，一时名流星聚，见为奇事。倅居据龟阜，下瞰万室，外环四山，先子作堂曰啸咏。撮登览要，蜿蜒入后圃。梅清竹臒，亏蔽风月，后俯官河，相望一水，则小蓬莱在焉。老柳高荷，吹凉竟日。诸公载酒论文，清弹豪吹，笔研琴尊之乐，盖无虚日也。余时甚少，执杖屦，供洒扫，诸老绪论殷殷，金石声犹在耳。后十年过之，则径草池萍，怃然葵麦之感，一时交从，水逝云飞，无人识令威矣。徘徊水竹间，怅然久之，因谱白石自制调，以寄前度刘郎之怀云。"按，"岁丙午、丁未"乃淳祐六年、七年（1246—1247），"后十年过之"当在本年前后。

刘将孙（1257—?）生。

鲜于枢（1257—1302）生。

冯子振（1257—1314 后）生。

公元 1258 年（宋理宗宝祐六年戊午　蒙古蒙哥汗八年）

正月

刘克庄赋诗《戊午元日》。

吴潜赋《水龙吟·戊午元夕》。

李曾伯罢广西经略，以广南制置大使兼知静江。

二月

马光祖为端明殿学士、京湖制置使、知江陵府，兼夔路策应、湖广总领财赋并屯田事。

吴潜赋《满江红》词五首（"芳景无多"、"聊把芳尊"、"楼观峥嵘"、"一笑相携"、"问海棠花"）。

三月

马光祖兼荆湖北路安抚使。

四月

八日，李芾序毛珝《吾竹小稿》。云："唐乾元中，元结序《箧中集》，有'风雅不作，几及千年'之叹，盖为沈千运独挺于流俗而发。柯山毛珝元白，诗人之秀者也，通今达古，著蔡后生，采诗之家得其一二，如宝肆中犀璧混于螺月。惜其以文自晦，不求于时。吟稿一帙，章不盈百，清深雅正，迹前事而写芳襟，深有沈千运独挺一世之作，奚只嘲弄风月而已哉。千运之诗，世不多见；元白驰轶驾于天壤间，岂不能接殊响于当世？我师古人，喜而序之。宝祐戊午四月八日，菏泽李芾和父。"

毛珝，字元白，三衢人。生卒年不详。一生飘泊江湖，豪于诗，有声端平间。端平元年所作《甲午江行》，心系国事，陈衍称"不图晚宋尚有此壮往之作"（《宋诗精华录》卷四）。王士祯以为其"《丹阳馆》一篇最警策"（《带经堂诗话》卷一〇）。著有《吾竹小稿》一卷，今有《汲古阁景钞南宋六十家小集》本、《南宋群贤小集》本、《宋百家诗存》本。《全宋词》录其词二首，《全宋诗》录其诗一卷。

程元凤罢，以观文殿学士判福州，寻提举洞霄宫。

赵葵三辞免福建安抚使，诏授醴泉观使兼侍读。

七月

赵葵四辞免醴泉观使兼侍读，乞外祠，从之。

八月

十二日，吴潜赋《满江红》（问信江梅）。题曰："戊午八月十二日，赋后圃早梅。"十八日，赋《水调歌头》（过了中秋后），题曰："夜来月甚佳，呈景回、自昭二兄。戊午八月十八日。"二十七日，赋《满江红》（丹桂重开），题曰："戊午八月二十七日，进思堂赏第二木樨。"

九月

六日，吴潜赋《水调歌头》（重九先三日）。题曰："戊午九月，偕同官延庆阁过碧沚。"七日，赋《满江红》（岁岁重阳），题曰："戊午九月七日，碧沚和制几韵。"

十一月

叶梦鼎依旧职知隆兴府。

十二月

诏改明年为开庆元年。

吴潜赋《霜天晓角》（梅花一簇）。题曰："戊午十二月望，安晚园赋梅上银烛。"

元兵渡马湖入蜀，诏马光祖暂移司峡州。同月，马光祖不待奏请招兵万人，捐奉银万两以募壮士，遂有房州之功，诏进一秩。

本年

吴潜赋词《沁园春·戊午自寿》。

李演约于本年前后在世，生卒年不详。演字广翁，号秋堂，建安人。能诗，高斯得《题建安李演风露吟小稿》云："甚矣，诗之难也。严而不峭，平而不俚，清而不泊，幽而不昧，乃可以言诗。今之为之者不然，险涩以为严，凡近以为平，寒苦以为清，黯黮以为幽。李君之诗，庶乎无四病矣。予读之尽编，意欣欣焉。砭诸错诸，使圆美流转如弹丸，则无以加矣。"尤以词而知名，淳祐间，丹阳太守重修多景楼，高宴落成，演即席赋词《贺新凉》（笛叫东风起），满座惊赏，为之搁笔（周密《浩然斋雅谈》卷下）。陈廷焯评此词"慷慨发越，终病浅显"（《白雨斋词话》卷二），"词境虽不高，然足以使懦夫有立志"（同上卷六）。所著《风露吟小稿》、《盟鸥集》已佚。《全宋词》录存其词七首。

胡仲弓约于本年前后在世，生卒年不详。仲弓字希圣，清源人，流寓杭州。绍定间与陈起、刘克庄等唱酬。淳祐十一年，刘克庄出知建宁府，尝以二诗赠行（《后村先生大全集》卷二二）。从其诗中大略知其生平仕履：曾两赴春闱，始中进士；又尝为县令，未几，以言事罢归（《老母适至时已见黜》）；宝祐间，为绍兴府掾（《将之官越上留别诸友》）、粮料院官；后辞归，浪迹江湖以终。事迹见《江湖后集》卷一二、《宋诗纪事补遗》卷六六。著有《苇航漫游稿》，久佚，清四库馆臣自《永乐大典》中辑编为四卷。《全宋词》录其词一首，《全宋诗》录其诗五卷。四库提要卷一五六："《苇航漫游稿》四卷。……仲弓诗名不甚著，唯陈起《江湖后集》录所作颇夥，然校以《永乐大典》分列于各韵下者，起所选之外，遗佚尚多。今蒐采裒辑，编为四卷，虽未必尽睹其全，视起所编，则已增益者多矣。南宋末年，诗格日下，四灵一派摅晚唐清巧之思，江湖一派多五季衰飒之气。故仲弓是编，及其兄仲参所作《竹庄小集》，均不出山林枯槁之调。如七言律中《旱湖》一首，当凶侵流离之时，绝无恻隐，乃云'但使孤山梅不死，其余风物不关情'，尤宋季游士矫语高蹈之陋习。然吟咏既繁，性情各见，洪纤俱响，正变兼陈，苟非淫嫚之音，既不在放斥之列。诗家有此一格，固不妨使之并存，亦录唐诗者不遗周昙《咏史》之例也。"

胡仲弓之弟胡仲参，字希道，生卒年不详。《宋百家诗存》卷一六《竹庄小稿》记其"负才游京师，所与交俱一时知名士。嘉定间赴试不售，有《书怀》诗云：'湖海气何馁，山林分未甘。'盖锐于进取者也。浪迹数年，终蹇遇合，乃寄情山水以自放。观其《山中口占》云：'纵今厌踏红尘路，多在山间少在家。'其志尚可见矣。《竹庄小稿》一卷，古隽不足，清俊有余，江湖派也。"《竹庄小稿》今存《汲古阁景钞南宋六十家小集》本、读画斋刊《南宋群贤小集》本。《全宋诗》录其诗一卷。

俞琰（1258—1314）生。

邓文原（1258—1328）生。

公元 1259 年（宋理宗开庆元年己未　蒙古蒙哥汗九年）

正月

李曾伯进观文殿学士。

文天祥陪弟文璧赴廷对，取道赣江、鄱阳湖、长江，由京口沿江南河至临安。

吴潜赋《传言玉女·己未元夕》、《浣溪沙·己未元夕》、《柳梢青·己未元夕》、《鹊桥仙·己未元夕》。

二月

马光祖为资政殿学士、沿江制置使、江东安抚、知建康府、行宫留守。

文天祥任签书镇南军节度判官厅公事，未赴任，请祠禄，命主管建昌军仙都观。

三月

三日，刘克庄作《续稿跋》。云："《续稿》五十卷，起淳祐己酉，至宝祐戊午，十年间之所作也。……所决滞讼疑狱多矣，性懒，收拾存者，唯建溪十余册，江东三大册。然悬案不过民间鸡虫得失，今摘取皋司书判稍紧切者为二卷，附于《续稿》之后。……开庆改元上巳日，克庄题。"按，林希逸《后村先生大全集序》："后村先生以文章名当世。初，集本未刊时，四方之士随所得争传录之，而见者恨未广也。予戊申备数守莆，方得《前集》刊之郡庠，于时纸价倍常。及后村两自京还，石塘、小孤山二友始求公近稿于其家，积二十年，共成《后》、《续》、《新》三集，今此书传流遍江左矣。后村梦奠，诸郎分任送终之责，各尽其心。季子季高既成负土之役，又取先生四集合为一部而汇聚之，名以'大全'，共二百本。……咸淳六年岁庚午秋九月菊日，竹溪林希逸书。"所谓《前集》，即《后村居士集》，林希逸于淳祐九年所刊，其《后村居士集序》云："世犹以全集不尽见为恨。去秋，予补外此来，间得语从容，屡以此请，而公谦避再三，不之许。……公于是不得已而出之。余既尽得公所藏，刊之郡斋，且连月讽咏不去手。……淳祐九年龙集己酉中春既望，竹溪林希逸书。"又林希逸《后村刘公行状》云："其在《新集》者，半出于目眚之后，口诵成篇，子侄笔受，镕锻诸书，字字严密，无一篇不可垂训。非徒诗也。"后村盲左目在景定五年七十八岁时，则《新集》所收乃晚年之作。据刘希仁咸淳八年所作《后村先生大全集序》，《后》、《续》、《新》三集刊于玉融。

六日，吴潜赋《青玉案》（流芳只怕春无几）。题曰："己未三月六日，四明窗会客。"二十五日，赋《浣溪沙》（最好荼䕷白间黄）。题曰："己未三月二十五日赏荼䕷。"

四月

九日，吴潜赋《满江红》（钉饷残花）。题曰："己未四月九日，会四明窗。"二十七日，赋《念奴娇》（午飙褪暑），题曰："戏和仲殊。己未四月二十七日。"

五月

九日，吴潜赋《霜天晓角》（秋凉佳月）。题曰："己未五月九日，老香堂送监簿侄归，和自昭韵。"

赐礼部进士周震炎以下四百四十二人及第、出身有差。文璧登进士第。

夏

吴文英在吴中，赋词《沁园春·送翁宾旸游鄂渚》。考见夏承焘《唐宋词人年谱·吴梦窗系年》附录《梦窗晚年与贾似道绝交辨》。

六月

十四日，吴潜赋《小重山》（碧霄如水月如钲）。题曰："己未六月十四日，老香堂前月台玩月。"

七月

蔡抗（1193—1259）卒，年六十七。蔡抗，一作蔡杭，字仲节，号久轩，建阳人，蔡元定之孙。师从朱熹。绍定二年进士，差主管刑工部架阁文字。历校书郎、太常少卿、工部侍郎、端明殿学士等。宝祐四年，除同知枢密院事，拜参知政事，以劾丁大全，落职予祠。未逾年，复端明殿学士、提举洞霄宫，致仕。卒赠少保，谥文肃。事迹见《宋史》卷四二〇本传。其集已佚，明蔡有鹍辑其诗文为《久轩公集》一卷，收入《蔡氏九儒书》。《全宋诗》录其诗二首，《全宋文》收其文八卷。

蒙古蒙哥汗（1208—1259）卒，年五十二。后追谥桓肃皇帝，庙号宪宗。

八月

二日，吴潜赋《秋夜雨》（吴翁里第还巾角）。题曰："己未八月二日新桃源和韵。"十日，赋《行香子》（世事尘轻），题曰："开庆己未八月十夜，同官小饮逸老堂，李直翁制参出示东坡题钓台《行香子》，走笔和韵。"十五日，赋《水调歌头·己未中秋无月》。

诏吴潜开阃海道，勤劳三年，屡疏求退，依旧观文殿大学士、判宁国府、特进、崇国公。

郝经奉忽必烈之命宣抚江淮。

九月

吴潜兼侍读、奉朝请。

赵葵特进、观文殿大学士，封卫国公，判庆元府，沿海制置使。

十月

吴潜为左丞相兼枢密使，进封相国公。同月，改封为庆国公。

赵葵为沿江、江东安抚使，置司建康，任责捍御。

十一月

文天祥上疏（《己未上皇帝书》），建议简文法以立事，仿方镇以建守，乞斩奸臣宦官董宋臣，以安社稷，以一人心。书奏不报，返里。

赵葵授少保、观文殿大学士、江东西宣抚使，进封益国公。

十二月

诏改明年为景定元年。

吴潜改封为许国公。

本年

吴潜赋词《沁园春·己未翠山劝农》、《二郎神·己未自寿》、《满江红·己未赓李制参直翁俾寿之词》。

马廷鸾由吴潜召为校书郎。

刘秉忠从忽必烈征南宋。

公元 1260 年（宋理宗景定元年庚申　蒙古忽必烈汗中统元年）

正月

十五日，姚勉作《赠俊上人诗序》。有云："汉僧译，晋僧讲，梁魏至唐初僧始禅，犹未诗也。唐晚禅大盛，诗亦大盛。吾宋亦然。禅犹佛家事，禅而诗，骎骎归于儒矣。"

李俊民（1176—1260）卒，年八十五。俊民字用章，号鹤鸣老人，泽州晋城人。金承安五年，以经义举进士第一，入为应奉翰林文字。其后弃官教授乡里。金室南渡，隐于嵩山等处。金亡后，居乡间，终日撰书不出，四方学者不远千里而往，随问随答，曾无倦色。忽必烈在藩邸以安车驰召，优礼有加，仍乞还山。卒谥庄靖。事迹见《元史》卷一五八本传、《元名臣事略》卷八。著有《庄靖集》十卷，有《九金人集》本、《山右丛书初编》本。

李仲绅《庄靖集序》："先生雅志亦厌于干役，恬于学问。自初筮仕，距今四十余年，手不释卷，经传子史百家之书，无不研究，其学之有本可知矣。故其作为文章，句句有根源，字字有来历，格老而意新，辞经而旨远，不涸不竭，其汪洋之学海欤！"刘瀛《庄靖集序》："其文章典赡，华实相副，字字有源流，句句有根柢。格律清新似坡仙；句法奇杰似山谷；集句圆熟，脉络贯穿，半山老人之体也；雄篇钜章，奔腾放逸，昌黎公之亚也。小诗高古涵蓄，尤有理致，而极工巧，非得天地之秀，其孰能与于此？"叶赟《重刊庄靖先生遗集序》："泽州庄靖李用章先生，早岁得程氏传授之学于名儒，后又得邵氏《皇极》之数于隐士。萃伊洛之精华，大乾坤之眼目。搜罗群籍，贯穿六经。故其发而为文章也，若岱宗之云，飞腾活动，不崇朝遍雨天下，非飘空不雨浮云也；流而为诗赋也，若黄河之水，千里一曲折九曲，奔赴沧溟，非集坎无源行潦也。"四库提要卷一六六："《庄靖集》十卷……诗七卷，文三卷。泽州守段正卿尝为刊行，长平李仲绅等为之序。明正德间郡人李瀚重付诸梓。今版久佚，只存写本而已。俊民抗志遁荒，于出处之际能洁其身。集中于入元后只书甲子，隐然自比陶潜。故所作诗类多幽忧激烈之音，系念宗邦，寄怀深远，不徒以清新奇崛为工。文格冲澹和平，具有高致，亦复似其为人。虽博大不及元好问，抑亦其亚矣。"《石洲诗话》卷五："李庄靖诗，肌理亦粗。说者乃合韩、苏、黄、王许之，殊为过当。"《蕙风词话》续编卷一："李庄靖《谒金门》云：'万里无云天绀滑，一轮光皎洁。''绀滑'二字，未经前人用过，较'雨过天青云破处'，尤为妙于形容。"又："金李用章《庄靖先生乐府》，《谒金门》序云：'西斋得梅数枝，色香可爱，一日为泽倅崔仲明窃去，感叹不已，因赋此调十二章，以写怅望之怀。'直书窃梅人之官位姓字，此序奇绝亦韵绝。其十二章之目曰：寄梅、探梅、赋梅、叹梅、慰梅、赏梅、画梅、戴梅、别梅、望梅、忆梅、梦梅，细审一一，却无言外寄托，只是为梅花作，抑何缠绵郑重乃尔。其《寄梅》歇拍云：'为问花间能赋客，如何心似铁。'亦悱恻，亦蕴藉，直使窃梅人无辞自解免。"

三月

忽必烈即蒙古大汗位，是为元世祖。

四月

吴潜罢左丞相，以观文殿大学士提举临安府洞霄宫。

马光祖进资政殿大学士，职任依旧。寻兼淮西总领财赋。

五月

诏赵葵依旧少保、两淮宣抚使、判扬州，进封鲁国公。

李曾伯坐岭南闭城自守，不能备御，落职解官。

周密与赵孟坚游西湖。《齐东野语》卷一九："庚申岁，客萃下，会菖蒲节，余偕一时好事者邀子固（赵孟坚），各携所藏，买舟湖上，相与评赏。饮酣，子固脱帽，以酒晞发，箕踞歌《离骚》，旁若无人。薄暮，入西泠，掠孤山，舣棹茂树间，指林麓最幽处瞠目绝叫曰：'此真洪谷子、董北苑得意笔也。'邻舟数十，皆惊骇绝叹，以为真谪仙人。"按，周密与赵孟坚交往始见于此。

蒙古建元中统，始有年号。

六月

王埜（？—1260）卒，生年不详。埜子文，号潜斋，金华人。嘉定十二年进士。仕潭时，从真德秀学。历官太府少卿、大理少卿、沿江制置使、江东安抚使等。宝祐二年，除礼部尚书。三年，兼给事中，签书枢密院事。与宰相丁大全不合，提举洞霄宫。四年，罢祠。事迹见《宋史》卷四二〇本传、《宋史·理宗本纪》、《正德姑苏志》卷五一。有奏议、文集若干卷，已佚。《全宋词》录其词三首，《全宋诗》录其诗九首，《全宋文》卷七六六四收其文。戴复古谓其"议论波澜阔，文章气脉长"（《东谷王子文死读其诗文有感》）。刘克庄《王子文诗序》称其诗"本学术，隆师友，扶忠贤，绌邪佞，爱君如爱亲，忧民如忧己，合于诗人之所谓六义者。盖江湖草野之士，白首专攻不过得数十百篇，潜斋方有权位，窃意丰于彼者必啬于此，而其诗至二十卷，又皆粹美无疵，闲雅有味，讵可以常情测度哉！"陈廷焯《白雨斋词话》谓其《西河》（天下事）"慷慨发越，终病浅显"（卷二），"词境虽不高，然足以使懦夫有立志"（卷六）。

郝经为蒙古国信使，奉命使宋，道出宿州，宴于冠军楼，作《冠军楼赋》。序云："中统元年庚申六月，奉命使宋，道出宿州，潦路霖雨，蒸历作恶，遂为稽留。时东平严侯之弟开府，于是一日置燕于冠军楼，在城北隅，西望平远，尽得东南之胜，乃为赋之。"

七月

吴潜以侍御史何梦然劾其欺君无君之罪，夺观文殿大学士，罢祠，削二秩，谪居建昌军。

蒙古国信使郝经被贾似道幽禁于真州忠勇军营，长期不放。

八月

程元凤为淮、浙发运使、判平江府。

陈郁作《声声慢·应制赋芙蓉、木樨》词。陈世崇《随隐漫录》卷二："庚申八月，太子请两殿幸本宫清霁亭赏芙蓉、木犀，诏部头陈盼儿捧牙板歌'寻寻觅觅'句，上曰：'愁闷之词，非所宜听。'顾太子曰：'可令陈藏一撰一即景快活《声声慢》。'先臣再拜承命，二进酒而成，五进酒，数十人已群讴矣。天颜大悦，于本宫官属支赐外，特赐百匹两。词曰：'澄空初霁……'"

十月

理宗下诏："党丁大全、吴潜者，台谏其严觉察举劾以闻，当置于罪，以为同恶相济者之戒。"时贾似道专政，台谏何梦然、孙附凤、桂锡孙、刘应龙承顺风指，凡为似道所恶者无贤否皆斥，帝弗悟其奸，为下是诏。见《宋史·理宗本纪五》。

吴潜被窜于潮州。

十二月

包恢叙复原官，知常州。

本年

文天祥主管建昌军仙都观。作《敬书先人题洞岩观遗墨后》。

蒙古始立中书省。魏初、王恽、胡祗遹皆任职于中书省。

徐世隆擢燕京等路宣抚使，以新民善俗为务。

杨果为北京宣抚使。

戴复古（1167—?）本年在世，卒年不详。按，今《石屏诗集》中有《东谷王子文死读其诗文有感》一诗，王埜（子文）卒于本年六月。复古字式之，号石屏，台州黄岩人。尝从林宪、徐似道游，又曾从陆游学诗。生平游踪，自东吴浙，西襄汉，北淮南越，凡乔岳巨浸，灵洞珍苑，空迥绝特之观，荒怪古僻之踪，周遭数千里万里。以诗游诸公间，口不谈当世事，为世所称。真德秀尝欲疏荐，力辞而止。绍定间，为邵武军学教授，与郡人严粲、严羽相善。游历江湖几五十年，年已八旬，始由其子琦自镇江迎还，隐居南塘石屏山下，终日坐一楼，焚香观化，或携从孙探梅观鹤，为诗酒之乐。事迹见有楼钥《石屏诗集序》、姚镛《石屏第四稿下卷跋》、吴子良《石屏诗后集序》、民国《台州府志·文苑传》。所著诗集，嘉定七年，巩丰编为《摘句》，赵汝说尝选为《石屏小集》，绍定间，袁甫选为《续稿》，萧泰来选为《第三稿》，端平间，李贾、姚镛选为《第四稿》。明弘治间，裔孙戴镛等汇辑为《石屏诗集》十卷，今存《四部丛刊》影印本、《四库全书》本、《台州丛书》本。词附刊集后，又尝单独刊行，有《宋元名家词》本《石屏词》、双照楼《景刊宋金元明本词四十种》本《石屏长短句》等。《全宋词》录其词四十五首，《沁园春·送姚雪篷之贬所》仅存断句。

《全宋诗》录其诗八卷，《全宋文》卷六九三八收其文。

四库提要卷一六一："《石屏集》六卷。……卷首载其父敏诗十首，盖复古幼孤，勉承家学，因搜访其先人遗稿，以冠己集。……复古诗笔俊爽，极为作者所推。姚镛跋其诗，称其天然不费斧凿处，大似高三十五辈，晚唐诸子当让一面。方回跋其诗，亦称其清健轻快，自成一家。虽皆不免稍过其实，要其精思研刻，实自能独辟町畦。瞿佑《归田诗话》载戴复古尝见夕照映山，得句云'夕阳山外山'，自以为奇，欲以'尘世梦中梦'对之，而不惬意。后行村中，春雨方霁，行潦纵横，得'春水渡傍渡'以对，上下始称。其苦心搜索，即此可见一端。至集中《严子陵钓台》诗所谓'平生误识刘文叔，惹起虚名满世间'者，赵与虤《娱书堂诗话》极赏其新意可喜，而罗大经《鹤林玉露》又深以其议论为不然。盖意取翻新，转致失之轻佻，在集中殊非上乘。与虤所云，固未足为定评矣。"巩丰《石屏诗摘句跋》谓其诗"大抵唐律尤工，务新奇而就帖妥，道路江湖间尤多语意之合，读之使人不厌"。赵汝腾《石屏诗序》："石屏之诗平而尚理，工不求异，雕镂而气全，英拔而味远。玩之流丽而情不肆，即之冲淡而语多警。"姚镛《石屏第四稿跋》："诗盛于唐，极盛于开元、天宝间，昭、僖以后，则气索矣。世变使然，可与识者道也。式之诗天然不费斧凿处，大似高三十五辈，使生遇少陵，亦将有'佳句法如何'之问，晚唐诸子当让一头。"王埜《石屏诗集跋》："近世以诗鸣者多学晚唐，致思婉巧，起人耳目，然终乏实用。所谓言之者无罪，闻之者足以戒，要不专在风云月露间也。式之独知之，长篇短章，隐然有江湖廊庙之忧，虽诋时忌，忤达官，弗顾也。"包恢《石屏诗跋》："古诗主乎理，而石屏自理中得；古诗尚乎志，而石屏自志中来；古诗贵乎真，而石屏自真中发。此三者，皆其源流之深远，有非他人之所及者。理备于经，经明则理明。尝闻有语石屏以本朝诗不及唐者，石屏谓不然，本朝诗出于经。此人所未识，而石屏独心知之，故其为诗正大醇雅，多与理契，志之所至，诗亦至焉。……石屏自谓少孤失学，胸中无千百字书。予谓其非无书也，殆不滞于书，与不多用故事耳，有靖节之意焉。果无古书则有真诗，故其为诗自胸中流出，多与真会。……故诗有近体、有古体，以他人则近易工而不及古，在石屏则古尤工而过于近。"吴子良《石屏诗后集序》："石屏戴式之以诗鸣海内余四十年，所蒐猎点勘，自周汉至今，大编短什，诡刻秘文，遗事廋说，凡可资以为诗者，何啻数百千家。所游历登览，东吴、浙西、襄汉、北淮南越，凡乔岳巨浸，灵洞珍苑，空迥绝特之观，荒怪古僻之踪，可以拓诗之景、助诗之奇者，周遭何啻数千万里。所酬唱谂订，或道义之师，或文词之宗，或勋庸之杰，或表著郡邑之英，或山林井巷之秀，或耕钓酒侠之遗，凡以诗为诗友者，何啻数十百人。是故其诗清苦而不困于瘦，丰融而不豢于俗，豪健而不役于粗，闳放而不流于漫，古澹而不死于枯，工巧而不露于斲。闻而争传、读而亟赏者，何啻数百千篇。盖尝论诗之意义贵雅正，气象贵和平，标韵贵高逸，趣味贵深远，才力贵雄浑，音节贵婉畅。若石屏者，庶乎兼之矣，岂非其搜览于古今者博耶？岂非其陶写于山水者奇耶？岂非其磨礲于师友者熟耶？虽然，此旧日之石屏也，今则不类。行年七十七矣，焚香观化，付断简于尘埃，隐几闭关，等一楼于宇宙，离群绝侣，对独影为宾朋，而时发于诗，旷达而益工，不劳思而弥中的。然则诗固自性情发，石屏所造诣，有在言语之外者，非世俗所能测也。"方回《跋戴石屏诗》："（石屏）年四十五始以诗游江湖间，见知于真西山。然早年读书少，故诗无事料，清健轻快，自成一家，在晚唐间，而无晚唐之纤陋。"翁方纲《石洲诗话》卷四："石屏有《论诗十绝》，其论宋诗曰：'本朝诗出于经。'此人所未识，而复古独心知之。又谓'胸中无千百卷书，如商贾乏货本，不能致奇货。'此皆务本之言。而其诗纯任自然，则阮亭所谓'直率'者也。"又："戴石屏《白纻歌》托寄清高，与乐府《白纻词》之旨不同。"魏庆之《诗人玉屑》卷一九引《玉林诗话》："赵懒庵为戴石屏选诗百余篇，南塘称其识精到。其间《白纻歌》最古雅，今世难得此作。……语简意深，所谓一不微微少。"

四库提要卷一九九："《石屏词》一卷。……今观其词，亦音韵天成，不费斧凿。其《望江南·自嘲》第一首云：'贾岛形模元自瘦，杜陵言语不妨村。谁解学西崑。'复古论诗之宗旨，于此可见，宜其以诗为词，时出新意，无一语蹈袭也。集中《大江西上曲》即《念奴娇》，本因苏轼词起句，故称'大江东去'。复古乃以己词首句，又改名《大江西上曲》，未免效颦。至赤壁怀古《满江红》一阕，则豪情壮采，实不减于轼，杨慎《词品》最赏之，宜矣。"李调元《雨村词话》卷二："戴复古石屏《望江南》有'壶山好'四首、'石屏老'三首，一时推名作。"又："世传石屏《沁园春》自述一词，余嫌其粗俚。如云：'赢得穷吟诗句清。'夫诗者，皆吾侪平日愁叹之声，大似今制义文中俗调，而杂以吾侪语，可乎？"

蒲道源（1260—1336）生。

宋无（1260—1340）生。

郑光祖、宫天挺、睢景臣、曾瑞约生于本年前后。

公元 1261 年（宋理宗景定二年辛酉　蒙古忽必烈汗中统二年）

正月

马光祖进二秩。

诏封张栻为华阳伯，吕祖谦为开封伯，从祀孔子庙庭。

三月

贾似道等上《玉牒》、《日历》、《会要》、《经武要略》及《孝宗光宗宁宗实录》。

春

文天祥游龙泉太霄观。

王恽转翰林修撰、同知制诰，兼国史院编修官，寻兼中书省左右司都事。

四月

九日，陈郁赋《宝鼎现》（虞弦清暑）词。陈世崇《随隐漫录》卷二："庚申八月，太子请两殿幸本宫清霁亭赏芙蓉、木犀。……明年四月九日，储皇生辰，令述《宝鼎现》，俾本宫内人群唱为寿，上称得体。词曰：'虞弦清暑……'"

马光祖进观文殿学士，职任依旧。

窜吴潜于循州。

蒙古诏军中所俘儒士，听赎为民。

七月

吴潜责授化州团练使，循州安置。

王鹗请修辽、金二史，并言以左丞相耶律铸监修，仍采访遗事。蒙古主从之，始设翰林国史院。此为蒙古承汉制以宰相监修史书之始。

八月

江万里为端明殿学士、同签书枢密院事，依执政恩数。

九月

蒙古主采纳王鹗建议，立诸路提举学校官，并以王万庆等三十人任此官。

十月

程元凤授特进、观文殿大学士、醴泉观使兼侍读。

文天祥除授秘书省正字。

郝经被拘于真州，作《琼花赋》。自序云："中统二年春三月，制使李公致琼花数枝。是年冬十月，而梦二客相邀至维扬之后土祠，饮于花下，啸歌为乐。既醉而觉，乃作赋焉。"

十一月

马光祖提领户部财用兼知临安府、浙西安抚使。

赵汝腾（？—1261）卒，生年不详。汝腾字茂实，号庸斋，晚年又号紫霞翁，太宗八世孙，居福州。宝庆二年进士。历礼、兵部架阁，籍田令。嘉熙元年，召试馆职，授秘书省正字。二年，除校书郎，迁秘书郎。后历起居舍人、礼部侍郎、权工部尚书。淳祐十二年，召为礼部尚书，兼给事中，拜翰林学士兼知制诰，兼侍读。宝祐元年，出知建宁府，移知绍兴府、浙东安抚使。召兼翰林学士承旨，知泉州、知州南外宗正事。以资政殿学士致仕。卒谥忠清。事迹见《宋史》卷四二四本传。所著《紫霞洲集》等已佚。清四库馆臣自《永乐大典》中辑为《庸斋集》六卷，有《四库全书》本。《全宋词》录其词一首，《全宋诗》录其诗二卷，《全宋文》收其文四卷。四库提要卷一六四："《庸斋集》六卷。……汝腾生朱子之乡，故沿溯余波，颇能讲学。然史称其守正不挠，其为礼部尚书兼给事中时，上疏极论奸谀兴利之臣戕损国脉，而规切理宗之私惠群小，今集中壬子六月内引第一、第二劄，即其全文，反覆详明，深中时弊。又集中内外制序自称尝以草制忤史嵩之去国，又称时有无罪被谪如王三俊、李伯玉之类，皆留黄不书，上疏申救，施行遂为之格。是其气节岳岳，真不愧朱子之徒，非假借门墙者可比。唯周密《癸辛杂识》称汝腾为从官，力荐三衢徐霖为著作郎，至比之范文正公。而霖举止颠怪，妄自尊大，霖之无忌惮，皆汝腾纵其狂。至目汝腾为大宗师，已为小宗师，递相汲引。霖既被逐，汝腾亦不自安，遂求补外云云。案集中与徐径坂唱和最多，径坂即霖之字。其《赠詹生谒径坂》诗云：'瞻彼径坂，今之泗水。'又《赞径坂使君柯山讲席之盛》诗云：'立天地心鸣道铎，开生灵眼识师儒。'其推挹之词，殊为诞谩无状，知周密所记为不诬。是则宋季士大夫崇尚道学，矫激沽名之流弊，观于是集，良足为千古炯鉴也。"

十二月

马光祖同知枢密院事兼太子宾客、知临安府。

江万里依旧端明殿学士、提举临安府洞霄宫，任便居住。

本年

周密为临安府幕僚。《癸辛杂识》后集"马裕斋尹京"条："马裕斋光祖之再京尹也，风采益振，威望凛然。……余时为帅幕。"

文天祥作《王通孙名说》。

忽必烈下令保护各地孔庙。

史天泽荐白朴出仕，朴婉却，南游。

陈振孙约卒于本年，生年不详。振孙初名瑗，字伯玉，号直斋，安吉人，一作永嘉人。嘉定四年，为溧水教授（《吴兴藏书录》引《湖录》）。宝庆三年，通判兴化军（刘克庄《重修通判厅》）。端平三年，知台州，兼浙东提举。嘉熙元年，改知嘉兴府（《宝庆会稽续志》卷二）。淳祐四年，为国子司业（徐元杰《梅埜集》卷七《授国子司业制》）。九年，致仕。振孙博通古今，号称醇儒，有声当世，刘克庄称"其文秋涛瑞锦，其姿古柏寒松"（《故通奉大夫宝章阁待制致仕陈振孙赠光禄大夫制》）。著有《白居易年谱》、《直斋书录解题》传世。《全宋诗》录其诗一首，《全宋文》卷七六七八收其文。四库提要卷八五："《直斋书录解题》二十二卷。……《癸辛杂识》又称'近年唯直斋陈氏书最多，盖尝仕于莆，传录夹漈郑氏、方氏、林氏、吴氏旧书至五万一千一百八十余卷，且仿《读书志》作解题，极其精详'云云，则振孙此书，在宋末已为世所重矣。其例以历代典籍分为五十三类，各详其卷帙多少、撰人名氏，而品题其得失，故曰'解题'。虽不标经史子集之目，而核其所列，经之类凡十，史之类凡十六，子之类凡二十，集之类凡七，实仍不外乎四部之说也。马端临《经籍考》唯据此书及《读书志》成编。然《读书志》今有刻本，而此书佚失，仅《永乐大典》尚载其完帙。唯当时编辑潦草，讹脱宏多，又卷帙割裂，全失其旧，谨详加校订，定为二十二卷。……古书之不传于今者，得藉是以求其崖略；其传于今者，得藉是以辨其真伪，核其异同。亦考证之所必资，不可废也。原本于解题之后附以随斋批注。随斋不知何许人，然补阙拾遗，于本书颇有所裨，今亦仍其旧焉。"

公元 1262 年（宋理宗景定三年壬戌　蒙古忽必烈汗中统三年）

正月

诏量移吴潜党人，并永不录用。

二月

诏省试中选士人覆试于御史台，为定制。

三月

十八日，**方岳**（1199—1262）**卒**，年六十四。岳字巨山，号秋崖，祁门人。绍定五年进士，调滁州教授，除淮东安抚司干官。淳祐七年，除秘书郎，以宗正丞权工部郎官。出知南康军。九年，因纲运事为湖广总领贾似道按劾，移知绍武军，改知饶州、宁国府，未上而罢。宝祐四年，起知袁州。六年，丁大全当国，除尚左郎官，被劾罢。景定初，贾似道当国，起知抚州，复原官，因旧嫌而寝新命。事迹见《新安文献志》卷七九洪焱祖《方吏部传》、《瀛奎律髓汇评》卷二七。著有《重修南北史》一百七十卷、《宗维训录》十卷，不传。《秋崖先生小稿》八十三卷，有明嘉靖五年方谦刻明清递修本，四库馆臣重编为《秋崖集》四十卷。《全宋词》录其词七十余首，《全宋词补辑》录其词四首，《全宋诗》录其诗三十六卷，《全宋文》收其文三十三卷。

洪焱祖《方吏部传》谓岳"诗文与四六不用古律令，以意为之，语或天成"。方回谓"其诗不江西，不晚唐，自为一家"（《瀛奎律髓汇评》卷二七）。方谦《秋崖先生集序》："翁处间关寥落之余，天赋忠贞，志操愈励，进退去止，发而为言议者，其辞赋类屈平，诗歌类靖节、少陵，奏疏类董、贾、陆贽。爱君忧国在焉，嗟时悼物寓焉，治乱扶危、指邪引正存焉，乐天知命、托情寄兴悉焉。此皆浩然之气充于中而发于外者，自若也。推厥所由，无非以救世为心。"俞焯《诗词余话》："四六尤难作，宋末如方岳、李刘诸公，骈花俪叶，联芳媲丽，至有一句累十余字者，则失其为四六之体矣。与其事异而句奇，孰若字平而句雅，去陈腐，取浑成，方可以言制作之妙。"陈汗《宋十五家诗选·秋崖诗选》："秋崖诗工于琢镂，清隽新秀，高逸绝尘，挹其风致，殆如云中白鹤，非尘网所能罗也。"《宋诗钞·秋崖小稿钞》谓其"诗主清新，工于镂琢，故刻意入妙，则逸韵横流，虽少岳涣之观，其光怪足宝矣"。四库提要卷一六四："《秋崖集》四十卷。……岳才锋凌厉，洪焱祖作《秋崖先生传》，谓其诗文四六不用古律，以意为之，语或天成，可谓兼尽其得失。要其名言隽句，络绎奔赴，以骈体为尤工，可与刘克庄相为伯仲。集中有在淮南与赵葵书，举葵驭军之失，辞甚切直，亦不失为忠告。至葵兄范为帅失律，致襄阳不守，所系不轻，而其罪亦非小，岳以居葵幕府之故，乃作书曲为宽解，载之集中，则未免有愧词矣。"韦居安《梅涧诗话》卷上："诗人喜用全语。……方秋崖《送客水月园》诗云：'翁之乐者山林也，客亦知者水月乎?'……下语皆浑然天成，然非诗之正体。"宋长白《柳亭诗话》卷一九："六朝骈俪之句，书不胜书，若七言则唐人独擅矣。使必祖唐祧宋，是徒知大宗之主器，而不知旁支分派，亦有当璧之时也，可乎?……方巨山岳《平山堂》：'非无烟雨无奇语，自有乾坤有此山。'《旅思》：'两戒山河饶虎落，五湖烟水欠鸥夷。'……若此之类，聊见一斑。"陈廷焯《白雨斋词话》卷二："方巨山之《满江红》、《水调歌头》……慷慨发越，终病浅显。"况周颐《秋崖词跋》谓其词"疏浑中有名句，不坠宋人风格。应酬率意之作，亦较它家为少。置之六十家中，不在石林、后村下也"。

春

陈郁赋《绛都春》词。陈世崇《随隐漫录》卷二："庚申八月，太子请两殿幸本宫清霁亭赏芙蓉、木犀。……明年四月九日，储皇生辰。……又明年，赐永嘉郡夫人全氏为太子妃，锡宴毕，太子妃回宫，令旨俾立成《绛都春》家宴进酒词曰：'晴天媚晓，正禁苑乍暖，莺声娇小。……'"

四月

文天祥就任秘书省正字，寻兼景献太子府教授。

五月

马光祖以病请祠，诏知福州兼福建安抚使。

文天祥充殿试考官，进校书郎。

赐礼部进士方山京以下六百三十七人及第、出身。邓剡、王义山、方回、刘辰翁等登进士第。

刘辰翁廷试对策，忤贾似道。《宋史翼》卷三十五："壬戌廷试，贾似道专国，欲杀直臣以塞言路。辰翁因言'济邸无后可恸，忠良戕害可伤，风节不竞可憾'，虽忤贾意，而理宗嘉之，置丙第。"

吴潜（1196—1262）卒，年六十七。按，《宋史·理宗本纪五》载，景定三年六月，"吴潜没于循州，诏许归葬"。而《宋史》本传则谓潜卒于景定三年五月。兹从本传。潜字毅夫，号履斋，宣州宁国人。嘉定十年进士第一，授承事郎、签镇东军节度判官，改签广德军判官。历校书郎、兵部尚书、吏部尚书等。淳祐七年，同签书枢密院事，权参知政事。出知福州，移知绍兴府，召为同知枢密院事，兼参知政事。十一年，拜右丞相。开庆元年，拜左丞相兼枢密使，封许国公。景定元年，以谏阻贾似道建储之议，责领宫观，旋谪居建昌军，移潮州。二年，责授化州团练使、循州安置。卒于贬所。事迹见《宋史》卷四一八本传。著有《履斋诗余》、《许国公奏稿》、《涂鸦集》等。诗文原集已佚，明末梅鼎祚搜辑遗文编为《履斋遗集》四卷，今存明吴敬伯刻本、《四库全书》本；又有《履斋诗余》，今存清抄本、《彊村丛书》本（两本所收词略异）；又有《许国公奏议》四卷，今存清刻本、《十万卷楼丛书》本。《全宋词》录其词二百五十六首，《全宋诗》录其诗四卷，《全宋文》收其文十二卷。

《四库提要》卷一六三："《履斋遗集》四卷。……凡诗一卷、诗余一卷、杂文二卷。盖裒辑而成，非其原本。……捃拾残剩，不免滥入他人之作。（《宋史》）本传载潜绍定四年有《论京城大火疏》，又有《豫畜人材疏》……今皆不见集中，则其散佚者尚多。……潜诗颇平衍，兼多拙句，求如《送何锡汝》五言律诗之通体浑成者，殆不多见。其诗余则激昂凄劲，兼而有之，在南宋不失为佳手。杂文虽所存不多，其中如与史弥远诸书，论辨明晰，犹想见岳岳不挠之概。是固不但其人品足重矣。"陆心源《许国公奏议跋》："《宋特进左丞相许国公奏议》四卷，题曰'裔孙斗祥，男开桢、开谟同辑'，盖宋丞相吴履斋先生奏议，其后人所辑也。案丞相著述不见于《宋史·艺文志》，《四库》著录《履斋遗集》四卷，乃明人梅鼎祚所辑，挂漏甚多，《提要》谓《宋史》本传所载各疏皆不见集中，良然。是本案年编辑，凡奏议六十三篇，《宋史》本传所载《都城大火论致灾之由疏》，又《言重地要区当豫畜人才以备患疏》……凡二十三篇，全篇皆在其中，且有上疏年月。……是编忠言谠论，日月争光。"《善本书室藏书志》卷四〇："《履斋先生诗余》一卷。……集中有与辛稼轩、吴梦窗、张宗仲诸词人唱和之作，毅夫词格亦与梦窗、宗仲为近，在南宋诸家，当为巨擘，与梦窗、白石无多让焉。而明以来不甚传诵，殆为功业所掩耳。"况周颐《蕙风词话》卷二："履斋词《满江红》九日郊行云：'数本菊香能劲。'劲韵绝隽峭，非菊之香不足以当此。《二郎神》云：'凝伫久，蓦听棋边落子，一声声静。'《千秋岁》云：'荷递香能细。'此静与细，亦非雅人深致未易领略。"

十月

叶梦鼎为端明殿学士、同签书枢密院事兼太子宾客。

十一月

马光祖乞祠禄，诏提举临安府洞霄宫，任便居住。

本年

刘辰翁以亲老请为赣州濂溪书院山长。

范晞文撰《对床夜话》成，冯去非为序。云："景定三年十月，予友范君景文授以所著书一编，语甚绮而文甚高……大类葛常之《韵语阳秋》。"四库提要卷一九五："《对床夜话》五卷。……是编成于景定中，皆论诗之语。其间如论曹植《七哀》诗，但知古者未拘音韵，而不能通古韵之所以然，故转以魏文帝诗押横字入阳部、阮籍诗押嗟字入歌部为疑。……论古人某句本某句，而于刘湾《云南行》'妻行求死夫，父行求死子'句，不知本汉《华容夫人歌》，亦或不尽得根源。至于议王安石误以皇甫冉诗为杜诗，其说是矣。而李端《芜城怀古》诗，则误执《才调集》删本，指为绝句。王维《送邱为下第》诗，则误以为沈佺期作，亦不能无所舛讹。其推重许浑而力排李商隐，尤非公论。然当南宋季年诗道陵夷之日，独能排习尚之乖，如曰：'四灵，倡唐诗者也。就而求其工者，赵紫芝也。然具眼犹以为未尽者，盖惜其立志未高，而止于姚、贾也。学者闯其阃奥，辟而广之，犹惧其失，乃尖纤浅易，万喙一声，牢不可破，曰此四灵体也。其植根固，其流波漫，日就衰坏，不复振起，宗之者反所以累之也。'又曰：'今之以诗鸣者，不曰四灵，则曰晚唐。文章与时高下，晚唐为何时耶？'其所见实在江湖诸人上，故沿波讨源，颇能探索汉、魏、六朝、唐人旧法，于诗学多所发明云。" 是书今存清抄本、《四库全书》本。按，晞文字景文，号药庄，钱塘人。尝从高翥、姜夔等游。景定五年，入太学，添差淮东路提点医药饮食。与叶李等上封章劾贾似道，似道文致其泥金饰斋匾事，流窜琼州。元至元间，以程钜夫荐除江浙儒学提举，转长兴丞致仕，流寓无锡以终。今《全宋词》录其词一首，《全宋诗》录其诗三首。

郑起（1199—1262）卒，年六十四。起初名震，字叔起，号菊山，连江人，郑思肖之父。早年科举不第，遂潜心于性理之学。先后主於潜、诸暨、萧山县学。宝祐二年，相继出任吴门尹和靖书院堂长、泰州胡安定书院山长、平江府三高堂长，开讲于无锡县学。晚年，归隐故园，潜心著述。景定三年，《易注》将脱稿而病卒。事迹见郑思肖《先君菊山翁家传》、柴志道《三山郑菊山先生清隽集序》。著有讲义、诗集、杂著、前后《读书愚见》、《太极无极说》、《修攘事鉴》、《南北要览》、《深衣书》、《乡饮酒书》等，已佚。有诗集《倦游稿》，元大德间仇远撷其四十首，名曰《清隽集》，冠于郑思肖《一百二十图诗》之首。今存《三山郑菊山先生清隽集》，有《知不足斋丛书》本、《四部丛刊》影印本。《全宋诗》录其诗一卷，《全宋文》卷七八七八收其文。柴志道《三山郑菊山先生清隽集序》："儒有古君子之风，始可以曰儒。儒非止于文章之谓，文章者，所以发扬其实诣，而著见于实理也，岂可空有其名哉！郑菊山先生盖抱其实而当其名者也。在昔林鬳斋、周伯弜行辈，当时人物，林林焉如龙虎不可测，如凤凰不可睹，非有以自植立于天地间，何以与诸公相参错，照耀一世豪杰之耳目邪？曩闻先兄秋堂先生望曰：'先生人物昂然，气节挺然，议古喻今，无不的当，惜不见用于时。然所言皆正大，所守甚清苦，其古君子与！'"

姚勉（1216—1262）卒，年四十七。勉字述之，一字成一，号雪坡，筠州高安人。宝祐元年进士第一，授平江节度判官。四年，除秘书省正字，以丁大全当政，不赴。开庆元年，除校书郎，寻兼太子舍人、沂靖惠王府教授。忤贾似道，被劾为吴潜党，罢归。事迹见《宋史翼》卷二九、胡仲云《祭雪坡姚公文》（《雪坡舍人集》附）。著有《雪坡集》五十卷，今存影宋抄本、《四库全书》本、《豫章丛书》本。《全宋词》录其词三十二首，《全宋诗》收其诗十一卷，《全宋文》收其文二十一卷。胡仲云《祭雪坡姚公文》："昔丙子而生子瞻，前癸丑而魁同甫。雪坡生以是年，魁以是年，与二公相为后先。人皆谓之雪坡、子瞻，以其文之驱涛涌泉，怒骂嬉笑，皆成章篇，日与笔砚以相研；人皆谓之雪坡、同甫，以其气之霆驾风鞭，豪放凌厉，自视无前，取高科如骞。"方逢辰《雪坡集序》谓"其文如长江大河，一泻千里"。四库提要卷一六四："《雪坡文集》五十卷。……凡奏对笺策七卷、讲义二卷、赋一卷、诗十一卷、杂文二十九卷。勉受业于乐雷发，诗法颇有渊源，虽微涉粗豪，然落落有气。文亦颇婉雅可观，无宋末语录之俚语。……观其所上封事奏劄以及廷对诸篇，论时政之谬，辨宰相之奸，皆侃侃不阿。唯二十二卷载《贺丞相贾秋壑》一启，题下注庚申五月十六日。考《宋史》理宗开庆元年十二月，贾似道奏鄂州围解；景定元年正月，诏奖贾似道功；四月，诏赴阙。庚申即景定元年，启盖作于是时，与其攻丁大全封事若出两手，殊为白璧微瑕。然启末多进规之语，犹有曲终奏雅之意，固视刘克庄、王柏之谀颂，差有间矣。"胡思敬《雪坡舍人集跋》："雪坡诗文在南宋群贤中，挺然独秀，同时朋辈若文及翁、胡仲云之流，咸以同甫推之。实则雪坡私淑紫阳，初不杂功利之见。其陈告于君者，忠爱缠绵，视同甫尤为纯粹。余虽寻常应酬之作，亦必微寓讽规，不肯苟徇时好。《四库总目》讥其贺秋壑一启。是时鄂围初解，贾相之恶未彰，同官循例致贺，并非私布腹心，极其失不过如寇莱公之于丁谓、司马文正之于蔡京，不足为雪坡病也。"况周颐《蕙风词话》卷二："姚成一《霜天晓角》换头云：'烟抹，山态活，雨晴波面滑。'五字对句，上句作上二下三，'抹'字叶。不唯不勉强，尤饶有韵致，词笔灵活可喜。"

袁易（1262—1306）生。

管道昇（1262—1319）生。

公元1263年（宋理宗景定四年癸亥　蒙古忽必烈汗中统四年）

正月

林希逸言蒲阳布衣林亦之、陈藻有道之士，林公遇幼承父泽，奉亲不仕。诏林亦之、陈藻赠迪功郎，林公遇元官上进赠一官。

二月

诏：吴潜、丁大全党人迁谪已久，远者量移，近者还本贯，并不复用。

春

周密沿檄宜兴，赋词《拜星月慢》（腻叶阴清）。序云："癸亥春，沿檄荆溪，朱墨日宾送，忽忽不知芳事落鹃声草色间。郡僚间载酒相慰荐，长歌清醑，正尔供愁，客梦栩栩，已飞度四桥烟水外矣。醉余短弄，归日将大书之垂虹。"

五月

婺州布衣何基、建宁府布衣徐几，皆得理学之传。诏各补迪功郎，何基为婺州教授兼丽泽书院山长，徐几为建宁府教授兼建安书院山长。

六月

宰执进《玉牒》、《日历》、《会要》、《经武要略》及《徽宗长编》、《宁宗实录》。

八月

四日，方逢辰序姚勉《雪坡集》。云："予起家承乏于瑞，则成一（姚勉）已下世矣。其族子龙起刊其平生所为文，属予序。……景定癸亥秋八月四日，蛟峰方逢辰序。"

九月

叶梦鼎签书枢密院事。

本年

周密赋《木兰花慢》十首咏西湖十景。序云："西湖十景尚矣。张成子尝赋《应天长》十阕夸余曰：'是古今词家未能道者。'余时年少气锐，谓此人间景，余与子皆人间人，子能道，余顾不能道耶？冥搜六日而词成。成子惊赏敏妙，许放出一头地。异日霞翁见之曰：'语丽矣，如律未协何？'遂相与订正，阅数月而后定。是知词不难作，而难于改；语不难工，而难于协。翁往矣，赏音寂然。姑述其概，以寄余怀云。"并约请陈允平同赋，允平因作《西湖十咏》（《探春·苏堤春晓》、《秋霁·平湖秋月》、《百字令·断桥残雪》、《扫花游·雷峰落照》、《八声甘州·麹院风荷》、《蓦山溪·花港观鱼》、《齐天乐·南屏晚钟》、《黄莺儿·柳浪闻莺》、《渡江云·三潭印月》、《婆罗门引·两峰插云》），并序云："右十景，先辈寄之歌咏者多矣。雪川周公谨以所作《木兰花》示予，约同赋，因成。时景定癸亥岁也。"

张矩本年在世，生卒年及里居、事迹不详。刘毓盘《辑校梅渊词跋》："《历代词人姓氏录》曰：张矩，字子成，号梅深，有《梅渊词》。查为仁、历鹗《绝妙好词笺》曰：张龙荣，字成子，号梅深，仕籍无考。其重过西湖《摸鱼儿》词，赵闻礼《阳春白雪》、陈耀文《花草粹编》作张榘词。周密《绝妙好词选》、王奕清《历代诗余》作张龙荣词，不知其即一人也。汲古毛本《宋六十一家词》张榘《芸窗词》一卷，《四库全书提要》曰：榘字方叔，南徐人，官建康县令。历鹗《宋诗纪事》录其《题雨花台》七律一首。二家姓名同，时代同，《历代诗余》于芸窗作张榘，梅渊作张矩，以别之。其于张龙荣则失考，此亦知有沈公述，而不知有沈唐也；知有李肩吾，而不知有李从周也。"张矩与周密、陈允平、毛翊诸人交游酬唱，居临安。据毛翊《和张梅深四首》所载，矩似为布衣词客。今《全宋词》录其词十二首，其中以《应天长》十首西湖组词最为著名。周密《木兰花慢》词序云："西湖十景尚矣。张成子尝赋《应天长》十阕夸余曰：'是古今词家未能道者。'"

王同祖（1219—?）约于本年前后在世，卒年不详。同祖字与之，号花洲，金华人。幼年随父宦游，弱冠入金陵幕府。历朝散郎、大理寺主簿。淳祐九年，通判建康府。十年，添差沿江制置司机宜文字。景定中，为奉议郎。事迹见《景定建康志》卷二四、《宋诗纪事》卷六六。嘉熙四年，尝自选少作七言绝句百首为《学诗初稿》，自跋云："少作不止是，杂体凡数百，未敢录，姑录此百篇为《初稿》，非录诗也，录其事也。……孔子曰：'小子何莫学夫诗。'又曰：'非求益者也，欲速成者也。'同祖慕圣门学诗之训，将以求益，而非敢蹈欲速之戒，遂以'学诗'名其篇。"是稿今存《汲古阁景钞南宋六十家小集》本、读画斋刻《南宋群贤小集》本。《全宋诗》录其诗一卷，《全宋文》卷七九三三收其文。

公元1264年（宋理宗景定五年甲子　蒙古忽必烈汗至元元年）

正月

太子右谕德汤汉三乞休致，授秘阁修撰、知福州、福建安抚使。
蒙古忽必烈敕选儒士编修国史，译写经书，起馆舍，给俸以赡之。

三月

马光祖依旧观文殿学士、沿江制置使、知建康府、江东安抚使、行宫留守。

四月

江万里以资政殿学士知建宁府；李曾伯以观文殿学士知庆元府、沿海制置使。

五月

叶梦鼎同知枢密院事，兼权参知政事。

六月

文及翁序姚勉《雪坡集》。有云："成一有从子龙起……汇编成一文稿五十卷，予读之，悲不自胜。……景定五年夏六月甲子，古涪文及翁序。"

夏

周密与杨缵等结吟社于西湖环碧园，密赋《采绿吟》词。并序云："甲子夏，霞翁（杨缵）会吟社诸友逃暑于西湖之环碧。琴尊笔砚，短葛绵巾，放舟于荷深柳密间。舞影歌尘，远谢耳目。酒酣，采莲叶，探题赋词。余得《塞垣春》，翁为翻谱数字，短箫按之，音极谐婉，因易今名云。"按，张炎《词源》卷下："近代杨守斋（缵）精于琴，故深知音律，有《圈法周美成词》。与之游者，周草窗、施梅川、徐雪江、奚秋崖、李商隐，每一聚首，必分题赋曲。"词序所谓"吟社诸友"，或即以上诸人。

九月

建宁府教授谢枋得校文宣城及建康漕闱，发策十余问，言权奸误国，赵氏必亡。左司谏舒有开劾其怨望腾谤，大不敬，窜兴国军。

十月

宋理宗赵昀（1204—1264）卒，年六十一。皇太子赵禥即位，是为度宗。

文天祥召赴行在。寻除礼部郎官。

十一月

马廷鸾兼侍读；陈宗礼兼侍讲。

度宗诏先朝旧臣赵葵、程元凤、马光祖、李曾伯等各上言以匡不逮。

江万里、洪天锡、汤汉等奉召赴阙。

洪天锡以侍御史兼侍读。

蒙古国信使郝经仍被拘真州，作《幽怨赋》。自序云："上即位之元年，诏经更成于宋。宋人逆之，入置于仪真。奸究漏国，相与构陷，诬为疑兵，不受书命，且伪报异闻者再，遂不令进退，自庚申至于甲子凡五年。冬十有一月，宋人乃报其国丧，而复无纵释之命。幽抑无纪极而莫适赴愬，作《幽愬赋》以自释。"

十二月

诏改明年为咸淳元年。

初开经筵，讲殿以熙明为名。礼部尚书马廷鸾进读《大学衍义序》，陈心法之要。

本年

刘克庄致仕。

李曾伯起知庆元府，兼沿海制置使。

文天祥任江西提刑。作《跋诚斋锦江文稿》。

文及翁为秘书郎。

胡祇遹授应奉翰林文字，后兼太常博士。

徐琰为陕西行省郎中。

徐世隆迁翰林侍讲学士，兼太常卿，朝廷大政谘访而后行，诏命典册多出其手。

施岳卒于本年前后，生卒年不详。岳字仲山，号梅川，吴人。宋末临安词坛代表作家之一。精于音律，与杨缵、李彭老、李莱老、吴文英、周密等交游、唱和。其卒也，杨缵为树梅作亭，薛梯飚为作墓志，李彭老书写，周密题盖，葬于西湖虎头岩下。事迹见周密《武林旧事》卷五。其词多散佚，仅《绝妙好词》存其词五首，残篇一首，《全宋词》录入。沈义父《乐府指迷》："施梅川音律有源流，故其声无舛误。读唐诗多，故语雅澹。间有些俗气，盖亦渐染教坊之习故也。亦有起句不紧切处。"又："咏物词最忌说出题字。如清真梨花及柳，何曾说出一个梨、柳字。梅川不免犯此戒，如《月上海棠》咏月出，两个月字，便觉浅露。" 查礼《铜鼓书堂词话》："词不同乎诗而后佳，然词不离乎诗方能雅。昔沈义甫评梅川词云：'梅川音律有源流，故其声无舛误。读唐诗多，故语雅淡。'义甫斯言，深得乐府之三昧者。尝忆梅川有登吴山《水龙吟》云：'翠鳌涌出沧溟影。'又云：'楼台对起，阑干重凭，山川自古。'又云：'看天低四远，江空万里，登临处、分吴楚。'又云：'两岸花飞絮舞，度春风、满城箫鼓。英雄暗老，早潮晚汐，归帆过橹。淮水东流，塞云北渡，夕阳西去。'其声韵辞华，大雅不群，脱尽绮腻纤秾之态。"《词洁辑评》卷五谓其《曲游春》（画舸西泠路）"前片既似吴君特，后片又似周公谨，兼撮二家之长"。

姚镛（1191—?）**本年在世，卒年不详。**镛字希声，一字敬庵，号雪篷，剡溪人。嘉定十年进士。尝为县尉。绍定元年，为吉州判官。六年，以平寇功知赣州，尝骑牛于涧谷间，令画工肖其像，郡人赵东野题诗。后忤帅臣，以贪劾之，贬衡阳。端平二年，自裒诗文，题曰《雪篷稿》。嘉熙元年，始得自便。淳祐二年，尝答张子学问（欧阳守道《题姚雪篷张子学问》）。景定五年，掌教黄岩县学。事迹见《鹤林玉露》丙编卷六、《浩然斋雅谈》卷中、《万历黄岩县志》卷四。所著《雪篷稿》一卷、杂著一卷，有《汲古阁景钞南宋六十家小集》本、《宋人小集六十八种》本。《全宋词》录其词一首，《全宋诗》录其诗一卷，《全宋文》卷七六八八收其文。刘克庄《跋姚镛县尉文稿》谓其"百诗森严，一赋二记峻杰，四六尤高简，缩广就狭，刊陈出新，变俗趋雅，斲华返质，一字不可增损，半句之工、片辞之善，贤于它人千篇百首，天下之名作也。然才力有定禀，文字无止法。君以盛年挟老气，为之不已，诗自姚合、贾岛达之于李、杜，文自《公》、《穀》达之于左、马，四六自杨、刘达之于欧、王，翡翠鲸鱼，并归摹写，大鹏尺鷃，咸入把玩，则格力雄而体统全矣。"姚勉《赞府兄诗稿序》："晚唐诗，姚秘监（合）为最清妙。迩年有雪篷姚希声，亦精悍于吟。"王士禛《带经堂诗话》卷一〇："姚镛希声《雪篷集》：'病起春风过，闲居野草生。'（《怀颐山老》）'风帆逆水上，江鹤背人飞。'（《桐庐》）'王戴溪头小隐仙，渔翁引上雪溪船。几回倦钓思归去，又为蘋花住一年。'（《寓雪川》）'雨径生新草，风床受落花。'（《赁居》）'踏雨来敲竹下门，荷香清透紫绡裙。相逢未暇论奇字，先向水边看白云。'（《访中洲》）……多摹拟'四灵'，家数小，气格卑，风气日下，非复绍兴、乾道之旧，无论东京盛时已。"

杜仁杰本年在世，生卒年不详。仁杰字仲梁，号止轩，原名之元，字善夫，济南长清人。金正大中，尝偕麻革、张澄隐居内乡山中，以诗篇唱和，名声相埒。元至元中，屡征不起。其子元素仕元为福建闽海道廉访使。仁杰以子贵，赠翰林承旨、资善大夫，谥文穆。元好问《逃空丝竹集序》："南渡后，李长源七言律诗清壮顿挫，能动摇人心，高处往往不减唐人。麻知几七言长韵，天随子所谓'陵轹波涛，穿穴险固，囚锁怪异，破碎陈敌'者，皆略有之。然长源失在无穰苴，知几病在少持择，诗家亦以此为恨。仲梁材地有余，而持择工夫胜，其余或亦有不逮二子者。绝长补短，大概一流人也。今二子亡矣，仲梁气锐而笔健，业专而心精，极他日所至，当于古人中求之，不特如退之之于李元宾耶。"王恽《挽杜征君止轩》："泰岱东蟠未了青，文章公独萃精英。赋方庾信才华壮，诗到樊川气格清。"又《挽杜止轩》："一代人文杜止轩，海翻鲸掣见诗仙。细吟风雅三千首，独擅才名四十年。"《太和正音谱》卷上："杜善夫之词，如凤池春色。"《全元散曲》存其套曲三套、小令一首，《全金元词》录存其词二首。事迹见《元诗选》三集卷一、《宋元学案补遗》卷九〇。

曹之谦（？—1264）卒，生年不详。之谦字益甫，号兑斋，云中应州人。金兴定间登进士第。与元好问同掾东曹，切磋诗艺，商订文字。北渡后，居平阳三十年，与诸生讲学，一以伊洛为宗，众翕然从之。著有《兑斋文集》，收所作古文、杂诗三百首。王恽《兑斋曹先生文集序》："先生之作，其析理知言，择之精，语之详，浑涵经旨，深尚体之工，刊落陈言，极自得之趣，而又抑扬有法，丰约得所，可谓常而知变，醇而不杂者也。"《历代诗发》卷三一谓其《东坡赤壁图》"悠然神往，如见坡仙于月出东山"；《秋日怀李仁卿》"体裁纯正，不必刻意求工"。事迹见《全金诗》卷五五、《成化山西通志》卷九。

第三章

公元 1265 年至公元 1278 年　共 14 年

·引　言·

　　陆大业《康熙重刊睎发集序》：今之论诗于南宋者，必曰杨、陆、范氏，若公（谢翱）类以节义掩。余独以谓南宋之诗当以信国文公为冠，而公可与之抗行，杨、陆诸家俱不及也。盖唐自敬、文而后，诗道日以坏，至宋仁、英、神、哲之世，乃复振起，其气发泄无余，然亦往往趋于弱者，似与国势相为表里也，至南渡而衰矣。当时诸公所作，尚不能与北宋比肩，其敢望唐人之室乎？独公与文公当天地变革之会，拂郁愤懑之气发之于词，雄厚奇杰如夕阳倒景，光彩万状。文公诗绝类少陵，而公则出入于孟郊、贾岛、张籍、李贺诸家，于贺尤似，其激励奋发，有过之无不及也。耳食之流，谁为知此？牧斋钱氏言曰：“宋之亡也，诗称盛。”弇州王氏之言曰：“皋羽为南宋翘楚。”此为知言矣。

　　胡应麟《诗薮》外编卷五：南渡之末，忠愤见于文词者，闽谢翱，瓯林德旸，皆有集行世。然当时义士甚众，不仅仅二子也。余尝于里中吴正传遗裔家，得手录《谷音》二卷，乃杜本伯原辑宋遗民之作，凡二十三人，诗百首。杜皆纪其行略，率豪侠节介，有大志而不遂者。当元并海内日，或上书，或伏剑，或浮海，或自沉，其不平之鸣，往往泄于翰墨，所传诸古选歌行近体，大半学杜，时逼近之。以诗道否于宋世，而国亡之日，乃有才志若诸子，亦一时之异也。……其诗之合作者，若程自修《痛哭行》、冉琇《宿金口》、元吉《夜坐》、王翥《秋涨》、严道立《酬蔺五》、张琰《出塞》、丁开《岁暮》、虞天章《宿峡口》等篇，气骨咸自铮铮，不能备录。

　　又：《谷音》所录三十人，笔其名氏于后：王浍、程自修、冉琇、元吉、孟鲠、安如山、王翥、师严、张琰、汪崖、詹本、皇甫明子、丁开、鲍輐、崔璆、鱼潜、柯芝、柯茂谦、邵定、熊与和、晏义、孙璘、杨应登、杨雯、鲁澈外，番易布衣、潇湘渔父、闽清野人、罗浮狂客，不知名氏，大概奇流也。诸人外，复载古碑二十八字：“乾、淳老人气岳岳，破冠敝履行带索。撑肠拄腹书百卷，临风欲言牙齿落。”杜伯原云：“幽人隐士之作，不合于时，沈诸水以俟知者，或渔于潭得之。”

　　又：《诗家鼎脔》二卷，亦宋末江湖人作。程克勤所编《宋遗民录》，凡十一人：王鼎翁、谢翱、方韶卿、唐玉潜、林景熙、汪大有、龚圣予、张毅父、吴子善、梁隆吉、郑所南。鼎翁尝为文生祭文信国，毅父即函致信国首者。圣予为文、陆二公作传，而汪尝以琴访信国狱中。梁、郑皆义不仕元。方、吴二子并吾婺人，与谢翱善。翱恸哭西台，实相倡和。景熙、玉潜收故主遗骨，世所共知。诸人率工文词，不但气节之美。今林、谢诗集尚传，汪、郑二子诗附见集中，咸足讽咏。然同时刘会孟、黄东发，亦以宋遗民不仕元，学行尤卓卓云。甚矣，南渡义士之众也！《吴正传诗话》载史蒙卿一律云："宫花攒晓日，仙鹤下云端。自是伤心极，那能著眼看？风沙两宫恨，烟草八陵寒。一掬孤臣泪，秋霖对不干。"绝与《谷音》诸作相类。又孙应时一联云："秋声摇落日，野色荡寒云。"龚开圣予善画马，吴正传记其数诗，末一绝云："一从云雾降天关，空尽先朝十二闲。今日有谁怜瘦骨，夕阳沙岸影如山。"皆《宋遗民录》所不载。又李珏《赠汪大有》云："泪倾东海尽，愁压北邙低。"（方凤、吴思齐诗，亦散见《礼部诗话》，皆婺人。）

王士祯《带经堂诗话》卷四：《谷音》二卷，皆宋末人诗。上卷王浍以下凡十人，率任侠节义之士。下卷詹本以下凡十五人，则藏名避世之流也；番阳布衣、潇湘渔父以下五人，不可得其姓字，要之，皆宋之逸民也。其诗慷慨激烈，古澹萧寥，非宋末作者所及。是时谢翱、林霁山辈，皆以文章节义著于东南，而又有此三十人者与之遥为应和，亦奇矣。

翁方纲《石洲诗话》卷四：南渡自四灵以下，皆模拟姚合、贾岛之流，纤薄可厌。而《谷音》中数十人，乃慷慨顿挫，转有阮、陈、杜少陵之遗意。此则激昂悲壮之气节所勃发而成，非从细腻涵咏而出者也。

宋长白《柳亭诗话》卷一：宋季诗人执千古之樊篱，而自诡于残山剩水以寓意。末路得《白石樵唱》以收垂烬之焰，而唐清父泾、鲍以行轅、曾仲才子良、汪水云元量辈为之薪传，光虽微，不可谓非暗室之一烛也。

王史鉴《宋诗类选自序》：晚宋诸人感伤变革，忠义蟠郁，故多凄沧之作。文信国身任纲常，从容就义，壮烈之语，真可惊风雨、泣鬼神。水云之哀怨，晞发之恸哭，霁山仗义于诸陵，所南发愤于《心史》，千载而下，犹堪痛心。宋诗之终，终于义烈，岂非道学之流风、忠直之鼓动哉。

陈维崧《乐府补题序》：《乐府补题》倡和作者为玉笥王沂孙圣与、蘋洲周密公谨、天柱王易简理得、友竹冯应瑞祥父、瑶翠唐艺孙英发、紫云吕同老和甫、筼房李彭老商隐、宛委陈恕可行之、菊山唐珏玉潜、月洲赵汝钠真卿、五松李居仁帅吕、玉田张炎叔夏、山村仇远仁近，共十三人，又无名氏二人。题为《宛委山房赋龙涎香》、《浮翠山房赋白莲》、《紫云山房赋莼》、《余闲书院赋蝉》、《天柱山房赋蟹》，调则为《天香》、为《水龙吟》、为《摸鱼儿》、《齐天乐》、《桂枝香》，凡五，共词三十七首，为一卷。嗟乎，此皆赵宋遗民作也。粤自云迷五国，桥谶啼鹃，歌三江，营荒夹马。寿皇大去，已无南内之笙箫；贾相难归，不见西湖之灯火。三声石鼓，汪水云之关塞含愁；一卷《金陀》，王昭仪之琵琶写怨。皋亭雨黑，旗摇犀弩之城；葛岭烟青，箭满锦衣之巷。则有临平故老，天水王孙，无聊而别署漫郎，有谓而竟成逋客。飘零孰恤，自放于酒旗歌扇之间；惆怅畴依，相逢于僧寺倡楼之际。盘中烛炧，间有狂言；帐底香焦，时而谰语。援微词而通志，倚小令以成声。

柴复贞《柴氏四隐集序》：（柴望、柴随亨、柴元亨、柴元彪）四公仕当革命之际，鸱鸮悲鸣，众芳萎歇，各抱杞国之忧，流涕陈列，而为权奸所摈逐，乃相与遁迹林莽，叹时势之已去，悲故宫之寂寞，黍离悠悠之怀，每形于伯仲赓咏，人以是称为"柴氏四隐"云。

陈廷焯《白雨斋词话》卷二：王碧山词，品最高，味最厚，意境最深，力量最重，感时伤世之言，而出以缠绵忠爱，诗中之曹子建、杜子美也。词人有此，庶几无憾。

《四库提要》卷一九九《山中白云词》提要：（张）炎生于淳祐戊申，当宋邦沦覆，年已三十有三，犹及见临安全盛之日。故所作往往苍凉激楚，即景抒情，备写其身世盛衰之感，非徒以剪红刻翠为工。至其研究声律，尤得神解，以之接武，居然后劲。

又卷一六五《须溪集》提要：（刘辰翁）于宗邦沦覆之后，眷怀麦秀，寄托遥深，忠爱之忧，往往形诸笔墨，其志多有可取者。

公元1265年（宋度宗咸淳元年乙丑　蒙古忽必烈汗至元二年）

四月

文天祥以御史黄万石劾其"不职"，罢江西提刑。

闰五月

江万里为参知政事；马廷鸾为端明殿学士、签书枢密院事。

六月

名理宗御制之阁曰显文，置学士、直学士、待制、直阁等官。
叶梦鼎三辞免沿海制置使，不允。

七月

参知政事江万里乞归田里，不允。

九月

周密游余杭大涤山，有诗《乙丑良月游大涤洞天，书于蓬山堂》。
洪天锡为工部侍郎兼侍读。
诏命宰执访司马光、苏轼、朱熹后人，贤者能者，各上其名录用。

秋

周密游西湖，赋《秋霁》（重到西泠）词。并序云："乙丑秋晚，同盟载酒为水月游。商令初肃，霜风戒寒。抚人事之飘零，感岁华之摇落，不能不以之兴怀也。酒阑日暮，怃然成章。"

本年

李曾伯为侍御史陈宗礼论劾褫职。

周密《志雅堂杂钞》纪年始于本年。

何梦桂省试第一，廷试一甲三名。

陈昉本年在世，生卒年不详。昉字叔方，号节斋，温州平阳人。端平元年，真德秀荐于朝，监六部门，与刘克庄等号为"端平八士"。迁司农丞，除大宗正丞，进枢密副承旨，权吏部侍郎。淳祐十二年，出知福州，兼福建安抚使。景定初，知建宁府。除户部侍郎兼检正中书门下省公事。迁试吏部尚书。咸淳元年，以端明殿学士提领户部财用，提举秘书省，提纲史事。以资政殿学士致仕，卒年未七十（刘克庄《杂兴六言十首》"直翁寿甫逾八，叔方年不及希"）。事迹见《南宋馆阁续录》卷七、《弘治温州府志》卷一一、《四库全书总目》卷一一八。今存其《颍川语小》二卷，为清四库馆臣自《永乐大典》中辑出。四库提要卷一一八："《颍川语小》二卷。……其考究典籍异同、朝廷掌故，酷似洪迈《容斋随笔》；其论文多辨别经史句法，又颇似陈骙《文则》。"又，《全宋诗》录其诗四首，《全宋文》卷七七六四收其文。

牟子才卒于本年或稍后，生年不详。子才字存叟，一字节叟，号存斋，井研人。嘉定十六年进士，调洪押尉。历史馆校勘、太常博士、著作佐郎兼崇政殿说书。宝祐元年，除起居舍人兼侍讲。二年，迁起居郎。景定四年，擢权礼部尚书，兼直学士院，兼给事中。除礼部尚书。度宗即位，授翰林学士、知制诰，力辞，进端明殿学士，以资政殿学士致仕，卒。事迹见《宋史》卷四一一本传。所著《存斋集》、内制外制、《四朝史稿》、奏议、《易编》、《春秋轮辐》等，均佚。今《全宋诗》录其诗十首，《全宋文》收其文十一卷。

冯去非（1188—1265）卒，年七十八。去非字可迁，号深居道人，南康军都昌人。淳祐元年进士，授滁州户曹。历桂阳丞、干办淮东转运司，知宝应县。宝祐四年，召为宗学谕，以不附权相丁大全，遭排挤，无以为归，留湖浦。景定元年，谪居瑞阳。后主管仙都观，知兴国军。事迹见孙德之《深居冯公墓铭》、《宋史》卷四二五本传。"作文有根柢，丰腴典实，自成一家。……尤工诗篇，下笔立就"（孙德之《深居冯公墓铭》）。尝与张辑、吴文英等交游唱酬。诗学晚唐，属江湖一派。《全宋词》录其词三首，《全宋诗》录其诗十二首，《全宋文》卷七六八七收其文。

何中（1265—1332）生。

公元 1266 年（宋度宗咸淳二年丙寅　蒙古忽必烈汗至元三年）

正月

江万里四请归田，乞祠禄，不允，以为湖南安抚使兼知潭州。

四月

洪天锡三请祠，不允，以显文阁待制知潭州兼湖南安抚使。

七月

礼部侍郎李伯玉言："人材贵乎善养，不贵速成，请罢童子科，息奔竞，以保幼稚良心。"诏自咸淳三年为始罢之。见《宋史·度宗本纪》。

秋

白朴游金京汴梁，赋《石州慢》（千古神州）。序云："丙寅九日，期杨翔卿不至，书怀用少陵诗语。"

十一月

赵葵（1186—1266）卒，年八十一。葵字南仲，号信庵，一号庸斋，衡山人。少随父军中，嘉定十四年，以军功补承务郎，知枣阳军。绍定元年，出知滁州。四年，除枢密副都承旨，寻进兵部侍郎。嘉熙元年，知扬州。二年，拜刑部尚书，进端明殿学士。淳祐四年，拜知枢密院事兼参知政事，又特授枢密使兼参知政事。九年，特授右丞相，兼枢密使。后历判潭州、庆元府。景定元年，授两淮宣抚使、判扬州，寻奉祠。卒谥忠靖。事迹见《宋史》卷四一七本传。刘克庄《信庵诗序》："某丙午待罪史局，窃窥公所记时政、圣语，辞简而事核；固已服公史笔。壬戌告老归田，又获公诗稿，七言绝句一百四十三，古律诗十八，五言绝句五十，古律诗五，六言诗六，发旷怀雅量于翰墨，寓雄心英概于杯酒。其訏谟定命则雅人之致，家庭唯诺则万石之训，结交气义则河梁之作，望古慷慨则梁父之吟。至于陶写性情，赏好风月，虽《玉台》、《香奁》诸人极力追琢者，不能及也。"其集已佚。《全宋词》录其词一首，《全宋诗》收其诗一卷，《全宋文》卷七四七二收其文。

本年

范晞文上书弹劾贾似道，似道文致其泥金饰斋匾事，流窜琼州。

李伯玉本年在世，生卒年不详。伯玉字纯甫，号斛峰，饶州余干人。端平二年进士。历观察推官、太学博士、校书郎、著作郎。景定间，召为尚右郎官，以论罢。五年，为左史、起居郎、公部侍郎。度宗即位，兼侍讲，迁实录院同修撰。咸淳二年，为礼部侍郎，忤贾似道，出知隆兴府，以论罢。召权礼部尚书兼侍读，益为贾似道所忌，寻病卒。事迹见《宋史》卷四二四本传。著有《斛峰集》十卷，已佚。《全宋诗》录其诗八首，《全宋文》卷七九八四收其文。

方岳本年在世，生卒年不详。岳字元善，号菊田，宁海人。隐居不仕，与释自南为友。著有《菊田集》，吴子良为序，已佚。又有《深雪偶谈》一卷。四库提要卷一九七："《深雪偶谈》一卷，浙江巡抚采进本，宋方岳撰。……书中记淳祐初年事云：'缕指二十霜，余已就老。'又载丙寅三月丧子事，丙寅乃度宗咸淳二年，则岳至宋末尚在也。书凡十有四条，皆评诗词。又自载其《感旧》、《题画》二诗，俱不甚佳。至其言'梅花'二字入诗尤为难工，独引贾似道'梅花见处多留句'之语，以为绝唱，更未免近于谄矣。"《全宋诗》录其诗三首。

　　袁桷（1266—1327）生。

　　干文传（1266—1343）生。

公元 1267 年（宋度宗咸淳三年丁卯　蒙古忽必烈汗至元四年）

正月

　　周密作《南郊庆成口号》二十首。序云："皇帝即位之三年，当咸淳柔兆摄提格（丙寅）之岁……以明年月正正元日有事于南郊。"按，《宋史·度宗本纪》："（咸淳）三年春正月己丑朔，郊，大赦。"

　　度宗诣太学谒孔子，行舍菜礼，以颜渊、曾参、孔伋、孟轲配享，邵雍、司马光升列从祀，礼部尚书陈宗礼等进读《中庸》。

二月

　　马光祖再乞致仕，不允。

七月

　　十六日，周密与友人泛舟湖州三汇，赋诗，题曰《咸淳丁卯七月既望，会同志避暑于东溪之清赋，泛舟三汇之交。……痛饮狂吟，不觉达旦》。

九月

　　文天祥起为尚书左郎官。

十月

　　阳枋（1187—1267）卒，年八十一。枋字正父，合州巴川人，居字溪小龙潭之上，因号字溪。受业于朱熹门人度正。端平元年，冠乡选。淳祐元年，以蜀乱免入对，赐同进士出身。五年，摄大宁监司法参军。八年，为绍庆府学教授。十一年去官，就养于夔州。加朝散大夫，致仕。事迹见阳少箕、阳炎卯《字溪先生阳公纪年录》、《有宋朝散大夫字溪先生行状》。著有《易说》、《图象》、讲义、诗词等十二卷，已佚。清四库馆臣从《永乐大典》中辑为《字溪集》十二卷。《全宋词》录其词二首，《全宋诗》录其诗二卷，《全宋文》收其文十卷。四库提要卷一六四："《字溪集》十一卷、附录一卷，《永乐大典》本，宋阳枋撰。……集中与人往复书简，大都讲学之语，所言皆明白笃实，不涉玄虚。其《易象图说》一篇，多参以卦气纳甲之法，乃不尽与《朱子本义》合。……又有《与税与权论启蒙小传》一篇，乃暮年所作，尤见其孳孳力学，至老不衰，于紫阳学派之中，犹不离其宗旨云。"

十一月

故左丞相吴潜追复光禄大夫。

十二月

周密访李彭老、李莱老于余不溪，赋《三犯渡江云》词。并序云："丁卯岁末除三日，乘兴棹雪访李商隐、周隐于余不之滨。主人喜余至，拥裘曳杖，相从于山巅水涯、松云竹雪之间。酒醑，促膝笑语，尽出笈中画、囊中诗以娱客。醉归船窗，统然夜鼓半矣。归途再雪，万山玉立相映发，冰镜晃耀，照人毛发，洒洒清入肝鬲，凛然不自支，疑行清虚府中，奇绝境也。暨来故山，恍然隔岁，慨然怀思，何异神游梦适。因窃自念人间世不乏清景，往往汩汩尘事，不暇领会，抑亦造物者故为是靳靳乎？不然，戴溪之雪，赤壁之月，非有至高难行之举，何千载之下，寥寥无继之者耶？因赋此解，以寄余怀。"

本年

刘秉忠受命扩建燕京为中都。

赵孟坚（1199—?）卒于本年以前。孟坚字子固，号彝斋，海盐人，太祖十一世孙。宝庆三年进士。绍定五年，调海盐尉。嘉熙初，为安吉州掾。四年，入浙西转运使幕，又入建康幕。淳祐四年，知诸暨县。景定初，客居杭州，与周密等交游。后为提辖左帑，除知严州，命下而卒。事迹见《齐东野语》卷一九、《宋史翼》卷二九、《四库全书总目》卷一六四。四库提要卷一五四："《彝斋文编》四卷。……孟坚以宗室子，登宝庆三年进士。好学工书，喜藏名迹，时人比之米芾。至今遗墨流传，人人能知其姓字。唯其生平本末，则诸书所记往往不同，如周密《齐东野语》谓其终提辖左帑，身后有严陵之命，是孟坚殁于宋世。而姚桐寿《乐郊私语》谓孟坚入元不乐仕进，隐居避客，从弟孟頫来访，坐定，问：'弁山、笠泽佳否？'孟頫云：'佳。'孟坚曰：'弟奈山泽佳何！'既退，使人濯其坐具云云。则又似元初尚存者。二说错互殊甚。今案孟坚《甲辰岁朝把笔》诗有'四十五番见除夕'之句，以干支逆数之，当生于庆元己未，距宋亡时凡七十八年。孟頫仕元尚在其后，孟坚必不能及见。又考朱存理《铁网珊瑚》载孟坚梅竹谱卷，有咸淳丁卯叶隆礼跋，称：'子固晚年工梅竹，步骤逃禅。予自江右归，将与之是正，而子固死矣。'跋出隆礼手迹，其言可信。是孟坚之卒于丁卯以前，更为确凿，亦足证桐寿之说为诞妄矣。至其历官次第，他书不载，而见于诗文自述者，如为湖州掾入转运司幕，知诸暨县，以御史言罢归，皆历历可考，独不言其尝为朝官。《宋诗纪事》乃谓其景定初迁翰林学士，又不知何所据也。其集《宋

史·艺文志》不著录，唯见于明《秘阁书目》者四册，世久失传。今从《永乐大典》
摭拾补缀，厘为四卷。大都清远绝俗，类其为人。剩璧零珪，风流未泯，亦足与书画
并传不朽云。"

公元 1268 年（宋度宗咸淳四年戊辰　蒙古忽必烈汗至元五年）

正月

文天祥兼学士院权直、国史院编修官、实录院检讨官。

三月

文天祥因御史弹劾罢官，归文山，日往来徜徉其间，作《文山观大水记》。

四月

汤汉三辞免刑部侍郎、福建安抚使。

五月

赐陈文龙以下六百六十四人进士及第、出身。卢挚、姚云文、梁栋、莫嵛登进士
第。

六月

叶梦鼎再乞归田里，不允。

八月

叶梦鼎、马廷鸾等因进《宁宗实录》、《理宗实录》、《咸淳日历》、《玉牒》等，各
转两官。

秋

周密再游三汇，赋《齐天乐》词。序云："丁卯七月既望，余偕同志放舟邀凉于三
汇之交，远修太白采石、坡仙赤壁数百年故事，游兴甚逸。余尝赋诗三百言以纪清适，
坐客和篇交属，意殊快也。越明年秋，复寻前盟于白荷凉月间。风露浩然，毛发森爽，
遂命苍头奴横小笛于舵尾，作悠扬杳渺之声，使人真有乘查飞举想也。举白尽醉，继
以浩歌。"

十一月

文天祥起为福建提刑，复以台臣攻击而作罢。

文及翁直华文阁、知袁州。

汤汉再辞免福建安抚使，乞祠禄，诏别授职。

本年

魏庆之本年在世，生卒年不详。韦居安《梅涧诗话》卷中："建安魏醇甫庆之，号菊庄，有《吟稿》行于世。所著《诗人玉屑》，编类精密，诸公多称之。壶山詹梦璧子苍与之同里。咸淳初年，詹侍铅山丞阙，馆寓吾乡秀邸，与余唱和，诗筒往来不辍，相得欢甚。丁卯春，自苕还建，余赋《沁园春》词送其行，及以诗寄菊庄云：'一庄纯种菊，此地著诗仙。再世陶元亮，三生魏仲先。餐英知正味，饮水得长年。每见君吟稿，予怀亦洒然。'戊辰初春，壶山自官次贻书及寄菊庄和篇来，其中一联云：'今宵方对月，何日结忘年。'殊有意味。今转盼十五年矣，闻壶山、菊庄墓木皆已合抱，追思故交，为之怆然。"庆之"有才而不屑科第，唯种菊千丛，日与骚人侠士觞咏于其间。阁学游公受斋先生尝赋诗嘉之，有'种菊幽探计何早，想应苦吟被花恼'之句"（黄昇《诗人玉屑序》）。所著《吟稿》已佚，《全宋诗》录其诗四首。又所著《诗人玉屑》二十卷，今存元刻本、明嘉靖六年洪都潜仙刻本、明钱塘胡文焕校刊本、一九七八年上海古籍出版社排印本。方回《诗人玉屑考》："《诗人玉屑》二十卷，建安魏庆之醇甫所集也。淳祐四年甲辰，黄昇叔旸为序。……序谓《玉屑》胜《渔隐丛话》，不然也。《渔隐》编次有法，先书前贤诗话文集，然后间书己见，此为得体。他人及《玉屑》往往刊去前贤标题，若己所言者，下乃细注出处，使人读之，如无首然。又或每段立为品目，殊可憎厌。况又不能出《渔隐》度外。其前载诸贤诗评，不过增南渡以后诸公议论。……其诗体句法之类，与李淑、郭思无异。其后历叙《三百篇》、汉、魏以至南渡人别为异，即《渔隐》条例耳。"《百川书志》卷一八："自有诗话以来，及近世评论，博观约取，科别其条。凡升高自下之方，由粗入精之要，靡不登载。诗人句法，品藻详陈。诗话大成，莫高此《玉屑》也。"四库提要卷一九五："《诗人玉屑》二十卷。……宋人喜为诗话，裒集成编者至多，传于今者唯阮阅《诗话总龟》、蔡正孙《诗林广记》、胡仔《苕溪渔隐丛话》及庆之是编卷帙为富。然《总龟》芜杂，《广记》挂漏，均不及胡、魏两家之书。仔书作于高宗时，所录北宋人语为多，庆之书作于度宗时，所录南宋人语较备，二书相辅，宋人论诗之概亦略具矣。庆之书以格法分类，与仔书体例稍殊。其兼采齐己《风骚旨格》伪本，诡立句律之名，颇失简择。又如禁体之中载《蒲鞋》诗之类，亦殊猥陋。论韩愈《精卫衔石填海》'人皆讥造次，我独赏专精'二句为胜钱起'曲终人不见，江上数峰青'二句之类，是非亦未平允。然采摭既繁，菁华斯寓。钟嵘所谓'披沙简金，往往见宝'者，亦庶几焉，固论诗者所必资也。"

吴文英（1205？—1268？）约卒于本年前后。孙望、常国武《宋代文学史》（人民文学出版社一九九六年版）下卷第二五四页注①："吴文英生卒年，向无明确记载。属于推测的看法目前约有五种：一是生于宁宗庆元六年（1200），卒于理宗景定元年（1260），见夏承焘《吴梦窗系年》。二是生于宁宗开禧前后（1205—1207），卒于恭帝德祐二年（1276）元兵攻入临安后，见杨铁夫《吴梦窗事迹考》。三是生于宁宗开禧元年（1205），卒于度宗咸淳六年（1270），见陆侃如、冯沅君《中国诗史》。四是生于宁宗嘉定五年（1212），卒于度宗咸淳八年（1272）至德祐二年（1276）之间，见陈邦彦《吴梦窗生卒年管见》（《文学遗产》1983 年第 1 期）。五是生于宁宗开禧三年（1207），卒于度宗咸淳五年（1269），见谢桃坊《词人吴文英事迹考辨》（《词学》第 5 辑）。按周密《浩然斋雅谈》卷下云：'翁元龙时可，号处静，与吴君特为亲伯仲。'梦窗集中有《探春慢·忆兄翁石龟》一词，石龟为翁逢龙号。据光绪二十五年冯可镛修、杨亨泰纂《慈溪县志》卷二五《翁元龙传》记载，元龙为兄，逢龙为弟。吴文英与翁氏兄弟为亲伯仲，其年依次当最幼。翁氏兄弟与吴文英均曾从吴潜游，关系甚密。理宗宝祐四年（1256）至宝祐六年（1258）间，吴潜判庆元府，作有《贺新郎·和翁处静桃洞韵》三首，其二有'我已衰翁君渐老'句，时吴潜六十岁至六十二岁，由此推断元龙与吴潜年相若而稍小。吴潜生于宁宗庆元二年（1196），翁元龙略后约生于庆元四年（1198）左右。翁逢龙与吴潜为嘉定十年（1217）同榜进士，吴潜时二十二岁，逢龙后于元龙，约生于庆元六年（1200），时年十八。吴潜与吴文英词多直称其字，而吴文英赠吴潜词，多称'翁'或'先生'，其年辈远小于吴潜甚明。又称逢龙为'兄'，其年龄自有一定差距。依小于吴潜十岁推算，吴文英约生于宁宗开禧元年（1205）左右。夏承焘《吴梦窗系年》推断词人卒于理宗景定元年（1260）。刘毓嵩考定《水龙吟·寿嗣荣王》、《齐天乐·寿荣王夫人》二词作于理宗景定元年度宗立为太子后之秋间，《烛影摇红·寿嗣荣王》、《宴清都·寿荣王夫人》二词则作于次年秋，论证确凿，为研究吴文英者所认可。案嗣荣王为理宗同母弟赵与芮，度宗之生身父。理宗即位后，追封其父希瓐为荣王。淳祐元年（1241），赵与芮为嗣荣王。景定元年（1260）六月，理宗立与芮之子孟启为皇太子。《水龙吟·寿嗣荣王》词中有'望中璇海波新'及'花萼楼高处，连清晓、千秋传宴'句，知为理宗在位、度宗始立为太子时所作，其为景定元年（1260）秋间无疑。《宴清都·寿荣王夫人》一词，刘毓嵩断为景定二年（1261）所作，尚可斟酌，观词中'何时地拂龙衣，待迎入、玉京阆圃'及'剩拥湖船，三千彩御'句，荣王夫人俨然为帝母身份，其时当在度宗登位之后。荣王夫人生日在秋天，度宗即位在景定五年（1264）十月，此词当作于度宗咸淳元年（1265）秋间。咸淳三年（1267）八月，嗣荣王赵与芮进封福王。十一月，吴潜追复光禄大夫。梦窗集中无贺颂嗣荣王进封事，其时或已离荣邸。《西平乐慢·过西湖先贤堂，伤今感昔，泫然出涕》一词，研究梦窗者多以为悼吴潜之作，其时或在咸淳四年（1268）春。词中'追想吟风赏月，十载事，梦惹绿杨丝'等句，指淳祐七年（1247）至景定元年（1260）间吴潜在朝为官及判庆元府时二人相处之久，知遇之情。梦窗如不久去世，亦已六十四岁左右。"兹从此说。

吴文英字君特，号梦窗，晚号觉翁，四明人。原出翁姓，与翁元龙、逢龙为亲伯仲，后出嗣吴氏（周密《浩然斋雅谈》卷下）。一生不仕，以布衣辗转出入于侯门，充任幕僚。绍定间，游幕于苏州转运使署，为常平仓司门客，与施枢、吴潜、冯去非、沈义父等交游。置家于瓜泾萧寺，号荷塘小隐。淳祐间，往来苏杭，先后游于尹焕、吴潜、史宅之、贾似道之幕，与方万里、孙唯信、魏峻、姜夔等交游。景定间，居绍兴，寄食于嗣荣王赵与芮府中。晚年境遇更为艰难，至困踬以卒。事迹见夏承焘《吴梦窗系年》等。文英生前曾自编词集，以自度曲《霜花腴》为名。后有尹焕序本，见黄昇《中兴以来绝妙词选》；旧刊《六十家词》本，见张炎《词源》。以上诸本，均已失传。今存毛晋汲古阁《梦窗甲乙丙丁稿》四卷本，此本后有杜文澜曼陀罗华阁《梦窗稿》校本、王鹏运四印斋《梦窗词》校本。另有明万历间张廷璋旧藏抄本《梦窗词》一卷，分调类次，其中标注宫调者六十四首，前所未载，朱孝臧据以刊入《彊村丛书》。《全宋词》收其词三百四十首。

　　张炎《词源》卷下："秦少游、高竹屋、姜白石、史邦卿、吴梦窗，此数家格调不侔，句法挺异，俱能特立清新之意，删削靡曼之词，自成一家，各名于世。"又："句法中有字面，盖词中一个生硬字用不得。须是深加锻炼，字字敲打得响，歌诵妥溜，方为本色语。如贺方回、吴梦窗，皆善于炼字面，多于温庭筠、李长吉诗中来。"又："词要清空，不要质实，清空则古雅峭拔，质实则凝涩晦昧。姜白石词如野云孤飞，去留无际；吴梦窗词如七宝楼台，眩人眼目，碎拆下来，不成片段。此清空质实之说。梦窗《声声慢》云：'檀栾金碧，婀娜蓬莱，游云不蘸芳洲。'前八字恐亦太涩。如《唐多令》云：'何处合成愁？离人心上秋。纵芭蕉不雨也飕飕。都道晚凉天气好，有明月，怕登楼。　　前事梦中休，花空烟水流。燕辞归、客尚淹留。垂柳不萦裙带住，谩长是，系行舟。'此词疏快，却不质实。如是者集中尚有，惜不多耳。"沈义父《乐府指迷》："梦窗深得清真之妙，其失在用事下语太晦处，人不可晓。"尤侗《词苑丛谈序》："词之系宋，犹诗之系唐也。唐诗有初盛中晚，宋词亦有之。……石帚、梦窗，似得其中。"邹祗谟《远志斋词衷》引朱承爵《存余堂诗话》："梅溪、白石、竹山、梦窗诸家，丽情密藻，尽态极妍。要其瑰琢处，无不有蛇灰蚓线之妙，则所云一气流贯也。"彭孙遹《金粟词话》："梦窗之词虽雕缋满眼，然情致缠绵，微为不足。余独爱其《除夕立春》一阕，兼有天人之巧。"四库提要卷一九九："《梦窗稿》四卷、《补遗》一卷。……文英及与姜夔、辛弃疾游，唱和俱载集中，而又有寿贾似道诸作，殆亦晚节颓唐，如朱希真、陆游之比。其词则卓然南宋一大宗。沈泰嘉《乐府指迷》称其深得清真之妙，但用事下语太晦处，人不易知。张炎《乐府指迷》亦称其如七宝楼，炫人眼目，拆碎下来，不成片段。所短所长，评品皆为平允。盖其天分不及周邦彦，而研炼之功则过之。词家之有文英，亦如诗家之有李商隐也。"周济《介存斋论词杂著》："梦窗每于空际转身，非具大神力不能。梦窗非无生涩处，总胜空滑。况其佳者，天光云影，摇荡绿波，抚玩无斁，追寻已远。君特意思甚感慨，而寄情闲散，使人不易测其中之所有。"又《宋四家词选序论》："梦窗奇思壮采，腾天潜渊，返南宋之清泚，为北宋之秾挚。……皋文不取梦窗，是为碧山门径所限耳。梦窗立意高，取径远，皆非余子所及。唯过嗜饾饤，以此被议。若其虚实并到之作，虽清真不过也。"戈载《吴君特词选跋》："梦窗从吴履斋诸公游，晚年好填词，以绵丽为尚。运意深远，用笔幽邃，练字练句，迥不犹人。貌观之，雕缋满眼，而实有灵气行乎其间。细心吟绎，觉味美迁回，引人入胜。既不病其晦涩，亦不见其堆垛，此与清真、梅溪、白石并为词学之正宗一派真传，特稍变其面目耳。犹之玉溪生之诗，藻彩组织，而神韵流转，旨趣永长，未可妄讥其獭祭也。自来填词家得其门者，或寡矣。"孙麟趾《词径》："梦窗足医滑易之病，不善学之，便流于晦。余谓词中之有梦窗，犹诗中之有长吉。篇篇长吉，阅者易厌；篇篇梦窗，亦难悦目。"俞樾《玉可庵词存序》："尝谓吴梦窗之七宝楼台，照人眼目；苏学士之天风海雨，逼人而来。虽各极其妙，而词之正宗则贵清空，不贵饾饤；贵微婉，不贵豪放。"李佳《左庵词话》卷下："词家有作，往往未能竟体无疵。每首中，要亦不乏警句，摘而出之，遂觉片羽可珍。……吴梦窗云：'连呼酒，上琴台去，秋与云平。'又云：'帘半卷，带黄花，人在小楼。'又云：'南楼不恨吹横笛，恨晓风、千里关山。'又云：'玉奴最晚嫁东风，来结梨花幽梦。'又云：'绿阴青子去溪桥，羞见东邻娇小。'又云：'不约舟移杨柳岸，有缘人映桃花面。'又云：'渐老芙蓉，犹自带霜重看。'"谢章铤《赌棋山庄词话》卷八："设色，词家所不废也。今试取温尉与梦窗较之，便知仙凡之别矣。盖所争在风骨，在神韵。温尉生香活色，梦窗所谓'七宝楼台，拆碎不成片段'，又其甚者，则浮艳耳。"冯煦《蒿庵论词》："梦窗之词，丽而则，幽邃而绵密，脉络井井，而卒焉不能得其端倪。尹唯晓比之清真，沈伯时亦谓深得清真之妙，而又病其晦。张叔夏则譬诸七宝楼台，眩人眼目。盖《山中白云》专主清空，与梦窗家数相反，故于诸作中，独赏其《唐多令》之疏快。实则'何处合成愁'一阕，尚非君特本色。《提要》云：'天分不及周邦彦，而研炼之功则过之。词家之有文英，如诗家之有李商隐。'予则谓商隐学老杜，亦如文英之学清真也。"陈廷焯《白雨斋词话》卷二："梦窗在南宋，自推大家。唯千古论梦窗者，多失之诬。尹唯晓云：'求词于吾宋，前有清真，后有梦窗，此非予之言，四海之公言也。'为此论者，不知置东坡、少游、方回、白石等于何地。沈伯时云：'梦窗深得清真之妙，但用事下语太晦处，人不易知。'其实梦窗才情超逸，何尝沉晦。梦窗长处，正在超逸之中见沉郁之意，所以异于刘、蒋辈，乌得转以此为梦窗病？至张叔夏云：'吴梦窗如七宝楼台，眩人眼目，拆碎下来，不成片段。'此论亦余所未解。窃谓七宝楼台，拆碎不成片段，以诗而论，如太白《牛渚西江夜》一篇，却合此境。词唯东坡《水调歌头》近之。若梦窗词，合观通篇，固多警策，即分摘数语，亦自入妙，何尝不成片段耶？总之，梦窗之妙，在超逸中见沉郁，不及碧山、梅溪之厚，而才气较胜。"又："梦窗精于造句，超逸处则仙骨珊珊，洗脱凡艳；幽索处则孤怀耿耿，别缔古欢。如《高阳台》（落梅）云：'宫粉雕痕，仙云堕影，无人野水荒湾。古石埋香，金沙锁骨连环。南楼不恨吹横笛，恨晓风千里关山。半飘零，庭上黄昏，月冷阑干。'又云：'细雨归鸿，孤山无限春寒。'《瑞鹤仙》云：'怨柳凄花，似曾相识。西风破屦，林下路，水石边。'《祝英台近》（除夜立春）云：'剪红情，裁绿意，花信上钗股。残日东风，不放岁华去。'又（春日客龟溪游废园）云：'绿暗长亭，归梦趁风絮。'《水龙吟》（惠泉山）云：'艳阳不到青山，淡烟冷翠成秋苑。'《满江红》（淀山湖）云：'对两蛾犹锁，怨绿烟中。秋色未教飞尽雁，夕阳长是坠疏钟。'《点绛唇》（试灯夜初晴）云：'清如水，小楼薰被。春梦笙歌里。'又云：'征衫贮、旧寒一缕。泪湿风帘絮。'《莺啼序》云：'瞑堤空、轻把斜阳，总还鸥鹭。'《八声甘州》（游灵岩）云：'箭径酸风射眼，腻水染花腥。'又云：'连呼酒，上琴台去，秋与云平。'俱能超妙入神。"又："梦窗《金缕曲》（陪履斋先生沧浪看梅）云：'华表月明归夜鹤，问当时花竹今如此。枝上露，溅清泪。'后叠云：'此心与东君同意，后不如今今非昔。两无言、相对沧浪水。怀此恨，寄残醉。'感慨身世，激烈语偏说得温婉，境地最高。若文及翁之'借问孤山林处士，但掉头笑指梅花蕊。天下事，可知矣。'不免有张眉怒目之态。"又："梦窗《高阳台》（落梅）一篇，既幽怨，又清虚，几欲突过中仙咏物诸篇，是集中最高之作。"又："南宋词家白石、碧山，纯乎纯者也。梅溪、梦窗、玉田辈，大纯而小疵，能雅不能虚，能清不能厚也。"又卷一："《浣溪沙》结句，贵情余言外，含蓄不尽。如吴梦窗之'东风临夜冷于秋'、贺方回之'行云可是渡江难'，皆耐人寻味。"《蒿碧斋词话》："词如诗，可模拟得也。……白石得渊明之性情，梦窗有康乐之标轨，皆苦心孤诣，是以被弦管而格幽明，学者但于面貌求之，抑末矣。"又："白石拟稼轩之豪快，而结体于虚。梦窗变美成之面貌，而炼响于实。南渡以来，双峰并峙，如盛唐之有李、杜矣。"王国维《人间词话》："白石写景之作……虽格韵高绝，然如雾里看花，终隔一层。梅溪、梦窗诸家写景之病，皆在一'隔'字。"又："学南宋者，不祖白石，则祖梦窗，以白石、梦窗可学，幼安不可学也。"又："介存谓梦窗词之佳者，如'水光云影，摇荡绿波，抚玩无极，追寻已远'。余谓梦窗甲、乙、丙、丁稿中，实无足当此者。有之，其'隔江人在雨声中，晚风菰叶生秋怨'二语乎。"又："梦窗之词，余得取其词中之一语以评之，曰'映梦窗零乱碧'。"况周颐《蕙风词话》卷一："宋人名作，于字之应用入声者，间用上声，用去声者绝少。检《梦窗词》知之。"又卷二："近人学梦窗，辄从密处入手。梦窗密处，能令无数丽字，一一生动飞舞，如万花为春，非若雕镂蹙绣，豪无生气也。如何能运动无数丽字，恃聪明，尤恃魄力。如何能有魄力，唯厚乃有魄力。梦窗密处易学，厚处难学。"又："重者，沉著之谓，在气格，不在字句，于梦窗词庶几见之。即其芬菲铿丽之作，中间隽句艳字，莫不有沉挚之思，灏瀚之气，挟之以流转，令人玩索而不能尽，则其中之所存者厚。即致密，即沉著，非出乎致密之外，超乎致密之上，别有沉著之一境也。梦窗与苏、辛二公，实殊流而同源。其见为不同，则梦窗致密其外者耳。其至高至精处，虽拟议形容之，未易得其神似。颖慧之士，束发操觚，勿轻言学梦窗也。"又卷三："宋词深致能入骨，如清真、梦窗是。"陈洵《海绡说词》："以涩求梦窗，不如以留求梦窗。见为涩者，以用事下语处求之；见为留者，以命意运笔中得之也。以涩求梦窗，即免于晦，亦不过极意研炼丽密止矣，是学梦窗，适得草窗；以留求梦窗，则穷高极深，一步一境，沈伯时谓梦窗深得清真之妙，盖于此得之。"蔡嵩云《柯亭论词》："梦窗深得清真之妙，其慢词开阖变化，实间接自柳出。唯面貌全变，另具神理，不唯不似屯田，并不似清真。看词者若仅于字句表面求之，更不易得其端倪矣。"吴梅《乐府指迷笺释序》："余按此书首条即言：'壬寅秋，始识静翁于泽滨。癸卯，识梦窗。'是沈氏词学，固得诸翁、吴昆季。又云：'凡作词当以清真为主。'又云：'梦窗深得清真之妙。'是明以君特接武清真。近半塘、彊村辈，揭橥正鹄，历梦窗以达清真，实胎原于沈氏。嵩云独持巨眼，谓宋末词风，梦窗家法，均于是编窥见一斑，此则大获我心。逭暑里闬，粗举吴词以证沈说，为君张目可乎？沈云：'要求字面，当看温飞卿、李长吉、李商隐及唐人诸家诗。'吴词四稿皆然，无烦觌缕。即如《琐窗寒》'送客咸阳'、《塞垣春》'漏瑟侵琼管'，昔人疑莫能明者，今知用'衰兰送客咸阳道'、'丁东细漏侵琼瑟'诗语，亦昌谷、飞卿句也，此吴词之同于沈说者一也。沈云：'炼句下字，最是紧要，如说桃不可直说桃，咏柳不可直说柳。'又云：'"银钩空满"即是书，"玉箸双垂"便是泪。'今按吴词，如《瑞鹤仙》'藕心莹茧'、'缓蹑素云'，即知为丝鞋。又'内家标致'、'玉井秋风'，即知为道女，且贴华山。唯《一寸金》'黯舞掀舞'，用右军鼠须笔事，《解语花》'琼树三枝'，用兰昌女鬼事，微伤晦涩，顾不直说则合也。此吴词之同于沈说者一也。沈云：'词中用事使人姓名须委曲，得不用出最好。'而以清真'庾信愁多，江淹恨极'、'东陵晦迹，彭泽归来'、'兰成憔悴，卫玠清羸'等语为非。今吴词所用人名，通常习见者，不过逋仙、何郎、小蛮、樊素、寿阳、樊姬、桃根、桃叶之类。其直书姓名者，仅《甲稿·西平乐》'羊昙醉后花飞'、《婆罗门引》'曾说董双成'、《丙稿·疏影》'何逊扬州旧事'、《浪淘沙》'菊花清瘦杜秋娘'数语而已。他如《水龙吟》之'儿骑空追，腕瞳回盼'、《大酺》之'陶篱菊暗，逋家梅荒'、《江南春》之'羽扇纶巾，气凌诸葛'、《永遇乐》之'裴郎归后，崔娘沉恨'、《声声慢》之'传杯吊甫，把菊招潜'、《沁园春》之'老苏而后坡仙'，又送翁宾旸之'贾傅才高，岳家军壮'，凡用古贤名，无不加以剪裁。此吴词之同于沈说者又一也。沈云：'寿词最难作，切宜戒"寿酒"、"寿香"、"老人星"、"千春百岁"之类。'今吴词四稿，如寿尹梅津、寿荣王夫人、为郭清华内子寿、寿嗣荣王、寿毛荷塘、寿秋壑、寿方泉、寿方蕙岩寺簿、为故人寿母、寿筠塘内子、寿王虔州、寿云麓先生诸作，皆刊落芜蔓，独标清藻，与沈氏所言'形容当人事业才能，隐然有颂祷之意'者，更若合符节。此吴词之同于沈说者又一也。不特此也，沈云：'空头字不若径用一静字。'而吴词泰半用劲接，领字不多。沈云：'为情赋曲者，尤宜宛转回互。'而吴词潜气内转，上下映带，有天梯云栈之巧。得《海绡说词》后，而其旨益显。然则沈氏诸说，殆即本诸翁、吴昆季，习闻绪论，遂笔诸简策，成此二十八则欤？且时斋之名，梦窗词凡三见：一、《甲稿·江南好》序云：'时斋示江南好词。'二、《永遇乐》探梅次时斋韵。三、《丙稿·声声慢》和沈时斋八日登高韵。而此书首条，亦有'暇日相与唱酬'一语，是二贤交谊，实沆瀣一气，虽谓此书为阐明吴词家法，亦无不可也。"杨铁夫《清真词选笺释序》："梦窗词极得清真神似，但清真用典浑成，不如梦窗之破碎；清真用意明显，不如梦窗之晦涩；清真用笔钩勒清楚，不如梦窗纵横穿插，在若断若续或隐或见之间。至于起伏顿挫，开合照应，格局神气，无不酷肖而吻合。所以分者，一则峭健，一则雍容。譬之于文，梦窗其柳州，清真其六一乎？"

包恢（1182—1268）卒，年八十七。恢字宏父，一字道夫，号宏斋，建昌南城人。嘉定十三年进士，调金溪主簿。历知台州、隆兴府兼江西转运使，改湖南转运使。景定初，召为枢密都承旨兼侍讲，权礼部侍郎，拜大理卿，迁中书舍人。四年，出知平江府兼发运使。移知绍兴府。度宗即位，召为刑部尚书，咸淳二年，签书枢密院事。三年，致仕。卒赠少保，谥文肃。事迹见方回《读包宏翁敝帚集跋》、《宋史》卷四二一本传。尝自编《敝帚稿略》，自识云："畴昔虽或有斐然妄发，未尝留稿。中间有亲友见之，不忍弃，为之收拾类聚，因而成编，遂有误传录以去者，于是不能掩其恶而匿其丑。予每病之，乃就其间选其彼善于此者，姑别存之，名曰《敝帚稿略》。"原集已佚。清四库馆臣自《永乐大典》中辑为《敝帚稿略》八卷，有《四库全书》本、清抄本等。刘埙《隐居通议》卷一七："枢密宏斋先生包公道夫恢，以学问为时师表，固不以文字名也。平生为人作丰碑巨刻，每下笔辄汪洋放肆，根据义理，娓娓不穷。盖其学力深厚，不可涯涘。独于予故人范君去非一墓志，简洁清俊，足以写去非之平生，无泛语，无谀词，岂韩退之志樊宗师即学樊体意耶？去非为人清俊洒落，其文章亦然，而包公此志极称之。去非得此，足以自慰于九原矣。"四库提要卷一六三："恢平生不以文名，史传亦绝不及其著作，唯元刘埙《隐居通议》有云：'恢以学、文为时师表，平生为人作丰碑巨刻，每下笔辄汪洋放肆，根据义理，娓娓不穷。盖其学力深厚，不可涯涘'云云，独推重之甚至。今观所作，大都疏通畅达，沛然有余。其奏剳诸篇，亦剀切详明，得敷奏之体。虽附合权奸，不免负其所学，置其人而论其文，固亦不失为儒者之言矣。"

何基（1188—1268）卒，年八十一。基字子恭，号北山，金华人。弱冠师从黄榦，得朱熹正传，遂昌道学于婺州。景定五年，添差婺州州学教授，兼丽泽书院山长，力辞。度宗即位，授史馆校勘兼崇政殿说书，复辞。改承务郎主管华州西岳庙，亦不受。卒谥文定。事迹见王柏《何北山先生行状》、《宋史》卷四三八本传。著有《大学发挥》十四卷、《中庸发挥》八卷、《大传发挥》二卷及《北山集》四十卷等，已佚。后人辑有《金华何北山先生正学编》一卷，收入《率祖堂丛书》；《何北山先生遗集》三卷、附录一卷，收入《金华丛书》。《全宋诗》录其诗二十二首，《全宋文》卷七六六二收其文。

李曾伯（1198—1268）卒，年七十一。曾伯字长孺，号可斋，祖籍怀州，侨居嘉兴。绍定三年，知襄阳县。历濠州通判、军器监主簿、鄂州通判、右司郎官等。淳祐二年，为两淮制置使兼知扬州，进权兵部尚书。宝祐二年，为四川宣抚使兼京湖制置大使，赐同进士出身。四年，为福建安抚使。景定五年，知庆元府兼沿海制置使。咸淳元年，以长于边事为贾似道所忌，以论褫职。事迹见《宋史》卷四二〇本传。著有《可斋杂稿》三十四卷、《可斋续稿》八卷、《续稿后》十二卷，有影宋巾箱本、清初抄本、《四库全书》本。词集别行，有《影刊宋金元明本词》本《可斋杂稿词》四卷、《续稿词》三卷；吴氏双照楼抄本《可斋词》六卷。《全宋词》录其词二百余首，《全宋诗》录其诗九卷，《全宋文》收其文五十一卷。尤焴《武陵本可斋稿序》："可斋李公早以功业自许，而诗文操笔立就，精妙帖妥，复出时流。"李杓《巾箱本可斋稿跋》："昔我先公羽忠翼明，简知当宸，入仪著作，出更干方，于淮于荆，于蜀于湘，于岭于鄞海，嘉谟胜略，指陈手奏，靡不援据古谊，铺绎事情，炳然如丹，其勋在王室，书在国史。至于春颂赋咏，游戏排偶，足迹所至，篇帙随积。其间代庭闱，参幕画，掾都曹，凡庙堂阃府诸所制作，多出公手，见者叹服，曰冠冕佩玉之文也。……生平为文，初若不经意，或时掀髯散步，俄顷抽思泉涌，口授笔吏，又脱腕苦。"四库提要卷一六三："《可斋杂稿》三十四卷、《续稿》八卷、《续稿后》十二卷。……集中多奏、疏、表、状之文，大抵深明时势，究悉物情，多可以见诸施用。唯诗、词才气纵横，颇不入格，要亦戛戛异人，不屑拾慧牙后。"

刘诜（1268—1350）生。

公元 1269 年（宋度宗咸淳五年己巳　蒙古忽必烈汗至元六年）

正月

叶梦鼎累章请老，留之，固辞，依前少保、判福州、福建安抚使，封信国公。

马廷鸾为参知政事兼同知枢密院事。

江万里为参知政事。

二十九日，刘克庄（1187—1269）卒，年八十三。克庄字潜夫，号后村，莆田人。初名灼，嘉定二年，以郊恩奏补将仕郎，更今名，调靖安簿。历福州右理曹、真州录事、知建阳县。因咏《落梅》诗得罪，闲废十年。端平元年，真德秀帅闽，辟为帅司参议官。淳祐六年，除太府少卿，八月入对三札，以"文名久著，史学尤精"特赐同进士出身，除秘书少监，兼国史院编修官、实录院检讨官。七年，出知漳州。八年，除宗正少卿依旧知漳州，迁福建提刑，丁母忧。十一年，起为秘书监兼太常少卿，直学士院，除起居舍人兼侍讲。十二年，出知建宁府，兼福建路转运副使，以郑发疏罢，归主明道宫。景定元年，召为秘书监，除起居郎，兼权中书舍人。二年，除兵部侍郎兼直学士院。三年，权工部尚书兼侍读，旋出知建宁府。晚年，因谄媚贾似道而为世所讥。五年，因目疾致仕。咸淳四年，特加龙图阁学士。卒谥文定。事迹见林希逸《后村刘公行状》、洪天锡《后村先生墓志铭》及今人程章灿《刘克庄年谱》。后村尝自编文集，嘱林希逸为序，继有后、续、新三集，咸淳六年，其季子山甫取四集合为《后村先生大全集》二百卷。今存《四部丛刊》影印清赐砚堂抄一百九十六卷本、宋刻《后村居士集》五十卷本、文渊阁《四库全书》所收五十卷本等。词集有《宋六十名家词》本《后村别调》一卷、明抄本《后村诗余》二卷、《彊村丛书》本《后村长短句》五卷，今人钱仲联有《后村词笺注》四卷。《后村诗话》十四卷，单行有明抄本、清抄本、《四库全书》本、中华书局校点本。《分门类纂唐宋时贤千家诗选》二十二卷，有《棟亭藏书十二种》本、贵州人民出版社校注本。《全宋词》录其词二百六十三首，《全宋词补辑》录其词五首，《全宋诗》录其诗四十九卷，《全宋文》收其文一百七十四卷。

林希逸《后村居士集序》："夫文章非一体，能者互有短长。王粲他文不如赋，子美无韵者难读，温公不习四六，南丰文过其诗，此皆前辈评论也。以余观于后村，自非天禀迥殊，学力深到，何其多能哉！诗虽会众作而自为一宗，文不主一家而兼备众体，摹写之笔工妙，援据之论精详。其错综也严，其兴寄也远。或春容而多态，或峭拔以为奇。融贯古今，自入炉韝，有《穀梁》之洁，而寓《离骚》之幽；有相如之丽，而得退之之正。霜明玉莹，虎跃龙骧，闳肆瑰奇，超迈特立。千载而下，必与欧、梅六子并行，当为中兴一大家数也。"刘壎《隐居通议》卷二一："（陆游）有四六前、后、续三集。其文初不累叠全句，专尚风骨，雄浑沈著，自成一家，真骈俪之标准也。……后来唯刘潜夫尚书极力追攀，得其旨趣，壮年所作绝似之。晚年稍变槎牙苍郁之态，觉枯槁矣。"又："刘后村诸制……笔力高妙，不假雕镂，而用事尤精切。……予读山东制诏，见其雄奇超卓，信非后村公莫能也。"四库提要卷一六三："《后村集》五十卷。……克庄初受业真德秀，而晚节不终，年八十，乃失身于贾似道。王士祯

《蚕尾集》有是集跋，称其论扬雄作《剧秦美新》及作《元后诔》，蔡邕代作《群臣上表》，又论阮籍晚作《劝进表》，皆词严义正。然其《贺贾相启》、《贺贾太师复相启》、《再贺平章启》，谀词诡语，连章累牍，蹈雄、邕之覆辙而不自觉。今检是集，士祯所举诸联，其指摘一一不谬，较陆游《南园》二记犹存规戒之旨者，抑又甚焉。则其从事讲学，特假借以为名高耳。不必以德秀之故，遂从而为之词也。其诗派近杨万里，大抵词病质俚，意伤浅露，故方回作《瀛奎律髓》，极不满之。王士祯《池北偶谈》亦论其诗与四六皆好用本朝故事，与王义山《稼村集》同讥。然其清新独到之处，要亦未可尽废。《瀛奎律髓》载其《十老》诗，最为俗格。……文体雅洁，较胜其诗。题跋诸篇，尤为独擅。盖南宋末年，江湖一派盛行，诗则汩于时趋，文则未失旧格也。"《善本书室藏书志》卷四〇："克庄学问颇赅博，文亦尚守旧格，不为江湖末派所囿。词则思矫然自异，力洗铅华，大致效辛稼轩，而逊其魄力。虽颇纵横排奡，而一泻无余，故张叔夏讥其直致近俗。然亦时有合作，掇其精英，未尝不可以药浮艳。"

叶适《题刘潜夫南岳集稿》："往岁徐道晖诸人，摆落近世律诗，敛情约性，因狭出奇，合于唐人，夸所未有，皆自号'四灵'云。于时刘潜夫年甚少，刻琢精丽，语特惊俗，不甘为雁行比也。今四灵丧其三矣，冢钜沦没，纷唱迭吟，无复第叙。而潜夫思益新，句益工，涉历老练，布置阔远，建大将旗鼓，非子孰当！"叶寘《爱日斋丛钞》卷三："诗之六言，古今独少。……后村刘氏选唐、宋以来绝句，至续选始入六言。其叙云：'六言尤难工，柳子厚高才，集中仅得一篇，唯王右丞、皇甫补阙所作妙绝今古，学者所未讲也。使后世崇尚六言自予始，不亦可乎？'又云：'六言如王介甫、沈存中、黄鲁直之作，流丽似唐人，而妙巧过之。后有深于诗者，必曰翁之言然。'又云：'野处编六言，终唐三百年，止得三十余篇。予于本朝得七十篇，倍于唐矣。'今《后村集》中多六言，事偶尤精，近代诗家所难也。"韦居安《梅磵诗话》卷上："七言律诗有上三下四格，谓之折腰句。……刘后村《卫生》诗云：'采下菊宜为枕睡，碾来芎可入茶尝。'《胡琴》诗云：'出山云各行其志，近水梅先得我心。'皆此格也。"魏庆之《诗人玉屑》卷一九引《玉林诗话》："刘后村尝言：古乐府唯李贺最工。余观后村有《齐人少翁招魂歌》云：'夜月抱秋衾……'又《赵昭仪春浴行》：'花奴一双鬟垂耳……'又《东阿王纪梦行》：'月青露紫翠衾白……'此三篇绝类长吉，其间精妙处，恐贺集中亦不多见也。"方回《跋胡直内诗》："刘潜夫始亦染指四灵，后宗放翁，卒自名家。"刘壎《隐居通议》卷一〇："后村序竹溪林公希逸诗，有曰：'唐文人皆能诗，柳尤高，韩尚非本色。入宋，则文人多，诗人少。三百年间，虽人各有集，集各有诗，诗各自有体，或尚理致，或负才力，或逞辩博，少则千篇，多至万首，要皆经义策论之有韵者尔，非诗也。……'后村'经义策论之有韵者'一句，最道著宋诗之病。然其自作，则有时而不免，岂知而故犯者耶？"《瀛奎律髓汇评》卷二七方回评："予尝谓后村诗，其病有三：曰巧，曰冗，曰俗，而格卑不与焉。"又卷四二方回评："后村诗比四灵斤两轻，得之易，而磨之犹未莹也。四灵非极莹不出，所以难。后村晚节诗饱满，四灵用事冗塞，小巧多，风味少，亦减于四灵也。"张之翰《跋草窗诗稿》："宋渡江后，诗学日衰，求其鸣世者，不过如杨诚斋、陆放翁及刘后村而已。固士大夫例堕科举传注之累，亦由南北分裂，元气间断，太音不全故也。"杨慎《升庵诗话》卷一二："刘后村集中三乐府，效李长吉体，人罕知之，今录于此。其一《李夫人招魂歌》云：'秦王女儿吹凤箫……'其二《赵昭仪春浴》诗：'花奴一双鬓垂耳……'其三《东阿王纪梦行》：'月青露紫罗衾白……'三诗皆佳，不可云宋无诗也。"瞿佑《归田诗话》卷中："后村刘克庄绝句云：'新剃阇黎顶尚青，满村听讲《法华经》。那知世有弥天释，万衲如云座下听。'谓小道易惑众，而不知有大道也。又云：'刮膜良方直万金，国医曾费一生心。谁知髽髻携篮者，也有盲人问点针。'谓精艺难成，而小艺亦可售也。又云：'黄童白叟往来忙，负鼓盲翁正作场。死后是非谁管得，满村听说蔡中郎。'亦可感叹云。"贺裳《载酒园诗话·刘克庄》："杨用修称刘后村《李夫人招魂歌》、《赵昭仪春浴行》、《东阿王纪梦行》，然仅窃西昆之似，且他篇粗卤者甚多。所作《十老》诗，尤多鄙俗。如《老兵》'金疮常有些儿痛'，《老儒》'专巧三场恐未然'真堪笑倒。即如《老妓》'偏呼狎客少时名'，《老妾》'闲时拥髻尚风情'，似能刻划，亦终不雅。然如《挽陈师复》'阙下举幡空太学，路傍卧辙几遗民'，虽全篇戆拙，二语自是金石之音。又《自题小室》'阁上大夫投欲死，瓮间吏部寝方酣'，亦小有致。余尝选其《暝色》、《早行》二诗，皆瑜胜于瑕。《答翁定被酒》二篇，尤是全璧。"王士祯《带经堂诗话》卷一七："或谓作诗使事，必用六朝已上为古，此说亦拘墟不足信，要之唐、宋事须选择用之，不失古雅乃可。如刘后村诗专用本朝故实，毕竟欠雅。"汪琬《剑南诗选序》："刘后村非不博且隽也，然而思致则太纤矣。"许学夷《诗源辨体》后集纂要卷一："刘潜夫古诗，非所专工，故亦不甚堕落；律诗工者多为峭拔，拙者入于鄙俗尔。"又："潜夫七言律多晚唐俊亮之调，其他清新峭拔，乃晚唐五代遗响而益工耳。其《自勉》诗云'苦吟不脱晚唐诗'，其自知乃尔。又多奇拗鄙俗之语，其法皆本于王建。又其中有艰晦者，不读下句，未晓上句之义。其诗云：'莫求邻媪诵，始付后儒笺。'其本意乃尔。"延君寿《老生常谈》："诗有令人读一过即不能却置者，刘后村《客中作》云：'漂泊何须远，离乡即旅人。吹薪尝海品，书刺谒田邻。家寄寒衣少，山来晓梦频。小儿仍病疟，诗句竟无神。'结用工部事，何等蕴藉有味！七律佳句如《老叹》云：'无药能留炎帝在，有人曾哭老聃来。'《耕仕》云：'贫求生墓为谋早，病学还丹见事迟。'皆可讽诵。学诗一事，全要见得多，眼界方大，守一师言，挟一束书，终是三家村秀才。"陈衍《石遗室诗话》卷一六："宋诗人工于七言绝句，而能不袭用唐人旧调者，以放翁、诚斋、后村为最。大略浅意深一层说，直意曲一层说，正意反一层侧一层说。"

俞彦《爰园词话》："唐诗三变愈下，宋词殊不然。欧、苏、秦、黄，足当高、岑、王、李。南渡以后，矫矫陡健，即不得称中宋、晚宋也。唯辛稼轩自度梁肉不胜前哲，特出奇险为珍错供，与刘后村辈俱曹洞旁出。学者正可钦佩，不必反唇并捧心也。"杨慎《词品》卷五："《后村别调》一卷，大抵直致近俗，效稼轩而不及也。梦方孚若《沁园春》云：'何处相逢……'举一以例，他词类是。其泳菊《念奴娇》后段云：'尝试诠次群芳……'亦奇甚。《送陈子华帅真州》云：'记得太行兵百万……'壮语亦可起懦。旅中《浪淘沙》云：'纸帐素屏遮……'见天机余锦。"毛晋《后村别调跋》："《别调》一卷，大率与辛稼轩相类，杨升庵谓其壮语足以立懦，余窃谓其雄力足以排奡云。"焦循《雕菰楼词话》："刘克庄诸作，磊落抑塞，真气百倍，非白石、玉田辈所能到。可知南宋人词，不尽草窗一派也。"四库提要卷二〇〇："《后村别调》一卷。……克庄在宋末以诗名，其所作词，张炎《乐府指迷》讥其直致近俗，效稼轩而不及。今观是集，虽纵横排宕，亦颇自豪，然于此事究非当家。如赠陈参议家舞姬《清平乐》词'贪与萧郎眉语，不知舞错伊州'者，集中不数见也。"李调元《雨村词话》卷三："刘后村克庄词以才气胜，迥非剪红刻翠比。然服膺周清真邦彦不容口，见之于《最高楼》一词云：'周郎后，直数到清真'；'欺贺、晏，压黄、秦。'人因有小周郎之目。"又："刘后村克庄有《满江红》十二首，悲壮激烈，有敲碎唾壶，旁若无人之意，南渡后诸贤皆不及。升庵称其壮语足以立懦，信然。"彭孙遹《红豆词序》："古者歌必有和，所以继声也。……至取一韵相仍往复十数，长庆松陵实为之滥觞焉，然属和愈工而诗格愈降矣。于词亦然，北宋以前作者林立，而未有次韵，苏、黄两公间一为之，犹不免小作狡狯。稼轩、后村乃始呈奇斗博，短篇长阕，靡所不有，虽其才气使然，非词之正也。"冯煦《蒿庵论词》："后村词，与放翁、稼轩，犹鼎三足。其生丁南渡，拳拳君国，似放翁；志在有为，不欲以词人自域，似稼轩。如《玉楼春》云：'男儿西北有神州，莫滴水西桥畔泪。'《忆秦娥》云：'宣和宫殿，冷烟衰草。'伤时念乱，可以怨矣。又其宅心忠厚，亦往往于词得之。《满江红·送宋惠父入江西幕》云：'帐下健儿休尽锐，草间赤子俱求活。'《贺新郎·寿张史君》云：'不要汉庭夸击断，史家编入循良传。'《念奴娇·寿方德润》云：'须信谄语尤甘，忠言最苦，橄榄何如蜜。'胸次如此，岂剪红刻翠者比耶？升庵称其壮语，子晋称其雄力，殆犹之皮相也。"刘熙载《艺概》卷四："刘后村词，旨正而语有致。真西山《文章正宗》诗歌一门属后村编类，且约以世教民彝为主，知必心重其人也。后村《贺新郎·席上闻歌有感》云：'粗识《国风·关雎》乱，羞学流莺百啭，总不涉闺情春怨。'又云：'我有生平《离鸾操》，颇哀而不愠，微而婉。'意殆自寓其词品耶？"陈廷焯《白雨斋词话》卷六："刘潜夫《满江红》云：'空有鬓如潘骑省，断无面见陶彭泽。便倒倾、海水浣衣尘，难湔涤。'又《沁园春》（梦方孚若）云：'天下英雄，使君与操，余子何堪共酒杯。'又云：'使李将军，遇高皇帝，万户侯，何足道哉。'又《赠孙季蕃》云：'天地无情，功名有数，千古英雄只么休。平生事，独羊昙一个，泪洒西州。'沉痛激烈，几欲敲碎唾壶。"

　　《四库提要》卷一九五："《后村诗话》前集二卷、后集二卷、续集四卷、《新集》六卷。……克庄晚节颓唐，诗亦渐趋潦倒，如《发脱》诗之'论为城旦宁非恕，度作沙弥亦自佳'，《老吏》诗之'只恐阎罗难抹过，铁鞭他日鬼臀红'，殆足资笑噱。然论诗则甚有条理。真德秀作《文章正宗》，以诗歌一门属之克庄。克庄所取，如汉武《秋风词》及三谢之类，德秀多删之，克庄意不为然，其说今载前集第一卷中，盖克庄于诗为专门，而德秀于诗则未能深解，宜其方枘而圆凿也。前集、后集、续集统论汉、魏以下，而唐、宋人诗为多。新集六卷，则详论唐人之诗，皆采摘菁华，品题优劣，往往连录全篇，较他家诗话兼涉考证者为例稍殊，盖用《唐诗纪事》之例。所载宋代诸诗，其集不传于今者十之五六，亦皆赖是书以存，可称善本。其中如《韩诗外传》、《西京杂记》、《朝野金载》诸书，往往连篇抄录，至一二十条不止，以致沈既济驳《武后本纪》之类，泛及史事，皆与诗无涉，殊为例不纯。又如谓杜牧兄弟分党牛、李，以为高义，而不知为门户之私；谓吴融、韩偓国蹙主辱，绝无感时伤事之作，似但据《唐英歌诗》、《香奁集》，而于《韩内翰集》则殊未详阅，持论亦或偶疏。至于既诋《玉台新咏》为淫哇，而又详录其续集；既称欧阳修厌薄杨、刘，又称其推重杨、刘，尤自相矛盾。然要其大旨，则精赅者多，固迥在南宋诸家诗话上也。"

二月

蒙古颁八思巴所创蒙古新字，其字凡千余，大要以谐声法为宗。

三月

叶梦鼎辞免判福州、福建安抚使，诏不允。

江万里为左丞相；马廷鸾为右丞相兼枢密使。

马光祖知枢密院事兼参知政事。

四月

江万里、马廷鸾辞免，诏不允。

文天祥起知宁国府。取道水路，经赣江、长江赴任。途中赋《题滕王阁》等诗。

五月

马光祖依旧观文殿学士、提举洞霄宫。

程元凤（1200—1269）卒，年七十。元凤字申甫，号讷斋，徽州人。绍定元年进士，调江陵府教授。淳祐七年，迁著作郎。十一年，拜监察御史兼崇政殿说书。上疏指斥郑清之之罪，其言明白正大。宝祐三年，迁权工部尚书，同签书枢密院事，升签书枢密院事兼权参知政事。四年，进参知政事，寻拜右丞相兼枢密使。六年，为丁大全所排挤，以观文殿学士判福州、福建安抚使，力辞，提举洞霄宫。度宗即位，进少保。咸淳三年，拜右丞相兼枢密使。五年，以少保致仕。卒谥文清。事迹见《宋史》卷四一八本传。元凤以理学政事知名，所作奏疏，议论剀切。著有《讷斋文集》，已佚。《全宋诗》录其诗十一首，《全宋文》收其文三卷。

七月

马光祖以观文殿学士乞守本官致仕，诏允所请。

蒙古立诸路蒙古字学，招收生徒学习。诸路官府子弟入学，路二人，府、州各一人；民间子弟，上路三十人，下路二十五人。生徒得免自身杂役，二三年后考试中选者酌情授官。

十月

汤汉为显文阁直学士、提举玉隆万寿宫兼象山书院山长。

十一月

文天祥抵达宁国府任所。有诗《题宣州叠嶂楼》、《题宣州推官厅览翠堂》、《登双溪阁》等。

本年

林式之编《竹溪鬳斋十一稿续集》成，付梓。 林同《竹溪鬳斋十一稿续集序》："及（林式之）通守三阳，咸淳戊辰秋，抵官下将一考，以书为同言：'吾此来得缩郡绂，薄有俸人，节缩裴任，铢积寸累，或有可以足吾生平未足之志者，愿以《鬳斋集》为先，子其为我请《续集》于先生而行之，且毋以惮烦辞。'同敬诺。于是鬳斋方卷退处之怀、袖观之手。其年秋九月，上擢鬳斋掌仙蓬，侍辑熙。明年春，再入禁林，掌词翰。……鬳斋屡辞不获命，趋行之诏，联翩而下。行有日，至是而《续集》之入梓者，为卷三十矣。"

林希逸（1193—？），字肃翁，号鬳斋，又号竹溪，福清人。端平二年进士，授平海军节度推官。淳祐中，历国子录、校书郎、枢密院编修官。景定三年，召除司封郎官。四年，除太常少卿。咸淳四年，擢秘书少监。五年，擢翰林权直，迁太常卿，除秘书监，终中书舍人。事迹见林希逸《网山集序》、林同《竹溪鬳斋十一稿续集序》、《宋百家诗存》卷一六等。著有《易讲》、《春秋传》、《鬳斋前集》六十卷，已佚。今存《考工记解》、《老子口义》、《庄子口义》、《列子口义》。《竹溪鬳斋十一稿续集》三十卷，为其门人福清林式之所编，有明谢氏小草斋抄本、《四库全书》本。《全宋诗》录其诗九卷，《全宋文》收其文十八卷。刘克庄《竹溪诗序》："乾、淳间，艾轩先生始好深湛之思，加锻炼之功，有经岁累月缮一章未就者。尽平生之作不数卷，然以约敌紧、密胜疏、精掩粗，同时唯吕太史赏重，不知者以为迟晦。盖先生一传为网山林氏，名亦之，字学可；再传为乐轩陈氏，名藻，字元洁；三传为竹溪，诗比其师，槁干中含华滋，萧散中藏严密，窘狭中见纡余。当其捻髯骚首也，搜索如像罔之求珠，斲削如巨灵之施凿，经纬如鲛人之织绡。及乎得心应手也，简者如虫鱼小篆之古，协者如韶钧广乐之奏，偶者如雄雌二剑之合。天下后世诵之，曰诗也，非经义策论之有韵者也。"又《竹溪集序》："始余见竹溪诗而爱之，既而又见其未第时所论著二巨编，锻炼攻苦而音节谐邕，边幅宽余而经纬丽密，叹曰：此非场屋荒速、山林枯槁者之言，必极文章之用而后已。未几，竹溪果被遇明主，给尚方笔札，遂入翰林，侍讲辑熙。傍无寸援，直提一笔，大则鼓雷风于天上，小亦随物赋形，膏馥所沾，华采所被，士争传写，家藏而人诵之。……竹溪所编视前二编且数倍，老气盛于壮，近制高于旧，其笔锦乃天授，岂资于人哉！大学以积勤而成，文以精思而工，有五十而学《易》，九十而传《书》者，有十年成一赋者，有悬千金募人增损一字者。犹贸然，居之多者货良；犹染然，渍之久者色深。彼束书阁上，弃檗墙角，尚忘故读，安有新意？唯竹溪已显融尤刻厉，聚古今菁英，穷翰墨变态，书不虞褚、吟不韦柳、文不昌黎艾轩不止也，故其旆厦之文精粹，典册之文华润，金石之文古雅，义理之文确切，达生则蒙叟，谈空则无尽，藏巧妙于质素，寓高远于切近，宜乎备众体而为作者之宗，殿诸老而提斯文之印者也。”王士禛《带经堂诗话》卷一〇：“林希逸《鬳斋十一稿》：'宽心可要流香酒，圆梦何须正焙茶。'（《入局》）《明皇按笛》、《达磨渡芦》二图长歌皆佳。又六言：'蚯蚓两头是性，桃花一见不疑。了得葛藤三昧，却参《苤苢》诸诗。'（鬳斋为林艾轩理学嫡派，而诗多宗门语。）”四库提要卷一六四：“《鬳斋续集》三十卷。……《宋史·艺文志》载希逸有《鬳斋前集》六十卷，久佚不存，唯此《续集》谓之《竹溪十一稿》者，尚有传本，即此三十卷也。凡诗五卷、杂著一卷、少作三卷、记二卷、序一卷、跋一卷、四六三卷、省题诗二卷、挽诗一卷、祭文一卷、墓志二卷、行状二卷、学记四卷。其门人福清林式之所编，共十三类，而谓之《十一稿》，不详其故，或十中存一之意欤。刘克庄尝谓：'乾、淳间林光朝始好深沈之思，为文极锻炼，一传为林亦之，再传为陈藻，三传为希逸。比其师，槁干中见华滋，萧散中见严密，窘狭中见纡余。'所以推许之者甚至。今观其集，多应酬颂美之作，且以道学名一世，而《上贾似道启》乃极口称誉，至以赵普、文彦博比之，殆与杨时之从蔡京同一白璧之瑕。集末载《学记》，解《太玄经》者居其半。其诗亦多宗门语，王士禛《居易录》所记，良不为诬。然南宋遗集，流传日少，其诗文虽不尽如刘克庄所称，而尚不失前人轨度。其《学记》中所论学问文艺之事，亦时有可取，节取一长，固亦无不可耳。”

　　杨缵卒于本年前，生卒年不详（据夏承焘《唐宋词人年谱·周草窗年谱》）。缵字继翁，号守斋，又号紫霞，本郡阳洪氏，年数岁，出继宁宗杨太后侄杨石为嗣。居钱塘，两为幕僚，三为郡丞，除太社令。官至司农卿、浙东帅。以女选为度宗淑妃，赠少师。事迹见周密《浩然斋雅谈》卷下、张炎《词源》卷下。所著《作词五要》，附见张炎《词源》末。《全宋词》收其词三首。张炎《词源》卷下：“近代杨守斋精于琴，故深知音律，有《圈法周美成词》。与之游者，周草窗、施梅川、徐雪江、奚秋崖、李商隐，每一聚首，必分题赋曲。但守斋持律甚严，一字不苟作，遂有《作词五要》。观此，则词欲协音，未易言也。”杨慎《词品》卷六：“守岁之词虽多，极难其选，独杨守斋《一枝春》最为近世所称。”

　　贡奎（1269—1329）生。

公元 1270 年（宋度宗咸淳六年庚午　蒙古忽必烈汗至元七年）

正月

　　江万里为福建安抚使。
　　文天祥受任军器监，兼右司。

四月

　　文天祥兼崇政殿说书、学士院权直。

六月

诏《太极图说》、《西铭》、《易传序》、《春秋传序》，天下士子宜肄其文。

七月

文天祥以台臣论劾，罢归吉州庐陵。有诗《翰林权直罢归和朱约山韵》。

十一月

诏陈宗礼进一秩，为资政殿学士，依所请守兼参知政事致仕。

十二月

陈宗礼（1203—1271）卒。宗礼字立之，号千峰，南丰人。淳祐四年进士。历太学博士、秘书郎、著作郎、太常少卿、秘书监等。景定初，以与吴潜唱和，责永州居住。四年，拜侍御史，迁刑部尚书，复以事罢。度宗即位，兼侍讲。历礼部侍郎、礼部尚书。咸淳六年，签中书枢密院事、权参知政事，旋致仕。卒谥文定。事迹见刘壎《隐居通议》卷九、《宋史》卷四二一本传。著有《寄怀斐稿》、《曲辕散木集》、《两朝奏议》、《经筵讲义》、《经史明辨》、《经史管见》、《人物论》等，已佚。《全宋诗》录其诗十首，《全宋文》卷八〇八九收其文。刘壎《隐居通议》卷九："公世居南丰千绥，故自号千峰。素慕韦苏州，仕宦所至，扫地焚香而坐。为诗多仿韦体，其《山行》诗曰：'川原绿已张，春去今何在。……'《晚出》诗曰：'落日山气清，归禽噪林杪。……'《晓行》有曰：'披衣起遄征，微茫认前路。哀鸿天际云，残月水边树。'此等皆俊楚，殊迫真也。文章亦多佳议论，盖以欧、曾为宗者。"

本年

周密在杭州，与马廷鸾交往。马廷鸾《题周公谨弁阳集后》："余庚午、辛未系官中书，公谨数过余。"

李莱老以朝请郎知严州。据《景定严州续志》卷二。

徐世隆迁吏部尚书。以铨选无可守之法，为撰《选曹八议》。

薛嵎（1212—?）本年前后在世，卒年不详。嵎字仲止，一字宾日，号云泉，温州永嘉人。宝祐四年进士，时年四十五。历官长溪簿。负才不遇，以诗闻于时。所居曰渔村，有"渔村名自我"之句，题咏颇多。晚年买山范湾营藏地，赋诗有"不知筋力何年尽，看到松杉几尺长"之句。事迹见《宝祐四年登科录》、《弘治温州府志》卷一三、《宋百家诗存》卷一七。今传其《云泉诗》一卷，有《汲古阁景钞南宋六十家小集》本、读画斋刊《南宋群贤小集》本、《四库全书》本。《全宋诗》录其诗一卷。赵汝回《云泉诗序》："云泉薛君仲止，以诗名于时。本用唐体，而物与理称，更为一家。其人萧散之际，自有绳尺。始而色，其貌若生；久而旨，其味益洽。恬静不求，本于天性，未易以矫揉学者。虽其诗未足以尽其人，然必有是人而后有是诗，读者当自得于言语之外云。"四库提要卷一六五："嵎之所作，皆出入四灵之间，不免局于门户，然尚永嘉之初派，非永嘉之末派。"王士禛《带经堂诗话》卷一〇："薛嵎仲止《云泉集》：'二十里松声，千山雪未晴。'（《太白观雪》）'岩阴常候雨，松色不知春。'（《真隐寺》）'雪渡溪流涩，厨烟柏叶香。'（《闲居》）'芳草思无际，春风情最多。'（《春晴》）'随身唯一钵，留偈别双松。'（《松风隆首座》）'离家买湖石，开印对巾山。'（《送台州倅》）'湖水涵秋霁，风荷动夕阳。'（《渔舍》）……多摹拟'四灵'，家数小，气格卑，风气日下，非复绍兴、乾道之旧，无论东京盛时已，可一慨也。"

张养浩（1270—1329）**生。**

许谦（1270—1337）**生。**

柳贯（1270—1342）**生。**

公元 1271 年（宋度宗咸淳七年辛未　元世祖至元八年）

正月

汤汉、洪天锡奉诏赴阙。

二月

释道璨（1213—1271）**卒，年五十九。**道璨字无文，俗姓陶，南昌人。弱冠，入白鹿洞书院，师事晦静汤先生。以应举不利，遂出家。从育王堪得法，曾侍径山无准禅师。宝祐二年，住饶州荐福寺，后移住庐山开元寺五年，还住荐福。事迹见李之极《无文印序》、张师孔《柳塘外集序》及《续灯正统》卷一二。著有《无文印》二十卷，乃其徒唯康所裒辑，有咸淳九年李之极所为序，今存宋刻残本配清钞本；《柳塘外集》四卷，凡诗一卷，铭记一卷，序文疏书一卷，塔铭、墓志、圹志、祭文一卷，今存《四库全书》本。《全宋诗》录其诗二卷，《全宋文》收其文十五卷。张师孔《柳塘外集序》："江西诗自黄鲁直、陈师道、潘大临以下共二十六人，谓之江西宗派。柳塘诗识议超卓，不袭故常，或亦宗派中同岑异苔者欤。"《宋百家诗存》卷二〇《柳塘外集》："（道璨）能诗，格调清迥，真入陈、黄之室。厕之江湖派中，亦可独当一面。"四库提要卷一六五："《柳塘外集》四卷，浙江鲍士恭家藏本，宋释道璨撰。……所著别有语录，故此以'外集'为名，释氏以佛典为内学，以儒书为外学也。其诗边幅颇狭，未能脱蔬笋之气，而短章绝句，能善用其短者，亦时有清致。如《题水墨草虫》、《陈了翁祠》、《和恕斋》、《濂溪书院》诸作，未尝不楚楚可观。沙中金屑，固亦不容捐弃矣。……核其格意，确为宋末江湖之体。"

三月

元设国子学，增置司业、博士、助教各一员，选随朝百官近侍蒙古、汉人子孙及俊秀者充生徒。

四月

周密与友人游湖州苏湾，赋《乳燕飞》词。序云："辛未首夏，以画舫载客游苏湾。徙倚危亭，极登览之趣。所谓浮玉山、碧浪湖者，皆横陈于前，特吾几席中一物耳。遥望具区，渺如烟尘；洞庭、缥缈诸峰，矗矗献状，盖王右丞、李将军著色画也。松风怒号，暝色四起，使人浩然忘归。慨然怀古，高歌举白，不知身世为何如也。溪山不老，临赏无穷，后之视今，当有契余言者。因大书山楹，以纪来游。"

五月

赐礼部进士张镇孙以下五百二人及第、出身。戴表元登第。

六月

诏以陆九渊之孙陆溥补上州文学。
洪天锡三辞召命，诏守臣勉谕赴阙。

七月

湖南转运司访求先儒张栻后人张义伦以闻，诏补将仕郎。

九月

显文阁直学士汤汉、洪天锡各五辞召命，诏并升华文阁学士，仍予祠禄。

十月

二十三日，谢枋得作《同会稼轩先生祠堂记》。记云："余谈稼轩久，知其人。与同志会于金相寺，过其庵，可以想见夫器之大。夜宿祠堂前。公平日为官但以只鸡斗酒为膳，明日奠以只鸡斗酒。庸人谓武侯祠堂不可忘，悲其定中原、兴汉室、有志而不遂也。天地间好功名必待真男子，尽多器大者得之。吾党必有成稼轩之志者，毋忘此会。同志：关大猷（子远）、应君实（伯诚）、虞公著（寿翁）、南方应得人、王济仲、胡子敬、云晃、蓝国举、张海潜、颜子宗、吴志道、袁太初、林道安、周人杰（淑贞）、吴仁寿、李仁权、赵平民。外有稼轩之孙辛徽（庆美）如会。咸淳七年十月二十三日记。"又作《祭稼轩先生墓记》。

十一月

诏汤汉官一转，端明殿学士，依所请致仕。
陈存敬序周密《草窗韵语》。云："作诗无他法，天资高则语妙，读书多则格长，如是而已。……周公公谨，盛年美质，趣向修雅，步长吉，摹灵均，将追古人而从之，视彼采掇风云月露，柔声曼色，卑卑然自以为工者，不足云矣。天地间生意无尽，言发于声，乃生意之至精者也。君自命草窗，果于此有德，机动籁鸣，必有不求工而自工者，其进未可量也。咸淳重光协洽仲冬甲子，同郡陈存敬书。"

蒙古世祖忽必烈用刘秉忠议，取《易》"大哉乾元"之意，改国号为大元。

十二月

宋初置"士籍"，开具乡里、姓名、年甲、三代、妻室，令乡邻结勘，于科举条制无碍，方许纳卷。

本年

王应麟召为秘书监，迁起居郎。

文天祥家居，起宅文山。有《山中堂屋上梁文》、《山中厅屋上梁文》及《山中六言》三首、《山中感兴》三首、《山中知韵》等诗。

关汉卿《单刀会》、《调风月》杂剧约作于本年前后。

李莱老本年前后在世，生卒年不详。莱老字周隐，号秋崖，又号遁翁，湖州德清人。与其兄彭老齐名，时人目为"龟溪二隐"。咸淳六年，以朝请郎知严州，旋丁母忧。与周密等交游甚密，时相倡和。事迹见《浩然斋雅谈》卷下。工词，《绝妙好词》选其词十三首，数量仅次于周密、吴文英。有集《秋崖词》，不传。今《全宋词》录其词十七首。词风骚雅清空，绕萧散清逸之气。《铜鼓书堂词话》："宋人落梅词，名句甚多。如《高阳台》一解赋落梅者，吴梦窗云：'宫粉雕痕……'李笤房（彭老）云：'竹里遮寒……'李秋崖云：'门掩香残，屏摇梦冷，珠钿糁缀芳尘。'又云：'藓梢空挂凄凉月，想鹤归，犹怨黄昏。黯销凝，人老天涯，雁影沈沈。'又云：'烟湿荒村，背春无限愁深。迎风点点飘寒粉，怅秋娘、满袖啼痕。'三人写落梅之情景魂魄各有不同。其雅正澹远、柔婉深长之处，令人可思可咏。"《蕙风词话》卷二："李周隐《小重山》云：'画檐簪柳碧如城。一帘风雨里，过清明。'又云：'红尘没马翠埋轮。西泠曲，欢梦絮飘零。''簪'字、'没'字、'埋'字，并力求警炼，造语亦佳。"

杨果（1197—1271）卒，年七十五。果字正卿，号西庵，祁州蒲阴人。金正大元年进士，为偃师令，以廉干称。元初，为河南课税及经略司幕官。中统元年，为北京宣抚使。明年，拜参知政事。至元六年，出为怀孟路总管，大修学庙。以老致政，卒于家，谥文献。事迹见《元史》卷一六四本传、《国朝名臣事略》卷一〇。"公性聪敏，为文无所不能，尤长于乐府。"（《国朝名臣事略》卷一〇）《太和正音谱》卷上谓"杨西庵之词，如花柳芳妍"。著有《西庵集》。今《全金元词》录其词三首，《全元散曲》存其小令十一首。

杨载（1271—1323）生。

程端礼（1271—1345）生。

公元 1272 年（宋度宗咸淳八年壬申　元世祖至元九年）

正月

汤汉（1202—1272）**卒，年七十一。**汉字伯纪，号东涧，饶州安仁人。淳祐四年进士，授上饶县主簿，改信州教授兼象山书院山长。十二年，差充史馆校勘，改国史实录院校勘。历秘书郎、太常少卿、知隆兴府等。度宗即位，迁起居郎兼侍读，兼权中书舍人，权兵部侍郎。咸淳四年，知福州兼福建安抚使，改知太平州，权工部尚书兼侍读。五年，提举玉隆万寿宫兼象山书院山长。七年，以端明殿学士致仕。卒谥文清。事迹见《宋史》卷四三八本传、《宋史·度宗本纪》。著有文集六十卷，已佚。今存所编《妙绝古今》四卷，有《四库全书》本。"是编甄辑古文，起《春秋左氏传》，讫眉山苏氏。凡二十一家，七十九篇。……推阐其旨，以为南渡忍耻事雠，理宗容奸乱政，故取《左氏》、《国策》所载之事，以昭讽劝，而并及于汉、唐二代兴亡之由，又取屈原、乐毅、韩愈《孟东野序》、欧阳修《苏子美》诸篇，有感于士之不遇，而复进之于道，以庶几乎知所自反，其去取之间，篇篇俱有深义。"（《四库全书总目》卷一八七）又有《陶靖节先生诗注》四卷，今存宋刻本。《全宋诗》录其诗十首，《全宋文》卷七九二四收其文。

五月

二日，文天祥生日，赋《生日和谢爱山长句》、《生日和聂吉甫》、《生日谢朱约山和来韵》、《生日山中和萧敬夫韵》等诗。

九月

诏洪天锡转端明殿学士，允所请致仕，旋卒于本月。

洪天锡（？—1272），字君畴，泉州晋江人。宝庆二年进士，授广州司法参军，调潮州司理。历监察御史、知潭州、知漳州。咸淳元年，疏进病民五事，擢工部侍郎兼直学士院，力辞。三年，除福建安抚使。以端明殿学士致仕。卒谥文毅。事迹见《宋史》卷四二四本传、《宋史·度宗本纪》。有奏议、《经筵讲义》、《进故事》、《通祀辑略》、《味言发墨》、《阳岩文集》等，已佚。《全宋诗》录其残诗一联，《全宋文》卷七九九○收其文。

十月

右丞相马廷鸾十疏乞骸骨，诏不允。

十一月

马廷鸾授观文殿学士，知饶州，辞免，乞祠禄，诏允所请，以观文殿学士、鄱阳郡公提举洞霄宫。

十二月

叶梦鼎为少傅、右丞相兼枢密使。

本年

王恽授承直郎、平阳路总管府判官。

李直夫约生于本年前后（？—1320?）

范梈（1272—1330）生。

虞集（1272—1348）生。

萨都剌（1272—1355）生。

公元 1273 年（宋度宗咸淳九年癸酉 元世祖至元十年）

二月

文天祥除授湖南提刑。

元兵攻陷襄阳。

三月

叶梦鼎辞免右丞相，诏不允。

春

江万里为湖南安抚大使，知潭州。

四月

叶梦鼎乞致仕，遣官勉谕赴都堂治事。

闰六月

徐经孙（1192—1273）卒，年八十二。经孙初名子柔，字仲立，号矩山，丰城人。宝庆二年进士，授浏阳主簿，迁知永兴县。历监察御史、起居舍人、太子詹事。累迁礼部尚书、翰林学士、知制诰。以论公田非便忤贾似道，闲居十年。卒谥文惠。事迹见熊朋来《宋翰林学士赠金紫光禄大夫谥文惠徐公墓表》、《宋史》卷四一〇本传。原有文集，已佚。明万历四十二年裔孙徐鉴辑刻《宋学士徐文惠公存稿》五卷，今存，又有《宋人集》甲编本；《四库全书》本名《矩山存稿》。《彊村丛书》录《矩山词》一卷。《全宋词》录其词五首，《全宋诗》录其诗一卷，《全宋文》收其文四卷。徐鉴《宋学士徐文惠公存稿序》："公处宋末造，值权倖柄用之时，乃介直不阿，抨弹甚力。他如敷陈讲义，条上封事，皆谠论格言，似陆宣公经济之确。间尝抒自性灵，宣诸牙慧，或为声歌及比事杂著。其声歌也似杜少陵诗史之正，其杂著也似刘中垒《说苑》之汪洋，言言足以宪往诏来。"四库提要卷一六三："《矩山存稿》五卷。……经孙以伉直自许，立朝大节，多有可称。熊朋来铭其墓有云：'是在乌台而不畏权贵者，是在鸾台而不畏近侍者。'其丰裁严正，可以想见。文章则非所注意，故往往直抒胸臆，不复以研炼为长。然其理明辞达，亦殊有汪洋浩瀚之致。至于奏疏诸篇，或指陈时弊，或弹劾权奸，皆敷陈剀切，辞旨凛然，尤想见正笏垂绅气象。虽谓之独得雄直气，发为古文章可也。唯诗笔俚浅，实非所长。其留于今日，盖以其人而传之，为全集琬琰之藉可矣。"

夏

文天祥见江万里于长沙，共论国事。江万里素奇文天祥志节，慨然曰："吾老矣，观天时人事，必当有变。世道之责，其在君乎！君必勉之。"（刘岳甲《文丞相传》）

八月

十四日，方回为吴锡畴作《兰皋集跋》。有云："余年二十余，以诗游于竹坡（吕午）、秋崖（方岳）二先生之间，二先生喜称道兰皋吴元伦佳句。'说著梅花定说君'，坡喜之；'人如中酒落花风'，崖喜之。坡今仙去二十余年，崖亦十余年，而元伦年六十，余亦四十七矣。细读摘稿，如'泉幽影照清'者，余击节喜之，幽淡靓深，有贾浪仙之风；而'人世如无夜，劳生事更繁'，亦古人所未道。……咸淳九年中秋前一日，里人虚谷方回敬跋。"

十二月

马廷鸾为浙东安抚使，知绍兴府。

冬

周密赋《柳梢青》词四首，序云："余生平爱梅，仅一再见逃禅真迹。癸酉冬，会疏清翁孤山下，出所藏双清图，奇悟入神，绝去笔墨畦径。卷尾补之自书《柳梢青》四词，辞语清丽，翰札遒劲，欣然有契于心。余因戏云：不知点胸老、放鹤翁同生一时，其清风雅韵，优劣当何如哉。翁噱曰：我知画而已，安与许事，君其问诸水滨。因次韵载名于后，庶异时开卷索笑，不为生客云。"

文天祥乞便郡养亲，移知赣州。

本年

俞德邻浙江转运司解试第一。

李莱（1194—?）约卒于本年前后。莱字和父，号雪林，祖籍菏泽，家吴兴三汇之交。与周弼同庚同里，往来论诗三十余年。效元、白歌诗，不乐仕进。年登八十，自作墓志，未几死，葬于河道两山间，种梅百株，赵德符题碣曰"宋诗人雪林李君之墓"。事迹见其所作《端平诗隽序》、戚辅之《佩楚轩客谈》。著有《吴湖药边吟》、《雪林采蘋吟》、《雪林捻髭吟》、《雪林漱石吟》、《雪林拥蓑吟》等，均佚，清四库馆臣自《永乐大典》所辑《江湖后集》中存其诗一卷。今存其集句诗集《梅花衲》一卷、《剪绡集》二卷，有汲古阁影宋钞本。四库提要卷一七四："《剪绡集》二卷。……是编皆集唐人之句，上卷凡二十八首，唯五言律一首，余皆古体；下卷凡九十首，则皆七言绝句。殆以艰于属对故耶。"今《全宋诗》录其诗五卷，《全宋文》卷七九二九收其文。

欧阳守道（1209—1273）**卒，年六十五**。守道初名巽，字公权，一字迁父，晚号巽斋，吉州人。少孤贫，自力于学，年未三十，翕然以德行为乡郡儒宗。淳祐元年进士，授雩都主簿，调赣州司户。江万里建白鹭洲书院，首聘其讲学。湖南转运副使吴子良聘其为岳麓书院副山长。景定初，以荐为史馆检阅，召试馆职，授秘书省正字。二年，迁秘书郎，以言罢。咸淳三年，特旨与祠。迁著作佐郎，兼崇政殿说书，兼权都官郎官。经筵所进，皆切于当世务，上为动色。迁著作郎。事迹见《宋史》卷四一一本传。著有《易故》，已佚。今存《巽斋文集》二十七卷，有清抄本、《四库全书》本；《巽斋先生四六》一卷，有《宋四家四六》本。《全宋诗》录其诗四首，《全宋文》收其文二十一卷。四库提要卷一六四："《巽斋文集》二十七卷。……是编分甲、乙、丙、丁、戊五集。中如《复刘学士书》，辨李习之以守其中为慎独，非《中庸》本旨；《答丁教授书》，辨刘景云中心为忠、如心为恕之说，本之王安石《字说》，非六书本义。凡此之类，持论咸有根柢，非苟立异同。史称守道少孤贫无师，自力于学，年未三十，翕然以德行为乡郡儒宗。盖崛起特立，不由依托门户而来，故所见皆出自得也。"

文天祥有《祭欧阳巽斋先生文》。

王鹗（1190—1273）**卒，年八十四。鹗字百一，曹州东明人。**金正大元年，中进士第一甲第一人，授应奉翰林文字。六年，授归德府判官，行亳州城父令。七年，改同知申州事，行蔡州汝阳令，丁母忧。天兴二年，授尚书省右司都事，升左右司郎中。三年，蔡州破，将被杀，万户侯张柔闻其名，救之，馆于保州。元世祖即位，首授翰林学士承旨，制诰典章，皆所裁定。至元元年，加资善大夫。奏请立翰林学士院，荐李治、李昶、王磐、徐世隆、高鸣为学士。五年，乞致仕，诏有司岁给廪禄终其身，有大事则遣使就问之。卒谥文康。事迹见《元史》卷一六〇本传、《元史类编》卷二一。著有《论语集义》一卷，《汝南遗事》二卷，《应物集》四十卷。"性乐易，为文章不事雕饰"（《元史》本传）。"在翰林十余年，凡大诰命、大典册皆出公手。以文章冠海内，而未尝谈文章。尝谓门人曰：'分章析句，乃鲰生举子之业，求之于致知格物之理，则懵如也。为己之学，当以穷理为先。'故一时学者翕然咸师尊之。"（《元朝名臣事略》卷一二）

汪泽民（1273—1355）**生。**

欧阳玄（1273—1357）**生。**

公元 1274 年（宋度宗咸淳十年甲戌　元世祖至元十一年）

正月

江万里以疾辞职任，诏依旧观文殿大学士、提举洞霄宫。

三月

文天祥抵达赣州任所。在赣州，赋《题郁孤台》、《翠玉楼观雪》、《合江楼》、《石楼》等诗。

春

周密为丰储仓检察。《癸辛杂识》续集上："咸淳甲戌之春，余为丰储仓，久以病痁不出，忽闻贾师宪丁母忧而出，凡朝绅以至京局，皆往唁奠，送之江干。"

五月

马廷鸾辞免观文殿大学士，知绍兴府、浙东安抚使，诏不允。

六月

元世祖下诏谕责宋贾似道负约拘执信使郝经之罪，并命伯颜为帅，率兵伐宋。

夏

马廷鸾出寓于六合塔，周密时往探问。《癸辛杂识》后集："咸淳甲戌之夏，丞相番阳马公廷鸾翔仲，以翻胃之病，乞去正苦，凡十余疏始得请。出寓于六合塔。余受公知，间日必出问之。"按，据《宋史》卷四十七《瀛国公本纪》，马廷鸾辞免浙东安抚使、知绍兴府，依旧观文殿大学士、提举洞霄宫，在本年十一月。

七月

九日，王柏（1197—1274）**卒**，年七十八。柏字会之，一字伯会，婺州金华人。少慕诸葛亮之为人，自号长啸，其诗文曰《长啸醉语》。年三十三，弃科举之学，勇于求道。端平元年，以长啸非圣门持敬之道，改号鲁斋。二年，从黄榦门人何基学，质实坚苦，有疑必从基质之。于《论语》、《大学》、《中庸》、《孟子》、《通鉴纲目》标注点校，尤为精密。以教授为业，尝受聘主丽泽、上蔡等书院。卒谥文宪。事迹见方回《可言集考》、《宋史》卷四三八本传。平生著述甚富，今存者有《书疑》、《诗辨说》、《研几图》、《天地万物造化论》等。已佚者有《文章复古》、《文章续古》、《濂洛文统》、《拟道学志》、《朱子指要》、《诗可言》、《天文考》、《地理考》、《墨林考》、《正始之音》、《江左渊源》、《伊洛精义杂志》、《周子》、《发遣三昧》、《文章指南》、

《朝华集》、《紫阳诗类》等。其诗文集《甲寅稿》亦已佚，六世孙王迪袞辑为《鲁斋王文宪公文集》二十卷，刊于明正统八年，有《续金华丛书》本，《四库全书》本名《鲁斋集》。《全宋词》录其词一首，《全宋诗》录其诗五卷，《全宋文》收其文二十三卷。刘同《鲁斋集跋》："其为文正大纯雅，闳肆典实，而天道之显晦，人事之治否，物理之盛衰，莫不具焉。故其羽翼乎圣贤之学，而为一代之所宗者也。"四库提要卷一六四："柏好妄逞私臆，窜乱古经，《诗》三百篇，重为删定，《书》之周《诰》殷《盘》，皆昌言排击，无所忌惮，殊不可以为训。其诗文虽亦豪迈雄肆，然大旨乃一轨于理。……盖其天资卓荦，本一桀骜不驯之才，后虽折节学问，以熔炼其气质，而好高务异之意，仍时时不能自遏。故当其挺而横绝，至于敢攻孔子手定之经。其诗文虽刻意收敛，务使比附于理而强就绳尺，时露有心牵缀之迹，终不似濂溪诸儒深醇和粹，自然合道也。特其勇于淬砺，检束客气，使纵横者一出于正，为足取耳。集中第一卷有《寿秋壑》诗，极称其援鄂之功，谀颂备至，是亦白璧之瑕。"

宋度宗（1240—1274）**卒，年三十五。**恭帝即位，时年四岁，太皇太后谢氏临朝称诏。

八月

十五日，吴自牧自序其《梦粱录》。云："昔人卧一炊顷，而平生事业扬历皆遍，及觉则依然故吾，始知其为梦也，故谓之'黄粱梦'。矧时异事殊，城池园囿之富，风俗人物之盛，焉保其常如畴昔哉。缅怀往事，殆犹梦也，名曰《梦粱录》云。脱有遗阙，识者幸改正之，毋哂。甲戌岁中秋日，钱塘吴自牧书。"是书二十卷，"全仿《东京梦华录》之体，所纪南宋郊庙宫殿，下至百工杂戏之事，委曲琐屑，无不备载。然详于叙述而拙于文采，俚词俗字，展笈纷如，又出《梦华录》之下。而观其自序，实非不解雅语者，毋乃信刘知几之说，欲如宋孝王《关东风俗传》，方言世语，由此毕彰乎？要其措词质实，与《武林旧事》详略互见，均可稽考遗闻，亦不必责以词藻也。"（《四库全书总目》卷七○）按，吴自牧，钱塘人，生平事迹不详。

诏乞言于老臣江万里、叶梦鼎、马廷鸾等。

马廷鸾乞骸骨归田里，诏趣之任。

刘秉忠（1216—1274）**卒，年五十九。**秉忠初名侃，字仲晦，自号藏春散人，世居瑞州，后家邢州。曾出家为僧，元世祖为亲王时，召入藩邸，参与机密。至元元年，以光禄大夫、太保参领中书省事，更名秉忠。上命议建国号，定都邑，颁章服，举朝仪。事无巨细，有关时政之得失者，知无不言。卒赠太傅、仪同三司、文贞公。事迹见张文谦《刘公行状》、王磐《刘公神道碑铭》、《元史》卷一五七本传。著有文集十卷，今存其《藏春集》六卷，有明天顺二年马伟刊本、清抄本、《四库全书》本；《藏春乐府》一卷，有《四印斋所刻词二十一种》本。黎近《明刻藏春诗集后叙》谓秉忠"和顺积中，英采秀发，致吟风弄月之词，适情写景之作，咄嗟戏嘲之音，借清新壮□，□落祥晃，如风如影，不可窥测焉，一归于礼义。岂其才以学济诗，从禅悟道，臻太极妙际真空，恍惚有无，超越万化，故能无可无不可、无为不成欤？"马伟《明刻藏春诗集序》：“观其遗文遗诗，不事雕琢以为工，不务险恢以为奇，雄浑而质直，惇厚而和平，铿乎金石之音也！炳乎奎璧之光也！澹乎太羹玄酒之味也！得非乘乎气运之悉而然欤？”四库提要卷一六六：“秉忠博览好学，尤邃于《易》，凡天文、地理、三式、六壬、遁甲之属，无不精通。……秉忠起自缁流，身参佐命，与明道衍事颇同。然道衍首构逆谋，获罪名教，而秉忠则从容启沃，以典章礼乐为先务，卒开一代治平，其人品相去悬殊。故所作大都平正通达，无噍杀之音。史称‘其诗萧散闲澹，类其为人’，虽推之稍过，然如小诗中‘鸣鸠唤住西山雨，桑叶如云麦始华’之类，亦未尝不时露风致也。”王鹏运《藏春乐府跋》：“往与碧瀣翁论词，谓雄廓而不失之伧楚，酝蕴而不流于侧媚，周旋于法度之中，而声情识力常若有余于法度外，庶为填词当行，且论者庶不薄填词为小道。藏春词境，雅与之合。”况周颐《蕙风词话》卷三：“曩半塘老人《跋藏春乐府》云：‘雄廓而不失之伧楚，酝藉而不流于侧媚。’余尝悬二语心目中，以赏会藏春词。如《木兰花慢》云：‘桃花为春憔悴，念刘郎，双鬓也成秋。’望月《婆罗门引》云：‘望断碧波烟渚，蘋蓼不胜秋。但冥冥天际，难识归舟。’《临江仙》云：‘马头山色翠相连。不知山下客，何日是归年？’《南乡子》云：‘暮雨夜深犹未住，芭蕉。残叶萧疏不耐敲。’前调云：‘醉倒不知天早晚，云收。花影侵窗月满楼。’前调云：‘行人更在青山外，不许朝朝不上楼。’《鹧鸪天》云：‘斜阳影里山偏好，独倚阑干懒下楼。’《踏莎行》云：‘东风吹彻满城花，无人曾见春来处。’右所摘皆警句，以言酝藉，近是，而雄廓不与焉。”杨慎《词品》卷一：“元太保刘秉忠《干荷叶》曲云：‘干荷叶，色苍苍。……’此秉忠自度曲，曲名《干荷叶》，即咏干荷叶，犹是唐词之意也。又一首《吊宋》云：‘南高峰，北高峰。……’此借腔别咏，后世词例也。然其曲悽恻感慨，千古之寡和也。”

秉忠之卒，徐世隆、姚枢有祭文。

十月

饶州布衣董声应进《诸史纂约》、《兵鉴》、《刑鉴》，诏其充史馆编校文字。

诏以明年为德祐元年。

十一月

马廷鸾力辞浙东安抚使，知绍兴府，诏依旧观文殿大学士、提举洞霄宫。

覆试特奏名士人。

十二月

诏天下勤王。

冬

周密与王沂孙相别于孤山。王沂孙《淡黄柳》词序有云：“甲戌冬，别周公谨丈于孤山中。"

车若水撰《脚气集》成。车惟一《脚气集跋》："咸淳甲戌冬，伯父脚气病作，时以书自娱，随所见而录，寝复成编，因目曰《脚气集》。嗣岁春仲，不幸倾亡，亦绝麟之笔也。"

本年

蒋捷、熊禾、熊朋来登进士第。

周密《草窗韵语》结集。按，是集纪年，以本年为最后。卷六末首《甲戌七月》云："闻诏忽号弓。"谓度宗崩于七月癸未。文及翁《草窗韵语序》云："廉溪周子窗有草不除去，曰：'与我意思一般。'充是心以往，有与物为春之妙。公谨号草窗，长篇短章，清丽条邑，是足以名世矣。昔'池塘生春草'以五言名世，'咸阳原上草'以四句名世，'春草无人随意绿'以七言名世，况公谨之诗已盈帙乎！夫唯胸中洒落，然后见窗有草不肯除去。抑公谨乃廉溪派耶，不然，奚取乎窗有之草？"

刘敏中由中书掾擢兵部主事，拜监察御史。权臣桑哥秉政，敏中劾其奸邪，不报，遂辞职归里。既而起为御史台都事。

李洞（1274—1332）**生。**

揭傒斯（1274—1344）**生。**

公元 1275 年（宋恭帝德祐元年乙亥　元世祖至元十二年）

正月

十三日，文天祥接谢太后召诸路勤王诏书。十六日，文天祥移檄诸路，聚兵积粮，纠募吉赣等地兵民五万人，尽以家产充军费。

十五日，刘辰翁赋《减字木兰花·乙亥上元》词，不胜今昔之慨。

二月

贾似道与元军战于芜湖西南鲁港，大败，逃奔扬州，江淮之地尽归大元。诏罢贾似道平章、都督，予祠。

刘辰翁闻贾似道败于鲁港，愤而赋《六州歌头》（向来人道）。序云："乙亥二月，贾平章似道督师至太平州鲁港，未见敌，鸣锣而溃。后半月闻报，赋此。"

江万里（1198—1275）**卒，**年七十八。万里字子远，号古心，都昌人。宝庆二年进士，历池州教授、两浙安抚司干办公事。淳祐四年，拜监察御史。未几，迁右正言、殿中侍御史、侍御史，弹击风生，号"真御史"。度宗即位，召同知枢密院事，迁参知政事。咸淳二年，以忤贾似道，乞祠，为湖南安抚使兼知潭州。五年，召为参知政事，拜左丞相。十年，以疾辞职任，提举洞霄宫。德祐元年二月，元兵破饶州，赴水而卒。谥文忠。事迹见《宋史》卷四一八本传、《宋史·度宗本纪》。今《全宋词》录其词一首，《全宋诗》录其诗十四首，《全宋文》卷七八七三收其文。周密《癸辛杂识》后集：“南渡以来，太学文体之变，乾、淳之文师淳厚，时人谓之‘乾淳体’，人材淳古，亦如其文。至端平江万里习《易》，自成一家，文体几于中复。”

文天祥为江西安抚副使，知赣州。

文及翁签书枢密院事。

遣大元国信使郝经等归。 按，郝经自景定元年被拘真州，至本年已十六年矣。

三月

元军攻陷建康。 临安官员纷纷外逃。

春

车若水（1210—1275）**卒，年六十六。** 若水字清臣，号玉峰山民，黄岩人。弱冠从陈耆卿游，学为古文，与吴子良同门。王象祖盛称其文，谓“其词严，其气振，其道充，明而新，清而健，可追古作，非琐琐庸庸，形模影描，掇彼拾此，窃仿佛而钓名称者比也”（《三台文献录》卷一四引王象祖《答车清臣书》）。后从杜范游，潜心理学。又从王柏、陈文蔚游，刻意讲学。事迹见《脚气集》及车唯一跋、《宋史翼》卷二五。著有《宇宙略纪》、《玉峰冗稿》，已佚。今传其《脚气集》二卷，有清抄本、《四库全书》本。《全宋诗》录其诗十八首，《全宋文》收其文二卷。四库提要卷一二一：“《脚气集》二卷。……此书体例，颇与语录相近。其论《诗》，攻小序；论《春秋》，主夏正；论《礼记》，掊击汉儒，皆坚持门户之见。……其他论蔡琰《十八拍》之伪，论白居易《长恨歌》非臣子立言之体，论《文中子·鼓荡之什》为妄，论钱塘非吴境，不得有自胥之潮，论子胥鞭尸为大逆，论王羲之帖不宜字，皆凿然有理。”

四月

高斯得签书枢密院事兼权参知政事。

文及翁削一官，夺执政恩数。

六月

王应麟言：“开庆之祸，始于丁大全，请凡大全之党，在谪籍者皆勿用。”从之。见《宋史·瀛国公本纪》。

七月

张世杰率舟师与元军战于镇江焦山下，大败。

谪贾似道为高州团练副使，贬循州，籍其家。

郝经（1223—1275）**卒，年五十三。** 经字伯常，其先潞州人，徙居泽州陵川。金亡后，居顺天。蒙哥汗三年，忽必烈以皇弟开邸金莲川，诏经，谘以经国安民之道，条上数十事，遂留王府。随忽必烈攻宋鄂州，得蒙哥汗死讯，力劝忽必烈与宋议和，北还争帝位。中统元年，以翰林侍读学士充国信使赴宋，为贾似道拘留于真州，十六年后始得北还。卒谥文忠。事迹见苟宗道《郝公行状》、阎复《郝公墓志铭》、《元史》卷一五七本传。所著《春秋外传》、《易外传》、《太极演》、《续后汉书》等，俱不传。今传《陵川集》三十九卷，有明正德二年李瀚刻本、清抄本、《四库全书》本。《陵川集咨文》："文忠公郝经所著文集，笔力雄深，议论该博，忠义之气蔼然见于言意之表。其《续汉书》得先儒之至论，黜晋史之帝魏，使昭烈上系汉统，扶立纲常，有补世教。其间叙事典赡核实，多前史所未及者。"苟宗道《郝公行状》："其文则涵养蕴蓄之久，理足而气有余，盖有激于中则吐而为之辞，如长江大河，有源有委。下笔数千百言，不求奇而自奇，无意于法而皆法。纯乎理性而不杂，故能自成一家之作。其诗则气韵高远，止乎礼义，得诗人忠厚之意，故能摅写至理，吟咏性情，不为近体尖新、切律之语，亦足以自成一家。"《元史》卷一五七本传："其文丰蔚豪宕，善议论，诗多奇崛。"冯良佐《郝文忠公文集后序》："陵川夫子郝文忠公，以雄文雅望为中外所仰，其于五帝三王之事业，口之不置。方剧论诗，四座倾属，公亦无所推让。会有使宋之行，馆留之累岁，岁月闲永，穷经修史之暇，遂得肆力为文。韵语则有赋、颂、歌行、古律、诗、箴、赞，叙事则有状、疏、序、说、记、志、论议，盖多仪真馆中之笔也。长江大河其思也，移鼎拔山其力也，龙光牛斗其气也，武库之随取足也，此愚所谓其时其人也。"李之绍《郝文忠公集序》："公挺不世出之才，蕴大有为之志，气刚以大，学博而充。陈时政兵事，绰见经济之能；专《周易》、《春秋》，深探幽隐之趣；正《蜀记》，刊前史之谬误；移宋朝，悉和议之利害。杂著歌诗，涵咏古今，本原《骚》、《雅》，不失为奇作。"四库提要卷一六六："其生平大节炳耀古今，而学问文章亦具有根柢。如太极、先天诸图说、《辨微论》数十篇及《论学》诸书，皆深切著明，洞见阃奥；《周易》、《春秋》诸传，于经术尤深。故其文雅健雄深，无宋末肤廓之习。其诗亦神思深秀，天骨挺拔，与其师元好问可以雁行，不但以忠义著也。"《复小斋赋话》卷下："元郝伯常经《击蛇笏赋》，踔历风发，读之可以顽廉懦立，是有功世道之文。"

郝经卒后，王恽有《哭郝内翰奉使》、《祭郝奉使墓文》。

八月

文天祥为浙西、江东制置使兼知平江府。

九月

文天祥为都督府参赞官，总三路兵。
贾似道被监押官杀于赴循州贬所途中。

十一月

召文天祥赴阙入卫。自平江赴临安途中，作《指南录》第一首诗《赴阙》，有

"楚月穿春袂，吴霜透晓鞯。壮心欲填海，苦胆为忧天。……丈夫竟何事，一日定千年"之句。

中书舍人王应麟辞免兼给事中，不允。

十二月

文天祥签书枢密院事。

陈允平任沿海制置参议。

方逢辰征拜礼部尚书，会父疾未赴。

冬

周密游会稽，与王沂孙相会一月。王沂孙《淡黄柳》词序有云："甲戌冬，别周公谨丈于孤山中；次冬，公谨游会稽，相会一月。"

本年

谢枋得起为江东提刑、江西招谕使、知信州，率兵抗元，城馅，乃变姓名流寓建宁，以卖卜教书为生。

金履祥奉召为史馆编修，未及用而宋亡，遂隐居著书。

高斯得本年在世，生卒年不详。斯得字不妄，蒲江人。绍定二年进士，授利州路观察推官。历官太常博士、秘书郎、礼部郎中、秘书监。度宗即位，擢起居舍人。咸淳九年，迁工部侍郎，出知建宁府。德祐元年，召权兵部尚书，上疏指陈时政，忠愤激烈。擢翰林学士、知制诰兼侍读，签书枢密院事兼参知政事。以论贾似道忤丞相留梦炎，罢。宋亡，隐居苕雪间以卒。事迹见《宋史》卷四〇九本传。所著《诗肤说》、《仪礼合抄》、《增损刊正杜佑通典》、《徽宗长编》、《孝宗系年要录》、《耻堂文集》等，已佚。清四库馆臣自《永乐大典》中辑为《耻堂存稿》八卷，有《四库全书》本、《武英殿聚珍版丛书》本。《全宋诗》录其诗三卷，《全宋文》收其文八卷。四库提要卷一六四："《耻堂存稿》八卷。……斯得父稼，端平间知沔州，与元兵战殁。斯得能以忠孝世其家，其立朝謇谔尽言，唯以培养国脉，搏击奸邪为志。本传载所论奏凡十余事，多当时切要。今集中仅存奏疏十篇，与本传相较，已不能无所遗脱。然于宋末废弛欺蔽之像，痛切敷陈，皆凛然足以为戒。至其生平遭遇，始沮于史嵩之，中厄于贾似道，晚挤于留梦炎，虽登政府，不得大行其志。悯时忧国之念，一概托之于诗。虽其抒写胸臆，间伤率易，押韵亦时有出入，而感怀书事，要自有白氏讽谕之遗。如《西湖竞渡》、《三丽人行》诸首，俱拾《奸臣传》之所遗；《雷异》、《鸡祸》诸篇，亦可增《五行志》之所未备。征宋末故事者，是亦足称诗史矣。"

罗椅（1214—？）约卒于本年。椅字子远，号涧谷，庐陵人。尝从双峰饶鲁学性理之学。年四十三，登宝祐四年进士第，授江陵教授，改长沙教授。景定间，知信丰县，入为提辖榷院，久不迁，每有迁除，则为贾似道沮抑报罢。又见似道专权，遂为书极诋之。恭帝即位，似道复专权，遂弃官而去。道中见山川城邑，悲吟行歌，甚于痛哭。德祐元年，元军陷饶州，四方勤王之师不至，椅日夕盼望，不能饮食，竟以忧卒。事迹见《宝祐四年登科录》、元罗洪先《族祖榷院府君传》。著有《涧上委稿》，已佚。后人辑为《涧谷遗集》，有一九一七年庐陵罗嘉瑞刻四卷本、《豫章丛书·吉州二义集》所收三卷本。《全宋词》录其词四首，《全宋诗》录其诗一卷，《全宋文》收其文二卷。椅"虽以理学自命，然天才甚高，落笔词采呈露，诗文碑版流布远近"（罗洪先《族祖榷院府君传》）。谢枋得《萧冰崖先生诗卷跋》："诗有江西派而文清倡之，传至章泉、涧泉二先生，诗与道俱隆。自二先生没，中原文献无足征，江西气脉将间断矣。幸而二先生所敬者有涧谷罗公在，巍巍然穹壤间之鲁灵光也。"张德瀛《词徵》卷五："罗涧谷讲程朱之学，为饶双峰高弟，而词格婉丽，不落凡近。"陆辅之《词旨》、李佳《左庵词话》卷下皆摘其《柳梢青》"何处消魂。初三夜月，第四桥春"为警句。

陈郁（1184—1275）卒，年九十二。郁字仲文，号藏一，临川人。闭户终日，穷讨编籍，足不蹈毁誉之城，身不登权势之门，不类于江湖诗人之流于干谒者。理宗时，曾充缉熙殿应制。景定间，为东宫讲堂掌书兼撰述。事迹见陈世崇《随隐漫录序》、《宋诗纪事》卷六八。以诗文名世，今《全宋词》录其词四首，《全宋诗》录其诗一卷。陈世崇《随隐漫录》卷一："西山真先生点先君集中警句，如'开户夜通月，掬泉朝饮星'，'暖曝花岩日，晴眠藓石烟'，'地广日难晚，海宽天欲浮'，'与子才分手，何人更赏心'，'游归云衲破，定起石床温'，'道至无偏党，心何有重轻'，'万事岂容人有意，一春多被雨无情'，'举头莫看王侯面，失脚恐为名利人'，'千古留芳唯好句，一时得意总微尘'。……跋曰：'学充而意广，气大而体不偏，用力于先圣之书。'漫塘刘先生曰：'观其文词赡旨远，为诗深于运思，使人嘉叹不足。'习庵陈先生曰：'仆《庄》、《骚》而奴班、马。'止堂黄先生曰：'《骚》、《选》、唐、宋，罔不究心。'紫岩潘先生曰：'出入于江西、晚唐之间，而不堕于刻与率者也。'"又："史臣章采称：'陈藏一长短句，以清真之不可学老坡之可，东宫应令，含情托讽，所谓曲终奏雅者耶。《沉香亭》、《清平》之调，尚托汗青以传。藏一此词，合太史氏书法，宜牵连得书。'"又著有《藏一话腴》四卷，今存明抄本、《四库全书》本、《豫章丛书》本。岳珂《藏一话腴序》："陈藏一以诗文名世，真西山、刘漫塘、陈习庵交称之。余始过其语，今观所述《话腴》，博闻强记，出入经史，研考本末，则可法度，而风月梦怪，嘲谑讹诞，淫丽气习，净洗无遗，岂非自'思无邪'三字中践履纯熟致是耶？乃知三君子可谓具眼矣。"四库提要卷一二一："《藏一话腴》四卷。……是书分甲乙二集，又各分上下卷，多记南北宋杂事，间及诗话，亦或自抒议论。珂序又称其出入经史，研究本末，具有法度，而风月梦怪，嘲戏讹诞，淫丽气习，净洗无遗。今观所载，如谓周子《游庐山大林寺》诗'水色含云白，禽声应谷清'一联，前句是明，后句是诚，附会迂谬，殆可笑噱。惠洪解杜甫'老妻画纸为棋局，稚子敲针作钓钩'一联，以老妻比臣，以稚子比君，固为妄诞。郁必谓上句比君子之直道事君，下句比小人之以直为曲，亦穿凿无理。所录诸诗，亦皆不工。其持论，如谓孔子不当作《世家》，豫让不当入《刺客传》，斥《史记》不醇，颇涉庸肤。谓李虚中以年月日时推命，而不知韩愈作《虚中墓志》，其推命实不用时，尤失考证。然所记遗闻，多资劝戒，亦未尝无一节之可取焉。"

王结（1275—1336）生。

公元1276年（宋端宗景炎元年丙子　元世祖至元十三年）

正月

元丞相伯颜进军至临安东北之皋亭山，宋遣监察御史杨应奎上传国玉玺请降。

十九日，文天祥除右丞相兼枢密使，都督诸路军马，辞不拜。二十日，以资政殿学士出使元军，被扣留。

知建德军方回降元。

二月

八日，文天祥被执北去。沿途作《指南录》中《使北》、《闻鸡》、《命里》、《平江府》、《无锡》、《吊五木》、《哭尹玉》、《常州》、《镇江》诸诗。二十九日，设计脱逃。《指南录》卷三《脱京口》："二月二十九日夜，予自京口城中间道出江浒，登舟溯金山，走真州。"

大元使者入临安府，封府库，收史馆、礼寺图书及百司符印、告敕，罢官府及侍卫军。

三月

元丞相伯颜入临安，掳宋恭帝及太皇太后谢氏、皇太后全氏等北去。

汪元量随宋室被押往大都。

文天祥至真州，议纠合两淮图谋复兴。淮东制置使李庭芝误以文天祥为元作奸细，欲杀之，遂间关走通州。

闰三月

陆秀夫、张世杰等于温州奉益王赵昰为天下兵马都元帅，广王赵昺副之。

春

刘辰翁赋《兰陵王·丙子送春》词。"正江令恨别，庾信愁赋"句下自注云："二人皆北去。"深寓故国之恨。

四月

八日，文天祥至温州。

五月

赵昰即位于福州，改元景炎，是为端宗。赵昺进封卫王。

刘黻为参知政事。

二十六日，文天祥至福州，为右丞相兼知枢密院事。编辑《指南录》。作《后序》云："予在患难中，间以诗记所遭，今存其本不忍废。道中手自抄录：使北营，留北关外为一卷；发北关外，历吴门、毗陵，渡瓜洲，复还京口为一卷；脱京口，趋真州、扬州、高邮、泰州、通州为一卷；自海道至永嘉，来三山为一卷。将藏之于家，使来者读之，悲予志焉。……是年夏五，改元景炎，庐陵文天祥自序其诗，名曰《指南录》。"

六月

文天祥奉命为同都督。

八月

刘辰翁赋《唐多令》词。序曰："丙子中秋前，闻歌此词者，即席借'芦叶满汀洲'韵。"复依此韵填词数首，藉以发抒故国之思。

十月

文天祥入汀州。

冬

周密自剡过会稽与王沂孙相会，沂孙赋《淡黄柳》词为别。序云："甲戌冬，别周公谨丈于孤山中；次冬，公谨游会稽，相会一月。又次冬，公谨自剡还，执手聚别，且复别去，怅然于怀，敬赋此解。"

本年

汪元量被掳北上途中作《湖州歌》九十八首。杂写宋母后、幼主、宫女、内侍、乐官被元军押解北行事。

本年或稍后，王镃与尹绿坡等结社赋诗。《两宋名贤小集》卷三七二："王镃字介翁，括苍人，曾为县尉。元兵陷临安，弃官绶，归隐湖山，与尹绿坡、虞君集、叶柘山诸人结社赋诗，题所居曰月洞，孤迥绝尘，有桃源栗里之致焉。遗诗一卷，曰《月洞吟》。"四库提要卷一六五："《月洞吟》一卷，浙江鲍士恭家藏本，宋王镃撰。……此本为嘉靖壬子其族孙端茂所刊，诗仅七十余首，前有端茂序；又有嘉靖辛丑汤显祖序，摘举集中佳句，并称其七言绝句有闲逸之趣。今观其诗，七言律诗，格力稍弱，不及七言绝句。其七言绝句，如'春风无力晴丝软，绊住杨花不肯飞'、'绣帘不隔茶醸月，香影无人自入楼'、'凉风敲落梧桐叶，片片飞来尽是秋'，又多近于小词，不为高调。唯五言律诗如'蝉声秋岸树，雁影夕阳楼'、'马嘶经战地，雕认打围山'、'橹声荷叶浦，萤火豆花田'、'斜阳晒鱼网，疏竹露人家'、'晴雪添崖瀑，春云杂晓烟'，皆绰有九僧之意。盖宋末诗人，有江湖一派，有晚唐一派，镒盖沿晚唐派者，故往往有佳句，而乏高韵，亦绝无一篇作古体。然较之江湖末流寒酸纤琐，则固胜之矣。"

吴锡畴（1215—1276）卒，年六十二。锡畴字元范，后改字元伦，号兰皋，休宁人。五岁而孤，能自刻志于学。贫窭终身，不为芥蒂。年三十，即弃举子业，从乡先生程若庸研核性理之学。咸淳间，知南康军叶阊闻其名，欲聘为白鹿洞书院堂长，不赴。慕徐稚、茅容之为人，所居艺兰以况。事迹见《新安文献志·先贤事略》上、《宋史翼》卷三五。著有《兰皋集》若干卷，今存三卷，有清抄本、《四库全书》本。《全宋诗》录其诗二卷。吕午《兰皋诗集跋》："兰皋吴君元伦，以吟编三十首见示。予读之，如'萤光水上下，林影月高低'、'箪瓢自钟鼎，风月即勋名'、'草色迷幽径，禽声出晚山'、'高峰明落日，危石响幽泉'，此五言之佳也。'轻薄杨花芳草岸，凄凉杜宇夕阳山'，以咏晚春；'幽梦长随明月去，寸心难逐片云通'，以和友人见寄；'清风千载梅花共，说著梅花定说君'，以题林和靖墓，此七言之奇也。至《题友人幽居》、《小槛》、《秋窗九日》、《与渔父闻莺》等作，皆全篇有思致。……其《在郡城与客夜坐达旦》诗曰：'淡月微云对倚楼，无声河汉自西流。高城忽起《梅花弄》，散作晴空万里秋。'其《以乌纱巾饷客》诗曰：'落托乌纱垫角巾，已将清泚涤京尘。请君便漉渊明酒，醉后从他雪满簪。'词意清新，而豪气劲勃不可遏，直与坡、杜相周旋，一洗郊、岛之寒瘦，真可畏而可仰也。"四库提要卷一六五："《兰皋集》三卷。……集所存诗不多，然皆晚年所自删定，简汰颇严。其《题林逋墓》诗'清风千载梅花共，说著梅花定说君'句，为吕午所赏；《春日》诗'燕未成家寒食雨，人如中酒落花风'，又为方岳所赏，并见于方岳跋中。然集中佳句，似此者尚颇不乏，岳偶举其一二耳。盖其刻意清新，虽不免偶涉纤巧，而视宋季潦倒率易之作，则尚能生面别开。"

刘黻（1217—1276）卒，年六十。黻字声伯，号质翁，学者称蒙川先生，乐清人。早年读书雁荡山中僧寺，淳祐十年试入太学，时年三十四。景定三年进士，以对策忤贾似道，授昭庆军节度掌书记。历秘书省正字、监察御史、刑部侍郎。咸淳九年，试吏部尚书，兼工部尚书，兼中书舍人。十年，丁母忧。景炎元年，拜参知政事，行及罗浮，以疾卒。事迹见《宋史》卷四〇五本传。所著大多散佚，残稿由其弟应奎于元大德年间编为《蒙川先生遗稿》十卷，今存明四卷抄本、《四库全书》本、孙诒让校跋《永嘉丛书》本。《全宋诗》录其诗三卷，《全宋文》卷八一五七收其文。刘应奎《蒙川先生遗稿序》谓其"生无他嗜好，唯殚精毕思于文字间"。四库提要卷一六四谓："黻危言劲气，屡触权奸。当国家版荡之时，琐尾流离，抱节以死，忠义已足不朽。其诗亦淳古澹泊，虽限于风会，格律未纯，而人品既高，神思自别，下视方回诸人，如凤凰之翔千仞矣。"

杜本（1276—1350）生。

公元 1277 年（宋端宗景炎二年丁丑　元世祖至元十四年）

正月

文天祥移屯漳州。

三月

文天祥攻取梅州。

五月

文天祥提兵自梅州出江西入会昌县。

八月

文天祥兵败于兴国，至空坑，兵尽溃，遂挺身走循州，诸将皆被执。

十一月

文天祥在循州，屯南岭。

冬

方回在桐江，赋《雨夜雪意》。自叙云："予丁丑之冬在桐江，赋《雨夜雪意》。……鲁斋赵君与东字宾旸和予此诗，'哦诗字欲安'，佳句也。尾句亦活动，胜予所倡。"

本年

周密弁阳家破，始离湖州，终身寓居杭州。

柴望以布衣特授迪功郎，史馆国史编校。

徐世隆起为山东提刑按察使。

王恽除翰林侍制，拜朝列大夫、河南北道提刑按察副使。

赵顺孙（1215—1277）卒，年六十三。顺孙字和仲，学者称格斋先生，缙云人。淳祐十年进士，调太平州学教授，改临安府学教授。景定元年，除秘书省正字。二年，迁校书郎。咸淳元年，除秘书郎，迁监察御史。四年，出知平江府，创学道书院。六年，为签书枢密院事，兼权参知政事。十年，知福州，兼福建安抚使。事迹见《正德姑苏志》卷四〇、《宋史翼》卷一七。编著有《近思录精义》、《中兴名臣言行录》、《格斋集》等，已佚。今存《四书纂疏》二十六卷，有《通志堂经解》本；《格庵奏稿》一卷，收入《指海》第十九集。《全宋诗》录其诗一卷，《全宋文》收其文二卷。

周德清（1277—1365）生。

公元1278年（宋帝赵昺祥兴元年戊寅 元世祖至元十五年）

三月

文天祥攻取惠州。

四月

宋端宗赵昰（1268—1278）殂于碙洲，年十一。张世杰、陆秀夫等拥立卫王赵昺为帝。陆秀夫为左丞相。

五月

宋改元祥兴。

六月

宋帝昺徙居厓山。

元都元帅张弘范、李恒征厓山。

八月

文天祥加少保、信国公。

十二月

文天祥走海丰，被张弘范执于五坡岭。

元江南释教总摄杨琏真伽发会稽南宋诸帝后陵，盗取珍宝。山阴唐珏与原宋太学生林景熙秘密收拾遗骨，葬于兰亭山南。夏承焘《唐宋词人年谱·周草窗年谱》附录二《〈乐府补题〉考》："今案发陵年代，自来有不同之三说：一曰元世祖至元十五年戊寅（宋端宗景炎三年），见张丁、罗有开所为《唐义士传》，及程敏政《宋遗民录》、陶宗仪《辍耕录》、商辂《续通鉴》、万斯同《南宋六陵遗事》及《书唐林二义士传后》、全祖望《冬青义士祭议》、王宾《南宋诸陵后土记》、周广业《会稽六陵考》，亦同此说。其坚证谢翱《晞发集·冬青树引》有'知君种年星在尾'句，'星在尾'明在寅年也。一曰至元二十一年甲申，见贝琼《穆陵行》，宋濂《书穆陵遗骸》，是在戊寅之后六年。一曰至元二十二年乙酉，见《癸辛杂识》别集上'杨髡发陵'条（同书续集上'杨髡发陵'条云，得杨髡之徒互告状，亦在至元二十二年）。此三说以第一说作戊寅者为最确实。陶宗仪谓至元二十二年版图已定，法制已明，发陵当在至元戊寅初下江南，庶事草创之时。黄宗羲亦谓谢翱《冬青引》作于丙戌（至元二十三年），发陵若是乙酉，相去不一载，其事方新，不如此作追忆之词矣（见黄百家《至兰亭寻冬青树记》）。周广业引史文证之，谓《元史》载'世祖至元二十一年九月，以江南总摄杨琏真伽发宋陵冢所收金银宝器修天衣寺.'则发陵在二十一年前可知。《元史》又云：'二十二年毁宋郊天台。桑哥言杨琏真伽云：会稽有泰宁寺，宋毁之以建宁宗等攒宫，唐有龙华寺，宋毁之以为郊天台，皆胜地也，宜复为寺，以为皇上东宫祈寿。时宁宗等攒宫已毁建寺，敕毁郊天台亦建寺焉.'然则乙酉之岁（至元二十二年），宋陵久变为寺，岂至八月始议发掘乎。又《元史·董文用传》载桑哥哀诸陵遗骸建白塔，确在乙酉。周密盖误以建塔之年为发陵之年耳（以上周氏说，见其所著《循陔纂闻》卷三）。"

本年

徐世隆移淮东，会征日本，上疏劝止，语颇剀切。

邓剡官礼部侍郎约在本年。

叶梦鼎（？—1278）卒，生年不详。梦鼎字镇之，号西涧，宁海人。少从郑霖、赵逢龙学。嘉熙元年，以太学上舍试入优等释褐，授信州军事推官，迁太学录。历秘书郎、国子司业、权礼部侍郎兼侍讲。景定三年，迁兵部尚书，迁吏部尚书，同签书枢密院事。五年，同知枢密院事，进参知政事。咸淳九年，拜右丞相兼枢密使，力辞。德祐二年，益王即位，召为少师，以道梗南向恸哭而还，后二年卒。事迹见《宋史》卷四一四本传。《全宋诗》录其诗六首，《全宋文》卷七九三三收其文。

人名索引

图书在版编目（CIP）数据

中国文学编年史．宋辽金卷（上、中、下）/陈文新主编；诸葛忆兵（上）、张思齐（中）、张玉璞（下）分册主编．—长沙：湖南人民出版社，2006.9
ISBN 7-5438-4532-6

Ⅰ.中... Ⅱ.①陈...②诸... Ⅲ.①文学史—编年史—中国—宋代②文学史—编年史—中国—辽金时代 Ⅳ.I209

中国版本图书馆 CIP 数据核字（2006）第 117665 号

中国文学编年史·宋辽金卷（上、中、下）

责任编辑：	李建国　胡如虹　曹有鹏
	张志红　邓胜文　杨　纯　聂双武
主　　编：	陈文新
书名题字：	卢中南
装帧设计：	陈　新
出　　版：	湖南人民出版社
地　　址：	长沙市营盘东路 3 号
市场营销：	0731-2226732
网　　址：	http://www.hnppp.com
邮　　编：	410005
制　　作：	湖南潇湘出版文化传播有限公司
电　　话：	0731-2229693　2229692
印　　刷：	中华商务联合印刷（广东）有限公司
经　　销：	湖南省新华书店
版　　次：	2006 年 9 月第 1 版第 1 次印刷
开　　本：	787 × 1094　1/16
印　　张：	99.5
字　　数：	2,193,000
书　　号：	ISBN 7-5438-4532-6/I·449
定　　价：	740.00 元(上、中、下册)